गीतोपनिषद्

# BHAGAVAD-GĪTĀ

## TAKA JAKĄ JEST

July 7, '11

To Bozana

May this ancient text help you on the spiritual path.

Yours,
Maharaj

# Książki Śrī Śrīmad A.C. Bhaktivedanty Swamiego Prabhupādy

*w języku polskim*

Bhagavad-gītā taka jaką jest
Śrīmad-Bhāgavatam, Canto 1-10 (12 tomów)
Śrī Caitanya-caritāmṛta (8 tomów)
Źródło wiecznej przyjemności
Nektar oddania
Złoty Avatāra
Prawda i piękno
Śrī Īśopaniṣad
Łatwa podróż na inne planety
Doskonałe pytania, doskonałe odpowiedzi
Źródłem życia jest życie
Kṛṣṇa, źródło przyjemności
Nauki królowej Kuntī

*w języku angielskim*

Bhagavad-gītā As It Is
Śrīmad-Bhāgavatam, cantos 1-10 (12 tomów)
Śrī Caitanya-caritāmṛta (17 tomów)
Teachings of Lord Caitanya
The Nectar of Devotion
The Nectar of Instruction
Śrī Īśopaniṣad
Easy Journey to Other Planets
Kṛṣṇa Consciousness: The Topmost Yoga System
Kṛṣṇa, The Supreme Personality of Godhead
Perfect Questions, Perfect Answers
Teachings of Lord Kapila, the Son of Devahūti
Transcendental Teachings of Prahlāda Mahārāja
Teachings of Queen Kuntī
Kṛṣṇa, the Reservoir of Pleasure
The Science of Self-Realization
The Journey of Self-Discovery
The Path of Perfection
Search for Liberation
Life Comes From Life
The Perfection of Yoga
Beyond Birth and Death
A Second Chance
Message of Godhead
Civilization and Transcendence
On the Way to Kṛṣṇa
Rāja-Vidyā: The King of Knowledge
Elevation to Kṛṣṇa Consciousness
Kṛṣṇa Consciousness: The Matchless Gift

# गीतोपनिषद्

# BHAGAVAD-GĪTĀ
## TAKA JAKĄ JEST

Kompletne Wydanie

Poprawione i powiększone

z oryginalnym tekstem sanskryckim,
transliteracją łacińską, polskimi ekwiwalentami,
tłumaczeniem i dokładnymi objaśnieniami

**Śrī Śrīmad**
**A.C. Bhaktivedanta Swami Prabhupāda**
Założyciela-*Ācāryi* Międzynarodowego Towarzystwa Świadomości Kṛṣṇy

THE BHAKTIVEDANTA BOOK TRUST

Bhagavad-gītā As It Is (Polish)

Czytelników zainteresowanych tematem tej książki zapraszamy do korespondencji lub odwiedzenia naszych świątyń:

Świątynia Międzynarodowego Towarzystwa Świadomości Kryszny
Mysiadło k. Warszawy
ul. Zakręt 11
05-500 Piaseczno
tel. 022 750 77 97
fax 022 750 82 47
e-mail: kryszna@post.pl

Świątynia Międzynarodowego Towarzystwa Świadomości Kryszny
ul. Brodzka 157
54-067 Wrocław
tel. 071 354 38 02

Ekologiczna Farma Hare Kryszna
Czarnów 21
58-400 Kamienna Góra
tel. 075 742 88 92
e-mail: raghu@wp.pl

www.harekryszna.pl



**info@bbt.se**
**www.bbt.se**
**www.krishna.com**

ISBN 10: 91-7149-498-7
ISBN 13: 978-91-7149-498-6

# Wyrazy uznania

"Śrī Śrīmad A. C. Bhaktivedanta Swami Prabhupāda spełnia wartościową pracę, a jego książki są doniosłym wkładem w ocalenie ludzkości."

*Śrī Lal Bahadur Shastri*
*(były premier Indii)*

"Śrīla Prabhupāda jest symbolem czystości, duchowości i mądrości, z której słynie India. Żadne słowa uznania nie są zbyt wielkie za jego wysiłek włożony w odnowę prawdziwego ducha Indii."

*Dr P.Bonnerjee*
*Dyrektor Muzeum Narodowego*
*Delhi, India*

"Żadne dzieło w całej literaturze Indii nie jest częściej cytowane, gdyż żadne nie cieszy się większą popularnością na Zachodzie, niż *Bhagavad-gītā*. Przekład takiej pracy wymaga nie tylko znajomości sanskrytu, ale głębokiego wyczucia tematu i mistrzostwa słownego, jako że poemat ten jest symfonią, która we wszystkim widzi Boga.

"Śrī Śrīmad A. C. Bhaktivedanta Swami Prabhupāda ma, oczywiście, głębokie wyczucie tematu. Ponadto wzbogaca go potężną i przekonywającą prezentacją tradycji *bhakti* (oddania). ... Nadając ulubionemu eposowi Indii świeże znaczenie, Swami wyświadcza prawdziwą przysługę studentom. Bez względu na wyznawane poglądy, wszyscy powinniśmy być wdzięczni za trud, który włożył w zaprezentowanie tej oświecającej pracy."

*Dr Geddes MacGregor*
*Emerytowany Wyróżniony Profesor Filozofii*
*University of Southern California*

"*Bhagavad-gītā Taka Jaką Jest* jest dziełem o głębokim odczuciu, potężnym ujęciu i opatrzonym pięknymi objaśnieniami. ... Nigdy nie spotkałem opracowania *Bhagavad-gīty* o tak doniosłej ekspresji i stylu. Jest to dzieło o niewątpliwie czystej motywacji. ... Odegra ono znaczącą rolę w intelektualnym i etycznym życiu współczesnego człowieka na długi czas, który nadejdzie."

*Dr S.Shukla*
*Profesor Lingwistyki*
*Georgetown University*

"Należy przyznać, że te teksty, które z wielką artystyczną inspiracją odzwierciedlają całokształt duchowego i emocjonalnego świata ludzi Indii, stały się integralną częścią światowej kultury."

*Dr L.A.Syrkin*
*Instytut Studiów Orientalnych,*
*Moskwa*

"Jako Hindus żyjący teraz na Zachodzie, jestem zasmucony widząc moich rodaków przybywających na Zachód w roli *guru* i przywódców duchowych. Na nieszczęście, wiele niegodziwych, pozbawionych skrupułów osób przybywa z Indii, demonstruje swoją niedoskonałą i pospolitą wiedzę o *yodze*, oszukując ludzi swoimi sfabrykowanymi *mantrami*, i prezentuje siebie jako inkarnację Boga. Ci, którzy są rzeczywiście obeznani i wykształceni w kulturze indyjskiej, są bardzo zmartwieni i zaniepokojeni. Dlatego jestem zawsze podekscytowany, widząc publikacje A. C. Bhaktivedanty Swamiego Prabhupādy. Pomogą one bowiem zatrzymać to potworne szulerstwo fałszywych i nieautoryzowanych *guru* i *yogīnów*, i umożliwią one wszystkim ludziom zrozumienie rzeczywistego znaczenia kultury Wschodu."

*Dr Kailash Vajpeye*
*Dyrektor Sekcji Indyjskiej*
*The University of Mexico*

"To ostatnie wydanie *Gīty* jest—dzięki obszernym objaśnieniom—kopalnią starożytnej wedyjskiej mądrości, poezji i historii. Będzie ona przydatnym podręcznikiem dla studentów i podręcznym dziełem dla religioznawców, jak również powszechnym wprowadzeniem do wedyjskiej kultury i praktycznej filozofii. Została ona napisana dla czytelników poważnych, nie tylko dla osób o zapatrywaniach naukowych, ale również dla tych, którzy będą praktycznie stosować jej nauki poprzez całe swoje życie. W swych objaśnieniach do wersetów Śrīla Prabhupādzie udało się uchwycić ten nastrój oddania, którego nie byli w stanie ujawnić inni. Z tego to względu *Bhagavad-gītā Taka Jaką Jest* jest zasadniczą pracą pozwalającą poznać religijną tradycję Indii."

*Dr David Herron*
*Department of Religion*
*Manhattan College*

"W tym pięknym przekładzie Śrīla Prabhupāda uchwycił głębię ducha oddania *Gīty* i opatrzył tekst szczegółowym komentarzem, napisanym zgodnie z autentyczną tradycją Śrī Kṛṣṇy Caitanyi, jednego z najważniejszych i najbardziej wpływowych świętych Indii."

*Dr J. Stillson Judah*
*Emerytowany Profesor Historii Religii*
*i Dyrektor Biblioteki*
*Graduate Theological Union, Berkeley*

"Bez względu na to, czy czytelnik jest adeptem duchowości Indii, czy też nie, odniesie niezmierną korzyść czytając *Bhagavad-gītę Taką Jaką Jest*, gdyż dzięki temu zrozumie on *Gītę* w sposób, w jaki nadal przyjmuje ją większość współczesnych Hindusów. Dla wielu będzie to pierwszy kontakt z prawdziwą, starożytną i wieczną Indią."

*Dr Francois Chenique*
*Doktor Nauk Religijnych*
*Institute of Political Studies, Paryż*

"Czytelnicy z różnych ścieżek życia znajdą w tej pracy, tak jak ja doświadczyłem tego osobiście, bogactwo informacji o praktycznie każdym aspekcie bogatego dziedzictwa kulturowego świata."

*U. F. Nevrekar*
*Pierwszy Sekretarz*
*Misji Indyjskiej przy ONZ*

# Spis treści

związku—zarówno oczyszcza, jak i wyzwala. Taka wiedza jest owocem bezinteresownego działania w służbie oddania (*karma-yoga*). Pan tłumaczy odległą historię *Gīty*, cel i znaczenie Swoich okresowych zstąpień do tego świata oraz potrzebę zbliżenia się do *guru*, zrealizowanego nauczyciela.

życia, a szczególnie w czasie śmierci, można osiągnąć Jego najwyższą siedzibę, będącą poza tym materialnym światem.

ROZDZIAŁ XVIII

**Doskonałość Wyrzeczenia 677**

Kṛṣṇa wyjaśnia znaczenie wyrzeczenia i wpływ sił natury na ludzką świadomość i czynności. Wyjaśnia realizację Brahmana, mówi na temat chwał *Bhagavad-gīty* i ostatecznej konkluzji *Gīty*: najwyższą ścieżką religii jest absolutne, bezwarunkowe, miłosne poddanie się Panu Kṛṣṇie, który uwalnia od wszystkich grzechów, obdarza całkowitym oświeceniem i umożliwia powrót do wiecznej, duchowej siedziby Kṛṣṇy.

## Aneks

dedykuję

ŚRĪLA BALADEVIE VIDYĀBHŪṢAṆIE

który tak wspaniale zaprezentował

komentarz *Govinda-bhāṣya*

do

filozofii Vedānty

# Prolog

Chociaż *Bhagavad-gīta* była wielokrotnie publikowana i jest powszechnie czytana jako osobne dzieło, oryginalnie pojawiła się jako epizod *Mahābhāraty*, epickiej historii w sanskrycie z czasów starożytnych. *Mahābhārata* opowiada o wydarzeniach wiodących do obecnego wieku Kali. To właśnie na początku tego wieku, jakieś pięć tysięcy lat temu, Pan Kṛṣṇa przekazał *Bhagavad-gītę* Swemu przyjacielowi i wielbicielowi Arjunie.

Ich rozmowa—jeden z największych filozoficznych i religijnych dialogów znanych człowiekowi—miała miejsce tuż przed rozpoczęciem walki, wielkiego bratobójczego konfliktu pomiędzy setką synów Dhṛtarāṣṭry po jednej stronie, a ich kuzynami Pāṇḍavami, synami Pāṇḍu, po drugiej.

Dhṛtarāṣṭra i Pāṇḍu byli braćmi zrodzonymi w dynastii Kuru, wywodzącej się od króla Bharaty—dawnego władcy świata—od którego imienia *Mahābhārata* przyjęła swą nazwę. Ponieważ Dhṛtarāṣṭra, starszy brat, był od urodzenia ślepcem, tron, który w innym wypadku należał się jemu, przekazano jego młodszemu bratu, Pāṇḍu.

Pāṇḍu zmarł w młodym wieku, a pięciorgiem jego dzieci—Yudhiṣṭhirą, Bhīmą, Arjuną, Nakulą i Sahadevą—zaopiekował się Dhṛtarāṣṭra, który w rezultacie został też—na pewien czas—królem. Tak więc synowie Dhṛtarāṣṭry i Pāṇḍu wychowywali się w tym samym pałacu. Wszyscy byli szkoleni w sztuce militarnej przez doświadczonego Droṇę, otrzymując też rady czcigodnego "dziadka" rodu—Bhīṣmy.

Jednakże synowie Dhṛtarāṣṭry—szczególnie najstarszy, Duryodhana—byli pełni nienawiści i zawiści wobec Pāṇḍavów. A ślepy i złośliwy

Dhṛtarāṣṭra pragnął, aby jego synowie, a nie synowie Pāṇḍu, odziedziczyli królestwo.

Tak więc Duryodhana—za przyzwoleniem Dhṛtarāṣṭry—snuł plany zabicia synów Pāṇḍu, którym udało się—dzięki troskliwej opiece ich wuja Vidury i ich kuzyna Pana Kṛṣṇy—ujść z życiem.

Pan Kṛṣṇa nie był zwykłym człowiekiem, ale Samym Najwyższą Osobą Boga, który zstąpił na tę Ziemię i grał rolę księcia w ówczesnej dynastii. W roli tej był On również bratankiem żony Pāṇḍu, Kuntī, czyli Pṛthy, matki Pāṇḍavów. Więc Kṛṣṇa sprzyjał prawym synom Pāṇḍu i chronił ich, zarówno jako ich krewny, jak też jako wieczny obrońca religii. W końcu jednakże sprytny Duryodhana wyzwał Pāṇḍavów do wzięcia udziału w grze hazardowej. W tym zgubnym turnieju Duryodhana i jego bracia zawładnęli Draupadī, wierną i oddaną żoną Pāṇḍavów, i znieważyli ją poprzez usiłowanie obnażenia jej przed zgromadzeniem książąt i królów. Ocaliła ją przed tym boska interwencja Kṛṣṇy, ale w tej oszukańczej grze hazardowej Pāṇḍavowie zostali podstępem pozbawieni królestwa i skazani na trzynastoletnie wygnanie.

Po powrocie z tułaczki Pāṇḍavowie poprosili Duryodhanę o zwrot swego prawowitego królestwa, jednakże ten bezceremonialnie odmówił im. Będąc zobowiązanymi—jako członkowie porządku książęcego—pełnić administracyjne funkcje społeczne, Pāṇḍavowie poprosili, aby oddano im chociaż pięć wiosek. Ale Duryodhana butnie odpowiedział, że nie odstąpi im nawet takiego kawałka ziemi, w który mogliby wbić szpilkę.

Do tego czasu Pāṇḍavowie cierpliwie znosili wszystko, ale w tym momencie wojna zdawała się być nieunikniona.

Niemniej jednak, kiedy książęta całego świata podzielili się już—niektórzy stając po stronie synów Dhṛtarāṣṭry, a inni biorąc stronę Pāṇḍavów—Kṛṣṇa osobiście przyjął rolę posłańca synów Pāṇḍu i udał się do pałacu Dhṛtarāṣṭry, aby pertraktować w sprawie pokoju. Jednakże Jego prośba została odrzucona, i teraz wojna była pewna.

Pāṇḍavowie, osoby o najwyższych zasadach moralnych, rozpoznali w Kṛṣṇie Najwyższą Osobę Boga, podczas gdy niepobożni synowie Dhṛtarāṣṭry—nie. Jednakże Kṛṣṇa zgodził się wziąć udział w wojnie odpowiednio do pragnienia przeciwnika. Jako Bóg, nie wziąłby udziału w walce osobiście. Ale ktokolwiek pragnął, mógł skorzystać z armii Kṛṣṇy—podczas gdy strona druga mogła mieć Samego Kṛṣṇę, który wystąpiłby w roli doradcy i pomocnika. Duryodhana, geniusz polityczny, złakomił się na siły wojskowe Kṛṣṇy, podczas gdy Pāṇḍavowie zgodnie pragnęli mieć po swojej stronie Samego Kṛṣṇę.

Tak więc Kṛṣṇa został woźnicą Arjuny, zgodziwszy się kierować bajkowym powozem łucznika. To doprowadza nas do momentu, w którym rozpoczyna się *Bhagavad-gītā*: dwie armie ustawione w szyku bojowym, gotowe do stoczenia walki, a Dhṛtarāṣṭra niecierpliwie pyta swego sekretarza Sañjayę, "Cóż uczynili oni?".

Zatem czytelnik jest już pokrótce zaznajomiony z wydarzeniami prowadzącymi do bitwy na Polu Kurukṣetra, konieczna jest jedynie krótka uwaga odnośnie do tego tłumaczenia i komentarza.

Ogólnym wzorem, którego przestrzegali dotychczasowi tłumacze prezentujący *Bhagavad-gītę*, było odsuwanie na bok Osoby Kṛṣṇy, aby zrobić miejsce na swoje własne koncepcje i filozofie. Historia *Mahābhāraty* jest uważana za malowniczą mitologię, a Kṛṣṇa staje się poetycznym środkiem wykorzystywanym do przedstawienia idei jakiegoś bezimiennego geniusza, albo w najlepszym razie jest pomniejszą osobowością historyczną.

Ale osoba Kṛṣṇa—przynajmniej w opinii Samej *Gīty*—jest zarówno celem, jak i istotą *Bhagavad-gīty*.

To tłumaczenie jednak, jak i jego komentarz, kieruje czytelnika ku Kṛṣṇie, a nie odsuwa go od Niego. Pod tym względem *Bhagavad-gītā Taka Jaką Jest* jest wyjątkowa. Również rzeczą wyjątkową jest to, iż dzięki temu *Bhagavad-gītā* staje się całkowicie jednolitą i zrozumiałą. Jako że Kṛṣṇa jest mówcą *Gīty*, jak również jej ostatecznym celem, jest to niewątpliwie jedyne tłumaczenie, które prezentuje to wielkie pismo święte w jego prawdziwej wymowie.

Od Wydawcy

# Słowo wstępne

Początkowo napisałem *Bhagavad-gītę Taką Jaką Jest* w postaci, w jakiej prezentowana jest obecnie. Kiedy po raz pierwszy opublikowano tę książkę, oryginalny rękopis skrócono na nieszczęście do około 400 stron, pozbawiono go i ilustracjii tłumaczenia większości oryginalnych wersetów *Śrīmad Bhagavad-gīty*. We wszystkich moich pozostałych książkach—*Śrīmad-Bhāgavatam*, *Śrī Īśopaniṣad* itd.—stosuję następujący system: przedstawiam oryginalny tekst, daję jego łacińską transliterację i ekwiwalenty angielskie dla każdego słowa w sanskrycie, tłumaczenie i następnie wyjaśnienie tekstu. To czyni książkę bardzo autentyczną, naukową i przejrzystą. Toteż nie byłem bardzo szczęśliwy, kiedy musiałem pomniejszyć oryginał. Jednak później, kiedy znacznie wzrósł popyt na *Bhagavad-gītę Taką Jaką Jest*, wielu naukowców i wielbicieli prosiło mnie o przedstawienie tej książki w jej pierwotnej postaci. Tak więc obecnie próbujemy zaprezentować tę wielką księgę wiedzy w niezmienionej postaci, z pełnym tłumaczeniem *paramparā*, w celu głębszego i progresywniejszego rozpowszechnienia ruchu świadomości Kṛṣṇy.

Nasz ruch świadomości Kṛṣṇy jest prawdziwy, historycznie autoryzowany, naturalny i transcendentalny, dzięki temu, że oparty jest na *Bhagavad-gīcie Taką Jaką Jest*. Stopniowo staje się on najbardziej popularnym ruchem, szczególnie wśród młodszego pokolenia. Staje się on również coraz bardziej interesującym dla pokolenia starszego. Ludzie starsi wiekiem zaczynają interesować się nim tak bardzo, że ojcowie i dziadkowie moich uczniów udzielają nam poparcia, zostając dożywotnimi członkami naszego wielkiego towarzystwa, Międzynarodowego Towarzystwa Świadomości Kṛṣṇy. Wielu rodziców zwykło odwiedzać mnie, aby wyrazić swoje uczucie wdzięczności za zapoczątkowanie ruchu świadomości Kṛṣṇy wśród tych, którzy nie są rodowitymi mieszkańcami Indii. W rzeczywistości pierwotnym ojcem tego ruchu jest Sam Pan Kṛṣṇa i zapoczątkowany on został bardzo dawno temu, a w społeczności ludzkiej przekazywany jest poprzez sukcesję uczniów. Jeśli mam w związku z tym jakąś zasługę, nie należy ona do mnie osobiście, ale do mojego wiecznego mistrza duchowego, Jego Boskiej Miłości Oṁ Viṣṇupāda Paramahaṁsy Parivrājakācāryi 108 Śrī Śrīmad Bhaktisiddhānty Sarasvatīego Gosvāmīego Mahārājy Prabhupādy.

Jeżeli ja mam jakiś udział w tej sprawie, to jedynie taki, że spróbowałem przedstawić *Bhagavad-gītę Taką Jaką Jest*, bez zafałszowań. Przed obecną edycją *Bhagavad-gīty Taką Jaką Jest*, prawie wszystkie wydania *Bhagavad-gīty* w języku angielskim miały na celu zaspokojenie czyichś osobistych ambicji. My, prezentując *Bhagavad-gītę Taką Jaką Jest*, staramy się przedstawić misję Najwyższej Osoby Boga, Kṛṣṇy. Naszym interesem jest ukazanie woli Kṛṣṇy, a nie woli jakiegoś światowego spekulanta—polityka, filozofa czy naukowca, gdyż ci mają bardzo niewielką wiedzę o Kṛṣṇie, pomimo całej swojej wiedzy innego rodzaju. Kiedy Kṛṣṇa mówi: *man-manā bhava mad-bhakto mad-yājī māṁ namaskuru* itd, my—w odróżnieniu od tzw. naukowców—nie mówimy, że Kṛṣṇa i Jego wewnętrzny duch są różne. Kṛṣṇa jest absolutem i nie ma różnicy pomiędzy imieniem Kṛṣṇy, Jego formą, jakościami, rozrywkami itd. Tę absolutną pozycję Kṛṣṇy niełatwo zrozumieć tym wszystkim osobom, które nie są Jego wielbicielami w systemie *paramparā* (sukcesji uczniów). Na ogół, tzw. naukowcy, politycy, filozofowie i *svāmī* nie posiadający doskonałej wiedzy o Kṛṣṇie, próbują skazać Go na banicję albo zabić swoimi komentarzami do *Bhagavad-gīty*. Takie nieautoryzowane komentarze do *Bhagavad-gīty* znane są jako *Māyāvāda-bhāṣya* i Pan Caitanya mówi wyraźnie, że zbłądzi każdy, kto próbuje zrozumieć *Bhagavad-gītę* z punktu widzenia Māyāvādī. W rezultacie zwiedziony student *Bhagavad-gīty* z pewnością będzie zdezorientowany na ścieżce duchowego przewodnictwa i nie będzie w stanie powrócić do domu, z powrotem do Boga.

Naszym jedynym celem jest przedstawienie *Bhagavad-gīty Taką Jaką Jest* po to, aby poprowadzić uwarunkowanych studentów do tego samego celu, dla którego Kṛṣṇa zstępuje na tę planetę raz w ciągu dnia Brahmy, czyli co każde 8 600 000 000 lat. Cel ten został wytłumaczony w *Bhagavad-gīcie* i my musimy przyjąć go takim jakim jest, gdyż w przeciwnym razie wszelkie próby zrozumienia *Bhagavad-gīty* i jej mówcy, Pana Kṛṣṇy, nie będą miały sensu. Pan Kṛṣṇa po raz pierwszy przekazał *Bhagavad-gītę* bogu słońca, kilkaset milionów lat temu.

Musimy przyjąć ten fakt i w ten sposób zrozumieć historyczne znaczenie *Bhagavad-gīty*, bez fałszywej interpretacji, opierając się na autorytecie Kṛṣṇy. Interpretowanie *Bhagavad-gīty* bez odwoływania się do woli Kṛṣṇy jest największą obrązą. Aby uchronić się od tej obrazy, należy zrozumieć Pana jako Najwyższą Osobę Boga, tak jak został On bezpośrednio zrozumiany przez Arjunę, pierwszego ucznia Pana Kṛṣṇy. Takie zrozumienie *Bhagavad-gīty* jest prawdziwie korzystne i polecane dla pomyślności ludzkiego społeczeństwa w wypełnianiu misji życia.

Ruch świadomości Kṛṣṇy jest konieczny w ludzkim społeczeństwie, dlatego że ofiarowuje on najwyższą doskonałość życia. *Bhagavad-gītā* w pełni tłumaczy, w jaki sposób się to dzieje. Na nieszczęście światowi awanturnicy zrobili użytek z *Bhagavad-gīty*, dając ujście swoim demonicznym skłonnościom i wprowadzając ludzi w błąd, jeśli chodzi o prawidłowe zrozumienie prostych zasad życia. Każdy powinien wiedzieć jak Bóg, Kṛṣṇa, jest wielki i każdy powinien poznać rzeczywistą pozycję żywych istot. Każdy powinien wiedzieć, że żywa istota jest wiecznym sługą i jeśli nie służy Kṛṣṇie, musi służyć złudzeniu w różnych odmianach trzech *guṇ* natury materialnej, i wskutek tego podlega wiecznej wędrówce w cyklu narodzin i śmierci. Procesowi temu muszą podlegać nawet tzw. wyzwoleni spekulanci Māyāvādī. Wiedza ta stanowi wielką naukę i każda żywa istota powinna słuchać jej dla swojej własnej korzyści.

Ludzie na ogół, szczególnie w tym wieku Kali, oczarowani są zewnętrzną energią Kṛṣṇy i błędnie rozumują, że poprzez rozwój materialnego dobrobytu każdy człowiek będzie szczęśliwy. Nie posiadają wiedzy o tym, że ta materialna, zewnętrzna natura jest bardzo silna i każdy jest mocno ograniczony przez jej ścisłe prawa. Żywa istota jest szczęśliwie cząstką Pana, zatem jej naturalną funkcją jest bezpośrednia służba dla Pana. Pod wpływem złudzenia próbuje ona osiągnąć szczęście, służąc na różne sposoby zadowalaniu własnych zmysłów, co jednak nigdy nie uczyni jej szczęśliwą. Zamiast zadowalać swoje własne, materialne zmysły, powinna zadowalać zmysły Pana. Jest to najwyższą doskonałością życia. Pan chce tego i żąda tego. Należy zrozumieć to centralne zagadnienie *Bhagavad-gīty*. Nasz ruch świadomości Kṛṣṇy uczy cały świat tej najważniejszej rzeczy i ponieważ my nie profanujemy tematu *Bhagavad-gīty Taką Jaką Jest*, wszyscy poważnie zainteresowani wyciągnięciem korzyści ze studiowania *Bhagavad-gīty* muszą przyjąć pomoc od ruchu świadomości Kṛṣṇy, aby zrozumieć *Bhagavad-gītę* praktycznie, pod bezpośrednim przewodnictwem Pana. Dlatego mamy nadzieję, że ludzie wyciągną jak najwięcej korzyści ze studiowania *Bhagavad-gīty Taką Jaką Jest*, którą tutaj prezentujemy. Jeśli chociaż jedna osoba zostanie czystym wielbicielem (bhaktą) Pana, będziemy uważali nasz wysiłek za sukces.

12 maja 1971 A.C.Bhaktivedanta Swami
Sydney, Australia

# Wprowadzenie

*oṁ ajñāna-timirāndhasya jñānāñjana-śalākayā*
*cakṣur unmīlitaṁ yena tasmai śrī-gurave namaḥ*

*śrī-caitanya-mano-'bhīṣṭaṁ sthāpitaṁ yena bhū-tale*
*svayaṁ rūpaḥ kadā mahyaṁ dadāti sva-padāntikam*

Urodziłem się w najciemniejszej ignorancji i mój mistrz duchowy otworzył moje oczy światłem wiedzy. Ofiarowuję mu moje głębokie wyrazy szacunku.

O, kiedy Śrīla Rūpa Gosvāmī Prabhupāda, który ustanowił w tym materialnym świecie misję mającą spełnić życzenie Pana Caitanyi, da mi schronienie u swych lotosowych stóp?

*vande 'haṁ śrī-guroḥ śrī-yuta-pada-kamalaṁ śrī-gurūn vaiṣṇavāṁś ca*
*śrī-rūpaṁ sāgrajātaṁ saha-gaṇa-raghunāthānvitaṁ taṁ sa-jīvam*
*sādvaitaṁ sāvadhūtaṁ parijana-sahitaṁ kṛṣṇa-caitanya-devaṁ*
*śrī-rādhā-kṛṣṇa-pādān saha-gaṇa-lalitā-śrī-viśākhānvitāṁś ca*

Kłaniam się lotosowym stopom mojego mistrza duchowego i stopom wszystkich Vaiṣṇavów. Kłaniam się lotosowym stopom Śrīla Rūpy Gosvāmīego i jego starszego brata Sanātany Gosvāmīego, jak również lotosowym stopom Raghunātha Dāsy, Raghunātha Bhaṭṭy, Gopāla Bhaṭṭy i Śrīla Jīvy Gosvāmīego. Składam hołd Panu Kṛṣṇie Caitanyi i Panu Nityānandzie razem z Advaitą Ācāryą, Gadādharą, Śrīvāsą i ich innymi towarzyszami. Składam hołd Śrīmatī Rādhārāṇī i Śrī Kṛṣṇie oraz Ich towarzyszkom, Śrī Lalicie i Viśāce.

*he kṛṣṇa karuṇā-sindho dīna-bandho jagat-pate*
*gopeśa gopikā-kānta rādhā-kānta namo 'stu te*

O mój drogi Kṛṣṇo, Ty jesteś przyjacielem strapionych i źródłem stworzenia. Ty jesteś panem pasterek *gopī* i kochankiem Rādhārāṇī. Tobie składam hołd.

*tapta-kāñcana-gaurāṅgi rādhe vṛndāvaneśvari*
*vṛṣabhānu-sute devi praṇamāmi hari-priye*

Składam hołd Rādhārāṇī, Królowej Vṛndāvany, o cerze koloru stopionego złota. Ty jesteś córką Króla Vṛṣabhānu i jesteś bardzo droga Panu Kṛṣṇie.

*vāñchā-kalpatarubhyaś ca kṛpā-sindhubhya eva ca*
*patitānāṁ pāvanebhyo vaiṣṇavebhyo namo namaḥ*

Ofiarowuję wyrazy szacunku wszystkim Vaiṣṇavom, wielbicielom Pana, którzy tak jak drzewo pragnień spełniają życzenia wszystkich, i którzy pełni są współczucia dla upadłych dusz.

*śrī-kṛṣṇa-caitanya prabhu-nityānanda*
*śrī-advaita gadādhara śrīvāsādi-gaura-bhakta-vṛnda*

Składam hołd Śrī Kṛṣṇie Caitanyi, Prabhu Nityānandzie, Śrī Advaicie, Gadādharze, Śrīvāsie i wszystkim innym w sukcesji uczniów.

*hare kṛṣṇa hare kṛṣṇa kṛṣṇa kṛṣṇa hare hare*
*hare rāma hare rāma rāma rāma hare hare*

*Bhagavad-gītā* jest również znana jako *Gītopaniṣad*. Jest ona esencją wiedzy wedyjskiej, a w literaturze wedyjskiej jednym z najważniejszych *Upaniṣadów*. Jest tak wiele komentarzy do *Bhagavad-gīty* w języku angielskim, że ktoś może zapytać, czy istnieje potrzeba jeszcze jednego. To obecne wydanie może być wytłumaczone w następujący sposób. Ostatnio pewna Amerykanka poprosiła mnie, abym polecił jej jakieś angielskie tłumaczenie *Bhagavad-gīty*. Oczywiście w Ameryce jest bardzo wiele wydań *Bhagavad-gīty* dostępnych w języku angielskim, ale o ile mogłem się zorientować (nie tylko w Ameryce, ale również w Indiach), o żadnym z nich nie można powiedzieć, że jest autorytatywne, gdyż prawie w każdym z nich komentator wyraził swoje własne opinie, nie dotykając ducha *Bhagavad-gīty* takiej jaką ona jest.

Duch *Bhagavad-gīty* zawarty jest w samej *Bhagavad-gīcie*. Jest to tak: jeśli chcemy zażyć jakieś lekarstwo, musimy zażyć je zgodnie z zaleceniami recepty. Nie możemy przyjąć lekarstwa według własnej fantazji lub kierując się wskazówkami przyjaciela. Musimy zażyć je zgodnie ze wskazówkami umieszczonymi na etykietce albo zgodnie z zaleceniem lekarza. Podobnie, *Bhagavad-gītę* powinniśmy rozumieć i przyjmować tak, jak poleca to jej autor. Autorem *Bhagavad-gīty* jest Pan Śrī Kṛṣṇa. Jest On wspominany na każdej stronie *Bhagavad-gīty* jako Najwyższa Osoba Boga, Bhagavān. Oczywiście słowo *bhagavān* czasami odnosi się do jakiejś potężnej osoby albo potężnego półboga, i niewątpliwie tutaj też *bhagavān* wskazuje na Pana Śrī Kṛṣṇę jako wielką osobowość, ale równocześnie powinniśmy wiedzieć, że Pan Śrī Kṛṣṇa jest Najwyższą Osobą Boga, jak potwierdzili to wszyscy wielcy *ācāryowie* (mistrzowie duchowi), jak Śaṅkarācārya, Rāmānujācārya, Madhvācārya, Nimbārka Svāmī, Śrī Caitanya Mahāprabhu i wiele innych autorytetów wiedzy wedyjskiej w Indiach. Pan Sam dowodzi w *Bhagavad-gīcie*, że jest Najwyższą Osobą Boga i jest przyjęty jako taki w *Brahma-saṁhicie*, wszystkich *Purāṇach*, a szczególnie w *Śrīmad-Bhāgavatam*, znanym jako *Bhāgavata Purāṇa* (*kṛṣṇas tu bhagavān svayam*). Zatem powinniśmy przyjąć *Bhagavad-gītę* tak, jak poleca to Sam Osoba Boga.

W Czwartym Rozdziale *Gīty* (4.1-3) Pan mówi:

*imaṁ vivasvate yogaṁ proktavān aham avyayam*
*vivasvān manave prāha manur ikṣvākave 'bravīt*

*evaṁ paramparā-prāptam imaṁ rājarṣayo viduḥ*
*sa kāleneha mahatā yogo naṣṭaḥ parantapa*

*sa evāyaṁ mayā te 'dya yogaḥ proktaḥ purātanaḥ*
*bhakto 'si me sakhā ceti rahasyaṁ hy etad uttamam*

Pan informuje tutaj Arjunę, że *Bhagavad-gītā* została po raz pierwszy przekazana bogu słońca, bóg słońca wytłumaczył ją Manu, z kolei Manu wytłumaczył ją Ikṣvāku, i w ten sposób, poprzez sukcesję uczniów, poprzez kolejnych jej mówców, przekazywany był ten system *yogi*. Jednak, z biegiem czasu, przekaz ten został przerwany i znajomość tego systemu zaginęła. Wskutek tego Pan musiał powtórzyć *Bhagavad-gītę* raz jeszcze, tym razem do Arjuny na polu bitewnym Kurukṣetra.

Pan powiedział Arjunie, że przekazuje mu ten najwyższy sekret dlatego, że jest on Jego przyjacielem i bhaktą (wielbicielem). Oznacza to, że *Bhagavad-gītā* jest rozprawą przeznaczoną szczególnie dla bhaktów Pana. Są trzy klasy transcendentalistów, mianowicie *jñānī* (impersonaliści), *yogīni* (praktykujący medytację) i bhaktowie (wielbiciele Pana). Pan mówi tutaj wyraźnie Arjunie, że czyni go pierwszym odbiorcą tej wiedzy w nowej *paramparā* (sukcesji uczniów), ponieważ stara sukcesja została przerwana. Dlatego życzeniem Pana było ustanowienie następnej sukcesji (*paramparā*), która kontynuowałaby linię myślenia idącą od boga słońca do innych. Pan zapragnął, aby Arjuna na nowo rozpoczął rozpowszechnianie Jego nauki. Chciał On, aby Arjuna został autorytetem w rozumieniu *Bhagavad-gīty*. Widzimy więc, że *Bhagavad-gītā* została przekazana Arjunie głównie dlatego, że był On bhaktą Pana, bezpośrednim uczniem Kṛṣṇy i Jego bliskim przyjacielem. Zatem *Bhagavad-gītę* może najlepiej zrozumieć osoba, która posiada cechy podobne do Arjuny. To znaczy, że musi być ona bhaktą Pana i musi być w bliskim związku z Panem. Skoro tylko ktoś zostaje bhaktą Pana, ma on również bezpośredni związek z Panem. Jest to bardzo skomplikowany temat, ale krótko można powiedzieć, że bhakta (wielbiciel) posiada związek z Panem na jeden z pięciu różnych sposobów:

1. Może być wielbicielem Pana w stanie pasywnym;
2. Może być wielbicielem Pana w stanie aktywnym;
3. Może być wielbicielem Pana jako Jego przyjaciel;
4. Może być wielbicielem Pana jako Jego rodzic;
5. Może być wielbicielem Pana jako ukochany współmałżonek.

Arjuna był w związku przyjaźni z Panem. Oczywiście jest ogromna różnica pomiędzy tą przyjaźnią a przyjaźnią spotykaną w świecie materialnym. Ta przyjaźń jest przyjaźnią transcendentalną, którą nie każdy może posiadać. Każdy ma jakiś szczególny związek z Panem i związek ten może zostać odnowiony poprzez doskonałość służby oddania. Jednak w obecnym stanie naszego życia zapomnieliśmy nie tylko o Najwyższym Panu, ale również o naszym wiecznym z Nim związku. Każda żywa istota z wielu, wielu bilionów i trylionów żywych istot, ma jakiś szczególny, wieczny związek z Panem. Nazywany jest on *svarūpa*. Związek ten (*svarūpa*) może zostać odnowiony poprzez proces służby oddania i stan taki nazywany jest *svarūpa-siddhi*—doskonałością czyjejś konstytucjonalnej pozycji. Więc Arjuna był wielbicielem Najwyższego Pana i łączył go z Nim związek przyjaźni.

Należy zwrócić uwagę na to, w jaki sposób Arjuna przyjął *Bhagavad-gītę*. Zostało to opisane w Rozdziale Dziesiątym (10.12-14):

*arjuna uvāca*
*paraṁ brahma paraṁ dhāma pavitraṁ paramaṁ bhavān*
*puruṣaṁ śāśvataṁ divyam ādi-devam ajaṁ vibhum*

*āhus tvām ṛṣayaḥ sarve devarṣir nāradas tathā*
*asito devalo vyāsaḥ svayaṁ caiva bravīṣi me*

*sarvam etad ṛtaṁ manye yan māṁ vadasi keśava*
*na hi te bhagavan vyaktiṁ vidur devā na dānavāḥ*

"Arjuna rzekł: Ty jesteś Najwyższą Osobą Boga, ostateczną siedzibą, najczystszym, Absolutną Prawdą. Jesteś wieczną, transcendentalną, oryginalną osobą, jesteś nienarodzonym i największym. Wszyscy wielcy mędrcy, jak Nārada, Asita, Devala, Vyāsa świadczą tak o Tobie, a teraz Ty Sam mi to oznajmiasz. O Kṛṣṇo, całkowicie przyjmuję za prawdę wszystko to, co mi powiedziałeś. Ani bogowie, ani demony, o Panie, nie znają Twojej Osoby."

Po wysłuchaniu *Bhagavad-gīty* od Najwyższej Osoby Boga, Arjuna zaakceptował Kṛṣṇę jako *paraṁ brahmę*, Najwyższego Brahmana. Każda żywa istota jest Brahmanem, ale najwyższa żywa istota, czyli Najwyższa Osoba Boga, jest Najwyższym Brahmanem. *Paraṁ dhāma* oznacza, że On jest najwyższym spoczynkiem albo siedzibą wszystkiego; *pavitram* oznacza, że jest On czysty, nieskalany materialnie; *puruṣam* oznacza, że jest On najwyższym podmiotem radości; *śāśvatam*, że jest oryginalny; *divyam*, że jest transcendentalny; *ādi-devam*, że jest On Najwyższą Osobą Boga; *ajam*, że jest nienarodzony; a *vibhum*, że jest największy.

Ktoś może pomyśleć, że Arjuna mówił to wszystko drogą pochlebstwa, jako że był przyjacielem Kṛṣṇy, ale Arjuna, aby rozwiać tego rodzaju wątpliwości z umysłów czytelników *Bhagavad-gīty*, uzasadnia te pochwały już w następnym wersecie. Mówi on, że za Najwyższą Osobę Boga uważa Kṛṣṇę nie tylko on, ale również takie autorytety, jak mędrcy Nārada, Asita, Devala, Vyāsadeva itd. Są to wielkie osobistości, które rozpowszechniają wiedzę wedyjską tak, jak zostało to uznane przez wszystkich *ācāryów*. Dlatego Arjuna mówi Kṛṣṇie, że przyjmuje za całkowicie doskonałe wszystko to, co On mówi. *Sarvam etad ṛtaṁ manye:* "Wszystko, co mówisz, przyjmuję za prawdę." Stwierdza on również, że bardzo trudno jest zrozumieć Osobę Pana, i że nawet wielcy półbogowie nie mogą Go poznać. To znaczy, że Pana nie mogą poznać osoby stojące wyżej od istot ludzkich. Więc jak może zrozumieć Śrī Kṛṣṇę ludzka istota nie będąc Jego wielbicielem?

Zatem *Bhagavad-gītę* należy przyjmować w duchu oddania. Nie należy myśleć, że jest się równym Kṛṣṇie albo że jest On zwykłą osobą, czy nawet wielką osobistością. Pan Śrī Kṛṣṇa jest Najwyższą Osobą Boga. Więc według oznajmienia *Bhagavad-gīty* czy wypowiedzi Arjuny—osoby, która próbuje zrozumieć *Bhagavad-gītę*—powinniśmy przynajmniej teoretycznie przyjąć Kṛṣṇę za Najwyższą Osobę Boga, a dzięki temu pokornemu nastawieniu będziemy mogli zrozumieć *Bhagavad-gītę*. Bardzo trudno jest zrozumieć *Bhagavad-gītę*, jeśli nie czyta się jej w duchu pokory—jako że jest ona wielką tajemnicą.

Właściwie czym jest *Bhagavad-gītā*? Celem *Bhagavad-gīty* jest wyzwolenie ludzkości z niewiedzy materialnej egzystencji. Każdy człowiek uwikłany jest w wiele różnych kłopotów, podobnie jak Arjuna był w kłopocie, kiedy miał stoczyć bitwę na polu Kurukṣetra. Arjuna podporządkował się Śrī Kṛṣṇie i wskutek tego została wygłoszona *Bhagavad-gītā*. Nie tylko Arjuna, ale każdy z nas pełen jest rozterek z powodu tej materialnej egzystencji. Samo nasze istnienie ma miejsce w atmosferze nieistnienia. W rzeczywistości nie powinniśmy obawiać się nieistnienia. Nasza egzystencja jest wieczna. Ale w jakiś sposób zostaliśmy umieszczeni w *asat*. *Asat* odnosi się do tego, co nie istnieje. Spośród tak wielu ludzkich istot, które cierpią, niewiele jest takich, które rzeczywiście starają się dowiedzieć jaka jest ich prawdziwa pozycja, kim są, dlaczego znalazły się w tak niefortunnym położeniu itd. Dopóki nie zaczną one dociekać źródeł własnego cierpienia, dopóki nie zdadzą sobie sprawy z tego, że nie chcą cierpieć, a raczej chcą położyć kres wszelkim cierpieniom, dopóty nie mogą być one uważane za doskonałe ludzkie istoty. Człowieczeństwo zaczyna się wtedy, gdy ten rodzaj dociekań budzi się w naszym umyśle. W *Brahma-sūtrze* takie dociekanie nazywane jest *brahma-jijñāsā*. *Athāto brahma-jijñāsā*. Dopóki ludzka istota nie docieka natury Absolutu, każde jej działanie powinno być uważane za błędne. Zatem ci, którzy zaczynają pytać, dlaczego cierpią albo skąd pochodzą i gdzie pójdą po śmierci, są odpowiednimi studentami do poznania *Bhagavad-gīty*. Szczery student powinien również mieć niezachwiany szacunek dla Najwyższej Osoby Boga. Takim uczniem był Arjuna.

Pan Kṛṣṇa zstępuje specjalnie po to, by na nowo ustanowić prawdziwy cel życia, kiedy człowiek o tym celu zapomina. Nawet wtedy, spośród wielu, wielu rozbudzonych ludzkich istot może tylko jedna rzeczywiście osiąga zrozumienie swej pozycji i dla takiej osoby przekazywana jest *Bhagavad-gītā*. Właściwie my wszyscy zostaliśmy pożarci przez tygrysicę niewiedzy, ale Pan jest bardzo miłosierny dla żywych istot, szczególnie dla istot ludzkich. Dlatego przekazał On *Bhagavad-gītę*, czyniąc Swego przyjaciela Arjunę Swoim uczniem.

Będąc towarzyszem Pana Kṛṣṇy, Arjuna był ponad wszelką ignorancją. Jednak na Polu Bitewnym Kurukṣetra został on specjalnie poddany działaniu złudnej energii w tym celu, by pytać Pana Kṛṣṇę o problemy życia, tak aby Pan mógł wyjaśnić je dla korzyści przyszłych pokoleń ludzkich istot i aby nakreślić plan życia. Wszystko to po to, aby człowiek mógł działać zgodnie z tym planem i doskonalić misję swojego ludzkiego życia.

Przedmiotem rozważań *Bhagavad-gīty* jest pięć podstawowych prawd. Przede wszystkim wytłumaczona jest w niej nauka Boga, a następnie konstytucjonalna pozycja żywej istoty, *jīvy*. Istnieje *īśvara*, to znaczy kontroler, i istnieją *jīvy*, żywe istoty, które są kontrolowane. Kiedy żywa istota twierdzi, że nie jest kontrolowana, ale że jest wolna, jest wtedy niespełna rozumu. Żywa istota jest kontrolowana pod każdym względem, przynajmniej w swoim uwarunkowanym życiu. Podstawowym przedmiotem rozważań w *Bhagavad-gīcie* jest *īśvara* (najwyższy kontroler) i *jīvy* (kontrolowane żywe istoty). Omówione zostały również: *prakṛti* (natura materialna), czas (okres trwania całego wszechświata, czyli manifestacji natury materialnej) oraz *karma* (działanie). Manifestacja kosmiczna pełna jest wszelakich działań i w te różne czynności zaangażowane są wszystkie żywe istoty. Z *Bhagavad-gīty* musimy dowiedzieć się: czym jest Bóg, czym są żywe istoty, czym jest *prakṛti*, czym jest manifestacja kosmiczna i w jaki sposób jest ona kontrolowana przez czas oraz jakie są czynności żywych istot.

Spośród tych pięciu podstawowych przedmiotów rozważań *Bhagavad-gīty*, Najwyższy Bóg, czyli Kṛṣṇa, Brahman, najwyższy kontroler albo Paramātmā—można używać któregokolwiek z tych imion—jest uznany za najwyższego ze wszystkich. Żywe istoty jakościowo są takie same jak najwyższy kontroler. Na przykład Pan sprawuje kontrolę nad sprawami wszechświata, nad materialną naturą itd., jak to zostanie wytłumaczone w następnych rozdziałach *Bhagavad-gīty*. Materialna natura nie jest niezależna. Działa ona pod kierunkiem Najwyższego Pana. Pan Kṛṣṇa mówi, *mayādhyakṣeṇa prakṛtiḥ sūyate sa-carācaram:* "Ja kieruję działaniem tej materialnej natury." Gdy obserwujemy jakieś wspaniałe zjawiska w naturze kosmicznej, powinniśmy wiedzieć, że poza tą kosmiczną manifestacją istnieje kontroler. Gdyby nie ta kontrola, nic nie mogłoby się zamanifestować. Nie branie pod uwagę tego kontrolera jest dziecinadą. Dziecko na przykład może myśleć, że samochód jest czymś zgoła cudownym, gdyż posiada zdolność poruszania się bez pomocy konia czy innego zwierzęcia pociągowego, ale rozsądny człowiek wie, na czym polega działanie mechanizmu silnikowego. Zdaje sobie sprawę z tego, że poza maszynerią jest człowiek, kierowca. Podobnie, takim kierowcą jest Najwyższy Pan i wszystko działa pod Jego kierunkiem. *Jīvy*, czyli żywe istoty, zostały uznane przez Pana za Jego integralne cząstki, jak to będziemy mogli zauważyć w następnych rozdziałach. Cząstka złota jest również złotem, a kropla wody z oceanu jest również słona, i podobnie my, żywe istoty, będąc częścią najwyższego kontrolera—*īśvary*, czyli Bhagavāna, Pana Śrī Kṛṣṇy—mamy wszystkie cechy Najwyższego Pana w znikomej ilości, jako że jesteśmy maleńkimi *īśvarami—īśvarami* uzależnionymi. Próbujemy kontrolować naturę, tak jak obecnie próbujemy kontrolować przestrzeń czy planety, i ta skłonność do kontrolowania istnieje w nas dlatego, że istnieje ona w Kṛṣṇie. Powinniśmy wiedzieć, że pomimo tej naszej skłonności do panowania nad naturą materialną, nie jesteśmy najwyższym kontrolerem. Zostało to wyjaśnione w *Bhagavad-gīcie*.

Czym jest natura materialna? Jest ona również wytłumaczona w *Gīcie* jako niższa *prakṛti*, niższa natura. Żywa istota została wytłumaczona jako wyższa *prakṛti*. *Prakṛti* jest zawsze kontrolowana, niezależnie od tego, czy jest to niższa, czy wyższa *prakṛti*. *Prakṛti* jest rodzaju żeńskiego i jest kontrolowana przez Pana, tak jak czynności żony kontrolowane są przez męża. *Prakṛti* jest zawsze zależna i znajduje się pod panowaniem Pana, który jest tym, który dominuje. Zarówno żywe istoty, jak i materialna natura znajdują się pod panowaniem, kontrolą Najwyższego Pana. Według *Bhagavad-gīty*, żywe istoty—chociaż są integralnymi cząstkami Najwyższego Pana—mają być uważane za *prakṛti*. Wyjaśnia to piąty werset Siódmego Rozdziału *Bhagavad-gīty*. *Apareyam itas tv anyāṁ prakṛtiṁ viddhi me parām jīva-bhūtām:* "Ta materialna natura jest Moją niższą *prakṛti*. A oprócz tej, istnieje jeszcze inna *prakṛti—jīva-bhūtām*, żywa istota."

Na samą naturę materialną, składają się trzy jakości: *guṇa* dobroci, *guṇa* pasji i *guṇa* ignorancji. Oprócz tych *guṇ* istnieje wieczny czas i przez kombinację tych sił natury—pod kontrolą i w granicach czasu—powstają różne czynności, które nazywane są *karmą*. Czynności te spełniane są od czasów niepamiętnych, a my albo cieszymy się owocami naszych czynów, albo cierpimy z ich powodu. Na przykład przypuśćmy, że jestem człowiekiem interesu, pracowałem bardzo ciężko i inteligentnie i zgromadziłem ogromną sumę w banku. Mogę więc używać życia. Ale przypuśćmy, że potem straciłem wszystkie pieniądze w interesach—wtedy cierpię. Podobnie, w każdej dziedzinie życia albo cieszymy się z rezultatów naszej pracy, albo cierpimy z ich powodu. To nazywane jest *karmą*.

*Īśvara* (Najwyższy Pan), *jīva* (żywa istota), *prakṛti* (natura), *kāla* (wieczny czas) i *karma* (działanie)—wszystko to zostało wytłumaczone w *Bhagavad-gīcie*. Z tych pięciu: Pan, żywe istoty, materialna natura i czas są wieczne. Manifestacja *prakṛti* może być tymczasowa, ale nie jest ona fałszywa. Niektórzy filozofowie twierdzą, że manifestacja natury materialnej jest fałszywa, ale według filozofii *Bhagavad-gīty* i według filozofii Vaiṣṇavów, nie jest to prawdą. Manifestacja tego świata nie jest uznawana za fałszywą; jest ona uznawana za prawdziwą, ale tymczasową. Porównywana jest do chmury, która wędruje po niebie, albo do pór deszczowych, które odżywiają ziarno. Skoro tylko mija pora deszczowa i skoro tylko chmura rozwiewa się, wszystkie plony, które były karmione przez deszcz, wysychają. Podobnie, ta manifestacja materialna powstaje w pewnym przedziale czasowym, trwa przez chwilę i następnie znika. Tak funkcjonuje *prakṛti*. I cykl ten trwa wiecznie. Zatem *prakṛti* jest wieczna i nie jest ona fałszywa. Pan mówi o niej: "Moja *prakṛti*." Ta materialna natura jest energią Najwyższego Pana, ale jest odseparowana od Niego. Energią Najwyższego Pana są również żywe istoty, ale te nie są oddzielone od Niego. Pozostają one w wiecznym związku z Panem. Więc Pan, żywe istoty, materialna natura i czas, wszystkie są powiązane ze sobą i wszystkie są wieczne. *Karma* jednakże nie jest wieczna, chociaż skutki *karmy* mogą być rzeczywiście bardzo dawne. My cieszymy się rezultatami naszego postępowania albo cierpimy z ich powodu od czasów niepamiętnych, ale możemy zmienić rezultaty naszej *karmy*, czyli naszego postępowania, a zmiana ta zależy od doskonałości naszej wiedzy. Jesteśmy zaangażowani w różne czynności. Bez wątpienia nie wiemy, jaki rodzaj postępowania powinniśmy wybrać, aby doznać ulgi od działań i następstw wszystkich naszych czynów, ale to również zostało wytłumaczone w *Bhagavad-gīcie*.

*Īśvara*, Najwyższy Pan, jest obdarzony najwyższą świadomością. *Jīvy*, czyli żywe istoty, będąc cząstkami Najwyższego Pana, są również świadome. Zarówno żywa istota, jak i natura materialna objaśnione zostały jako *prakṛti*, energia Najwyższego Pana, ale jedna z tych dwóch, mianowicie *jīva*, jest świadoma. Druga *prakṛti* nie posiada świadomości. Taka jest różnica. *Jīva-prakṛti* jest nazywana wyższą, ponieważ *jīva* posiada świadomość podobną do świadomości Pana. Jednakże świadomość Pana jest najwyższą świadomością i nie należy twierdzić, że *jīva* (żywa istota) jest również w najwyższym stopniu świadoma. Żywa istota nie może posiadać najwyższej świadomości w żadnym stanie swojej doskonałości i błędna jest teoria, która mówi, że może ona taką świadomość osiągnąć. Świadomą być ona może, ale nie jest świadomą doskonale czy w najwyższym stopniu.

Różnica pomiędzy *jīvą* a *īśvarą* zostanie wytłumaczona w Trzynastym Rozdziale *Bhagavad-gīty*. Pan jest *kṣetra-jña*, czyli świadomy, tak jak świadoma jest żywa istota, ale żywa istota jest świadoma tylko swojego indywidualnego ciała, podczas gdy Pan jest świadomy wszystkich ciał. Ponieważ przebywa On w sercu każdej żywej istoty, jest On świadomy mechanizmu psychicznego poszczególnych *jīv*. Nie powinniśmy o tym zapominać. Wytłumaczone zostało również to, że Paramātmā, Najwyższa Osoba Boga, przebywa w sercu każdego jako *īśvara* (kontroler) i daje wskazówki żywej istocie, aby postępowała ona zgodnie ze swoimi pragnieniami. Żywa istota zapomina o tym co powinna robić. Najpierw postanawia działać w pewien sposób, a następnie zostaje uwikłana w działanie i skutki swojej własnej *karmy*. Po porzuceniu jednego typu ciała, przyjmuje następne, tak jak my wkładamy i zdejmujemy stare ubranie. Wędrując w ten sposób, dusza cierpi z powodu skutków swojego własnego postępowania. To postępowanie może zostać zmienione wówczas, gdy żywa istota znajdzie się w *guṇie* dobroci, jest rozsądna i rozumie jaką linię postępowania powinna obrać. Jeśli to uczyni, wtedy wszystkie jej działania i skutki jej przeszłych czynów mogą ulec zmianie. Zatem *karma* nie jest wieczna. Dlatego zaznaczyliśmy, że z tych pięciu pojęć (*īśvara, jīva, prakṛti*, czas i *karma*), cztery są wieczne, podczas gdy *karma* nie jest wieczna.

W najwyższym stopniu świadomy *īśvara* podobny jest do żywej istoty pod tym względem, że zarówno świadomość Pana, jak i świadomość żywej istoty są transcendentalne. Świadomość nie jest produktem związków materii. Jest to błędna idea. *Bhagavad-gītā* nie potwierdza teorii mówiącej, że świadomość rozwija się w pewnych warunkach, w których materia tworzy związki. Świadomość może być fałszywie odzwierciedlona przez warunki materialne, tak jak światło przenikające przez kolorowe szkło może wydawać się być pewnego koloru. Ale świadomość Pana wolna jest od materialnych wpływów. Pan Kṛṣṇa mówi: *mayādhyakṣeṇa prakṛtiḥ*. Kiedy schodzi On w ten świat materialny, Jego świadomość nie ulega materialnym wpływom. Gdyby tak było, nie byłby On zdolny do rozważania tematów transcendentalnych, tak jak to czyni w *Bhagavad-gīcie*. Nie można powiedzieć niczego o świecie transcendentalnym, nie będąc wolnym od materialnie zanieczyszczonej świadomości. Więc Pan nie jest skażony materialnie. Jednak nasza świadomość *jest* w obecnym momencie materialnie zanieczyszczona. *Bhagavad-gītā* naucza, że musimy tę materialnie skażoną świadomość oczyścić. W czystej świadomości nasze czyny będą zgodne z wolą *īśvary* i to uczyni nas szczęśliwymi. Nie znaczy to, że powinniśmy porzucić wszelką działalność. Raczej nasze działanie powinno zostać oczyszczone, a oczyszczone działanie nazywa się *bhakti*. Działanie w *bhakti* zdaje się być zwykłym działaniem, ale nie jest ono zanieczyszczone. Ignorantowi może wydawać się, że bhakta postępuje lub pracuje jak zwykły człowiek, ale taka osoba o ubogim zasobie wiedzy nie wie, że czynności bhakty albo czynności Pana nie są skażone nieczystą świadomością, czyli materią. Są one transcendentalne w stosunku do trzech *guṇ* natury materialnej. Powinniśmy wiedzieć jednakże, że w obecnej chwili nasza świadomość jest zanieczyszczona.

Gdy jesteśmy skażeni materialnie, jesteśmy nazywani "uwarunkowanymi". Fałszywa świadomość manifestuje się w ten sposób, że odnosimy wrażenie, że jesteśmy produktami natury materialnej. Jest to nazywane fałszywym ego. Ten, którego myśli skupiają się wokół cielesnej koncepcji życia, nie może zrozumieć swojego położenia. *Bhagavad-gītā* została wygłoszona w tym celu, aby wyzwolić nas z tej cielesnej koncepcji życia, i Arjuna postawił się w tej sytuacji dlatego, aby otrzymać nauki od Pana. Należy uwolnić się od cielesnej koncepcji życia; jest to wstępne zajęcie dla transcendentalisty. Ten, kto chce być wolnym, kto pragnie osiągnąć wyzwolenie, musi przede wszystkim nauczyć się, że nie jest tym ciałem materialnym. *Mukti*, czyli wyzwolenie, oznacza wolność od świadomości materialnej. Definicja wyzwolenia dana jest również w *Śrīmad-Bhāgavatam*. *Muktir hitvā-nyathā-rūpaṁ svarūpeṇa vyavasthitiḥ: mukti* oznacza wyzwolenie z nieczystej świadomości tego świata materialnego i usytuowanie się w świadomości czystej. Wszystkie instrukcje *Bhagavad-gīty* mają na celu obudzenie tej czystej świadomości i dlatego w końcowej części *Gīty* Kṛṣṇa pyta Arjunę, czy jego świadomość została oczyszczona. Oczyszczona świadomość oznacza działanie zgodne z instrukcjami Pana. Na tym polega istota oczyszczonej świadomości. Świadomość już posiadamy, jako że jesteśmy integralnymi cząstkami Pana, ale znajdujemy się pod wpływem niższych *guṇ* natury materialnej. Natomiast Pan, będąc Najwyższym, nigdy im nie ulega. Taka jest różnica pomiędzy Najwyższym Panem a duszami uwarunkowanymi.

Czym jest ta świadomość? Ta świadomość to: "Ja jestem." Więc czym ja jestem? W nieczystej świadomości "ja jestem" oznacza, że "ja jestem panem wszystkiego, co znajduje się w zasięgu mojego wzroku. Ja jestem podmiotem radości." Świat się kręci, ponieważ każda żywa istota myśli, że ona jest panem i stworzycielem tego świata materialnego. Świadomość materialna dzieli się na dwie kategorie psychiczne. Jedna, że ja jestem stworzycielem, i druga: ja jestem podmiotem radości. W rzeczywistości stworzycielem, jak i podmiotem radości jest Najwyższy Pan, a żywa istota, będąc integralną cząstką Najwyższego Pana, nie jest ani stworzycielem, ani podmiotem radości, lecz współdziałającym. Jest ona stworzonym i jest przedmiotem radości. Na przykład część jakiejś maszyny współpracuje z całą maszyną, a część ciała współpracuje z całym ciałem. Ręce, stopy, oczy, nogi itd., wszystkie są częściami ciała, ale właściwie nie one są podmiotami radości. Podmiotem radości jest żołądek. Nogi przenoszą ciało, ręce dostarczają pożywienie, zęby żują i wszystkie części ciała zaangażowane są w zadowalanie żołądka, ponieważ żołądek jest zasadniczym organem, który odżywia całe ciało. Dlatego żołądek otrzymuje wszystko. Drzewo karmi się przez podlewanie jego korzeni, a ciało odżywia się karmiąc żołądek, ponieważ jeśli ciało ma być utrzymane w zdrowym stanie, części ciała muszą współpracować, aby nakarmić żołądek. Podobnie, Najwyższy Pan jest stworzycielem i podmiotem radości, a naszym przeznaczeniem, jako zależnych żywych istot, jest współpraca dla zadowolenia Go. Ta współpraca faktycznie pomoże nam, tak jak pożywienie pobrane przez żołądek pomoże innym częściom ciała. Jeśli palce ręki będą myślały, że powinny przyjąć pokarm dla siebie, zamiast dostarczyć go do żołądka, zaszkodzą wtedy sobie. Centralną postacią stworzenia i radości jest Najwyższy Pan, a żywe istoty są Jego współpracownikami i z tej współpracy czerpią radość. Jest to zależność podobna do tej, jaka istnieje między panem i sługą. Jeśli pan jest w pełni zadowolony, wtedy zadowolony jest też sługa. Podobnie, zadowalany powinien być Najwyższy Pan, chociaż żywe istoty również posiadają skłonność do tworzenia i do cieszenia się tym światem materialnym, jako że tendencje takie istnieją w Najwyższym Panu, który stworzył ten zamanifestowany, kosmiczny świat.

Z *Bhagavad-gīty* dowiemy się, że kompletna całość obejmuje: najwyższego kontrolera, kontrolowane żywe istoty, kosmiczną manifestację, wieczny czas i *karmę*, czyli działanie, i wszystkie one zostały wytłumaczone w tym tekście. Razem tworzą one kompletną całość, a ta kompletna całość nazywana jest Najwyższą Absolutną Prawdą. Kompletna całość i kompletna Absolutna Prawda są Najwyższą Osobą Boga, Śrī Kṛṣṇą. Wszystkie manifestacje powstały z Jego różnych energii i On *jest* kompletną całością.

*Gīta* tłumaczy również, że bezosobowy Brahman jest także podporządkowany kompletnej i Najwyższej Osobie (*brahmaṇo hi pratiṣṭhāham*). Wyraźniej tłumaczy Brahmana *Brahma-sūtra*, gdzie jest powiedziane, że jest On jak promienie słońca. Bezosobowy Brahman to świecące promienie Najwyższej Osoby Boga. Bezosobowy Brahman jest niekompletną realizacją absolutnej całości, i taką jest również koncepcja Paramātmy. W Rozdziale Piętnastym zostanie wyjaśnione, że Najwyższa Osoba Boga, Puruṣottama, jest zarówno ponad bezosobowym Brahmanem, jak i ponad częściową realizacją Paramātmy. Najwyższa Osoba Boga nazywany jest *sac-cid-ānanda-vigraha*. *Brahma-saṁhitā* zaczyna się w ten sposób: *īśvaraḥ paramaḥ kṛṣṇaḥ sac-cid-ānanda-vigrahaḥ anādir ādir govindaḥ sarva-kāraṇa-kāraṇam.* "Govinda, Kṛṣṇa, jest przyczyną wszystkich przyczyn. On jest pierwszą przyczyną i On jest prawdziwą formą wiecznego istnienia, wiedzy i szczęścia." Realizacja bezosobowego Brahmana jest realizacją Jego cechy *sat* (wieczności). Realizacja Paramātmy jest realizacją Jego cechy *cit* (wiecznej wiedzy). Ale realizacja Osoby Boga, Kṛṣṇy, jest realizacją wszystkich cech transcendentalnych: *sat, cit* i *ānanda* (wieczności, wiedzy, szczęścia) w kompletnej *vigraha* (formie).

Ludzie mniej inteligentni uważają, że Najwyższa Prawda jest bezosobowy, ale On jest transcendentalną Osobą i potwierdza to cała literatura wedyjska. *Nityo nityānāṁ cetanaś cetanānām.* (*Kaṭha Upaniṣad* 2.2.13) Tak jak my wszyscy jesteśmy indywidualnymi żywymi istotami i posiadamy swoją indywidualność, również Najwyższa Absolutna Prawda jest ostatecznie osobą, a realizacja Osoby Boga jest realizacją wszystkich cech transcendentalnych w Jego kompletnej formie. Kompletna całość nie jest pozbawiony formy. Gdyby był On pozbawiony formy albo gdyby brakowało Mu czegoś, nie mógłby być wtedy kompletną całością. Kompletna całość musi mieć w sobie wszystko to, co obejmuje nasze doświadczenie i co znajduje się poza naszym doświadczeniem, inaczej nie mogłaby być ona kompletna.

Kompletna całość, Osoba Boga, posiada bezgraniczne moce (*parāsya śaktir vividhaiva śrūyate*). *Bhagavad-gītā* tłumaczy również to, w jaki sposób Kṛṣṇa działa poprzez Swoje różne moce. Ten świat zjawiskowy, czyli świat materialny, w którym jesteśmy umieszczeni, również jest kompletny w sobie, ponieważ dwadzieścia cztery elementy, z których ten materialny świat zamanifestował się czasowo, są—według filozofii Sāṅkhya—całkowicie przystosowane do produkcji kompletnych środków potrzebnych do jego utrzymania. Nie ma w nim nic zbędnego ani niczego nie brakuje. Ta tymczasowa manifestacja ma swój własny czas, ustalony przez energię najwyższej całości, i kiedy czas jej wypełni się, zostanie unicestwiona przez kompletną aranżację kompletnego. Małe kompletne jednostki, mianowicie żywe istoty, posiadają doskonałe warunki do zrealizowania całości, a wszelkiego rodzaju niekompletności doświadczane są z powodu niekompletnej wiedzy o kompletnej całości. Więc *Bhagavad-gītā* zawiera doskonałą, kompletną wiedzę mądrości wedyjskiej.

Cała wiedza wedyjska jest nieomylna i Hindus przyjmuje tę wiedzę jako kompletną i nieomylną. Na przykład łajno krowie jest odchodem zwierzęcia, a według *smṛti*, czyli zaleceń wedyjskich, jeśli ktoś dotknie odchodów zwierzęcia, musi wziąć kąpiel, aby się oczyścić. Ale w pismach wedyjskich łajno krowie jest uważane za czynnik oczyszczający. Ktoś może uważać to za sprzeczność, ale w Indiach nie będzie budzić to sprzeczności, albowiem jest to nakaz wedyjski, który przyjmuje się bez żadnych komentarzy. I rzeczywiście, przyjmując to, nie popełni się błędu. Współczesna nauka udowodniła, że łajno krowie zawiera wszelkie własności antyseptyczne. Wiedza wedyjska jest kompletna i doskonała, gdyż jest ona ponad wszelkimi wątpliwościami i błędami, a *Bhagavad-gītā* jest esencją całej wiedzy wedyjskiej.

Wiedza wedyjska nie jest przedmiotem badań. Nasze prace badawcze są niedoskonałe, ponieważ badamy przedmioty niedoskonałymi zmysłami. Musimy przyjąć doskonałą wiedzę, która przekazywana jest, jak to oznajmiono w *Bhagavad-gīcie*, w *paramparā* (sukcesji uczniów). Musimy otrzymać wiedzę z właściwego źródła w sukcesji uczniów, zaczynającej się od najwyższego mistrza duchowego, Samego Pana, i przekazywanej sukcesji mistrzów duchowych. Arjuna, uczeń przyjmujący lekcje od Pana Śrī Kṛṣṇy, bez sprzeciwu przyjmuje wszystko to, co mówi Kṛṣṇa. Nie można zaakceptować jednej części *Bhagavad-gīty*, a inną odrzucić. Nie. Musimy przyjąć *Bhagavad-gītę* bez interpretowania jej, bez usuwania pewnych jej części i bez własnego kapryśnego uczestniczenia w zagadnieniu. *Gītę* należy przyjąć jako najbardziej doskonałe przedstawienie wiedzy wedyjskiej. Wiedzę wedyjską otrzymaliśmy ze źródeł transcendentalnych, a pierwsze słowa zostały wypowiedziane przez Samego Pana. Słowa przekazywane przez Pana są zwane *apauruṣeya*, co oznacza, że różnią się od słów wypowiadanych przez jakąś osobę tego doczesnego świata, która posiada cztery wady: (1) na pewno popełnia błędy, (2) niezmiennie ulega złudzeniu, (3) ma skłonności do oszukiwania innych, (4) jest ograniczona przez niedoskonałe zmysły. Z tymi czterema niedoskonałościami nie można udzielać doskonałych informacji o wszechprzenikającej wiedzy.

Wiedza wedyjska nie pochodzi od takich ułomnych żywych istot. Wiedza ta została przekazana sercu Brahmy, pierwszej stworzonej żywej istocie, a Brahmā z kolei udzielił jej swoim synom i uczniom w nieskażonej postaci, tak jak początkowo otrzymał ją od Pana. Pan jest *pūrṇam*, wszechdoskonały, i nie podlega On prawom natury materialnej. Należy być zatem dostatecznie inteligentnym, aby zdać sobie sprawę z tego, że Pan jest jedynym właścicielem wszystkiego we wszechświecie, i że On jest pierwszym stwórcą, stwórcą Brahmy. W Rozdziale Jedenastym Pan nazwany został *prapitāmaha*, ponieważ Brahmā nazywany jest *pitāmaha*, czyli dziadkiem, a On jest stwórcą tego dziadka. Nikt więc nie powinien uważać się za właściciela czegokolwiek; należy przyjmować tylko te rzeczy, które zostały przeznaczone dla nas przez Pana, jako konieczne do utrzymania.

Podano wiele przykładów, w jaki sposób używać tych wydzielonych nam przez Pana rzeczy. *Bhagavad-gītā* tłumaczy to również. Początkowo Arjuna zadecydował, że nie będzie walczył w bitwie na Polu Kurukṣetra. Była to jego własna decyzja. Arjuna powiedział Panu, że nie mógłby cieszyć się królestwem po zabiciu swoich krewnych. Decyzja ta oparta była na cielesnej koncepcji życia, ponieważ uważał on, że jest tym ciałem materialnym, a osoby spokrewnione z jego ciałem—to jego bracia, siostrzeńcy, szwagrowie, dziadkowie itd. Zatem chciał zadowolić pragnienia związane z ciałem. Pan wygłosił *Bhagavad-gītę* dlatego, aby zmienić jego zdanie, i w końcu Arjuna decyduje się walczyć pod kierunkiem Pana, mówiąc, *kariṣye vacanaṁ tava:* "Postąpię zgodnie z Twoją wolą."

Przeznaczeniem ludzi w tym świecie nie jest życie w niezgodzie jak psy i koty. Człowiek musi być inteligentny, aby zdać sobie sprawę z wagi ludzkiego życia i nie godzić się na postępowanie, które można przypisać zwykłemu zwierzęciu. Istota ludzka powinna uświadomić sobie cel ludzkiego życia i tego uczy cała literatura wedyjska, a esencja tej wiedzy zawarta jest w *Bhagavad-gīcie*. Literatura wedyjska jest przeznaczona dla istot ludzkich, nie dla zwierząt. Zwierzęta mogą zabijać inne zwierzęta i nie ma mowy o grzechu z ich strony, ale jeśli człowiek zabije zwierzę, aby zadowolić swój niekontrolowany smak, musi on ponieść odpowiedzialność za złamanie praw natury. *Bhagavad-gītā* wyraźnie tłumaczy, że są trzy rodzaje postępowania zgodne z różnymi *guṇami* natury materialnej: postępowanie w dobroci, pasji i ignorancji. Podobnie, istnieją trzy rodzaje pożywienia: pożywienie odpowiadające *guṇom*: dobroci, pasji i ignorancji. Wszystko to zostało wyraźnie opisane i jeśli zrobimy właściwy użytek z pouczeń *Bhagavad-gīty*, wtedy całe nasze życie oczyści się i ostatecznie będziemy mogli osiągnąć przeznaczenie, które znajduje się poza tym materialnym niebem (*yad gatvā na nivartante tad dhāma paramaṁ mama*).

To przeznaczenie nazywane jest niebem *sanātana*, wiecznym niebem duchowym. Wiemy, że w tym materialnym świecie wszystko jest przemijające. Powstaje, istnieje przez pewien czas, wytwarza jakieś produkty uboczne, słabnie i następnie ginie. Takie jest prawo materialnego świata, obojętnie czy użyjemy jako przykładu tego ciała, czy jakiegoś owocu, czy czegokolwiek. Ale poza tym przemijającym światem istnieje inny, o którym posiadamy informacje. Ten świat jest innej natury, która jest *sanātana*, wieczną. Również *jīva* opisana została jako *sanātana* (wieczna), i jako *sanātana* w Rozdziale Jedenastym opisany jest również Pan. My posiadamy bardzo bliski związek z Panem, i ponieważ jesteśmy wszyscy jakościowo jednym (*sanātana-dhāma*, czyli niebo, Najwyższa Osoba *sanātana* i *sanātana* żywe istoty)—dlatego celem *Bhagavad-gīty* jest wskrzeszenie naszych *sanātana* zajęć, czyli *sanātana-dharmy*, która jest wiecznym zajęciem żywej istoty. Czasowo oddajemy się różnego rodzaju zajęciom, ale wszystkie te zajęcia mogą zostać oczyszczone, jeśli porzucimy wszelkie przemijające czynności i zaangażujemy się w te, które poleca Najwyższy Pan. Takie życie nazywane jest życiem czystym.

Zarówno Najwyższy Pan, jak i Jego transcendentalna siedziba są *sanātana*. Takimi są również żywe istoty, a obcowanie żywych istot z Najwyższym Panem w wiecznej (*sanātana*) siedzibie jest doskonałością ludzkiego życia. Pan jest bardzo dobry dla żywych istot, ponieważ są one Jego synami. Pan Kṛṣṇa oznajmia w *Bhagavad-gīcie*: *sarva-yoniṣu...ahaṁ bīja-pradaḥ pitā:* "Ja jestem ojcem wszystkiego." Istnieją różnego typu żywe istoty, odpowiednio do ich różnej *karmy*, ale Pan zapewnia tutaj, że jest ojcem wszystkich. Pan zstępuje w tym celu, aby wszystkie te upadłe, uwarunkowane dusze skierować na drogę poprawy i z powrotem przywołać je do *sanātana* wiecznego nieba, tak aby *sanātana* (wieczne) żywe istoty mogły odzyskać swoją wieczną *sanātana* pozycję w wiecznym obcowaniu z Panem. Aby odzyskać uwarunkowane dusze, Pan przychodzi osobiście w różnych inkarnacjach albo posyła Swoje zaufane sługi, jak synów, Swoich towarzyszy czy *ācāryów*.

Zatem *sanātana-dharma* nie odnosi się do jakiegoś sekciarskiego procesu religii. Jest ona wieczną funkcją wiecznych żywych istot w związku z wiecznym Najwyższym Panem. *Sanātana-dharma* odnosi się, jak to oznajmiono wcześniej, do wiecznego zajęcia żywej istoty. Śrīpāda Rāmānujācārya wytłumaczył słowo *sanātana* jako "to, co nie ma początku ani końca", więc gdy mówimy o *sanātana-dharmie*, musimy przyjąć to za pewnik, opierając się na autorytecie Śrīpāda Rāmānujācāryi, że nie ma ona ani początku, ani końca.

Angielskie słowo "religia" różni się nieco od *sanātana-dharmy*. Religia zawiera idee wiary, a wiara może się zmieniać. Ktoś może wierzyć w określony proces i może zmienić swoją wiarę i przyjąć inną, ale *sanātana-dharma* odnosi się do takiego zajęcia, którego nie można zmienić. Na przykład nie można wody pozbawić płynności ani ognia pozbawić ciepła. Podobnie, wiecznej żywej istoty nie można pozbawić jej wiecznej funkcji. *Sanātana-dharma* jest wiecznie integralna z żywą istotą. Zatem, gdy mówimy o *sanātana-dharmie*, musimy, opierając się na autorytecie Śrīpāda Rāmānujācāryi, przyjąć za pewnik, że nie ma ona ani początku ani końca. To co nie ma początku ani końca, nie może być czymś sekciarskim, gdyż nie może zostać określone żadnymi granicami. Jednakże ci, którzy należą do jakiejś sekciarskiej wiary, będą błędnie uważać, że *sanātana-dharma* jest również czymś sekciarskim. Jeśli jednak zagłębimy się w temacie i rozważymy go w świetle współczesnej nauki, będziemy mogli się przekonać, że *sanātana-dharma* jest interesem wszystkich ludzi świata—mało tego, wszystkich żywych istot we wszechświecie.

Wiara religijna nie *sanātana* może mieć jakiś początek w kronikach ludzkości, ale nie ma początku historii *sanātana-dharmy*, ponieważ ta przynależy wiecznie żywym istotom. Jeśli chodzi o żywą istotę, autorytatywne *śāstra* oznajmiają, że nie ma ona ani narodzin, ani śmierci. *Bhagavad-gītā* informuje, że żywa istota nigdy nie rodzi się ani nigdy nie umiera. Jest ona wieczna i niezniszczalna, i żyje dalej po zniszczeniu jej tymczasowego ciała materialnego. Jeśli chodzi o pojęcie *sanātana-dharma*, to musimy spróbować zrozumieć pojęcie religii ze znaczenia sanskryckiego źródłosłowu tego pojęcia. *Dharma* odnosi się do tego, co istnieje nieprzerwanie wraz z danym obiektem. Wiemy, że ciepło i światło istnieją razem z ogniem; bez światła i ciepła słowo "ogień" nie ma znaczenia. Podobnie musimy odkryć najistotniejszą część żywej istoty, tę część, która jej zawsze towarzyszy. Ten towarzysz jest jej wieczną cechą, a ta wieczna cecha jest jej wieczną religią.

Gdy Sanātana Gosvāmī zapytał Śrī Caitanyę Mahāprabhu o *svarūpę*, czyli konstytucjonalną pozycję żywej istoty, Pan odpowiedział, że *svarūpą*, czyli konstytucjonalną pozycją żywej istoty, jest pełnienie służby dla Najwyższej Osoby Boga. Jeśli przeanalizujemy tę wypowiedź Pana Caitanyi, będziemy mogli bez trudu przekonać się, że każda żywa istota jest bezustannie zaangażowana w pełnienie służby dla innej żywej istoty. Żywa istota służy innym żywym istotom w różnym charakterze. Postępując w ten sposób, żywa istota cieszy się życiem. Niższe zwierzęta służą istotom ludzkim, tak jak słudzy służą swemu panu. A służy panu B, B służy panu C, C służy panu D itd. Wobec tego widzimy, że przyjaciel służy swemu przyjacielowi, matka służy synowi, żona służy mężowi, mąż żonie itd. Jeśli będziemy badali dalej w tym duchu, przekonamy się, że nie ma wyjątków w społeczeństwie żywych istot, jeśli chodzi o zaangażowanie w służbę. Polityk przedstawia publiczności swój manifest, aby przekonać ją o swojej zdolności służenia. Głosujący udzielają mu zatem swoich cennych głosów, myśląc, iż będzie pełnił on wartościową służbę dla społeczeństwa. Właściciel sklepu służy klientowi, a rzemieślnik służy kapitaliście. Kapitalista służy rodzinie, a rodzina służy państwu, zgodnie z wieczną właściwością wiecznej żywej istoty. W ten sposób możemy przekonać się, że żadna żywa istota nie jest wyłączona z pełnienia służby oddania dla innych żywych istot; a zatem możemy śmiało wnioskować, że służba jest stałym towarzyszem żywej istoty, i że pełnienie służby jest jej wieczną religią.

Jednak człowiek twierdzi, że przynależy do określonego typu wiary, w zależności od określonego czasu i warunków, i wskutek tego utrzymuje, że jest hindusem, muzułmaninem, chrześcijaninem, buddystą albo członkiem jakiejś innej sekty. Takie desygnaty nie określają *sanātana-dharmy*. Hindus może zmienić swoją wiarę i zostać muzułmaninem albo muzułmanin może zostać hindusem, tak jak chrześcijanin również może zmienić wiarę itd. Ale w każdych warunkach zmiana wiary religijnej nie wpływa na wieczne zajęcie, jakim jest pełnienie służby dla innych. Hindus, muzułmanin czy chrześcijanin w każdych warunkach pozostaje czyimś sługą. Zatem bycie członkiem jakiejś określonej sekty nie jest pełnieniem własnej *sanātana-dharmy*. *Sanātana-dharma* jest pełnieniem służby.

W rzeczywistości nasz związek z Najwyższym Panem polega na pełnieniu służby. Najwyższy Pan jest najwyższym podmiotem radości, a my, żywe istoty, jesteśmy Jego sługami. Zostaliśmy stworzeni dla Jego radości i stajemy się szczęśliwi wtedy, gdy uczestniczymy w tej wiecznej radości z Najwyższą Osobą Boga. Nie możemy osiągnąć szczęścia w żaden inny sposób. Nie można być szczęśliwym niezależnie, tak jak żadna część ciała nie może być szczęśliwa bez współpracy z żołądkiem. Nie ma możliwości szczęścia dla żywej istoty bez pełnienia transcendentalnej służby miłości dla Najwyższego Pana.

*Bhagavad-gītā* nie pochwala wielbienia różnych półbogów ani pełnienia dla nich służby. Dwudziesty werset Siódmego Rozdziału *Bhagavad-gīty* mówi:

*kāmais tais tair hṛta-jñānāḥ prapadyante 'nya-devatāḥ*
*taṁ taṁ niyamam āsthāya prakṛtyā niyatāḥ svayā*

"Ci, których umysły zostały wypaczone przez pragnienia materialne, podporządkowują się półbogom i przestrzegają określonych zasad kultu, odpowiednio do swojej natury." Wyraźnie powiedziano tutaj, że ci, którymi rządzi pożądanie, oddają cześć półbogom, a nie Najwyższemu Panu Kṛṣṇie. Gdy wymieniamy imię Kṛṣṇa, nie przytaczamy żadnego imienia sekciarskiego. *Kṛṣṇa* oznacza najwyższą przyjemność, gdyż Najwyższy Pan jest skarbnicą wszelkich przyjemności. *Ānanda-mayo 'bhyāsāt* (*Vedānta-sūtra* 1.1.12). Żywe istoty, podobnie jak Pan, są pełne świadomości i pragną szczęścia. Pan jest wiecznie szczęśliwy i jeśli żywe istoty obcują z Panem, współpracują z Nim i towarzyszą Mu, wtedy również są szczęśliwe.

Pan zstępuje w ten śmiertelny świat, aby objawić nam Swoje szczęśliwe rozrywki we Vṛndāvanie. Kiedy Pan Śrī Kṛṣṇa był we Vṛndāvanie, Jego rozrywki z chłopcami-pasterzami, z Jego przyjaciółkami, i innymi mieszkańcami Vṛndāvany i krowami, wszystkie były przepełnione szczęściem. Cała ludność Vṛndāvany nie znała nikogo poza Kṛṣṇą. Ale Pan Kṛṣṇa odwiódł nawet Swego ojca Nandę Mahārāja od wielbienia półboga Indry, ponieważ chciał dowieść, że ludzie nie potrzebują czcić żadnego półboga. Ich potrzebą jest wielbienie jedynie Najwyższego Pana, ponieważ ich ostatecznym celem jest powrót do Jego wiecznej siedziby.

Ta wieczna siedziba Pana Śrī Kṛṣṇy opisana została w *Bhagavad-gīcie*, w szóstym wersecie Piętnastego Rozdziału:

*na tad bhāsayate sūryo na śaśāṅko na pāvakaḥ*

*yad gatvā na nivartante tad dhāma paramaṁ mama*

"Ta Moja siedziba nie jest oświetlana ani przez słońce, ani przez księżyc, ogień czy elektryczność. Każdy, kto przychodzi do niej, nigdy już nie powraca do tego materialnego świata."

Werset ten daje opis tego wiecznego nieba. Oczywiście, my mamy materialną koncepcję nieba i myślimy o nim w powiązaniu ze słońcem, księżycem, gwiazdami itd. Jednak w tym wersecie Pan informuje, że w niebie duchowym nie jest potrzebne słońce, księżyc, elektryczność ani żadnego rodzaju ogień, ponieważ niebo duchowe jest już oświetlone przez *brahmajyoti*, promienie emanujące z Najwyższego Pana. My z trudem próbujemy osiągnąć inne planety, ale nietrudno jest zrozumieć siedzibę Najwyższego Pana. Miejsce to nazywane jest Goloka. Zostało ono wspaniale opisane w *Brahma-saṁhicie: goloka eva nivasaty akhilātma-bhūtaḥ*. Pan wiecznie przebywa w Swojej siedzibie na Goloce, jednakże można zbliżyć się do Niego i z tego świata. W tym celu Pan przychodzi i manifestuje Swoją prawdziwą formę *sac-cid-ānanda-vigraha*. Kiedy manifestuje On tę formę, nie ma już potrzeby snucia wyobrażeń o Jego wyglądzie. Aby odwieść nas od takich spekulatywnych wyobrażeń, przychodzi On osobiście i przedstawia się nam takim jakim jest, jako Śyāmasundara. Na nieszczęście mniej inteligentni wyśmiewają Go, ponieważ przychodzi On jak każdy z nas i bawi się z nami jak ludzka istota. Nie powinniśmy jednak z tego powodu uważać, że Pan jest jednym z nas. To dzięki Swojej mocy prezentuje się On nam w Swej prawdziwej formie i przedstawia Swoje rozrywki, które są odzwierciedleniem rozrywek z Jego wiecznej siedziby.

W promieniach nieba duchowego unosi się niezliczona ilość planet. *Brahmajyoti* emanuje z najwyższej siedziby (Kṛṣṇaloki) i planety *ānanda-maya, cin-maya* (które nie są planetami materialnymi) unoszą się w tych promieniach. Pan mówi: *na tad bhāsayate sūryo na śaśāṅko na pāvakaḥ yad gatvā na nivartante tad dhāma paramaṁ mama*. Ten, kto może osiągnąć niebo duchowe, nie musi przychodzić ponownie do nieba materialnego. W niebie materialnym—nawet jeśli osiągniemy najwyższą planetę (Brahmalokę), nie mówiąc już o księżycu—spotykamy się z tymi samymi problemami życia, mianowicie: narodzinami, śmiercią, chorobą i starością. Żadna planeta we wszechświecie materialnym nie jest wolna od tych czterech zasad materialnego życia.

Żywe istoty podróżują z jednej planety na inną, ale nie jest tak, że możemy się udać na upragnioną planetę po prostu dzięki urządzeniom mechanicznym. Jeśli pragniemy udać się na inną planetę, musimy przyjąć proces, który nam to umożliwi. Jest również powiedziane: *yānti deva-vratā devān pitṝn yānti pitṛ-vratāḥ*. Żadne urządzenia mechaniczne nie są potrzebne do odbycia podróży międzyplanetarnej. *Gīta* instruuje: *yānti deva-vratā devān*. Księżyc, słońce i wyższe planety nazywane są Svargaloka. Istnieją trzy różne położenia planet: w wyższym, średnim i niższym systemie planetarnym. Ziemia należy do średniego systemu planetarnego. *Bhagavad-gītā* informuje nas w jaki sposób podróżować do wyższych systemów planetarnych (Devaloka), podając bardzo prosty przepis: *yānti deva-vratā devān*. Należy tylko czcić określonego półboga zamieszkującego określoną planetę, i w ten sposób będzie można dostać się na księżyc, słońce albo na którykolwiek z wyższych systemów planetarnych.

Jednakże *Bhagavad-gītā* nie poleca nam starania się o którąkolwiek z planet w tym świecie materialnym. Nawet gdybyśmy dotarli na najwyższą planetę, Brahmalokę, za pomocą jakiegoś urządzenia mechanicznego, podróżując może przez czterdzieści tysięcy lat (a kto żyłby tak długo?), to również spotkamy się tam z problemami materialnymi, związanymi z narodzinami, śmiercią, chorobą i starością. Lecz ten, kto chce osiągnąć najwyższą planetę, Kṛṣṇalokę, albo którąkolwiek z innych planet nieba duchowego, nie znajdzie tam tych materialnych problemów. Pomiędzy wszystkimi planetami w niebie duchowym jest jedna, najwyższa planeta, nazywana Goloka Vṛndāvana, która jest oryginalną planetą w siedzibie oryginalnej Osoby Boga, Śrī Kṛṣṇy. Wszystkie te informacje zawarte są w *Bhagavad-gīcie*, która uczy nas również, w jaki sposób opuścić ten materialny świat i rozpocząć prawdziwie radosne życie w niebie duchowym.

W Piętnastym Rozdziale *Bhagavad-gīty* dany jest prawdziwy obraz tego materialnego świata. Jest tam powiedziane:

*ūrdhva-mūlam adhaḥ-śākham aśvatthaṁ prāhur avyayam*
*chandāṁsi yasya parṇāni yas taṁ veda sa veda-vit*

Tutaj świat materialny opisany został jako drzewo rosnące korzeniami do góry, a gałęziami w dół. Znamy takie drzewo, którego korzenie znajdują się w górze. Jeśli staniemy nad brzegiem rzeki albo jakiegokolwiek zbiornika wodnego, możemy zauważyć, że drzewa odbite w wodzie są odwrócone. Podobnie, ten świat materialny jest odzwierciedleniem świata duchowego. Świat materialny jest zaledwie cieniem rzeczywistości. W cieniu nie ma realności ani faktycznego istnienia, ale z tego cienia możemy wnioskować, że istnieje substancja i rzeczywistość. Na pustyni nie ma wody, ale miraż sugeruje, że taka rzecz jak woda istnieje. W materialnym świecie nie ma wody, nie ma szczęścia, ale prawdziwą wodę rzeczywistego szczęścia można znaleźć w świecie duchowym.

Pan proponuje, abyśmy osiągnęli świat duchowy w następujący sposób (Bg. 15.5):

*nirmāna-mohā jita-saṅga-doṣā*
*adhyātma-nityā vinivṛtta-kāmāḥ*
*dvandvair vimuktāḥ sukha-duḥkha-saṁjñair*
*gacchanty amūḍhāḥ padam avyayaṁ tat*

To *padam avyayam*, czyli wieczne królestwo, może osiągnąć ten, kto jest *nirmāna-moha*. Co to znaczy? My jesteśmy zwolennikami desygnatów. Ktoś chce zostać "panem", ktoś chce zostać "władcą", ktoś prezydentem, bogatym człowiekiem, królem czy jeszcze kimś innym. Tak długo, jak przywiązani jesteśmy do tych desygnatów, przywiązani jesteśmy do ciała, ponieważ desygnaty te przynależą do ciała. Jednak my nie jesteśmy tymi ciałami i uświadomienie sobie tego jest pierwszym krokiem w realizacji duchowej. Jesteśmy związani z trzema *guṇami* natury materialnej, ale musimy uniezależnić się od nich poprzez służbę oddania dla Pana. Jeśli nie jesteśmy przywiązani do służby oddania dla Pana, nie możemy uniezależnić się od sił natury materialnej. Przyczyną różnego rodzaju desygnatów i przywiązań jest nasza żądza i pragnienie, chęć panowania nad naturą materialną. Dopóki nie wyzbędziemy się tej skłonności do panowania nad naturą materialną, tak długo nie będziemy mieli możliwości powrotu do królestwa Najwyższego, do *sanātana-dhāmy*. Wieczne, nigdy nie ulegające zniszczeniu królestwo może osiągnąć ten, kogo nie oszałamiają atrakcje fałszywych uciech materialnych i kto pełni służbę dla Najwyższego Pana. Taka osoba może bez trudu osiągnąć najwyższą siedzibę.

Gdzie indziej *Gīta* (8.21) oznajmia:

*avyakto 'kṣara ity uktas tam āhuḥ paramāṁ gatim*
*yaṁ prāpya na nivartante tad dhāma paramaṁ mama*

*Avyakta* znaczy nieprzejawiony. My nie jesteśmy w stanie oglądać w całości nawet tego materialnego świata. Nasze zmysły są tak niedoskonałe, że nie możemy nawet zobaczyć wszystkich gwiazd w tym wszechświecie materialnym. Literatura wedyjska zawiera wiele informacji o wszystkich planetach. Możemy w nie wierzyć albo nie. Literatura wedyjska, szczególnie *Śrīmad-Bhāgavatam*, opisuje wszystkie ważniejsze planety, a świat duchowy, znajdujący się poza tym materialnym niebem, opisany jest jako *avyakta*, nieprzejawiony. Powinno się dążyć do tego najwyższego królestwa, ponieważ ten, kto je osiągnie, nie musi już nigdy powracać do tego świata materialnego.

Ktoś może zatem zadać pytanie, w jaki sposób osiągnąć siedzibę Najwyższego Pana? Informację o tym znajdziemy w Rozdziale Ósmym. Jest tam powiedziane:

*anta-kāle ca mām eva smaran muktvā kalevaram*
*yaḥ prayāti sa mad-bhāvaṁ yāti nāsty atra saṁśayaḥ*

"Każdy, kto pod koniec życia opuszcza ciało pamiętając Mnie, natychmiast osiąga Moją naturę; co do tego nie ma wątpliwości." (Bg. 8.5) Ten, kto myśli o Kṛṣṇie w chwili śmierci, udaje się do Kṛṣṇy. Musi on pamiętać postać Kṛṣṇy; jeśli opuszcza ciało myśląc o tej postaci, z pewnością osiąga królestwo duchowe. *Mad-bhāvam* odnosi się do najwyższej natury Najwyższej Istoty. Najwyższa Istota jest *sac-cid-ānanda-vigraha:* to znaczy, że Jego forma jest wieczna, pełna wiedzy i szczęścia. Nasze obecne ciało nie jest *sac-cid-ānanda*. Jest ono *asat*, nie *sat*. Nie jest wieczne; jest zniszczalne. Nie jest *cit*, pełne wiedzy, ale jest pełne ignorancji. Nie posiadamy wiedzy o królestwie duchowym, a nawet nie mamy doskonałej wiedzy o tym materialnym świecie, gdzie jest tak wiele rzeczy wcale nam nieznanych. To ciało jest również *nirānanda*; zamiast być pełne szczęścia, pełne jest trosk i kłopotów. Wszystkie nieszczęścia, których doświadczamy w tym świecie materialnym, powstają z ciała, ale ten, kto opuszcza to ciało myśląc o Panu Kṛṣṇie, Najwyższej Osobie Boga, od razu osiąga ciało *sac-cid-ānanda*.

Proces opuszczania tego ciała i otrzymywania następnego w tym materialnym świecie jest również zorganizowany. Człowiek umiera skoro tylko została podjęta decyzja, jaką formę ciała otrzyma on w życiu następnym. Decyzję tę podejmują wyższe autorytety, a nie sama żywa istota. Odpowiednio do naszego postępowania w tym życiu, wznosimy się albo upadamy. To życie jest przygotowaniem do życia następnego. Zatem, jeśli w tym życiu możemy przygotować się do otrzymania promocji do królestwa Boga, wtedy z pewnością po opuszczeniu tego ciała materialnego osiągniemy ciało duchowe, takie jakie posiada Pan.

Jak wytłumaczono wcześniej, są transcendentaliści różnego rodzaju: *brahma-vādī, paramātma-vādī* i bhakta, i jak wspomniano uprzednio, w *brahmajyoti* (niebie duchowym) znajduje się nieskończona ilość planet duchowych. Liczba tych planet jest o wiele, wiele większa niż liczba wszystkich planet w tym świecie materialnym. W przybliżeniu oszacowano, że ten świat materialny stanowi jedną czwartą całego stworzenia (*ekāṁśena sthito jagat*). W tej materialnej części znajdują się miliony i biliony wszechświatów z trylionami planet, słońc, gwiazd i księżyców. Ale cała ta manifestacja materialna jest jedynie fragmentem całego stworzenia. Większa część tego stworzenia znajduje się w niebie duchowym. Ten, kto pragnie połączyć się z Najwyższym Brahmanem, zostaje natychmiast umieszczony w *brahmajyoti* Najwyższego Pana, i w ten sposób osiąga niebo duchowe. Bhakta, który pragnie cieszyć się towarzystwem Najwyższego Pana, dostaje się na planety Vaikuṇṭha, których ilość jest niezliczona, i Najwyższy Pan, poprzez Swoją pełną ekspansję jako czteroręki Nārāyaṇa o różnych imionach, jak: Pradyumna, Aniruddha i Govinda itd., przebywa tam z nim. Zatem w chwili śmierci transcendentaliści myślą albo o *brahmajyoti*, albo o Paramātmie, albo o Najwyższej Osobie Boga, Śrī Kṛṣṇie. We wszystkich przypadkach wchodzą oni w niebo duchowe, ale jedynie bhakta (ten, kto ma osobisty kontakt z Najwyższym Panem) dostaje się na planety Vaikuṇṭha albo na Golokę Vṛndāvanę. Pan zapewnia, że "co do tego nie ma wątpliwości." Należy w to mocno wierzyć. Nie powinniśmy odrzucać tego, co nie odpowiada naszej wyobraźni. Powinniśmy przyjąć taką postawę, jaką przyjął Arjuna: "Wierzę we wszystko, co mi powiedziałeś." Zatem, jeśli Pan mówi, że każdy, kto w momencie śmierci myśli o Nim—jako o Brahmanie, Paramātmie albo Najwyższej Osobie Boga—z pewnością wchodzi do nieba duchowego, to wypowiedź ta jest poza wszelkimi wątpliwościami. Nie można nie wierzyć w nią.

*Bhagavad-gītā* (8.6) również wyjaśnia ogólną zasadę, dzięki której można wejść do królestwa duchowego jedynie poprzez myślenie o Najwyższym w momencie śmierci:

*yaṁ yaṁ vāpi smaran bhāvaṁ tyajaty ante kalevaram*
*taṁ tam evaiti kaunteya sadā tad-bhāva-bhāvitaḥ*

"To, jaki stan istnienia pamięta osoba, która opuszcza swoje obecne ciało, decyduje o tym jaką formę otrzyma ona w swoim życiu przyszłym." Najpierw musimy zrozumieć, że materialna natura jest manifestacją jednej z energii Najwyższego Pana. Wszystkie energie Najwyższego Pana opisane zostały w *Viṣṇu Purāṇie* (6.7.61):

*viṣṇu-śaktiḥ parā proktā kṣetra-jñākhyā tathā parā*
*avidyā-karma-saṁjñānyā tṛtīyā śaktir iṣyate*

Najwyższy Pan jest w posiadaniu rozmaitych i niezliczonych energii, których nie jesteśmy w stanie pojąć; jednakże wielce uczeni mędrcy czy wyzwolone dusze studiowali te energie i podzielili je na trzy części. Wszystkie te energie są *viṣṇu-śakti*, to znaczy, że są one różnymi mocami Pana Viṣṇu. Pierwsza energia jest *parā*, transcendentalna. Żywe istoty również należą do energii wyższej, jak to zostało już wytłumaczone wcześniej. Inne energie, czyli energie materialne, są w *guṇie* ignorancji. W czasie śmierci możemy albo pozostać w niższej energii tego materialnego świata, albo możemy przenieść się w energię świata duchowego. *Bhagavad-gītā* (8.6) mówi:

*yaṁ yaṁ vāpi smaran bhāvaṁ tyajaty ante kalevaram*
*taṁ tam evaiti kaunteya sadā tad-bhāva-bhāvitaḥ*

"To, jaki stan istnienia pamięta osoba, która opuszcza swoje obecne ciało, decyduje o tym, jaką formę otrzyma ona w swoim życiu przyszłym."

W życiu przyzwyczajeni jesteśmy do myślenia albo o energii materialnej, albo o duchowej. W jaki sposób możemy odwrócić nasze myśli od energii materialnej do duchowej? Literatura, która napełnia nasze myśli energią materialną—gazety, powieści itd.—jest bardzo obszerna. Nasze myśli, które teraz tak bardzo zaabsorbowane są literaturą tego rodzaju, muszą zostać skierowane na literaturę wedyjską. Dlatego wielcy mędrcy zostawili tak pokaźną literaturę wedyjską, jak *Purāṇy* itd. *Purāṇy* nie są fantazją. Są one zapiskami historycznymi. W *Caitanya-caritāmṛta* (*Madhya* 20.122) jest następujący werset:

*māyā-mugdha jīvera nāhi svataḥ kṛṣṇa-jñāna*
*jīvere kṛpāya kailā kṛṣṇa veda-purāṇa*

Skłonne do zapominania żywe istoty, czyli uwarunkowane dusze, zapomniały o swoim związku z Najwyższym Panem i zaabsorbowane są myślami o czynnościach materialnych. Aby tę ich zdolność myślenia skierować na niebo duchowe, Kṛṣṇa-dvaipāyana Vyāsa dał obszerną literaturę wedyjską. Najpierw podzielił *Vedy* na cztery części, następnie wytłumaczył je w *Purāṇach*, a dla mniej pojętnych ludzi napisał *Mahābhāratę*. *Mahābhārata* zawiera *Bhagavad-gītę*. Potem cała literatura wedyjska została streszczona w *Vedānta-sūtrze*, a jako wskazówki na przyszłość pozostawił naturalny komentarz do *Vedānta-sūtry*, nazwany *Śrīmad-Bhāgavatam*. Musimy zawsze zajmować nasze umysły czytaniem literatury wedyjskiej. Tak jak materialista angażuje swój umysł w czytanie gazet, magazynów i tak obszernej literatury materialistycznej, podobnie my musimy skierować się ku literaturze, którą pozostawił nam Vyāsadeva; w ten sposób, w chwili śmierci będziemy mogli pamiętać o Najwyższym Panu. Jest to jedyny sposób proponowany przez Pana i Pan gwarantuje rezultat: "Nie ma co do tego wątpliwości."

*tasmāt sarveṣu kāleṣu mām anusmara yudhya ca*
*mayy arpita-mano-buddhir mām evaiṣyasy asaṁśayaḥ*

"Dlatego, Arjuno, powinieneś zawsze myśleć o Mnie w formie Kṛṣṇy i równocześnie pełnić swój obowiązek i walczyć. Mnie dedykując swoje czyny i koncentrując swój umysł i inteligencję na Mnie, osiągniesz Mnie bez wątpienia." (Bg. 8.7)

Nie radzi On Arjunie, aby pamiętał tylko o Nim, a porzucił swoje obowiązki. Nie, Pan nigdy nie zaleca niczego, co jest niepraktyczne.

W tym materialnym świecie trzeba pracować, aby utrzymać swoje ciało. Ludzkie społeczeństwo podzielone zostało—według wykonywanej pracy—na cztery grupy społeczne: bramin, *kṣatriya, vaiśya* i *śūdra*. Grupa braminów, czyli inteligencja, pracuje w określony sposób; *kṣatriyowie*, czyli grupa administracyjna—w inny sposób; a rzemieślnicy, kupcy i robotnicy, również wszyscy skłaniają się do swoich specyficznych obowiązków. W ludzkim społeczeństwie, niezależnie od tego, czy ktoś jest robotnikiem, kupcem, wojownikiem, administratorem czy rolnikiem, czy nawet należy do najwyższej grupy i jest człowiekiem wykształconym, naukowcem albo teologiem, musi on pracować, aby utrzymać się przy życiu. Dlatego Pan mówi Arjunie, że nie powinien porzucać swojego zajęcia, ale w czasie wykonywania swoich obowiązków powinien pamiętać o Kṛṣṇie (*mām anusmara*). Jeśli nie będzie on praktykował pamiętania o Kṛṣṇie podczas walki o egzystencję, wtedy nie będzie mógł pamiętać o Nim w chwili śmierci. Pan Caitanya radzi to samo. Mówi On: *kīrtanīyaḥ sadā hariḥ:* należy zawsze intonować imiona Pana. Imiona Pana i Pan są tożsame. Więc instrukcja Kṛṣṇy dla Arjuny: "Pamiętaj o Mnie", i zalecenie Pana Caitanyi, aby "zawsze intonować imiona Pana Kṛṣṇy", są tą samą instrukcją. Nie ma różnicy, ponieważ Kṛṣṇa i Jego imiona są tożsame. Na płaszczyźnie absolutnej nie ma różnicy pomiędzy nazwą a jej odpowiednikiem. Zatem powinniśmy zawsze zachowywać pamięć o Panu, dwadzieścia cztery godziny na dobę, poprzez intonowanie Jego imion i takie ułożenie czynności naszego życia, abyśmy mogli zawsze o Nim pamiętać.

Jak to jest możliwe? *Ācāryowie* podają następujący przykład: jeśli zamężna kobieta związana jest z jakimś innym mężczyzną albo gdy mężczyzna przywiązany jest do kobiety, która nie jest jego żoną, to takie przywiązanie uważane jest za bardzo mocne. Osoba będąca w takim związku zawsze myśli o swoim ukochanym. Żona, która myśli o kochanku, myśli zawsze o spotkaniu się z nim, nawet gdy wykonuje swoje codzienne prace domowe. Właściwie pełni ona swoje obowiązki domowe nawet bardziej starannie, tak aby mąż nie domyślił się o jej związku z inną osobą. Podobnie my powinniśmy zawsze pamiętać naszego najwyższego ukochanego, Śrī Kṛṣṇę, a jednocześnie bardzo starannie wypełniać nasze obowiązki materialne. Konieczne jest tutaj silne uczucie miłości. Jeśli żywimy silne uczucie miłości dla Najwyższego Pana, wtedy możemy wypełniać swoje obowiązki i jednocześnie pamiętać Go. Musimy rozwinąć w sobie takie uczucie miłości. Arjuna na przykład zawsze myślał o Kṛṣṇie; był nieodłącznym towarzyszem Kṛṣṇy i równocześnie wojownikiem. Kṛṣṇa nie zalecał Arjunie porzucenia walki i udania się do lasu na medytację. Kiedy Pan opisał mu system *yogi*, Arjuna stwierdził, że praktyka tego systemu jest dla niego niemożliwa.

*arjuna uvāca*
*yo 'yaṁ yogas tvayā proktaḥ sāmyena madhusūdana*
*etasyāhaṁ na paśyāmi cañcalatvāt sthitiṁ sthirām*

"Arjuna rzekł: O Madhusūdano, system *yogi*, który tutaj streściłeś, zdaje się być niepraktycznym i nieodpowiednim dla mnie, gdyż umysł mój jest zbyt niespokojny i zmienny." (Bg. 6.33)

Ale Pan mówi:

*yoginām api sarveṣāṁ mad-gatenāntarātmanā*
*śraddhāvān bhajate yo māṁ sa me yuktatamo mataḥ*

"Ze wszystkich *yogīnów*, ten który zawsze pokłada we Mnie wielką wiarę, wielbiąc Mnie w transcendentalnej służbie miłości, jest najbardziej zjednoczony ze Mną w *yodze* i jest najwyższym ze wszystkich. Takie jest Moje zdanie." (Bg. 6.47) Więc ten, kto zawsze myśli o Najwyższym Panu, jest największym *yogīnem*, najwyższej klasy *jñānīm* i jednocześnie największym bhaktą. Pan dalej mówi Arjunie, że—jako *kṣatriya*—nie powinien wycofywać się z walki, ale gdy będzie walczył pamiętając o Nim, wtedy będzie mógł pamiętać Go i w czasie śmierci. Do tego konieczne jest jednak całkowite podporządkowanie się Panu w transcendentalnej służbie miłości.

W rzeczywistości nie pracujemy naszym ciałem, ale umysłem i inteligencją. Więc jeśli inteligencja i umysł są zawsze zajęte myślami o Najwyższym Panu, wtedy zmysły zostaną w naturalny sposób zaangażowane w Jego służbę. Przynajmniej na pozór, czynności zmysłów pozostają tymi samymi, ale zmienia się świadomość. *Bhagavad-gītā* uczy, w jaki sposób zająć umysł i inteligencję myślami o Panu. Takie zaabsorbowanie umysłu i inteligencji umożliwi nam powrót do królestwa Pana. Jeśli umysł zaangażowany jest w służbę dla Kṛṣṇy, wtedy automatycznie zaangażowane będą w Jego służbę również zmysły. Całkowite pogrążenie się w myślach o Śrī Kṛṣṇie jest wielką sztuką i jednocześnie sekretem *Bhagavad-gīty*.

Współczesny człowiek wkłada wiele trudu w próby zdobycia księżyca, natomiast nie bardzo stara się o podniesienie swojej pozycji duchowej. Gdy ktoś ma jeszcze pięćdziesiąt lat życia przed sobą, powinien zająć ten krótki czas kultywowaniem praktyki pamiętania o Najwyższej Osobie Boga. Ta praktyka jest procesem oddania:

*śravaṇaṁ kīrtanaṁ viṣṇoḥ smaraṇaṁ pāda-sevanam*

*arcanaṁ vandanaṁ dāsyaṁ sakhyam ātma-nivedanam*
(*Śrīmad-Bhāgavatam* 7.5.23)

Te dziewięć procesów, z których najłatwiejszym jest *śravaṇam*, słuchanie *Bhagavad-gīty* od osoby zrealizowanej, skieruje nasze myśli ku Najwyższej Istocie. To doprowadzi do pamiętania Najwyższego Pana i umożliwi nam, po opuszczeniu tego ciała, osiągnięcie ciała duchowego, które jest odpowiednie do towarzyszenia Najwyższemu Panu.

Dalej Pan mówi:

*abhyāsa-yoga-yuktena cetasā nānya-gāminā*
*paramaṁ puruṣaṁ divyaṁ yāti pārthānucintayan*

"Ten, kto medytuje o Mnie jako o Najwyższej Osobie Boga, bezustannie pamiętając Mnie i nie zbaczając ze ścieżki, o Arjuno, z pewnością Mnie osiągnie." (Bg. 8.8)

Nie jest to bardzo trudny proces. Należy jednakże nauczyć się go od osoby doświadczonej. *Tad vijñānārthaṁ sa gurum evābhigacchet:* należy zbliżyć się do osoby, która już to praktykuje. Umysł bezustannie zmienia przedmiot swego zainteresowania, ale należy zawsze praktykować koncentrowanie umysłu na formie Najwyższego Pana Śrī Kṛṣṇy albo na dźwięku Jego imienia. Umysł jest w naturalny sposób niespokojny, wędrując tu i tam, ale może spocząć on na wibracji dźwiękowej "Kṛṣṇa". Należy zatem medytować o *paramaṁ puruṣam*, Najwyższej Osobie Boga w królestwie duchowym, w niebie duchowym, i w ten sposób Go osiągnąć. Sposoby i środki ostatecznej realizacji i zdobycia ostatecznego celu opisane zostały w *Bhagavad-gīcie*, a wrota tej wiedzy otwarte są dla każdego. Nikomu nie broni się wejść. Wszystkie klasy ludzi mogą zbliżyć się do Pana poprzez myślenie o Nim, gdyż słuchanie i myślenie o Nim możliwe jest dla każdego.

Pan dalej mówi (Bg. 9.32-33):

*māṁ hi pārtha vyapāśritya ye 'pi syuḥ pāpa-yonayaḥ*
*striyo vaiśyās tathā śūdrās te 'pi yānti parāṁ gatim*

*kiṁ punar brāhmaṇāḥ puṇyā bhaktā rājarṣayas tathā*
*anityam asukhaṁ lokam imaṁ prāpya bhajasva mām*

Zatem Pan mówi, że także kupiec, upadła kobieta czy robotnik, a nawet ludzie z najniższych statusów życia mogą osiągnąć Najwyższego. Niekonieczny jest tu wysoki rozwój inteligencji. Istotne jest to, że Pana w niebie duchowym może osiągnąć każdy, kto przyjmie zasady *bhakti-yogi* i uzna Najwyższego Pana za *summum bonum* swego życia, najwyższy obiekt i ostateczny cel. Ten, kto przyjmie zasady wyrażone w *Bhagavad-gīcie*, może uczynić swoje życie doskonałym i trwale rozwiązać wszystkie problemy życia. Jest to istota i treść całej *Bhagavad-gīty*.

Konkludując, *Bhagavad-gītā* jest literaturą transcendentalną, którą należy czytać bardzo uważnie. *Gītā-śāstram idaṁ puṇyaṁ yaḥ paṭhet prayataḥ pumān:* ten, kto właściwie przestrzega instrukcji *Bhagavad-gīty*, może uwolnić się od wszelkich trosk i niedoli życia. *Bhaya-śokādi-varjitaḥ*. W tym życiu będzie wolny od wszelkiego strachu, a jego następne życie będzie duchowe. (*Gītā-māhātmya* 1)

Jest jeszcze następna korzyść:

*gītādhyāyana-śīlasya prāṇāyama-parasya ca*
*naiva santi hi pāpāni pūrva-janma-kṛtāni ca*

"Jeśli ktoś czyta *Bhagavad-gītę* szczerze i poważnie, wówczas—dzięki łasce Pana—nie będą miały na niego wpływu żadne ze skutków jego przeszłych grzechów." (*Gītā-māhātmya* 2) W ostatniej części *Bhagavad-gīty* (18.66) Pan Śrī Kṛṣṇa głośno oświadcza:

*sarva dharmān parityajya mām ekaṁ śaraṇaṁ vraja*
*ahaṁ tvāṁ sarva-pāpebhyo mokṣayiṣyāmi mā śucaḥ*

"Porzuć wszelkie rodzaje religii i po prostu podporządkuj się Mnie, a Ja uwolnię cię od wszelkich następstw twoich grzechów. Nie bój się." Zatem Pan przyjmuje wszelką odpowiedzialność za tego, kto podporządkowuje się Jemu, i chroni go od następstw jego grzechów.

*maline mocanaṁ puṁsāṁ jala-snānaṁ dine dine*
*sakṛd gītāmṛta-snānaṁ saṁsāra-mala-nāśanam*

"Dbający o czystość bierze kąpiel codziennie, ale ten, kto tylko raz wykąpie się w świętej wodzie Gangesu *Bhagavad-gīty*, oczyszcza się z wszelkiego brudu materialnego życia." (*Gītā-māhātmya* 3)

*gītā su-gītā kartavyā kim anyaiḥ śāstra-vistaraiḥ*
*yā svayaṁ padmanābhasya mukha-padmād viniḥsṛtā*

Ponieważ *Bhagavad-gītā* została wygłoszona przez Najwyższą Osobę Boga, nie ma potrzeby czytania żadnej innej literatury wedyjskiej. Należy jedynie uważnie i regularnie słuchać i czytać *Bhagavad-gītę*. W obecnym wieku ludzie są tak zaabsorbowani czynnościami doczesnego życia, że czytanie całej literatury wedyjskiej jest dla nich czymś zgoła niemożliwym. Nie jest to jednak konieczne. Wystarczy ta jedna książka *Bhagavad-gītā*, jako że jest ona esencją całej literatury wedyjskiej i szczególnie dlatego, że wygłoszona została przez Najwyższą Osobę Boga. (*Gītā-māhātmya* 4)

Jak jest powiedziane:

*bhāratāmṛta-sarvasvaṁ viṣṇu-vaktrād viniḥsṛtam*
*gītā-gaṅgodakaṁ pītvā punar janma na vidyate*

"Ten, kto pije wodę z Gangesu dostępuje zbawienia, a co dopiero mówić o kimś, kto pije nektar *Bhagavad-gīty*? *Bhagavad-gītā* jest samą esencją *Mahābhāraty* i została przekazana przez Samego Pana Kṛṣṇę, oryginalnego Viṣṇu." (*Gītā-māhātmya* 5) *Bhagavad-gītā* emanuje z ust Najwyższej Osoby Boga, a o Gangesie mówi się, że wypływa on z lotosowych stóp Pana. Oczywiście nie ma różnicy pomiędzy ustami a stopami Najwyższego Pana, ale na podstawie naszych bezstronnych obserwacji możemy stwierdzić, że *Bhagavad-gītā* jest nawet ważniejsza niż woda Gangesu.

*sarvopaniṣado gāvo dogdhā gopāla-nandanaḥ*
*pārtho vatsaḥ su-dhīr bhoktā dugdhaṁ gītāmṛtaṁ mahat*

"Ten *Gītopaniṣad, Bhagavad-gītā*, esencja wszystkich *Upaniṣadów*, jest jak krowa, a krowę tę doi Pan Kṛṣṇa, który słynie jako chłopiec-pasterz. Arjuna jest cielęciem, a to mleko—nektar *Bhagavad-gīty* mają pić wielcy mędrcy i czyści wielbiciele." (*Gītā-māhātmya* 6)

*ekaṁ śāstraṁ devakī-putra-gītam eko devo devakī-putra eva*
*eko mantras tasya nāmāni yāni karmāpy ekaṁ tasya devasya sevā*
(*Gītā-māhātmya* 7)

W dzisiejszych czasach człowiek pragnie mieć jedno pismo święte, jednego Boga, jedną religię i jedno zajęcie. Więc, *ekaṁ śāstraṁ devakī-putra-gītam:* niech będzie jedno wspólne dla całego świata święte pismo—*Bhagavad-gītā*. *Eko devo devakī-putra eva:* niech będzie tylko jeden Bóg dla całego świata—Śrī Kṛṣṇa. *Eko mantras tasya nāmāni:* tylko jedna *mantra*, jedna modlitwa—intonowanie Jego imienia: Hare Kṛṣṇa, Hare Kṛṣṇa, Kṛṣṇa Kṛṣṇa, Hare Hare, Hare Rāma, Hare Rāma, Rāma Rāma, Hare Hare. *Karmāpy ekaṁ tasya devasya sevā:* i niech będzie tylko jedna praca—służba dla Najwyższej Osoby Boga.

# SUKCESJA UCZNIÓW

*Evaṁ paramparā-prāptam imaṁ rājarṣayo viduḥ* (*Bhagavad-gītā* 4.2). Ta *Bhagavad-gītā Taka Jaką Jest* jest przekazana w tej sukcesji uczniów:

1. Kṛṣṇa
2. Brahmā
3. Nārada
4. Vyāsa
5. Madhva
6. Padmanābha
7. Nṛhari
8. Mādhava
9. Akṣobhya
10. Jaya Tīrtha
11. Jñānasindhu
12. Dayānidhi
13. Vidyānidhi
14. Rājendra
15. Jayadharma
16. Puruṣottama
17. Brahmaṇya Tīrtha
18. Vyāsa Tīrtha
19. Lakṣmīpati
20. Mādhavendra Purī
21. Īśvara Purī, (Nityānanda, Advaita)
22. Pan Caitanya
23. Rūpa, (Svarūpa, Sanātana)
24. Raghunātha, Jīva
25. Kṛṣṇadāsa
26. Narottama
27. Viśvanātha
28. (Baladeva), Jagannātha
29. Bhaktivinoda
30. Gaurakiśora
31. Bhaktisiddhānta Sarasvatī
32. A.C. Bhaktivedanta Swami Prabhupāda

## ROZDZIAŁ I

# Obserwacja wojsk na Polu Bitewnym Kurukṣetra

**TEKST 1**

धृतराष्ट्र उवाच
धर्मक्षेत्रे कुरुक्षेत्रे समवेता युयुत्सवः ।
मामकाः पाण्डवाश्चैव किमकुर्वत सञ्जय ॥१॥

*dhṛtarāṣṭra uvāca*
*dharma-kṣetre kuru-kṣetre samavetā yuyutsavaḥ*
*māmakāḥ pāṇḍavāś caiva kim akurvata sañjaya*

*dhṛtarāṣṭraḥ uvāca*—Król Dhṛtarāṣṭra rzekł; *dharma-kṣetre*—w miejscu pielgrzymek; *kuru-kṣetre*—w miejscu o nazwie Kurukṣetra; *samavetāḥ*—zgromadzeni; *yuyutsavaḥ*—pragnący walczyć; *māmakāḥ*—mój oddział (synowie); *pāṇḍavāḥ*—synowie Pāṇḍu; *ca*—i; *eva*—z pewnością; *kim*—co; *akurvata*—co poczęli; *sañjaya*—O Sañjayo.

**Dhṛtarāṣṭra rzekł: O Sañjayo, cóż uczynili pragnący walki synowie moi i synowie Pāṇḍu, zgromadziwszy się na Kurukṣetra, miejscu pielgrzymek?**

*ZNACZENIE: Bhagavad-gītā* jest szeroko studiowaną nauką teistyczną streszczoną w *Gītā-māhātmya* (*Pochwale Gīty*), która mówi, że *Bhagavad-gītę* należy czytać bardzo uważnie, z pomocą osoby, która jest wielbicielem Śrī Kṛṣṇy, i należy ją zrozumieć bez własnych, motywowanych interpretacji. Przykład czystego rozumienia *Gīty* znajdziemy w samej *Bhagavad-gīcie*. Jest to sposób, w jaki zrozumiał jej nauki Arjuna, który wysłuchał *Gīty* bezpośrednio od Pana. Jeśli ktoś ma na tyle szczęścia, aby zrozumieć *Bhagavad-gītę* w tej linii sukcesji uczniów, bez motywowanej interpretacji, to można o nim powiedzieć, że przewyższa on wszelkie studia wedyjskiej mądrości i wszelkie pisma objawione świata. W *Bhagavad-gīcie* można znaleźć wszystko to, co zawarte jest w innych pismach objawionych, a oprócz tego czytelnik znajdzie w niej również tematy, o których nie traktują inne pisma święte. Jest ona doskonałą nauką teistyczną, jako że wygłoszona została przez Najwyższą Osobę Boga, Pana Śrī Kṛṣṇę.

Przedmioty dyskusji między Dhṛtarāṣṭrą a Sañjayą, opisane w *Mahābhāracie*, tworzą podstawowe zasady tej wielkiej filozofii. Wiadomo, że filozofia ta została rozwinięta na polu bitewnym Kurukṣetra, które jest świętym miejscem pielgrzymek od niepamiętnych czasów okresu wedyjskiego. Została wygłoszona przez Pana, kiedy był On osobiście obecny na tej planecie po to, aby pouczyć ludzkość.

Istotne tutaj jest słowo *dharma-kṣetra* (miejsce, gdzie odbywają się rytuały religijne), ponieważ należy wiedzieć, że na polu bitwy Kurukṣetra obecny był, po stronie Arjuny, Najwyższa Osoba Boga. Dhṛtarāṣṭra, ojciec Kaurawów, wielce wątpił w możliwość ostatecznego zwycięstwa swoich synów. W swoich wątpliwościach pytał swego sekretarza Sañjayę: "Co poczęli oni?" Był przeświadczony o tym, że zarówno jego synowie, jak i synowie jego młodszego brata Pāṇḍu, zgromadzeni na polu Kurukṣetra, stoczą decydującą walkę. Jednak jego zapytanie jest znaczące. Nie chciał on kompromisu pomiędzy kuzynami i braćmi, i chciał być pewien losu swoich synów na polu walki. A jako że walka miała zostać stoczona na Polu Kurukṣetra, o którym *Vedy* wspominają jako o miejscu kultu—nawet dla mieszkańców planet niebiańskich (z wyższego systemu planetarnego)—Dhṛtarāṣṭra zaczął obawiać się wpływu świętego miejsca na wynik bitwy. Nie wątpił, że będzie to wpływ korzystny dla synów Pāṇḍu, jako że wszyscy oni byli prawego charakteru.

Sañjaya zaś, którego Dhṛtarāṣṭra zapytywał o sytuację na polu bitwy, był uczniem Vyāsy i dzięki jego łasce posiadał zdolność widzenia pola bitewnego Kurukṣetra, nawet będąc w komnacie króla.

Zarówno synowie Pāṇḍu, jak i synowie Dhṛtarāṣṭry, należą do tej samej rodziny, ale tutaj ujawniła się mentalność Dhṛtarāṣṭry. Rozmyślnie twierdził on, że tylko jego synowie należą do dynastii Kaurawów i nie dopuścił synów Pāṇḍu do udziału w dziedzictwie rodzinnym. Można zatem zrozumieć szczególną pozycję Dhṛtarāṣṭry w stosunku do jego bratanków, synów Pāṇḍu. I tak jak wyrywa się chwasty z pola ryżowego, tak też można było oczekiwać już od samego początku, że na świętym polu Kurukṣetra, na którym po stronie Pāṇḍavów znalazł się odwieczny ojciec religii, Śrī Kṛṣṇa, zostaną zniszczone niepożądane rośliny, takie jak syn Dhṛtarāṣṭry, Duryodhana, i inni, a osoby w pełni religijne, na czele z Yudhiṣṭhirą, zostaną wprowadzone przez Pana na tron. Takie jest znaczenie słów *dharma-kṣetre* i *kuru-kṣetre*, poza ich wagą historyczną i wedyjską.

**TEKST 2** सञ्जय उवाच

दृष्ट्वा तु पाण्डवानीकं व्यूढं दुर्योधनस्तदा ।
आचार्यमुपसंगम्य राजा वचनमब्रवीत् ॥२॥

*sañjaya uvāca*
*dṛṣṭvā tu pāṇḍavānīkaṁ vyūḍhaṁ duryodhanas tadā*
*ācāryam upasaṅgamya rājā vacanam abravīt*

*sañjayaḥ uvāca*—Sañjaya rzekł; *dṛṣṭvā*—zobaczywszy; *tu*—ale; *pāṇḍava-anīkam*—żołnierze Pāṇḍavów; *vyūḍham*—ustawieni w szeregi wojskowe; *duryodhanaḥ*—Król Duryodhana; *tadā*—w tym czasie; *ācāryam*—nauczyciel; *upasaṅgamya*—zbliżywszy się; *rājā*—król; *vacanam*—słowa; *abravīt*—przemówił.

**Sañjaya rzekł: O Królu, obejrzawszy wojska ustawione w szyku bojowym przez synów Pāṇḍu, Król Duryodhana podszedł do swojego nauczyciela i przemówił tymi słowy.**

*ZNACZENIE:* Dhṛtarāṣṭra był ślepy od urodzenia. Na nieszczęście pozbawiony był on również wizji duchowej. Wiedział bardzo dobrze, że synowie jego byli równie ślepi w sprawach religii i był tego pewien, że nigdy nie dojdą oni do porozumienia z synami Pāṇḍu, znanymi ze swej pobożności już od urodzenia. Jednak obawiał się on wpływu miejsca pielgrzymek, i Sañjaya zrozumiał jego pobudki, kiedy pytał on o sytuację na polu bitwy. Pragnąc więc pocieszyć przygnębionego króla, doniósł mu, iż synowie jego są nieugięci i nie zważając na wpływ świętego miejsca, nie pójdą na żaden kompromis z synami Pāṇḍu. Następnie doniósł mu, iż jego syn Duryodhana, po lustracji sił Pāṇḍavów, udał się od razu do głównodowodzącego, Droṇācāryi, aby powiadomić go o rzeczywistej sytuacji. Nie zważając na swój królewski stan, Duryodhana osobiście udał się do Droṇācāryi, ale tego wymagała powaga sytuacji. Zatem całkowicie nadawał się na polityka. Jednak ten dyplomatyczny akt nie był w stanie zamaskować strachu, który wślizgnął się w serce Duryodhany po tym, jak ujrzał on świetnie zorganizowane szyki Pāṇḍavów.

**TEKST 3** पश्यैतां पाण्डुपुत्राणामाचार्य महतीं चमूम् ।
व्यूढां द्रुपदपुत्रेण तव शिष्येण धीमता ॥३॥

*paśyaitāṁ pāṇḍu-putrāṇāṁ ācārya mahatīṁ camūm*
*vyūḍhāṁ drupada-putreṇa tava śiṣyeṇa dhīmatā*

*paśya*—spójrz; *etām*—to; *pāṇḍu-putrāṇām*—synów Pāṇḍu; *ācārya*—O nauczycielu; *mahatīm*—wielkie; *camūm*—siły wojskowe; *vyūḍhām*—zorganizowane; *drupada-putreṇa*—przez syna Drupady; *tava*—twój; *śiṣyeṇa*—uczeń; *dhī-matā*—bardzo inteligentny.

**O mój nauczycielu, spójrz na te liczne wojska synów Pāṇḍu, tak po mistrzowsku zorganizowane przez syna Drupady, twojego inteligentnego ucznia.**

*ZNACZENIE:* Wielki dyplomata—Duryodhana, wytyka tutaj Droṇācāryi, wielkiemu braminowi i głównodowodzącemu, jego błędy. Droṇācārya miał kiedyś polityczną sprzeczkę z królem Drupadą, ojcem Draupadī, żony Arjuny. Wskutek tej kłótni Drupada dokonał wielkiej ofiary, dzięki której otrzymał błogosławieństwo, że narodzi mu się syn, który będzie w stanie zabić Droṇācāryę. Droṇācārya wiedział o tym doskonale, ale nie zważając na to, jako liberalny bramin, nie wahał się wyjawić wszystkich militarnych sekretów synowi Drupady, Dhṛṣṭadyumnie, którego powierzono mu w celu edukacji wojskowej. Teraz, na polu walki Kurukṣetra, Dhṛṣṭadyumna stanął po stronie Pāṇḍavów i to właśnie on zorganizował ich szeregi wojskowe, nauczywszy się tej sztuki od Droṇācāryi. Duryodhana wytknął ten błąd Droṇācāryi, dając mu do zrozumienia, aby był czujny i bezkompromisowy w walce. Chciał przez to również dać mu do zrozumienia, że nie powinien ulegać żadnym sentymentom w bitwie przeciwko Pāṇḍavom, którzy byli przecież jego ukochanymi studentami. A jego szczególnie ulubionym i zdolnym studentem był Arjuna. Duryodhana ostrzegał, że taka łagodność w walce mogłaby doprowadzić do klęski.

**TEKST 4** अत्र शूरा महेष्वासा भीमार्जुनसमा युधि ।
युयुधानो विराटश्च द्रुपदश्च महारथः ॥४॥

*atra śūrā maheṣv-āsā bhīmārjuna-samā yudhi*
*yuyudhāno virāṭaś ca drupadaś ca mahā-rathaḥ*

*atra*—tutaj; *śūrāḥ*—bohaterowie; *mahā-iṣu-āsāḥ*—potężny łucznik; *bhīma-arjuna*—Bhīmie i Arjunie; *samāḥ*—równy; *yudhi*—w walce; *yuyudhānaḥ*—Yuyudhāna; *virāṭaḥ*—Virāṭa; *ca*—również; *drupadaḥ*—Drupada; *ca*—również; *mahā-rathaḥ*—wielki wojownik.

**W wojskach tych jest wielu wielkich wojowników, takich jak Yuyudhāna, Virāṭa i Drupada, którzy równi są w walce Bhīmie i Arjunie.**

*ZNACZENIE:* Dhṛṣṭadyumna nie stanowił zbyt poważnej przeszkody wobec ogromnej siły militarnej Droṇācāryi, ale było wielu innych, którzy budzili lęk; Duryodhana uważał ich za wielkie kłody na ścieżce do zwycięstwa, ponieważ każdy z nich był tak groźny jak Bhīma i Arjuna. Znając siłę ich obu, Duryodhana porównywał do nich innych.

TEKST 5 धृष्टकेतुश्चेकितानः काशिराजश्च वीर्यवान् ।
पुरुजित् कुन्तिभोजश्च शैब्यश्च नरपुंगवः ॥५॥

*dhṛṣṭaketuś cekitānaḥ kāśirājaś ca vīryavān*
*purujit kuntibhojaś ca śaibyaś ca nara-puṅgavaḥ*

*dhṛṣṭaketuḥ*—Dhṛṣṭaketu; *cekitānaḥ*—Cekitāna; *kāśirājaḥ*—Kāśirāja; *ca*—również; *vīrya-vān*—bardzo potężny; *purujit*—Purujit; *kuntibhojaḥ*—Kuntibhoja; *ca*—i; *śaibyaḥ*—Śaibya; *ca*—i; *nara-puṅgavaḥ*—bohaterowie ludzkości.

**Są tam również wielcy, odważni wojownicy, jak Dhṛṣṭaketu, Cekitāna, Kāśirāja, Purujit, Kuntibhoja i Śaibya.**

TEKST 6 युधामन्युश्च विक्रान्त उत्तमौजाश्च वीर्यवान् ।
सौभद्रो द्रौपदेयाश्च सर्व एव महारथाः ॥६॥

*yudhāmanyuś ca vikrānta uttamaujāś ca vīryavān*
*saubhadro draupadeyāś ca sarva eva mahā-rathāḥ*

*yudhāmanyuḥ*—Yudhāmanyu; *ca*—i; *vikrāntaḥ*—potężny; *uttamaujāḥ*—Uttamaujā; *ca*—i; *vīrya-vān*—bardzo potężny; *saubhadraḥ*—syn Subhadry; *draupadeyāḥ*—synowie Draupadī; *ca*—i; *sarve*—wszyscy; *eva*—z pewnością; *mahā-rathāḥ*—wielcy wojownicy na rydwanach.

**Jest i silny Yudhāmanyu, potężny Uttamaujā, syn Subhadry i synowie Draupadī. Wszyscy oni doskonali są w walce na rydwanach.**

TEKST 7 अस्माकं तु विशिष्टा ये तान्निबोध द्विजोत्तम ।
नायका मम सैन्यस्य संज्ञार्थं तान् ब्रवीमि ते ॥७॥

*asmākaṁ tu viśiṣṭā ye tān nibodha dvijottama*
*nāyakā mama sainyasya saṁjñārthaṁ tān bravīmi te*

*asmākam*—nasz; *tu*—lecz; *viśiṣṭāḥ*—szczególnie potężny; *ye*—którzy; *tān*—ich; *nibodha*—zauważyć, zostać poinformowanym; *dvija-uttama*—o najlepszy z braminów; *nāyakāḥ*—dowódcy; *mama*—moi; *sainyasya*—żołnierzy; *saṁjñā-artham*—dla informacji; *tān*—ich; *bravīmi*—mówię; *te*—do ciebie.

**O najlepszy z braminów, teraz pozwól, że powiadomię cię o dowódcach, którzy są szczególnie kwalifikowani, aby przewodzić moim siłom.**

**TEKST 8** भवान् भीष्मश्च कर्णश्च कृपश्च समितिञ्जयः ।
अश्वत्थामा विकर्णश्च सौमदत्तिस्तथैव च ॥८॥

*bhavān bhīṣmaś ca karṇaś ca kṛpaś ca samitiṁ-jayaḥ*
*aśvatthāmā vikarṇaś ca saumadattis tathaiva ca*

*bhavān*—twoja zacna osoba; *bhīṣmaḥ*—Dziadek Bhīṣma; *ca*—również; *karṇaḥ*—Karṇa; *ca*—i; *kṛpaḥ*—Kṛpa; *ca*—i; *samitim-jayaḥ*—zawsze zwycięski w walce; *aśvatthāmā*—Aśvatthāmā; *vikarṇaḥ*—Vikarṇa; *ca*—jak również; *saumadattiḥ*—syn Somadatty; *tathā*—jak też; *eva*—z pewnością; *ca*—również.

**Są pośród nich osobistości tobie podobne: Bhiṣma, Karṇa, Kṛpa, Aśvatthāmā, Vikarṇa i syn Somadatty, zwany Bhūriśravą, którzy zawsze wychodzą zwycięsko z walki.**

*ZNACZENIE:* Duryodhana wymienił wyjątkowych bohaterów, jak dotąd niepokonanych na polu walki. Vikarṇa był bratem Duryodhany, Aśvatthāmā był synem Droṇācāryi, a Saumadatti (zwany Bhūriśravą) był synem Króla Bāhlīków. Karṇa zaś jest bratem przyrodnim Arjuny, gdyż został zrodzony z Kuntī, zanim poślubiła ona króla Pāṇḍu. Droṇācārya zaś poślubił bliźniaczą siostrę Kṛpācāryi.

**TEKST 9** अन्ये च बहवः शूरा मदर्थे त्यक्तजीविताः ।
नानाशस्त्रप्रहरणाः सर्वे युद्धविशारदाः ॥९॥

*anye ca bahavaḥ śūrā mad-arthe tyakta-jīvitāḥ*
*nānā-śastra-praharaṇāḥ sarve yuddha-viśāradāḥ*

*anye*—inni; *ca*—również; *bahavaḥ*—w wielkiej liczbie; *śūrāḥ*—bohaterowie; *mat-arthe*—z mojego powodu; *tyakta-jīvitāḥ*—gotowi ryzykować życiem; *nānā*—wielu; *śastra*—broń; *praharaṇāḥ*—wyposażeni w; *sarve*—wszyscy oni; *yuddha-viśāradāḥ*—doświadczeni w sztuce wojennej.

**Jest też wielu innych bohaterów, gotowych oddać życie dla mojej sprawy. Oręż ich niezliczony, a oni sami wysoce doświadczeni są w sztuce walki.**

*ZNACZENIE:* Jeśli chodzi o innych—takich jak Jayadratha, Kṛtavarmā i Śalya—wszyscy zdecydowani są oddać swoje życie dla sprawy Duryodhany. Innymi słowy, zostało już przesądzone, że wszyscy oni zginą w bitwie pod Kurukṣetrą, jako że stanęli po stronie grzesznego Duryodhany. Duryodhana był oczywiście przekonany o swoim zwycięstwie, licząc—na wyżej wymienione—połączone siły swoich przyjaciół.

**TEKST 10** अपर्याप्तं तदस्माकं बलं भीष्माभिरक्षितम् ।
पर्याप्तं त्विदमेतेषां बलं भीमाभिरक्षितम् ॥१०॥

*aparyāptaṁ tad asmākaṁ balaṁ bhīṣmābhirakṣitam*
*paryāptaṁ tv idam eteṣāṁ balaṁ bhīmābhirakṣitam*

*aparyāptam*—niezmierzona; *tat*—ta; *asmākam*—nasza; *balam*—siła; *bhīṣma*—przez Dziadka Bhīṣmę; *abhirakṣitam*—doskonale chroniona; *paryāptam*—ograniczona; *tu*—lecz; *idam*—wszystko to; *eteṣām*—Pāṇḍavów; *balam*—siła; *bhīma*—przez Bhīmę; *abhirakṣitam*—starannie chronieni.

**Nasze siły są niezmierzone, a Dziadek Bhīṣma daje nam doskonałą ochronę, podczas gdy siła Pāṇḍavów, starannie chronionych przez Bhīmę, jest ograniczona.**

*ZNACZENIE:* Duryodhana ocenia tutaj porównawczo siły obu armii. Uważa on, że potęga jego armii, doskonale chronionej przez najbardziej doświadczonego wodza, Dziadka Bhīṣmę, jest nieograniczona. Z drugiej strony, siły Pāṇḍavów chronione przez mniej doświadczonego wodza, Bhīmę—który jest niczym w obecności Bhīṣmy—są ograniczone. Duryodhana był zawsze zazdrosny o Bhīmę, ponieważ doskonale wiedział, że jeśli w ogóle kiedykolwiek zostanie zabity, dokona tego właśnie Bhīma. Jednocześnie jednak pewien był swego zwycięstwa z racji obecności Bhīṣmy, który był daleko lepszym dowódcą. Jego przypuszczenie, że wyjdzie z walki zwycięsko, miało więc mocne podstawy.

**TEKST 11** अयनेषु च सर्वेषु यथाभागमवस्थिताः ।
भीष्ममेवाभिरक्षन्तु भवन्तः सर्व एव हि ॥११॥

*ayaneṣu ca sarveṣu yathā-bhāgam avasthitāḥ*
*bhīṣmam evābhirakṣantu bhavantaḥ sarva eva hi*

*ayaneṣu*—w punktach strategicznych; *ca*—również; *sarveṣu*—wszędzie; *yathā-bhāgam*—rozmaicie rozmieszczony; *avasthitāḥ*—usytuowany; *bhīṣmam*—Dziadkowi Bhīṣmie; *eva*—na pewno; *abhirakṣantu*—powinniście udzielić poparcia; *bhavantaḥ*—wy; *sarve*—wszyscy odpowiednio; *eva hi*—z pewnością.

**A teraz—stojąc na swoich strategicznych pozycjach w miejscach, gdzie wróg mógłby przełamać szeregii falangii—każdy z was musi być niezawodną podporą dla Dziadka Bhīṣmy.**

*ZNACZENIE:* Podkreśliwszy przed chwilą tak mocno waleczność Bhīṣmy, Duryodhana zważył teraz na to, że inni mogli pomyśleć, iż uważa się ich za mniej ważnych. Więc w swój zwykły, dyplomatyczny sposób usiłuje poprawić sytuację, używając powyższych słów. Podkreślił, że Bhīṣmadeva jest niewątpliwie największym bohaterem, ale jest już starcem, więc wszyscy muszą go szczególnie chronić ze wszystkich stron. Mógł on zaangażować się w walkę i wróg mógł wykorzystać to jego całkowite zaangażowanie się po jednej stronie. Dlatego ważną rzeczą było, aby wszyscy inni bohaterowie pozostali na swoich strategicznych pozycjach i nie pozwolili nieprzyjacielowi przełamać szeregów. Duryodhana wyraźnie czuł, że zwycięstwo Kaurawów zależy od obecności Bhīṣmadevy. I właściwie pewien był pełnego poparcia Bhīṣmadevy i Droṇācāryi w walce. Dobrze wiedział, że nie powiedzieli oni ani słowa, gdy bezradna Draupadī (żona Arjuny) zmuszana do obnażenia się w obecności wszystkich wielkich wodzów, właśnie do nich apelowała o sprawiedliwość. Mając nawet wzgląd na pewną słabość swoich dwóch wielkich dowódców do Pāṇḍavów, Duryodhana był pewien, że teraz ci wyzbędą się swoich uczuć, tak jak zrobili to już podczas rozgrywek hazardowych.

**TEKST 12** तस्य सञ्जनयन् हर्षं कुरुवृद्धः पितामहः ।
सिंहनादं विनद्योच्चैः शंखं दध्मौ प्रतापवान् ॥१२॥

*tasya sañjanayan harṣaṁ kuru-vṛddhaḥ pitāmahaḥ*
*siṁha-nādaṁ vinadyoccaiḥ śaṅkhaṁ dadhmau pratāpavān*

*tasya*—jego; *sañjanayan*—potęgująca się; *harṣam*—radość; *kuru-vṛddhaḥ*—przodek dynastii Kuru (Bhīṣma); *pitāmahaḥ*—dziadek; *siṁha-nādam*—dźwięk podobny do ryku lwa; *vinadya*—wibrujący; *uccaiḥ*—bardzo głośno; *śaṅkham*—muszla, koncha; *dadhmau*—zadął; *pratāpa-vān*—dzielny.

**Wówczas Bhīṣma, wielki mężny przodek dynastii Kuru, dziadek wojowników, zadął potężnie w swoją konchę, a brzmienie jej, podobne rykowi lwa, rozradowało Duryodhanę.**

*ZNACZENIE:* Przodek dynastii Kaurawów zdawał sobie sprawę z tego, co działo się teraz w sercu jego wnuka, Duryodhany, i kierowany naturalnym uczuciem współczucia usiłuje rozweselić go, dmiąc bardzo głośno w swoją konchę, stosownie do swojej "lwiej" pozycji. Ale pośrednio, posługując się symbolem muszli, daje znak swojemu przygnębionemu wnukowi, że nie ma on szans na zwycięstwo, albowiem po drugiej stronie obecny jest Najwyższy Pan—Kṛṣṇa. Jednak jego obowiązkiem było prowadzić tę bitwę i w związku z tym nie szczędził trudu.

**TEKST 13** ततः शंखाश्च भेर्यश्च पणवानकगोमुखाः ।
सहसैवाभ्यहन्यन्त स शब्दस्तुमुलोऽभवत् ॥१३॥

*tataḥ śaṅkhāś ca bheryaś ca paṇavānaka-gomukhāḥ*
*sahasaivābhyahanyanta sa śabdas tumulo 'bhavat*

*tataḥ*—następnie; *śaṅkhāḥ*—muszle; *ca*—również; *bheryaḥ*—wielkie bębny; *ca*—i; *paṇava-ānaka*—małe bębenki i kotły; *gomukhāḥ*—rogi; *sahasā*—nagle; *eva*—z pewnością; *abhyahanyanta*—zabrzmiały równocześnie; *saḥ*—to; *śabdaḥ*—połączone brzmienie; *tumulaḥ*—zgiełkliwy; *abhavat*—stały się.

**Zaraz potem zabrzmiały konchy, bębny, trąbki, tuby i rogi, a ich połączony dźwięk uczynił wiele zgiełku.**

**TEKST 14** ततः श्वेतैर्हयैर्युक्ते महति स्यन्दने स्थितौ ।
माधवः पाण्डवश्चैव दिव्यौ शंखौ प्रदध्मतुः ॥१४॥

*tataḥ śvetair hayair yukte mahati syandane sthitau*
*mādhavaḥ pāṇḍavaś caiva divyau śaṅkhau pradadhmatuḥ*

*tataḥ*—następnie; *śvetaiḥ*—przez białe; *hayaiḥ*—konie; *yukte*—zaprzęgnięte w; *mahati*—w wielki; *syandane*—rydwan; *sthitau*—usadowieni; *mādhavaḥ*—Kṛṣṇa (mąż bogini fortuny); *pāṇḍavaḥ*—Arjuna (syn Pāṇḍu); *ca*—również; *eva*—na pewno; *divyau*—transcendentalny; *śaṅkhau*—muszle; *pradadhmatuḥ*—zadęli.

**Po drugiej stronie zadęli w swoje transcendentalne konchy Kṛṣṇa i Arjuna, usadowieni w wielkim rydwanie ciągnionym przez białe konie.**

*ZNACZENIE:* W przeciwieństwie do muszli, w którą zadął Bhīṣmadeva, muszle w rękach Kṛṣṇy i Arjuny opisane zostały jako transcendentalne. Brzmienie tych transcendentalnych muszli oznajmiało, że nie ma nadziei na zwycięstwo dla strony przeciwnej, ponieważ Sam Kṛṣṇa znalazł się po stronie Pāṇḍavów. *Jayas tu pāṇḍu-putrāṇāṁ yeṣāṁ pakṣe janārdanaḥ*. Zwycięstwo zawsze jest z takimi osobami jak synowie Pāṇḍu, jako że towarzyszy im Pan Kṛṣṇa. A gdziekolwiek i kiedykolwiek jest obecny Pan, tam zawsze jest i bogini szczęścia, jako że bogini fortuny nigdy nie opuszcza swego męża. Dlatego szczęście i zwycięstwo oczekiwało Arjunę, i to oznajmił transcendentalny dźwięk wydany przez konchę Viṣṇu, czyli Pana Kṛṣṇy. Poza tym, rydwan na którym siedzieli obaj przyjaciele, podarował Arjunie Agni (bóg ognia), a to dawało pewność, iż wóz ten będzie w stanie pokonać wszystkie strony, gdziekolwiek by nie był ciągniony w obrębie trzech światów.

**TEKST 15** पाञ्चजन्यं हृषीकेशो देवदत्तं धनञ्जयः ।
पौण्ड्रं दध्मौ महाशंखं भीमकर्मा वृकोदरः ॥१५॥

*pāñcajanyaṁ hṛṣīkeśo devadattaṁ dhanañjayaḥ*
*pauṇḍraṁ dadhmau mahā-śaṅkhaṁ bhīma-karmā vṛkodaraḥ*

*pāñcajanyam*—muszla zwana Pāñcajanya; *hṛṣīka-īśaḥ*—Hṛṣīkeśa (Kṛṣṇa, Pan, który kieruje zmysłami bhaktów); *devadattam*—muszla zwana Devadatta; *dhanam-jayaḥ*—Dhanañjaya (Arjuna, zdobywca bogactw); *pauṇḍram*—muszla zwana Pauṇḍra; *dadhmau*—zadęli; *mahā-śaṅkham*—wspaniała muszla; *bhīma-karmā*—ten, kto dokonuje herkulesowych wyczynów; *vṛka-udaraḥ*—nienasycony żarłok (Bhīma).

**Pan Kṛṣṇa zadął w Swoją konchę zwaną Pāñcajanya, Arjuna w swoją Devadattę, a Bhīma, nienasycony żarłok zdolny do iście herkulesowych wyczynów, zadął w swoją wspaniałą konchę zwaną Pauṇḍra.**

*ZNACZENIE:* W tym wersecie Pan Kṛṣṇa nazwany został Hṛṣīkeśą, jako że jest On właścicielem wszystkich zmysłów. Żywe istoty są Jego integralnymi cząstkami, dlatego zmysły żywych istot stanowią integralną część Jego zmysłów. Impersonaliści nie są w stanie wytłumaczyć zmysłów żywych istot i dlatego są zawsze skłonni opisywać żywe istoty jako pozbawione zmysłów albo bezosobowe. Pan, usytuowany w sercu wszystkich żywych stworzeń, kieruje ich zmysłami. Ale kieruje nimi w taki sposób, aby żywa istota zrozumiała, że powinna się Mu podporządkować, a w przypadku czystego wielbiciela Pan kieruje jego zmysłami bezpośrednio. Tutaj, na Polu Walki Kurukṣetra, Pan bezpośrednio kieruje transcendentalnymi zmysłami Arjuny i stąd Jego szczególne imię, Hṛṣīkeśa. Pan nosi różne imiona, odpowiadające Jego różnorodnym czynnościom. Na przykład znany jest On pod imieniem Madhusūdana, jako że zabił demona o imieniu Madhu; nazywany jest Govindą, gdyż dostarcza przyjemności krowom i zmysłom; nosi imię Vāsudeva, ponieważ pojawił się jako syn Vasudevy; nazywany jest jako Devakī-nandana, ponieważ zaakceptował Devakī jako Swoją matkę; znany jest pod imieniem Yaśodā-nandana, jako że Swoje dziecięce rozrywki we Vṛndāvanie zadedykował Yaśodzie; Jego imieniem jest również Pārtha-sārathi, ponieważ był woźnicą Swojego przyjaciela Arjuny. Podobnie, imię Jego jest Hṛṣīkeśa, jako że dawał wskazówki Arjunie na Polu Walki Kurukṣetra.

Arjuna nazwany został tutaj Dhanañjayą, a to dlatego, że pomógł swemu starszemu bratu w zdobyciu bogactw, gdy potrzebne były one królowi na różne ofiary. Podobnie Bhīma, wielki żarłok i tytan zdolny do iście herkulesowych zadań (chociażby zabicie demona Hiḍimby), znany jest jako Vṛkodara. Zatem głosy poszczególnych muszli, w które zadęły różne osobistości po stronie Pāṇḍavów—poczynając od Pana—wlały otuchę w serca walczących wojowników. Druga strona nie była w tak korzystnej sytuacji; nie była zaszczycona obecnością Pana Kṛṣṇy, najwyższego wodza, ani bogini fortuny. Więc przeznaczeniem ich była przegrana—i to właśnie oznajmiały dźwięki muszli.

## TEKSTY 16-18

अनन्तविजयं राजा कुन्तीपुत्रो युधिष्ठिरः ।
नकुलः सहदेवश्च सुघोषमणिपुष्पकौ ॥१६॥
काश्यश्च परमेष्वासः शिखण्डी च महारथः ।
धृष्टद्युम्नो विराटश्च सात्यकिश्चापराजितः ॥१७॥
द्रुपदो द्रौपदेयाश्च सर्वशः पृथिवीपते ।
सौभद्रश्च महाबाहुः शंखान् दध्मुः पृथक् पृथक् ॥१८॥

*anantavijayaṁ rājā kuntī-putro yudhiṣṭhiraḥ*
*nakulaḥ sahadevaś ca sughoṣa-maṇipuṣpakau*

*kāśyaś ca parameṣv-āsaḥ śikhaṇḍī ca mahā-rathaḥ*
*dhṛṣṭadyumno virāṭaś ca sātyakiś cāparājitaḥ*

*drupado draupadeyāś ca sarvaśaḥ pṛthivī-pate*
*saubhadraś ca mahā-bāhuḥ śaṅkhān dadhmuḥ pṛthak pṛthak*

*ananta-vijayam*—muszla nazywana Anantavijaya; *rājā*—król; *kuntī-putraḥ*—syn Kuntī; *yudhiṣṭhiraḥ*—Yudhiṣṭhira; *nakulaḥ*—Nakula;

*sahadevaḥ*—Sahadeva; *ca*—i; *sughoṣa-maṇipuṣpakau*—muszle nazywane Sughoṣa i Maṇipuṣpaka; *kāśyaḥ*—Król Kāśī (Vārāṇasī); *ca*—i; *parama-iṣu-āsaḥ*—wielki łucznik; *śikhaṇḍī*—Śikhaṇḍī; *ca*—również; *mahā-rathaḥ*—ten, kto może podołać w walce tysiącom; *dhṛṣṭadyumnaḥ*—Dhṛṣṭadyumna (syn Króla Drupady); *virāṭaḥ*—Virāṭa (książę, który udzielił schronienia Pāṇḍavom, kiedy byli w niełasce); *ca*—również; *sātyakiḥ*—Sātyaki (tak samo jak Yuyudhāna, woźnica Pana Kṛṣṇy); *ca*—i; *aparājitaḥ*—nigdy przedtem nie zwyciężony; *drupadaḥ*—Drupada, Król Pāñcāla; *draupadeyāḥ*—synowie Draupadī; *ca*—również; *sarvaśaḥ*—wszyscy; *pṛthivī-pate*—O Królu; *saubhadraḥ*—Abhimanyu, syn Subhadry; *ca*—również; *mahā-bāhuḥ*—potężnie uzbrojeni; *śaṅkhān*—konchy; *dadhmuḥ*—zadęli; *pṛthak pṛthak*—każdy z osobna.

**Król Yudhiṣṭhira, syn Kuntī, zadął w swoją konchę, Anantavijayę, a Nakula i Sahadeva zadęli w Sughoṣę i Maṇipuṣpakę. Wielki łucznik król Kāśī, wielki wojownik Śikhaṇḍī, Dhṛṣṭadyumna, Virāṭa i niepokonany Sātyaki, Drupada, synowie Draupadī i inni, o Królu, tacy jak potężnie uzbrojony syn Subhadry, wszyscy zadęli w swoje konchy.**

*ZNACZENIE:* Sañjaya bardzo taktownie poinformował króla Dhṛtarāṣṭrę, że jego niemądra polityka zwodzenia synów Pāṇḍu i jego starania, aby osadzić na tronie swoich własnych synów, nie były rzeczą godną pochwały. Wszystko wskazywało na to, że ta bitwa położy kres całej dynastii Kuru. Począwszy od przodka Bhīṣmy, skończywszy zaś na wnukach, jak Abhimanyu i inni—łącznie z wieloma królami z wielu państw świata—wszyscy byli tam obecni, i los ich został przesądzony. Całą winę za tę tragedię ponosi król Dhṛtarāṣṭra, gdyż to on popierał politykę swoich synów.

**TEKST 19** स घोषो धार्तराष्ट्राणां हृदयानि व्यदारयत् ।
नभश्च पृथिवीं चैव तुमुलोऽभ्यनुनादयन् ॥१९॥

*sa ghoṣo dhārtarāṣṭrāṇāṁ hṛdayāni vyadārayat*
*nabhaś ca pṛthivīṁ caiva tumulo 'bhyanunādayan*

*saḥ*—ta; *ghoṣaḥ*—wibracja; *dhārtarāṣṭrāṇām*—synów Dhṛtarāṣṭry; *hṛdayāni*—serca; *vyadārayat*—zdruzgotały; *nabhaḥ*—niebo; *ca*—również; *pṛthivīm*—powierzchnia ziemi; *ca*—również; *eva*—z pewnością; *tumulaḥ*—hałaśliwy; *abhyanunādayan*—rozbrzmiewające.

**A hałaśliwe dźwięki muszli napełniły wibracjami ziemię i niebo, i tumult ten zdruzgotał serca synów Dhṛtarāṣṭry.**

*ZNACZENIE:* Kiedy Bhīṣma i inni po stronie Duryodhany dęli w swoje muszle, nie było to bolesne dla serc Pāṇḍavów. Nie ma wzmianki o takich odczuciach. Natomiast werset ten oznajmia, że serca synów Dhṛtarāṣṭry zdruzgotane zostały dźwiękami dobiegającymi z oddziałów Pāṇḍavów. Stało się tak za przyczyną synów Pāṇḍu, którzy zaufali Panu Kṛṣṇie. Albowiem ten, kto przyjmuje schronienie w Najwyższym Panu, ten nie musi się obawiać niczego, nawet w środku największego niebezpieczeństwa.

**TEKST 20** अथ व्यवस्थितान् दृष्ट्वा धार्तराष्ट्रान् कपिध्वजः ।
प्रवृत्ते शस्त्रसम्पाते धनुरुद्यम्य पाण्डवः ।
हृषीकेशं तदा वाक्यमिदमाह महीपते ॥२०॥

*atha vyavasthitān dṛṣṭvā dhārtarāṣṭrān kapi-dhvajaḥ*
*pravṛtte śastra-sampāte dhanur udyamya pāṇḍavaḥ*
*hṛṣīkeśaṁ tadā vākyam idam āha mahī-pate*

*atha*—po czym; *vyavasthitān*—usytuowany; *dṛṣṭvā*—patrząc na; *dhārtarāṣṭrān*—synów Dhṛtarāṣṭry; *kapi-dhvajaḥ*—na którego fladze widniał Hanumān; *pravṛtte*—gotowy do działania; *śastra-sampāte*—wypuszczając strzały; *dhanuḥ*—łuk; *udyamya*—pochwyciwszy; *pāṇḍavaḥ*—syn Pāṇḍu (Arjuna); *hṛṣīkeśam*—do Pana Kṛṣṇy; *tadā*—w tym czasie; *vākyam*—słowa; *idam*—te; *āha*—powiedział; *mahī-pate*—O Królu.

**O Królu, na ten czas Arjuna, syn Pāṇḍu, siedzący w swym rydwanie, na którego chorągwi widniał Hanumān, podniósł łuk i przygotował się do wypuszczenia strzał. O Królu, spojrzawszy na twych synów ustawionych w szyku bojowym, Arjuna przemówił do Pana Kṛṣṇy tymi słowy.**

*ZNACZENIE:* Bitwa miała się wkrótce rozpocząć. Powyższe wersety dają nam do zrozumienia, że synowie Dhṛtarāṣṭry byli mniej lub bardziej przygnębieni, widząc nieoczekiwaną organizację sił militarnych Pāṇḍavów, kierowanych na polu bitwy bezpośrednimi instrukcjami Pana Kṛṣṇy. Wizerunek Hanumāna na proporcu Arjuny—to kolejna oznaka nieodwołalnego zwycięstwa, gdyż Hanumān współdziałał z Panem Rāmą w Jego zwycięskiej bitwie z Rāvaṇą. Teraz zarówno Rāma, jak i Hanumān znaleźli się w rydwanie Arjuny, aby służyć mu pomocą. Pan Kṛṣṇa jest Samym Rāmą, a gdziekolwiek jest Pan Rāma, tam również jest i Jego wieczny sługa Hanumān i Jego wieczna małżonka Sītā, bogini fortuny. Zatem Arjuna nie miał powodu do jakichkolwiek obaw. Przecież Sam Pan zmysłów, Kṛṣṇa, był tuż przy nim i w każdej chwili mógł mu służyć wskazówkami. Zatem Arjuna mógł korzystać z wszelkich dobrych rad, jeśli chodzi o prowadzenie bitwy. A tak pomyślne warunki zorganizowane przez Pana dla Jego wiecznego wielbiciela są oznaką pewnego zwycięstwa.

## TEKSTY 21-22

अर्जुन उवाच

सेनयोरुभयोर्मध्ये रथं स्थापय मेऽच्युत ।
यावदेतान्निरीक्षेऽहं योद्धुकामानवस्थितान् ॥२१॥
कैर्मया सह योद्धव्यमस्मिन् रणसमुद्यमे ॥२२॥

*arjuna uvāca*
*senayor ubhayor madhye rathaṁ sthāpaya me 'cyuta*
*yāvad etān nirīkṣe 'haṁ yoddhu-kāmān avasthitān*

*kair mayā saha yoddhavyam asmin raṇa-samudyame*

*arjunaḥ uvāca*—Arjuna rzekł; *senayoḥ*—wojsk; *ubhayoḥ*—obu; *madhye*—pomiędzy; *ratham*—rydwan; *sthāpaya*—proszę prowadź; *me*—mój; *acyuta*—O nieomylny; *yāvat*—tak długo jak; *etān*—tych wszystkich; *nirīkṣe*—mogę zobaczyć; *aham*—ja; *yoddhu-kāmān*—pragnąc walczyć; *avasthitān*—ustawionych na polu bitwy; *kaiḥ*—z którymi; *mayā*—przeze mnie; *saha*—razem; *yoddhavyam*—muszę walczyć; *asmin*—w tej; *raṇa*—walka; *samudyame*—w próbie.

**Arjuna rzekł: O niezawodny, proszę, poprowadź mój rydwan pomiędzy obie armie, tak abym mógł ujrzeć tych, którzy pragną walki, i z którymi przyjdzie mi się zetrzeć w tej wielkiej próbie wojennej.**

*ZNACZENIE:* Pan Kṛṣṇa jest Najwyższą Osobą Boga, ale z powodu Swojej bezprzyczynowej łaski zaangażował się w służbę dla Swojego przyjaciela. Najwyższy Pan jest zawsze niezawodny w uczuciu dla Swoich wielbicieli, dlatego też Arjuna zwrócił się do Niego w ten sposób. Jako powożący rydwanem musiał On spełniać polecenia Arjuny, a jako że nigdy się z tym nie ociągał, adresowany jest tutaj jako niezawodny. Jednakże, chociaż Pan zgodził się być woźnicą Swojego przyjaciela, Jego najwyższa pozycja nie została zakwestionowana. We wszystkich okolicznościach jest On Najwyższą Osobą Boga, Hṛṣīkeśą, Panem wszystkich zmysłów. Związek pomiędzy Panem a Jego sługą jest bardzo słodki i transcendentalny. Sługa zawsze gotowy jest pełnić służbę dla Pana, i podobnie, Pan zawsze szuka okazji, aby w jakiś sposób usłużyć Swojemu wielbicielowi. Więcej przyjemności czerpie On z tego, gdy jakiś czysty wielbiciel przyjmuje bardziej uprzywilejowaną pozycję i rozkazuje Jemu, niż gdyby Sam miał wydawać polecenia. Jako Pan, rządzi On wszystkimi i nie ma nikogo, kto byłby ponad Nim i Nim rządził. Kiedy jednak czysty wielbiciel wydaje Mu polecenia, czerpie On z tego transcendentalną przyjemność, pomimo tego, że w każdych okolicznościach zajmuje On niezachwianą pozycję Pana.

Arjuna, jako czysty wielbiciel Pana, nie chciał walczyć ze swymi braćmi i kuzynami. Do wyjścia na pole walki zmusił go upór Duryodhany, który nigdy nie godził się na jakiekolwiek pertraktacje pokojowe. Dlatego ciekaw był, kim są dowódcy strony przeciwnej, obecni na polu walki. Chociaż nie mogło być już mowy o żadnych przedsięwzięciach pokojowych na polu walki, Arjuna chciał zobaczyć ich raz jeszcze i przekonać się, jak bardzo zawzięci są oni w swoim bezsensownym pragnieniu walki.

## TEKST 23

योत्स्यमानानवेक्षेऽहं य एतेऽत्र समागताः ।
धार्तराष्ट्रस्य दुर्बुद्धेर्युद्धे प्रियचिकीर्षवः ॥२३॥

*yotsyamānān avekṣe 'haṁ ya ete 'tra samāgatāḥ*
*dhārtarāṣṭrasya durbuddher yuddhe priya-cikīrṣavaḥ*

*yotsyamānān*—tych, którzy będą walczyć; *avekṣe*—niech zobaczę; *aham*—ja; *ye*—ci; *ete*—którzy; *atra*—tutaj; *samāgatāḥ*—zgromadzeni; *dhārtarāṣṭrasya*—dla syna Dhṛtarāṣṭry; *durbuddheḥ*—złośliwy; *yuddhe*—w walce; *priya*—dobrze; *cikīrṣavaḥ*—pragnąc.

**Pozwól mi zobaczyć tych, co stanęli tutaj w wojennym szyku, pragnąc w ten sposób zadowolić złośliwego syna Dhṛtarāṣṭry.**

*ZNACZENIE:* Wszystkim wiadomo było, że Duryodhana pragnie zawładnąć królestwem Pāṇḍavów. Dzielnie w tych knowaniach sekundował mu jego ślepy ojciec, Dhṛtarāṣṭra. Dlatego można przyjąć, iż wszystkie osoby, które stanęły po stronie Duryodhany, były tego samego pokroju. Arjuna pragnął zobaczyć ich przed rozpoczęciem walki, aby dowiedzieć się, kim są. Nie miał jednak zamiaru negocjować z nimi w sprawie pokoju. Chciał po prostu ocenić siły tych, którym miał stawić czoła, mimo iż pewien był zwycięstwa, albowiem Kṛṣṇa siedział u jego boku.

**TEKST 24** सञ्जय उवाच
एवमुक्तो हृषीकेशो गुडाकेशेन भारत ।
सेनयोरुभयोर्मध्ये स्थापयित्वा रथोत्तमम् ॥२४॥

*sañjaya uvāca*
*evam ukto hṛṣīkeśo guḍākeśena bhārata*
*senayor ubhayor madhye sthāpayitvā rathottamam*

*sañjayaḥ uvāca*—Sañjaya rzekł; *evam*—w ten sposób; *uktaḥ*—nazwany; *hṛṣīkeśaḥ*—Pan Kṛṣṇa; *guḍākeśena*—przez Arjunę; *bhārata*—O potomku Bharaty; *senayoḥ*—wojsk; *ubhayoḥ*—obu; *madhye*—w środku; *sthāpayitvā*—umieściwszy; *ratha-uttamam*—najwspanialszy rydwan.

**Sañjaya rzekł: O potomku Bharaty, wysłuchawszy Arjuny, Kṛṣṇa skierował wspaniały rydwan pomiędzy wojska obu stron.**

*ZNACZENIE:* W tym wersecie Arjuna nazwany został Guḍākeśą. *Guḍākā* oznacza sen, a ten, kto pokonuje sen, nazywany jest *guḍākeśą*. Sen jest również oznaką ignorancji. Więc Arjuna, dzięki swojej przyjaźni z Kṛṣṇą, pokonał zarówno sen, jak i ignorancję. Jako wielki bhakta Kṛṣṇy, nie mógł zapomnieć Kṛṣṇy nawet na chwilę, taka jest bowiem natura wielbiciela. Zarówno we śnie, jak i na jawie, bhakta Pana nigdy nie przestaje myśleć o imieniu Kṛṣṇy, Jego formie, cechach i rozrywkach. Zatem wielbiciel Kṛṣṇy może pokonać zarówno sen, jak i ignorancję, po prostu nieustannie myśląc o Kṛṣṇie. Nazywane jest to świadomością Kṛṣṇy albo *samādhi*. Jako Hṛṣīkeśa, czyli kontroler zmysłów i umysłu każdej żywej istoty, Kṛṣṇa zrozumiał cel Arjuny w umieszczeniu wozu pośrodku obu armii. Więc uczynił to i przemówił w ten sposób.

**TEKST 25** भीष्मद्रोणप्रमुखतः सर्वेषां च महीक्षिताम् ।
उवाच पार्थ पश्यैतान् समवेतान् कुरूनिति ॥२५॥

*bhīṣma-droṇa-pramukhataḥ sarveṣāṁ ca mahī-kṣitām*
*uvāca pārtha paśyaitān samavetān kurūn iti*

*bhīṣma*—Dziadek Bhīṣma; *droṇa*—nauczyciel Droṇa; *pramukhataḥ*—przed; *sarveṣām*—wszystkimi; *ca*—również; *mahī-kṣitām*—przewodzący światu; *uvāca*—powiedział; *pārtha*—O synu Pṛthy; *paśya*—spójrz tylko; *etān*—wszyscy oni; *samavetān*—zgromadzeni; *kurūn*—wszyscy członkowie dynastii Kuru; *iti*—w ten sposób.

**I w obecności Bhīṣmy, Droṇy i wszystkich pozostałych władców świata, Pan rzekł: Spójrz no Pārtho na wszystkich Kaurawów, którzy zgromadzili się tutaj.**

*ZNACZENIE:* Jako Dusza Najwyższa każdej żywej istoty, Pan Kṛṣṇa doskonale wiedział, co się dzieje w umyśle Arjuny. Użycie słowa "Hṛṣīkeśa" w tym kontekście oznacza, iż wie On o wszystkim. Podobnie znaczące jest, odniesione do Arjuny, słowo Pārtha, czyli syn Kuntī albo inaczej Pṛthy. Jako przyjaciel Arjuny, Kṛṣṇa chciał poinformować go, że zgodził się być jego woźnicą dlatego, że był on synem Pṛthy, siostry Jego własnego ojca, Vasudevy. Ale co Kṛṣṇa miał na myśli, gdy kazał mu spojrzeć na Kaurawów? Czy Arjuna chciał już tutaj powstrzymać się od walki? Kṛṣṇa nigdy nie spodziewał się tego po synu Swojej ciotki Pṛthy. W ten sposób, przyjaźnie żartując, Pan odsłonił myśli Arjuny.

**TEKST 26** तत्रापश्यत् स्थितान् पार्थः पितॄनथ पितामहान् ।
आचार्यान्मातुलान् भ्रातॄन् पुत्रान् पौत्रान् सखींस्तथा ।
श्वशुरान् सुहृदश्चैव सेनयोरुभयोरपि ॥२६॥

*tatrāpaśyat sthitān pārthaḥ pitṝn atha pitāmahān*
*ācāryān mātulān bhrātṝn putrān pautrān sakhīṁs tathā*
*śvaśurān suhṛdaś caiva senayor ubhayor api*

*tatra*—tam; *apaśyat*—mógł zobaczyć; *sthitān*—stojących; *pārthaḥ*—Arjuna; *pitṝn*—ojców; *atha*—również; *pitāmahān*—dziadków; *ācāryān*—nauczycieli; *mātulān*—braci swojej matki; *bhrātṝn*—braci; *putrān*—synów; *pautrān*—wnuków; *sakhīn*—przyjaciół; *tathā*—również; *śvaśurān*—teściów; *suhṛdaḥ*—sympatyków (życzliwych mu ludzi); *ca*—również; *eva*—z pewnością; *senayoḥ*—armii; *ubhayoḥ*—obu stron; *api*—włączając.

**Z miejsca pomiędzy obu armiami Arjuna mógł zobaczyć swoich ojców, dziadków, nauczycieli, wujów, braci, synów, wnuków, przyjaciół, jak również teściów i wszystkich sympatyków.**

*ZNACZENIE:* Na polu bitwy Arjuna zobaczył wszystkich swoich krewnych. Widział osoby takie jak Bhūriśravę, rówieśników swego ojca, dziadków: Bhīṣmę i Somadattę; nauczycieli: Droṇācāryę i Kṛpācāryę; braci swojej matki: Śalyę i Śakuni; swoich braci, jak Duryodhanę; synów, jak Lakṣmaṇa; przyjaciół, jak Aśvatthāmę; sympatyków, jak

Kṛtavarmę itd. Widział również wojska, a pośród nich wielu swoich przyjaciół.

TEKST 27 तान् समीक्ष्य स कौन्तेयः सर्वान् बन्धूनवस्थितान् ।
कृपया परयाविष्टो विषीदन्निदमब्रवीत् ॥२७॥

*tān samīkṣya sa kaunteyaḥ sarvān bandhūn avasthitān*
*kṛpayā parayāviṣṭo viṣīdann idam abravīt*

*tān*—wszystkich; *samīkṣya*—zobaczywszy; *saḥ*—on; *kaunteyaḥ*—syn Kuntī; *sarvān*—rozmaitych; *bandhūn*—krewnych; *avasthitān*—ustawionych; *kṛpayā*—przez współczucie; *parayā*—wielkie; *āviṣṭaḥ*—przepełniony; *viṣīdan*—lamentując; *idam*—w ten sposób; *abravīt*—przemówił.

**I ujrzawszy wszystkich swoich różnych przyjaciół i krewnych, Arjuna—syn Kuntī, napełnił się współczuciem i przemówił w ten sposób.**

TEKST 28 अर्जुन उवाच
दृष्ट्वेमं स्वजनं कृष्ण युयुत्सुं समुपस्थितम् ।
सीदन्ति मम गात्राणि मुखं च परिशुष्यति ॥२८॥

*arjuna uvāca*
*dṛṣṭvemaṁ sva-janaṁ kṛṣṇa yuyutsuṁ samupasthitam*
*sīdanti mama gātrāṇi mukhaṁ ca pariśuṣyati*

*arjunaḥ uvāca*—Arjuna rzekł; *dṛṣṭvā*—zobaczywszy; *imam*—wszystkich tych; *sva-janam*—krewnych; *kṛṣṇa*—O Kṛṣṇo; *yuyutsum*—wszystkich w duchu walki; *samupasthitam*—obecnych; *sīdanti*—drżą; *mama*—moje; *gātrāṇi*—członki ciała; *mukham*—usta; *ca*—również; *pariśuṣyati*—wysychają.

**Arjuna rzekł: Mój drogi Kṛṣṇo, widząc swoich przyjaciół i krewnych, wszystkich tak rozpalonych duchem walki, czuję drżenie w kończynach mego ciała, a suchość trawi mi usta.**

*ZNACZENIE:* Każdy człowiek prawdziwie oddany Panu posiada wszystkie dobre cechy, które znaleźć można u osób świętych albo półbogów. Podczas gdy abhakta, niewielbiciel, nawet posiadając wysokie kwalifikacje materialne—dzięki wykształceniu i kulturze—nie posiada cech boskich. Arjuna, jako wielbiciel Pana, zobaczywszy swoich przyjaciół i krewnych na polu walki, od razu przepełnił się współczuciem dla nich, jako że zdecydowali się walczyć ze sobą. Jeśli chodzi o jego własnych żołnierzy, to był on pełen współczucia dla nich już od samego początku, ale czuł on nawet litość dla żołnierzy strony przeciwnej, przewidując ich bliską śmierć. I myśląc w ten sposób, poczuł drżenie w członkach swego ciała i suchość w ustach. Był bardziej lub mniej zdumiony widząc ich owładniętych duchem walki. Praktycznie całe społeczeństwo, wszyscy krewni Arjuny, przybyli, aby walczyć z nim. Przygnębiło to wielce Arjunę—dobrego bhaktę Pana. Chociaż nie ma tu o tym wzmianki, można sobie bez trudu wyobrazić, że przyprawiło go to nie tylko o drżenie ciała i suchość w ustach, ale że musiał również płakać z żalu i współczucia. Takie objawy u Arjuny nie były bynajmniej oznaką słabości, ale świadczyły o jego miękkim, zdolnym do współczucia sercu, co jest cechą charakterystyczną dla czystego wielbiciela Pana. Dlatego powiedziane jest:

*yasyāsti bhaktir bhagavaty akiñcanā*
*sarvair guṇais tatra samāsate surāḥ*
*harāv abhaktasya kuto mahad-guṇā*
*mano-rathenāsati dhāvato bahiḥ*

"Kto bez reszty oddany jest Osobie Boga, ten posiada wszelkie dobre cechy półbogów. Natomiast ten, kto nie jest wielbicielem Pana, ma tylko kwalifikacje materialne, te zaś niewielką mają wartość. Jest tak dlatego, że unosi się on na planie mentalnym i niewątpliwie przyciągany jest przez oślepiającą energię materialną." (*Bhāg.* 5.18.12)

**TEKST 29** वेपथुश्च शरीरे मे रोमहर्षश्च जायते ।
गाण्डीवं स्रंसते हस्तात् त्वक् चैव परिदह्यते ॥२९॥

*vepathuś ca śarīre me roma-harṣaś ca jāyate*
*gāṇḍīvaṁ sraṁsate hastāt tvak caiva paridahyate*

*vepathuḥ*—drżenie ciała; *ca*—również; *śarīre*—na ciele; *me*—moim; *roma-harṣaḥ*—zjeżony włos; *ca*—również; *jāyate*—ma miejsce; *gāṇḍīvam*—łuk Arjuny; *sraṁsate*—wyślizguje się; *hastāt*—z rąk; *tvak*—skóra; *ca*—również; *eva*—niewątpliwie; *paridahyate*—płonie.

**Całe moje ciało drży i jeżą mi się włosy. Mój łuk Gāṇḍīva wyślizguje mi się z rąk, a skóra moja płonie.**

*ZNACZENIE:* Są dwa rodzaje drżenia ciała i jeżenia się włosów. Takie objawy świadczą albo o wielkiej duchowej ekstazie, albo o wielkim strachu spowodowanym jakimiś okolicznościami materialnymi. W realizacji transcendentalnej strach nie istnieje. Symptomy wykazywane przez Arjunę w tej sytuacji wywołane zostały strachem materialnym—mianowicie obawą o życie. Świadczą o tym również inne symptomy: z powodu dużej irytacji jego słynny łuk Gāṇḍīva wyślizgiwał mu się z rąk, a ponieważ serce przepełnione żalem paliło się w nim, miał wrażenie, że płonie na nim skóra. Przyczyną tego wszystkiego było materialne podejście do życia.

TEKST 30 न च शक्नोम्यवस्थातुं भ्रमतीव च मे मनः ।
निमित्तानि च पश्यामि विपरीतानि केशव ॥३०॥

*na ca śaknomy avasthātuṁ bhramatīva ca me manaḥ*
*nimittāni ca paśyāmi viparītāni keśava*

*na*—ani nie; *ca*—również; *śaknomi*—jestem w stanie; *avasthātum*—pozostać; *bhramati*—zapominając; *iva*—jak; *ca*—i; *me*—mój; *manaḥ*—umysł; *nimittāni*—powoduje; *ca*—również; *paśyāmi*—przewiduję; *viparītāni*—przeciwieństwo; *keśava*—O zabójco demona Keśī (Kṛṣṇo).

**Nie jestem w stanie pozostać tutaj ani chwili dłużej. Zapominam się i czuję zawrót głowy. Przeczuwam jedynie zło, o zabójco demona Keśī.**

*ZNACZENIE:* Z powodu irytacji Arjuna nie był w stanie pozostać na polu walki i zapominał się na skutek słabości swego umysłu. Przyczyną dezorientacji w życiu jest nadmierne przywiązanie do rzeczy materialnych. *Bhayaṁ dvitīyābhiniveśataḥ syāt* (*Bhāg*. 11.2.37): taka bojaźliwość i utrata równowagi umysłowej właściwa jest osobom, na które zbyt duże oddziaływanie mają warunki materialne. Arjuna przewidywał tylko nieszczęście na polu walki—nie uszczęśliwiłoby go nawet zwycięstwo nad wrogiem. Znaczące są tutaj słowa *nimittāni viparītāni*. Gdy człowiek widzi, że oczekuje go tylko nieszczęście, myśli wtedy: "Dlaczego tutaj jestem?" Każdy zainteresowany jest sobą i swoim dobrobytem. Nikt nie jest zainteresowany Najwyższą Jaźnią. Z woli Kṛṣṇy, Arjuna objawia tutaj ignorancję względem swego prawdziwego dobra. Nasze prawdziwe dobro leży w Viṣṇu, czyli Kṛṣṇie. Uwarunkowana dusza zapomina o tym i dlatego cierpi różne materialne bolączki. Arjuna uważał, że zwycięstwo w walce byłoby dla niego jedynie przyczyną rozterek.

TEKST 31 न च श्रेयोऽनुपश्यामि हत्वा स्वजनमाहवे ।
न काङ्क्षे विजयं कृष्ण न च राज्यं सुखानि च ॥३१॥

*na ca śreyo 'nupaśyāmi hatvā sva-janam āhave*
*na kāṅkṣe vijayaṁ kṛṣṇa na ca rājyaṁ sukhāni ca*

*na*—ani nie; *ca*—również; *śreyaḥ*—dobro; *anupaśyāmi*—przewiduję; *hatvā*—przez zabicie; *sva-janam*—własnych krewnych; *āhave*—w walce; *na*—ani nie; *kāṅkṣe*—pragnę; *vijayam*—zwycięstwa; *kṛṣṇa*—O Kṛṣṇo; *na*—ani nie; *ca*—również; *rājyam*—królestwa; *sukhāni*—tego szczęścia; *ca*—również.

**Nie rozumiem, jakież to dobro może wyniknąć z zabicia moich własnych krewnych w tej walce ani nie mogę, mój drogi Kṛṣṇo, pragnąć zwycięstwa, królestwa ani szczęścia.**

*ZNACZENIE:* Uwarunkowane dusze—nie wiedząc, że ich najwyższym interesem i dobrem jest Viṣṇu, czyli Kṛṣṇa—kierują swoją uwagę na związki cielesne, mając złudną nadzieję, że w nich znajdą szczęście. Pod wpływem złudzenia zapominają nawet, co jest przyczyną szczęścia materialnego. Tutaj Arjuna zdaje się nawet zapominać o kodeksie moralnym obowiązującym *kṣatriyów*. Powiedziane jest, że dwa rodzaje ludzi zdolne są do wejścia na potężny i oślepiający glob słoneczny, mianowicie *kṣatriya*, który umiera w walce pod osobistym przewodnictwem Kṛṣṇy, i osoba w wyrzeczonym porządku życia, która poświęca się całkowicie kulturze duchowej. Arjuna nie chce zabić nawet swoich wrogów, nie mówiąc już o swoich krewnych. Sądził, że jeśli zabije krewnych, nie zazna szczęścia w życiu; dlatego nie chciał walczyć. To tak jak osoba, która nie czuje głodu i w związku z tym nie jest skłonna do gotowania. Postanowił, że uda się do lasu, aby tam żyć w odosobnieniu we frustracji. Ale jako *kṣatriya* musiał mieć królestwo, aby utrzymać się przy życiu. *Kṣatriyowie* bowiem nie mogą angażować się w żadne inne zajęcia. Lecz Arjuna nie posiadał królestwa. Jedyną możliwością odzyskania królestwa odziedziczonego po ojcu, była walka z kuzynami i braćmi. Tego jednak nie chciał uczynić. Dlatego uważał, że powinien udać się do lasu i tam żyć w odosobnieniu we frustracji.

## TEKSTY 32-35

किं नो राज्येन गोविन्द किं भोगैर्जीवितेन वा ।
येषामर्थे काङ्क्षितं नो राज्यं भोगाः सुखानि च ॥३२॥
त इमेऽवस्थिता युद्धे प्राणांस्त्यक्त्वा धनानि च ।
आचार्याः पितरः पुत्रास्तथैव च पितामहाः ॥३३॥
मातुलाः श्वशुराः पौत्राः श्यालाः सम्बन्धिनस्तथा ।
एतान्न हन्तुमिच्छामि घ्नतोऽपि मधुसूदन ॥३४॥
अपि त्रैलोक्यराज्यस्य हेतोः किं नु महीकृते ।
निहत्य धार्तराष्ट्रान्नः का प्रीतिः स्याज्जनार्दन ॥३५॥

*kiṁ no rājyena govinda kiṁ bhogair jīvitena vā*

*yeṣām arthe kāṅkṣitaṁ no rājyaṁ bhogāḥ sukhāni ca*
*ta ime 'vasthitā yuddhe prāṇāṁs tyaktvā dhanāni ca*
*ācāryāḥ pitaraḥ putrās tathaiva ca pitāmahāḥ*
*mātulāḥ śvaśurāḥ pautrāḥ śyālāḥ sambandhinas tathā*
*etān na hantum icchāmi ghnato 'pi madhusūdana*
*api trailokya-rājyasya hetoḥ kiṁ nu mahī-kṛte*
*nihatya dhārtarāṣṭrān naḥ kā prītiḥ syāj janārdana*

*kim*—jaki pożytek; *naḥ*—dla nas; *rājyena*—jest z tego królestwa; *govinda*—O Kṛṣṇo; *kim*—co; *bhogaiḥ*—radość; *jīvitena*—żyjąc; *vā*—lub też; *yeṣām*—którego; *arthe*—ze względu na; *kāṅkṣitam*—pożądane; *naḥ*—przez nas; *rājyam*—królestwo; *bhogāḥ*—radości materialne; *sukhāni*—wszelkie szczęście; *ca*—również; *te*—wszyscy z nich; *ime*—ci; *avasthitāḥ*—usytuowani; *yuddhe*—na tym polu bitwy; *prāṇān*—życia; *tyaktvā*—oddać; *dhanāni*—bogactwa; *ca*—również; *ācāryāḥ*—nauczyciele; *pitaraḥ*—ojcowie; *putrāḥ*—synowie; *tathā*—jak również; *eva*—z pewnością; *ca*—również; *pitāmahāḥ*—dziadkowie; *mātulāḥ*—wujowie; *śvaśurāḥ*—teściowie; *pautrāḥ*—wnuki; *śyālāḥ*—szwagrowie; *sambandhinaḥ*—krewni; *tathā*—jak również; *etān*—wszyscy ci; *na*—nigdy; *hantum*—dla zabicia; *icchāmi*—pragnę; *ghnataḥ*—zabici; *api*—nawet; *madhusūdana*—O zabójco demona Madhu (Kṛṣṇo); *api*—nawet jeśli; *trai-lokya*—trzech światów; *rājyasya*—dla królestwa; *hetoḥ*—w zamian; *kim nu*—nie mówiąc już o; *mahī-kṛte*—dla ziemi; *nihatya*—przez zabicie; *dhārtarāṣṭrān*—synowie Dhṛtarāṣṭry; *naḥ*—nasz; *kā*—co; *prītiḥ*—przyjemność; *syāt*—czy będzie; *janārdana*—O żywicielu wszystkich żywych istot.

**O Govindo, jakież znaczenie może mieć dla nas królestwo, szczęście albo nawet samo życie, gdy ci wszyscy, dla których możemy tego pragnąć, zgromadzili się tutaj, na tym polu bitwy? O Madhusūdano, kiedy nauczyciele, ojcowie, synowie, dziadkowie, wujowie, teściowie, wnuki, szwagrowie i wszyscy krewni gotowi są oddać swoje życie i własność, i stoją teraz oto przede mną, dlaczego mamże pragnąć ich śmierci, nawet chociaż w przeciwnym wypadku oni mogliby zabić mnie? O żywicielu wszystkich stworzeń, nie jestem gotów walczyć z nimi, nawet w zamian za wszystkie trzy światy, nie mówiąc już o ziemi. Jaką przyjemność będziemy mieli z zabicia synów Dhṛtarāṣṭry?**

*ZNACZENIE:* Arjuna nazwał Pana Kṛṣṇę Govindą, a to dlatego, że Kṛṣṇa jest obiektem wszelkiej przyjemności dla krów i zmysłów. Używając tego znaczącego słowa, Arjuna chce dać Kṛṣṇie do zrozumienia, co zadowoli jego zmysły. Chociaż zadowalanie naszych zmysłów nie jest zadaniem Govindy, to jeśli my spróbujemy zadowalać zmysły Govindy, automatycznie zadowalane będą i nasze zmysły. W życiu materialnym każdy pragnie zadowalać swoje własne zmysły i chce, aby Bóg spełniał jego polecenia w tym względzie. Pan zadowala zmysły żywych istot na tyle, na ile one na to zasługują, a nie w takim stopniu, jak one mogą tego pragnąć. Jeśli jednak ktoś ma wprost przeciwne nastawienie—mianowicie, gdy on próbuje zadowolić zmysły Govindy bez pragnienia zadowolenia swoich własnych zmysłów, wtedy dzięki Jego łasce spełniane są wszystkie pragnienia żywej istoty. Głębokie uczucie dla społeczeństwa i członków rodziny, okazane tutaj przez Arjunę, częściowo spowodowane jest jego naturalnym dla nich współczuciem. Dlatego nie jest on gotów walczyć. Każdy pragnie pokazywać swoje bogactwa przyjaciołom i krewnym, ale Arjuna obawia się, że wszyscy jego krewni i przyjaciele polegną w walce i nie będzie z kim podzielić się bogactwem po odniesieniu zwycięstwa. Jest to rozumowanie typowe dla życia materialnego. Życie transcendentalne jest jednak inne. W swoim pragnieniu zadowolenia Pana wielbiciel może, jeśli taka jest wola Pana, przyjąć wszelkie bogactwa dla służby Pana. Jeśli jednak Pan nie życzy sobie tego, nie powinien on przyjmować ani grosza. Arjuna nie pragnął zabijać swoich krewnych, a jeśli była jakakolwiek potrzeba zabicia ich, wolał, aby Kṛṣṇa zrobił to osobiście. Nie wiedział on jeszcze wtedy, że Kṛṣṇa zabił ich już, zanim jeszcze stanęli na polu walki, i że on miał być tylko instrumentem Kṛṣṇy. Fakt ten zostanie wyjawiony w następnych rozdziałach. Jako naturalny wielbiciel Pana, Arjuna nie chciał mścić się na swoich niegodziwych kuzynach i braciach, ale planem Pana było, że wszyscy oni mieli zostać zabici. Bhakta Pana nie mści się na złoczyńcach, lecz Pan nie toleruje żadnej krzywdy wyrządzonej Jego wielbicielowi przez niegodziwców. Pan może usprawiedliwić kogoś, jeśli chodzi o Niego Samego. Nie wybacza On jednak nikomu, kto wyrządził krzywdę Jego wielbicielom. Dlatego Pan był zdecydowany zabić łotrów, chociaż Arjuna pragnął im wybaczyć.

**TEKST 36** पापमेवाश्रयेदस्मान् हत्वैतानाततायिनः ।
तस्मान्नार्हा वयं हन्तुं धार्तराष्ट्रान् सबान्धवान् ।
स्वजनं हि कथं हत्वा सुखिनः स्याम माधव ॥३६॥

*pāpam evāśrayed asmān hatvaitān ātatāyinaḥ*
*tasmān nārhā vayaṁ hantuṁ dhārtarāṣṭrān sa-bāndhavān*
*sva-janaṁ hi kathaṁ hatvā sukhinaḥ syāma mādhava*

*pāpam*—występki; *eva*—z pewnością; *āśrayet*—muszą opanować; *asmān*—nas; *hatvā*—przez zabicie; *etān*—wszystkich tych; *ātatāyinaḥ*—napastnicy; *tasmāt*—dlatego; *na*—nigdy; *arhāḥ*—zasługując; *vayam*—my; *hantum*—zabić; *dhārtarāṣṭrān*—synów Dhṛtarāṣṭry; *sabāndhavān*—razem z przyjaciółmi; *sva-janam*—krewnymi; *hi*—z pewnością; *katham*—jak; *hatvā*—przez zabicie; *sukhinaḥ*—szczęśliwi; *syāma*—czy będziemy; *mādhava*—O Kṛṣṇo (mężu bogini szczęścia).

**Skalamy się grzechem, jeśli zgładzimy takich napastników. Nie przystoi nam zabijać synów Dhṛtarāṣṭry i naszych przyjaciół, o Kṛṣṇo. Cóż przez to zyskamy, o mężu bogini szczęścia, jakże będziemy mogli być szczęśliwi, zabiwszy naszych własnych krewnych?**

*ZNACZENIE:* Według wskazówek wedyjskich jest sześć rodzajów napastników: (1) podający truciznę; (2) podpalacz domu; (3) atakujący z bronią śmiertelną; (4) rabujący bogactwa; (5) zajmujący obcy ląd; (6) porywacz żon. Tacy napastnicy mają być natychmiast zabijani i nie ma za to grzechu. Zabijanie takie przystoi zwykłemu człowiekowi, ale Arjuna nie był zwykłą osobą. Był świętobliwy z natury i dlatego chciał postąpić z nimi odpowiednio do tej cechy. Ten rodzaj świętości nie jest jednak odpowiedni dla *kṣatriyów*. Owszem, człowiek odpowiedzialny za administrację państwem powinien być świętobliwy, ale jednak nie może być tchórzem. Na przykład Pan Rāma był tak święty, że ludzie nawet dzisiaj pragną mieszkać w Jego królestwie (*rāma-rājya*), ale Pan Rāma nigdy nie okazał się tchórzem. Rāvaṇa był napastnikiem w stosunku do Rāmy, ponieważ porwał Jego żonę Sītę, i jak wiemy, Pan Rāma dał mu wystarczającą nauczkę, nie mającą sobie równej w historii świata. W przypadku Arjuny jednakże należy wziąć pod uwagę to, że miał on do czynienia z napastnikami szczególnego rodzaju, mianowicie ze swoim własnym dziadkiem, swoim nauczycielem, przyjaciółmi, synami, wnukami itd. Stąd owo mniemanie, że nie powinien być tak bezwzględny jak by to było konieczne w stosunku do zwykłych napastników. Poza tym, święte osoby powinny wybaczać. Takie zalecenia dla świętych osób są bardziej istotne niż jakakolwiek potrzeba polityczna. Zamiast zabijać swoich krewnych z politycznych powodów, lepiej byłoby wybaczyć im, kierując się religią i zasadami świętości. Zatem nie uważał takiego zabijania, w imię tymczasowego szczęścia materialnego, za korzystne. Przede wszystkim, królestwo i przyjemności czerpane z niego nie są czymś stałym, więc dlaczego miałby narażać życie i ryzykować zbawieniem, zabijając swoich powinowatych? Nazwanie Kṛṣṇy "Mādhavą", czyli mężem bogini szczęścia, jest również znaczące w tym związku. Arjuna chce tutaj zwrócić uwagę Kṛṣṇie, że jako mąż bogini szczęścia nie powinien On nakłaniać go do zajmowania się sprawą, która ostatecznie doprowadzi do nieszczęścia. Kṛṣṇa jednakże nigdy nikomu nie przynosi nieszczęścia, a tym bardziej Swoim wielbicielom.

**TEKSTY 37-38** यद्यप्येते न पश्यन्ति लोभोपहतचेतसः ।
कुलक्षयकृतं दोषं मित्रद्रोहे च पातकम् ॥३७॥
कथं न ज्ञेयमस्माभिः पापादस्मान्निवर्तितुम् ।
कुलक्षयकृतं दोषं प्रपश्यद्भिर्जनार्दन ॥३८॥

*yady apy ete na paśyanti lobhopahata-cetasaḥ*
*kula-kṣaya-kṛtaṁ doṣaṁ mitra-drohe ca pātakam*

*kathaṁ na jñeyam asmābhiḥ pāpād asmān nivartitum*
*kula-kṣaya-kṛtaṁ doṣaṁ prapaśyadbhir janārdana*

*yadi*—jeśli; *api*—nawet; *ete*—oni; *na*—nie; *paśyanti*—widzę; *lobha*—przez chciwość; *upahata*—opanowani; *cetasaḥ*—ich serca; *kula-kṣaya*—w zabiciu rodziny; *kṛtam*—uczynione; *doṣam*—błąd; *mitra-drohe*—w kłótni z przyjaciółmi; *ca*—również; *pātakam*—następstwa grzechów; *katham*—dlaczego; *na*—nie będziemy; *jñeyam*—wiedzieć o tym; *asmābhiḥ*—przez nas; *pāpāt*—z grzechów; *asmāt*—ci; *nivartitum*—zaprzestać; *kula-kṣaya*—w unicestwieniu dynastii; *kṛtam*—uczynione; *doṣam*—zbrodnia; *prapaśyadbhiḥ*—przez tych, którzy są w stanie zrozumieć; *janārdana*—O Kṛṣṇo.

**O Janārdano, ludzie ci, opanowani przez chciwość, nie widzą niczego złego w zabiciu rodziny ani w kłótni z przyjaciółmi, ale dlaczego my, wiedzący że unicestwienie rodziny jest zbrodnią, mielibyśmy tutaj splamić nasze serca?**

*ZNACZENIE:* *Kṣatriya* nie powinien odmawiać udziału w walce ani w hazardzie, jeśli został wyzwany przez stronę przeciwną. Będąc tak zobowiązanym, Arjuna nie mógł odmówić walki, kiedy został wyzwany przez stronę Duryodhany. Arjuna uważał, że jego zaślepieni przeciwnicy nie są w stanie przewidzieć rezultatów takiego wyzwania. On sam jednakże przewidywał złe skutki i dlatego nie mógł przyjąć tego wyzwania. Zobowiązanie jest czymś wiążącym, gdy jego rezultaty są dobre, ale gdy rzecz ma się inaczej, wtedy nie musimy czuć się nim związani. Rozważywszy wszystkie "za" i "przeciw", Arjuna zdecydował się nie walczyć.

TEKST 39 कुलक्षये प्रणश्यन्ति कुलधर्माः सनातनाः ।
धर्मे नष्टे कुलं कृत्स्नमधर्मोऽभिभवत्युत ॥३९॥

*kula-kṣaye praṇaśyanti kula-dharmāḥ sanātanāḥ*
*dharme naṣṭe kulaṁ kṛtsnam adharmo 'bhibhavaty uta*

*kula-kṣaye*—w zniszczeniu rodziny; *praṇaśyanti*—zostają pokonane; *kula-dharmāḥ*—tradycje rodzinne; *sanātanāḥ*—wieczne; *dharme*—religia; *naṣṭe*—będąc zniszczonymi; *kulam*—rodzina; *kṛtsnam*—masowo; *adharmaḥ*—bezbożność; *abhibhavati*—przemienia się; *uta*—jest powiedziane.

**Wraz z unicestwieniem dynastii zanikają wieczne tradycje rodzinne i wskutek tego reszta rodziny oddaje się bezbożnym praktykom.**

*ZNACZENIE:* W systemie *varṇāśrama* istnieje wiele zasad tradycji religijnej, które mają pomagać członkom rodziny właściwie wzrastać i osiągać wartości duchowe. Za te oczyszczające procesy w rodzinie, praktykowane od narodzin do śmierci, odpowiedzialni są starsi członkowie rodziny. Ale z chwilą ich śmierci takie rodzinne tradycje mogą zaginąć. Pozostali, młodsi członkowie rodziny mogą rozwinąć bezbożne zwyczaje i w ten sposób stracić szansę duchowego zbawienia. Dlatego pod żadnym pozorem nie powinno się zabijać starszych członków rodziny.

TEKST 40 अधर्माभिभवात् कृष्ण प्रदुष्यन्ति कुलस्त्रियः ।
स्त्रीषु दुष्टासु वार्ष्णेय जायते वर्णसंकरः ॥४०॥

*adharmābhibhavāt kṛṣṇa praduṣyanti kula-striyaḥ*
*strīṣu duṣṭāsu vārṣṇeya jāyate varṇa-saṅkaraḥ*

*adharma*—bezbożność; *abhibhavāt*—stały się dominującymi; *kṛṣṇa*—O Kṛṣṇo; *praduṣyanti*—ulegają profanacji; *kula-striyaḥ*—kobiety w rodzinie; *strīṣu*—przez kobiety; *duṣṭāsu*—będąc w ten sposób zbeszczeszczonymi; *vārṣṇeya*—O potomku Vṛṣṇi; *jāyate*—powstaje; *varṇa-saṅkaraḥ*—niepożądane potomstwo.

**A kiedy w rodzinie panuje bezbożność, o Kṛṣṇo, kobiety ulegają zhańbieniu, a zdegradowane, o potomku Vṛṣṇi, wydają na świat niepożądane potomstwo.**

*ZNACZENIE:* Dobra populacja w ludzkim społeczeństwie jest podstawą pokoju, dobrobytu i duchowego postępu w życiu. Religijne zasady instytucji *varṇāśrama* zostały tak zaplanowane, aby w społeczeństwie panowała przewaga dobrej populacji dla ogólnego duchowego postępu państwa i społeczeństwa. Taka populacja zależy od czystości i religijności kobiet. Tak jak dzieci podatne są na złe wpływy, tak również kobiety łatwo ulegają deprawacji. Dlatego zarówno dzieci, jak i kobiety, muszą znajdować się pod opieką starszych członków rodziny. Zaangażowanie kobiet w różne praktyki religijne chroni je od zbłądzenia (cudzołóstwa). Według Cāṇakya Paṇḍity kobiety nie są na ogół bardzo inteligentne i dlatego nie zasługują na zaufanie. Dlatego różne tradycje rodzinne dotyczące praktyk religijnych powinny zawsze je w takie praktyki angażować, a wtedy ich czystość i oddanie zapewni narodziny dobrej populacji, zdolnej do uczestniczenia w systemie *varṇāśrama*. Kiedy upada system *varṇāśrama-dharma*, kobiety w naturalny sposób mają swobodę mieszania się z mężczyznami, oddają się cudzołóstwu, ryzykując wydaniem na świat niepożądanej populacji. Przyczyną cudzołóstwa w społeczeństwie są również nieodpowiedzialni mężczyźni i wskutek tego niepożądana populacja zalewa ludzką rasę, narażając społeczeństwo na wojny i epidemie.

**TEKST 41**

संकरो नरकायैव कुलघ्नानां कुलस्य च ।
पतन्ति पितरो ह्येषां लुप्तपिण्डोदकक्रियाः ॥४१॥

*saṅkaro narakāyaiva kula-ghnānāṁ kulasya ca*
*patanti pitaro hy eṣāṁ lupta-piṇḍodaka-kriyāḥ*

*saṅkaraḥ*—takie niepożądane dzieci; *narakāya*—są przyczyną piekielnego życia; *eva*—z pewnością; *kula-ghnānām*—dla tych, którzy są zabójcami rodziny; *kulasya*—dla rodziny; *ca*—również; *patanti*—upadają; *pitaraḥ*—przodkowie; *hi*—z pewnością; *eṣām*—nich; *lupta*—zarzucone; *piṇḍa*—ofiary z pożywienia; *udaka*—i wody; *kriyāḥ*—spełnianie.

**Kiedy wzrasta niepożądana populacja, tworzą się piekielne warunki, zarówno dla rodziny, jak i dla niszczycieli tradycji rodzinnej. W takich skorumpowanych rodzinach nie dba się już więcej o ofiarowywanie wody i pożywienia dla przodków, którzy wskutek tego upadają.**

*ZNACZENIE:* Według zasad pracy dla rezultatów istnieje okresowa potrzeba ofiarowywania przodkom rodziny pożywienia i wody. Ofiara ta spełniana jest przez kult Viṣṇu, ponieważ spożywanie resztek pokarmu ofiarowanego Viṣṇu może uwolnić od następstw wszelkiego rodzaju grzechów. Czasami przodkowie muszą cierpieć z powodu następstw swoich grzechów, a czasami niektórzy z nich nie mogą nawet otrzymać wulgarnego ciała materialnego i dlatego zmuszeni są pozostać w ciałach subtelnych, jako duchy. Zatem, gdy potomkowie ofiarowują swoim przodkom pozostałości *prasādam*, przodkowie ci zostają wybawieni nie tylko z tej nieszczęśliwej formy, ale i z innych rodzajów nieszczęśliwego życia. Takie usługi oddawane przodkom należą do tradycji rodzinnych i ci, których życie nie jest służbą oddania, powinni spełniać takie ofiary. Jednak przez samo pełnienie służby oddania jedna osoba może uwolnić setki i tysiące przodków od wszelkiego rodzaju niedoli. Oznajmia to *Bhāgavatam* (11.5.41):

*devarṣi-bhūtāpta-nṛṇāṁ pitṝṇāṁ*
*na kiṅkaro nāyam ṛṇī ca rājan*
*sarvātmanā yaḥ śaraṇaṁ śaraṇyaṁ*
*gato mukundaṁ parihṛtya kartam*

"Każdy, kto przyjmuje schronienie lotosowych stóp Mukundy, wyzwoliciela, porzucając wszelkiego rodzaju zobowiązania, i traktuje tę ścieżkę bardzo poważnie, ten nie ma żadnych długów ani zobowiązań wobec półbogów, mędrców, żywych istot w ogólności, wobec członków rodziny, ludzkości ani przodków." Obowiązki takie spełniane są automatycznie przez pełnienie służby oddania dla Najwyższej Osoby Boga.

**TEKST 42** दोषैरेतैः कुलघ्नानां वर्णसंकरकारकैः ।
उत्साद्यन्ते जातिधर्माः कुलधर्माश्च शाश्वताः ॥४२॥

*doṣair etaiḥ kula-ghnānāṁ varṇa-saṅkara-kārakaiḥ*
*utsādyante jāti-dharmāḥ kula-dharmāś ca śāśvatāḥ*

*doṣaiḥ*—przez takie błędy; *etaiḥ*—wszystkich tych; *kula-ghnānām*—zabójców rodziny; *varṇa-saṅkara*—niepożądanych dzieci; *kārakaiḥ*—które są przyczyną; *utsādyante*—zostają zniszczone; *jāti-dharmāḥ*—plany społeczne; *kula-dharmāḥ*—tradycja rodzinna; *ca*—również; *śāśvatāḥ*—wieczna.

**Poprzez złe czyny tych, którzy niszczą tradycje rodzinne i w ten sposób są przyczyną wzrostu niepożądanej populacji, rujnowane są wszelkie rodzaje wspólnych planów i zajęć, które służą dobru rodziny.**

*ZNACZENIE:* Plany społeczne dla czterech porządków społecznych, połączone z zajęciami służącymi dobru rodziny, tak jak zostało to ustanowione przez instytucję *sanātana-dharma* albo *varṇāśrama-dharma*, mają na celu umożliwienie ludzkim istotom osiągnięcie ostatecznego zbawienia. Dlatego łamanie tradycji *sanātana-dharma* przez nieodpowiedzialnych przywódców społecznych jest przyczyną chaosu w społeczeństwie, na skutek którego ludzie zapominają o celu życia—Viṣṇu. Tacy przywódcy nazywani są ślepcami. A osoby, które podążają za nimi, z pewnością zostaną wprowadzone w chaos.

**TEKST 43** उत्सन्नकुलधर्माणां मनुष्याणां जनार्दन ।
नरके नियतं वासो भवतीत्यनुशुश्रुम ॥४३॥

*utsanna-kula-dharmāṇāṁ manuṣyāṇāṁ janārdana*
*narake niyataṁ vāso bhavatīty anuśuśruma*

*utsanna*—zepsuty; *kula-dharmāṇām*—tych, którzy mają tradycje rodzinne; *manuṣyāṇām*—takich ludzi; *janārdana*—O Kṛṣṇo; *narake*—w piekle; *niyatam*—zawsze; *vāsaḥ*—pobyt; *bhavati*—tak się dzieje; *iti*—w ten sposób; *anuśuśruma*—usłyszałem poprzez sukcesję uczniów.

**O Kṛṣṇo, żywicielu i obrońco ludzi, usłyszałem poprzez sukcesję uczniów, że ci, którzy niszczą tradycje rodzinne, nigdy nie wychodzą z piekła.**

*ZNACZENIE:* Arjuna opiera swoje argumenty nie na osobistym doświadczeniu, ale na tym co usłyszał od autorytetów. Jest to sposób otrzymywania prawdziwej wiedzy. Nie można dojść do istoty rzeczywistej wiedzy bez pomocy właściwej osoby, która jest już utwierdzona w tej wiedzy. Istnieje taki system w instytucji *varṇāśrama*, w którym za grzeszne działanie należy przed śmiercią poddać się pokucie. Ten, kto zawsze trwa w grzechu, musi przejść przez ten proces pokuty nazywany *prāyaścitta*. Jeśli tego nie uczyni, z pewnością skierowany zostanie na planety piekielne, gdzie będzie wiódł marny żywot, będący skutkiem jego grzesznego postępowania.

**TEKST 44** अहो बत महत् पापं कर्तुं व्यवसिता वयम् ।
यद् राज्यसुखलोभेन हन्तुं स्वजनमुद्यताः ॥४४॥

*aho bata mahat pāpaṁ kartuṁ vyavasitā vayam*
*yad rājya-sukha-lobhena hantuṁ sva-janam udyatāḥ*

*aho*—niestety; *bata*—jakie to dziwne; *mahat*—wielkie; *pāpam*—grzechy; *kartum*—dokonać; *vyavasitāḥ*—zdecydowaliśmy; *vayam*—my; *yat*—ponieważ; *rājya-sukha-lobhena*—powodowani żądzą szczęścia królewskiego; *hantum*—zabić; *sva-janam*—krewnych; *udyatāḥ*—próbując.

**Niestety, jakież to dziwne, że przygotowujemy się do popełnienia tak straszliwego grzechu. Powodowani żądzą posiadania rozkoszy królewskich, jesteśmy zdecydowani zabić naszych własnych krewnych.**

*ZNACZENIE:* Kto kieruje się w swoim działaniu pobudkami egoistycznymi, ten może być zdolny do takich grzesznych czynów, jak zabicie własnego brata, ojca czy matki. Jest wiele takich przykładów w historii świata, ale Arjuna, będąc świętym wielbicielem Pana, zawsze świadomy jest zasad moralnych i dlatego stara się takich czynów uniknąć.

**TEKST 45** यदि मामप्रतीकारमशस्त्रं शस्त्रपाणयः ।
धार्तराष्ट्रा रणे हन्युस्तन्मे क्षेमतरं भवेत् ॥४५॥

*yadi mām apratīkāram aśastraṁ śastra-pāṇayaḥ*
*dhārtarāṣṭrā raṇe hanyus tan me kṣemataraṁ bhavet*

*yadi*—nawet jeśli; *mām*—mnie; *apratīkāram*—bez stawiania oporu; *aśastram*—bez pełnego uzbrojenia; *śastra-pāṇayaḥ*—ci z bronią w ręku; *dhārtarāṣṭrāḥ*—synowie Dhṛtarāṣṭry; *raṇe*—na polu walki; *hanyuḥ*—mogą zabić; *tat*—to; *me*—dla mnie; *kṣema-taram*—lepiej; *bhavet*—byłoby.

**Lepiej byłoby dla mnie, by synowie Dhṛtarāṣṭry, z orężem w ręku, zabili mnie nieuzbrojonego i nie stawiającego oporu na polu walki.**

*ZNACZENIE:* Jest zwyczajem—zgodnym z zasadami walki obowiązującymi *kṣatriyów*—że nie powinno się atakować nieuzbrojonego i nie stawiającego oporu wroga. Arjuna jednakże w takiej niezręcznej sytuacji zadecydował, że nie będzie walczył, nawet jeśli zostanie zaatakowany przez wroga. Nie zważał na to, jak bardzo strona przeciwna zdecydowana była walczyć. Wszystko to jest oznaką dobrego serca Arjuny, co jest cechą wielkiego bhakty Pana.

**TEKST 46** सञ्जय उवाच
एवमुक्त्वार्जुनः संख्ये रथोपस्थ उपाविशत् ।
विसृज्य सशरं चापं शोकसंविग्नमानसः ॥४६॥

*sañjaya uvāca*
*evam uktvārjunaḥ saṅkhye rathopastha upāviśat*
*visṛjya sa-śaraṁ cāpaṁ śoka-saṁvigna-mānasaḥ*

*sañjayaḥ uvāca*—Sañjaya rzekł; *evam*—w ten sposób; *uktvā*—mówiąc; *arjunaḥ*—Arjuna; *saṅkhye*—w walce; *ratha*—rydwanu; *upasthe*—na miejscu do siedzenia; *upāviśat*—usiadł ponownie; *visṛjya*—odkładając; *sa-śaram*—razem ze strzałami; *cāpam*—łuk; *śoka*—przez rozpacz; *saṁvigna*—strapiony; *mānasaḥ*—w umyśle.

**Sañjaya rzekł: Przemówiwszy w ten sposób na polu walki, Arjuna odłożył swój łuk i strzały, i usiadł w rydwanie, przepełniony żalem.**

*ZNACZENIE:* Obserwując położenie przeciwnika, Arjuna powstał z rydwanu. Teraz, opanowany przez rozpacz, usiadł ponownie, odkładając swój łuk i strzały. Taka dobra, o miękkim sercu osoba, pełniąca służbę oddania dla Pana, gotowa jest do zdobycia wiedzy o samorealizacji.

W ten sposób Bhaktivedanta kończy objaśnienia do Pierwszego Rozdziału *Śrīmad Bhagavad-gīty*, traktującego o obserwacji wojsk na Polu Bitewnym Kurukṣetra.

# ROZDZIAŁ II

# Treść Gīty w skrócie

**TEKST 1**

सञ्जय उवाच
तं तथा कृपयाविष्टमश्रुपूर्णाकुलेक्षणम् ।
विषीदन्तमिदं वाक्यमुवाच मधुसूदनः ॥१॥

*sañjaya uvāca*
*taṁ tathā kṛpayāviṣṭam aśru-pūrṇākulekṣaṇam*
*viṣīdantam idaṁ vākyam uvāca madhusūdanaḥ*

*sañjayaḥ uvāca*—Sañjaya rzekł; *tam*—do Arjuny; *tathā*—w ten sposób; *kṛpayā*—współczuciem; *āviṣṭam*—przepełniony; *aśru-pūrṇa-ākula*—pełne łez; *īkṣaṇam*—oczy; *viṣīdantam*—lamentujący; *idam*—te; *vākyam*—słowa; *uvāca*—rzekł; *madhu-sūdanaḥ*—zabójca demona Madhu.

**Sañjaya rzekł: Widząc Arjunę przepełnionego współczuciem i pogrążonego w smutku, z oczyma pełnymi łez, Madhusūdana (Kṛṣṇa) przemówił tymi słowy.**

*ZNACZENIE:* Materialne współczucie, rozpacz i łzy, wszystkie są oznaką nieznajomości prawdziwego "ja". Prawdziwym współczuciem dla wiecznej duszy jest samorealizacja. Znaczące w tym wersecie jest słowo "Madhusūdana". Pan Kṛṣṇa zabił demona Madhu, a teraz Arjuna zapragnął, aby Kṛṣṇa zabił demona niezrozumienia, który przeszkodził mu w wypełnianiu jego obowiązków. Nikt nie wie, gdzie i kiedy współczucie jest na miejscu. Współczucie dla ubrania tonącego człowieka jest czymś absurdalnym. Nie można ocalić człowieka tonącego w oceanie niewiedzy jedynie przez wyratowanie jego zewnętrznego okrycia—"wulgarnego" ciała materialnego. Nie posiadający wiedzy o tym i rozpaczający z powodu tego zewnętrznego okrycia, nazywany jest *śūdrą*, czyli kimś, kto rozpacza nadaremnie. Arjuna był *kṣatriyą* i nie spodziewano się po nim takiego zachowania. Jednakże Pan Kṛṣṇa może rozproszyć rozpacz człowieka nie posiadającego wiedzy; w tym też celu wygłosił On *Bhagavad-gītę*. Ten rozdział poucza nas o samorealizacji poprzez analityczne studium ciała materialnego i duszy, tak jak tłumaczy to najwyższy autorytet, Pan Śrī Kṛṣṇa. Realizacja ta jest możliwa wówczas, kiedy działamy bez przywiązania do owoców naszej pracy i posiadamy rzeczywiste zrozumienie naszej prawdziwej jaźni.

## TEKST 2

श्रीभगवानुवाच
कुतस्त्वा कश्मलमिदं विषमे समुपस्थितम् ।
अनार्यजुष्टमस्वर्ग्यमकीर्तिकरमर्जुन ॥२॥

*śrī-bhagavān uvāca*
*kutas tvā kaśmalam idaṁ viṣame samupasthitam*
*anārya-juṣṭam asvargyam akīrti-karam arjuna*

*śrī-bhagavān uvāca*—Najwyższa Osoba Boga rzekł; *kutaḥ*—skąd; *tvā*—do ciebie; *kaśmalam*—nieczystość; *idam*—ta rozpacz; *viṣame*—w tej krytycznej godzinie; *samupasthitam*—nadeszła; *anārya*—osoby, które nie znają wartości życia; *juṣṭam*—praktykowane przez; *asvargyam*—to, co nie prowadzi na wyższe planety; *akīrti*—niesława; *karam*—przyczyna; *arjuna*—O Arjuno.

**Najwyższa Osoba Boga rzekł: Mój drogi Arjuno, jak to się stało, że opadły cię te nieczyste myśli? Nie przystoją one człowiekowi, który zna prawdziwą wartość życia. Nie prowadzą one na wyższe planety, ale do utraty czci.**

*ZNACZENIE:* Kṛṣṇa i Najwyższa Osoba Boga są jednym i tym samym, dlatego poprzez całą *Gītę* Pan Kṛṣṇa tytułowany jest "Bhagavān". Realizacja Bhagavāna jest najwyższą realizacją Absolutnej Prawdy. Prawda Absolutna realizowana jest w trzech fazach poznania: mianowicie, jako Brahman, czyli wszechprzenikający duch; Paramātmā, czyli zlokalizowany aspekt Najwyższego w sercu wszystkich żywych istot; i Bhagavān, czyli Najwyższa Osoba Boga—Pan Kṛṣṇa. Koncepcja Prawdy Absolutnej została wytłumaczona w *Śrīmad-Bhāgavatam* (1.2.11) w ten sposób:

*vadanti tat tattva-vidas tattvaṁ yaj jñānam advayam*
*brahmeti paramātmeti bhagavān iti śabdyate*

"Znawca Prawdy Absolutnej realizuje Ją w trzech fazach poznania, i wszystkie one są tożsame. Te trzy fazy Absolutnej Prawdy wyrażone są jako: Brahman, Paramātmā i Bhagavān."

Te trzy boskie aspekty można wytłumaczyć na przykładzie słońca, które również posiada trzy różne aspekty, mianowicie: blask słoneczny, powierzchnia słoneczna i sama planeta słońce. Kto zajmuje się poznaniem tylko promieni słonecznych, ten jest studentem początkującym. Bardziej zaawansowanym jest ten, kto poznaje powierzchnię słoneczną. Jednak najwyższą jest osoba, która może wniknąć w samą planetę słoneczną. Zwykłych studentów, których zadowala poznanie samych promieni słonecznych—ich powszechnej przenikliwości i oślepiającego blasku ich bezosobowej istoty—można porównać do tych, którzy są w stanie zrealizować tylko cechę Brahmana w Absolutnej Prawdzie. Student, który zrobił dalszy postęp, może poznać tarczę słoneczną, co porównywane jest do poznania cechy Paramātmy w Absolutnej Prawdzie. Natomiast student, który jest w stanie wniknąć do serca planety słonecznej, porównywany jest do tych, którzy realizują osobowe cechy Najwyższej Prawdy Absolutnej. Zatem bhaktowie, czyli transcendentaliści, którzy zrealizowali cechę Bhagavāna w Absolutnej Prawdzie, są najwyższymi transcendentalistami, mimo iż wszyscy studenci zajmujący się poznaniem Prawdy Absolutnej studiują ten sam przedmiot. Blask słoneczny, tarcza słoneczna i procesy odbywające się wewnątrz planety słonecznej nie mogą zostać oddzielone od siebie, jednak studenci tych trzech różnych faz nie są studentami tej samej kategorii.

Słowo sanskryckie *bhagavān* zostało wytłumaczone przez wielki autorytet, Parāśarę Muniego, ojca Vyāsadevy. Bhagavānem nazywana jest Najwyższa Osoba, który posiada wszelkie bogactwa, wszelką siłę, wszelką sławę, wszelkie piękno, wszelką wiedzę i wszelkie wyrzeczenie. Jest wiele osób, które są bardzo bogate, bardzo silne, bardzo piękne, bardzo sławne, bardzo wykształcone i wolne od przywiązań, ale nikt nie może twierdzić, iż posiada wszelkie bogactwa, wszelką siłę itd., niepodzielnie. Tylko Kṛṣṇa może to Sobie przypisać, jako że On jest Najwyższą Osobą Boga. Żadna żywa istota, włącznie z Brahmą, Panem Śivą czy Nārāyaṇem, nie może posiadać wszystkich tych przymiotów w pełni, tak jak posiada je Kṛṣṇa. Dlatego sam Pan Brahmā w *Brahma-saṁhicie* wnioskuje, że Pan Kṛṣṇa jest Najwyższą Osobą Boga. Nikt nie jest Mu równy ani też nikt Go nie przewyższa. On jest pierwotnym Panem, czyli Bhagavānem, znanym jako Govinda, i On jest najwyższą przyczyną wszystkich przyczyn.

*īśvaraḥ paramaḥ kṛṣṇaḥ sac-cid-ānanda-vigrahaḥ*
*anādir ādir govindaḥ sarva-kāraṇa-kāraṇam*

"Jest wiele osób posiadających cechy Bhagavāna, lecz Kṛṣṇa jest najwyższym, gdyż nikt nie jest w stanie Go przewyższyć. On jest Najwyższą Osobą, a Jego ciało jest wieczne, pełne wiedzy i szczęścia. On jest pierwotnym Panem Govindą i przyczyną wszystkich przyczyn." (*Brahma-saṁhitā* 5.1)

W *Bhāgavatam* znajduje się wykaz wielu inkarnacji Najwyższej Osoby Boga, ale Kṛṣṇa opisany został jako oryginalny Osoba Boga, źródło wielu, wielu inkarnacji i Osób Boga:

*ete cāṁśa-kalāḥ puṁsaḥ kṛṣṇas tu bhagavān svayam*
*indrāri-vyākulaṁ lokaṁ mṛḍayanti yuge yuge*

"Wszystkie inkarnacje Osoby Boga podane tutaj są albo pełnymi ekspansjami, albo częściami pełnych ekspansji Najwyższej Osoby Boga, lecz Kṛṣṇa jest Samym Najwyższą Osobą Boga." (*Bhāg.* 1.3.28)

Zatem Kṛṣṇa jest oryginalną Najwyższą Osobą Boga, Prawdą Absolutną, źródłem zarówno Duszy Najwyższej, jak i bezosobowego Brahmana.

Rozpacz Arjuny z powodu jego krewnych w obecności Najwyższej Osoby Boga jest z pewnością nie na miejscu i dlatego Kṛṣṇa wyraził Swoje zdumienie słowem *kutaḥ*, "skąd". Takich nieczystości nigdy nie spodziewano się po osobie należącej do cywilizowanej klasy ludzi, znanej pod nazwą Āryan. Słowo *Āryan* odnosi się do osób, które znają wartość życia i posiadają cywilizację opartą na realizacji duchowej. Osoby kierujące się materialną koncepcją życia nie wiedzą, że celem życia jest zrealizowanie Prawdy Absolutnej, Viṣṇu, czyli Bhagavāna. Urzeczone zewnętrznymi cechami świata materialnego nie wiedzą, czym jest wyzwolenie. Osoby, które nie posiadają wiedzy o wyzwoleniu z niewoli materialnej, nazywane są nie-Āryanami. Mimo iż Arjuna był *kṣatriyą*, uchylał się od swoich obowiązków, odmawiając walki. Ten akt tchórzostwa opisany został jako niestosowny dla Āryan. Takie uchylanie się od obowiązku nie pomaga w uczynieniu postępów w życiu duchowym, nie daje nawet szansy na zdobycie sławy w tym świecie. Pan Kṛṣṇa nie pochwalił tak zwanego współczucia Arjuny dla jego krewnych.

**TEKST 3**

क्लैब्यं मा स्म गमः पार्थ नैतत्त्वय्युपपद्यते ।
क्षुद्रं हृदयदौर्बल्यं त्यक्त्वोत्तिष्ठ परन्तप ॥३॥

*klaibyaṁ mā sma gamaḥ pārtha naitat tvayy upapadyate*
*kṣudraṁ hṛdaya-daurbalyaṁ tyaktvottiṣṭha parantapa*

*klaibyam*—niemoc; *mā sma*—nie; *gamaḥ*—przyjąć; *pārtha*—O synu Pṛthy; *na*—nigdy; *etat*—to; *tvayi*—tobie; *upadyate*—przystoi; *kṣudram*—bardzo mała; *hṛdaya*—serca; *daurbalyam*—słabość; *tyaktvā*—porzucając; *uttiṣṭha*—powstań; *param-tapa*—O pogromco wroga.

**O synu Pṛthy, nie poddawaj się tej hańbiącej niemocy. Nie przystoi to tobie. Porzuć tę małostkową słabość serca i powstań, pogromco wroga.**

*ZNACZENIE:* Arjuna został tutaj nazwany synem Pṛthy, która była siostrą ojca Kṛṣṇy, Vasudevy. Zatem Arjuna był spokrewniony z Kṛṣṇą. Jeśli syn *kṣatriyi* odmawia walki, to jest on *kṣatriyą* tylko z imienia, a jeśli syn bramina postępuje bezbożnie—jest on braminem tylko z nazwy. Tacy *kṣatriyowie* i bramini nie są warci swoich ojców; dlatego Kṛṣṇa nie chciał, aby Arjuna był bezwartościowym synem *kṣatriyi*. Arjuna był najbliższym przyjacielem Kṛṣṇy i Kṛṣṇa bezpośrednio przewodził mu w rydwanie. I gdyby Arjuna wycofał się z walki, pomimo tych wszystkich zaszczytów, popełniłby czyn haniebny. Kṛṣṇa oświadczył mu, iż takie postępowanie nie przystoi jego osobie. Arjuna mógł dowodzić, że rezygnuje z walki powodowany wielkodusznością w stosunku do jak najbardziej godnego szacunku Bhīṣmy i swoich krewnych, Kṛṣṇa zauważył jednak, że tego rodzaju wielkoduszność jest jedynie słabością serca. Takiej fałszywej wielkoduszności nie pochwalają autorytety. Zatem osoby takie jak Arjuna, znajdujące się pod bezpośrednim przewodnictwem Kṛṣṇy, powinny zarzucić taką wielkoduszność czy tak zwaną łagodność.

**TEKST 4**

अर्जुन उवाच
कथं भीष्ममहं संख्ये द्रोणं च मधुसूदन ।
इषुभिः प्रतियोत्स्यामि पूजार्हावरिसूदन ॥४॥

*arjuna uvāca*
*kathaṁ bhīṣmam ahaṁ saṅkhye droṇaṁ ca madhusūdana*
*iṣubhiḥ pratiyotsyāmi pūjārhāv ari-sūdana*

*arjunaḥ uvāca*—Arjuna rzekł; *katham*—jak; *bhīṣmam*—Bhīṣma; *aham*—ja; *saṅkhye*—w walce; *droṇam*—Droṇa; *ca*—również; *madhusūdana*—O zabójco demona Madhu; *iṣubhiḥ*—strzałami; *pratiyotsyāmi*—kontratakować; *pūjā-arhau*—czcigodni; *ari-sūdana*—O zabójco wrogów.

**Arjuna rzekł: O zabójco wrogów, o zabójco Madhu, jakże mogę godzić strzałami i występować w walce przeciwko osobom takim jak Bhīṣma i Droṇa, którzy godni są mojej czci.**

*ZNACZENIE:* Uczciwi starsi i przełożeni, jak Dziadek Bhīṣma i nauczyciel Droṇācārya, zawsze godni są czci. Nawet jeśli atakują, nie powinno się przeciwko nim występować. Jest powszechną zasadą, że starszych i przełożonych nie należy wyzywać nawet na walkę słowną. Nie należy sprawiać im przykrości, nawet jeśli są czasem zbyt surowi. Jakże więc Arjuna mógłby wystąpić przeciwko nim? Czy Kṛṣṇa kiedykolwiek zaatakowałby Swojego dziadka Ugrasenę albo Swego nauczyciela Sāndīpaniego Muniego? To niektóre z argumentów, które Arjuna przedłożył Kṛṣṇie.

**TEKST 5**

गुरूनहत्वा हि महानुभावान्
श्रेयो भोक्तुं भैक्ष्यमपीह लोके ।
हत्वार्थकामांस्तु गुरूनिहैव
भुञ्जीय भोगान् रुधिरप्रदिग्धान् ॥५॥

*gurūn ahatvā hi mahānubhāvān*
*śreyo bhoktuṁ bhaikṣyam apīha loke*
*hatvārtha-kāmāṁs tu gurūn ihaiva*
*bhuñjīya bhogān rudhira-pradigdhān*

*gurūn*—zwierzchnicy; *ahatvā*—nie zabijając; *hi*—z pewnością; *mahā-anubhāvān*—wielkie dusze; *śreyaḥ*—lepiej jest; *bhoktum*—cieszyć się życiem; *bhaikṣyam*—żebrając; *api*—nawet; *iha*—w tym życiu; *loke*—na tym świecie; *hatvā*—zabijając; *artha*—zysk; *kāmān*—pragnąc; *tu*—ale; *gurūn*—przełożeni; *iha*—na tym świecie; *eva*—z pewnością; *bhuñjīya*—musi cieszyć się; *bhogān*—rzeczy sprawiające radość; *rudhira*—krew; *pradigdhān*—splamiony.

**Myślę, że lepiej już zostać żebrakiem, niż żyć kosztem ludzi wielkich duchem, którzy są przecież moimi nauczycielami. Chociaż pragną doczesnych korzyści, niemniej jednak są starsi i są moimi zwierzchnikami. Jeśli oni zostaną zabici, nasze zdobycze splamione będą krwią.**

*ZNACZENIE:* Według kodeksu życia duchowego, powinno się opuścić nauczyciela, który angażuje się w jakieś wstrętne czyny, i który stracił rozsądek. Bhīṣma i Droṇa byli zobowiązani stanąć po stronie Duryodhany z powodu jego finansowej pomocy dla nich. Ale nie powinni przyjmować takiej pozycji jedynie ze względów finansowych. W takiej sytuacji stracili oni szacunek należny nauczycielom. Jednak Arjuna nadal jest zdania, że mimo wszystko pozostają oni jego zwierzchnikami, a radość ze zdobyczy materialnych, które mogą przypaść mu po ich zabiciu, oznaczałaby dla niego cieszenie się łupami splamionymi krwią.

**TEKST 6**

न चैतद् विद्मः कतरन्नो गरीयो
यद् वा जयेम यदि वा नो जयेयुः ।
यानेव हत्वा न जिजीविषामस्
तेऽवस्थिताः प्रमुखे धार्तराष्ट्राः ॥६॥

*na caitad vidmaḥ kataran no garīyo*
*yad vā jayema yadi vā no jayeyuḥ*
*yān eva hatvā na jijīviṣāmas*
*te 'vasthitāḥ pramukhe dhārtarāṣṭrāḥ*

*na*—ani nie; *ca*—również; *etat*—to; *vidmaḥ*—wiemy; *katarat*—co; *naḥ*—dla nas; *garīyaḥ*—lepsze; *yat vā*—czy; *jayema*—możemy pokonać; *yadi*—jeśli; *vā*—albo; *naḥ*—nas; *jayeyuḥ*—oni pokonują; *yān*—ci, którzy; *eva*—z pewnością; *hatvā*—przez zabicie; *na*—nigdy; *jijīviṣāmaḥ*—chcielibyśmy żyć; *te*—wszyscy oni; *avasthitāḥ*—są usytuowani; *pramukhe*—przed; *dhārtarāṣṭrāḥ*—synowie Dhṛtarāṣṭry.

**Nie wiemy też, co jest lepsze—pokonanie ich, czy przegrana z nimi. Jeśli zabijemy synów Dhṛtarāṣṭry, nie powinniśmy wtedy dbać i o nasze życie. Jednak teraz oto stoją oni przed nami na polu walki.**

*ZNACZENIE:* Arjuna stanął wobec dylematu: walczyć, tak jak to nakazywał mu obowiązek *kṣatriyi* i zadać niepożądany gwałt, czy też raczej wycofać się z pola bitwy i zostać żebrakiem. W wypadku klęski czekała go również dola żebraka. Nie było pewności zwycięstwa, jako że zwycięską mogła okazać się każda ze stron. A gdyby nawet zwycięstwo czekało synów Pāṇḍu (a w tym przypadku było to przesądzone) i synowie Dhṛtarāṣṭry zostaliby zabici, to trudno byłoby wyobrazić sobie życie bez nich. W takiej sytuacji byłaby to dla Pāṇḍavów porażka innego rodzaju. To, iż Arjuna bierze to wszystko pod uwagę, ostatecznie dowodzi, że był on nie tylko wielkim wielbicielem Pana, ale i również człowiekiem wielce oświeconym i całkowicie panującym nad swoim umysłem i zmysłami. Rozważanie możliwości pójścia w świat z kijem żebraczym—mimo iż narodził się w rodzinie królewskiej—jest następną oznaką jego wolności od przywiązań. Był on osobą prawdziwie cnotliwą, jak wskazują na to wszystkie jego cechy, wraz z jego wiarą w słowa pouczeń Śrī Kṛṣṇy (jego mistrza duchowego). Należy wyciągnąć z tego wniosek, iż był on osobą całkowicie odpowiednią do wyzwolenia. Jeśli zmysły nie są kontrolowane, nie ma mowy o wzniesieniu się do platformy wiedzy, a bez wiedzy i oddania nie ma szansy na wyzwolenie. Arjuna posiadał te wszystkie kwalifikacje niezbędne do wyzwolenia, nie mówiąc już o jego nieprzeciętnych kwalifikacjach materialnych.

**TEKST 7**

कार्पण्यदोषोपहतस्वभावः
पृच्छामि त्वां धर्मसम्मूढचेताः ।
यच्छ्रेयः स्यान्निश्चितं ब्रूहि तन्मे
शिष्यस्तेऽहं शाधि मां त्वां प्रपन्नम् ॥७॥

*kārpaṇya-doṣopahata-svabhāvaḥ*
*pṛcchāmi tvāṁ dharma-sammūḍha-cetāḥ*
*yac chreyaḥ syān niścitaṁ brūhi tan me*
*śiṣyas te 'haṁ śādhi māṁ tvāṁ prapannam*

*kārpaṇya*—godna skąpca; *doṣa*—przez słabość; *upahata*—będąc obciążonym przez; *sva-bhāvaḥ*—właściwości; *pṛcchāmi*—pytam; *tvām*—Ciebie; *dharma*—religia; *sammūḍha*—zdezorientowany; *cetāḥ*—w sercu; *yat*—co; *śreyaḥ*—wszechdobro; *syāt*—może być; *niścitam*—z pełnym zaufaniem; *brūhi*—powiedz; *tat*—to; *me*—mnie; *śiṣyaḥ*—uczeń; *te*—Twój; *aham*—jestem; *śādhi*—poucz; *mām*—mnie; *tvām*—Tobie; *prapannam*—podporządkowany.

**Jestem teraz zdezorientowany co do swego obowiązku i z powodu nieszczęsnej słabości straciłem wszelki spokój. Dlatego proszę, powiedz mi, co jest dla mnie najlepsze. Jestem teraz Twoim uczniem i duszą podporządkowaną Tobie. Poucz mnie, proszę.**

*ZNACZENIE:* Z natury rzeczy, cały system czynności materialnych jest źródłem dylematów dla każdego. Dylematy te występują na każdym kroku. Dlatego, dla własnej korzyści, należy zbliżyć się do bona fide mistrza duchowego, który może być właściwym przewodnikiem w wypełnianiu celu życia. Cała literatura wedyjska poleca nam przyjęcie bona fide mistrza duchowego po to, abyśmy mogli uwolnić się od niepożądanych dylematów życia. Są one jak płonący las, który w jakiś sposób zaczyna płonąć, chociaż nie został przez nikogo podpalony. Sytuacja w świecie jest taka, że dylematy życia pojawiają się w nim automatycznie, pomimo tego, iż my nie pragniemy żadnych zakłóceń. Nikt nie pragnie pożaru, a jednak zdarza się on i sprawia nam dużo kłopotu. Więc po to, by położyć kres tym dylematom życia i aby zrozumieć naukę, która je rozwiąże, mądrość wedyjska radzi nam zbliżyć się do bona fide mistrza duchowego, będącego w sukcesji uczniów. Osoba mająca bona fide mistrza duchowego powinna wiedzieć wszystko. Nie należy zatem pozostawać samemu z kłopotami materialnymi, ale powinno się przyjąć mistrza duchowego. Takie jest znaczenie tego wersetu.

Kogo możemy uważać za człowieka z dylematami materialnymi? Jest nim ten, kto nie rozumie problemów życia. W *Bṛhad-āraṇyaka Upaniṣad* (3.8.10) człowiek taki jest opisany w następujący sposób: *yo vā etad akṣaraṁ gārgy aviditvāsmāl lokāt praiti sa kṛpaṇaḥ*. "Skąpcem jest człowiek, który nie rozwiązuje problemów życia jak ludzka istota, i który wskutek tego opuszcza ten świat jak koty i psy, bez zrozumienia nauki o samorealizacji." Ta ludzka forma życia jest najbardziej wartościową rzeczą dla żywej istoty i daje ona szansę na rozwikłanie problemów życia. Dlatego skąpcem jest ten, kto nie wykorzystuje tej sposobności właściwie. Natomiast braminem jest ten, kto jest wystarczająco inteligetny, aby użyć swego ciała do rozwiązania wszystkich problemów życia. *Ya etad akṣaraṁ gārgi viditvāsmāl lokāt praiti sa brāhmaṇaḥ*.

*Kṛpaṇa*, czyli skąpcy, tracą swój czas nadmiernie przywiązując się do rodziny, społeczeństwa, kraju itd., żyjąc według zasad materialnej koncepcji życia. Często są przywiązani do życia rodzinnego, mianowicie do żony, dzieci i innych członków rodziny, na zasadzie "choroby skórnej". *Kṛpaṇa* myśli, że jest w stanie uchronić członków swojej rodziny od śmierci, albo że rodzina czy społeczeństwo może ocalić go od śmierci. Ten typ przywiązania rodzinnego można znaleźć również wśród niższych gatunków zwierząt, które też opiekują się swoimi dziećmi. Arjuna—będąc człowiekiem inteligentnym—mógł zrozumieć, że to właśnie jego przywiązanie do członków rodziny i pragnienie uchronienia ich od śmierci było przyczyną jego dylematu. Mimo iż wiedział, że jego obowiązkiem było walczyć, to jednak z powodu nieszczęsnej słabości nie mógł wywiązać się z tego obowiązku. Dlatego prosi Pana Kṛṣṇę, najwyższego mistrza duchowego, aby znalazł On ostateczne rozwiązanie. Ofiarowuje się być uczniem Kṛṣṇy. Chce położyć kres przyjacielskim rozmowom. Rozmowy pomiędzy mistrzem a uczniem są poważne, i teraz Arjuna pragnie mówić bardzo poważnie przed rozpoznanym mistrzem duchowym. Kṛṣṇa jest zatem pierwotnym mistrzem duchowym nauki *Bhagavad-gīty*, a Arjuna jest pierwszym uczniem mającym zrozumieć *Gītę*. W jaki sposób Arjuna zrozumiał *Bhagavad-gītę*? O tym mówi sama *Gīta*. Nie zważając jednak na to, niemądrzy światowi naukowcy tłumaczą, że nie ma potrzeby podporządkowania sią Kṛṣṇie jako osobie, ale "nienarodzonemu wewnątrz Kṛṣṇy." Nie ma różnicy pomiędzy Kṛṣṇą wewnątrz a na zewnątrz. I ten, kto nie rozumie tego, a próbuje zrozumieć *Bhagavad-gītę*, zasługuje na miano największego głupca.

**TEKST 8**

न हि प्रपश्यामि ममापनुद्याद्
यच्छोकमुच्छोषणमिन्द्रियाणाम् ।
अवाप्य भूमावसपत्नमृद्धं
राज्यं सुराणामपि चाधिपत्यम् ॥८॥

*na hi prapaśyāmi mamāpanudyād*
*yac chokam ucchoṣaṇam indriyāṇām*
*avāpya bhūmāv asapatnam ṛddhaṁ*
*rājyaṁ surāṇām api cādhipatyam*

*na*—nie; *hi*—z pewnością; *prapaśyāmi*—widzę; *mama*—mój; *apanudyāt*—mogą odpędzić; *yat*—to, które; *śokam*—rozpacz; *ucchoṣaṇam*—wysuszający; *indriyāṇām*—zmysłów; *avāpya*—osiągając; *bhūmau*—na ziemi; *asapatnam*—bezkonkurencyjnego; *ṛddham*—pomyślne; *rājyam*—królestwo; *surāṇām*—półbogów; *api*—nawet; *ca*—również; *ādhipatyam*—supremacja.

**Nie mogę znaleźć sposobu na odpędzenie smutku, który wysusza moje zmysły. Nie będę w stanie rozwiać go, nawet gdybym zdobył królestwo nie mające sobie równego na ziemi, z władzą podobną mocy niebiańskich półbogów.**

*ZNACZENIE:* Chociaż Arjuna wysuwał tak wiele argumentów opartych na znajomości zasad religijnych i kodeksu moralności, okazuje się, że bez pomocy mistrza duchowego—Pana Śrī Kṛṣṇy, nie był on w stanie rozwiązać swojego rzeczywistego problemu. Mógł przekonać się, iż tak zwana wiedza okazała się nieprzydatną do rozstrzygnięcia problemów będących przyczyną jego udręki, i że nie jest w stanie rozwiązać tych dylematów sam, bez pomocy mistrza duchowego, takiego jak Pan Kṛṣṇa. Wiedza uniwersytecka, erudycja, wysoka pozycja itd., wszystkie są bezużyteczne, jeśli chodzi o rozwiązanie życiowych problemów; pomoc można otrzymać tylko od mistrza duchowego, takiego jak Pan Kṛṣṇa. Zatem wniosek jest taki, że bona fide mistrzem duchowym jest ten, kto jest w stu procentach świadomym Kṛṣṇy, jako że tylko taka osoba może rozwiązać wszystkie problemy życia. Pan Caitanya powiedział, że ten jest prawdziwym mistrzem duchowym, kto jest mistrzem w nauce o świadomości Kṛṣṇy, bez względu na jego pozycję społeczną.

*kibā vipra, kibā nyāsī, śūdra kene naya*
*yei kṛṣṇa-tattva-vettā, sei 'guru' haya*

"Nie ma znaczenia, czy ktoś jest *vipra* (uczonym w mądrości wedyjskiej), czy jest osobą niskiego rodu, czy też jest osobą w wyrzeczonym porządku życia. Jeśli jest on mistrzem w nauce o Kṛṣṇie, jest on doskonałym i bona fide mistrzem duchowym." (*Caitanya-caritāmṛta, Madhya* 8.128) Nie będąc zatem mistrzem w wiedzy o świadomości Kṛṣṇy, nikt nie jest bona fide mistrzem duchowym. Jest również powiedziane w literaturze wedyjskiej:

*ṣaṭ-karma-nipuṇo vipro mantra-tantra-viśāradaḥ*
*avaiṣṇavo gurur na syād vaiṣṇavaḥ śva-paco guruḥ*

"Uczony bramin, znawca wszystkich przedmiotów wiedzy wedyjskiej, jest niezdolny do zostania mistrzem duchowym, jeśli nie jest on Vaiṣṇavą, czyli ekspertem w nauce o świadomości Kṛṣṇy. Natomiast mistrzem duchowym może zostać osoba urodzona w rodzinie należącej do niższej kasty, jeśli jest ona świadomym Kṛṣṇy Vaiṣṇavą." (*Padma Purāṇa*)

Problemów życia materialnego—narodzin, starości, chorób i śmierci—nie można zlikwidować przez gromadzenie bogactw i rozwój ekonomiczny. W wielu częściach świata są rozwinięte ekonomicznie państwa, które zasobne są w bogactwa i obfitują we wszelkie udogodnienia materialne, jednak problemy życia materialnego są tam ciągle obecne. Na wszelkie sposoby poszukują one spokoju, ale prawdziwe szczęście mogą osiągnąć jedynie wtedy, kiedy skorzystają z rady Kṛṣṇy, czyli *Bhagavad-gīty* i *Śrīmad-Bhāgavatam*—będącymi naukami Kṛṣṇy—poprzez bona fide reprezentanta Kṛṣṇy, człowieka świadomego Kṛṣṇy.

Gdyby rzeczywiście rozwój ekonomiczny i materialny dobrobyt mogły rozproszyć rozterki wynikłe z powodu rodzinnych, społecznych, narodowych czy międzynarodowych niepokojów, wtedy Arjuna nie powiedziałby, że nawet królestwo nie mające sobie równego na ziemi czy wszechwładza, jaką posiadają półbogowie na planetach niebiańskich, nie będą w stanie ukoić jego rozpaczy. Dlatego szukał schronienia w świadomości Kṛṣṇy, i jest to właściwa droga do osiągnięcia spokoju i harmonii. Rozwój ekonomiczny albo panowanie nad światem mogą skończyć się w każdej chwili, z przyczyn jakichś kataklizmów natury materialnej. Nawet wzniesienie się do jakiejś wyższej planetarnej pozycji (tak jak np. teraz ludzie poszukują miejsca na księżycu), może również skończyć się w jednej chwili. Potwierdza to *Bhagavad-gītā*:

*kṣīṇe puṇye martya-lokaṁ viśanti.* "Kiedy skończą się rezultaty pobożnych czynów, następuje ponowny upadek ze szczytu szczęścia do najniższej pozycji życia." Wielu światowych polityków upadło w ten sposób. Takie upadki stanowią jedynie więcej powodów do rozterek.

Jeśli więc chcemy położyć ostateczny kres tym rozterkom, wtedy musimy przyjąć schronienie Kṛṣṇy, tak jak stara się to zrobić Arjuna. Arjuna prosi Kṛṣṇę, aby rozwiązał jego problem definitywnie, a taka jest droga świadomości Kṛṣṇy

## TEKST 9

सञ्जय उवाच
एवमुक्त्वा हृषीकेशं गुडाकेशः परन्तपः ।
न योत्स्य इति गोविन्दमुक्त्वा तूष्णीं बभूव ह ॥९॥

*sañjaya uvāca*
*evam uktvā hṛṣīkeśaṁ guḍākeśaḥ parantapaḥ*
*na yotsya iti govindam uktvā tūṣṇīṁ babhūva ha*

*sañjayaḥ uvāca*—Sañjaya rzekł; *evam*—w ten sposób; *uktvā*—mówiąc; *hṛṣīkeśam*—do Kṛṣṇy, pana zmysłów; *guḍākeśaḥ*—Arjuna, mistrz w ujarzmianiu ignorancji; *parantapaḥ*—pogromca wroga; *na yotsye*—nie będę walczył; *iti*—w ten sposób; *govindam*—do Kṛṣṇy, dającego przyjemność zmysłom; *uktvā*—mówiąc; *tūṣṇīm*—cichy; *babhūva*—stał się; *ha*—z pewnością.

**Sañjaya rzekł: Przemówiwszy w ten sposób, Arjuna, pogromca wroga, oznajmił Kṛṣṇie: "Govindo, nie będę walczył", i uciszył się.**

*ZNACZENIE:* Dhṛtarāṣṭra musiał być bardzo zadowolony usłyszawszy, iż Arjuna nie będzie walczył i opuszcza pole walki z zamiarem zostania żebrakiem. Jednak Sañjaya ponownie rozczarował starego króla oznajmiając, iż Arjuna zdolny jest do zabicia swoich wrogów (*parantapaḥ*). Chociaż Arjuna był przez pewien czas przepełniony fałszywym smutkiem, na skutek swego przywiązania do rodziny—to jednak w końcu podporządkuje się Kṛṣṇie, najwyższemu mistrzowi duchowemu, jako Jego uczeń. A to oznacza, że wkrótce powinien uwolnić się od fałszywej rozpaczy, wypływającej z uczuć rodzinnych i zostać oświeconym doskonałą wiedzą o samorealizacji, czyli świadomością Kṛṣṇy. Zatem z pewnością będzie walczył. Tak więc radość Dhṛtarāṣṭry zostanie wkrótce rozwiana, jako że Arjuna dostąpi oświecenia za przyczyną Kṛṣṇy i będzie walczył do końca.

TEKST 10

तमुवाच हृषीकेशः प्रहसन्निव भारत
सेनयोरुभयोर्मध्ये विषीदन्तमिदं वचः ॥१०॥

*tam uvāca hṛṣīkeśaḥ prahasann iva bhārata*
*senayor ubhayor madhye viṣīdantam idaṁ vacaḥ*

*tam*—do niego; *uvāca*—rzekł; *hṛṣīkeśaḥ*—pan zmysłów, Kṛṣṇa; *prahasan*—uśmiechając się; *iva*—w ten sposób; *bhārata*—O Dhṛtarāṣṭro, potomku Bharaty; *senayoḥ*—armii; *ubhayoḥ*—obu stron; *madhye*—pomiędzy; *viṣīdantam*—do rozpaczającego; *idam*—następujący; *vacaḥ*—słowa.

**O potomku Bharaty, na ten czas Kṛṣṇa, stojąc pośrodku obu armii i uśmiechając się, przemówił tymi słowy do pogrążonego w smutku Arjuny.**

*ZNACZENIE:* Rozmowa ta toczyła się pomiędzy dwoma bliskimi przyjaciółmi, mianowicie Hṛṣīkeśą i Guḍākeśą. Jako przyjaciele, obaj byli na tym samym poziomie, ale jeden z nich z własnej woli został uczniem drugiego. Kṛṣṇa uśmiechał się, ponieważ przyjaciel zgodził się zostać Jego uczniem. Jako Pan wszystkiego, zajmuje On zawsze wyższą pozycję i jest mistrzem każdego, a jednak Pan akceptuje każdego, kto pragnie być Jego przyjacielem, synem, kochankiem albo wielbicielem, albo kogoś, kto Jego pragnie w takiej roli. Więc kiedy został zaakceptowany jako mistrz, natychmiast przyjął tę rolę i rozmawiał z uczniem jak mistrz—z całą powagą, tak jak jest to wymagane. Wygląda na to, że była to otwarta rozmowa, prowadzona w obecności obu armii, tak aby wszyscy mogli wyciągnąć z niej korzyści. Zatem tematy *Bhagavad-gīty* nie zostały przeznaczone dla jakiejś określonej osoby, towarzystwa czy społeczeństwa. Są one dla wszystkich i zarówno przyjaciele, jak i wrogowie mają jednakowe prawo do ich wysłuchania.

TEKST 11

श्रीभगवानुवाच
अशोच्यानन्वशोचस्त्वं प्रज्ञावादांश्च भाषसे ।
गतासूनगतासूंश्च नानुशोचन्ति पण्डिताः ॥११॥

*śrī-bhagavān uvāca*
*aśocyān anvaśocas tvaṁ prajñā-vādāṁś ca bhāṣase*
*gatāsūn agatāsūṁś ca nānuśocanti paṇḍitāḥ*

*śrī-bhagavān uvāca*—Najwyższa Osoba Boga rzekł; *aśocyān*—to nad czym nie warto rozpaczać; *anvaśocaḥ*—rozpaczasz; *tvam*—ty; *prajñā-*

*vādān*—uczone rozmowy; *ca*—również; *bhāṣase*—mówiąc; *gata*—utracone; *asūn*—życie; *agata*—niedawny; *asūn*—życie; *ca*—również; *na*—nigdy; *anuśocanti*—rozpaczają; *paṇḍitāḥ*—uczeni.

**Błogosławiony Pan rzekł: Mówiąc wielce uczenie opłakujesz to, co nie jest warte rozpaczy. Mędrzec bowiem nie rozpacza ani nad żywym, ani nad umarłym.**

*ZNACZENIE:* Pan natychmiast przyjął pozycję nauczyciela i udzielił nagany Swemu uczniowi, nazywając go pośrednio głupcem. Pan powiedział: "Przemawiasz jak człowiek uczony, ale nie wiesz, że ten kto jest naprawdę uczony—kto posiadł wiedzę o ciele i duszy—nigdy nie rozpacza z powodu ciała, bez względu na to czy jest to ciało martwe czy żywe." Jak to zostanie wyjaśnione w następnych rozdziałach, wiedza oznacza znajomość materii i ducha oraz kontrolera tych obu. Arjuna dowodził, iż większą wagę należy przywiązywać do zasad religijnych niż do politycznych i społecznych, ale nie był świadomy tego, iż wiedza o materii, duszy i Najwyższym ma jeszcze większe znaczenie niż religijne formuły. I ponieważ brakowało mu tej wiedzy, nie powinien był pozować na człowieka bardzo uczonego. Nie był nim i dlatego rozpaczał z powodu czegoś, co nie warte było rozpaczy. Ciało rodzi się i jego przeznaczeniem jest unicestwienie, dziś czy jutro. Zatem ciało nie jest tak ważne jak dusza. Kto o tym wie, ten jest prawdziwie uczonym, i nie ma dla niego powodu do rozpaczy, bez względu na stan ciała materialnego.

**TEKST 12** न त्वेवाहं जातु नासं न त्वं नेमे जनाधिपाः ।
न चैव न भविष्यामः सर्वे वयमतः परम् ॥१२॥

*na tv evāhaṁ jātu nāsaṁ na tvaṁ neme janādhipāḥ*
*na caiva na bhaviṣyāmaḥ sarve vayam ataḥ param*

*na*—nigdy; *tu*—ale; *eva*—z pewnością; *aham*—Ja; *jātu*—w jakimkolwiek czasie; *na*—nie; *āsam*—istniał; *na*—nie; *tvam*—ty; *na*—nie; *ime*—wszyscy ci; *jana-adhipāḥ*—królowie; *na*—nigdy; *ca*—również; *eva*—z pewnością; *na*—nie; *bhaviṣyāmaḥ*—będzie istniał; *sarve vayam*—my wszyscy; *ataḥ param*—w przyszłości.

**Nie było bowiem nigdy takiej chwili, w której nie istniałbym Ja, ty, czy wszyscy ci królowie; ani też w przyszłości żaden z nas nie przestanie istnieć.**

*ZNACZENIE:* W *Vedach*, w *Kaṭha Upaniṣad*, jak również w *Śvetāśvatara Upaniṣad*, powiedziane jest, że Najwyższa Osoba Boga jest żywicielem niezliczonej liczby żywych istot, odpowiednio do ich różnej pozycji wynikającej z ich indywidualnego postępowania i skutków tego postępowania. Najwyższa Osoba Boga jest również—poprzez Swoje całkowite ekspansje—obecny w sercu każdej żywej istoty. Tylko święte osoby, które są zdolne widzieć tego Samego Najwyższego Pana wewnątrz i na zewnątrz, mogą faktycznie osiągnąć doskonały i wieczny pokój.

*nityo nityānāṁ cetanaś cetanānām*
*eko bahūnāṁ yo vidadhāti kāmān*
*tam ātma-sthaṁ ye 'nupaśyanti dhīrās*
*teṣāṁ śāntiḥ śāśvatī netareṣām*
(*Kaṭha Upaniṣad* 2.2.13)

Ta sama prawda wedyjska, która została wyjawiona Arjunie, jest dostępna dla wszystkich osób w tym świecie, które pozują na bardzo wykształcone, a w rzeczywistości mają bardzo ubogi zasób wiedzy. Pan mówi wyraźnie, że On Sam, Arjuna i wszyscy królowie zgromadzeni na polu walki są wiecznie indywidualnymi istotami i On jest wiecznym żywicielem tych indywidualnych żywych istot, zarówno w ich uwarunkowanym, jak i wyzwolonym stanie. Arjuna, wieczny towarzysz Pana, i wszyscy zgromadzeni królowie są wiecznymi, indywidualnymi osobami, a Najwyższa Osoba Boga jest najwyższą indywidualną osobą. To znaczy, że nie było czasu w przeszłości, kiedy nie istnieliby oni wszyscy jako indywidua, i to znaczy, że również w przyszłości wiecznie pozostaną oni osobami. Ich indywidualność istniała w przeszłości i ta indywidualność będzie kontynuowana bez przerwy w przyszłości. Dlatego nie ma powodu rozpaczać nad kimkolwiek.

Pan Kṛṣṇa, najwyższy autorytet, nie potwierdził tutaj teorii Māyāvādī mówiącej, że dusza indywidualna oddzielona teraz okryciem *māyi*, czyli złudzenia, po wyzwoleniu połączy się z bezosobowym Brahmanem i straci swoją indywidualną egzystencję. Nie znajduje też tutaj potwierdzenia teoria mówiąca, iż tylko w uwarunkowanym stanie życia myślimy o indywidualności. Kṛṣṇa wyraźnie oznajmia tutaj, i jest to także potwierdzone w *Upaniṣadach*, że również w przyszłości będzie wiecznie istniała indywidualność Pana i innych istot. Ta wypowiedź Kṛṣṇy jest autorytatywna, jako że Kṛṣṇa nie może ulegać złudzeniu. Gdyby indywidualność nie była faktem, wtedy Kṛṣṇa nie podkreślałby tego tak bardzo—nawet w przyszłości. Filozofowie Māyāvādī mogą sprzeczać się, że indywidualność, o której mówi Kṛṣṇa dotyczy materii, a nie ducha. Nawet jeśli przyjmie się ten argument, że indywidualność jest czymś materialnym, to w jaki sposób wyróżnić wtedy indywidualność Kṛṣṇy? Kṛṣṇa zapewnia o Swojej indywidualności w przeszłości i zapewnia o niej również w przyszłości. Potwierdził On Swoją indywidualność na wiele różnych sposobów, a bezosobowy Brahman został uznany za wtórnego w stosunku do Kṛṣṇy. Kṛṣṇa zachowuje tę Swoją indywidualność przez cały czas. Gdyby został On uznany za zwykłą uwarunkowaną duszę o indywidualnej świadomości, wtedy Jego *Bhagavad-gītā* nie miałaby wartości autorytatywnego pisma objawionego. Zwykły człowiek, ze wszystkimi czteroma ułomnościami ludzkiej natury, nie jest zdolny do wygłaszania nauk, które byłyby warte słuchania. *Gītā* jest ponad taką literaturą. Żadna światowa książka nie może równać się z *Bhagavad-gītą*. Jeśli przyjmujemy Kṛṣṇę za zwykłego człowieka, wtedy *Gītā* traci całą swoją wagę. Filozofowie Māyāvādī dowodzą, że pluralność, o której mówi ten werset, jest konwencjonalna i odnosi się tylko do ciała. Lecz taka cielesna koncepcja została już potępiona w wersetach poprzedzających ten werset. Potępiwszy pojmowanie żywych istot w kategorii ciał, jak mógłby Kṛṣṇa ponownie wysuwać tego rodzaju twierdzenie? Zatem indywidualność jest zachowywana na gruncie duchowym i potwierdzają to wielcy *ācāryowie*, jak Śrī Rāmānuja i inni. *Gītā* w wielu miejscach wyraźnie oznajmia, że tę duchową indywidualność rozumieją tylko ci, którzy są wielbicielami Pana. Natomiast osoby, które są zazdrosne o Kṛṣṇę, jako o Najwyższą Osobę Boga, nie mają bona fide podejścia do tej literatury. Podejście niewielbicieli do nauk *Bhagavad-gīty* podobne jest lizaniu przez pszczoły zewnętrznej powierzchni słoika z miodem. Czy można poznać smak tego miodu, nie otworzywszy wpierw słoika? Podobnie, jak oznajmia to Czwarty Rozdział tej książki, nikt poza wielbicielami Pana nie może zrozumieć mistycyzmu *Bhagavad-gīty* ani poznać jego smaku. Nie mogą też przeniknąć *Gīty* osoby, które zazdrosne są o samo istnienie Pana. Zatem tłumaczenie *Gīty* przez filozofów Māyāvādī jest jak najbardziej błędną prezentacją całej prawdy. Pan Caitanya zabronił nam czytania komentarzy Māyāvādī i ostrzegał, że ten, kto próbuje zrozumieć ich podejście do *Gīty*, traci wszelką siłę, aby zrozumieć jej prawdziwą tajemnicę. Gdyby indywidualność odnosiła się tylko do świata doświadczalnego, wtedy nie byłoby potrzeby, by Pan wygłaszał nauki. Pluralność duszy indywidualnej i Pana jest wiecznym faktem, i potwierdzają to wyżej wymienione *Vedy*.

## TEKST 13

देहिनोऽस्मिन् यथा देहे कौमारं यौवनं जरा ।
तथा देहान्तरप्राप्तिर्धीरस्तत्र न मुह्यति ॥१३॥

*dehino 'smin yathā dehe kaumāraṁ yauvanaṁ jarā*
*tathā dehāntara-prāptir dhīras tatra na muhyati*

*dehinaḥ*—wcielonego; *asmin*—w tym; *yathā*—jak; *dehe*—w ciele; *kaumāram*—wiek chłopięcy; *yauvanam*—młodość; *jarā*—starość; *tathā*—podobnie; *deha-antara*—przemiany ciała; *prāptiḥ*—osiągnięcie; *dhīraḥ*—ten, kto jest zrównoważony; *tatra*—skutkiem tego; *na*—nigdy; *muhyati*—wprowadzony w błąd.

**Tak jak wcielona dusza bezustannie wędruje w tym ciele, od wieku chłopięcego, poprzez młodość aż do starości, podobnie przechodzi ona w inne ciało po śmierci. Zmiany takie nie zwodzą osoby zrównoważonej.**

*ZNACZENIE:* Ponieważ każda żywa istota jest indywidualną duszą, każda zmienia swoje ciało w każdej chwili, manifestując się czasami jako dziecko, czasami jako młodzieniec, a czasami jako starzec. Dusza jednak pozostaje zawsze taką samą i nie podlega żadnym zmianom. Ta indywidualna dusza ostatecznie zmienia swoje ciało w chwili śmierci, przechodząc wówczas do ciała następnego. Jako że otrzymanie następnego ciała z chwilą następnych narodzin (czy to materialnych czy duchowych) jest rzeczą pewną, nie było powodu do rozpaczy z racji śmierci Bhīṣmy i Droṇy, o których Arjuna był tak bardzo niespokojny. Powinien był raczej cieszyć się, że zmieniają oni swoje ciała ze starych na nowe, odmładzając tym samym swoje energie. Takie zmiany ciała pociągają za sobą różnorodne radości i cierpienia, będące skutkiem czyjegoś postępowania w życiu. Więc Bhīṣma i Droṇa, będąc duszami szlachetnymi, z pewnością mieli otrzymać w życiu następnym albo ciała duchowe, albo co najmniej życie w ciałach niebiańskich (posiadając takie ciała, istoty z wyższych systemów planetarnych mogą w wyższym stopniu korzystać z radości materialnej egzystencji). Tak więc w obu przypadkach nie było powodu do rozpaczy.

Każdy człowiek posiadający doskonałą wiedzę o pozycji duszy indywidualnej, Duszy Najwyższej i o naturze—zarówno materialnej, jak i duchowej—nazywany jest *dhīra*, czyli najbardziej opanowanym. Takiego człowieka nigdy nie oszałamia zmiana ciał.

Teoria jedności duszy, wyznawana przez filozofów Māyāvādī, nie może zostać przyjęta chociażby z tego względu, że dusza nie może zostać pocięta na kawałki tworzące fragmentaryczne cząstki. Gdyby to było możliwe, świadczyłoby to o rozszczepialności czy zmienności Najwyższego, co niezgodne jest z zasadą, iż Najwyższy Duch jest niezmienny. Jak potwierdza to *Gītā*, fragmentaryczne części Najwyższego istnieją wiecznie (*sanātana*) i nazywane są *kṣara*, co oznacza, że mają one tendencję do upadku w naturę materialną. Te fragmentaryczne cząstki są wieczne, zatem indywidualna dusza pozostaje taką samą—fragmentaryczną, nawet po wyzwoleniu. Raz wyzwolona, żyje ona wiecznym życiem, w szczęściu i wiedzy, z Osobą Boga. Teorię "odbicia" można zastosować w stosunku do Duszy Najwyższej, obecnej w każdym indywidualnym ciele i znanej jako Paramātmā, która różna jest od indywidualnej żywej istoty. Kiedy niebo odbija się w wodzie, odbicie to przedstawia zarówno słońce, jak i księżyc, i gwiazdy. Gwiazdy można porównać do żywych istot, a słońce czy księżyc do Najwyższego Pana. Indywidualną, fragmentaryczną duszę reprezentuje Arjuna, a Duszą Najwyższą jest Osoba Boga, Śrī Kṛṣṇa. Jak zostanie to wyjawione na początku Rozdziału Czwartego, nie znajdują się oni na tym samym poziomie. Gdyby Arjuna znajdował się na tym samym poziomie co Kṛṣṇa i gdyby Kṛṣṇa nie przewyższał Arjuny, wtedy ich związek: związek nauczającego i nauczanego, straciłby swoje znaczenie. Gdyby obaj znajdowali się pod wpływem złudnej energii (*māyā*), wtedy nie istniałaby taka potrzeba, aby jeden z nich był nauczycielem, a drugi uczniem. Nauki takie nie miałyby żadnej wartości, jako że nikt, kto znajduje się w szponach *māyi*, nie może być autorytatywnym nauczycielem. Wobec tego należy przyznać, że Pan Kṛṣṇa jest Najwyższym Panem, zajmującym wyższą pozycję w stosunku do żywej istoty, Arjuny, który reprezentuje zapominającą, łudzoną przez *māyę* duszę.

**TEKST 14** मात्रास्पर्शास्तु कौन्तेय शीतोष्णसुखदुःखदाः ।
आगमापायिनोऽनित्यास्तांस्तितिक्षस्व भारत ॥१४॥

*mātrā-sparśās tu kaunteya śītoṣṇa-sukha-duḥkha-dāḥ*
*āgamāpāyino 'nityās tāṁs titikṣasva bhārata*

*mātrā-sparśāḥ*—percepcja zmysłowa; *tu*—tylko; *kaunteya*—O synu Kuntī; *śīta*—zima; *uṣṇa*—lato; *sukha*—szczęście; *duḥkha*—i ból; *dāḥ*—sprawiający; *āgama*—pojawiający się; *apāyinaḥ*—znikający; *anityāḥ*—nietrwały; *tān*—wszystkie; *titikṣasva*—spróbuj tolerować; *bhārata*—O potomku dynastii Bharaty.

**O synu Kuntī, okresowe pojawianie się szczęścia i niedoli i ich znikanie we właściwym czasie jest jak nadchodzenie i przemijanie zimowych i letnich pór roku. Wynikają one z percepcji zmysłowej, o potomku Bharaty, i należy nauczyć się znosić je bez niepokoju.**

*ZNACZENIE:* Należy nauczyć się tolerować okresowe pojawianie się i przemijanie szczęścia i niedoli i bez względu na okoliczności właściwie wypełniać swoje obowiązki. Według zaleceń wedyjskich, należy codziennie wcześnie rano brać kąpiel, nawet podczas miesiąca Māgha (styczeń-luty). Mimo iż jest wtedy bardzo zimno, człowiek przestrzegający zasad religijnych nie będzie się ociągał z wzięciem kąpieli. Podobnie, kobieta nie waha się gotować w kuchni w maju i czerwcu, które są najgorętszymi miesiącami lata. Należy wypełniać swoje obowiązki bez względu na klimatyczne niedogodności. Podobnie, walka jest religijną zasadą obowiązującą *kṣatriyów*, i chociaż ktoś ma walczyć z przyjaciółmi czy krewnymi, nie powinien uchylać się od swojego obowiązku. Należy przestrzegać przepisanych zasad i reguł religijnych, gdyż w ten sposób można wznieść się do platformy wiedzy, a jedynie przez wiedzę i oddanie można uwolnić się ze szponów *māyi*.

Dwa różne imiona, którymi został tutaj nazwany Arjuna, mają również swoje znaczenie. Nazwanie go Kaunteyą przypomina o jego wielkich powiązaniach rodzinnych ze strony matki, a imię Bhārata wyraża jego wielkość ze strony ojca. Zatem jego dziedzictwo było wielkie z obu stron. Wielkie dziedzictwo niesie ze sobą odpowiedzialność, jeśli chodzi o właściwe wypełnianie swoich obowiązków; dlatego Arjuna nie mógł uniknąć walki.

## TEKST 15

यं हि न व्यथयन्त्येते पुरुषं पुरुषर्षभ ।
समदुःखसुखं धीरं सोऽमृतत्वाय कल्पते ॥१५॥

*yaṁ hi na vyathayanty ete puruṣaṁ puruṣarṣabha*
*sama-duḥkha-sukhaṁ dhīraṁ so 'mṛtatvāya kalpate*

*yam*—ten, któremu; *hi*—z pewnością; *na*—nigdy; *vyathayanti*—są przygnębiające; *ete*—wszystkie te; *puruṣam*—dla osoby; *puruṣa-ṛṣabha*—O najlepszy spośród ludzi; *sama*—niezmienny; *duḥkha*—w strapieniu; *sukham*—i w szczęściu; *dhīram*—cierpliwy; *saḥ*—on; *amṛtatvāya*—do wyzwolenia; *kalpate*—jest uważana za odpowiednią.

**O najlepszy spośród ludzi (Arjuno), osoba, która pozostaje niewzruszona zarówno wobec szczęścia, jak i nieszczęścia, i zachowuje równowagę w obu, jest z pewnością gotowa do wyzwolenia.**

*ZNACZENIE:* Kto jest wytrwały w swoim dążeniu do wzniosłego stanu realizacji duchowej i potrafi jednakowo znosić przypływy szczęścia i nieszczęścia, ten jest z pewnością osobą odpowiednią do wyzwolenia. Czwarty etap życia w instytucji *varṇāśrama*, mianowicie wyrzeczony porządek życia (*sannyāsa*), jest okresem bardzo pracowitym. Lecz ten, kto rzeczywiście chce uczynić swoje życie doskonałym, z pewnością przyjmie *sannyāsę*, bez względu na wszelkie trudności. Trudności te zazwyczaj wynikają z zerwania związków rodzinnych, odłączenia się od żony i dzieci. Jeśli jednak ktoś jest w stanie znieść te trudności, jego ścieżka do realizacji duchowej będzie na pewno doskonała. Podobnie,

Arjuna otrzymał radę, aby był wytrwałym w wypełnianiu swoich obowiązków, nawet jeśli trudno jest walczyć z członkami rodziny czy podobnie kochanymi osobami. Pan Caitanya przyjął *sannyāsę* w wieku lat dwudziestu czterech i osoby utrzymywane przez Niego, młoda żona, jak również stara matka, pozostały bez opieki. Jednak z powodu wyższych racji przyjął On *sannyāsę* i był wytrwały w wypełnianiu Swoich wyższych obowiązków. Taki jest sposób na osiągnięcie wyzwolenia z niewoli materialnej.

**TEKST 16** नासतो विद्यते भावो नाभावो विद्यते सतः ।
उभयोरपि दृष्टोऽन्तस्त्वनयोस्तत्त्वदर्शिभिः ॥१६॥

*nāsato vidyate bhāvo nābhāvo vidyate sataḥ*
*ubhayor api dṛṣṭo 'ntas tv anayos tattva-darśibhiḥ*

*na*—nigdy; *asataḥ*—z nieistniejącego; *vidyate*—jest; *bhāvaḥ*—trwanie; *na*—nigdy; *abhāvaḥ*—zmieniając jakość; *vidyate*—jest; *sataḥ*—z wiecznego; *ubhayoḥ*—obu; *api*—naprawdę; *dṛṣṭaḥ*—zauważyli; *antaḥ*—wniosek; *tu*—zaprawdę; *anayoḥ*—ich; *tattva*—prawdy; *darśibhiḥ*—przez proroków.

**Ci, którzy są prorokami prawdy, stwierdzili, że w nieistniejącym (materialnym ciele) nie ma trwałości, a to co istnieje (dusza)—nie ulega zmianie. Prorocy prawdy stwierdzili to, studiując naturę obu.**

*ZNACZENIE:* W zmieniającym się ciele nie ma trwałości. To, że ciało zmienia się w każdej chwili, poprzez reakcje zachodzące w różnych komórkach, jest faktem uznanym przez współczesną medycynę. W ten sposób odbywa się wzrost i starzenie się organizmu. Jednak pomimo tych wszystkich zmian w ciele i umyśle, dusza pozostaje cały czas taką samą. W tym tkwi różnica pomiędzy materią i duchem. Z natury rzeczy ciało podlega bezustannym zmianom, dusza zaś jest wieczna. Fakt ten uznają wszyscy prorocy prawdy, zarówno impersonaliści, jak i personaliści. W *Viṣṇu-Purāṇie* (2.12.38) jest powiedziane, że Viṣṇu i Jego siedziby posiadają samoiluminującą duchową egzystencję (*jyotīṁṣi viṣṇur bhuvanāni viṣṇuḥ*). Słowa *istniejący* i *nieistniejący* odnoszą się tylko do ducha i materii. Tak przedstawiają to wszyscy prorocy prawdy.

Jest to początek nauki Pana dla żywych istot pozostających pod dezorientującym wpływem ignorancji. Usunięcie ignorancji pociąga za sobą odnowienie wiecznego związku pomiędzy wielbiącym i wielbionym, i wynikającego stąd zrozumienia różnicy pomiędzy cząstkowymi żywymi istotami a Najwyższą Osobą Boga. Naturę Najwyższego można poznać przez dokładne studia nad samym sobą, rozumiejąc różnicę pomiędzy sobą a Najwyższą Istotą jako związek pomiędzy częścią i całością. W *Vedānta-sūtrach*, jak również w *Śrīmad-Bhāgavatam*, Najwyższy został uznany za źródło wszystkich emanacji. Takie emanacje doświadczane są jako wyższa, duchowa, i niższa, materialna energia. Jak zostanie to wyjawione w Rozdziale Siódmym, żywa istota należy do wyższej natury. Chociaż nie ma różnicy pomiędzy energią a źródłem energii, źródło energii uznane zostało za Najwyższego, a energia, albo natura, za podległą Jemu. Żywe istoty są zatem zawsze zależne od Najwyższego Pana, tak jak jest to w przypadku Pana i sługi albo nauczyciela i ucznia. Takiej czystej wiedzy nie może zrozumieć osoba znajdująca się pod wpływem ignorancji. I żeby zniweczyć tę ignorancję i oświecić wszystkie żywe istoty wszechczasów, Pan wykłada *Bhagavad-gītę*.

**TEKST 17** अविनाशि तु तद् विद्धि येन सर्वमिदं ततम् ।
विनाशमव्ययस्यास्य न कश्चित् कर्तुमर्हति ॥१७॥

*avināśi tu tad viddhi yena sarvam idaṁ tatam*
*vināśam avyayasyāsya na kaścit kartum arhati*

*avināśi*—niezniszczalny; *tu*—ale; *tat*—to; *viddhi*—wiedz to; *yena*—przez kogo; *sarvam*—całe ciało; *idam*—to; *tatam*—rozprzestrzenione; *vināśam*—zniszczenie; *avyayasya*—niezniszczalnego; *asya*—tego; *na kaścit*—nikt; *kartum*—robić; *arhati*—jest w stanie.

**Wiedz, że to co przenika całe ciało, nie podlega zniszczeniu. Nikt nie jest w stanie zniszczyć wiecznej duszy.**

*ZNACZENIE:* Werset ten bardziej wyraźnie tłumaczy prawdziwą naturę duszy, która przenika całe ciało. Każdy może bez trudu zrozumieć co jest tym, co przenika całe ciało. Jest to świadomość. Każdy świadomy jest bólów i przyjemności odczuwanych przez jakąś część jego ciała, czy też cały organizm. Zasięg tej świadomości ogranicza się do jednego ciała. Bóle i przyjemne doznania jednego ciała nie są znane innemu ciału. Zatem każde ciało jest wcieleniem indywidualnej duszy, a symptomy obecności duszy odbierane są jako indywidualna świadomość. Wielkość tej duszy przyrównana została do jednej dziesięciotysięcznej części czubka włosa, równego rozmiarami punktowi. Potwierdza to *Śvetāśvatara Upaniṣad* (5.9):

*bālāgra-śata-bhāgasya śatadhā kalpitasya ca*
*bhāgo jīvaḥ sa vijñeyaḥ sa cānantyāya kalpate*

"Jeśli podzielić czubek włosa na sto części i następnie każdą z takich części na dalsze sto części, to każda z nich będzie miarą wielkości duszy." Tak samo przedstawia to *Bhāgavatam*:

*keśāgra-śata-bhāgasya śatāṁśaḥ sādṛśātmakaḥ*
*jīvaḥ sūkṣma-svarūpo 'yaṁ saṅkhyātīto hi cit-kaṇaḥ*

"Istnieje niezliczona ilość cząsteczek atomów duchowych, równych rozmiarami jednej dziesięciotysięcznej części czubka włosa."

Zatem indywidualna cząstka duszy jest atomem duchowym mniejszym od atomu materialnego, a ilość takich atomów jest niezliczona. Ta bardzo mała iskra duchowa stanowi podstawę ciała materialnego, a działanie jej rozprzestrzenia się na całe ciało, podobnie jak na całe ciało oddziaływuje również czynny składnik jakiegoś lekarstwa. Ten prąd duszy odczuwany jest w całym ciele jako świadomość i jest to dowód na obecność duszy. Każdy może zrozumieć, że ciało materialne minus świadomość równa się martwemu ciału, i świadomość ta nie może zostać przywrócona ciału żadnymi środkami materialnymi. Zatem świadomość nie powstaje poprzez kombinację elementów materialnych, ale jej źródłem jest dusza. Rozmiar atomu duszy opisuje również *Muṇḍaka Upaniṣad* (3.1.9):

*eṣo 'ṇur ātmā cetasā veditavyo*
*yasmin prāṇaḥ pañcadhā saṁviveśa*
*prāṇaiś cittaṁ sarvam otaṁ prajānāṁ*
*yasmin viśuddhe vibhavaty eṣa ātmā*

"Dusza jest rozmiarów atomu, a dostrzec można ją poprzez doskonałą inteligencję. Ta dusza-atom unosi się w pięciu rodzajach powietrza (*prāṇa, apāna, vyāna, samāna* i *udāna*), umieszczona jest w sercu i stamtąd oddziaływuje na całe ciało wcielonej żywej istoty. Kiedy uwalnia się ona z zanieczyszczenia spowodowanego przez owe rodzaje powietrza materialnego, wtedy uwidacznia się jej oddziaływanie duchowe."

Celem systemu *haṭha-yogi* jest kontrolowanie tych pięciu rodzajów powietrza, poprzez praktykę różnych siedzących postaw—nie dla żadnej korzyści materialnej, ale w celu wyzwolenia mikroskopijnej duszy z materialnej atmosfery, w którą jest spowita.

Zatem konstytucja atomu duszy potwierdzona jest w całej literaturze wedyjskiej. Jest ona również odczuwana w praktycznym doświadczeniu przez każdego rozsądnego człowieka i tylko człowiek nierozsądny może uważać tę atomową duszę za wszechprzenikającą *viṣṇu-tattvę*.

Ta dusza rozmiarów atomu oddziaływuje na całe określone ciało. Według *Muṇḍaka Upaniṣad* znajduje się ona w sercu każdej żywej istoty. Ponieważ oszacowanie jej wielkości nie leży w możliwościach współczesnej nauki materialistycznej, niektórzy z naukowców twierdzą niemądrze, że dusza w ogóle nie istnieje. Indywidualna dusza rozmiarów atomu przebywa w sercu razem z Duszą Najwyższą i dlatego wszystkie energie wprawiające ciało w ruch emanują z tej części ciała. Cząsteczki niosące tlen z płuc gromadzą energię pochodzącą od duszy. Kiedy dusza opuszcza serce, zanikają wtedy czynności krwi wywołujące fuzje. Medycyna uznaje wagę czerwonych ciałek krwi, ale nie jest w stanie stwierdzić, że źródłem energii jest dusza. Medycyna przyznaje jednak, że serce jest siedliskiem wszystkich energii ciała.

Te atomowe cząsteczki całości duchowej porównywane są do molekuł promieni słonecznych. Promienie słoneczne zawierają niezliczoną ilość takich promieniujących cząsteczek. Podobnie, fragmentaryczne cząstki Najwyższego Pana są atomowymi iskrami promieni Najwyższego Pana nazywanymi *prabhā*, energią wyższą. Więc bez względu na to, czy jesteśmy zwolennikami wiedzy wedyjskiej, czy współczesnej nauki, nie możemy zanegować istnienia duszy w ciele, a naukę o duszy dokładnie opisuje w *Bhagavad-gīcie* Sam Osoba Boga.

**TEKST 18** अन्तवन्त इमे देहा नित्यस्योक्ताः शरीरिणः ।
अनाशिनोऽप्रमेयस्य तस्माद् युध्यस्व भारत ॥१८॥

*antavanta ime dehā nityasyoktāḥ śarīriṇaḥ*
*anāśino 'prameyasya tasmād yudhyasva bhārata*

*anta-vantaḥ*—zniszczalny; *ime*—wszystkie te; *dehāḥ*—ciała materialne; *nityasya*—wiecznie istniejące; *uktāḥ*—jest tak powiedziane; *śarīriṇaḥ*—wcielonej duszy; *anāśinaḥ*—nigdy nie podlegają zniszczeniu; *aprameyasya*—bezgraniczny; *tasmāt*—zatem; *yudhyasva*—walcz; *bhārata*—O potomku Bharaty.

**Materialne ciało niezniszczalnej, bezgranicznej i wiecznej żywej istoty nieuchronnie ulega zniszczeniu; dlatego walcz, o potomku Bharaty.**

*ZNACZENIE:* Materialne ciało jest z natury zniszczalne. Może ono ulec unicestwieniu natychmiast albo po upływie stu lat. Jest to tylko kwestią czasu. Utrzymywanie go w nieskończoność jest rzeczą niemożliwą. Jednak dusza jest tak niewielkich rozmiarów, że wróg nawet nie może jej dostrzec, nie mówiąc już o zabiciu jej. Jak to zostało już oznajmione w wersecie poprzednim, jest ona tak mała, że nikt nie jest w stanie zmierzyć jej wielkości. Ponieważ żywa istota, taka jaką jest, nigdy nie może zostać zabita, ani też ciało materialne—którego nie można zachować na wieki—nie może być trwale chronione, więc z obu punktów widzenia nie ma powodu do rozpaczy. Mikroskopijna cząstka całości duchowej otrzymuje ciało materialne zależnie od swojego postępowania—dlatego też należy przestrzegać zasad religijnych. W *Vedānta-sūtrach* żywa istota została określona jako światło, ponieważ jest ona cząstką najwyższego światła. Tak jak światło słoneczne utrzymuje cały wszechświat, tak światło duszy utrzymuje to ciało. I skoro tylko dusza opuszcza ciało, zaczyna ono ulegać rozkładowi. A więc to właśnie dusza utrzymuje ciało. Samo ciało nie jest ważne. Arjuna otrzymał radę, aby podjął walkę i nie lekceważył sprawy religii ze względu na materialne, cielesne rozważania.

TEKST 19 य एनं वेत्ति हन्तारं यश्चैनं मन्यते हतम् ।
उभौ तौ न विजानीतो नायं हन्ति न हन्यते ॥१९॥

*ya enaṁ vetti hantāraṁ yaś cainaṁ manyate hatam*
*ubhau tau na vijānīto nāyaṁ hanti na hanyate*

*yaḥ*—ktokolwiek; *enam*—to; *vetti*—wie; *hantāram*—zabójca; *yaḥ*—ktokolwiek; *ca*—również; *enam*—to; *manyate*—myśli; *hatam*—zabity; *ubhau*—obaj; *tau*—oni; *na*—nigdy; *vijānītaḥ*—posiadający wiedzę; *na*—nigdy; *ayam*—to; *hanti*—zabija; *na*—ani nie; *hanyate*—jest zabijana.

**Kto myśli, że żywa istota jest zabójcą albo że jest zabijana, ten nie posiada wiedzy, ponieważ dusza ani nie zabija, ani nie jest zabijana.**

*ZNACZENIE:* Należy wiedzieć, że kiedy wcielona żywa istota zostaje śmiertelnie zraniona przez jakąś broń, to żywa istota, która znajduje się wewnątrz ciała, nie ginie. Jak dowiemy się z następnych wersetów, dusza jest tak mała, że niemożliwe jest zabicie jej jakąkolwiek bronią materialną. Poza tym, nie może ona zostać uśmiercona z racji swojej duchowej konstytucji. Unicestwić można jedynie ciało, co jednakże nie ma być zachętą do zabijania ciał. Zaleceniem wedyjskim jest: *mā hiṁsyāt sarvā bhūtāni*: nigdy nie zadawaj nikomu gwałtu. Ani też wiedza o tym, że żywa istota nie może zostać zabitą, nie powinna ośmielać do zabijania zwierząt. Zabicie czyjegokolwiek ciała bez pozwolenia autorytetu jest rzeczą ohydną i jest karalne zarówno przez prawo państwowe, jak i przez prawo Pana. Arjuna jednakże zabijał ze względu na zasady religijne, a nie przez samowolę.

TEKST 20

न जायते म्रियते वा कदाचिन्
नायं भूत्वा भविता वा न भूयः ।
अजो नित्यः शाश्वतोऽयं पुराणो
न हन्यते हन्यमाने शरीरे ॥२०॥

*na jāyate mriyate vā kadācin*
*nāyaṁ bhūtvā bhavitā vā na bhūyaḥ*
*ajo nityaḥ śāśvato 'yaṁ purāṇo*
*na hanyate hanyamāne śarīre*

*na*—nigdy; *jāyate*—rodzi się; *mriyate*—umiera; *vā*—ani nie; *kadācit*—kiedykolwiek (w przeszłości, obecnie czy w przyszłości); *na*—nigdy; *ayam*—to; *bhūtvā*—powstała; *bhavitā*—stanie się; *vā*—albo; *na*—nie; *bhūyaḥ*—albo ponownie się stanie; *ajaḥ*—nienarodzona; *nityaḥ*—wieczna; *śāśvataḥ*—trwała; *ayam*—ta; *purāṇaḥ*—najstarsza; *na*—nigdy; *hanyate*—jest zabijana; *hanyamāne*—będąc zabitą; *śarīre*—ciało.

**Dla duszy nie ma narodzin ani śmierci. Nie powstała ona, nie powstaje, ani też nie powstanie. Jest nienarodzoną, wieczną, zawsze istniejącą, nigdy nie umierającą i pierwotną. Nie ginie, kiedy zabijane jest ciało.**

*ZNACZENIE:* Mała, fragmentaryczna cząstka Najwyższego Ducha, wielkości atomu, jest jakościowo równa Najwyższemu. Nie podlega ona zmianom, jak ciało. Czasami dusza nazywana jest niezmienną, czyli *kūṭa-stha*. Ciało podlega sześciu rodzajom przemian. Rodzi się w łonie matki, trwa przez jakiś czas, rośnie, wytwarza pewne produkty, stopniowo słabnie i w końcu znika. Dusza jednakże nie przechodzi takich zmian. Jest ona nienarodzoną, ale ponieważ przyjmuje materialne ciało, ciało to rodzi się. Dusza natomiast nie rodzi się ani nie umiera. Wszystko to co się rodzi, podlega również śmierci, a ponieważ dusza nie ma narodzin, nie ma również przeszłości, teraźniejszości ani przyszłości. Jest ona wieczną, zawsze istniejącą i pradawną, to znaczy, że nie ma w historii śladów jej powstania. Będąc pod wrażeniem doświadczeń cielesnych, szukamy historii narodzin duszy itd. Dusza nigdy nie starzeje się, tak jak obserwujemy to w przypadku ciała, i dlatego tzw. starzec czuje w sobie tego samego ducha co i w młodości. Zmiany zachodzące w ciele nie mają wpływu na duszę. Nie ulega ona degeneracji tak jak drzewo czy jakakolwiek rzecz materialna. Nie wytwarza również produktów ubocznych. Produkty uboczne ciała, mianowicie dzieci, są również odrębnymi indywidualnymi duszami i tylko z powodu ciała zdają się być dziećmi jakiegoś określonego człowieka. Ciało rozwija się dzięki obecności w nim duszy, ale dusza nie wytwarza żadnych produktów ubocznych ani też nie podlega żadnym zmianom. Jest zatem wolna od sześciu zmian zachodzących w ciele.

Podobny ustęp znajdujemy również w *Kaṭha Upaniṣad* (1.2.18):

*na jāyate mriyate vā vipaścin*
*nāyaṁ kutaścin na babhūva kaścit*
*ajo nityaḥ śāśvato 'yaṁ purāṇo*
*na hanyate hanyamāne śarīre*

Sens i znaczenie tego wersetu jest takie same jak w *Bhagavad-gīcie*, ale tutaj, w tym wersecie, jest jedno szczególne słowo: *vipaścit*, które oznacza uczonego, czyli posiadającego wiedzę.

Dusza posiada pełną wiedzę, czyli zawsze jest w pełni świadoma. Zatem świadomość jest symptomem duszy. Nawet jeśli ktoś nie może dostrzec duszy wewnątrz serca, gdzie się ona znajduje, to może wywnioskować o jej obecności na podstawie świadomości wykazywanej przez dane ciało. Czasami nie dostrzegamy słońca na niebie, z powodu chmur czy też z jakiejś innej przyczyny, ale zawsze istnieje światło słoneczne i dlatego możemy być pewni, że jest dzień. Skoro tylko pojawi się trochę światła na niebie wczesnym rankiem, możemy wnioskować, że oto wzeszło słońce. Podobnie, obecności duszy we wszystkich ciałach—czy to w ludzkich, czy w zwierzęcych—możemy domyślić się na podstawie istnienia w nich świadomości. Jednakże ta świadomość duszy różni się od świadomości Najwyższego. Najwyższa świadomość jest wszechwiedzą o przeszłości, teraźniejszości i przyszłości; natomiast świadomość duszy indywidualnej ma skłonność do zapominania. Kiedy zapomina ona o swojej wyższej naturze, otrzymuje nauki i oświecenie z najwyższych nauk Kṛṣṇy, jako że Kṛṣṇa nie jest podobny zapominającej duszy. Gdyby tak było, Jego nauki w *Bhagavad-gīcie* byłyby bezużyteczne.

Istnieją dwa rodzaje dusz—mianowicie mikroskopijna, cząstkowa dusza (*aṇu-ātmā*) i Dusza Najwyższa (*vibhu-ātmā*). W *Kaṭha Upaniṣad* (1.2.20) potwierdzone jest to w ten sposób:

*aṇor aṇīyān mahato mahīyān*
*ātmāsya jantor nihito guhāyām*
*tam akratuḥ paśyati vīta-śoko*
*dhātuḥ prasādān mahimānam ātmanaḥ*

"Zarówno Dusza Najwyższa (Paramātmā), jak i atomowych rozmiarów dusza indywidualna (*jīvātmā*), usytuowane są na tym samym drzewie ciała, wewnątrz tego samego serca żywej istoty. I tylko ten, kto uwolnił się od wszelkich materialnych pragnień i rozterek, może, dzięki łasce Najwyższego, poznać wspaniałość i piękno duszy." Kṛṣṇa jest też źródłem Duszy Najwyższej, jak zostanie to wyjawione w rozdziałach następnych, a Arjuna jest indywidualną duszą rozmiarów atomu, nie pamiętającą o swojej prawdziwej naturze. Dlatego też musi on zostać oświecony przez Kṛṣṇę albo Jego bona fide reprezentanta (mistrza duchowego).

**TEKST 21** वेदाविनाशिनं नित्यं य एनमजमव्ययम् ।
कथं स पुरुषः पार्थ कं घातयति हन्ति कम् ॥२१॥

*vedāvināśinaṁ nityaṁ ya enam ajam avyayam*
*kathaṁ sa puruṣaḥ pārtha kaṁ ghātayati hanti kam*

*veda*—wie; *avināśinam*—niezniszczalny; *nityam*—zawsze istniejący; *yaḥ*—ten, kto; *enam*—ta (dusza); *ajam*—nienarodzona; *avyayam*—niezmienna; *katham*—jak; *saḥ*—ta; *puruṣaḥ*—osoba; *pārtha*—O Pārtho (Arjuno); *kam*—kogo; *ghātayati*—zmusza do zranienia; *hanti*—zabija; *kam*—kogo.

**O Pārtho, jak może ten, który wie, że dusza jest niezniszczalna, nienarodzona, wieczna i niezmienna, zabić kogokolwiek albo nakłonić kogokolwiek do zabicia?**

*ZNACZENIE:* Wszystko ma swoje właściwe zastosowanie i człowiek posiadający doskonałą wiedzę wie, gdzie i jak właściwie wykorzystać dany przedmiot. Podobnie, również przemoc ma swoje zastosowanie, a w jaki sposób ją zastosować, wie o tym osoba posiadająca wiedzę. Chociaż sędzia pokoju karze śmiercią osobę winną morderstwa, sędzia ten nie może zostać potępiony, albowiem nakazuje gwałt na danej osobie kierując się kodeksem karnym. Według *Manu-saṁhity*, księgi prawniczej dla ludzkości, morderca powinien być karany śmiercią, tak aby w następnym życiu nie musiał cierpieć z powodu wielkiego grzechu, który popełnił. Więc kiedy król karze mordercę przez powieszenie, to należy uznać to za dobrodziejstwo. Podobnie, kiedy Kṛṣṇa rozkazuje walczyć, to należy wyciągnąć z tego wniosek, że przemoc ma zostać użyta w imię najwyższej sprawiedliwości. Zatem Arjuna powinien zastosować się do polecenia, które otrzymał, wiedząc dobrze, że gwałt popełniony w czasie walki dla Kṛṣṇy wcale nie jest gwałtem. Ponieważ człowiek (albo raczej dusza) w żadnym wypadku nie może zostać zabity, więc dla wymiaru sprawiedliwości tzw. gwałt jest dozwolony. Operacja chirurgiczna nie służy zabiciu pacjenta, ale uleczeniu go.

Zatem walka, którą miał podjąć Arjuna z polecenia Kṛṣṇy, jest prawomocna i nie może być tu mowy o grzesznych reakcjach.

TEKST 22

वासांसि जीर्णानि यथा विहाय
नवानि गृह्णाति नरोऽपराणि ।
तथा शरीराणि विहाय जिर्णान्य-
न्यानि संयाति नवानि देही ॥२२॥

*vāsāṁsi jīrṇāni yathā vihāya*
*navāni gṛhṇāti naro 'parāṇi*
*tathā śarīrāṇi vihāya jīrṇāny*
*anyāni saṁyāti navāni dehī*

*vāsāṁsi*—ubranie; *jīrṇāni*—stare i zniszczone; *yathā*—tak jak; *vihāya*—porzucając; *navāni*—nowe ubranie; *gṛhṇāti*—przyjmuje; *naraḥ*—człowiek; *aparāṇi*—inne; *tathā*—w ten sam sposób; *śarīrāṇi*—ciała; *vihāya*—porzucając; *jīrṇāni*—stare i zużyte; *anyāni*—różne; *saṁyāti*—naprawdę przyjmuje; *navāni*—nowe ubranie; *dehī*—dusza wcielona.

**Tak jak człowiek zakłada nowe ubrania, zdejmując stare, podobnie dusza przyjmuje nowe materialne ciała, porzucając stare i zużyte.**

*ZNACZENIE:* Zmiana ciała przez indywidualną duszę rozmiarów atomu jest uznanym faktem. Nawet niektórzy ze współczesnych naukowców, którzy nie wierzą w istnienie duszy, ale jednocześnie nie potrafią wytłumaczyć źródła energii w sercu, muszą uznać bezustanne zmiany ciała zachodzące w nim od wieku dziecięcego do chłopięcego, od chłopięcego do młodzieńczego, i z kolei od wieku młodzieńczego do starości. Następnie zmiany te przenoszone są na inne ciało. Wytłumaczono to już w poprzednim wersecie (2.13).

Przemieszczenie indywidualnej duszy rozmiarów atomu do innego ciała możliwe jest dzięki łasce Duszy Najwyższej. Dusza Najwyższa spełnia życzenia duszy indywidualnej, tak jak jeden przyjaciel spełnia pragnienia drugiego. *Vedy*, jak *Muṇḍaka Upaniṣad*, a również *Śvetāśvatara Upaniṣad*, porównują duszę i Duszę Najwyższą do dwóch zaprzyjaźnionych ptaków siedzących na tym samym drzewie. Jeden z tych ptaków (dusza indywidualna) spożywa owoce tego drzewa, podczas gdy drugi (Kṛṣṇa) jedynie obserwuje Swojego przyjaciela. Jeden z nich—mimo iż są one takie same jakościowo—oczarowany jest owocami drzewa materialnego, podczas gdy drugi tylko obserwuje czynności Swego przyjaciela. Tym obserwującym ptakiem jest Kṛṣṇa, a pożywiającym się Arjuna. Chociaż są oni przyjaciółmi, to jednak jeden z nich jest panem, drugi zaś sługą. Zapomnienie o tym związku przez duszę indywidualną powoduje, że zmienia ona miejsce z jednego drzewa na inne, czyli jedno ciało na inne. Dusza (*jīva*) bardzo ciężko zmaga się na tym drzewie ciała materialnego, ale skoro tylko zgodzi się przyjąć drugiego ptaka za najwyższego mistrza duchowego (tak jak to zrobił Arjuna, dobrowolnie podporządkowując się Kṛṣṇie w celu otrzymania nauk), to przez to podporządkowanie natychmiast uwalnia się ona od wszelkich rozterek. Potwierdza to zarówno *Muṇḍaka Upaniṣad* (3.1.2), jak i *Śvetāśvatara Upaniṣad* (4.7):

*samāne vṛkṣe puruṣo nimagno*
*'nīśayā śocati muhyamānaḥ*
*juṣṭaṁ yadā paśyaty anyam īśam*
*asya mahimānam iti vīta-śokaḥ*

"Mimo iż te dwa ptaki znajdują się na tym samym drzewie, ptak spożywający owoce tego drzewa opanowany jest przez żądzę i pogrążony jest w smutku. Lecz skoro tylko zwróci swoją twarz w stronę przyjaciela, którym jest Pan, i pozna Jego chwały, natychmiast uwalnia się od wszelkich rozterek." Arjuna zwrócił teraz twarz w kierunku swojego wiecznego przyjaciela—Kṛṣṇy, aby wysłuchać od Niego *Bhagavad-gīty*. Słuchając Kṛṣṇy może on poznać najwspanialsze chwały Pana i uwolnić się od wszelkich rozterek.

Pan radzi tutaj Arjunie, aby nie rozpaczał z powodu zmiany ciał przez jego starego dziadka i nauczyciela. Powinien być raczej szczęśliwy, zabijając ich ciała w słusznej walce, tak aby od razu mogli zostać oczyszczeni z wszelkich następstw swoich cielesnych poczynań. Kto składa swoje życie na ołtarzu ofiarnym albo w słusznej walce, zostaje natychmiast oczyszczony z wszelkich następstw grzechów i podniesiony do wyższego poziomu życia. Więc nie było dla Arjuny powodu do rozpaczy.

**TEKST 23** नैनं छिन्दन्ति शस्त्राणि नैनं दहति पावकः ।
न चैनं क्लेदयन्त्यापो न शोषयति मारुतः ॥२३॥

*nainaṁ chindanti śastrāṇi nainaṁ dahati pāvakaḥ*
*na cainaṁ kledayanty āpo na śoṣayati mārutaḥ*

*na*—nigdy; *enam*—tej duszy; *chindanti*—można pociąć na kawałki; *śastrāṇi*—wszelka broń; *na*—nigdy; *enam*—tej duszy; *dahati*—spali; *pāvakaḥ*—ogień; *na*—nigdy; *ca*—również; *enam*—tej duszy; *kledayanti*—zmoczy; *āpaḥ*—woda; *na*—nigdy; *śoṣayati*—wysuszy; *mārutaḥ*—wiatr.

**Nigdy i żadną bronią nie można duszy pociąć na kawałki. Ani ogień nie może jej spalić, ani woda zamoczyć, ani też nie może wysuszyć jej wiatr.**

*ZNACZENIE:* Żadnego rodzaju broń: miecze, płomienie, deszcze, silne wiatry itd., nie są w stanie zabić duszy. Okazuje się, że oprócz współcześnie znanej broni ogniowej, do której zalicza się też broń nuklearną, wcześniej istniała broń innego typu, zrobiona z różnych elementów materialnych, takich jak ziemia, woda, powietrze, eter itd. Broń ogniowa neutralizowana była przez broń wodną, która nie jest znana teraz współczesnej nauce. Współcześni naukowcy nie posiadają też wiedzy o broni wietrznej. Niemniej jednak, dusza nigdy nie może zostać pocięta na kawałki ani też nie może być unicestwiona przez żaden rodzaj broni, pomimo różnych naukowych wynalazków.

Filozofowie Māyāvādī nie są w stanie opisać, w jaki sposób indywidualne dusze powstały po prostu z ignorancji, a następnie zostały okryte energią iluzoryczną. Nigdy też nie było możliwe odcięcie duszy indywidualnej od oryginalnej Duszy Najwyższej; raczej dusze indywidualne są wiecznie oddzielonymi cząstkami Duszy Najwyższej. Ponieważ są one wiecznie atomowymi indywidualnymi duszami (*sanātana*), mają one tendencję do pokrycia się energią iluzoryczną i w ten sposób tracą towarzystwo Najwyższego Pana (podobnie jak iskry z ognia, mimo iż jednakowe jakościowo z tym ogniem, łatwo ulegają zgaszeniu, kiedy tylko znajdą się poza jego obrębem). W *Varāha Purāṇie* żywe istoty opisane zostały jako oddzielne, integralne cząstki Najwyższego. Są one takimi wiecznie, również według *Bhagavad-gīty*. Więc nawet uwolniwszy się spod wpływu iluzji, żywa istota nadal pozostaje oddzielną tożsamością, tak jak to wynika wyraźnie z nauk Pana udzielonych Arjunie. Arjuna został wyzwolony dzięki wiedzy otrzymanej od Kṛṣṇy, ale nigdy nie stał się jednym z Kṛṣṇą.

**TEKST 24**

अच्छेद्योऽयमदाह्योऽयमक्लेद्योऽशोष्य एव च ।
नित्यः सर्वगतः स्थाणुरचलोऽयं सनातनः ॥२४॥

*acchedyo 'yam adāhyo 'yam akledyo 'śoṣya eva ca*
*nityaḥ sarva-gataḥ sthāṇur acalo 'yaṁ sanātanaḥ*

*acchedyaḥ*—nie ulegająca rozbiciu; *ayam*—ta dusza; *adāhyaḥ*—nie może zostać spalona; *ayam*—ta dusza; *akledyaḥ*—nierozpuszczalna; *aśoṣyaḥ*—nie może zostać wysuszona; *eva*—z pewnością; *ca*—i; *nityaḥ*—wieczna; *sarva-gataḥ*—wszechprzenikająca; *sthāṇuḥ*—niezmienna; *acalaḥ*—niewzruszona; *ayam*—ta dusza; *sanātanaḥ*—wiecznie ta sama.

**Ta indywidualna dusza nie ulega rozbiciu ani rozpuszczeniu. Nie może też zostać spalona ani wysuszona. Jest ona nieśmiertelna, wszechprzenikająca, niezmienna, niewzruszona i wiecznie ta sama.**

*ZNACZENIE:* Wszystkie te cechy indywidualnej duszy ostatecznie dowodzą, że jest ona wiecznie atomową cząstką duchowej całości i wiecznie pozostaje tym samym atomem, nigdy nie ulegając zmianom. Zatem teoria monizmu nie znajduje zastosowania w tym przypadku, jako że nie należy spodziewać się, aby indywidualna dusza kiedykolwiek wtopiła się w jedność. Uwolniwszy się od skażenia energią materialną, atomowa dusza może zapragnąć pozostać w błyszczących promieniach Najwyższej Osoby Boga, jako iskra duchowa. Jednakże dusze inteligentne wstępują na planety duchowe, aby tam obcować z Najwyższą Osobą Boga.

Znaczące w tym wersecie jest słowo *sarva-gata* ("wszechprzenikające"), ponieważ nie ma wątpliwości co do tego, że żywe istoty znajdują się wśród wszelkiego boskiego stworzenia. Żyją na lądzie, w wodzie, powietrzu, ziemi, a nawet w ogniu. Wierzenie, iż w ogniu ulegają one sterylizacji, jest nie do przyjęcia, ponieważ wyraźnie zostało tutaj powiedziane, że dusza nie może zostać spalona przez ogień. Zatem żywe istoty bez wątpienia przebywają również na słońcu, posiadając ciała odpowiednie do tamtejszych warunków. Gdyby glob słoneczny nie był zamieszkany, wtedy słowo *sarva-gata*—"żyjące wszędzie"—straciłoby swoje znaczenie.

## TEKST 25

अव्यक्तोऽयमचिन्त्योऽयमविकार्योऽयमुच्यते ।
तस्मादेवं विदित्वैनं नानुशोचितुमर्हसि ॥२५॥

*avyakto 'yam acintyo 'yam avikāryo 'yam ucyate*
*tasmād evaṁ viditvainaṁ nānuśocitum arhasi*

*avyaktaḥ*—niewidzialna; *ayam*—ta dusza; *acintyaḥ*—niepojęta; *ayam*—ta dusza; *avikāryaḥ*—niezmienna; *ayam*—ta dusza; *ucyate*—jest powiedziane; *tasmāt*—dlatego; *evam*—w ten sposób; *viditvā*—dobrze wiedząc o tym; *enam*—ta dusza; *na*—nie; *anuśocitum*—rozpaczać; *arhasi*—zasługujesz.

**Dusza ta jest niewidzialna, niepojęta, stała i niezmienna. Wiedząc to, nie powinieneś rozpaczać z powodu ciała.**

*ZNACZENIE:* Jak opisano uprzednio, rozmiar duszy jest tak niewielki według naszych kalkulacji materialnych, że nie można dostrzec jej nawet przez najmocniejszy mikroskop; zatem jest ona niewidzialna.

Nikt nie może stwierdzić jej istnienia na podstawie badań eksperymentalnych, poza dowodami *śruti*, czyli mądrości wedyjskich. Musimy przyjąć tę prawdę, gdyż nie ma innego sposobu dowiedzenia egzystencji duszy, mimo iż jest to faktem postrzegalnym. Jest wiele rzeczy, które musimy przyjąć, opierając się jedynie na wyższym autorytecie. Nikt nie może zaprzeczyć istnieniu swojego ojca, jeśli potwierdza to autorytet matki. Nie ma innej możliwości ustalenia tożsamości ojca, niż oparcie się na autorytecie matki. Podobnie, nie ma innego sposobu zrozumienia duszy, poza studiowaniem *Ved*. Innymi słowy, duszy nie można poznać za pomocą ludzkiej wiedzy eksperymentalnej. Dusza jest świadomością i jest świadoma—takie jest również oznajmienie *Ved* i my musimy je przyjąć. W przeciwieństwie do ciała, dusza nie podlega żadnym zmianom. Jako wiecznie niezmienna, dusza pozostaje atomową w porównaniu z bezgraniczną Duszą Najwyższą. Dusza Najwyższa jest nieskończenie wielka, natomiast dusza indywidualna jest nieskończenie mała. Zatem ta nieskończenie mała dusza, będąc niezmienną, nigdy nie może zrównać się z duszą bezgraniczną, czyli Najwyższą Osobą Boga. *Vedy* powtarzają to na różne sposoby, aby potwierdzić stałość koncepcji duszy. Powtarzanie takie jest konieczne, abyśmy mogli doskonale i bezbłędnie zrozumieć dany przedmiot.

**TEKST 26** अथ चैनं नित्यजातं नित्यं वा मन्यसे मृतम् ।
तथापि त्वं महाबाहो नैनं शोचितुमर्हसि ॥२६॥

*atha cainaṁ nitya-jātaṁ nityaṁ vā manyase mṛtam*
*tathāpi tvaṁ mahā-bāho nainaṁ śocitum arhasi*

*atha*—jeśli jednak; *ca*—również; *enam*—ta dusza; *nitya-jātam*—zawsze rodzi się; *nityam*—na zawsze; *vā*—albo; *manyase*—tak myślisz; *mṛtam*—martwa; *tathā api*—nadal; *tvam*—ty; *mahā-bāho*—O potężnie uzbrojony; *na*—nigdy; *enam*—o duszy; *śocitum*—rozpaczać; *arhasi*—zasługuje.

**Jeśli jednak myślisz, że dusza (czyli symptomy życia) nieustannie rodzi się i na zawsze umiera, i tak nie masz powodu do rozpaczy, o potężny.**

*ZNACZENIE:* Zawsze istnieje jakaś grupa filozofów, niemalże pokrewnych buddystom, którzy nie wierzą w oddzielne istnienie duszy poza ciałem. Okazuje się, że tacy filozofowie istnieli również wtedy, kiedy Pan Kṛṣṇa przekazywał *Bhagavad-gītę*, i znani byli jako *lokāyatikowie* i *vaibhāṣikowie*. Filozofowie ci utrzymywali, że oznaka życia, czyli dusza, powstaje na pewnym dojrzałym etapie kombinacji związków materialnych. Podobnie myślą również współcześni materialistyczni naukowcy i filozofowie. Według nich, ciało jest kombinacją elementów fizycznych i w pewnym stadium, poprzez wzajemne oddziaływanie na siebie elementów fizycznych i chemicznych, zaczynają rozwijać się w nim symptomy życia. Na tej filozofii oparta jest nauka antropologii. Filozofię tę (jak również nihilistyczne, niereligijne sekty buddyjskie) popiera teraz wiele pseudoreligii, które stają się obecnie modne w Ameryce.

Nawet gdyby Arjuna nie wierzył w istnienie duszy—tak jak to jest w filozofii *vaibhāṣika*—również nie miałby powodu do rozpaczy. Nikt nie rozpacza nad stratą pewnej masy chemikalii i nie porzuca z tego powodu swoich obowiązków. We współczesnej nauce i naukowej wojnie traci się tak wiele ton chemikaliów po to, aby osiągnąć zwycięstwo nad wrogiem. Według filozofii *vaibhāṣika*, tzw. dusza, czyli *ātmā*, znika wraz z unicestwieniem ciała. Więc niezależnie od tego, czy Arjuna przyjął wedyjskie twierdzenie o istnieniu atomowej duszy, czy nie wierzył w istnienie duszy, w obu przypadkach nie miał powodu do rozpaczy. Jeśli, według tej teorii, tak wiele żywych istot powstaje z materii w każdej chwili i w każdej chwili tak wiele z nich ulega unicestwieniu, nie ma potrzeby ubolewać nad takim wydarzeniem. Jeśli Arjunę nie czekały już ponowne narodziny, to nie musiał on obawiać się następstw grzechów z powodu zabicia swego dziadka i nauczyciela. Lecz równocześnie Kṛṣṇa sarkastycznie zwrócił się do Arjuny jako do *mahā-bāhu*, potężnie uzbrojonego, ponieważ przynajmniej On nie zaakceptował teorii *vaibhāṣików*, odrzucającej mądrość wedyjską. Jako *kṣatriya*, Arjuna należał do kultury wedyjskiej, wypadało więc, aby w dalszym ciągu przestrzegał jej zasad.

**TEKST 27** जातस्य हि ध्रुवो मृत्युर्ध्रुवं जन्म मृतस्य च ।
तस्मादपरिहार्येऽर्थे न त्वं शोचितुमर्हसि ॥२७॥

*jātasya hi dhruvo mṛtyur dhruvaṁ janma mṛtasya ca*
*tasmād aparihārye 'rthe na tvaṁ śocitum arhasi*

*jātasya*—tego, kto się narodził; *hi*—z pewnością; *dhruvaḥ*—fakt; *mṛtyuḥ*—śmierć; *dhruvam*—jest również faktem; *janma*—narodziny; *mṛtasya*—zmarłego; *ca*—również; *tasmāt*—zatem; *aparihārye*—tego, co jest nieuniknione; *arthe*—w sprawie; *na*—nie; *tvam*—ty; *śocitum*—rozpaczać; *arhasi*—zasługujesz.

**Dla tego, kto się narodził, śmierć jest pewna, a dla tego, kto umarł, nieuniknione są narodziny. Nie powinieneś zatem rozpaczać, lecz niezawodnie wypełniać swoje obowiązki.**

*ZNACZENIE:* Żywa istota rodzi się odpowiednio do swego postępowania w życiu. Kiedy kończy się jeden okres jej aktywności, musi umrzeć, aby narodzić się ponownie. W ten sposób podlega ona powtarzającym się cyklom narodzin i śmierci, nie osiągając wyzwolenia. To, że cykl ten powtarza się, nie ma być wcale zachętą do niepotrzebnego mordowania, rzezi i wojny. Jednak, dla zachowania porządku i prawa, przemoc i wojna są zjawiskami nieuniknionymi w społeczeństwie ludzkim.

Bitwa na polu Kurukṣetra, będąc wolą Najwyższego, była wydarzeniem nieuniknionym, a walka o słuszną sprawę jest obowiązkiem *kṣatriyi*. Dlaczego więc Arjuna miałby obawiać się albo być zasmuconym z powodu śmierci swoich krewnych, skoro wypełniał swój należyty obowiązek? Nie łamałby prawa, więc nie podlegałby reakcjom grzesznych czynów, których się tak obawiał. Gdyby uchylił się od wywiązania się ze swojego obowiązku, nie uchroniłby w ten sposób swoich krewnych od śmierci, a sam zostałby zdegradowany z powodu wyboru niewłaściwej drogi działania.

**TEKST 28**

अव्यक्तादीनि भूतानि व्यक्तमध्यानि भारत ।
अव्यक्तनिधनान्येव तत्र का परिदेवना ॥२८॥

*avyaktādīni bhūtāni vyakta-madhyāni bhārata*
*avyakta-nidhanāny eva tatra kā paridevanā*

*avyakta-ādīni*—niezamanifestowany w swoich początkach; *bhūtāni*—wszystko, co stworzone; *vyakta*—zamanifestowany; *madhyāni*—w środku; *bhārata*—O potomku Bharaty; *avyakta*—niezamanifestowany; *nidhanāni*—kiedy zostaje pokonane; *eva*—wszystko jest w ten sposób; *tatra*—dlatego; *kā*—co; *paridevanā*—rozpacz.

**Wszystkie stworzone istoty pozostają niezamanifestowane w swoich początkach, manifestują się w okresie środkowym, a po unicestwieniu wracają do stanu niezamanifestowanego. Na cóż więc zda się rozpacz?**

*ZNACZENIE:* Przyjmując, że są dwie klasy filozofów: jedna wierząca w istnienie duszy i druga niewierząca w jej istnienie, nie ma powodu do rozpaczy w żadnym wypadku. Niewierzący w istnienie duszy nazywani są ateistami przez tych, którzy są studentami mądrości wedyjskiej. Nawet jeśli, w imię dyskusji, przyjmiemy teorię ateistyczną, nadal nie będzie powodu do rozpaczy. Poza oddzielnym istnieniem duszy, elementy materialne pozostają niezamanifestowane przed stworzeniem. Z tego subtelnego niezamanifestowanego stanu pochodzi manifestacja, tak jak z eteru powstaje powietrze, z powietrza tworzy się ogień, ogień jest źródłem wody, a z wody manifestuje się ziemia. Ziemia z kolei daje początek wielu różnorodnym manifestacjom. Z ziemi na przykład powstaje ogromny wieżowiec. Kiedy zostaje on rozebrany, manifestacja wraca z powrotem—w postaci atomów—do stanu niezamanifestowanego. Prawo zachowania energii zostaje zachowane, ale z biegiem czasu rzeczy na przemian manifestują się, a następnie wracają do stanu niezamanifestowanego—taka jest różnica. Więc jaki wobec tego miałby być powód do rozpaczy nad stanem manifestacji, czy nad stanem niezamanifestowanym? Tak czy inaczej, nawet w stanie niezamanifestowanym nic nie ulega zatraceniu. Zarówno na początku, jak i na końcu wszystkie elementy pozostają niezamanifestowane i manifestują się jedynie w okresie środkowym, a to nie czyni żadnej prawdziwej różnicy materialnej.

A jeśli przyjmiemy pogląd wedyjski przedstawiony w *Bhagavad-gīcie* i mówiący, że materialne ciała we właściwym czasie ulegają unicestwieniu (*antavanta ime dehāḥ*), podczas gdy dusza jest wieczna (*nityasyoktāḥ śarīriṇaḥ*), wtedy musimy zawsze pamiętać, iż ciało podobne jest do ubrania. Dlaczego zatem rozpaczać z powodu zmiany stroju? To materialne ciało w stosunku do wiecznej duszy nie ma rzeczywistej egzystencji. Jest czymś podobnym do snu. We śnie możemy myśleć o unoszeniu się w powietrzu albo możemy znajdować się w karecie jako król, lecz po przebudzeniu przekonamy się, że ani nie unosimy się w powietrzu, ani nie znajdujemy się w karecie. Wiedza wedyjska poleca samorealizację opartą na zasadzie nieistnienia ciała materialnego. Więc bez względu na to, czy ktoś wierzy w istnienie duszy czy nie wierzy, w żadnym przypadku nie ma powodu do rozpaczy nad utratą ciała materialnego.

## TEKST 29

आश्चर्यवत् पश्यति कश्चिदेनम्
आश्चर्यवद् वदति तथैव चान्यः ।
आश्चर्यवच्चैनमन्यः शृणोति
श्रुत्वाप्येनं वेद न चैव कश्चित् ॥२९॥

*āścarya-vat paśyati kaścid enam*
*āścarya-vad vadati tathaiva cānyaḥ*
*āścarya-vac cainam anyaḥ śṛṇoti*
*śrutvāpy enaṁ veda na caiva kaścit*

*āścarya-vat*—jako zdumiewającą; *paśyati*—widzi; *kaścit*—kto; *enam*—ta dusza; *āścarya-vat*—jako zadziwiającą; *vadati*—mówi o; *tathā*—

zatem; *eva*—z pewnością; *ca*—również; *anyaḥ*—inny; *āścarya-vat*—podobnie zdumiewająca; *ca*—również; *enam*—ta dusza; *anyaḥ*—ktoś inny; *śṛṇoti*—słucha o; *śrutvā*—usłyszawszy; *api*—nawet; *enam*—ta dusza; *veda*—wie; *na*—nigdy; *ca*—i; *eva*—z pewnością; *kaścit*—ktoś.

**Niektórzy patrzą na duszę jako zadziwiającą, niektórzy opisują ją jako zadziwiającą, niektórzy słuchają o niej jako zdumiewającej, podczas gdy inni, nawet usłyszawszy o niej, nie są wcale w stanie jej zrozumieć.**

*ZNACZENIE:* Ponieważ *Gītopaniṣad* w dużym stopniu oparty jest na zasadach *Upaniṣadów*, więc nic dziwnego, że ustęp ten znajdujemy również w *Kaṭha Upaniṣad* (1.2.7):

*śravaṇayāpi bahubhir yo na labhyaḥ*
*śṛṇvanto 'pi bahavo yaṁ na vidyuḥ*
*āścaryo vaktā kuśalo 'sya labdhā*
*āścaryo 'sya jñātā kuśalānuśiṣṭaḥ*

Fakt, że dusza rozmiarów atomu znajduje się w ciele olbrzymiego zwierzęcia, w ciele olbrzymiego drzewa figowego, jak również w drobnoustrojach, których całe miliony i biliony zajmują powierzchnię jednego cala, jest z pewnością rzeczą zdumiewającą. Ludzie o niewielkim zasobie wiedzy i ci, którzy nie są wyrzeczeni, nie są w stanie zrozumieć cudowności indywidualnej, atomowej iskry duchowej, mimo iż zostało to wytłumaczone przez największy autorytet wiedzy, który udzielał nauk nawet Brahmie, pierwszej żywej istocie we wszechświecie. Z powodu "wulgarnego", materialnego pojmowania rzeczy, większość ludzi w tym wieku nie jest w stanie wyobrazić sobie, w jaki sposób takie maleńkie cząsteczki mogą stać się zarówno tak wielkimi, jak i tak małymi. Więc człowiek patrzy na duszę jako cudowną czy to ze względu na jej budowę, czy wygląd. Łudzeni przez energię materialną, ludzie są tak pochłonięci zadowalaniem zmysłów, że bardzo niewiele czasu pozostaje im na zrozumienie samorealizacji, mimo iż faktem jest, że bez samopoznania wszystkie czynności w walce o egzystencję kończą się ostatecznym niepowodzeniem. Może więc brakuje tego zrozumienia, że należy myśleć o duszy i w ten sposób położyć kres kłopotom materialnym.

Niektórzy ludzie, którzy skłonni są do słuchania o duszy, mogą uczęszczać na wykłady w jakimś dobrym towarzystwie, lecz czasami, z powodu ignorancji, wprowadzani są w błąd przez przyjmowanie Duszy Najwyższej i duszy atomowej jako jednej, bez rozróżniania ich pozycji. Bardzo trudno jest znaleźć człowieka, który doskonale rozumie pozycję Duszy Najwyższej i duszy atomowej, ich indywidualne funkcje, wzajemny stosunek i inne większe i mniejsze detale. A jeszcze trudniej jest spotkać człowieka, który rzeczywiście wyciągnął pełną korzyść z wiedzy o duszy i jest w stanie opisać pozycję duszy w różnych aspektach. Jeśli jednak, w jakiś sposób, ktoś jest w stanie zrozumieć istotę duszy, wtedy jego życie jest sukcesem.

Najłatwiejszym procesem prowadzącym do zrozumienia istoty duszy jest przyjęcie stwierdzeń *Bhagavad-gīty*, wypowiedzianych przez największy autorytet, Pana Kṛṣṇę, bez zniekształcania ich przez inne teorie. Aby być w stanie zaakceptować Kṛṣṇę jako Najwyższą Osobę Boga, konieczna jest do tego duża liczba wyrzeczeń i ofiar, czy to w tym życiu, czy w poprzednim. Kṛṣṇę jednakże można poznać jako takiego tylko dzięki bezprzyczynowej łasce czystego wielbiciela, i w żaden inny sposób.

**TEKST 30** देही नित्यमवध्योऽयं देहे सर्वस्य भारत ।
तस्मात् सर्वाणि भूतानि न त्वं शोचितुमर्हसि ॥३०॥

*dehī nityam avadhyo 'yaṁ dehe sarvasya bhārata*
*tasmāt sarvāṇi bhūtāni na tvaṁ śocitum arhasi*

*dehī*—właściciel materialnego ciała; *nityam*—wiecznie; *avadhyaḥ*—nie może zostać zabita; *ayam*—ta dusza; *dehe*—w ciele; *sarvasya*—każdego; *bhārata*—O potomku Bharaty; *tasmāt*—dlatego; *sarvāṇi*—wszystkie; *bhūtāni*—żywe istoty (które narodziły się); *na*—nigdy; *tvam*—ty; *śocitum*—rozpaczać; *arhasi*—zasługujesz.

**O potomku Bharaty, ten który mieszka w ciele, nigdy nie może zostać zabity. Dlatego nie ma potrzeby rozpaczać nad żadnym stworzeniem.**

*ZNACZENIE:* Pan kończy teraz rozdział pouczeń na temat niezmiennej duszy. Opisując wieczną duszę na różne sposoby, Pan Kṛṣṇa stwierdza, że dusza jest nieśmiertelna, a ciało istnieje tylko przez pewien czas. Zatem Arjuna, jako *kṣatriya*, nie powinien porzucać swojego obowiązku z obawy, że jego dziadek i nauczyciel: Bhīṣma i Droṇa, zginą w walce. Opierając się na autorytecie Kṛṣṇy, należy wierzyć, że dusza istnieje, i że jest ona odmienna od ciała materialnego. Powinno się odrzucić teorie mówiące, że dusza w ogóle nie istnieje albo że symptomy życia rozwijają się na pewnym etapie dojrzałości materii i są rezultatem wzajemnego oddziaływania na siebie związków chemicznych. Chociaż dusza jest nieśmiertelna, nie znaczy to, że zabijanie jest dozwolone. Jednak nie zakazuje się go w czasie wojny, kiedy zachodzi ku temu rzeczywista potrzeba. Potrzeba ta musi być jednak usprawiedliwiona prawem Pana, a nie własnym kaprysem.

TEKST 31 स्वधर्ममपि चावेक्ष्य न विकम्पितुमर्हसि ।
धर्म्याद्धि युद्धाच्छ्रेयोऽन्यत् क्षत्रियस्य न विद्यते ॥३१॥

*sva-dharmam api cāvekṣya na vikampitum arhasi*
*dharmyād dhi yuddhāc chreyo 'nyat kṣatriyasya na vidyate*

*sva-dharmam*—czyjeś zasady religijne; *api*—również; *ca*—naprawdę; *avekṣya*—biorąc pod uwagę; *na*—nigdy; *vikampitum*—wahać się; *arhasi*—zasługujesz; *dharmyāt*—dla zasad religijnych; *hi*—naprawdę; *yuddhāt*—niż walka; *śreyaḥ*—lepsze zajęcie; *anyat*—wszystko inne; *kṣatriyasya*—*kṣatriyi; na*—nie; *vidyate*—istnieje.

**Biorąc pod uwagę swój specyficzny obowiązek kṣatriyi, powinieneś wiedzieć, że nie ma dla ciebie lepszego zajęcia niż walka według religijnych zasad. Nie powinieneś zatem wahać się!**

*ZNACZENIE:* Z czterech porządków organizacji społecznej, porządek drugi, którego zadaniem jest administracja, nazwany jest *kṣatriya*. *Kṣat* oznacza: ranić, zadawać ból, przynosić szkodę. Ten, kto chroni od zadawania bólu i wyrządzania szkody, nazywany jest *kṣatriyą* (*trāyate*—chronić, bronić). *Kṣatriyowie* uczyli się zabijać w lesie. *Kṣatriya* udawał się do lasu i tam stawał twarzą w twarz z tygrysem, aby walczyć z nim swoim mieczem. Jeśli tygrys został zabity, był palony zgodnie z królewskim zwyczajem. Zwyczaj ten zachował się do dnia dzisiejszego wśród królewskich *kṣatriyów* w stanie Jaipur. *Kṣatriyowie* są specjalnie przysposobieni do próby sił i zabijania, ponieważ przemoc w sprawie religii jest czasami czynnikiem koniecznym. Dlatego *kṣatriyowie* nigdy nie powinni bezpośrednio przyjmować *sannyāsy* (wyrzeczonego porządku życia). Łagodność w polityce może być dyplomacją, ale nigdy nie jest środkiem ani zasadą. W religijnych księgach prawniczych jest powiedziane:

*āhaveṣu mitho 'nyonyaṁ jighāṁsanto mahī-kṣitaḥ*
*yuddhamānāḥ paraṁ śaktyā svargaṁ yānty aparāṅ-mukhāḥ*

*yajñeṣu paśavo brahman hanyante satataṁ dvijaiḥ*
*saṁskṛtāḥ kila mantraiś ca te 'pi svargam avāpnuvan*

"Król albo *kṣatriya*, który pokonał w walce innego, zazdrosnego o niego króla, może osiągnąć po śmierci planety niebiańskie, tak samo jak osiągają je bramini poprzez poświęcanie zwierząt w ogniu ofiarnym." Zabijanie w walce prowadzonej według zasad religijnych oraz zabijanie zwierząt w ogniu ofiarnym nie jest uważane za akt gwałtu, jako że każdy korzysta tam, gdzie w grę wchodzą zasady religijne. Zwierzę złożone w ofierze otrzymuje natychmiast ludzką formę życia, nie podlegając procesowi ewolucyjnemu od jednej formy do następnej, a *kṣatriyowie*, którzy polegli na polu walki osiągają planety niebiańskie, tak jak bramini osiągają je poprzez składanie ofiar.

Są dwa rodzaje *sva-dharmy*, czyli specyficznych obowiązków. Dopóki nie jest się wyzwolonym, tak długo należy spełniać—zgodnie z zasadami religijnymi—obowiązki przynależne danemu ciału, gdyż w ten sposób można osiągnąć wyzwolenie. Natomiast, kiedy jest się już wyzwolonym, wtedy *sva-dharma*—czyli te specyficzne obowiązki—stają się obowiązkami duchowymi i nie są już dłużej spełniane według materialnej, cielesnej koncepcji. W cielesnej koncepcji życia specjalne obowiązki przypisywane są braminom i *kṣatriyom* odpowiednio, i takie obowiązki są nieuniknione. Jak to zostanie wyjaśnione w Rozdziale Czwartym, *sva-dharma* została ustanowiona przez Pana. Na płaszczyźnie cielesnej ta *sva-dharma* nazywana jest *varṇāśrama-dharmą*, czyli "odskocznią" do poznania duchowego. Ludzka cywilizacja zaczyna się od etapu *varṇāśrama-dharmy*, czyli specyficznych obowiązków odpowiadających określonym *guṇom* natury, pod wpływem których znajduje się dane ciało. Wypełnianie własnych specyficznych obowiązków w jakiejś określonej dziedzinie, zgodnie z nakazami wyższych autorytetów, wznosi daną osobę do wyższej pozycji życia.

**TEKST 32** यदृच्छया चोपपन्नं स्वर्गद्वारमपावृतम् ।
सुखिनः क्षत्रियाः पार्थ लभन्ते युद्धमीदृशम् ॥३२॥

*yadṛcchayā copapannaṁ svarga-dvāram apāvṛtam*
*sukhinaḥ kṣatriyāḥ pārtha labhante yuddham īdṛśam*

*yadṛcchayā*—samorzutnie: *ca*—również; *upapannam*—nadarzyła się; *svarga*—planet niebiańskich; *dvāram*—drzwi; *apāvṛtam*—szeroko otwarte; *sukhinaḥ*—bardzo szczęśliwi; *kṣatrivāḥ*—członkowie klasy królewskiej; *pārtha*—O synu Pṛthy; *labhante*—zaprawdę osiągają; *yuddham*—wojna; *īdṛśam*—w ten sposób.

**O Pārtho, szczęśliwi są ci kṣatriyowie, którym samorzutnie nadarza się taka okazja walki, otwierając im w ten sposób drzwi do planet niebiańskich.**

*ZNACZENIE:* Jako najdoskonalszy nauczyciel świata, Pan Kṛṣṇa potępia postawę Arjuny, który powiedział: "Nie widzę niczego dobrego w tej walce. Będzie ona przyczyną mojego wiecznego pobytu w piekle." Te wypowiedzi Arjuny wynikały jedynie z niewiedzy. Chciał on być łagodny w wypełnianiu swójego specyficznego obowiązku. Łagodność na polu walki w przypadku *kṣatriyi* jest filozofią głupca. W *Parāśara-*

*smṛti*, czyli kodeksie religijnym ułożonym przez Parāśarę, wielkiego mędrca i ojca Vyāsadevy, jest powiedziane:

*kṣatriyo hi prajā rakṣan śastra-pāṇiḥ pradaṇḍayan*
*nirjitya para-sainyādi kṣitiṁ dharmeṇa pālayet*

"Ochrona obywateli przed wszelkiego rodzaju trudnościami jest obowiązkiem *kṣatriyi* i w tym celu musi on używać siły, jeśli jest to konieczne dla zachowania prawa i porządku. Musi on zatem zwalczać żołnierzy szkodliwych królów i w ten sposób, kierując się zasadami religijnymi, powinien panować nad światem."

Rozważając wszystkie aspekty, Arjuna nie miał powodu do wycofania się z walki. Jeśli pokonałby swoich wrogów, otrzymałby królestwo, a gdyby nawet zginął w walce, dostałby się na planety niebiańskie, których drzwi stały dla niego otworem. Walka była więc korzystna w obu przypadkach.

## TEKST 33

अथ चेत्त्वमिमं धर्म्यं संग्रामं न करिष्यसि ।
ततः स्वधर्मं कीर्तिं च हित्वा पापमवाप्स्यसि ॥३३॥

*atha cet tvam imaṁ dharmyaṁ saṅgrāmaṁ na kariṣyasi*
*tataḥ sva-dharmaṁ kīrtiṁ ca hitvā pāpam avāpsyasi*

*atha*—zatem; *cet*—jeśli; *tvam*—ty; *imam*—to; *dharmyam*—jako obowiązek; *saṅgrāmam*—walka; *na*—nie; *kariṣyasi*—spełnisz; *tataḥ*—wtedy; *sva-dharmam*—twój obowiązek religijny; *kīrtim*—szacunek; *ca*—również; *hitvā*—tracąc; *pāpam*—skutki grzechów; *avāpsyasi*—zyskasz.

**Jeśli jednak nie spełnisz swego religijnego obowiązku walki, wtedy z pewnością dopuścisz się grzechu, jako że zlekceważysz swoje obowiązki. W ten sposób stracisz też sławę wojownika.**

*ZNACZENIE:* Arjuna był sławnym wojownikiem, a sławę tę zdobył przez pokonanie wielu wielkich półbogów, nie wyłączając nawet Pana Śivy. Po pokonaniu Pana Śivy, którego spotkał w przebraniu myśliwego, Arjuna spodobał się panu i w nagrodę otrzymał od niego broń zwaną *pāśupata-astra*. Wszyscy wiedzieli o tym, że był on wielkim wojownikiem. Nawet Droṇācārya udzielił mu swojego błogosławieństwa i nagrodził go specjalną bronią, którą mógł zabić nawet swojego nauczyciela. Zatem zdobył on sobie uznanie wielu autorytetów (nie wyłączając jego przybranego ojca—Indry, króla nieba materialnego), którzy obdarzyli go różnymi militarnymi nagrodami. Lecz gdyby wycofał się z walki, nie tylko zlekceważyłby swój obowiązek *kṣatriyi*, ale straciłby całą sławę i dobre imię, i tym samym zasłużyłby na piekło. Innymi słowy, poszedłby do piekła nie dlatego, że brał udział w walce, ale dlatego, że się z niej wycofał.

TEKST 34 अकीर्तिं चापि भूतानि कथयिष्यन्ति तेऽव्ययाम् ।
सम्भावितस्य चाकीर्तिर्मरणादतिरिच्यते ॥३४॥

*akīrtiṁ cāpi bhūtāni kathayiṣyanti te 'vyayām*
*sambhāvitasya cākīrtir maraṇād atiricyate*

*akīrtim*—hańba; *ca*—również; *api*—ponadto; *bhūtāni*—wszyscy ludzie; *kathayiṣyanti*—będą mówili; *te*—o tobie; *avyayām*—na zawsze; *sambhāvitasya*—dla człowieka szanowanego; *ca*—również; *akīrtiḥ*—zła sława; *maraṇāt*—niż śmierć; *atiricyate*—staje się bardziej.

**Ludzie zawsze będą mówili o twojej hańbie, a dla tego, kogo darzono szacunkiem, niesława gorsza jest od śmierci.**

*ZNACZENIE:* Pan Kṛṣṇa—zarówno jako filozof, jak i przyjaciel Arjuny—jednoznacznie osądza decyzję opuszczenia pola walki przez Arjunę. Pan mówi: "Arjuno, jeśli opuścisz pole walki jeszcze przed rozpoczęciem się bitwy, ludzie nazwą cię tchórzem. Nawet jeżeli nie dbasz o złą sławę, ale pragniesz w ten sposób uratować swoje życie, to Ja radzę ci, abyś lepiej zginął w walce. Dla człowieka tak szanowanego jak ty, zła sława gorsza jest od śmierci. Nie powinieneś zatem uciekać w obawie o swoje życie: już lepiej jest zginąć w walce. To ocali cię od złej sławy z powodu zmarnowania Mojej przyjaźni i od utraty prestiżu w społeczeństwie."

Ostateczne orzeczenie Pana jest więc takie: lepiej by Arjuna zginął, niż wycofał się.

TEKST 35 भयाद् रणादुपरतं मंस्यन्ते त्वां तवाहिताः ।
येषां च त्वं बहुमतो भूत्वा यास्यसि लाघवम् ॥३५॥

*bhayād raṇād uparataṁ maṁsyante tvāṁ mahā-rathāḥ*
*yeṣāṁ ca tvaṁ bahu-mato bhūtvā yāsyasi lāghavam*

*bhayāt*—z powodu strachu; *raṇāt*—z pola walki; *uparatam*—zbiegł; *maṁsyante*—będą uważali; *tvām*—ciebie; *mahā-rathāḥ*—wielcy wodzowie; *yeṣām*—dla których; *ca*—również; *tvam*—ty; *bahu-mataḥ*—wielce ceniony; *bhūtvā*—będąc; *yāsyasi*—staniesz się; *lāghavam*—obniżony w wartości.

**Wielcy wodzowie, którzy wysoko cenili twoje imię i sławę, pomyślą, że opuściłeś pole walki powodowany strachem jedynie. W ten sposób stracą swoje wysokie mniemanie o tobie.**

*ZNACZENIE:* Kṛṣṇa kontynuuje pouczanie Arjuny: "Nie myśl, że tak wielcy wodzowie jak Duryodhana, Karṇa i inni, będą uważali, że opuściłeś pole walki z powodu współczucia dla swoich braci i dziadka. Pomyślą, że zbiegłeś ze strachu o swoje własne życie. I w ten sposób stracą swoje wysokie mniemanie o tobie."

**TEKST 36** अवाच्यवादांश्च बहून् वदिष्यन्ति तवाहिताः ।
निन्दन्तस्तव सामर्थ्यं ततो दुःखतरं नु किम् ॥३६॥

*avācya-vādāṁś ca bahūn vadiṣyanti tavāhitāḥ*
*nindantas tava sāmarthyaṁ tato duḥkhataraṁ nu kim*

*avācya*—nieżyczliwy; *vādān*—fałszywe słowa; *ca*—również; *bahūn*—wiele; *vadiṣyanti*—powiedzą; *tava*—twoi; *ahitāḥ*—wrogowie; *nindantaḥ*—oczerniając; *tava*—twoje; *sāmarthyam*—zdolności; *tataḥ*—niż to; *duḥkha-taram*—bardziej bolesne; *nu*—oczywiście; *kim*—co jest.

**Twoi wrogowie rzucą na cię obelgi i wyszydzą twoje zdolności. Cóż mogłoby być bardziej bolesnego dla ciebie, Arjuno?**

*ZNACZENIE:* Pan Kṛṣṇa był początkowo zdumiony tym, że Arjuna usprawiedliwia swoją odmowę walki współczuciem dla krewnych i określił to jego współczucie jako niestosowne dla Āryan. Teraz, używając tak wielu słów, Pan dowiódł Swoich wcześniejszych wypowiedzi przeciwko tzw. współczuciu Arjuny.

**TEKST 37** हतो वा प्राप्स्यसि स्वर्गं जित्वा वा भोक्ष्यसे महीम् ।
तस्मादुत्तिष्ठ कौन्तेय युद्धाय कृतनिश्चयः ॥३७॥

*hato vā prāpsyasi svargaṁ jitvā vā bhokṣyase mahīm*
*tasmād uttiṣṭha kaunteya yuddhāya kṛta-niścayaḥ*

*hataḥ*—będąc zabitym; *vā*—albo; *prāpsyasi*—zyskasz; *svargam*—królestwo niebiańskie; *jitvā*—przez pokonanie; *vā*—albo; *bhokṣyase*—będziesz cieszył się; *mahīm*—świat; *tasmāt*—zatem; *uttiṣṭha*—powstań; *kaunteya*—O synu Kuntī; *yuddhāya*—walczyć; *kṛta*—zdecydowany; *niścayaḥ*—pewnie.

**O synu Kuntī, albo polegniesz na polu walki i tym sposobem osiągniesz planety niebiańskie, albo ty pokonasz wroga i cieszyć się będziesz królestwem na ziemi. Zatem powstań i walcz wytrwale.**

*ZNACZENIE:* Arjuna powinien podjąć walkę, nawet jeśli nie byłoby pewności zwycięstwa dla jego strony. Gdyby nawet został zabity, mógłby dostać się na planety niebiańskie.

**TEKST 38** सुखदुःखे समे कृत्वा लाभालाभौ जयाजयौ ।
ततो युद्धाय युज्यस्व नैवं पापमवाप्स्यसि ॥३८॥

*sukha-duḥkhe same kṛtvā lābhālābhau jayājayau*
*tato yuddhāya yujyasva naivaṁ pāpam avāpsyasi*

*sukha*—szczęście; *duḥkhe*—i nieszczęście; *same*—w spokoju; *kṛtvā*—czyniąc tak; *lābha-alābhau*—zarówno w przypadku straty, jak i zysku; *jayājayau*—zarówno w przypadku zwycięstwa, jak i porażki; *tataḥ*—następnie; *yuddhāya*—w imię walki; *yujyasva*—zaangażuj się (walcz); *na*—nigdy; *evam*—w ten sposób; *pāpam*—grzeszna reakcja; *avāpsyasi*—zyskasz.

**Walcz przez wzgląd na samą walkę tylko, nie biorąc pod uwagę szczęścia czy nieszczęścia, straty czy zysku, zwycięstwa albo klęski—a działając w ten sposób, nigdy nie popełnisz grzechu.**

*ZNACZENIE:* Teraz Pan Kṛṣṇa mówi Arjunie wprost, że powinien walczyć dla samej walki, dlatego że On tej walki pragnie. W czynnościach w świadomości Kṛṣṇy nie bierze się pod uwagę szczęścia czy nieszczęścia, korzyści czy straty, zwycięstwa albo porażki. Wiedza, że wszystkie czyny należy ofiarować Kṛṣṇie, jest transcendentalną świadomością. Wtedy nie odbiera się skutków tych czynów, tak jak jest to w przypadku świadomości materialnej. Kto wszystko czyni dla zadowolenia własnych zmysłów, działając czy to w dobroci, czy w pasji, ten podlega reakcjom tych swoich czynów, dobrym albo złym. Lecz kto całkowicie oddał się czynnościom w świadomości Kṛṣṇy, ten nie ma już więcej zobowiązań wobec nikogo, w przeciwieństwie do osób prowadzących normalny tryb życia. Jest powiedziane:

*devarṣi-bhūtāpta-nṛṇāṁ pitṝṇām*
*na kiṅkaro nāyam ṛṇī ca rājan*
*sarvātmanā yaḥ śaraṇaṁ śaraṇyaṁ*
*gato mukundaṁ parihṛtya kartam*

"Każdy, kto całkowicie podporządkował się Kṛṣṇie, Mukundzie, porzucając wszelkie inne obowiązki, nie jest już niczyim dłużnikiem ani nie jest zobowiązany wobec nikogo—ani wobec półbogów, ani mędrców, ani wobec ogółu ludzkości, ani też wobec swoich krewnych, czy przodków." (*Bhāg.* 11.5.41) Werset ten zawiera pośrednio wskazówkę Kṛṣṇy dla Arjuny, a przedmiot ten zostanie dokładniej wytłumaczony w następnych wersetach.

**TEKST 39** एषा तेऽभिहिता सांख्ये बुद्धिर्योगे त्विमां शृणु ।
बुद्ध्या युक्तो यया पार्थ कर्मबन्धं प्रहास्यसि ॥३९॥

*eṣā te 'bhihitā sāṅkhye buddhir yoge tv imāṁ śṛṇu*
*buddhyā yukto yayā pārtha karma-bandhaṁ prahāsyasi*

*eṣā*—wszystko to; *te*—tobie; *abhihitā*—opisany; *sāṅkhye*—przez studia analityczne; *buddhiḥ*—inteligencja; *yoge*—w pracy nie mającej zysku na celu; *tu*—ale; *imām*—to; *śṛṇu*—słuchaj; *buddhyā*—przez inteligencję; *yuktaḥ*—połączony; *yayā*—przez którą; *pārtha*—O synu Pṛthy; *karma-bandham*—niewola reakcji; *prahāsyasi*—możesz zostać wyzwolony od.

**Jak dotąd, opisałem ci tę wiedzę poprzez analityczne studia. Teraz wyjaśnię ci ją w kategorii działania wolnego od rezultatów karmicznych. O synu Pṛthy, jeśli będziesz działał w takiej wiedzy, będziesz mógł wyzwolić się z niewoli pracy.**

*ZNACZENIE:* Według *Nirukti*, czyli słownika wedyjskiego, *saṅkhyā* oznacza opisanie jakiegoś zjawiska w detalach i *sāṅkhya* odnosi się do tej filozofii, która opisuje prawdziwą naturę duszy. *Yoga* natomiast dotyczy kontroli zmysłów. Oświadczenie Arjuny, że nie będzie walczył, było oparte na chęci zadowalania zmysłów. Zapominając o swoim najwyższym obowiązku, chciał uniknąć walki. Sądził, że będzie bardziej szczęśliwy pozostawiając przy życiu swoich krewnych i powinowatych, niż korzystając z królestwa po pokonaniu kuzynów i braci, synów Dhṛtarāṣṭry. W obu przypadkach podstawową zasadą była chęć zadowolenia zmysłów. Zarówno szczęście pochodzące z pokonania wrogich synów Dhṛtarāṣṭry, jak i szczęście czerpane z oglądania ich żywymi, opierałoby się na zadowalaniu własnych zmysłów, kosztem wyrzeczenia się mądrości i obowiązku. Dlatego Kṛṣṇa pragnął wytłumaczyć Arjunie, że przez zabicie ciała swojego dziadka nie zabije właściwej duszy. Wyjaśnił, że wszystkie indywidualne osoby, włączając w to Samego Pana, są wiecznymi indywidualnościami. Były nimi w przeszłości, są nimi obecnie i pozostaną takimi w przyszłości. Wszyscy jesteśmy wiecznie indywidualnymi duszami, tylko na różne sposoby zmieniamy nasze cielesne ubrania. Tę swoją indywidualność zachowujemy nawet po wyzwoleniu się z niewoli materialnego ubrania. Pan Kṛṣṇa bardzo obrazowo wytłumaczył analityczne studium duszy i ciała. Przedstawiona tutaj, z różnych punktów widzenia, wiedza o duszy i ciele została określona—zgodnie ze słownikiem *Nirukti*—jako Sāṅkhya. Ta Sāṅkhya nie ma jednak nic wspólnego z filozofią Sāṅkhyi ateisty Kapili. Na długo przed Sāṅkhyą zaproponowaną przez oszusta Kapilę, filozofia Sāṅkhya została objaśniona w *Śrīmad-Bhāgavatam* przez prawdziwego Pana Kapilę, inkarnację Pana Kṛṣṇy, który wytłumaczył ją Swojej matce, Devahūti. Wyjaśnił On bardzo wyraźnie, że *puruṣa*, czyli Najwyższy Pan, jest aktywny, i że akt stworzenia dokonuje się, gdy Jego boskie spojrzenie spocznie na *prakṛti*. Jest to również przyjęte w *Vedach* i w *Gīcie*. Opis w *Vedach* podaje, że Pan spojrzał na *prakṛti*, czyli naturę, i zapłodnił ją atomowymi, indywidualnymi duszami. Wszystkie te indywidualne dusze działają w tym świecie materialnym dla zadowolenia własnych zmysłów, a będąc pod wpływem energii materialnej mylnie sądzą, że są podmiotami radości. Mentalność taka utrzymuje się aż do ostatniego etapu wyzwolenia, kiedy to żywa istota chce stać się jednym z Panem. Jest to ostatnia pułapka *māyi*, czyli złudnego zadowalania zmysłów. Dopiero po wielu, wielu żywotach takiego zadowalania zmysłów, wielka dusza podporządkowuje się Vāsudevie, Panu Kṛṣṇie, kończąc w ten sposób poszukiwania ostatecznej prawdy.

Arjuna już zaakceptował Kṛṣṇę jako swojego mistrza duchowego i podporządkował się Jemu: *śiṣyas te 'haṁ śādhi māṁ tvāṁ prapannam*. Wskutek tego, Kṛṣṇa poinformuje go teraz o procesie działania w *buddhi-yodze*, czyli *karma-yodze*, albo innymi słowy, pełnieniu służby oddania jedynie dla zadowolenia zmysłów Pana. Ta *buddhi-yoga* została wyraźnie wytłumaczona w Rozdziale Dziesiątym, dziesiątym wersecie, jako będąca bezpośrednią łącznością z Panem, który przebywa w sercu każdego jako Paramātmā. Kto zatem pełni służbę oddania, czyli transcendentalną służbę miłości dla Pana, albo—innymi słowy—jest świadomy Kṛṣṇy, ten, dzięki szczególnej łasce Pana, osiąga stan *buddhi-yogi*. Dlatego Pan mówi, że jedynie tych, którzy zawsze zaangażowani są w służbę oddania z powodu transcendentalnej miłości, obdarza On czystą wiedzą o oddaniu w miłości. Dzięki temu wielbiciel może bez trudu osiągnąć Go w zawsze pełnym szczęścia królestwie Boga.

Zatem *buddhi-yoga* wspomniana w tym wersecie jest służbą oddania dla Pana, a wymienione tu słowo Sāṅkhya nie ma nic wspólnego z ateistyczną *sāṅkhya-yogą* głoszoną przez oszusta Kapilę. Nie należy więc błędnie sądzić, że *sāṅkhya-yoga*, o której tutaj mowa, ma jakikolwiek związek z ateistyczną filozofią Sāṅkhya, która nie miała w tym czasie żadnego wpływu. Zresztą Pan Kṛṣṇa nie wspominałby o takich bezbożnych filozoficznych spekulacjach. Prawdziwa filozofia Sāṅkhya opisana została przez Pana Kapilę w *Śrīmad-Bhāgavatam*, ale nawet ta Sāṅkhya nie ma nic wspólnego z obecnym tematem. Tutaj Sāṅkhya oznacza analityczny opis ciała i duszy. Kṛṣṇa dał tutaj dokładny opis duszy, w tym celu, aby doprowadzić Arjunę do istoty *buddhi-yogi*, czyli *bhakti-yogi*. Zatem, Sāṅkhya Pana Kṛṣṇy i Sāṅkhya Pana Kapili opisana w *Bhāgavatam*, są jednym i tym samym. Obie są *bhakti-yogą*. Dlatego Pan Kṛṣṇa powiedział, że tylko ludzie mało inteligentni robią różnice pomiędzy *sāṅkhya-yogą* a *bhakti-yogą* (*sāṅkhya-yogau pṛthag bālāḥ pravadanti na paṇḍitāḥ*).

Ateistyczna *sāṅkhya-yoga* nie ma oczywiście nic wspólnego z *bhakti-yogą*, a jednak nieinteligentni twierdzą, że *Bhagavad-gītā* mówi o ateistycznej *sāṅkhya-yodze*.

Należy zatem zrozumieć, że *buddhi-yoga* oznacza działanie w świadomości Kṛṣṇy, w pełnym szczęściu i wiedzy o służbie oddania. Ten, kto pracuje jedynie dla zadowolenia Pana, kto bez względu na to, jak trudna jest ta jego praca, pracuje według zasad *buddhi-yogi* i zawsze pogrążony jest w transcendentalnym szczęściu, kto oddaje się takim transcendentalnym zajęciom, ten automatycznie—dzięki łasce Pana—osiąga cechy transcendentalne, a jego wyzwolenie jest doskonałe. Nie musi on czynić dodatkowych wysiłków po to, aby zdobyć wiedzę. Jest ogromna różnica pomiędzy pracą w świadomości Kṛṣṇy a pracą dla zysku, szczególnie gdy celem tej ostatniej jest zadowalanie zmysłów i osiągnięcie takich rezultatów jak szczęście rodzinne albo materialne. *Buddhi-yoga* jest zatem transcendentalną cechą pracy, którą wykonujemy.

**TEKST 40** नेहाभिक्रमनाशोऽस्ति प्रत्यवायो न विद्यते ।
स्वल्पमप्यस्य धर्मस्य त्रायते महतो भयात् ॥४०॥

*nehābhikrama-nāśo 'sti pratyavāyo na vidyate*
*sv-alpam apy asya dharmasya trāyate mahato bhayāt*

*na*—nie ma; *iha*—w tej *yodze; abhikrama*—w wysiłku; *nāśaḥ*—strata; *asti*—jest; *pratyavāyaḥ*—ubytek; *na*—nigdy; *vidyate*—jest; *su-alpam*—mało; *api*—chociaż; *asya*—tego; *dharmasya*—zajęcie; *trāyate*—wyzwala; *mahataḥ*—z bardzo wielkiego; *bhayāt*—niebezpieczeństwa.

**W wysiłku tym nie ma żadnego ubytku ani straty, a mały postęp na tej ścieżce może uchronić od najbardziej niebezpiecznego strachu.**

*ZNACZENIE:* Działanie w świadomości Kṛṣṇy, czyli działanie dla Kṛṣṇy bez pragnienia zadowalania własnych zmysłów, jest najwyższą transcendentalną jakością pracy. Nawet niewielki zaczątek takiej pracy bez problemu przyniesie efekty w przyszłości, ani też ten niewielki początek nie może być stracony na żadnym poziomie. Każda praca rozpoczęta na planie materialnym musi zostać dokończona, gdyż w przeciwnym razie cała próba będzie porażką. Natomiast każda praca rozpoczęta w świadomości Kṛṣṇy ma trwałe efekty, nawet jeśli nie została zakończona. Wykonawca takiej pracy nie traci nic, mimo iż nie udało mu się doprowadzić do końca swojego dzieła. Nawet jeden procent pracy wykonanej w świadomości Kṛṣṇy przynosi trwałe efekty, tak że następny początek zaczyna się już od dwóch procent. Podczas gdy w działalności materialnej nie ma żadnej korzyści, jeśli nie odniosło się sukcesu w stu procentach. Ajāmila wywiązał się ze swoich obowiązków w świadomości Kṛṣṇy tylko w pewnym procencie, ale dzięki łasce Pana cieszył się końcowym wynikiem równym stu procentom. W *Śrīmad-Bhāgavatam* (1.5.17) jest jeden wspaniały werset wiążący się z tym tematem:

*tyaktvā sva-dharmaṁ caraṇāmbujaṁ harer*
*bhajann apakvo 'tha patet tato yadi*
*yatra kva vābhadram abhūd amuṣya kiṁ*
*ko vārtha āpto 'bhajatāṁ sva-dharmataḥ*

"Jeśli ktoś porzuca swoje zawodowe obowiązki i pracuje w świadomości Kṛṣṇy, a potem upada nie ukończywszy swojej pracy, cóż może on stracić? A co może zyskać ten, kto doskonale prowadzi swoją działalność materialną?" Albo jak mówią chrześcijanie: "Cóż pomoże człowiekowi, choćby cały świat pozyskał, a na duszy swojej poniósł stratę?"

Działalność materialna i jej rezultaty kończą się wraz z ciałem. Natomiast praca w świadomości Kṛṣṇy prowadzi daną osobę ponownie do świadomości Kṛṣṇy, nawet po utracie tego ciała materialnego. Przynajmniej jest pewność, że będzie się miało szansę ponownych narodzin w ludzkim ciele, albo w rodzinie bramina o wysokiej kulturze, albo też w bogatej rodzinie arystokratycznej, z możliwością czynienia dalszego postępu. Jest to wyjątkowa zaleta pracy wykonywanej w świadomości Kṛṣṇy.

**TEKST 41** व्यवसायात्मिका बुद्धिरेकेह कुरुनन्दन ।
बहुशाखा ह्यनन्ताश्च बुद्धयोऽव्यवसायिनाम् ॥४१॥

*vyavasāyātmikā buddhir ekeha kuru-nandana*

*bahu-śākhā hy anantāś ca buddhayo 'vyavasāyinām*

*vyavasāya-ātmikā*—zdecydowany w świadomości Kṛṣṇy; *buddhiḥ*—inteligencja; *ekā*—tylko jeden; *iha*—w tym świecie; *kuru-nandana*—O ukochane dziecię Kuru; *bahu-śākhāḥ*—mając różne odgałęzienia; *hi*—naprawdę; *anantāḥ*—nieograniczony; *ca*—również; *buddhayaḥ*—inteligencja; *avyavasāyinām*—tych, którzy nie są świadomi Kṛṣṇy.

**O ukochane dziecię Kuru, ci, którzy podążają tą ścieżką, są wytrwali w dążeniu do celu i cel ich jeden jest. Zaś rozproszona jest inteligencja tych, którzy nie mają stanowczości.**

*ZNACZENIE:* Silna wiara w to, że poprzez świadomość Kṛṣṇy osiągnie się najwyższą doskonałość życia, nazywana jest inteligencją *vyavasāyātmikā*. *Caitanya-caritāmṛta* (*Madhya* 22.62) oznajmia:

*'śraddhā'-śabde——viśvāsa kahe sudṛḍha niścaya*
*kṛṣṇe bhakti kaile sarva-karma kṛta haya*

Wiara oznacza niezachwianą ufność w coś wzniosłego. Ten, kto jest zaangażowany w obowiązki w świadomości Kṛṣṇy, nie musi już działać w zależności od tego świata materialnego, uwolniony jest od zobowiązań wobec tradycji rodzinnej, ludzkości czy też narodu. Czynności spełniane dla korzyści materialnej są działaniami, które mają swe źródło w reakcjach na dobre lub złe uczynki przeszłego życia. Kiedy ktoś posiada rozbudzoną świadomość Kṛṣṇy, nie potrzebuje już dłużej ubiegać się o dobre wyniki swojej pracy. Wszystkie czynności osoby świadomej Kṛṣṇy znajdują się na planie absolutnym, jako że nie podlegają one już dłużej dualizmom, takim jak dobro czy zło. Najwyższą doskonałością świadomości Kṛṣṇy jest wyrzeczenie się materialnej koncepcji życia. Stan ten jest automatycznie osiągany wraz z postępem w świadomości Kṛṣṇy.

Śmiały cel osoby w świadomości Kṛṣṇy oparty jest na wiedzy. *Vāsudevaḥ sarvam iti sa mahātmā su-durlabhaḥ*: osoba świadoma Kṛṣṇy jest tą rzadką, dobrą duszą, która wie, że Vāsudeva, czyli Kṛṣṇa, jest źródłem wszystkich zamanifestowanych przyczyn. Tak jak podlewając korzeń drzewa automatycznie dostarczamy wodę liściom i gałęziom tego drzewa, tak w świadomości Kṛṣṇy można pełnić najwyższą służbę dla każdego—mianowicie dla siebie, rodziny, społeczeństwa, kraju, ludzkości itd. Jeśli Kṛṣṇa jest usatysfakcjonowany czyimś postępowaniem, wtedy zadowalany jest każdy.

Służba w świadomości Kṛṣṇy jest jednak najlepiej pełniona pod wprawnym przewodnictwem mistrza duchowego, będącego bona fide reprezentantem Kṛṣṇy. Mistrz taki zna naturę ucznia i może prowadzić go do działania w świadomości Kṛṣṇy. Aby być więc sprawnym w świadomości Kṛṣṇy, należy być posłusznym reprezentantowi Pana i postępować wiernie według jego wskazówek. Polecenia bona fide mistrza duchowego należy uważać za swoją życiową misję. Śrīla Viśvanātha Cakravartī Ṭhākura poucza nas w swoich słynnych modlitwach do mistrza duchowego:

*yasya prasādād bhagavat-prasādo*
*yasyāprasādān na gatiḥ kuto 'pi*
*dhyāyan stuvaṁs tasya yaśas tri-sandhyaṁ*
*vande guroḥ śrī-caraṇāravindam*

"Najwyższą Osobę Boga można zadowolić przez zadowalanie mistrza duchowego. A nie zadowoliwszy mistrza duchowego, nie można wznieść się do poziomu świadomości Kṛṣṇy. Dlatego też powinienem zawsze pamiętać mojego mistrza duchowego, przynajmniej trzy razy dziennie modląc się o jego łaskę i składając pokłony jego lotosowym stopom."

Cały proces polega jednakże na doskonałej wiedzy o duszy, poza koncepcją ciała—wiedzy nie teoretycznej, ale praktycznej, kiedy niemożliwym staje się już zadowalanie zmysłów, przejawiające się w pracy dla zysków. Kto bowiem nie jest stanowczy w swoim umyśle, ten bywa rozpraszany przez różnego rodzaju czynności tego typu.

**TEKSTY 42-43** यामिमां पुष्पितां वाचं प्रवदन्त्यविपश्चितः ।
वेदवादरताः पार्थ नान्यदस्तीति वादिनः ॥४२॥
कामात्मानः स्वर्गपरा जन्मकर्मफलप्रदाम् ।
क्रियाविशेषबहुलां भोगैश्वर्यगतिं प्रति ॥४३॥

*yām imāṁ puṣpitāṁ vācaṁ pravadanty avipaścitaḥ*
*veda-vāda-ratāḥ pārtha nānyad astīti vādinaḥ*

*kāmātmānaḥ svarga-parā janma-karma-phala-pradām*
*kriyā-viśeṣa-bahulāṁ bhogaiśvarya-gatiṁ prati*

*yām imām*—wszystkie te; *puṣpitām*—kwieciste; *vācam*—słowa; *pravadanti*—wypowiada; *avipaścitaḥ*—ludzie o ubogim zasobie wiedzy; *veda-vāda-ratāḥ*—rzekomi studenci *Ved; pārtha*—O synu Pṛthy; *na*—nigdy; *anyat*—wszystko inne; *asti*—jest; *iti*—w ten sposób; *vādinaḥ*—zwolennicy; *kāma-ātmānaḥ*—pragnący zadowalania zmysłów; *svarga-parāḥ*—mający na celu osiągnięcie planet niebiańskich; *janma-karma-phala-pradām*—kończące się dobrymi narodzinami i innymi rezultatami działania dla korzyści; *kriyā-viśeṣa*—wystawne ceremonie; *bahulām*—

różne; *bhoga*—w radościach zmysłowych; *aiśvarya*—i bogactwo; *gatim*—postęp; *prati*—w kierunku.

**Ubodzy w wiedzę bardzo przywiązani są do kwiecistych słów Ved polecających różne efektywne czynności, by tym sposobem osiągnąć planety niebiańskie, zapewnić sobie korzystne narodziny, potęgę itd. Owładnięci żądzą uciech zmysłowych i życia w dostatku, mówią oni, że nie ma nic więcej ponad to.**

*ZNACZENIE:* Ludzie na ogół nie są bardzo inteligentni i z powodu swojej niewiedzy bardzo przywiązani są do czynności przynoszących korzyści, polecanych w części *Ved* zwanej *karma-kāṇḍa*. Nie pragną nic ponad propozycje radości zmysłowych na planetach niebiańskich, gdzie dostępne są kobiety i wino, a bogactwa materialne są rzeczą bardzo powszechną. Dla osiągnięcia tych planet niebiańskich *Vedy* polecają różne ofiary, szczególnie ofiary *jyotiṣṭoma*. Właściwie jest tam powiedziane, że ofiary te musi spełniać każdy, kto pragnie osiągnąć takie planety, a ludzie o ubogim zasobie wiedzy myślą, iż jest to cały cel mądrości wedyjskiej. Dla takich niedoświadczonych osób zdecydowane działanie w świadomości Kṛṣṇy jest bardzo uciążliwe. Tak jak głupcy wabieni są przez kwiecie trującego drzewa, nie znając skutków tego powabu, podobnie ludzie nieoświeceni przyciągani są przez bogactwa niebiańskie i tamtejsze radości zmysłowe.

W części *Ved* zwanej *karma-kāṇḍa* jest powiedziane (*apāma somam amṛtā abhūma* i *akṣayyaṁ ha vai cāturmasya-yājinaḥ sukṛtaṁ bhavati*), że ci, którzy odprawiają czteromiesięczne pokuty, będą mogli pić napój *soma-rasa* i w ten sposób uzyskać nieśmiertelność i wieczne szczęście. Niektórzy bardzo chętnie piliby *soma-rasę*, nawet tutaj, na tej ziemi, aby stać się potężnymi i zdolnymi do zadowalania zmysłów. Takie osoby nie mają wiary w wyzwolenie z niewoli materialnej i bardzo przywiązane są do wystawnych ceremonii związanych z ofiarami wedyjskimi. Są to na ogół osoby bardzo zmysłowe. Nie pragną one nic ponad przyjemności życia na planetach niebiańskich, na których znajdują się ogrody zwane Nandana-kānana, gdzie można obcować z anielsko pięknymi kobietami i gdzie pod dostatkiem jest wina *soma-rasa*. Jest to cielesne, zmysłowe szczęście, dlatego znajdują się tam ci, którzy, jako władcy tego materialnego świata, całkowicie są przywiązani do przemijającego, materialnego szczęścia.

**TEKST 44** भोगैश्वर्यप्रसक्तानां तयापहृतचेतसाम् ।
व्यवसायात्मिका बुद्धिः समाधौ न विधीयते ॥४४॥

*bhogaiśvarya-prasaktānāṁ tayāpahṛta-cetasām*
*vyavasāyātmikā buddhiḥ samādhau na vidhīyate*

*bhoga*—do radości materialnych; *aiśvarya*—i bogactwo; *prasaktānām*—ci, którzy są w ten sposób przywiązani; *tayā*—przez takie rzeczy; *apahṛta-cetasām*—oszołomieni w umyśle; *vyavasāya-ātmikā*—mocni w swojej determinacji; *buddhiḥ*—służba oddania dla Pana; *samādhau*—w kontrolowanym umyśle; *na*—nigdy; *vidhīyate*—ma miejsce.

**W umysłach tych, którzy zbyt przywiązani są do radości zmysłowych i bogactw materialnych, i których oszałamiają te rzeczy, nie powstaje stanowcze postanowienie pełnienia służby dla Najwyższego Pana.**

*ZNACZENIE:* *Samādhi* oznacza "niewzruszony umysł". Słownik wedyjski *Nirukti*, mówi, *samyag ādhīyate 'sminn ātma-tattva-yāthātmyam*: "Kiedy umysł skoncentrowany jest na poznaniu duszy, jest on w *samādhi*." *Samādhi* nigdy nie jest możliwe dla osób zainteresowanych materialnymi radościami zmysłowymi ani dla tych, których oszałamiają takie krótkotrwałe rzeczy. Są oni mniej lub bardziej dyskwalifikowani przez działanie energii materialnej.

## TEKST 45

त्रैगुण्यविषया वेदा निस्त्रैगुण्यो भवार्जुन ।
निर्द्वन्द्वो नित्यसत्त्वस्थो निर्योगक्षेम आत्मवान् ॥४५॥

*trai-guṇya-viṣayā vedā nistrai-guṇyo bhavārjuna*
*nirdvandvo nitya-sattva-stho niryoga-kṣema ātmavān*

*trai-guṇya*—odnoszący się do trzech *guṇ* natury materialnej; *viṣayāḥ*—na temat; *vedāḥ*—literatura wedyjska; *nistrai-guṇyaḥ*—transcendentalny do trzech sił materialnej natury; *bhava*—bądź; *arjuna*—O Arjuno; *nirdvandvaḥ*—wolny od przeciwieństw; *nitya-sattva-sthaḥ*—w czystym stanie egzystencji duchowej; *niryoga-kṣemaḥ*—wolny od myśli o zdobyczy i ochronie; *ātma-vān*—utwierdzony w jaźni.

**Vedy zajmują się głównie trzema guṇami natury materialnej. Wznieś się ponad te guṇy, Arjuno. Bądź transcendentalnym wobec nich wszystkich. Bądź wolnym od wszelkich dualizmów i od wszelkiego pragnienia zysku i bezpieczeństwa. I bądź utwierdzonym w jaźni.**

*ZNACZENIE:* Wszystkie czynności materialne pociągają za sobą akcje i reakcje w trzech *guṇach* natury materialnej. Mają one na celu przyniesienie doczesnych korzyści, które są przyczyną niewoli w tym świecie materialnym. *Vedy* zajmują się głównie takimi przynoszącymi korzyści czynnościami, aby stopniowo wznieść ogół ludzkości z platformy zadowalania zmysłów do pozycji na planie transcendentalnym. Arjuna, jako uczeń i przyjaciel Kṛṣṇy, otrzymał radę, aby próbował wznieść się do transcendentalnej pozycji filozofii *Vedānty*, gdzie na początku znajduje się *brahma-jijñāsā*, czyli pytania dotyczące najwyższej transcendencji. Wszystkie żywe istoty znajdujące się w tym świecie materialnym bardzo ciężko walczą o egzystencję. Dla nich to Pan, po stworzeniu tego materialnego świata, dał mądrość wedyjską, radząc jak żyć i jak wydostać się z tej niewoli materialnej. Kiedy czynności dla zadowalania zmysłów, o których traktuje rozdział *karma-kāṇḍa*, zostaną zakończone, wtedy dana jest (w postaci *Upaniṣadów*) szansa duchowej realizacji. *Upaniṣady* są częścią różnych *Ved*, tak jak *Bhagavad-gītā* jest częścią piątej *Vedy*, mianowicie *Mahābhāraty*. *Upaniṣady* wyznaczają początek życia transcendentalnego.

Jak długo istnieje ciało materialne, tak długo istnieje również działanie i jego skutki w *guṇach* natury materialnej. Należy nauczyć się tolerować takie dualizmy, jak szczęście i nieszczęście, ciepło i zimno, i przez tolerowanie tych dualizmów uwolnić się od trosk o zysk czy stratę. Ta transcendentalna pozycja jest osiągana w pełnej świadomości Kṛṣṇy, kiedy całkowicie polega się na dobrej woli Kṛṣṇy.

**TEKST 46**

यावानर्थ उदपाने सर्वतः सम्प्लुतोदके ।
तावान् सर्वेषु वेदेषु ब्राह्मणस्य विजानतः ॥४६॥

*yāvān artha udapāne sarvataḥ samplutodake*
*tāvān sarveṣu vedeṣu brāhmaṇasya vijānataḥ*

*yāvān*—wszystko to; *arthaḥ*—jest przeznaczone; *uda-pāne*—w studni z wodą; *sarvataḥ*—pod każdym względem; *sampluta-udake*—w wielkim zbiorniku wodnym; *tāvān*—podobnie; *sarveṣu*—w całej; *vedeṣu*—literaturze wedyjskiej; *brāhmaṇasya*—człowieka, który zna Najwyższego Brahmana; *vijānataḥ*—tego, który posiada doskonałą wiedzę.

**Wszystkie cele, które zaspokajane są przez małą studnię, mogą od razu zostać zaspokojone przez wielki zbiornik wody. Podobnie, wszystkie cele Ved mogą zostać wyjawione temu, kto zna cel poza nimi.**

*ZNACZENIE:* Rytuały i ofiary, o których mowa w części *Ved* zwanej *karma-kāṇḍa*, mają zachęcić do stopniowego rozwoju w samorealizacji. A o tym, jaki jest cel samorealizacji, mówi wyraźnie Piętnasty Rozdział *Bhagavad-gīty* (15.15): celem studiowania *Ved* jest poznanie Pana

Kṛṣṇy—pierwszej przyczyny wszystkiego. Samorealizacja oznacza więc poznanie Pana Kṛṣṇy i własnego wiecznego z Nim związku. W Rozdziale Piętnastym *Bhagavad-gīty* (15.7) jest również mowa o związku żywych istot z Kṛṣṇą, które są Jego cząsteczkami. Zatem odzyskanie świadomości Kṛṣṇy przez indywidualną żywą istotę jest najwyższym stanem doskonałości wiedzy wedyjskiej. *Śrīmad-Bhāgavatam* (3.33.7) potwierdza to w następujący sposób:

*aho bata śva-paco 'to garīyān*
*yaj-jihvāgre vartate nāma tubhyam*
*tepus tapas te juhuvuḥ sasnur āryā*
*brahmānūcur nāma gṛṇanti ye te*

"O mój Panie, osoba, która intonuje Twoje święte imię, usytuowana jest na najwyższej platformie samorealizacji, nawet jeśli urodziła się w rodzinie *caṇḍāla* ("zjadaczy psów"). Osoba taka musiała odprawiać różnego rodzaju pokuty i spełniać wszelkie ofiary zgodnie z rytuałami wedyjskimi. Musiała wielokrotnie studiować literaturę wedyjską, po uprzednim wykąpaniu się we wszystkich świętych miejscach pielgrzymek. Taka osoba jest najlepszą w rodzinie Āryan."

Należy być zatem wystarczająco inteligentnym, aby zrozumieć cel *Ved*, nie przywiązując się jedynie do rytuałów i nie pragnąc osiągnięcia królestw niebiańskich w celu lepszego zadowalania zmysłów. Dla zwykłego człowieka w tym wieku nie jest możliwym przestrzeganie wszystkich reguł i przepisów dotyczących rytuałów wedyjskich czy dokładne studiowanie całej *Vedānty* i *Upaniṣadów*. Spełnianie tych celów *Ved* wymaga wiele czasu, energii, wiedzy i środków. W tym wieku jest to prawie niemożliwe. Najlepszy cel kultury wedyjskiej jest jednak osiągany przez intonowanie świętego imienia Pana, tak jak polecił to Pan Caitanya, zbawiciel wszystkich upadłych dusz. Pewnego razu Pan Caitanya został zapytany przez wielkiego uczonego wedyjskiego, Prakāśānandę Sarasvatiego, dlaczego zamiast studiować filozofię *Vedānty*, intonuje On święte imię Pana, narażając się tym samym na pomówienie o sentymentalizm. Pan odpowiedział, że śpiewa święte imię Pana Kṛṣṇy z polecenia Swojego mistrza duchowego, który uznał Go za wielkiego głupca i dlatego nakazał Mu to czynić. Posłuchał go i napełnił się zachwytem, jak człowiek szalony. Ludzie w tym wieku Kali są na ogół bardzo głupi i niewystarczająco wykształceni, aby zrozumieć filozofię *Vedānty*. Najwyższy cel filozofii *Vedānty* można jednak osiągnąć przez intonowanie (bez obraz) świętego imienia Pana. *Vedānta* jest ostatnim słowem w mądrości wedyjskiej, a autorem i znawcą filozofii *Vedānty* jest Pan Kṛṣṇa. Dlatego największym Vedāntystą jest ta wielka dusza, która znajduje przyjemność w intonowaniu świętego imienia Pana. Jest to ostateczny cel całego mistycyzmu wedyjskiego.

TEKST 47 कर्मण्येवाधिकारस्ते मा फलेषु कदाचन ।
मा कर्मफलहेतुर्भूर् मा ते संगोऽस्त्वकर्मणि ॥४७॥

*karmaṇy evādhikāras te mā phaleṣu kadācana*
*mā karma-phala-hetur bhūr mā te saṅgo 'stv akarmaṇi*

*karmaṇi*—w nakazanych obowiązkach; *eva*—z pewnością; *adhikāraḥ*—prawo; *te*—ciebie; *mā*—nigdy; *phaleṣu*—w rezultatach; *kadācana*—w każdej chwili; *mā*—nigdy; *karma-phala*—w rezultacie pracy; *hetuḥ*—przyczyna; *bhūḥ*—staje się; *mā*—nigdy; *te*—ciebie; *saṅgaḥ*—przywiązanie; *astu*—powinno być; *akarmaṇi*—nie spełniając swoich nakazanych obowiązków.

**Masz prawo do wykonywania swoich przypisanych obowiązków, ale nie możesz rościć sobie pretensji do owoców swojej pracy. Nigdy nie uważaj siebie za przyczynę rezultatów swojego działania i nigdy nie przywiązuj się do niewykonywania swego obowiązku.**

*ZNACZENIE:* Zostały tutaj wzięte pod uwagę trzy rzeczy: nakazane obowiązki, praca własnowolna oraz bezczynność. Przypisane obowiązki przydzielane są odpowiednio do sił natury materialnej, pod wpływem których znajduje się dana osoba. Praca własnowolna oznacza działanie bez aprobaty autorytetu, natomiast bezczynność oznacza niewywiązywanie się ze swoich przypisanych obowiązków. Pan radzi Arjunie, aby nie pozostawał biernym, ale aby wykonywał przypisane mu obowiązki, nie przywiązując się do efektów swojego działania. Kto przywiązuje się do efektów swojej pracy, ten jest również przyczyną działania. Wskutek tego, albo cieszy się on rezultatami swojej pracy, albo cierpi z ich powodu.

Jeśli chodzi o nakazane obowiązki, to można podzielić je na trzy grupy; jest to mianowicie praca codzienna, praca wynikająca z jakiejś nagłej potrzeby oraz czynności, których się pragnie. Praca codzienna wykonywana zgodnie z zaleceniami pism świętych i bez pragnienia efektów jest działaniem w *guṇie* dobroci. Praca, w której pragniemy rezultatów, staje się przyczyną niewoli. Zatem takie działanie nie jest pomyślne. Każdy ma prawo do wykonywania przypisanych obowiązków, ale powinien działać nie przywiązując się do efektów tego działania. Takie bezinteresowne wypełnianie swoich obowiązków bez wątpienia prowadzi do ścieżki wyzwolenia.

Dlatego Pan poradził Arjunie, aby walczył, wypełniając tym samym swój obowiązek, nie przywiązując się do rezultatów swojego działania. To, że nie chciał on brać udziału w walce, było inną stroną przywiązania. Takie przywiązanie nie prowadzi do ścieżki zbawienia. Każde przywiązanie (czy to pozytywne, czy negatywne) jest przyczyną niewoli. Natomiast bierność jest grzechem. Zatem walka rozumiana jako obowiązek, była jedyną pomyślną ścieżką zbawienia dla Arjuny.

**TEKST 48** योगस्थः कुरु कर्माणि संगं त्यक्त्वा धनञ्जय ।
सिद्ध्यसिद्ध्योः समो भूत्वा समत्वं योग उच्यते ॥४८॥

*yoga-sthaḥ kuru karmāṇi saṅgaṁ tyaktvā dhanañjaya*
*siddhy-asiddhyoḥ samo bhūtvā samatvaṁ yoga ucyate*

*yoga-sthaḥ*—zrównoważony; *kuru*—spełniaj; *karmāṇi*—twoje obowiązki; *saṅgam*—przywiązanie; *tyaktvā*—porzucając; *dhanañjaya*—O Arjuno; *siddhi-asiddhyoḥ*—w sukcesie i niepowodzeniu; *samaḥ*—zrównoważony; *bhūtvā*—stając się; *samatvam*—spokój umysłu; *yogaḥ*—*yoga; ucyate*—jest nazywany.

**Bądź zrównoważony w wypełnianiu swego obowiązku i pozbądź się wszelkiego przywiązania do sukcesu i niepowodzenia. Taki spokój umysłu nazywany jest yogą.**

*ZNACZENIE:* Kṛṣṇa mówi Arjunie, że powinien działać w *yodze*. A czym jest ta *yoga*? *Yoga* oznacza koncentrację umysłu na Najwyższym, przez ciągłe kontrolowanie zawsze niespokojnych zmysłów. A kto jest Najwyższym? Najwyższym jest Pan. I ponieważ On Sam mówi Arjunie, aby walczył, Arjuna nie ma nic wspólnego z rezultatem walki. Zysk czy zwycięstwo są sprawą Kṛṣṇy; Arjuna jedynie otrzymał radę, aby działać zgodnie z poleceniem Kṛṣṇy. Wypełnianie poleceń Kṛṣṇy jest prawdziwą *yogą*, i to praktykuje się w procesie nazywanym świadomością Kṛṣṇy. Jedynie dzięki świadomości Kṛṣṇy można uwolnić się od poczucia własności. Należy zostać sługą Kṛṣṇy albo sługą sługi Kṛṣṇy. Jest to prawidłowy sposób wypełniania obowiązków w świadomości Kṛṣṇy i samo to może pomóc działać w *yodze*.

Arjuna jest *kṣatriyą* i jako taki uczestniczy on w instytucji *varṇāśrama-dharma*. W *Viṣṇu Purāṇie* jest powiedziane, że całym celem *varṇāśrama-dharmy* jest zadowalanie Viṣṇu. Nikt nie powinien zadowalać siebie samego, co jest regułą w świecie materialnym, ale należy zawsze działać dla zadowolenia Kṛṣṇy. Dopóki więc nie zadowala się Kṛṣṇy, nie można prawidłowo przestrzegać zasad *varṇāśrama-dharmy*. Pośrednio Arjuna otrzymał radę, aby postąpił zgodnie z poleceniem Kṛṣṇy.

**TEKST 49**

दूरेण ह्यवरं कर्म बुद्धियोगाद्धनञ्जय ।
बुद्धौ शरणमन्विच्छ कृपणाः फलहेतवः ॥४९॥

*dūreṇa hy avaraṁ karma buddhi-yogād dhanañjaya*
*buddhau śaraṇam anviccha kṛpaṇāḥ phala-hetavaḥ*

*dūreṇa*—odrzuć to daleko od siebie; *hi*—z pewnością; *avaram*—wstrętne; *karma*—czynności; *buddhi-yogāt*—za pomocą świadomości Kṛṣṇy; *dhanañjaya*—O zdobywco bogactw; *buddhau*—w takiej świadomości; *śaraṇam*—całkowite podporządkowanie; *anviccha*—staraj się o; *kṛpaṇāḥ*—skąpcy; *phala-hetavaḥ*—ci, którzy pragną działać dla zysków.

**O Dhanañjayo, pełniąc służbę oddania wyrzeknij się wszelkiego ohydnego czynu i w tej świadomości poddaj się Panu. Tylko skąpcy pragną cieszyć się efektami swojej pracy.**

*ZNACZENIE:* Kto faktycznie osiągnął zrozumienie swojej konstytucjonalnej pozycji—jako wiecznego sługi Pana—ten porzuca wszelkie zajęcia, z wyjątkiem pracy w świadomości Kṛṣṇy. Jak to już wcześniej zostało wyjaśnione, *buddhi-yoga* oznacza transcendentalną służbę miłości dla Pana. Taka służba oddania jest właściwym sposobem działania dla żywej istoty. Tylko skąpcy pragną cieszyć się owocami swojej pracy po to, by jeszcze bardziej uwikłać się w materialną niewolę. Wszystkie czynności, z wyjątkiem pracy w świadomości Kṛṣṇy, są odrażające, dlatego że bezustannie wiążą ich wykonawcę z cyklem narodzin i śmierci. Zatem nigdy nie powinno się pragnąć być przyczyną działania. Zawsze należy działać w świadomości Kṛṣṇy, dla zadowolenia Kṛṣṇy. Skąpcy nie wiedzą jak spożytkować bogactwa, które zdobyli dzięki ciężkiej pracy albo dobrej fortunie. Całą swoją energię należy zużywać na działanie w świadomości Kṛṣṇy, gdyż jest to jedyna recepta na sukces w życiu. Jedynie nieszczęśliwe osoby, podobnie jak skąpcy, nie angażują swojej ludzkiej energii w służbę dla Kṛṣṇy.

**TEKST 50**

बुद्धियुक्तो जहातीह उभे सुकृतदुष्कृते ।
तस्माद् योगाय युज्यस्व योगः कर्मसु कौशलम् ॥५०॥

*buddhi-yukto jahātīha ubhe sukṛta-duṣkṛte*
*tasmād yogāya yujyasva yogaḥ karmasu kauśalam*

*buddhi-yuktaḥ*—ten, kto zaangażowany jest w służbę oddania; *jahāti*—może pozbyć się; *iha*—w tym życiu; *ubhe*—oba; *sukṛta-duṣkṛte*—

dobre i złe rezultaty; *tasmāt*—dlatego; *yogāya*—ze względu na służbę oddania; *yujyasva*—bądź w ten sposób zaangażowanym; *yogaḥ*—świadomość Kṛṣṇy; *karmasu*—we wszystkich czynnościach; *kauśalam*—sztuka.

**Kto zaangażowany jest w służbę oddania, ten—nawet w tym życiu—uwalnia się zarówno od dobrych, jak i złych działań. Zatem dąż do yogi, Arjuno, która jest sztuką wszelkiej pracy.**

*ZNACZENIE:* Każda żywa istota od czasów niepamiętnych gromadzi rezultaty swoich dobrych i złych czynów. Wskutek tego pozostaje ona w ciągłej nieświadomości o swojej rzeczywistej konstytucjonalnej pozycji. Ignorancja ta może zostać zniweczona przez instrukcje *Bhagavad-gīty*, nauczające, w jaki sposób całkowicie podporządkować się Panu Kṛṣṇie i tym samym wyzwolić się z kajdanów naszego działania i jego skutków, które więżą nas narodziny po narodzinach. Dlatego Arjuna otrzymał radę, aby działał w świadomości Kṛṣṇy, będącej procesem oczyszczającym działanie i jego rezultaty.

## TEKST 51

कर्मजं बुद्धियुक्ता हि फलं त्यक्त्वा मनीषिणः ।
जन्मबन्धविनिर्मुक्ताः पदं गच्छन्त्यनामयम् ॥५१॥

*karma-jaṁ buddhi-yuktā hi phalaṁ tyaktvā manīṣiṇaḥ*
*janma-bandha-vinirmuktāḥ padaṁ gacchanty anāmayam*

*karma-jam*—z powodu czynności mających zysk na celu; *buddhi-yuktāḥ*—zaangażowane w służbę oddania; *hi*—z pewnością; *phalam*—rezultaty; *tyaktvā*—porzucając; *manīṣiṇaḥ*—wielcy mędrcy albo wielbiciele; *janma-bandha*—z niewoli narodzin i śmierci; *vinirmuktāḥ*—wyzwolona; *padam*—pozycja; *gacchanti*—osiągają; *anāmayam*—bez cierpień.

**Poprzez takie zaangażowanie w służbę oddania dla Pana, wielcy mędrcy albo wielbiciele uwalniają się od skutków swojego działania w tym materialnym świecie, a tym samym od cyklu narodzin i śmierci. W ten sposób mogą osiągnąć stan wolny od wszelkich trosk (poprzez powrót do Boga).**

*ZNACZENIE:* Wyzwolone żywe istoty należą do tego miejsca, gdzie nie ma żadnych materialnych utrapień. *Bhāgavatam* (10.14.58) mówi:

*samāṣritā ye pada-pallava-plavaṁ*
*mahat-padaṁ puṇya-yaśo murāreḥ*
*bhavāmbudhir vatsa-padaṁ paraṁ padaṁ*
*padaṁ padaṁ yad vipadāṁ na teṣām*

”Kto zaakceptował łódź lotosowych stóp Pana, który jest schronieniem kosmicznej manifestacji i znany jest jako Mukunda, czyli ofiarodawca *mukti*, dla tego ocean materialnego świata jest jak woda zawarta w dołku odciśniętym przez kopytko cielęcia. Jego celem jest *paraṁ padam*, czyli Vaikuṇṭha—miejsce, gdzie nie ma żadnych materialnych utrapień—a nie miejsce, w którym niebezpieczeństwo czyha na każdym kroku.”

Osoby będące w ignorancji nie wiedzą, że ten materialny świat jest miejscem pełnym niedoli, gdzie niebezpieczeństwo czyha na każdym kroku. I tylko z powodu swojej niewiedzy mniej inteligentne osoby próbują dostosować się do sytuacji, pracując z nadzieją osiągnięcia jakiejś korzyści materialnej i myśląc, że taka praca uczyni ich szczęśliwymi. Nie wiedzą o tym, że żaden rodzaj ciała, w jakimkolwiek miejscu we wszechświecie, nie może zapewnić życia bez utrapień. Niedole życia, mianowicie: narodziny, śmierć, starość i choroby, obecne są wszędzie w tym materialnym świecie. Ten jednak, kto zna swoją prawdziwą konstytucjonalną pozycję wiecznego sługi Pana, a zatem zna pozycję Osoby Boga, angażuje się w transcendentalną służbę miłości dla Niego. Dzięki temu zdolny jest do wejścia na planety Vaikuṇṭha, gdzie nie ma ani materialnego, nieszczęśliwego życia, ani oddziaływania czasu, ani śmierci. Znać swoją konstytucjonalną pozycję znaczy znać również najwyższą pozycję Pana. Kto błędnie myśli, że pozycja żywej istoty i pozycja Pana są na tym samym poziomie, znajduje się w ciemności i dlatego nie jest zdolny do zaangażowania się w służbę oddania dla Pana. Sam staje się panem i w ten sposób toruje sobie drogę do powtarzających się narodzin i śmierci. Kto natomiast wie, że jego pozycją jest służenie, ten zaczyna pełnić służbę dla Pana i natychmiast staje się zdolnym do wejścia na Vaikuṇṭhalokę. Służba dla Pana nazywana jest *karma-yogą* albo *buddhi-yogą*, albo po prostu służbą oddania dla Pana.

**TEKST 52** यदा ते मोहकलिलं बुद्धिर्व्यतितरिष्यति ।
तदा गन्तासि निर्वेदं श्रोतव्यस्य श्रुतस्य च ॥५२॥

*yadā te moha-kalilaṁ buddhir vyatitariṣyati*
*tadā gantāsi nirvedaṁ śrotavyasya śrutasya ca*

*yadā*—kiedy; *te*—twój; *moha*—złudzenia; *kalilam*—gęsty las; *buddhiḥ*—służba transcendentalna pełniona z inteligencją; *vyatitariṣyati*—przekracza; *tadā*—w tym czasie; *gantā asi*—musisz pójść; *nirvedam*—obojętność; *śrotavyasya*—wobec wszystkiego, co usłyszysz; *śrutasya*—wszystko, co już słyszałeś; *ca*—również.

**Kiedy zaś inteligencja twoja wydostanie się z gęstego lasu złudzenia, wtedy będziesz mógł zachować obojętność wobec tego wszystkiego, co już słyszałeś i wobec tego, co dopiero usłyszysz.**

*ZNACZENIE:* Przez pełnienie służby oddania można całkowicie zobojętnieć wobec rytuałów wedyjskich. Wiele przykładów na to można znaleźć w życiu wielkich wielbicieli Pana. Jeśli ktoś rzeczywiście poznaje Kṛṣṇę i swój wieczny związek z Nim, to nawet będąc doświadczonym braminem w naturalny sposób staje się całkowicie obojętnym wobec rytuałów, zaliczanych do czynności przynoszących korzyści. Śrī Mādhavendra Purī, wielki wielbiciel i *ācārya* w sukcesji bhaktów, mówi:

*sandhyā-vandana bhadram astu bhavato bhoḥ snāna tubhyaṁ namo*
*bho devāḥ pitaraś ca tarpaṇa-vidhau nāhaṁ kṣamaḥ kṣamyatām*
*yatra kvāpi niṣadya yādava-kulottamasya kaṁsa-dviṣaḥ*
*smāraṁ smāram aghaṁ harāmi tad alaṁ manye kim anyena me*

"O moje modlitwy, odmawiane trzy razy dziennie, wszelka chwała wam. O moja kąpieli, kłaniam się tobie. O półbogowie, o przodkowie! Proszę wybaczcie mi, że nie jestem już w stanie ofiarować wam swoich pokłonów. Gdziekolwiek jestem, zawsze mam w pamięci wielkiego potomka dynastii Yadu (Kṛṣṇę), wroga Kaṁsy, i dzięki temu mogę wyzwolić się z niewoli wszelkiego grzechu. Myślę, że to jest wystarczające dla mnie."

Obrządki i rytuały wedyjskie, obejmujące wszelkiego rodzaju modlitwy odmawiane trzy razy dziennie, wczesne poranne kąpiele, ofiarowywanie honorów przodkom itd., konieczne są dla nowicjuszy. Natomiast osoba posiadająca pełną świadomość Kṛṣṇy i zaangażowana w transcendentalną służbę miłości dla Niego, staje się obojętna wobec tych wszystkich regulujących zasad, jako że już osiągnęła ona doskonałość. Kiedy ktoś osiąga platformę wiedzy, poprzez pełnienie służby oddania dla Najwyższego Pana Kṛṣṇy, nie musi on już dłużej odprawiać żadnych pokut ani spełniać żadnych ofiar polecanych przez pisma objawione. A ten, kto nie zrozumiał, że celem *Ved* jest osiągnięcie Kṛṣṇy i jedynie angażuje się w rytuały itd., traci tylko w ten sposób czas. Osoby świadome Kṛṣṇy przekraczają granicę *śabda-brahma*, czyli granicę *Ved* i *Upaniṣadów*.

**TEKST 53** श्रुतिविप्रतिपन्ना ते यदा स्थास्यति निश्चला ।
समाधावचला बुद्धिस्तदा योगमवाप्स्यसि ॥५३॥

*śruti-vipratipannā te yadā sthāsyati niścalā*
*samādhāv acalā buddhis tadā yogam avāpsyasi*

*śruti*—objawienia wedyjskiego; *vipratipannā*—nie będąc pod wpływem rezultatów działania; *te*—twoje; *yadā*—kiedy; *sthāsyati*—pozostaje; *niścalā*—niewzruszony; *samādhau*—w świadomości transcendentalnej, czyli w świadomości Kṛṣṇy; *acalā*—niezachwiana; *buddhiḥ*—inteligencja; *tadā*—w tym czasie; *yogam*—samorealizacja; *avāpsyasi*—osiągniesz.

**Kiedy umysł nie jest już dłużej niepokojony przez kwiecisty język Ved i pozostaje niewzruszony w transie samorealizacji, wtedy osiąga się boską świadomość.**

*ZNACZENIE:* Powiedzenie, że ktoś jest w *samādhi* oznacza, że całkowicie zrealizował on świadomość Kṛṣṇy; to znaczy, że osoba w pełnym *samādhi* zrealizowała Brahmana, Paramātmę i Bhagavāna. Najwyższą doskonałością samorealizacji jest zrozumienie, iż jest się wiecznym sługą Kṛṣṇy, i że jedynym interesem żywej istoty jest wypełnianie obowiązków w świadomości Kṛṣṇy. Osoba świadoma Kṛṣṇy, czyli niezachwiany wielbiciel Pana, nie powinien być niepokojony przez kwiecisty język *Ved* ani angażować się w czynności mające na celu osiągnięcie promocji na planety niebiańskie. W świadomości Kṛṣṇy nawiązuje się bezpośredni związek z Kṛṣṇą, i w ten sposób, w tym transcendentalnym stanie, można zrozumieć wszystkie instrukcje pochodzące od Kṛṣṇy. Przez takie działanie niewątpliwie osiąga się rezultaty i ostateczną wiedzę. Należy tylko wypełniać polecenia Kṛṣṇy albo Jego reprezentanta, mistrza duchowego.

**TEKST 54** अर्जुन उवाच

स्थितप्रज्ञस्य का भाषा समाधिस्थस्य केशव ।
स्थितधीः किं प्रभाषेत किमासीत व्रजेत किम् ॥५४॥

*arjuna uvāca*
*sthita-prajñasya kā bhāṣā samādhi-sthasya keśava*
*sthita-dhīḥ kiṁ prabhāṣeta kim āsīta vrajeta kim*

*arjunaḥ uvāca*—Arjuna rzekł; *sthita-prajñasya*—kogoś, kto posiada niezachwianą świadomość Kṛṣṇy; *kā*—co; *bhāṣā*—język; *samādhi-sthasya*—kogoś, kto jest usytuowany w transie; *keśava*—O Kṛṣṇo; *sthita-dhīḥ*—niezachwiany w świadomości Kṛṣṇy; *kim*—co; *prabhāṣeta*—mówi; *kim*—jak; *āsīta*—pozostaje w bezruchu; *vrajeta*—chodzi; *kim*—jak.

**Arjuna rzekł: O Kṛṣṇo, jakie symptomy wykazuje osoba, której świadomość połączyła się z transcendencją? W jaki sposób ona**

**mówi i jaki jest jej język? W jaki sposób siedzi ona, i w jaki sposób chodzi?**

*ZNACZENIE:* Każdy człowiek wykazuje jakieś charakterystyczne symptomy odpowiadające jego szczególnej pozycji. Podobnie, szczególny charakter—sposób mówienia, chodzenia, myślenia, czucia itd.—ma również osoba w świadomości Kṛṣṇy. Tak jak człowieka bogatego czy uczonego można rozpoznać po określonych cechach, czy człowieka chorego po wykazywanych objawach choroby, tak również człowiek w transcendentalnej świadomości Kṛṣṇy może zostać rozpoznany dzięki specyficznym symptomom wykazywanym w różnych sytuacjach. O tych specyficznych symptomach można dowiedzieć się z *Bhagavad-gīty*. Najważniejszą rzeczą jest jednak to, w jaki sposób mówi osoba świadoma Kṛṣṇy, ponieważ mowa jest najważniejszą cechą każdego człowieka. Mówi się, że głupiec może pozostać nieodkryty tak długo, jak długo milczy; szczególnie zaś trudno jest zidentyfikować dobrze ubranego głupca. Lecz skoro tylko przemówi, od razu daje się poznać. Zatem osobę świadomą Kṛṣṇy charakteryzuje to, że mówi ona tylko o Kṛṣṇie i o sprawach związanych z Nim. Za tym podążają inne symptomy, tak jak to oznajmiono poniżej.

**TEKST 55** श्रीभगवानुवाच

प्रजहाति यदा कामान् सर्वान् पार्थ मनोगतान् ।
आत्मन्येवात्मना तुष्टः स्थितप्रज्ञस्तदोच्यते ॥५५॥

*śrī-bhagavān uvāca*
*prajahāti yadā kāmān sarvān pārtha mano-gatān*
*ātmany evātmanā tuṣṭaḥ sthita-prajñas tadocyate*

*śrī-bhagavān uvāca*—Najwyższa Osoba Boga rzekł; *prajahāti*—porzuca; *yadā*—kiedy; *kāmān*—pragnienia zadowalania zmysłów; *sarvān*—różnego rodzaju; *pārtha*—O synu Pṛthy; *manaḥ-gatān*—wytworów myślowych; *ātmani*—w czystym stanie duszy; *eva*—z pewnością; *ātmanā*—przez oczyszczony umysł; *tuṣṭaḥ*—zadowolony; *sthita-prajñaḥ*—usytuowany transcendentalnie; *tadā*—w tym czasie; *ucyate*—jest powiedziane.

**Najwyższa Osoba Boga rzekł: O Pārtho, kiedy człowiek porzuca wszelkiego rodzaju pragnienia zmysłowe, których źródłem są wytwory umysłu, i gdy jego umysł—oczyszczony w ten sposób—znajduje zadowolenie w duszy jedynie, wtedy mówi się, że osiągnął on czystą świadomość transcendentalną.**

*ZNACZENIE:* *Bhāgavatam* oznajmia, że każda osoba posiadająca pełną świadomość Kṛṣṇy, czyli pełniąca służbę oddania dla Pana, posiada wszystkie dobre cechy wielkich mędrców. Kto natomiast nie jest tak transcendentalnie usytuowany, ten nie posiada żadnych dobrych kwalifikacji, jako że przyjmuje on schronienie we własnych wytworach umysłowych. Przeto słusznie powiedziano tutaj, że należy uwolnić się od wszelkiego rodzaju pragnień zmysłowych, będących wytworem kombinacji umysłowych. Takie pragnienia nie mogą zostać zarzucone w sposób sztuczny. Jeśli jednak ktoś angażuje się w świadomość Kṛṣṇy, wtedy tego rodzaju pragnienia znikają automatycznie, bez jego dodatkowych wysiłków. Należy zatem bez wahania zaangażować się w świadomość Kṛṣṇy, gdyż pełnienie służby oddania natychmiast pomoże nam w osiągnięciu płaszczyzny świadomości transcendentalnej. Wysoko rozwinięta dusza, dzięki zrealizowaniu siebie jako wiecznego sługi Najwyższego Pana, pozostaje zawsze zadowolona w sobie. Tak transcendentalnie usytuowana osoba nie ma żadnych pragnień zmysłowych, wynikających z ciasnego materializmu. Raczej pozostaje ona zawsze szczęśliwą w swojej naturalnej pozycji wiecznego sługi Najwyższego Pana.

**TEKST 56** दुःखेष्वनुद्विग्नमनाः सुखेषु विगतस्पृहः ।
वीतरागभयक्रोधः स्थितधीर्मुनिरुच्यते ॥५६॥

*duḥkheṣv anudvigna-manāḥ sukheṣu vigata-spṛhaḥ*
*vīta-rāga-bhaya-krodhaḥ sthita-dhīr munir ucyate*

*duḥkheṣu*—w nieszczęściach trojakiego rodzaju; *anudvigna-manāḥ*—nie będąc poruszonym w umyśle; *sukheṣu*—w szczęściu; *vigata-spṛhaḥ*—nie będąc zainteresowanym; *vīta*—wolny od; *rāga*—przywiązanie; *bhaya*—strach; *krodhaḥ*—i złość; *sthita-dhīḥ*—którego umysł jest zrównoważony; *muniḥ*—mędrzec; *ucyate*—jest nazywany.

**Czyj umysł pozostaje niewzruszonym nawet wobec trzech rodzajów nieszczęść, kto nie unosi się szczęściem i kto wolny jest od przywiązań, strachu i złości, ten nazywany jest mędrcem o zrównoważonym umyśle.**

*ZNACZENIE:* Słowo *muni* oznacza tego, kto rozmaicie pobudza swój umysł do różnego rodzaju spekulacji, nie dochodząc do rzeczywistych wniosków. Mówi się, że każdy *muni* ma inny punkt widzenia, i jeśli jakiś *muni* nie różni się od innego *muniego*, nie może być on nazywany *munim* w ścisłym tego słowa znaczeniu. *Na cāsāv ṛṣir yasya mataṁ na bhinnam* (*Mahābhārata, Vana-parva* 313.117). Ale *sthita-dhīr muni*, wymieniony tutaj przez Pana, różny jest od zwykłego *muniego*. *Sthita-dhīr muni* jest zawsze świadomy Kṛṣṇy, gdyż wyczerpał on już całe swoje zainteresowanie twórczą spekulacją. Jest on nazywany *praśānta-niḥśeṣa-mano-rathāntara* (*Stotra-ratna* 43), czyli tym, kto przeszedł przez etap spekulacji umysłowych i doszedł do wniosku, że Pan Śrī Kṛṣṇa, czyli Vāsudeva, jest wszystkim (*vāsudevaḥ sarvam iti sa mahātmā su-durlabhaḥ*). Jest on nazywany *munim* o zrównoważonym umyśle. Taka całkowicie świadoma Kṛṣṇy osoba nie jest już dłużej niepokojona przez ataki trzech rodzajów nieszczęść. Wszelkie nieszczęścia przyjmuje ona jako łaskę Pana, uważając iż swoimi złymi czynami z przeszłości zasłużyła na o wiele większe kłopoty. Rozumie ona, że te jej kłopoty zostały, dzięki łasce Pana, zmniejszone do minimum. Łasce Pana przypisuje również spotykające ją szczęście, uważając, że sama nie zasłużyła na nie. Zdaje sobie sprawę z tego, że tylko dzięki Panu znajduje się w tak pomyślnych warunkach pozwalających jej na lepsze pełnienie służby dla Niego. W pełnieniu służby oddania jest zawsze śmiała, aktywna, wolna od wszelkich przywiązań i awersji. Przywiązanie oznacza przyjmowanie rzeczy dla zadowalania własnych zmysłów, a awersja jest brakiem takiego zmysłowego przywiązania. Kto jednak jest niewzruszony w świadomości Kṛṣṇy, ten wolny jest zarówno od takiego przywiązania, jak i od awersji, ponieważ całe swoje życie poświęca służbie dla Pana. Dlatego nigdy nie popada w złość, nawet jeśli jego próby nie kończą się pomyślnie. Osoba świadoma Kṛṣṇy jest zawsze wytrwała w swojej determinacji.

**TEKST 57** यः सर्वत्रानभिस्नेहस्तत्तत्प्राप्य शुभाशुभम् ।
नाभिनन्दति न द्वेष्टि तस्य प्रज्ञा प्रतिष्ठिता ॥५७॥

*yaḥ sarvatrānabhisnehas tat tat prāpya śubhāśubham*
*nābhinandati na dveṣṭi tasya prajñā pratiṣṭhitā*

*yaḥ*—ten, kto; *sarvatra*—wszędzie; *anabhisnehaḥ*—bez wzruszenia; *tat*—to; *tat*—to; *prāpya*—osiągając; *śubha*—dobro; *aśubham*—zło; *na*—nigdy; *abhinandati*—chwali; *na*—nigdy; *dveṣṭi*—zazdrości; *tasya*—jego; *prajñā*—doskonała wiedza; *pratiṣṭhitā*—umocniony.

**Kto w tym materialnym świecie pozostaje niewzruszonym wobec spotykającego go dobra i zła, nie wychwalając go ani też nie okazując wzgardy, ten mocno usytuowany jest w doskonałej wiedzy.**

*ZNACZENIE:* W świecie materialnym zawsze mają miejsce jakieś przewroty i wstrząsy, które mogą być dobre albo złe. Osobę umocnioną w świadomości Kṛṣṇy nie podniecają jednakże takie materialne przemiany. Pozostaje ona niewzruszona zarówno wobec dobra, jak i zła. Dopóki przebywamy w tym świecie materialnym, będziemy zawsze spotykali się z dobrem i złem, jako że świat ten pełen jest dualizmów. Ale osobę mocną w świadomości Kṛṣṇy nie wzruszają ani dobre, ani złe wydarzenia, ponieważ jest ona po prostu zainteresowana Kṛṣṇą, który jest wszelkim dobrem absolutnym. Taka świadomość Kṛṣṇy sytuuje tę osobę w doskonałej, transcendentalnej pozycji, nazywanej fachowo *samādhi*.

**TEKST 58** यदा संहरते चायं कूर्मोऽङ्गानीव सर्वशः ।
इन्द्रियाणीन्द्रियार्थेभ्यस्तस्य प्रज्ञा प्रतिष्ठिता ॥५८॥

*yadā saṁharate cāyaṁ kūrmo 'ṅgānīva sarvaśaḥ*
*indriyāṇīndriyārthebhyas tasya prajñā pratiṣṭhitā*

*yadā*—kiedy; *saṁharate*—zwija; *ca*—również; *ayam*—on; *kūrmaḥ*—żółw; *aṅgāni*—kończyny; *iva*—jak; *sarvaśaḥ*—zupełnie; *indriyāni*—zmysły; *indriya-arthebhyaḥ*—od przedmiotów zmysłów; *tasya*—jego; *prajñā*—świadomość; *pratiṣṭhitā*—niewzruszona.

**Kto jest w stanie powstrzymać swoje zmysły od przedmiotów zmysłów, na podobieństwo żółwia, który zwija swoje kończyny w pancerz—ten jest utwierdzony w doskonałej świadomości.**

*ZNACZENIE:* Sprawdzianem *yogīna*, wielbiciela czy duszy samozrealizowanej jest to, czy jest on w stanie kontrolować zmysły zgodnie ze swoim planem. Ludzie na ogół są jednak sługami zmysłów, a zatem działaniem ich kierują zmysły. Jest to odpowiedź na pytanie, jak usytuowany jest *yogīn*. Zmysły porównywane są do jadowitych węży. Chcą one działać bardzo swobodnie i bez ograniczeń. *Yogīn* czy wielbiciel Pana musi być bardzo mocnym, aby być w stanie kontrolować te węże—tak jak robi to zaklinacz wężów, który nigdy nie pozwala im działać niezależnie. W pismach objawionych jest wiele różnych zaleceń. Niektóre z nich mówią, co należy robić, inne, czego nie należy. Dopóki nie jest się w stanie przestrzegać tych nakazów i zakazów, powstrzymując się od uciech zmysłowych, nie można być niewzruszonym w świadomości Kṛṣṇy. Dobrym przykładem na to jest żółw, który w każdej chwili może powściągnąć swoje zmysły i uaktywnić je w odpowiednim momencie, w określonym celu. Podobnie jest w przypadku osoby świadomej Kṛṣṇy, która używa swoich zmysłów tylko dla jakiegoś szczególnego celu w służbie Pana, a jeśli trzeba, trzyma je w karbach. Arjuna został tutaj pouczony, aby używać swoich zmysłów w służbie dla Pana, a nie dla własnej przyjemności. Angażowanie zmysłów tylko w służbę dla Pana jest analogiczne do przykładu z żółwiem, który zawsze trzyma swoje zmysły w karbach.

TEKST 59 विषया विनिवर्तन्ते निराहारस्य देहिनः ।
रसवर्जं रसोऽप्यस्य परं दृष्ट्वा निवर्तते ॥५९॥

*viṣayā vinivartante nirāhārasya dehinaḥ*
*rasa-varjaṁ raso 'py asya paraṁ dṛṣṭvā nivartate*

*viṣayāḥ*—przedmioty radości zmysłowych; *vinivartante*—są wyćwiczone, aby powstrzymywać się od; *nirāhārasya*—przez negatywne ograniczenia; *dehinaḥ*—dla wcielonego; *rasa-varjam*—wyrzekając się smaku do; *rasaḥ*—przyjemność; *api*—chociaż istnieje; *asya*—jego; *param*—o wiele wyższe rzeczy; *dṛṣṭvā*—przez doświadczenie; *nivartate*—powstrzymuje się od.

**Wcielona dusza może powstrzymać się od uciech zmysłowych, mimo iż upodobanie do przedmiotów zmysłów pozostaje. Ale poprzez ów brak zaangażowania, dzięki doświadczaniu wyższego smaku, umacnia się jej świadomość.**

*ZNACZENIE:* Dopóki nie jest się usytuowanym transcendentalnie, niemożliwym jest wyrzeczenie się radości zmysłowych. Metoda powstrzymywania się od uciech zmysłowych (poprzez przestrzeganie zasad) podobna jest do powstrzymywania chorej osoby od pewnego rodzaju pożywienia. Pacjent jednakże nigdy nie lubi takich ograniczeń ani też nie traci smaku do jedzenia. Podobnie, ograniczanie zmysłów poprzez pewien proces duchowy, jak *aṣṭāṅga-yoga* (*yama, niyama, āsana, prāṇāyāma, pratyāhāra, dhāraṇā, dhyāna* itd.), polecane jest dla mniej inteligentnych, nie posiadających żadnej lepszej wiedzy. Kto natomiast zasmakował w pięknie Najwyższego Pana Kṛṣṇy, po uczynieniu postępu w świadomości Kṛṣṇy, ten nie ma już dłużej upodobania do martwych rzeczy materialnych. Ograniczenia są zatem dla ludzi mniej inteligentnych, znajdujących się na początkowym etapie rozwoju życia duchowego. Takie ograniczenia są jednak dobre tylko do czasu, kiedy ktoś rzeczywiście osiąga smak świadomości Kṛṣṇy. Kiedy osiąga świadomość Kṛṣṇy, wtedy automatycznie traci upodobanie do niższych rzeczy.

TEKST 60 यततो ह्यपि कौन्तेय पुरुषस्य विपश्चितः ।
इन्द्रियाणि प्रमाथीनि हरन्ति प्रसभं मनः ॥६०॥

*yatato hy api kaunteya puruṣasya vipaścitaḥ*
*indriyāṇi pramāthīni haranti prasabhaṁ manaḥ*

*yatataḥ*—usiłując; *hi*—z pewnością; *api*—pomimo; *kaunteya*—O synu Kuntī; *puruṣasya*—człowieka; *vipaścitaḥ*—pełen wnikliwej wiedzy; *indriyāṇi*—zmysły; *pramāthīni*—pobudzając; *haranti*—miotają; *prasabham*—siłą; *manaḥ*—umysł.

**Zmysły są tak mocne i impulsywne, o Arjuno, że gwałtem porywają nawet umysł człowieka, który posiadł wnikliwą wiedzę, i który usiłuje je kontrolować.**

*ZNACZENIE:* Jest wielu uczonych mędrców, filozofów i transcendentalistów, którzy próbują opanować zmysły. Jednak pomimo takich wysiłków, nawet najwięksi z nich padają czasem ofiarą materialnych uciech zmysłowych, kiedy podniecony zostanie ich umysł. Nawet Viśvāmitra, wielki mędrzec i doskonały *yogīn*, został zbałamucony przez Menakę i oddał się seksualnym przyjemnościom, chociaż usiłował on kontrolować zmysły za pomocą surowych pokut i praktyki *yogi*. Oczywiście jest wiele podobnych przykładów w historii świata. Zatem bardzo trudno jest kontrolować umysł i zmysły, jeśli nie jest się w pełni świadomym Kṛṣṇy. Bez zajęcia umysłu Kṛṣṇą, nie można porzucić tego rodzaju zajęć materialnych. Praktyczny przykład podaje Śrī Yāmunācārya, wielki święty i wielbiciel Pana, który mówi:

*yad-avadhi mama cetaḥ kṛṣṇa-padāravinde*
*nava-nava-rasa-dhāmany udyataṁ rantum āsīt*
*tad-avadhi bata nārī-saṅgame smaryamāne*
*bhavati mukha-vikāraḥ suṣṭhu niṣṭhīvanaṁ ca*

”Odkąd umysł mój został zaangażowany w służbę dla lotosowych stóp Pana, czerpiąc z niej ciągle nową transcendentalną przyjemność, odtąd kiedykolwiek pomyślę o życiu seksualnym, twarz moja odwraca się i spluwam na samą myśl o tym.”

Świadomość Kṛṣṇy jest taką transcendentalnie wspaniałą rzeczą, że automatycznie niesmaczne stają się uciechy materialne. To tak jak gdyby głodny człowiek zaspokajał swój głód dostateczną ilością pożywnego pokarmu. Mahārāja Ambarīṣa pokonał wielkiego *yogīna* Durvāsę Muniego tylko dzięki temu, że jego umysł był pogrążony w świadomości Kṛṣṇy (*sa vai manaḥ kṛṣṇa-padāravindayor vacāṁsi vaikuṇṭha-guṇānuvarṇane*).

**TEKST 61** तानि सर्वाणि संयम्य युक्त आसीत मत्परः ।
वशे हि यस्येन्द्रियाणि तस्य प्रज्ञा प्रतिष्ठिता ॥६१॥

*tāni sarvāṇi saṁyamya yukta āsīta mat-paraḥ*
*vaśe hi yasyendriyāṇi tasya prajñā pratiṣṭhitā*

*tāni*—te zmysły; *sarvāṇi*—wszystkie; *saṁyamya*—kontrolowane; *yuktaḥ*—zaangażowany; *āsīta*—powinien być usytuowany; *mat-paraḥ*—w związku ze Mną; *vaśe*—w pełni opanowany; *hi*—z pewnością; *yasya*—ten, którego; *indriyāṇi*—zmysły; *tasya*—jego; *prajñā*—świadomość; *pratiṣṭhitā*—niewzruszona.

**Kto całkowicie opanowuje swoje zmysły i koncentruje swą świadomość na Mnie, ten znany jest jako człowiek o niewzruszonej inteligencji.**

*ZNACZENIE:* Werset ten wyraźnie tłumaczy, że najwyższą doskonałością *yogi* jest świadomość Kṛṣṇy. I dopóki nie jest się świadomym Kṛṣṇy, kontrolowanie zmysłów nie jest w ogóle możliwe. Jak wspomniano o tym powyżej, wielki mędrzec Durvāsā Muni pokłócił się z Ambarīṣą Mahārājem. Durvāsā Muni, powodowany dumą, niepotrzebnie rozzłościł się i wskutek tego nie był w stanie kontrolować swoich zmysłów. Z drugiej strony, król Ambarīṣa, chociaż nie tak potężny *yogīn* jak mędrzec Durvāsā Muni, ale wielbiciel Pana, spokojnie tolerował wszystkie niesprawiedliwości, których doznał, i tym sposobem okazał się zwycięzcą. Król bowiem mógł kontrolować swoje zmysły dzięki następującym kwalifikacjom wymienionym w *Śrīmad-Bhāgavatam* (9.4.18-20)

*sa vai manaḥ kṛṣṇa-padāravindayor*
*vacāṁsi vaikuṇṭha-guṇānuvarṇane*
*karau harer mandira-mārjanādiṣu*
*śrutiṁ cakārācyuta-sat-kathodaye*

*mukunda-liṅgālaya-darśane dṛśau*
*tad-bhṛtya-gātra-sparśe 'ṅga-saṅgamam*
*ghrāṇaṁ ca tat-pāda-saroja-saurabhe*
*śrīmat-tulasyā rasanāṁ tad-arpite*

*pādau hareḥ kṣetra-padānusarpaṇe*
*śiro hṛṣīkeśa-padābhivandane*
*kāmaṁ ca dāsye na tu kāma-kāmyayā*
*yathottamaśloka-janāśrayā ratiḥ*

”Król Ambarīṣa skoncentrował swój umysł na lotosowych stopach Pana Kṛṣṇy, słowa zaangażował w opisanie siedziby Pana, ręce zajął czyszczeniem świątyni Pana, uszy słuchaniem o rozrywkach Pana, oczy oglądaniem Jego postaci, a ciało dotykaniem ciał bhaktów. Swoje nozdrza zaangażował w wąchanie woni kwiatów ofiarowanych lotosowym stopom Pana, język w smakowanie listków *tulasī* ofiarowanych Jemu, nogi w wędrowanie do świętych miejsc, gdzie znajdowały się Jego świątynie, głowę w składanie pokłonów Panu, a swoje pragnienia w spełnianie pragnień Pana. Wszystkie te kwalifikacje umożliwiły mu stanie się *mat-para* wielbicielem Pana."

Najbardziej znaczące w tym związku jest słowo *mat-para*. W jaki sposób można zostać *mat-para*, opisano na przykładzie życia Mahārāja Ambarīṣy. Śrīla Baladeva Vidyābhūṣaṇa, wielki uczony i *ācārya* w linii *mat-para*, zauważa: *mad-bhakti-prabhāvena sarvendriya-vijaya-pūrvikā svātma-dṛṣṭiḥ sulabheti bhāvaḥ*. "Zmysły mogą być w pełni kontrolowane tylko przez siłę służby oddania dla Kṛṣṇy." Czasami przytacza się również przykład z ogniem: "Tak jak gorejący ogień wewnątrz pokoju pali w nim wszystko, podobnie Pan Viṣṇu, usytuowany w sercu *yogīna*, pali wszelkiego rodzaju nieczystości." *Yoga-sūtra* również poleca medytację o Viṣṇu, a nie medytację o próżni. Tak zwani *yogīni*, którzy medytują o czymś, co nie jest na platformie Viṣṇu, tracą jedynie swój czas na poszukiwanie jakichś fantasmagorii. My musimy być świadomi Kṛṣṇy—oddani Osobie Boga. Taki jest cel prawdziwej *yogi*.

## TEKST 62

ध्यायतो विषयान् पुंसः संगस्तेषूपजायते ।
संगात्सञ्जायते कामः कामात्क्रोधोऽभिजायते ॥६२॥

*dhyāyato viṣayān puṁsaḥ saṅgas teṣūpajāyate*
*saṅgāt sañjāyate kāmaḥ kāmāt krodho 'bhijāyate*

*dhyāyataḥ*—kontemplując; *viṣayān*—przedmioty zmysłów; *puṁsaḥ*—osoby; *saṅgaḥ*—przywiązanie; *teṣu*—do przedmiotów zmysłów; *upajāyate*—rozwija się; *saṅgāt*—z przywiązania; *sañjāyate*—rozwija się; *kāmaḥ*—pragnienie; *kāmāt*—z pragnienia; *krodhaḥ*—złość; *abhijāyate*—manifestuje się.

**Osoba kontemplująca przedmioty zmysłów rozwija przywiązanie do nich. Z takiego przywiązania rodzi się pożądanie, a z pożądania pochodzi złość.**

*ZNACZENIE:* Kontemplując przedmioty zmysłów, osoba nieświadoma Kṛṣṇy ulega pragnieniom materialnym. Zmysły potrzebują prawdziwego zajęcia, i jeśli nie są zaangażowane w transcendentalną służbę miłości dla Pana, z pewnością będą szukały zaangażowania w służbie materialnej. Każdy w tym materialnym świecie, nie wyłączając Pana Śivy i Pana Brahmy (nie mówiąc już o innych półbogach na planetach niebiańskich), ulega wpływom przedmiotów zmysłów. Jedynym sposobem na pozbycie się kłopotów egzystencji materialnej jest osiągnięcie świadomości Kṛṣṇy. Pan Śiva pogrążony był w głębokiej medytacji, ale kiedy Pārvatī namówiła go do przyjemności zmysłowych, przyjął jej propozycję i w rezultacie urodził się Kārtikeya. Kiedy Haridāsa Ṭhākura był młodym wielbicielem Pana, był w podobny sposób kuszony przez inkarnację Māyā-devī. Jednak dzięki swojemu czystemu oddaniu dla Pana Kṛṣṇy, Haridāsa z łatwością przeszedł tę próbę. Jak zobrazował to wyżej wymieniony werset Śrī Yamunācāryi, szczery wielbiciel Pana unika wszelkich materialnych radości zmysłowych, dzięki swojemu wyższemu upodobaniu do radości duchowych w towarzystwie Pana. Na tym polega sekret sukcesu. Jeżeli ktoś nie jest świadomy Kṛṣṇy, to jakkolwiek mocny by był w kontrolowaniu zmysłów poprzez jakieś sztuczne hamulce, z pewnością w końcu upadnie, gdyż najlżejsza myśl o przyjemnościach zmysłowych skłoni go do zaspokojenia jego pragnień.

**TEKST 63** क्रोधाद् भवति सम्मोहः सम्मोहात्स्मृतिविभ्रमः ।
स्मृतिभ्रंशाद् बुद्धिनाशो बुद्धिनाशात्प्रणश्यति ॥६३॥

*krodhād bhavati sammohaḥ sammohāt smṛti-vibhramaḥ*
*smṛti-bhraṁśād buddhi-nāśo buddhi-nāśāt praṇaśyati*

*krodhāt*—ze złości; *bhavati*—ma miejsce; *sammohaḥ*—całkowite złudzenie; *sammohāt*—z ułudy; *smṛti*—pamięci; *vibhramaḥ*—oszołomienie; *smṛti-bhraṁśāt*—po oszołomieniu pamięci; *buddhi-nāśaḥ*—utrata inteligencji; *buddhi-nāśāt*—z utraty inteligencji; *praṇaśyati*—upada.

**Ze złości powstaje złudzenie, a ze złudzenia chaos w pamięci. Kiedy w pamięci panuje chaos, zanika inteligencja, a kiedy inteligencja zostaje stracona, upada się z powrotem w materialne bajoro.**

*ZNACZENIE:* Śrīla Rūpa Gosvāmī dał nam tę wskazówkę:

*prāpañcikatayā buddhyā*
*hari-sambandhi-vastunaḥ*
*mumukṣubhiḥ parityāgo*
*vairāgyaṁ phalgu kathyate*
(*Bhakti-rasāmṛta-sindhu* 1.2.258)

Przez rozwój świadomości Kṛṣṇy można zrozumieć, że wszystko ma swoje zastosowanie w służbie Pana. Ci, którzy nie posiadają wiedzy o świadomości Kṛṣṇy, starają się w sztuczny sposób unikać przedmiotów materialnych, i w rezultacie, chociaż pragną wyzwolenia z niewoli materialnej, nie osiągają doskonałego stanu wyrzeczenia. To ich tzw. wyrzeczenie nazywa się *phalgu*, czyli mało istotne. Natomiast osoba świadoma Kṛṣṇy wie jak wszystko zaangażować w służbę dla Pana; dlatego nie staje się ona ofiarą świadomości materialnej. Na przykład dla impersonalisty, Pan, czyli Absolut, będąc bezosobowym, nie może jeść. Podczas gdy impersonalista stara się unikać dobrego pożywienia, wielbiciel wie, że Kṛṣṇa jest najwyższym podmiotem radości, i że spożywa On wszystko, co zostało Mu ofiarowane z oddaniem. Więc po ofiarowaniu Panu smakowitego pokarmu, wielbiciel przyjmuje pozostałości tego pokarmu, nazywane *prasādam*. W ten sposób wszystko zostaje uduchowione i nie ma niebezpieczeństwa upadku. Wielbiciel przyjmuje *prasādam* w świadomości Kṛṣṇy, podczas gdy niewielbiciel odrzuca je jako materialne. Impersonalista, z powodu swojego sztucznego wyrzeczenia, nie może cieszyć się życiem i wskutek tego najmniejsze podniecenie umysłu ściąga go z powrotem w dół, w bajoro egzystencji materialnej. Nie mając oparcia w służbie oddania, dusza taka, nawet chociaż wznosi się do poziomu wyzwolenia, upada z powrotem.

## TEKST 64

रागद्वेषविमुक्तैस्तु विषयानिन्द्रियैश्चरन् ।
आत्मवश्यैर्विधेयात्मा प्रसादमधिगच्छति ॥६४॥

*rāga-dveṣa-vimuktais tu viṣayān indriyaiś caran*
*ātma-vaśyair vidheyātmā prasādam adhigacchati*

*rāga*—przywiązanie; *dveṣa*—i brak przywiązania; *vimuktaiḥ*—przez tego, kto uwolnił się od takich rzeczy; *tu*—ale; *viṣayān*—przedmioty zmysłów; *indriyaiḥ*—przez zmysły; *caran*—działając na; *ātma-vaśyaiḥ*—opanowany; *vidheya-ātmā*—ten, kto przestrzega regulujących zasad wolności; *prasādam*—miłosierdzie Pana; *adhigacchati*—osiąga.

**Jednak osoba wolna od przywiązania i niechęci, która—poprzez przestrzeganie ustalonych zasad wolności—potrafi kontrolować swoje zmysły, może osiągnąć całkowitą łaskę Pana.**

*ZNACZENIE:* Zostało to już wytłumaczone, że ktoś może pozornie kontrolować zmysły, poprzez jakiś sztuczny proces, ale dopóki zmysły nie zostaną zaangażowane w transcendentalną służbę dla Pana, zawsze będzie istniała możliwość upadku. Natomiast osoba w pełni świadoma Kṛṣṇy może pozornie znajdować się na planie zmysłowym, jednak—dzięki swojej świadomości Kṛṣṇy—nie jest ona przywiązana do czynności zmysłowych. Osoba świadoma Kṛṣṇy zainteresowana jest jedynie zadowalaniem Kṛṣṇy i niczym innym. Jest ona zatem transcendentalna zarówno wobec przywiązań, jak i awersji. Jeśli Kṛṣṇa życzy sobie tego,

Jego wielbiciel może zrobić wszystko, czego zazwyczaj nie pragnie on czynić, a jeśli Kṛṣṇa nie chce, nie uczyni on tego, co zwykł czynić dla swojego własnego zadowolenia. Dlatego zarówno działanie, jak i niedziałanie podlega Jego kontroli, jako że działa on tylko pod kierunkiem Kṛṣṇy. Taka świadomość jest bezprzyczynową łaską Pana, którą Jego wielbiciel może osiągnąć pomimo swojego przywiązania do platformy zmysłowej.

TEKST 65 प्रसादे सर्वदुःखानां हानिरस्योपजायते ।
प्रसन्नचेतसो ह्याशु बुद्धिः पर्यवतिष्ठते ॥६५॥

*prasāde sarva-duḥkhānāṁ hānir asyopajāyate*
*prasanna-cetaso hy āśu buddhiḥ paryavatiṣṭhate*

*prasāde*—po osiągnięciu bezprzyczynowej łaski Pana; *sarva*—wszystkich; *duḥkhānām*—nieszczęścia materialne; *hāniḥ*—zniszczenie; *asya*—jego; *upajāyate*—ma miejsce; *prasanna-cetasaḥ*—radosnego usposobienia; *hi*—z pewnością; *āśu*—wkrótce; *buddhiḥ*—inteligencja; *pari*—dostatecznie; *avatiṣṭhate*—zostaje utwierdzony.

**Dla osoby tak usatysfakcjonowanej (w świadomości Kṛṣṇy) nie istnieją już dłużej trojakie nieszczęścia tego materialnego świata. Inteligencja tego, kto jest w takiej szczęśliwej świadomości, wkrótce staje się zrównoważona.**

TEKST 66 नास्ति बुद्धिरयुक्तस्य न चायुक्तस्य भावना ।
न चाभावयतः शान्तिरशान्तस्य कुतः सुखम् ॥६६॥

*nāsti buddhir ayuktasya na cāyuktasya bhāvanā*
*na cābhāvayataḥ śāntir aśāntasya kutaḥ sukham*

*na asti*—nie może być; *buddhiḥ*—inteligencja transcendentalna; *ayuktasya*—kogoś, kto nie jest związany (ze świadomością Kṛṣṇy); *na*—nie; *ca*—i; *ayuktasya*—kogoś pozbawionego świadomości Kṛṣṇy; *bhāvanā*—umysł pogrążony (w szczęściu); *na*—nie; *ca*—i; *abhāvayataḥ*—kogoś, kto nie jest stały; *śāntiḥ*—pokój; *aśāntasya*—niespokojnego; *kutaḥ*—gdzie jest; *sukham*—szczęście.

**Ten jednak, kto nie jest połączony z Najwyższym (w świadomości Kṛṣṇy), nie może posiadać ani transcendentalnej inteligencji, ani zrównoważonego umysłu, bez czego niemożliwe jest osiągnięcie spokoju. A jak bez spokoju może istnieć jakiekolwiek szczęście?**

*ZNACZENIE:* Nie można osiągnąć spokoju, jeśli nie jest się świadomym Kṛṣṇy. Potwierdzone jest to w Rozdziale Piątym (5.29), gdzie powiedziane jest, że prawdziwy spokój można osiągnąć tylko wtedy, kiedy zrozumie się, że Kṛṣṇa jest jedyną osobą, która przyjmuje wszelkie dobre rezultaty wyrzeczenia i ofiary, i że On jest właścicielem wszystkich manifestacji wszechświata oraz prawdziwym przyjacielem wszystkich żywych istot. Jeśli ktoś nie jest świadomy Kṛṣṇy, jego umysł nie może znaleźć ostatecznego celu. Przyczyną niepokoju jest brak ostatecznego celu. Spokój ten można osiągnąć za pomocą niewzruszonego umysłu wtedy, kiedy jest się pewnym, że Kṛṣṇa jest podmiotem radości oraz właścicielem i przyjacielem każdego i wszystkiego. Osoba, której życie nie ma związku z Kṛṣṇą, zawsze znajduje się w niebezpieczeństwie i niepokoju, choćby nie wiadomo jak bardzo demonstrowała spokój i duchowy postęp. Świadomość Kṛṣṇy jest samomanifestującym się stanem spokoju, który osiągnąć można jedynie w związku z Kṛṣṇą.

**TEKST 67** इन्द्रियाणां हि चरतां यन्मनोऽनुविधीयते ।
तदस्य हरति प्रज्ञां वायुर्नावमिवाम्भसि ॥६७॥

*indriyāṇāṁ hi caratāṁ yan mano 'nuvidhīyate*
*tad asya harati prajñāṁ vāyur nāvam ivāmbhasi*

*indriyāṇām*—zmysłów; *hi*—z pewnością; *caratām*—wędrując; *yat*—z którym; *manaḥ*—umysł; *anuvidhīyate*—trwale angażuje się; *tat*—to; *asya*—jego; *harati*—zabiera; *prajñām*—inteligencję; *vāyuḥ*—wiatr; *nāvam*—łódź; *iva*—jak; *ambhasi*—na wodzie.

**Tak jak mocny wiatr porywa łódź na wodzie, tak nawet tylko jeden z wędrujących zmysłów, na którym skupi się umysł, może pozbawić człowieka inteligencji.**

*ZNACZENIE:* Jeśli wszystkie zmysły nie zostaną zaangażowane w służbę dla Pana, to nawet jeden z nich, zaangażowany w zadowalanie zmysłów, może sprowadzić bhaktę ze ścieżki transcendentalnego postępu. Jak to zostało przedstawione na przykładzie życia Mahārāja Ambarīṣy, wszystkie zmysły muszą zostać zaangażowane w świadomość Kṛṣṇy, gdyż jest to właściwa metoda kontrolowania umysłu.

**TEKST 68** तस्माद् यस्य महाबाहो निगृहीतानि सर्वशः ।
इन्द्रियाणीन्द्रियार्थेभ्यस्तस्य प्रज्ञा प्रतिष्ठिता ॥६८॥

*tasmād yasya mahā-bāho nigṛhītāni sarvaśaḥ*
*indriyāṇīndriyārthebhyas tasya prajñā pratiṣṭhitā*

*tasmāt*—zatem; *yasya*—którego; *mahā-bāho*—O potężnie uzbrojony; *nigṛhītāni*—tak powściągnięty; *sarvaśaḥ*—wszędzie dookoła; *indriyāṇi*—zmysły; *indriya-arthebhyaḥ*—od przedmiotów zmysłów; *tasya*—jego; *prajñā*—inteligencja; *pratiṣṭhitā*—niezachwiana.

**Zatem, o potężny, zrównoważoną inteligencję posiada ten, kto powściąga swoje zmysły od ich przedmiotów.**

*ZNACZENIE:* Czynniki skłaniające do zadowalania zmysłów można poskromić jedynie dzięki świadomości Kṛṣṇy, czyli przez zaangażowanie wszystkich zmysłów w transcendentalną służbę miłości dla Pana. Tak jak wroga powstrzymuje siła wyższa, podobnie nie mogą zostać powściągnięte zmysły przez ludzki wysiłek, ale tylko przez zaangażowanie ich w służbę Pana. Kto zrozumiał, że tylko dzięki świadomości Kṛṣṇy można posiadać zrównoważoną inteligencję, i że należy praktykować to pod przewodnictwem bona fide mistrza duchowego, ten nazywany jest *sādhaką*, czyli odpowiednim kandydatem do wyzwolenia.

TEKST 69 या निशा सर्वभूतानां तस्यां जागर्ति संयमी ।
यस्यां जाग्रति भूतानि सा निशा पश्यतो मुनेः ॥६९॥

*yā niśā sarva-bhūtānāṁ tasyāṁ jāgarti saṁyamī*
*yasyāṁ jāgrati bhūtāni sā niśā paśyato muneḥ*

*yā*—co; *niśā*—jest nocą; *sarva*—wszystkie; *bhūtānām*—żywych istot; *tasyām*—w tym; *jāgarti*—jest czujny; *saṁyamī*—opanowany; *yasyām*—w którym; *jāgrati*—są obudzone; *bhūtāni*—wszystkie istoty; *sā*—to jest; *niśā*—noc; *paśyataḥ*—dla introspektywnego; *muneḥ*—mędrzec.

**Co bowiem nocą jest dla wszystkich istot, czasem przebudzenia jest dla samokontrolującego się. A co czasem przebudzenia jest dla wszystkich żywych istot, to nocą jest dla mędrca pochłoniętego poznawaniem własnej jaźni.**

*ZNACZENIE:* Są dwie klasy ludzi inteligentnych. Jedna, to ludzie inteligentni w czynnościach materialnych służących zadowalaniu zmysłów. Druga natomiast zajmuje się poznawaniem własnej jaźni i rozbudzona jest do kultywacji realizacji duchowej. Czynności mędrca pochłoniętego poznawaniem własnej jaźni, czyli człowieka myślącego, są nocą dla osób zaabsorbowanych rzeczami materialnymi. Z powodu swojej niewiedzy o samorealizacji, materialistyczne osoby pozostają w uśpieniu w czasie takiej nocy. Podczas "nocy" materialisty, mędrzec pochłonięty poznawaniem własnej jaźni czuwa. Mędrzec taki czerpie transcendentalną przyjemność ze stopniowego rozwoju kultury duchowej.

W tym czasie człowiek zajmujący się czynnościami materialistycznymi, pozostający w uśpieniu wobec duchowej realizacji, śni o różnorodnych przyjemnościach zmysłowych. Podczas tego swojego snu czasami czuje się szczęśliwym, a czasami odczuwa niedolę. Człowiek pochłonięty poznawaniem własnej jaźni pozostaje zawsze obojętny wobec szczęścia i nieszczęścia materialnego. Kontynuuje on swoje czynności w realizacji duchowej, nie ulegając reakcjom materialnym.

**TEKST 70**

आपूर्यमाणमचलप्रतिष्ठं
समुद्रमापः प्रविशन्ति यद्वत् ।
तद्वत् कामा यं प्रविशन्ति सर्वे
स शान्तिमाप्नोति न कामकामी ॥७०॥

*āpūryamāṇam acala-pratiṣṭhaṁ*
*samudram āpaḥ praviśanti yadvat*
*tadvat kāmā yaṁ praviśanti sarve*
*sa śāntim āpnoti na kāma-kāmī*

*āpūryamāṇam*—zawsze napełniony; *acala-pratiṣṭham*—pewnie usytuowany; *samudram*—ocean; *āpaḥ*—wody; *praviśanti*—wpływają; *yadvat*—jak; *tadvat*—tak; *kāmāḥ*—pragnienia; *yam*—do kogo; *praviśanti*—wpływają; *sarve*—wszystkie; *saḥ*—ta osoba; *śāntim*—pokój; *āpnoti*—osiąga; *na*—nie; *kāma-kāmī*—ten, kto pragnie zaspokoić pragnienia.

**Kto pozostaje niewzruszonym, mimo nieustannego potoku pragnień—które jak rzeki wpadają do oceanu, zawsze napełnianego, a mimo to zawsze pogrążonego w ciszy—ten jedynie może osiągnąć spokój. Ale nie zazna spokoju człowiek, który dąży do zaspokojenia swoich materialnych pragnień.**

*ZNACZENIE:* Ocean zawsze napełniany jest wodą. Szczególnie dużo wody przyjmuje podczas pory deszczowej, lecz mimo to pozostaje on takim samym—spokojnym. Te wpływające wody nie oddziaływują na niego; nie występuje on ze swoich brzegów. Podobnie jest w przypadku osoby niezachwianej w świadomości Kṛṣṇy. Dopóki żywa istota posiada ciało materialne, tak długo będą istniały wymagania tego ciała odnośnie zaspokajania zmysłów. Wielbiciel Pana jednakże, dzięki swojej pełni, nie jest niepokojony przez takie pragnienia. Osobie świadomej Kṛṣṇy nie brakuje niczego, jako że Pan zaspokaja wszystkie jej potrzeby materialne. Dlatego jest ona jak ocean—zawsze pełna w sobie. Pragnienia mogą przychodzić do niej, niczym fale rzek wpływające do oceanu, ona jednak jest niewzruszona w wypełnianiu swoich obowiązków. Te pragnienia zadowalania zmysłów nie są w stanie zaniepokoić jej nawet w najmniejszym stopniu. Jest to dowód na to, że osoba ta jest świadoma Kṛṣṇy. Mimo iż pragnienia takie mogą być nadal obecne, straciła ona wszelkie skłonności do materialnego zadowalania zmysłów. Ponieważ jest usatysfakcjonowana transcendentalną służbą miłości dla Pana, może pozostać niewzruszoną, jak ocean. Dlatego cieszy się całkowitym spokojem. Natomiast ci, którzy chcą spełnić swoje pragnienia, nawet jeśli tym pragnieniem jest osiągnięcie wyzwolenia, nie mówiąc już o ubiegających się o sukces materialny, nigdy nie osiągają spokoju. Karmici, osoby dążące do wyzwolenia, jak również *yogīni* starający się o siły mistyczne, wszyscy są nieszczęśliwi z powodu niespełnionych pragnień. Natomiast osoba świadoma Kṛṣṇy jest szczęśliwa w służbie Pana i nie ma żadnych pragnień do spełnienia. W rzeczywistości nie pragnie ona nawet wyzwolenia z tzw. niewoli materialnej. Wielbiciele Kṛṣṇy nie mają żadnych materialnych pragnień i dlatego posiadają doskonały spokój.

**TEKST 71** विहाय कामान् यः सर्वान् पुमांश्चरति निःस्पृहः ।
निर्ममो निरहंकारः स शान्तिमधिगच्छति ॥७१॥

*vihāya kāmān yaḥ sarvān pumāṁś carati niḥspṛhaḥ*
*nirmamo nirahaṅkāraḥ sa śāntim adhigacchati*

*vihāya*—porzuciwszy; *kāmān*—materialne pragnienia zadowalania zmysłów; *yaḥ*—kto; *sarvān*—wszystkie; *pumān*—osoba; *carati*—żyje; *niḥspṛhaḥ*—pozbawiona pragnień; *nirmamaḥ*—bez poczucia własności; *nirahaṅkāraḥ*—wolny od fałszywego ego; *saḥ*—on; *śāntim*—doskonały spokój; *adhigacchati*—osiąga.

**Kto wyzbył się wszelkich pragnień zadowalania zmysłów, i którego życie wolne jest od pragnień, kto uwolnił się od poczucia własności oraz od fałszywego ego—ten jedynie może osiągnąć prawdziwy spokój.**

*ZNACZENIE:* Być wolnym od pożądań, to znaczy nie pragnąć niczego dla zadowalania zmysłów. Innymi słowy, pragnienie, by stać się świadomym Kṛṣṇy, jest właściwie brakiem pragnień. Doskonałym stanem świadomości Kṛṣṇy jest zrozumienie swojej rzeczywistej pozycji jako wiecznego sługi Kṛṣṇy, bez błędnego utożsamiania się z tym ciałem materialnym oraz bez fałszywego uważania siebie za właściciela czegokolwiek w tym świecie. Kto osiągnął ten stan doskonałości, ten wie, że ponieważ właścicielem wszystkiego jest Kṛṣṇa, wszystko powinno zostać użyte dla Jego zadowolenia. Arjuna nie chciał walczyć dla swojej własnej satysfakcji, ale kiedy stał się w pełni świadomym Kṛṣṇy, walczył dlatego, że Kṛṣṇa chciał, aby walczył. Nie chciał walczyć dla siebie, ale ten sam Arjuna walczył dla Kṛṣṇy najlepiej jak potrafił. Prawdziwą wolnością od pragnień jest pragnienie zadowolenia Kṛṣṇy, a nie sztuczne usiłowanie wyzbycia się pragnień. Żywa istota nie może wyzbyć się pragnień ani uczuć, ale musi ona zmienić jakość tych pragnień. Osoba wolna od pragnień materialnych niewątpliwie wie, że wszystko należy do Kṛṣṇy (*īśāvāsyam idaṁ sarvam*), i dlatego nie uważa siebie błędnie za właściciela czegokolwiek. Ta wiedza transcendentalna oparta jest na realizacji duchowej—mianowicie, doskonałym rozumieniu, że każda żywa istota jest w swojej tożsamości duchowej wieczną cząstką Kṛṣṇy. Zatem nigdy wieczna pozycja żywej istoty nie dorównuje pozycji Kṛṣṇy ani też nie przewyższa jej. Takie zrozumienie, czyli świadomość Kṛṣṇy, jest podstawową zasadą prawdziwego spokoju.

**TEKST 72** एषा ब्राह्मी स्थितिः पार्थ नैनां प्राप्य विमुह्यति ।
स्थित्वास्यामन्तकालेऽपि ब्रह्मनिर्वाणमृच्छति ॥७२॥

*eṣā brāhmī sthitiḥ pārtha naināṁ prāpya vimuhyati*
*sthitvāsyām anta-kāle 'pi brahma-nirvāṇam ṛcchati*

*eṣā*—ta; *brāhmī*—duchowa; *sthitiḥ*—sytuacja; *pārtha*—O synu Pṛthy; *na*—nigdy; *enām*—to; *prāpya*—osiągając; *vimuhyati*—jest on oszołomiony; *sthitvā*—będąc usytuowanym; *asyām*—w tym; *anta-kāle*—pod koniec życia; *api*—również; *brahma-nirvāṇam*—duchowe królestwo Boga; *ṛcchati*—osiąga.

**Jest to sposób duchowego i boskiego życia, po osiągnięciu którego człowiek nie jest już dłużej wprowadzany w błąd. Osiągnąwszy ten stan, nawet w godzinie śmierci, można wejść w królestwo Boga.**

*ZNACZENIE:* Świadomość Kṛṣṇy albo egzystencję duchową można osiągnąć od razu, w ciągu jednej sekundy—albo można nie osiągnąć takiego stanu nawet po milionowych narodzinach. Jest to tylko kwestia zrozumienia i przyjęcia faktu. Khaṭvāṅga Mahārāja osiągnął ten stan życia przez podporządkowanie się Kṛṣṇie na kilka minut przed śmiercią. *Nirvāṇa* oznacza zakończenie materialnego sposobu życia. Według filozofii buddyjskiej, po skończeniu tego materialnego życia istnieje tylko próżnia. Jednak *Bhagavad-gītā* uczy czegoś przeciwnego. Prawdziwe życie zaczyna się dopiero po wypełnieniu tego życia materialnego. Dla zatwardziałego materialisty wystarczająca jest wiedza, iż musi on skończyć to życie materialne, ale dla osób zaawansowanych duchowo, po tym życiu materialnym istnieje inne życie. Jeśli ktoś jest na tyle szczęśliwy, że staje się świadomym Kṛṣṇy jeszcze przed zakończeniem tego życia, od razu osiąga on stan *brahma-nirvāṇa*. Nie ma żadnej różnicy pomiędzy królestwem Boga a służbą oddania dla Pana. Jako że obie te rzeczy znajdują się na planie absolutnym, zaangażowanie się w transcendentalną służbę miłości dla Pana jest osiągnięciem królestwa duchowego. W świecie materialnym istnieją czynności, które służą zadowalaniu zmysłów, podczas gdy w świecie duchowym są czynności w świadomości Kṛṣṇy. Osiągnięcie świadomości Kṛṣṇy, nawet już w tym życiu, jest natychmiastowym osiągnięciem Brahmana. A ten, kto osiągnął świadomość Kṛṣṇy, z pewnością już wszedł w królestwo Boga.

Brahman jest po prostu przeciwieństwem materii. Zatem *brāhmī sthiti* oznacza "nie na platformie czynności materialnych." Służba oddania dla Pana została uznana w *Bhagavad-gīcie* za stan wyzwolony (*sa guṇān samatītyaitān brahma-bhūyāya kalpate*). Zatem *brāhmī-sthiti* jest wyzwoleniem z niewoli materialnej.

Śrīla Bhaktivinoda Ṭhākura uznał ten Drugi Rozdział *Bhagavad-gīty* za streszczenie całego tekstu. Podstawowe tematy *Bhagavad-gīty* dotyczą *karma-yogi, jñāna-yogi* i *bhakti-yogi*. Rozdział Drugi, jako streszczający całość, dokładnie omawia *karma-yogę* i *jñāna-yogę* oraz daje pewne pojęcie o *bhakti-yodze*.

W ten sposób Bhaktivedanta kończy objaśnienia do Drugiego Rozdziału *Śrīmad Bhagavad-gīty*, będącego streszczeniem całości.

# ROZDZIAŁ III

# Karma-yoga

**TEKST 1**

अर्जुन उवाच
ज्यायसी चेत् कर्मणस्ते मता बुद्धिर्जनार्दन ।
तत् किं कर्मणि घोरे मां नियोजयसि केशव ॥१॥

*arjuna uvāca*
*jyāyasī cet karmaṇas te matā buddhir janārdana*
*tat kiṁ karmaṇi ghore māṁ niyojayasi keśava*

*arjunaḥ uvāca*—Arjuna rzekł; *jyāyasī*—lepiej; *cet*—jeśli; *karmaṇaḥ*—niż czyn przynoszący owoce; *te*—przez Ciebie; *matā*—jest uważany; *buddhiḥ*—inteligencja; *janārdana*—O Kṛṣṇo; *tat*—zatem; *kim*—dlaczego; *karmaṇi*—w działaniu; *ghore*—okropnie; *mām*—mnie; *niyojayasi*—angażujesz; *keśava*—O Kṛṣṇo.

**Arjuna rzekł: O Janārdano, o Keśavo, dlaczego usilnie nakłaniasz mnie do tej ohydnej wojny, skoro uważasz, że inteligencja lepsza jest niż czyn przynoszący owoce?**

*ZNACZENIE:* W poprzednim rozdziale Najwyższa Osoba Boga, Śrī Kṛṣṇa—w intencji uwolnienia Swojego bliskiego przyjaciela Arjuny z oceanu materialnego smutku—bardzo dokładnie opisał konstytucję duszy. I polecona tam została droga realizacji duchowej: *buddhi-yoga*, czyli świadomość Kṛṣṇy. Czasami świadomość Kṛṣṇy jest błędnie uważana za bezczynność. Ten, kto posiada takie błędne zrozumienie, często chroni się w jakimś zacisznym miejscu, aby tam, przez intonowanie Jego świętych imion, stać się w pełni świadomym Kṛṣṇy. Jednakże bez wyszkolenia w filozofii świadomości Kṛṣṇy, takie intonowanie w zacisznym miejscu, gdzie można jedynie zdobyć tani podziw niewinnej publiczności, nie jest polecane. Arjuna również myślał o świadomości Kṛṣṇy albo o *buddhi-yodze*, czyli inteligencji w duchowym postępie wiedzy, jako o wycofaniu się z aktywnego życia i praktykowaniu pokut i wyrzeczeń w jakimś odosobnionym miejscu. Innymi słowy, chciał on zręcznie uniknąć walki, używając jako wytłumaczenia świadomości Kṛṣṇy. Ale jako szczery uczeń przedstawił całą sprawę swojemu mistrzowi duchowemu i zapytał Kṛṣṇę o najlepszy dla siebie sposób postępowania. W odpowiedzi Pan Kṛṣṇa dokładnie wytłumaczył mu, w tym Trzecim Rozdziale, *karma-yogę*, czyli pracę w świadomości Kṛṣṇy.

**TEKST 2**

व्यामिश्रेणेव वाक्येन बुद्धिं मोहयसीव मे ।
तदेकं वद निश्चित्य येन श्रेयोऽहमाप्नुयाम् ॥२॥

*vyāmiśreṇeva vākyena buddhiṁ mohayasīva me*
*tad ekaṁ vada niścitya yena śreyo 'ham āpnuyām*

*vyāmiśreṇa*—przez dwuznaczne; *iva*—z pewnością; *vākyena*—słowa; *buddhim*—inteligencja; *mohayasi*—oszałamiasz; *iva*—z pewnością; *me*—moje; *tat*—zatem; *ekam*—tylko jeden; *vada*—proszę, powiedz; *niścitya*—zapewniając; *yena*—przez które; *śreyaḥ*—prawdziwa korzyść; *aham*—ja; *āpnuyām*—mogę mieć.

**Moja inteligencja zwiedziona została przez Twoje dwuznaczne nauki. Proszę zatem, powiedz mi wyraźnie, co jest dla mnie najlepsze.**

*ZNACZENIE:* W rozdziale poprzednim, będącym wstępem do *Bhagavad-gīty*, wytłumaczone zostały różne ścieżki, takie jak *sāṅkhya-yoga, buddhi-yoga*, kontrola zmysłów przez inteligencję, praca wolna od pragnienia zysku oraz pozycja neofity. Wszystko to zostało przedstawione w sposób niesystematyczny. Dla zrozumienia i działania konieczne byłoby bardziej zwięzłe przedstawienie ścieżki. Arjuna pragnął wyjaśnić te na pozór zawiłe sprawy, tak aby każdy prosty człowiek mógł przyjąć je bez błędnej interpretacji. Mimo iż wprowadzenie Arjuny w zakłopotanie, poprzez jakąś żonglerkę słowną, nie było intencją Kṛṣṇy, niemniej jednak Arjuna nie zrozumiał na czym polega proces świadomości Kṛṣṇy—na bierności czy aktywnej służbie? Innymi słowy, swoimi pytaniami wyjaśnia on wszystkim poważnym uczniom, którzy pragną zrozumieć tajemnicę *Bhagavad-gīty*, na czym polega ścieżka świadomości Kṛṣṇy.

TEKST 3 श्रीभगवानुवाच
लोकेऽस्मिन् द्विविधा निष्ठा पुरा प्रोक्ता मयानघ ।
ज्ञानयोगेन सांख्यानां कर्मयोगेन योगिनाम् ॥३॥

*śrī-bhagavān uvāca*
*loke 'smin dvi-vidhā niṣṭhā purā proktā mayānagha*
*jñāna-yogena sāṅkhyānāṁ karma-yogena yoginām*

*śrī-bhagavān uvāca*—Najwyższa Osoba Boga rzekł; *loke*—w świecie; *asmin*—to; *dvi-vidhā*—dwa rodzaje; *niṣṭhā*—wiara; *purā*—uprzednio; *proktā*—zostało powiedziane; *mayā*—przeze Mnie; *anagha*—O bezgrzeszny; *jñāna-yogena*—przez łączący proces wiedzy; *sāṅkhyānām*—filozofów empiryków; *karma-yogena*—przez łączący proces oddania; *yoginām*—wielbicieli.

**Najwyższa Osoba Boga rzekł: O bezgrzeszny Arjuno, wytłumaczyłem ci już uprzednio, że są dwie klasy ludzi usiłujących zrealizować duszę. Niektórzy bardziej skłonni są do poznania jej drogą empirycznych, filozoficznych spekulacji, inni natomiast poprzez pracę w oddaniu.**

*ZNACZENIE:* W 39 wersecie Rozdziału Drugiego Pan wytłumaczył dwa procesy, mianowicie *sāṅkhya-yogę* i *karma-yogę*, czyli *buddhi-yogę*. W tym wersecie Pan tłumaczy to wyraźniej. *Sāṅkhya-yoga*, czyli analityczne studium natury ducha i materii, jest podstawowym zajęciem dla osób, które mają skłonności do spekulowania i poznawania rzeczy poprzez wiedzę eksperymentalną i filozofię. Drugi rodzaj ludzi, tak jak to zostało przedstawione w 61 wersecie Rozdziału Drugiego, pracuje w świadomości Kṛṣṇy. Pan również oznajmia w wersecie 39, że poprzez pracę według zasad *buddhi-yogi*, czyli świadomości Kṛṣṇy, można uwolnić się z więzów działania; i co więcej, w metodzie tej nie ma żadnych słabych punktów. Ta sama zasada dokładniej została wytłumaczona w wersecie 61—mianowicie, że tą *buddhi-yogą* jest całkowite zdanie się na Najwyższego (dokładniej, na Kṛṣnę). W ten sposób bez trudu mogą być kontrolowane wszystkie zmysły. Zatem obie te *yogi* są współzależne, tak jak religia i filozofia. Religia bez filozofii jest sentymentem albo czasami fanatyzmem, podczas gdy filozofia bez religii jest spekulacją umysłową. Ostatecznym celem jest Kṛṣṇa, ponieważ filozofowie szczerze poszukujący Prawdy Absolutnej dochodzą w końcu do świadomości Kṛṣṇy. To również zostało oznajmione w *Bhagavad-gīcie*. Cały ten proces polega na zrozumieniu właściwej pozycji duszy w stosunku do Duszy Najwyższej. Filozoficzna spekulacja, dzięki której można stopniowo dojść do świadomości Kṛṣṇy, jest metodą pośrednią. Natomiast drugi proces bezpośrednio łączy nas ze wszystkim w świadomości Kṛṣṇy. Z tych obu, lepszą jest ścieżka świadomości Kṛṣṇy, gdyż nie polega ona na oczyszczaniu zmysłów poprzez proces filozoficzny. Świadomość Kṛṣṇy jest sama w sobie procesem oczyszczającym, a dzięki prostej metodzie służby oddania jest jednocześnie łatwa i wzniosła.

**TEKST 4** न कर्मणामनारम्भान्नैष्कर्म्यं पुरुषोऽश्नुते ।
न च संन्यसनादेव सिद्धिं समधिगच्छति ॥४॥

*na karmaṇām anārambhān naiṣkarmyaṁ puruṣo 'śnute*
*na ca sannyasanād eva siddhiṁ samadhigacchati*

*na*—nie; *karmaṇām*—nakazanych obowiązków; *anārambhāt*—przez niewykonywanie; *naiṣkarmyam*—wolność od skutków działania; *puruṣaḥ*—człowiek; *aśnute*—osiąga; *na*—ani; *ca*—również; *sannyasanāt*—przez wyrzeczenie; *eva*—jedynie; *siddhim*—sukces; *samadhigacchati*—osiąga.

**Nie można uwolnić się od skutków działania jedynie poprzez powstrzymywanie się od pracy ani osiągnąć doskonałości jedynie przez samo wyrzeczenie.**

*ZNACZENIE:* Wyrzeczony porządek życia można przyjąć wtedy, gdy zostało się oczyszczonym poprzez wykonywanie określonego rodzaju obowiązków, które ustanowiono po to, aby oczyścić serce człowieka myślącego materialistycznie. Jeśli nie jest się oczyszczonym, nie można osiągnąć sukcesu jedynie przez bezpośrednie przyjęcie czwartego porządku życia, *sannyāsy* (chociaż według filozofów empiryków, tylko przez przyjęcie *sannyāsy*, czyli porzucenie czynności przynoszących owoce, można od razu stać się równym Nārāyaṇowi). Pan Kṛṣṇa jednak nie potwierdza tej zasady. *Sannyāsa* bez oczyszczenia serca jest jedynie zakłóceniem porządku społecznego. Z drugiej strony, jeśli ktoś angażuje się w transcendentalną służbę Pana, nawet nie wykonując nakazanych mu obowiązków, to Pan zaakceptuje każdy, nawet najmniejszy postęp na tej drodze (*buddhi-yoga*). *Sv-alpam apy asya dharmasya trāyate mahato bhayāt*. Zastosowanie się do tej zasady, nawet w niewielkim stopniu, umożliwia pokonanie wielkich trudności.

**TEKST 5** न हि कश्चित्क्षणमपि जातु तिष्ठत्यकर्मकृत् ।
कार्यते ह्यवशः कर्म सर्वः प्रकृतिजैर्गुणैः ॥५॥

*na hi kaścit kṣaṇam api jātu tiṣṭhaty akarma-kṛt*

*kāryate hy avaśaḥ karma sarvaḥ prakṛti-jair guṇaiḥ*

*na*—ani nie; *hi*—z pewnością; *kaścit*—każdy; *kṣaṇam*—chwila; *api*—również; *jātu*—w jakimkolwiek czasie; *tiṣṭhati*—pozostaje; *akarma-kṛt*—nie robiąc nic; *kāryate*—zmuszone do działania; *hi*—z pewnością; *avaśaḥ*—bezradnie; *karma*—praca; *sarvaḥ*—wszystko; *prakṛti-jaiḥ*—zrodzony z *guṇ* natury materialnej; *guṇaiḥ*—przez cechy.

**Wszyscy zmuszeni są do bezradnego działania odpowiednio do cech, które nabyli pod wpływem sił natury materialnej; dlatego nikt, nawet na chwilę, nie może powstrzymać się od zajęcia.**

*ZNACZENIE:* Bezustanne działanie nie jest czymś właściwym dla istoty wcielonej, ale wynika ono z natury duszy. Bez obecności duszy, ciało materialne nie może się poruszać. Ciało jest jedynie martwym pojazdem wprowadzanym w ruch przez zawsze aktywną i nigdy nie przestającą działać duszę. Jeśli zatem dusza nie zostanie zaangażowana we właściwą pracę w świadomości Kṛṣṇy, wtedy zostanie zaangażowana w zajęcia narzucone jej przez energię iluzoryczną. W kontakcie z energią materialną dusza przyswaja sobie *guṇę* natury materialnej, i aby oczyścić ją z tych związków, konieczne jest zajęcie jej obowiązkami polecanymi w *śāstrach*. Kiedy jednak jest zaangażowana w naturalne zajęcia w świadomości Kṛṣṇy, wtedy dobre jest dla niej wszystko, cokolwiek jest ona w stanie zrobić. Zapewnia o tym *Śrīmad-Bhāgavatam* (1.5.17):

*tyaktvā sva-dharmaṁ caraṇāmbujaṁ harer*
*bhajann apakvo 'tha patet tato yadi*
*yatra kva vābhadram abhūd amuṣya kiṁ*
*ko vārtha āpto 'bhajatāṁ sva-dharmataḥ*

"Dla tego, kto przyjmuje świadomość Kṛṣṇy—nawet jeśli nie wypełnia obowiązków polecanych w *śāstrach* ani nie pełni służby oddania właściwie, i nawet jeśli potem upada z tego poziomu—nie ma żadnej straty ani zła. A kto przestrzega wszystkich zaleceń *śastr* w celu oczyszczenia się, jaki pożytek może mieć z tego, jeśli nie jest on świadomy Kṛṣṇy?" Zatem proces oczyszczający ma służyć osiągnięciu najistotniejszej rzeczy—świadomości Kṛṣṇy. Więc *sannyāsa*, czy każdy inny proces oczyszczający, ma pomóc w osiągnięciu ostatecznego celu—stania się świadomym Kṛṣṇy, bez czego wszystko uważane jest za niepowodzenie.

**TEKST 6** कर्मेन्द्रियाणि संयम्य य आस्ते मनसा स्मरन् ।
इन्द्रियार्थान् विमूढात्मा मिथ्याचारः स उच्यते ॥६॥

*karmendriyāṇi saṁyamya ya āste manasā smaran*
*indriyārthān vimūḍhātmā mithyācāraḥ sa ucyate*

*karma-indriyāṇi*—pięć aktywnych narządów zmysłów; *saṁyamya*—kontrolując; *yaḥ*—każdy, kto; *āste*—pozostaje; *manasā*—przez umysł; *smaran*—myśląc o; *indriya-arthān*—przedmioty zmysłów; *vimūḍha*—głupia; *ātmā*—dusza; *mithyā-ācāraḥ*—oszust; *saḥ*—on; *ucyate*—jest nazywany.

**Kto powstrzymuje zmysły i organy działania, ale którego umysł zaabsorbowany jest przedmiotami zmysłów, ten z pewnością okłamuje samego siebie i nazywany jest oszustem.**

*ZNACZENIE:* Jest wielu oszustów, którzy odmawiają pracy w świadomości Kṛṣṇy, ale urządzają pokazy medytacji, podczas gdy w rzeczywistości umysły ich zajęte są kontemplowaniem uciech zmysłowych. Tacy symulanci mogą również prowadzić jałowe dyskusje na tematy filozoficzne, mydląc oczy przemądrzałym adoratorom, ale według tego wersetu są oni największymi oszustami. Dla zadowolenia zmysłów można działać w jakimkolwiek charakterze w danym porządku społecznym; jeśli jednak ktoś przestrzega zasad i reguł swojego szczególnego stanu, wtedy może robić stopniowy postęp w oczyszczaniu swojej egzystencji. Kto natomiast jest *yogīnem* na pokaz, podczas gdy w rzeczywistości poszukuje przedmiotów zadowalających zmysły, ten musi zostać nazwany największym oszustem, mimo iż czasami mówi na tematy filozoficzne. Jego wiedza nie ma żadnej wartości, gdyż efekty wiedzy takiego grzesznego człowieka zabierane są przez iluzoryczną energię Pana. Umysł takiego symulanta jest zawsze nieczysty i dlatego jego *yoga* medytacyjna na pokaz nie ma żadnej wartości.

**TEKST 7** यस्त्विन्द्रियाणि मनसा नियम्यारभतेऽर्जुन ।
कर्मेन्द्रियैः कर्मयोगमसक्तः स विशिष्यते ॥७॥

*yas tv indriyāṇi manasā niyamyārabhate 'rjuna*
*karmendriyaiḥ karma-yogam asaktaḥ sa viśiṣyate*

*yaḥ*—ten, kto; *tu*—ale; *indriyāṇi*—zmysły; *manasā*—za pomocą umysłu; *niyamya*—regulując; *ārabhate*—zaczyna; *arjuna*—O Arjuno; *karma-indriyaiḥ*—przez aktywne narządy zmysłów; *karma-yogam*—oddanie; *asaktaḥ*—wolny od przywiązań; *saḥ*—on; *viśiṣyate*—bez porównania lepszy.

**Bez porównania lepszy jest ten, kto za pomocą umysłu szczerze usiłuje kontrolować aktywne zmysły i podejmuje karma-yogę (w świadomości Kṛṣṇy), wolny od przywiązania.**

*ZNACZENIE:* Zamiast być pseudotranscendentalistą, ze względu na swoje rozwiązłe życie i uciechy zmysłowe, o wiele lepiej jest pozostać przy swoich własnych sprawach i wypełniać cel życia, którym jest uwolnienie się z materialnej niewoli i wejście w królestwo Boga. Pierwszym *svārtha-gati*, czyli celem interesu własnego, jest osiągnięcie Viṣṇu. Cały system *varṇa* i *āśrama* istnieje po to, aby pomóc nam w osiągnięciu tego celu życia. To przeznaczenie mogą również osiągnąć, przez systematyczną służbę oddania, osoby żyjące w małżeństwie. Można prowadzić kontrolowane życie, tak jak polecają to *śāstry*, oraz kontynuować wykonywanie swoich zajęć bez przywiązywania się do ich efektów, i w ten sposób czynić postęp w realizacji duchowej. Każda szczera osoba, która stosuje się do tej metody, jest w bez porównania lepszym położeniu niż fałszywy symulant praktykujący spirytualizm na pokaz i wprowadzający w błąd niewinną publiczność. Szczery zamiatacz ulicy jest bez porównania lepszy od medytującego szarlatana, który praktykuje medytację tylko w celu zarobkowym.

**TEKST 8**

नियतं कुरु कर्म त्वं कर्म ज्यायो ह्यकर्मणः ।
शरीरयात्रापि च ते न प्रसिद्ध्येदकर्मणः ॥८॥

*niyataṁ kuru karma tvaṁ karma jyāyo hy akarmaṇaḥ*
*śarīra-yātrāpi ca te na prasiddhyed akarmaṇaḥ*

*niyatam*—nakazane; *kuru*—pełń; *karma*—obowiązki; *tvam*—ty; *karma*—praca; *jyāyaḥ*—lepsza; *hi*—z pewnością; *akarmaṇaḥ*—niż brak pracy; *śarīra*—cielesne; *yātrā*—utrzymanie; *api*—nawet; *ca*—również; *te*—twój; *na*—nigdy; *prasiddhyet*—wykonywane; *akarmaṇaḥ*—bez pracy.

**Pełń swój przypisany obowiązek, gdyż działanie lepsze jest od bezczynu. Bez pracy człowiek nie jest w stanie nawet utrzymać swego fizycznego ciała.**

*ZNACZENIE:* Jest wielu pseudo-medytatorów, którzy powołują się na swoje wyimaginowane wysokie pochodzenie, jak również wielu jest zawodowców, którzy fałszywie twierdzą, iż poświęcili wszystko dla postępu w życiu duchowym. Pan Kṛṣṇa nie chciał, aby Arjuna został symulantem, ale aby pełnił on swoje obowiązki, tak jak zostało to ustanowione dla *kṣatriyów*. Arjuna miał na utrzymaniu rodzinę i był dowódcą wojskowym. Dlatego lepiej było dla niego pozostać w takiej roli i pełnić swoje obowiązki religijne według zasad ustanowionych dla *kṣatriyów* żyjących w małżeństwie. Takie czynności stopniowo oczyszczają serce zwykłego człowieka i uwalniają go od zanieczyszczeń materialnych. Pan ani też żadne objawione pisma religijne nigdy nie aprobują tzw. wyrzeczenia, praktykowanego w tym celu, aby żyć kosztem innych. Przede wszystkim, każdy musi pracować, aby utrzymać swoje ciało i duszę razem. Nie powinno się własnowolnie porzucać pracy bez uprzedniego oczyszczenia się ze skłonności do życia materialistycznego. Niewątpliwie każdy, kto znajduje się w tym świecie materialnym, posiada nieczyste skłonności do panowania nad naturą materialną, albo innymi słowy, do zadowalania zmysłów. Należy zatem uwolnić się od tego rodzaju skłonności. Ten, kto tego nie czyni na drodze nakazanych obowiązków, ten nie powinien nigdy próbować zostać tzw. transcendentalistą, porzucając pracę i żyjąc na koszt innych.

## TEKST 9

यज्ञार्थात् कर्मणोऽन्यत्र लोकोऽयं कर्मबन्धनः ।
तदर्थं कर्म कौन्तेय मुक्तसंगः समाचर ॥९॥

*yajñārthāt karmaṇo 'nyatra loko 'yaṁ karma-bandhanaḥ*
*tad-arthaṁ karma kaunteya mukta-saṅgaḥ samācara*

*yajña-arthāt*—spełniana tylko ze względu na Yajñę, czyli Viṣṇu; *karmaṇaḥ*—niż praca; *anyatra*—w przeciwnym razie; *lokaḥ*—świat; *ayam*—ten; *karma-bandhanaḥ*—niewola przez pracę; *tat*—Jego; *artham*—dla; *karma*—praca; *kaunteya*—O synu Kuntī; *mukta-saṅgaḥ*—wolny od przywiązania; *samācara*—rób to doskonale.

**Praca wykonywana być musi jako ofiara dla Viṣṇu, w przeciwnym razie jest ona przyczyną niewoli w tym materialnym świecie. Dlatego, o synu Kuntī, pełń swoje obowiązki dla Jego zadowolenia. W ten sposób zawsze pozostaniesz wolnym od przywiązań i niewoli.**

*ZNACZENIE:* Skoro praca konieczna jest nawet dla prostego utrzymania ciała, obowiązki odpowiadające określonej pozycji społecznej i określonym kwalifikacjom zostały w ten sposób ustanowione, aby przez spełnianie ich mógł zostać osiągnięty cel. *Yajña* znaczy Pan Viṣṇu albo spełnianie ofiary. Celem spełniania wszelkich ofiar jest zadowolenie Pana Viṣṇu. *Vedy* nakazują: *yajño vai viṣṇuḥ*. Innymi słowy, przez spełnianie określonych *yajñ* albo przez bezpośrednie pełnienie służby oddania dla Pana Viṣṇu osiągnięty zostaje ten sam cel. Świadomość Kṛṣṇy jest zatem pełnieniem *yajñi* i to poleca ten werset.

Zadowalanie Viṣṇu jest również celem instytucji *varṇāśrama*: *varṇa-āśramācāravatā puruṣeṇa paraḥ pumān; viṣṇur ārādhyate* (*Viṣṇu Purāṇa* 3.8.8).

Zatem pracować należy dla zadowolenia Viṣṇu. Każda inna praca wykonana w tym świecie materialnym będzie przyczyną niewoli, gdyż zarówno dobra, jak i zła praca ma swoje następstwa, a wszelkie następstwa wiążą wykonawcę danej pracy z tym materialnym światem. Dlatego należy pracować w świadomości Kṛṣṇy, dla zadowolenia Kṛṣṇy (czyli Viṣṇu). Działając w ten sposób, jest się w stanie wyzwolonym. Działanie takie jest wielką sztuką i na początku proces ten wymaga doświadczonego przewodnictwa. Dlatego należy działać bardzo starannie pod kierunkiem doświadczonego wielbiciela Kṛṣṇy albo według bezpośrednich instrukcji Samego Pana Kṛṣṇy (jak to było w przypadku Arjuny). Nie należy robić niczego dla zadowalania własnych zmysłów, a jedynie dla satysfakcji Kṛṣṇy. Takie działanie nie tylko chroni przed następstwami pracy, ale również stopniowo wznosi daną osobę do płaszczyzny transcendentalnej służby miłości dla Pana, a sama ta służba może doprowadzić do królestwa Boga.

**TEKST 10** सहयज्ञाः प्रजाः सृष्ट्वा पुरोवाच प्रजापतिः ।
अनेन प्रसविष्यध्वमेष वोऽस्त्विष्टकामधुक् ॥१०॥

*saha-yajñāḥ prajāḥ sṛṣṭvā purovāca prajāpatiḥ*
*anena prasaviṣyadhvam eṣa vo 'stv iṣṭa-kāma-dhuk*

*saha*—razem z; *yajñāḥ*—ofiary; *prajāḥ*—pokolenia; *sṛṣṭvā*—stwarzając; *purā*—dawno temu; *uvāca*—powiedział; *prajā-patiḥ*—Pan stworzenia; *anena*—przez to; *prasaviṣyadhvam*—niech się wam coraz lepiej powodzi; *eṣaḥ*—to; *vaḥ*—wasze; *astu*—niech tak będzie; *iṣṭa*—wszystkiego, czego pożądacie; *kāma-dhuk*—obdarowujący.

**Na początku stworzenia Pan wszystkich istot wysłał generacje ludzi i półbogów, wraz z ofiarami dla Viṣṇu, i pobłogosławił ich mówiąc: "Bądźcie szczęśliwi poprzez tę yajñę (ofiarę), albowiem spełniając ją, otrzymacie wszystko co konieczne jest do pomyślnego życia i osiągnięcia wyzwolenia."**

*ZNACZENIE:* Stworzenie świata materialnego przez Pana wszystkich istot (Viṣṇu) jest szansą daną uwarunkowanym duszom, aby mogły powrócić do domu—z powrotem do Boga. Wszystkie żywe istoty wewnątrz tego materialnego stworzenia uwarunkowane są przez naturę materialną, a powodem tego jest zapomnienie o związku z Viṣṇu, czyli Kṛṣṇą, Najwyższą Osobą Boga. Zasady wedyjskie, jak oznajmia to

*Bhagavad-gītā*, mają pomóc nam w poznaniu tego wiecznego związku: *vedaiś ca sarvair aham eva vedyaḥ*. Pan mówi, że celem *Ved* jest poznanie Jego. Hymny wedyjskie oznajmiają: *patiṁ viśvasyātmeśvaram*. Zatem Panem żywych istot jest Najwyższa Osoba Boga, Viṣṇu. Również w *Śrīmad-Bhāgavatam* (2.4.20) Śrīla Śukadeva Gosvāmī określa Pana jako *pati* pod wieloma względami:

*śriyaḥ patir yajña-patiḥ prajā-patir*
*dhiyāṁ patir loka-patir dharā-patiḥ*
*patir gatiś cāndhaka-vṛṣṇi-sātvatāṁ*
*prasīdatāṁ me bhagavān satāṁ patiḥ*

Tym *prajā-pati* jest Pan Viṣṇu i to On jest Panem wszystkich żywych stworzeń, wszystkich światów i wszelkiego piękna. On jest obrońcą każdego. Pan stworzył ten materialny świat dla uwarunkowanych dusz, aby dać im możliwość nauczenia się jak pełnić *yajñe* (ofiary) dla zadowolenia Viṣṇu. To spełnianie *yajñi* jest konieczne po to, aby mogły żyć tutaj wygodnie i bez trosk, a następnie, po utracie tego ciała materialnego, mogły wejść do królestwa Boga. Jest to cały plan dla uwarunkowanej duszy. Przez spełnianie *yajñi* uwarunkowana dusza staje się stopniowo świadoma Kṛṣṇy i święta pod każdym względem. Dla tego wieku Kali święte pisma wedyjskie polecają *saṅkīrtana-yajñę* (intonowanie świętych imion Boga). Ten transcendentalny system został zapoczątkowany przez Pana Caitanyę w celu wyzwolenia wszystkich ludzi w tym wieku. *Saṅkīrtana-yajña* i świadomość Kṛṣṇy dobrze łączą się ze sobą. Pan Kṛṣṇa, pod postacią Swojego wielbiciela (jako Pan Caitanya), wspomniany jest w *Śrīmad-Bhāgavatam* (11.5.32) w następujący sposób, ze szczególnym nawiązaniem do *saṅkīrtana-yajñi*:

*kṛṣṇa-varṇaṁ tviṣākṛṣṇaṁ sāṅgopāṅgāstra-pārṣadam*
*yajñaiḥ saṅkīrtana-prāyair yajanti hi su-medhasaḥ*

"W tym wieku Kali, ludzie obdarzeni dostateczną inteligencją będą wielbić Pana, otoczonego Jego towarzyszami, przez pełnienie *saṅkīrtana-yajñi*." Inne *yajñe* polecane przez literaturę wedyjską nie są łatwe do spełnienia w tym wieku Kali, natomiast *saṅkīrtana-yajña* jest łatwa i najdoskonalsza do wszystkich celów, jak przekonuje o tym również *Bhagavad-gītā* (9.14).

**TEKST 11** देवान् भावयतानेन ते देवा भावयन्तु वः ।
परस्परं भावयन्तः श्रेयः परमवाप्स्यथ ॥११॥

*devān bhāvayatānena te devā bhāvayantu vaḥ*

*parasparaṁ bhāvayantaḥ śreyaḥ param avāpsyatha*

*devān*—półbogowie; *bhāvayatā*—zadowoliwszy; *anena*—przez tę ofiarę; *te*—ci; *devāḥ*—półbogowie; *bhāvayantu*—zadowolą; *vaḥ*—was; *parasparam*—wzajemnie; *bhāvayantaḥ*—zadowalając się nawzajem; *śreyaḥ*—korzyść; *param*—najwyższa; *avāpsyatha*—osiągniecie.

**Półbogowie, usatysfakcjonowani ofiarami, zadowolą was również. I gdy w ten sposób będziecie wspomagać się nawzajem, zapanuje ogólna pomyślność.**

*ZNACZENIE:* Półbogowie zostali upełnomocnieni do zarządzania sprawami materialnymi. Są oni niezliczonymi pomocnikami w różnych częściach ciała Najwyższej Osoby Boga i im powierzono zadanie zaopatrywania każdej żywej istoty w powietrze, światło i wodę oraz inne środki potrzebne do utrzymania ciała i duszy razem. To czy ich doznania są przyjemne czy przykre, zależy od spełniania *yajñi* przez człowieka. Niektóre z *yajñi* mają na celu zadowolenie określonych półbogów; ale nawet w tym wypadku Pan Viṣṇu czczony jest jako główny odbiorca ofiar. Również *Bhagavad-gītā* oznajmia, że wszelkie rodzaje *yajñi* przyjmuje Sam Kṛṣṇa: *bhoktāraṁ yajña-tapasām*. Zatem głównym celem wszystkich *yajñi* jest ostateczne zadowolenie *yajña-pati*. Kiedy *yajñe* spełniane są doskonale, wtedy w naturalny sposób zadowalani są też półbogowie opiekujący się różnego rodzaju surowcami materialnymi, i dostarczają ich w obfitych ilościach.

Spełnianie *yajñi* przynosi wiele ubocznych korzyści, prowadząc ostatecznie do wyzwolenia z materialnej niewoli. Jak oznajmiają to *Vedy*, przez spełnianie *yajñi* oczyszczone zostają wszystkie czynności: *āhāra-śuddhau sattva-śuddhiḥ sattva-śuddhau dhruvā smṛtiḥ smṛti-lambhe sarva-granthīnāṁ vipramokṣaḥ*. Przez spełnianie *yajñi* poświęcone zostaje pożywienie, a przez spożywanie poświęconego pożywienia oczyszcza się samą egzystencję. Przez oczyszczenie egzystencji uświęcone zostają delikatne tkanki mózgu, a kiedy pamięć zostaje uświęcona, wtedy można myśleć o ścieżce wyzwolenia. A wszystko to razem prowadzi do świadomości Kṛṣṇy, będącej ogromną potrzebą współczesnego społeczeństwa.

**TEKST 12** इष्टान् भोगान् हि वो देवा दास्यन्ते यज्ञभाविताः ।
तैर्दत्तानप्रदायैभ्यो यो भुंक्ते स्तेन एव सः ॥१२॥

*iṣṭān bhogān hi vo devā dāsyante yajña-bhāvitāḥ*
*tair dattān apradāyaibhyo yo bhuṅkte stena eva saḥ*

*iṣṭān*—pożądany; *bhogān*—potrzeby życia; *hi*—z pewnością; *vaḥ*—wam; *devāḥ*—półbogowie; *dāsyante*—nagrodzą; *yajña-bhāvitāḥ*—będąc usatysfakcjonowanymi przez spełnianie ofiar; *taiḥ*—przez nich; *dattān*—podarowane rzeczy; *apradāya*—bez ofiarowywania; *ebhyaḥ*—tym półbogom; *yaḥ*—ten, kto; *bhuṅkte*—korzysta; *stenaḥ*—złodziej; *eva*—z pewnością; *saḥ*—on.

**Odpowiedzialni za różne potrzeby życia, półbogowie, usatysfakcjonowani pełnieniem yajñi (ofiar), dostarczą wszystkich rzeczy potrzebnych człowiekowi. Ale zaprawdę złodziejem jest ten, kto korzystając z tych darów, nie ofiarowuje ich z powrotem półbogom.**

*ZNACZENIE:* Półbogowie są autoryzowanymi pośrednikami Najwyższej Osoby Boga, Viṣṇu, zaopatrującymi człowieka w różne potrzebne mu rzeczy. Dlatego muszą być oni zadowalani spełnianiem określonych *yajñi*. *Vedy* polecają różnego rodzaju *yajñe* dla różnych półbogów, jednak wszystkie one są ostatecznie ofiarowywane Najwyższej Osobie Boga. Pełnienie ofiar dla półbogów zaleca się tym, którzy nie są w stanie zrozumieć, kim jest Osoba Boga. *Vedy* polecają różnego typu *yajñe* w zależności od różnych cech materialnych osób pełniących te ofiary. Na tych samych zasadach, mianowicie: odpowiednio do różnych kwalifikacji, oparte jest również czczenie różnych półbogów. Tym na przykład, którzy jedzą mięso, poleca się kult bogini Kālī, upiornej formy natury materialnej, przed którą należy składać ofiary ze zwierząt. Ale tym, którzy znajdują się pod wpływem *guṇy* dobroci, *Vedy* polecają transcendentalny kult Viṣṇu. Stopniowa promocja do tej pozycji transcendentalnej jest ostatecznym celem wszystkich *yajñi*. Dla zwykłego człowieka konieczne jest spełnianie przynajmniej pięciu *yajñi*, znanych jako *pañca-mahā-yajña*.

Należy wiedzieć jednakże, że wszystkie potrzeby życia w społeczeństwie ludzkim zaspokajane są przez półbogów, będących pośrednikami Pana. Nikt nie może stworzyć niczego sam. Weźmy na przykład wszelki pokarm spożywany przez społeczeństwo ludzkie. Na pokarm ten składają się: zboża, owoce, warzywa, mleko, cukier itd., (dla osób w *guṇie* dobroci), oraz pożywienie tych, którzy nie są wegetarianami—to znaczy mięso itd. Człowiek nie jest w stanie wyprodukować żadnego z tych produktów. Jak również nie leży w możliwościach społeczeństwa ludzkiego wyprodukowanie ciepła, światła, wody, powietrza itd.—będących podstawowymi potrzebami życia. Gdyby nie Najwyższy Pan, nie byłoby światła słonecznego, światła księżyca, deszczu, wiatru itd.—bez których życie jest niemożliwe. Zatem jest to rzeczą oczywistą, że życie nasze zależne jest od rzeczy dostarczanych przez Pana. Nawet dla naszych przemysłowych przedsięwzięć musimy posiadać tak wiele różnych surowców, jak metal, siarkę, rtęć, mangan oraz wiele innych niezbędnych rzeczy. Wszystko to otrzymujemy od pośredników Pana, byśmy zrobili z nich właściwy użytek i abyśmy byli zdrowi i zdolni do samorealizacji, prowadzącej do ostatecznego celu życia—uwolnienia się od materialnej walki o egzystencję. Cel życia można osiągnąć przez pełnienie *yajñi*. Jeśli jednak zapomnimy o tym celu i będziemy przyjmowali różne rzeczy od pośredników Pana jedynie dla zadowalania zmysłów, coraz bardziej uwikłując się w egzystencję materialną, co nie jest celem stworzenia, z pewnością będziemy złodziejami. Będziemy zatem musieli zostać ukarani przez prawa natury materialnej. Społeczeństwo złodziei nigdy nie może być szczęśliwe, jako że nie ma ono celu w życiu. Zatwardziali materialiści, których śmiało możemy nazwać złodziejami, nie mają ostatecznego celu życia. Nie posiadają również wiedzy o tym, w jaki sposób spełniać *yajñe*. Nastawieni są jedynie na zadowalanie zmysłów. Pan Caitanya zapoczątkował najłatwiejszy sposób spełniania *yajñi*, mianowicie *saṅkīrtana-yajñę*, którą może spełniać każdy w tym świecie, kto przyjmie zasady świadomości Kṛṣṇy.

**TEKST 13** यज्ञशिष्टाशिनः सन्तो मुच्यन्ते सर्वकिल्बिषैः
भुञ्जते ते त्वघं पापा ये पचन्त्यात्मकारणात् ॥१३॥

*yajña-śiṣṭāśinaḥ santo mucyante sarva-kilbiṣaiḥ*
*bhuñjate te tv aghaṁ pāpā ye pacanty ātma-kāraṇāt*

*yajña-śiṣṭa*—pokarmu przyjętego po spełnieniu *yajñi; aśinaḥ*—jedzący; *santaḥ*—wielbiciele; *mucyante*—uwalniają się od; *sarva*—wszystkich rodzajów; *kilbiṣaiḥ*—grzechów; *bhuñjate*—cieszą się; *te*—oni; *tu*—ale; *agham*—ciężkie grzechy; *pāpāḥ*—grzesznicy; *ye*—którzy; *pacanti*—przygotowują pokarm; *ātma-kāraṇāt*—dla zadowolenia zmysłów.

**Wielbiciele Pana uwolnieni są od wszelkich grzechów, albowiem spożywają pokarm wpierw ofiarowany. Inni, którzy przygotowują pożywienie dla zadowolenia własnych zmysłów, zaprawdę jedzą tylko grzech.**

*ZNACZENIE:* Jak opisuje to *Brahma-saṁhitā* (5.38): *premāñjana-cchurita-bhakti-vilocanena santaḥ sadaiva hṛdayeṣu vilokayanti*, wielbiciele Najwyższego Pana, czyli osoby świadome Kṛṣṇy, nazywane są *santa* i zawsze pogrążone są one w miłości do Pana. Będąc zawsze w miłosnym związku z Najwyższą Osobą Boga, Govindą (obdarzającym wszelkimi przyjemnościami), albo Mukundą (wyzwolicielem), czyli Kṛṣṇą (wszechatrakcyjną osobą), *santowie* nie mogą przyjąć niczego, nie ofiarowując tego wpierw Najwyższej Osobie. Dlatego wielbiciele tacy zawsze pełnią różnego rodzaju *yajñe* w służbie oddania, takie jak *śravaṇam, kīrtanam, smaraṇam, arcanam* itd., i spełnianie takich *yajñi* trzyma ich z dala od wszelkiego rodzaju zanieczyszczeń pochodzących z grzesznych związków tego materialnego świata. Inni, którzy przygotowują pokarm dla siebie, czyli dla zadowalania zmysłów, nie tylko są złodziejami, ale spożywają również wszelkiego rodzaju grzechy. Jak ktoś może być szczęśliwy, jeśli jest jednocześnie złodziejem i grzesznikiem? Nie jest to możliwe. By uczynić ludzi szczęśliwymi pod każdym względem, trzeba nauczyć ich spełniania prostego procesu *saṅkīrtana-yajña*, w pełnej świadomości Kṛṣṇy. W przeciwnym razie nie będzie na świecie ani pokoju, ani szczęścia.

**TEKST 14** अन्नाद् भवन्ति भूतानि पर्जन्यादन्नसम्भवः ।
यज्ञाद् भवति पर्जन्यो यज्ञः कर्मसमुद्भवः ॥१४॥

*annād bhavanti bhūtāni parjanyād anna-sambhavaḥ*
*yajñād bhavati parjanyo yajñaḥ karma-samudbhavaḥ*

*annāt*—z ziarna; *bhavanti*—rosną; *bhūtāni*—ciała materialne; *parjanyāt*—z deszczu; *anna*—ziarna służącego za pożywienie; *sambhavaḥ*—produkcja; *yajñāt*—spełnianie ofiar; *bhavati*—staje się możliwym; *parjanyaḥ*—deszcze; *yajñaḥ*—ze spełniania *yajñi; karma*—przypisane obowiązki; *samudbhavaḥ*—zrodzone z.

**Wszystkie żyjące ciała utrzymują się przy życiu spożywając ziarno, ziarno z deszczu powstaje, deszcz ze spełniania yajñi (ofiary), a yajña z pełnienia nakazanych obowiązków.**

*ZNACZENIE:* Śrīla Baladeva Vidyābhūṣaṇa, wielki komentator *Bhagavad-gīty*, pisze w następujący sposób: *ye indrādy-aṅgatayāvasthitaṁ yajñaṁ sarveśvaraṁ viṣṇum abhyarcya tac-cheṣam aśnanti tena tad deha-yātrāṁ sampādayanti, te santaḥ sarveśvarasya yajña-puruṣasya bhaktāḥ sarva-kilbiṣair anādi-kāla-vivṛddhair ātmānubhava-prati-bandhakair nikhilaiḥ pāpair vimucyante.* Najwyższy Pan, który znany jest jako *yajña-puruṣa*, czyli osobiście przyjmujący wszystkie ofiary, jest panem wszystkich półbogów, którzy Mu służą, tak jak różne części ciała służą całości. Półbogowie, jak Indra, Candra, Varuṇa itd., zostali wyznaczeni przez Niego do zarządzania sprawami materialnymi. *Vedy* zalecają spełnianie określonych ofiar dla zadowolenia tych półbogów, aby dostarczali powietrza, światła i wody w ilościach wystarczających dla wyprodukowania ziarna służącego za pożywienie. Jednak półbogowie, będący różnymi członkami Pana, czczeni są automatycznie przez wielbienie Pana Kṛṣṇy. Nie ma więc specjalnej potrzeby, aby oddzielnie oddawać cześć półbogom. Dlatego też wielbiciele Pana w świadomości Kṛṣṇy ofiarowują pożywienie Kṛṣṇie, i dopiero potem je spożywają. Jest to proces odżywiający ciało duchowo. Przez proces ten nie tylko uwalniają się od skutków swoich przeszłych grzechów, ale również uodporniają się na wszelkie nieczystości natury materialnej. Kiedy panuje epidemia jakiejś choroby, antyseptyczna szczepionka chroni od zachorowania na tę chorobę. Podobnie pożywienie ofiarowywane Panu Viṣṇu i następnie przyjmowane przez nas, czyni nas dostatecznie odpornymi na schorzenia materialne, a ten, kto ciągle to praktykuje, nazywany jest wielbicielem Pana. Dlatego osoba świadoma Kṛṣṇy, która spożywa tylko pokarm wpierw ofiarowany Panu, może zwalczyć wszelkie skutki swoich przeszłych materialnych skażeń, będących przeszkodami w postępie na drodze realizacji duchowej. Kto natomiast tego nie czyni, ten w dalszym ciągu powiększa ilość grzesznych czynów i w ten sposób przygotowuje sobie następne ciało, podobne ciałom świń i psów, aby odcierpieć skutki wszystkich swoich grzechów. Ten świat materialny pełen jest nieczystości, ale kto uodpornił się, przyjmując *prasādam* (pożywienie ofiarowane Viṣṇu), ten bezpieczny jest wobec ataków choroby materialnej; podczas gdy ten, kto tego nie czyni, ulega skażeniu.

Prawdziwym pożywieniem są zboża i warzywa. Ludzka istota spożywa różnego rodzaju ziarno, warzywa, owoce itd., a zwierzęta odpadki z ziarna, warzyw oraz trawę, rośliny itd. Od produkcji roślinnej uzależniony jest również człowiek, który przyzwyczajony jest do jedzenia mięsa. Więc ostatecznie uzależnieni jesteśmy od produktów rolnych, a nie od produkcji wielkich fabryk. Urodzaj w rolnictwie zależy od ilości deszczu, a deszcz kontrolowany jest przez takich półbogów, jak Indra, półbóg słońca, księżyca itd., będących sługami Pana. Pana zadowolić można ofiarami. Zatem ten, kto nie spełnia ich, znajdzie się w niedoli—takie jest prawo natury. Więc, aby uchronić się przynajmniej od niedoboru żywności, musimy spełniać *yajñę*, a szczególnie *saṅkīrtana-yajñę*, polecaną dla tego wieku.

## TEKST 15

कर्म ब्रह्मोद्भवं विद्धि ब्रह्माक्षरसमुद्भवम् ।
तस्मात् सर्वगतं ब्रह्म नित्यं यज्ञे प्रतिष्ठितम् ॥१५॥

*karma brahmodbhavaṁ viddhi brahmākṣara-samudbhavam*
*tasmāt sarva-gataṁ brahma nityaṁ yajñe pratiṣṭhitam*

*karma*—praca; *brahma*—z *Ved; udbhavam*—produkowana; *viddhi*—powinieneś wiedzieć; *brahma*—*Vedy; akṣara*—z Najwyższego Brahmana (Osoby Boga); *samudbhavam*—bezpośrednio zamanifestowany; *tasmāt*—dlatego; *sarva-gatam*—wszechprzenikający; *brahma*—transcendencja; *nityam*—wiecznie; *yajñe*—w ofierze; *pratiṣṭhitam*—usytuowana.

**Vedy nakazują uregulowane czynności, a Vedy wyjawione zostały bezpośrednio przez Najwyższą Osobę Boga. Zatem wszechprzenikająca Transcendencja jest wiecznie usytuowana w czynach ofiarnych.**

*ZNACZENIE:* Werset ten mówi bardziej wyraźnie o *yajñārtha-karma*, czyli o konieczności pracy jedynie dla zadowolenia Kṛṣṇy. Jeśli mamy pracować dla zadowolenia *yajña-puruṣy*, Viṣṇu, wtedy musimy działać zgodnie z instrukcjami Brahmana, czyli transcendentalnych *Ved*. *Vedy* są kodeksem zawierającym dyrektywy działania. Wszystko, co nie jest wykonywane zgodnie ze wskazówkami *Ved*, nazywa się *vikarmą*, czyli nieautoryzowanym, albo inaczej, grzesznym działaniem. Aby więc uchronić się od skutków swojej pracy, należy zawsze korzystać ze wskazówek *Ved*. Tak jak w zwykłym życiu musimy pracować zgodnie z poleceniami wydawanymi przez rząd danego państwa, tak też w swoim postępowaniu powinniśmy kierować się dyrektywami Pana, zarządzającego najwyższym państwem. Te dyrektywy umieszczone w *Vedach* zostały zamanifestowane bezpośrednio z oddechu Najwyższej Osoby Boga. Jest powiedziane: *asya mahato bhūtasya niśvasitam etad yad ṛg-vedo yajur-vedaḥ sāma-vedo 'tharvāṅgirasaḥ*. "Cztery *Vedy*—mianowicie: *Ṛg Veda, Yajur Veda, Sāma Veda* i *Atharva Veda*—wszystkie wyemanowały z oddechu potężnej Osoby Boga." (*Bṛhad-āraṇyaka Upaniṣad* 4.5.11) Pan, będąc wszechmocnym, może mówić poprzez oddech. Potwierdza to *Brahma-saṁhitā*. Pan posiada tę wszechmoc, że jakimkolwiek ze Swoich zmysłów może wykonywać czynności każdego innego zmysłu. Innymi słowy, Pan może mówić poprzez Swój oddech oraz może zapładniać wzrokiem. Powiedziane jest, że rzucił On spojrzenie na *prakṛti* (naturę materialną) i w ten sposób stworzył wszystkie żywe istoty. Po stworzeniu żywych istot, czy też zapłodnieniu nimi łona natury materialnej, pozostawił—w postaci mądrości wedyjskiej—Swoje wskazówki, w jaki sposób uwarunkowane dusze mogą powrócić do domu, z powrotem do Boga. Powinniśmy zawsze pamiętać, że wszystkie uwarunkowane dusze w tym materialnym świecie żądne są uciech materialnych. Wskazówki wedyjskie zostały więc ułożone w taki sposób, że pozwalają one zaspokoić te niemoralne pragnienia, a następnie, po skończeniu z tzw. radościami materialnymi, powrócić do Boga. Jest to szansa dla uwarunkowanych dusz na osiągnięcie wyzwolenia. Zatem uwarunkowane dusze muszą spróbować spełniać ten proces *yajñi* przez stanie się świadomymi Kṛṣṇy. Zasady świadomości Kṛṣṇy mogą przyjąć nawet ci, którzy nie przestrzegali nakazów wedyjskich, a to zastąpi spełnianie wszystkich *yajñi* czy *karm*.

TEKST 16 एवं प्रवर्तितं चक्रं नानुवर्तयतीह यः ।
अघायुरिन्द्रियारामो मोघं पार्थ स जीवति ॥१६॥

*evaṁ pravartitaṁ cakraṁ nānuvartayatīha yaḥ*
*aghāyur indriyārāmo moghaṁ pārtha sa jīvati*

*evam*—w ten sposób; *pravartitam*—ustanowione przez *Vedy*; *cakram*—cykl; *na*—nie; *anuvartayati*—przyjmuje; *iha*—w tym życiu; *yaḥ*—ten, kto; *agha-āyuḥ*—którego życie pełne jest grzechów; *indriya-ārāmaḥ*—usatysfakcjonowani zadowalaniem zmysłów; *mogham*—daremnie; *pārtha*—O synu Pṛthy (Arjuno); *saḥ*—on; *jīvati*—żyje.

**Mój drogi Arjuno, grzeszne życie wiedzie człowiek, który nie przestrzega nakazów spełniania ofiar ustanowionych przez Vedy, gdyż na próżno żyje ten, kto znajduje zadowolenie jedynie w uciechach zmysłowych.**

*ZNACZENIE:* Pan potępił tutaj filozofię czcicieli pieniądza, polegającą na ciężkiej pracy i zadowalaniu zmysłów. Dla tych, którzy chcą korzystać z uciech tego świata materialnego, bezwzględnie konieczny jest wyżej wymieniony system spełniania *yajñi*. Kto nie praktykuje tego, bardzo ryzykuje swoim życiem, skazując się na coraz gorsze potępienie. Prawem natury, ta ludzka forma życia została szczególnie przeznaczona do samorealizacji w jakiejkolwiek z trzech dróg—mianowicie *karma-yodze, jñāna-yodze* albo *bhakti-yodze*. Transcendentalista, który jest ponad występki i cnoty, nie musi surowo przestrzegać nakazów *yajñi*, ale spełnianie ich konieczne jest—w celu oczyszczenia się—dla tych, którzy oddają się przyjemnościom zmysłowym. Istnieją zajęcia różnego rodzaju. Ci, którzy nie posiadają świadomości Kṛṣṇy, niewątpliwie zaangażowani są w czynności wynikające ze świadomości zmysłowej; dlatego muszą oni spełniać również jakieś pobożne uczynki. System *yajñi* zaplanowany został w taki sposób, aby osoby o świadomości zmysłowej mogły zaspokoić swoje pragnienia, bez uwikłania się w skutki swego działania dla zadowalania zmysłów. Pomyślność świata nie zależy od naszych własnych wysiłków, ale od podstawowych zarządzeń Najwyższego Pana, bezpośrednio realizowanych przez półbogów. Dlatego *yajñe* bezpośrednio kierowane są do określonego półboga wspomnianego w *Vedach*. Pośrednio jest to praktykowanie świadomości Kṛṣṇy, ponieważ gdy ktoś opanowuje spełnienie *yajñi*, niewątpliwie staje się on świadomym Kṛṣṇy. Jeśli jednak nie osiąga takiej świadomości, pomimo spełniania *yajñi*, to przestrzegane przez niego zasady uważane są jedynie za kodeks moralny. Nie należy jednak ograniczać swojego postępu tylko do opanowania kodeksu moralnego, ale należy pójść dalej—osiągnąć świadomość Kṛṣṇy.

### TEKST 17

यस्त्वात्मरतिरेव स्यादात्मतृप्तश्च मानवः ।
आत्मन्येव च सन्तुष्टस्तस्य कार्यं न विद्यते ॥१७॥

*yas tv ātma-ratir eva syād ātma-tṛptaś ca mānavaḥ*
*ātmany eva ca santuṣṭas tasya kāryaṁ na vidyate*

*yaḥ*—ten, kto; *tu*—ale; *ātma-ratiḥ*—czerpie przyjemność z jaźni; *eva*—na pewno; *syāt*—pozostaje; *ātma-tṛptaḥ*—oświecony w swojej jaźni; *ca*—i; *mānavaḥ*—człowiek; *ātmani*—w sobie; *eva*—jedynie; *ca*—i; *santuṣṭaḥ*—całkowicie zaspokojony; *tasya*—jego; *kāryam*—obowiązek; *na*—nie; *vidyate*—istnieje.

**Kto jednak czerpie przyjemność z duszy jedynie, kto poświęcił ludzkie życie samorealizacji, raduje się w duchu i całkowicie jest nim napełniony—dla tego nie ma żadnych obowiązków.**

*ZNACZENIE:* Osoba w pełni świadoma Kṛṣṇy i znajdująca całkowite zadowolenie w swoich czynach w świadomości Kṛṣṇy, nie ma już więcej żadnych obowiązków do spełnienia. Dzięki tej swojej świadomości, bezustannie oczyszcza się ona z wszelkich bezbożnych czynów, tak skutecznie, jak gdyby spełniała wiele tysięcy *yajñi*. W ten sposób oczyszczając swoją świadomość, staje się całkowicie pewna swojej wiecznej pozycji w związku z Najwyższym. Dzięki łasce Pana zostaje ona oświecona co do swojego obowiązku i dlatego nie ma już więcej żadnych zobowiązań w stosunku do nakazów wedyjskich. Taka świadoma Kṛṣṇy osoba nie jest już dłużej zainteresowana czynnościami materialnymi i nie znajduje już przyjemności w takich rzeczach jak wino, kobiety i temu podobne namiętności.

### TEKST 18

नैव तस्य कृतेनार्थो नाकृतेनेह कश्चन ।
न चास्य सर्वभूतेषु कश्चिदर्थव्यपाश्रयः ॥१८॥

*naiva tasya kṛtenārtho nākṛteneha kaścana*
*na cāsya sarva-bhūteṣu kaścid artha-vyapāśrayaḥ*

*na*—nigdy; *eva*—z pewnością; *tasya*—jego; *kṛtena*—przez pełnienie obowiązku; *arthaḥ*—cel; *na*—nie; *akṛtena*—nie pełniąc obowiązku;

*iha*—w tym świecie; *kaścana*—cokolwiek; *na*—nigdy; *ca*—i; *asya*—jego; *sarva-bhūteṣu*—wśród wszystkich żywych istot; *kaścit*—żaden; *artha*—cel; *vyapāśrayaḥ*—przyjmując schronienie w.

**Samozrealizowana osoba nie ma żadnego celu do osiągnięcia w pełnieniu swoich przypisanych obowiązków ani też nie ma żadnego powodu, by ich nie pełnić. Nie musi też ona polegać na żadnej żywej istocie.**

*ZNACZENIE:* Osoba samozrealizowana nie musi pełnić żadnego obowiązku, poza czynnościami w świadomości Kṛṣṇy. Świadomość Kṛṣṇy nie jest jednak biernością, jak wyjaśnią to następne wersety. Osoba świadoma Kṛṣṇy nie przyjmuje schronienia u żadnej innej osoby—człowieka czy półboga. Cokolwiek czyni ona w świadomości Kṛṣṇy, jest wystarczające do wywiązania się z jej obowiązków.

**TEKST 19** तस्मादसक्तः सततं कार्यं कर्म समाचर ।
असक्तो ह्याचरन् कर्म परमाप्नोति पूरुषः ॥१९॥

*tasmād asaktaḥ satataṁ kāryaṁ karma samācara*
*asakto hy ācaran karma param āpnoti pūruṣaḥ*

*tasmāt*—zatem; *asaktaḥ*—bez przywiązania; *satatam*—bezustannie; *kāryam*—jako obowiązek; *karma*—praca; *samācara*—wykonuj; *asaktaḥ*—bez przywiązania; *hi*—z pewnością; *ācaran*—wykonując; *karma*—praca; *param*—Najwyższy; *āpnoti*—osiąga; *pūruṣaḥ*—człowiek.

**Należy zatem pełnić swój obowiązek bez przywiązywania się do owoców swojej pracy, gdyż przez pracę wolną od przywiązania osiąga się Najwyższego.**

*ZNACZENIE:* Najwyższym dla wielbicieli jest Osoba Boga, dla impersonalistów zaś—wyzwolenie. Kto zatem pracuje dla Kṛṣṇy, czyli w świadomości Kṛṣṇy, pod właściwym przewodnictwem i bez przywiązywania się do owoców swojej pracy, ten niewątpliwie robi postęp na drodze do osiągnięcia najwyższego celu życia. Arjuna otrzymał polecenie, aby walczył w bitwie na polu Kurukṣetra za sprawę Kṛṣṇy, takie bowiem było życzenie Kṛṣṇy. Bycie człowiekiem dobrym czy łagodnym jest sprawą osobistego przywiązania, ale działanie dla Najwyższego jest działaniem wolnym od przywiązania do rezultatów swojego wysiłku. Jest to działanie w najwyższym stopniu doskonałe i takie działanie poleca Najwyższa Osoba Boga—Śrī Kṛṣṇa.

Rytuały wedyjskie, jak na przykład nakazane ofiary, spełniane są w celu oczyszczenia się z niepobożnych czynów, które dokonywane były dla zadowalania zmysłów. Natomiast działanie w świadomości

Kṛṣṇy jest transcendentalne w stosunku do skutków zarówno dobrej, jak i złej pracy. Osoba świadoma Kṛṣṇy nie przywiązuje się do rezultatów swojego działania i działa jedynie z ramienia Kṛṣṇy. Angażuje się ona w różnego rodzaju czynności, ale jest całkowicie wolna od przywiązania.

TEKST 20 कर्मणैव हि संसिद्धिमास्थिता जनकादयः ।
लोकसंग्रहमेवापि सम्पश्यन् कर्तुमर्हसि ॥२०॥

*karmaṇaiva hi saṁsiddhim āsthitā janakādayaḥ*
*loka-saṅgraham evāpi sampaśyan kartum arhasi*

*karmaṇā*—przez pracę; *eva*—nawet; *hi*—z pewnością; *saṁsiddhim*—w doskonałości; *āsthitāḥ*—usytuowani; *janaka-ādayaḥ*—Janaka i inni królowie; *loka-saṅgraham*—ogół ludzkości; *eva api*—również; *sampaśyan*—rozważając; *kartum*—działać; *arhasi*—zasługujesz.

**Nawet królowie, tacy jak Janaka i inni, osiągnęli doskonałość przez pełnienie swoich przypisanych obowiązków. Powinieneś zatem wykonywać swoją pracę, dając tym przykład ogółowi ludzkości.**

*ZNACZENIE:* Królowie, jak Janaka i inni, wszyscy byli duszami zrealizowanymi. Nie musieli zatem pełnić obowiązków nakazywanych przez *Vedy*. Niemniej jednak czynili to po to, aby dać przykład ogółowi ludzkości. Janaka był ojcem Sīty i teściem Pana Śrī Rāmy. Będąc wielkim wielbicielem Pana, zajmował on pozycję transcendentalną, ale ponieważ był królem Mithili (część prowincji Bihar w Indiach), musiał nauczać swoich poddanych jak wypełniać nakazane im obowiązki. Pan Kṛṣṇa i Arjuna, wieczny przyjaciel Pana, nie musieli walczyć w bitwie pod Kurukṣetrą, ale walczyli po to, aby nauczyć ludzi, że użycie siły konieczne jest tam, gdzie zawodzą dobre argumenty. Przed bitwą na polu Kurukṣetra, strona Kṛṣṇy (łącznie z Najwyższą Osobą Boga) uczyniła wszystko, aby uniknąć walki, jednak strona przeciwna zdecydowana była walczyć. Walka była więc koniecznością, gdyż była to walka o słuszną sprawę. Chociaż osoba świadoma Kṛṣṇy może nie być zainteresowana tym światem, to jednak pracuje ona, aby uczyć ludzi jak żyć i jak postępować. Osoby doświadczone w świadomości Kṛṣṇy mogą działać w taki sposób, aby służyć za przykład innym, i to tłumaczy werset następny.

TEKST 21 यद् यदाचरति श्रेष्ठस्तत्तदेवेतरो जनः ।
स यत्प्रमाणं कुरुते लोकस्तदनुवर्तते ॥२१॥

*yad yad ācarati śreṣṭhas tat tad evetaro janaḥ*

*sa yat pramāṇaṁ kurute lokas tad anuvartate*

*yat yat*—cokolwiek; *ācarati*—czyni on; *śreṣṭhaḥ*—szanowany przywódca; *tat*—to; *tat*—i tylko to; *eva*—na pewno; *itaraḥ*—zwykła; *janaḥ*—osoba; *saḥ*—on; *yat*—każdy...jaki; *pramāṇam*—przykład; *kurute*—spełnia; *lokaḥ*—cały świat; *tat*—to; *anuvartate*—naśladuje.

**Cokolwiek by nie uczynił wielki człowiek, zwykli ludzie podążą w jego ślady. Standard, jaki ustanawia swoim przykładnym zachowaniem, przyjmuje cały świat.**

*ZNACZENIE:* Ogół ludzi zawsze potrzebuje jakiegoś przywódcy, który potrafi uczyć poprzez swoje zachowanie. Żaden przywódca nie może oduczyć ludzi palenia, jeśli sam pali. Pan Caitanya powiedział, że nauczyciel powinien zachowywać się właściwie nawet przed tym, zanim zacznie nauczać. Kto naucza w ten sposób, ten nazywany jest *ācāryą*, czyli nauczycielem idealnym. Aby zatem nauczać przeciętnego człowieka, nauczyciel musi przestrzegać nakazów *śāstr* (pism świętych). Nie może on stwarzać praw, które nie są zgodne z zasadami pism objawionych. Pisma objawione, jak *Manu-saṁhitā* i inne podobne, uważane są za księgi wzorcowe dla społeczeństwa ludzkiego, według których to społeczeństwo powinno postępować. Nauki przywódców społecznych powinny opierać się na zasadach tych wzorcowych pism. Jeśli ktoś pragnie uczynić postęp, musi przestrzegać takich wzorcowych zasad, tak jak praktykują to wielcy nauczyciele. Potwierdza to również *Śrīmad-Bhāgavatam* oznajmiając, że należy brać przykład z wielkich wielbicieli, gdyż taki jest sposób na zrobienie postępu na ścieżce realizacji duchowej. Król albo głowa państwa, ojciec i nauczyciel, wszyscy uważani są za naturalnych przywódców ogółu niewinnych podopiecznych i jako tacy są za nich odpowiedzialni. Dlatego muszą być oni obeznani z wzorcowymi księgami, będącymi kodeksami moralności i życia duchowego.

## TEKST 22

न मे पार्थास्ति कर्तव्यं त्रिषु लोकेषु किञ्चन ।
नानवाप्तमवाप्तव्यं वर्त एव च कर्मणि ॥२२॥

*na me pārthāsti kartavyaṁ triṣu lokeṣu kiñcana*
*nānavāptam avāptavyaṁ varta eva ca karmaṇi*

*na*—nie; *me*—Mój; *pārtha*—O synu Pṛthy; *asti*—jest; *kartavyam*—nakazany obowiązek; *triṣu*—w trzech; *lokeṣu*—systemy planetarne; *kiñcana*—żaden; *na*—nic; *anavāptam*—w potrzebie; *avāptavyam*—do zyskania; *varte*—jestem zaangażowany; *eva*—z pewnością; *ca*—również; *karmaṇi*—w nakazanym obowiązku.

**O synu Pṛthy, nie ma dla Mnie żadnego obowiązku we wszystkich trzech systemach planetarnych. Nie potrzebuję niczego ani też nie muszę niczego zdobywać—a pomimo to pełnię nakazane obowiązki.**

*ZNACZENIE:* Najwyższa Osoba Boga opisany jest w literaturze wedyjskiej jak następuje:

*tam īśvarāṇāṁ paramaṁ maheśvaraṁ*
*taṁ devatānāṁ paramaṁ ca daivatam*
*patiṁ patīnāṁ paramaṁ parastād*
*vidāma devaṁ bhuvaneśam īḍyam*

*na tasya kāryaṁ karaṇaṁ ca vidyate*
*na tat-samaś cābhyadhikaś ca dṛśyate*
*parāsya śaktir vividhaiva śrūyate*
*svābhāvikī jñāna-bala-kriyā ca*

"Najwyższy Pan kontroluje wszystkich innych kontrolujących i jest On największym spośród wszelkich przywódców planet. Wszyscy znajdują się pod Jego kontrolą i tylko On wyposaża każdą żywą istotę w jakąś szczególną siłę. Żywe istoty nie są najwyższymi. Jest On wielbiony przez wszystkich półbogów i jest najwyższym władcą spośród wszystkich władców. Jest On zatem transcendentalny w stosunku do wszystkich przywódców i kontrolerów materialnych i wielbiony jest przez wszystkich. Nikt Go nie przewyższa i On jest najwyższą przyczyną wszystkich przyczyn.

"Nie posiada On formy cielesnej takiej, jaką posiada każda żywa istota. Nie ma różnicy pomiędzy Jego ciałem a Jego duszą. Jest On absolutnym. Wszystkie Jego zmysły są transcendentalne i którykolwiek z Jego zmysłów może pełnić funkcje wszystkich innych zmysłów. Zatem nikt nie jest większy od Niego ani Jemu równy. Jego moce są różnorodne i wskutek tego czyny Jego spełniane są automatycznie w naturalnej kolejności." (*Śvetāśvatara Upaniṣad* 6.7-8)

Skoro wszystko znajduje się w pełnej obfitości w Osobie Boga i istnieje w Nim w pełnej prawdzie, Najwyższa Osoba Boga nie ma żadnego obowiązku do spełnienia. Komu niezbędne są jakieś rezultaty pracy, ten ma pewien przydzielony obowiązek. Ten natomiast, dla którego nie ma nic do zdobycia w trzech systemach planetarnych, z pewnością nie ma żadnego obowiązku. A jednak Pan Kṛṣṇa zaangażował się w bitwę na polu Kurukṣetra jako przywódca *kṣatriyów*, gdyż obowiązkiem *kṣatriyów* jest ochrona nękanych. Mimo iż nie obowiązują Go żadne nakazy pism objawionych, nie czyni On niczego, co byłoby przeciwko tym nakazom.

TEKST 23 यदि ह्यहं न वर्तेयं जातु कर्मण्यतन्द्रितः ।
मम वर्त्मानुवर्तन्ते मनुष्याः पार्थ सर्वशः ॥२३॥

*yadi hy ahaṁ na varteyaṁ jātu karmaṇy atandritaḥ*
*mama vartmānuvartante manuṣyāḥ pārtha sarvaśaḥ*

*yadi*—jeśli; *hi*—z pewnością; *aham*—Ja; *na*—nie; *varteyam*—w ten sposób się angażuję; *jātu*—zawsze; *karmaṇi*—w spełnianie nakazanych obowiązków; *atandritaḥ*—z dużą starannością; *mama*—Moja; *vartma*—ścieżka; *anuvartante*—podążyliby; *manuṣyāḥ*—wszyscy ludzie; *pārtha*—O synu Pṛthy; *sarvaśaḥ*—pod każdym względem.

**Gdyż gdybym Ja kiedykolwiek zaprzestał starannego pełnienia nakazanych obowiązków, o Pārtho, wszyscy ludzie z pewnością poszliby za Moim przykładem.**

*ZNACZENIE:* Aby utrzymać równowagę i spokój w społeczeństwie dla jego postępu w życiu duchowym, istnieją pewne tradycyjne zwyczaje rodzinne przeznaczone dla każdego cywilizowanego człowieka. Mimo iż zwyczaje takie obowiązują dusze uwarunkowane, a nie Pana Kṛṣṇę, to ponieważ przyszedł On w celu zaprowadzenia pewnych zasad religijnych, Sam również stosował się do nich. Gdyby tego nie robił, prości ludzie poszliby za Jego przykładem, jako że jest On najwyższym autorytetem. Ze *Śrīmad-Bhāgavatam* wiadomo, że Pan Kṛṣṇa spełniał wszystkie obowiązki religijne, w domu i poza nim, tak jak wymagane jest to od głowy rodziny.

TEKST 24 उत्सीदेयुरिमे लोका न कुर्यां कर्म चेदहम् ।
संकरस्य च कर्ता स्यामुपहन्यामिमाः प्रजाः ॥२४॥

*utsīdeyur ime lokā na kuryāṁ karma ced aham*
*saṅkarasya ca kartā syām upahanyām imāḥ prajāḥ*

*utsīdeyuḥ*—zostałyby doprowadzone do ruiny; *ime*—wszystkie te; *lokāḥ*—światy; *na*—nie; *kuryām*—spełniam; *karma*—nakazane obowiązki; *cet*—jeśli; *aham*—Ja; *saṅkarasya*—niepożądanej populacji; *ca*—i; *kartā*—stworzyciel; *syām*—byłbym; *upahanyām*—zniszczyłbym; *imāḥ*—wszystkie te; *prajāḥ*—żywe istoty.

**Gdybym nie pełnił nakazanych obowiązków, wszystkie te światy obróciłyby się w ruinę. Byłbym również przyczyną powstania niepożądanej populacji, i w ten sposób zakłóciłbym pokój wszystkim żywym istotom.**

*ZNACZENIE: Varṇa-saṅkara* jest to niepożądana populacja, która jest przyczyną niepokojów w społeczeństwie. Aby zapobiec takim zakłóceniom, istnieją określone prawa i przepisy, dzięki którym społeczeństwo może osiągnąć natychmiastowy spokój i jedność, sprzyjające postępowi w życiu duchowym. Kiedy Pan Kṛṣṇa zstępuje w ten świat, ma On oczywiście do czynienia z tymi nakazami i przepisami po to, aby utrzymać prestiż i potwierdzić konieczność i wagę takiego postępowania. Pan jest ojcem wszystkich żywych istot i gdyby te żywe istoty zostały zwiedzione, pośrednio odpowiedzialność spadłaby na Pana. Kiedykolwiek więc ma miejsce ogólne lekceważenie zasad i nakazów pism, Pan osobiście zstępuje i naprowadza społeczeństwo na właściwą drogę. Powinniśmy jednak zwrócić uwagę na to, że chociaż musimy iść za przykładem Pana, to jednak nie możemy Go imitować. Podążanie za Jego przykładem i imitowanie Go—to dwie zupełnie różne rzeczy. Nie jesteśmy w stanie podnieść Wzgórza Govardhana, tak jak to On uczynił w Swoim dzieciństwie. Nie jest to możliwe dla żadnej żywej istoty. Musimy stosować się do Jego nauk, ale nigdy nie wolno nam Go imitować. Potwierdza to *Śrīmad-Bhāgavatam* (10.33.30-31):

*naitat samācarej jātu manasāpi hy anīśvaraḥ*
*vinaśyaty ācaran mauḍhyād yathā 'rudro 'bdhi-jaṁ viṣam*

*īśvarāṇāṁ vacaḥ satyaṁ tathaivācaritaṁ kvacit*
*teṣāṁ yat sva-vaco-yuktaṁ buddhimāṁs tat samācaret*

"Należy stosować się do nauk Pana i Jego upoważnionych sług. Wszystkie ich instrukcje są korzystne dla nas i każda inteligentna osoba będzie im posłuszna. Należy jednak wystrzegać się prób imitowania ich działania. Nie powinniśmy próbować imitować Pana Śivy w jego wypiciu oceanu trucizny."

Powinniśmy zawsze brać pod uwagę pozycję *īśvar*, czyli tych, którzy rzeczywiście mogą kontrolować ruch słońca i księżyca. Nie posiadając ich sił, nie możemy imitować tych potężnych *īśvar*. Pan Śiva mógł wypić cały ocean trucizny, natomiast jeśli jakiś zwykły człowiek spróbuje wypić nawet niewielką ilość takiej trucizny, będzie to samobójstwem. Jest wielu pseudo-wielbicieli Pana Śivy, którzy folgują sobie w paleniu *gañjy* (marihuany) i podobnie toksycznych narkotyków. Zapominają o tym, że przez takie imitowanie czynów Pana Śivy znacznie przybliżają swoją śmierć. Istnieją również pseudo-wielbiciele Pana Kṛṣṇy, którzy pragną naśladować Pana w Jego *rāsa-līlā*, czyli tańcu miłości, zapominając o tym, że nie są w stanie podnieść Wzgórza Govardhana. Zatem lepiej nie imitować potężnych, ale po prostu przestrzegać ich instrukcji. Nie należy również próbować zajmować ich pozycji, jeśli nie posiada się ich kwalifikacji. Jednakże istnieje tak wiele "inkarnacji" Boga nie posiadających mocy Najwyższej Osoby.

TEKST 25 सक्ताः कर्मण्यविद्वांसो यथा कुर्वन्ति भारत ।
कुर्याद् विद्वांस्तथासक्तश् चिकीर्षुर्लोकसंग्रहम् ॥२५॥

*saktāḥ karmaṇy avidvāṁso yathā kurvanti bhārata*
*kuryād vidvāṁs tathāsaktaś cikīrṣur loka-saṅgraham*

*saktāḥ*—będąc przywiązanym; *karmaṇi*—w nakazanych obowiązkach; *avidvāṁsaḥ*—ignoranci; *yathā*—tak bardzo jak; *kurvanti*—czynią; *bhārata*—O potomku Bharaty; *kuryāt*—musi robić; *vidvān*—uczony; *tathā*—w ten sposób; *asaktaḥ*—bez przywiązania; *cikīrṣuḥ*—pragnąc prowadzić; *loka-saṅgraham*—ogół ludzkości.

**Tak jak nie mający wiedzy pełnią swoje obowiązki, przywiązując się jednakże do ich rezultatów, podobnie może działać człowiek uczony, ale bez tego przywiązania, mając na celu prowadzenie ludzi na właściwą drogę.**

*ZNACZENIE:* Osoby świadome Kṛṣṇy i osoby, które takiej świadomości nie posiadają, można odróżnić na podstawie ich różnych pragnień. Osoba świadoma Kṛṣṇy nie czyni niczego, co nie sprzyjałoby rozwojowi świadomości Kṛṣṇy. Może ona działać nawet w taki sam sposób jak osoba nie posiadająca wiedzy—która zbyt przywiązuje się do czynności materialnych i wykonuje je dla zadowolenia własnych zmysłów—trzeba jednak zauważyć, że osoba w świadomości Kṛṣṇy pracuje dla zadowolenia Kṛṣṇy. Dlatego też osoba świadoma Kṛṣṇy powinna uczyć właściwego postępowania i właściwego wykorzystania rezultatów swojej pracy dla celów w świadomości Kṛṣṇy.

TEKST 26 न बुद्धिभेदं जनयेदज्ञानां कर्मसंगिनाम् ।
जोषयेत्सर्वकर्माणि विद्वान् युक्तः समाचरन् ॥२६॥

*na buddhi-bhedaṁ janayed ajñānāṁ karma-saṅginām*
*joṣayet sarva-karmāṇi vidvān yuktaḥ samācaran*

*na*—nie; *buddhi-bhedam*—zniszczenie inteligencji; *janayet*—powinien sprawić; *ajñānām*—głupców; *karma-saṅginām*—przywiązanych do pracy przynoszącej korzyści; *joṣayet*—powinien połączyć; *sarva*—

wszystko; *karmāṇi*—praca; *vidvān*—uczony; *yuktaḥ*—zaangażowani; *samācaran*—praktykując.

**Jednakże niechaj mędrzec nie niepokoi tych, którzy nie posiadają wiedzy i przywiązani są do rezultatów przypisanych obowiązków. Nie powinien on zachęcać ich do porzucenia pracy, lecz—poprzez działanie w duchu oddania—powinien zaangażować ich w różnego rodzaju czynności (dla stopniowego rozwoju świadomości Kṛṣṇy).**

*ZNACZENIE: Vedaiś ca sarvair aham eva vedyaḥ*: taki jest cel wszystkich rytuałów wedyjskich. Wszystkie rytuały, ofiary i to, co zostało zapisane w *Vedach*, łącznie z instrukcjami odnoszącymi się do zajęć materialnych—wszystko to ma służyć poznaniu Kṛṣṇy, który jest ostatecznym celem życia. Ponieważ jednak uwarunkowane dusze nie znają niczego poza zadowalaniem zmysłów, studiują one *Vedy* pod tym kątem. Lecz przez czynności karmiczne i zadowalanie zmysłów regulowane rytuałami wedyjskimi, można stopniowo wznieść się do świadomości Kṛṣṇy. Dlatego dusza zrealizowana w świadomości Kṛṣṇy nie powinna przeszkadzać innym w ich czynnościach i rozumieniu, ale sama powinna działać w taki sposób, aby pokazać im, jak wszystkie rezultaty swojej pracy można ofiarować w służbę dla Kṛṣṇy. Wykształcona, świadoma Kṛṣṇy osoba powinna uczyć osoby nie posiadające wiedzy i pracujące dla zadowalania zmysłów, w jaki sposób działać i postępować. Mimo iż nie należy przeszkadzać w działaniu człowiekowi nie posiadającemu wiedzy, to jednakże osoba nawet w niewielkim stopniu świadoma Kṛṣṇy może zostać bezpośrednio zaangażowana w służbę dla Kṛṣṇy, z pominięciem innych wzorów wedyjskich. Taka szczęśliwa osoba nie musi już zachowywać rytuałów wedyjskich, gdyż jedynie przez bezpośrednią świadomość Kṛṣṇy może ona osiągnąć wszystkie rezultaty, które w przeciwnym wypadku osiągnęłaby przez wypełnianie swoich przypisanych obowiązków.

**TEKST 27** प्रकृतेः क्रियमाणानि गुणैः कर्माणि सर्वशः ।
अहंकारविमूढात्मा कर्ताहमिति मन्यते ॥२७॥

*prakṛteḥ kriyamāṇāni guṇaiḥ karmāṇi sarvaśaḥ*
*ahaṅkāra-vimūḍhātmā kartāham iti manyate*

*prakṛteḥ*—materialnej natury; *kriyamāṇāni*—uczyniony; *guṇaiḥ*—przez *guṇy* (siły natury materialnej); *karmāṇi*—czynności; *sarvaśaḥ*—wszelkie rodzaje; *ahaṅkāra-vimūḍha*—oszołomiona przez fałszywe ego; *ātmā*—dusza; *kartā*—sprawca; *aham*—ja; *iti*—w ten sposób; *manyate*—myśli on.

**Zdezorientowana dusza, znajdująca się pod wpływem fałszywego ego, siebie uważa za sprawcę czynów, które w rzeczywistości spełniane są przez trzy siły materialnej natury.**

*ZNACZENIE:* Może wydawać się, że dwie osoby wykonujące tę samą pracę—jedna posiadająca świadomość Kṛṣṇy i druga uwikłana w świadomość materialną—działają na tej samej platformie. Jest jednak kolosalna różnica w ich indywidualnych pozycjach. Osoba o świadomości materialnej i zwiedziona przez fałszywe ego jest przekonana, że to ona jest sprawcą wszystkiego. Nie wie ona, że ten mechanizm jakim jest ciało, wytwarzany jest przez naturę materialną, działającą pod nadzorem Najwyższego Pana. Materialista nie posiada wiedzy o tym, że jego ostatecznym kontrolerem jest Kṛṣṇa. Osoba zwiedziona przez fałszywe ego przypisuje sobie zasługę za to, że jest niezależna w każdym działaniu, i to jest oznaką jej niewiedzy. Nie zdaje sobie sprawy z tego, że jej "wulgarne" i "subtelne" ciało zostało stworzone przez naturę materialną pod nadzorem Najwyższej Osoby Boga, i dlatego jej mentalne i cielesne czynności powinny zostać zaangażowane w służbę dla Kṛṣṇy—w świadomości Kṛṣṇy. Człowiek nie posiadający wiedzy zapomina, że Najwyższa Osoba Boga znany jest jako Hṛṣīkeśa, czyli Pan zmysłów ciała materialnego. Z powodu swojego długotrwałego i niewłaściwego angażowania zmysłów w zadowalanie zmysłów, został on zwiedziony przez fałszywe ego i wskutek tego zapomniał o swoim wiecznym związku z Kṛṣṇą.

**TEKST 28** तत्त्ववित्तु महाबाहो गुणकर्मविभागयोः ।
गुणा गुणेषु वर्तन्त इति मत्वा न सज्जते ॥२८॥

*tattva-vit tu mahā-bāho guṇa-karma-vibhāgayoḥ*
*guṇā guṇeṣu vartanta iti matvā na sajjate*

*tattva-vit*—znawca Prawdy Absolutnej; *tu*—ale; *mahā-bāho*—O potężnie uzbrojony; *guṇa-karma*—prac pod materialnym wpływem; *vibhāgayoḥ*—różnice; *guṇāḥ*—zmysły; *guṇeṣu*—w zadowalanie zmysłów; *vartante*—są zaangażowane; *iti*—w ten sposób; *matvā*—myśląc; *na*—nigdy; *sajjate*—przywiązuje się.

**Kto posiadł wiedzę o Prawdzie Absolutnej, o potężny, tego nie absorbują już zmysły i nie angażuje się on w zadowalanie zmysłów, znając dobrze różnicę pomiędzy pracą w oddaniu a pracą dla zysku.**

*ZNACZENIE:* Znawca Prawdy Absolutnej przekonany jest o swojej niefortunnej pozycji w związkach materialnych. Wie, iż jest integralną cząstką Najwyższej Osoby Boga—Kṛṣṇy, i że jego miejscem nie jest ten świat materialny. Będąc świadomym tego, iż jest integralną cząstką Najwyższego—który jest wiecznym szczęściem i wiedzą—zna on swoją prawdziwą tożsamość i zdaje sobie sprawę z tego, że w jakiś sposób został uwikłany w materialną koncepcję życia. Jego przeznaczeniem w czystym stanie egzystencji jest włączenie swoich czynności w służbę oddania dla Najwyższej Osoby Boga, Kṛṣṇy. Dlatego angażuje się on w pracę w świadomości Kṛṣṇy i w naturalny sposób traci pociąg do materialnych czynności zmysłowych, które wszystkie są przypadkowe i tymczasowe. Wie on, że materialne warunki jego życia są pod najwyższą kontrolą Pana, dlatego nie jest niepokojony przez żaden rodzaj materialnych przeciwności, które wręcz uważa za łaskę Pana. Kto zna Prawdę Absolutną w jej trzech różnych aspektach—mianowicie Brahmana, Paramātmę i Najwyższą Osobę Boga—ten, według *Śrīmad-Bhāgavatam*, nazywany jest *tattva-vit*, jako że zna on również swoją rzeczywistą pozycję w związku z Najwyższym.

**TEKST 29** प्रकृतेर्गुणसम्मूढाः सज्जन्ते गुणकर्मसु ।
तानकृत्स्नविदो मन्दान् कृत्स्नविन्न विचालयेत् ॥२९॥

*prakṛter guṇa-sammūḍhāḥ sajjante guṇa-karmasu*
*tān akṛtsna-vido mandān kṛtsna-vin na vicālayet*

*prakṛteḥ*—natury materialnej; *guṇa*—przez siły natury; *sammūḍhāḥ*—oszukany przez utożsamianie się z materią; *sajjante*—angażują się; *guṇa-karmasu*—w czynności materialne; *tān*—ci; *akṛtsna-vidaḥ*—osoby o ubogim zasobie wiedzy; *mandān*—leniwe, jeśli chodzi o zrozumienie samorealizacji; *kṛtsna-vit*—ten, kto posiada prawdziwą wiedzę; *na*—nie; *vicālayet*—powinien próbować niepokoić.

**Nie posiadający wiedzy, zwiedzeni przez siły natury materialnej, całkowicie angażują się w czynności materialne i przywiązują się do nich. Jednakże, mimo iż obowiązki ich są niższe—z racji braku wiedzy, mędrcy nie powinni ich niepokoić.**

*ZNACZENIE:* Niemądre, nie posiadające wiedzy osoby błędnie utożsamiają się z "wulgarną" świadomością materialną i pełne są desygnatów materialnych. Ciało to jest darem materialnej natury, a kto jest zbyt przywiązany do świadomości cielesnej, ten nazywany jest *manda*, czyli osobą leniwą, nie posiadającą wiedzy o duszy. Człowiek będący w niewiedzy utożsamia się z tym ciałem materialnym, a cielesne związki z innymi przyjmuje za pokrewieństwo. Ląd, na którym urodziło się jego ciało materialne jest dla niego przedmiotem kultu, a forma religijnego rytuału uważana jest za cel sam w sobie. Praca społeczna, nacjonalizm, altruizm—to niektóre z zajęć takich osób, które utożsamiają się z desygnatami materialnymi. Oczarowani tymi desygnatami, zawsze są bardzo pracowici na gruncie materialnym. Dla nich realizacja duchowa jest mitem, więc nie są nią zainteresowani. Jednakże ci, którzy zostali oświeceni w życiu duchowym, nie powinni zajmować się agitowaniem takich, pochłoniętych materialnymi sprawami, osób. Lepiej po cichu kontynuować swoje duchowe zajęcia. Takie zdezorientowane osoby mogą zajmować się nawet takimi elementarnymi moralnymi zasadami życia jak łagodność, czy podobnie materialną dobroczynną działalnością.

Ludzie będący w ignorancji nie są w stanie ocenić zajęć w świadomości Kṛṣṇy. Dlatego Pan Kṛṣṇa radzi nam abyśmy pozostawili ich w spokoju, by nie tracić nadaremnie cennego czasu. Jednak wielbiciele (bhaktowie) Pana są bardziej łaskawi od Niego, jako że rozumieją oni Jego cel. Wskutek tego podejmują wszelkie ryzyko, zbliżając się nawet do ignorantów i próbując zaangażować ich w pracę w świadomości Kṛṣṇy, która jest bezwzględnie potrzebna ludzkiej istocie.

## TEKST 30

मयि सर्वाणि कर्माणि संन्यस्याध्यात्मचेतसा ।
निराशीर्निर्ममो भूत्वा युध्यस्व विगतज्वरः ॥३०॥

*mayi sarvāṇi karmāṇi sannyasyādhyātma-cetasā*
*nirāśīr nirmamo bhūtvā yudhyasva vigata-jvaraḥ*

*mayi*—Mnie; *sarvāṇi*—wszelkie rodzaje; *karmāṇi*—czynności; *sannyasya*—całkowicie porzucając; *adhyātma*—z pełną wiedzą o duszy; *cetasā*—przez świadomość; *nirāśīḥ*—bez pragnienia zysku; *nirmamaḥ*—bez poczucia własności; *bhūtvā*—takim będąc; *yudhyasva*—walcz; *vigata-jvaraḥ*—wolny od ospałości.

**Zatem, o Arjuno, oddając Mi wszystkie swoje czyny, w pełnej wiedzy o Mnie, będąc wolnym od pragnienia zysku, poczucia własności i ospałości, walcz!**

*ZNACZENIE:* Werset ten wyraźnie wskazuje na cel *Bhagavad-gīty*. Pan poucza nas, że należy stać się całkowicie świadomym Kṛṣṇy i wypełniać swoje obowiązki w iście wojskowej dyscyplinie. Nakaz taki może być trudny, niemniej jednak obowiązki trzeba wypełniać—pokładając zaufanie w Kṛṣṇie, gdyż taka jest konstytucjonalna pozycja żywej istoty. Żywa istota nie może być szczęśliwa, jeśli nie współpracuje z Najwyższym Panem, jako że podporządkowanie się pragnieniom Pana jest jej wieczną konstytucjonalną pozycją. Dlatego Arjuna dostał nakaz walki, tak jak gdyby Pan był jego dowódcą wojskowym. Należy wszystko poświęcić dobrej woli Pana i jednocześnie pełnić swoje przypisane obowiązki, bez roszczenia sobie prawa własności do ich rezultatów. Arjuna nie musiał rozważać rozkazu Pana; miał on tylko wykonać rozkaz. Najwyższy Pan jest duszą wszystkich dusz; dlatego ten, kto polega jedynie i całkowicie na Duszy Najwyższej—bez brania pod uwagę względów osobistych—albo innymi słowy, kto jest w pełni świadomy Kṛṣṇy, ten nazywany jest *adhyātma-cetas*. *Nirāśīḥ* oznacza, że należy działać z rozkazu mistrza. I nigdy nie należy rościć sobie pretensji do rezultatów takiego działania. Kasjer może liczyć miliony dolarów dla swojego pracodawcy, lecz nie przywłaszczy sobie ani centa. Podobnie, należy zdać sobie sprawę z tego, że nic w tym świecie nie należy do nas, ale wszystko jest własnością Najwyższego Pana. Takie jest prawdziwe znaczenie słowa *mayi*, czyli "do Mnie" albo "dla Mnie". Jeśli ktoś działa w takiej świadomości Kṛṣṇy, z pewnością nie uważa siebie za właściciela czegokolwiek. Taka świadomość nazywa się *nirmama*, czyli "nic nie należy do mnie". Jeśli istnieje jakaś niechęć do wypełnienia tak surowego rozkazu, bez brania pod uwagę tzw. pokrewieństwa cielesnego, ta niechęć powinna zostać odrzucona. W ten sposób można stać się *vigata-jvara*, czyli wolnym od gorączkowej mentalności i ospałości. Każdy, odpowiednio do swojej mentalności i pozycji, ma do wypełnienia jakiś szczególny rodzaj pracy i wszystkie takie obowiązki można wypełniać w świadomości Kṛṣṇy, jak to opisano powyżej. To prowadzi do ścieżki wyzwolenia.

**TEKST 31** ये मे मतमिदं नित्यमनुतिष्ठन्ति मानवाः ।
श्रद्धावन्तोऽनसूयन्तो मुच्यन्ते तेऽपि कर्मभिः ॥३१॥

*ye me matam idaṁ nityam anutiṣṭhanti mānavāḥ*
*śraddhāvanto 'nasūyanto mucyante te 'pi karmabhiḥ*

*ye*—ci, którzy; *me*—Moje; *matam*—nakazy; *idam*—te; *nityam*—jako wieczna funkcja; *anutiṣṭhanti*—wypełniają systematycznie; *mānavāḥ*—rodzaj ludzki; *śraddhā-vantaḥ*—z wiarą i oddaniem; *anasūyantaḥ*—bez zazdrości; *mucyante*—uwalniają się; *te*—wszyscy oni; *api*—nawet; *karmabhiḥ*—z niewoli prawa działania dla korzyści.

**Kto pełni swój obowiązek zgodnie z Moimi nakazami i kto wiernie przestrzega tych nauk, będąc wolnym od zazdrości, ten uwalnia się od uwikłań będących skutkiem działania dla zysku.**

*ZNACZENIE:* Nauka Najwyższej Osoby Boga, Kṛṣṇy, jest esencją całej mądrości wedyjskiej i dlatego jest bez wyjątku wiecznie prawdziwa.

Tak jak wieczne są *Vedy*, tak również wieczna jest ta prawda o świadomości Kṛṣṇy. Należy mieć mocną wiarę w tę naukę, będąc jednocześnie wolnym od zazdrości o Pana. Jest jednak wielu filozofów piszących komentarze do *Bhagavad-gīty*, którzy nie mają wiary w Kṛṣṇę. Takie osoby nigdy nie zostaną wyzwolone z niewoli działań dla zysku. Natomiast zwykły człowiek, posiadający mocną wiarę w wieczne nakazy Pana, nawet jeśli nie jest w stanie wypełnić takich nakazów, uwalnia się z niewoli prawa *karmy*. Ktoś na początkowym etapie świadomości Kṛṣṇy może nie wypełniać nakazów Pana w pełni, ale ponieważ nie czuje się urażony zasadą posłuszeństwa wobec takich nakazów i szczerze stara się, bez względu na niepowodzenia i trudne okresy, z pewnością osiągnie stan czystej świadomości Kṛṣṇy.

**TEKST 32** ये त्वेतदभ्यसूयन्तो नानुतिष्ठन्ति मे मतम् ।
सर्वज्ञानविमूढांस्तान् विद्धि नष्टानचेतसः ॥३२॥

*ye tv etad abhyasūyanto nānutiṣṭhanti me matam*
*sarva-jñāna-vimūḍhāṁs tān viddhi naṣṭān acetasaḥ*

*ye*—ci; *tu*—jednakże; *etat*—to; *abhyasūyantaḥ*—z powodu zazdrości; *na*—nie; *anutiṣṭhanti*—systematycznie spełniają; *me*—Moje; *matam*—polecenia; *sarva-jñāna*—we wszelkiego rodzaju wiedzy; *vimūḍhān*—całkowicie okpieni; *tān*—są oni; *viddhi*—wiedz to; *naṣṭān*—wszyscy zgubieni; *acetasaḥ*—bez świadomości Kṛṣṇy.

**Ci natomiast, którzy—z powodu zazdrości—lekceważą Moje święte nauki i nie praktykują ich systematycznie, uważani są za wyzutych z wszelkiej wiedzy, okpionych i skazanych na niepowodzenie w swoim dążeniu do doskonałości.**

*ZNACZENIE:* Zostały tutaj wymienione ułomności tych, którzy nie są świadomi Kṛṣṇy. Tak jak istnieje kara za nieposłuszeństwo wobec rozkazów najwyższej głowy państwa, tak również istnieje kara za nieposłuszeństwo wobec nakazów Najwyższej Osoby Boga. Osoba nieposłuszna, jakkolwiek wielką by była, nie posiada wiedzy o swojej własnej duszy, Najwyższym Brahmanie, Paramātmie i Osobie Boga, co spowodowane jest obojętnością jej serca. Dlatego nie ma dla niej nadziei na osiągnięcie doskonałości w życiu.

**TEKST 33** सदृशं चेष्टते स्वस्याः प्रकृतेर्ज्ञानवानपि ।
प्रकृतिं यान्ति भूतानि निग्रहः किं करिष्यति ॥३३॥

*sadṛśaṁ ceṣṭate svasyāḥ prakṛter jñānavān api*

*prakṛtiṁ yānti bhūtāni nigrahaḥ kiṁ kariṣyati*

*sadṛśam*—zgodnie; *ceṣṭate*—próbuje; *svasyāḥ*—przez swoją własną; *prakṛteḥ*—siły natury materialnej; *jñāna-vān*—uczony; *api*—chociaż; *prakṛtim*—natura; *yānti*—podlegają; *bhūtāni*—wszystkie żywe istoty; *nigrahaḥ*—tłumienie; *kim*—co; *kariṣyati*—może zrobić.

**Nawet mędrzec działa zgodnie ze swoją naturą, gdyż każdy ulega swojej naturze, będącej darem trzech guṇ. Cóż więc może pomóc tłumienie jej?**

*ZNACZENIE:* Dopóki nie osiągnie się transcendentalnej platformy świadomości Kṛṣṇy, nie można uwolnić się od wpływu sił natury materialnej, tak jak Pan zapewnia o tym w Rozdziale Siódmym (7.14). Dlatego nawet najbardziej wykształcone osoby na planie materialnym nie mogą uwolnić się z więzów *māyi* jedynie poprzez wiedzę teoretyczną czy też przez oddzielenie duszy od ciała. Jest wielu tzw. spirytualistów, którzy na zewnątrz pozują na zaawansowanych w wiedzy, ale w rzeczywistości—w swoim życiu prywatnym—znajdują się pod całkowitą kontrolą jakiejś określonej siły natury, której nie są w stanie pokonać. Ktoś może posiadać wysokie wykształcenie uniwersyteckie, lecz z powodu swojego długiego obcowania z naturą materialną, znajduje się w jej niewoli. Świadomość Kṛṣṇy pomaga uwolnić się z więzów materialnych, nawet jeśli ktoś wykonuje swoje określone obowiązki w egzystencji materialnej. Dlatego nikt, kto nie jest w pełni świadomy Kṛṣṇy, nie powinien nagle porzucać swoich obowiązków, by zostać tzw. *yogīnem* albo by udawać transcendentalistę. Lepiej pozostać na swojej własnej pozycji i próbować osiągnąć świadomość Kṛṣṇy pod wyższym przewodnictwem. W ten sposób można uwolnić się ze szponów *māyi* Kṛṣṇy.

**TEKST 34** इन्द्रियस्येन्द्रियस्यार्थे रागद्वेषौ व्यवस्थितौ ।
तयोर्न वशमागच्छेत् तौ ह्यस्य परिपन्थिनौ ॥३४॥

*indriyasyendriyasyārthe rāga-dveṣau vyavasthitau*
*tayor na vaśam āgacchet tau hy asya paripanthinau*

*indriyasya*—zmysłów; *indriyasya arthe*—w przedmiotach zmysłów; *rāga*—przywiązanie; *dveṣau*—również obojętność; *vyavasthitau*—poddać kontroli; *tayoḥ*—ich; *na*—nigdy; *vaśam*—kontrola; *āgacchet*—należy przyjść; *tau*—te; *hi*—z pewnością; *asya*—jego; *paripan-thinau*—przeszkody.

**Istnieją zasady, które kontrolują przywiązanie i niechęć wobec zmysłów i przedmiotów zmysłów. Nie należy poddawać się kontroli takiego przywiązania i awersji, gdyż są one przeszkodą na drodze realizacji duchowej.**

*ZNACZENIE:* Ci, którzy są świadomi Kṛṣṇy, w naturalny sposób nie są skłonni do angażowania się w materialne uciechy zmysłowe. Natomiast osoby nie posiadające takiej świadomości powinny przestrzegać przepisów i nakazów pism objawionych. Nieograniczone folgowanie zmysłom jest przyczyną materialnej niewoli, ale kto przestrzega zasad i reguł pism objawionych, ten nie staje się niewolnikiem przedmiotów zmysłów. Na przykład uwarunkowana dusza odczuwa potrzebę życia seksualnego, a seks dozwolony jest tylko w związkach małżeńskich. Zasady pism świętych nie zezwalają na utrzymywanie kontaktów seksualnych z żadną kobietą, poza własną żoną. Wszystkie inne kobiety należy traktować jak własną matkę. Jednak, pomimo tych nakazów, mężczyzna ma skłonności do nawiązywania związków seksualnych z innymi kobietami. Takie skłonności należy opanować, gdyż w przeciwnym razie będą one przeszkodą na drodze realizacji duchowej. Dopóki posiadamy ciało materialne, możemy zaspokajać jego potrzeby, ale tak jak pozwalają na to zasady i nakazy pism świętych. Nie należy jednak całkowicie polegać na takich przyzwoleniach i zdawać się w pełni na ich kontrolę. Powinno się przestrzegać tych zasad i prawideł bez przywiązywania się do nich, jako że praktykowanie zadowalania zmysłów zgodnie z zasadami może również prowadzić do zguby (tak jak zawsze istnieje możliwość wypadku nawet na drogach królewskich, mimo iż mogą być one bardzo starannie utrzymane). Nikt nie może zagwarantować, że nie będzie niebezpieczeństwa, nawet na najbardziej bezpiecznej drodze. Tak długo przecież—na skutek obcowania z materią—nastawieni byliśmy na zadowalanie zmysłów. Zatem, nawet pomimo kontrolowanego zadowalania zmysłów, zawsze istnieje możliwość upadku. Dlatego stanowczo należy wystrzegać się wszelkiego przywiązania, nawet do ograniczonego zadowalania zmysłów. Kto jednak przywiązuje się do świadomości Kṛṣṇy, czyli zawsze pełni służbę miłości dla Kṛṣṇy, ten nie czuje pociągu do żadnych czynności zmysłowych. Dlatego nikt nie powinien próbować żyć bez świadomości Kṛṣṇy na jakimkolwiek etapie życia. Ostatecznym celem wyzbywania się wszelkiego rodzaju zmysłowych przywiązań jest osiągnięcie platformy świadomości Kṛṣṇy.

**TEKST 35** श्रेयान् स्वधर्मो विगुणः परधर्मात् स्वनुष्ठितात् ।
स्वधर्मे निधनं श्रेयः परधर्मो भयावहः ॥३५॥

*śreyān sva-dharmo viguṇaḥ para-dharmāt sv-anuṣṭhitāt*
*sva-dharme nidhanaṁ śreyaḥ para-dharmo bhayāvahaḥ*

*śreyān*—o wiele lepiej; *sva-dharmaḥ*—swoje przypisane obowiązki; *viguṇaḥ*—nawet niewłaściwie; *para-dharmāt*—niż obowiązki przeznaczone dla innych; *su-anuṣṭhitāt*—doskonale wypełniane; *sva-dharme*—w czyichś nakazanych obowiązkach; *nidhanam*—zguba; *śreyaḥ*—lepiej; *para-dharmaḥ*—obowiązki nakazane innym; *bhaya-āvahaḥ*—niebezpieczne.

**O wiele lepiej jest pełnić własne przypisane obowiązki, nawet niedoskonale, niż bezbłędnie pełnić obowiązki innych. Śmierć podczas pełnienia własnych obowiązków lepsza jest niż angażowanie się w obowiązki innych, albowiem niebezpieczne jest podążanie obcą ścieżką.**

*ZNACZENIE:* Należy zatem pełnić swoje specyficzne obowiązki w pełnej świadomości Kṛṣṇy i nie należy angażować się w obowiązki innych. Materialnie nakazane obowiązki są dopełnieniem psychofizycznych warunków danej osoby, zależnych od wpływu sił natury materialnej. Obowiązkami duchowymi są polecenia mistrza duchowego dotyczące transcendentalnej służby dla Kṛṣṇy. Jednak, zarówno z punktu widzenia życia materialnego, jak i duchowego, należy aż do śmierci trzymać się wyznaczonych sobie obowiązków i nie imitować obowiązków innych. Obowiązki na płaszczyźnie duchowej mogą różnić się od tych na płaszczyźnie materialnej, ale zasada przestrzegania autoryzowanych wskazówek jest zawsze dobra dla tego, który te obowiązki wykonuje. Gdy ktoś znajduje się pod wpływem sił natury materialnej, powinien on przestrzegać zasad i przepisów odnoszących się do jego szczególnej sytuacji i nie powinien imitować innych. Na przykład bramin, którym rządzi *guṇa* dobroci, jest łagodny; podczas gdy *kṣatriya*, będąc pod wpływem *guṇy* pasji, może być gwałtowny. Zatem lepiej jest dla *kṣatriyi* zginąć, działając zgodnie z zasadami użycia siły, niż naśladować bramina postępującego według zasad łagodności. Każdy musi oczyścić swoje serce przez proces stopniowy, nie zaś nagle. Kto jednakże jest ponad siłami natury materialnej i osiągnął pełną świadomość Kṛṣṇy, ten może robić wszystko pod kierunkiem bona fide mistrza duchowego. W tym doskonałym stanie świadomości Kṛṣṇy, *kṣatriya* może postępować jak bramin, a bramin jak *kṣatriya*. Temu transcendentalnemu stanowi nie odpowiadają podziały istniejące w świecie materialnym. Na przykład Viśvāmitra był początkowo *kṣatriyą*, ale później postępował jak bramin, podczas gdy Paraśurāma był braminem, a potem działał jako *kṣatriya*. Mogli postępować tak dlatego, że byli usytuowani na platformie transcendentalnej. Dopóki jednak jest się na platformie materialnej, należy pełnić obowiązki zgodne z siłą natury materialnej, pod wpływem której się pozostaje. Jednocześnie należy mieć całkowite poczucie świadomości Kṛṣṇy.

TEKST 36

अर्जुन उवाच
अथ केन प्रयुक्तोऽयं पापं चरति पूरुषः ।
अनिच्छन्नपि वार्ष्णेय बलादिव नियोजितः ॥३६॥

*arjuna uvāca*
*atha kena prayukto 'yaṁ pāpaṁ carati pūruṣaḥ*
*anicchann api vārṣṇeya balād iva niyojitaḥ*

*arjunaḥ uvāca*—Arjuna rzekł; *atha*—zatem; *kena*—przez co; *prayuktaḥ*—zmuszony; *ayam*—ktoś; *pāpam*—grzechy; *carati*—czyni; *pūruṣaḥ*—człowiek; *anicchan*—nie pragnąc; *api*—chociaż; *vārṣṇeya*—O potomku Vṛṣṇi; *balāt*—siłą; *iva*—jak gdyby; *niyojitaḥ*—zaangażowany.

**Arjuna rzekł: O potomku Vṛṣṇi, co skłania człowieka do grzesznych czynów mimo iż nie chce działać grzesznie. Cóż za niepożądana siła popycha go do nich?**

*ZNACZENIE:* Jako integralna cząstka Najwyższego, żywa istota jest oryginalnie duchowa, czysta i wolna od zanieczyszczeń materialnych. Dlatego z natury nie podlega ona grzechom tego materialnego świata. Jednak będąc w kontakcie z naturą materialną, spełnia ona wiele różnych grzesznych czynów, bez zastanowienia się i czasami nawet wbrew swojej własnej woli. Dlatego Arjuna szczerze pyta Kṛṣṇę o przyczynę tej perwersyjnej natury żywych istot. Mimo iż żywa istota czasami nie chce grzesznie postępować, to jednak jest zmuszona do takiego działania. Do tych grzesznych poczynań nie nakłania jej jednak Dusza Najwyższa (usytuowany w sercu żywej istoty), ale mają one inną przyczynę, jak to tłumaczy Pan w następnym wersecie.

TEKST 37

श्रीभगवानुवाच
काम एष क्रोध एष रजोगुणसमुद्भवः ।
महाशनो महापाप्मा विद्ध्येनमिह वैरिणम् ॥३७॥

*śrī-bhagavān uvāca*
*kāma eṣa krodha eṣa rajo-guṇa-samudbhavaḥ*
*mahāśano mahā-pāpmā viddhy enam iha vairiṇam*

*śrī-bhagavān uvāca*—Osoba Boga rzekł; *kāmaḥ*—pożądanie; *eṣaḥ*—to; *krodhaḥ*—gniew; *eṣaḥ*—to; *rajaḥ-guṇa*—siła pasji; *samudbhavaḥ*—zrodzony z; *mahā-aśanaḥ*—wszystko niszczący; *mahā-pāpmā*—wielce grzeszny; *viddhi*—wiedz; *enam*—to; *iha*—w materialnym świecie; *vairiṇam*—największy wróg.

**Najwyższa Osoba Boga rzekł: To pożądanie jedynie, Arjuno, zrodzone z kontaktu z materialną siłą natury—pasją, później przemienione w gniew, jest wszechniszczącym, grzesznym wrogiem tego świata.**

*ZNACZENIE:* Kiedy żywa istota wchodzi w kontakt ze światem materialnym, jej wieczna miłość do Kṛṣṇy—pod wpływem *guṇy* pasji—przemienia się w żądzę. Albo, innymi słowy, uczucie miłości do Boga przemienia się w żądzę, tak jak mleko w zetknięciu z kwaśną tamaryndą przemienia się w jogurt. A jeśli żądza ta nie zostanie zaspokojona, wtedy przemienia się w gniew. Gniew zmienia się w złudzenie, a złudzenie jest przyczyną kontynuacji naszego życia materialnego. Zatem pożądanie jest największym wrogiem żywej istoty i to jedynie ono skłania czystą żywą istotę do pozostania w matni tego materialnego świata. Gniew jest przejawem ignorancji—siły te objawiają się jako gniew i inne następstwa. Jeśli jednak *guṇa* pasji nie zostanie zdegradowana do *guṇy* ignorancji, ale, dzięki określonemu sposobowi życia i postępowania, wzniesie się do dobroci, wtedy można—dzięki przywiązaniu duchowemu—zostać ocalonym od degradacji przez gniew.

Najwyższa Osoba Boga rozwinął Siebie w wiele form, w celu bezustannego zwiększania Swego szczęścia duchowego, i żywe istoty są integralnymi cząstkami tego szczęścia. Posiadają one również częściową niezależność, ale poprzez niewłaściwe skorzystanie z tej swojej wolności—kiedy gotowość do pełnienia służby zmienia się w skłonność do uciech zmysłowych—stają się one niewolnikami żądzy. Pan stworzył ten świat materialny w tym celu, aby ułatwić uwarunkowanym duszom zaspokojenie ich zmysłowych skłonności. I kiedy, po długotrwałym zadowalaniu zmysłów, całkowicie zniechęcają się one do czynności zmysłowych, zaczynają wtedy dociekać swojej prawdziwej pozycji.

To dociekanie jest początkiem *Vedānta-sūtr*, gdzie jest powiedziane: *athāto brahma-jijñāsā*: należy pytać o Najwyższego. A Najwyższy określony został w *Śrīmad-Bhāgavatam* jako *janmādy asya yato 'nvayād itarataś ca*, czyli "Najwyższy Brahman jest źródłem wszystkiego." Najwyższy jest więc również źródłem pożądania. Jeśli zatem żądza zostanie zamieniona w miłość do Najwyższego, czyli w świadomość Kṛṣṇy—albo, innymi słowy, pragnienie wszystkiego dla Kṛṣṇy—

wtedy zarówno pożądanie, jak i gniew mogą zostać uduchowione. Hanumān, wielki sługa Pana Rāmy, przejawił swój gniew poprzez podpalenie złotego miasta Rāvaṇy, ale dzięki temu stał się największym wielbicielem Pana. Tutaj, w *Bhagavad-gīcie*, Pan również nakłania Arjunę do zastosowania gniewu przeciwko wrogom, dla zadowolenia Pana. Zatem pożądanie i gniew—kiedy zastosowane w świadomości Kṛṣṇy—nie są już dłużej naszymi wrogami, a stają się naszymi przyjaciółmi.

## TEKST 38

धूमेनाव्रियते वह्निर्यथादर्शो मलेन च ।
यथोल्बेनावृतो गर्भस्तथा तेनेदमावृतम् ॥३८॥

*dhūmenāvriyate vahnir yathādarśo malena ca*
*yatholbenāvṛto garbhas tathā tenedam āvṛtam*

*dhūmena*—przez dym; *āvriyate*—jest przykryty; *vahniḥ*—ogień; *yathā*—tak jak; *ādarśaḥ*—lustro; *malena*—przez kurz; *ca*—również; *yathā*—tak jak; *ulbena*—przez macicę; *āvṛtaḥ*—jest przykryty; *garbhaḥ*—płód; *tathā*—tak; *tena*—przez żądzę; *idam*—ta; *āvṛtam*—jest przykryta.

**Tak jak dym przesłania ogień albo kurz zwierciadło, czy też jak łono okrywa płód, podobnie żywa istota w różnym stopniu spowita jest przez żądzę.**

*ZNACZENIE:* Czysta świadomość żywej istoty może być przykryta trzema różnego rodzaju zasłonami. Tymi zasłonami, czyli przykryciem, jest jedynie pożądanie, ale objawiające się w różny sposób, podobnie do dymu przykrywającego ogień, kurzu na lustrze albo łona otaczającego płód. Kiedy pożądanie porównywane jest do dymu—należy to rozumieć w ten sposób, że ogień żyjącej iskry jest w pewnym stopniu dostrzegalny. Innymi słowy, kiedy żywa istota wykazuje niewielką świadomość Kṛṣṇy, może ona zostać porównana do ognia zasłoniętego dymem. Chociaż musi być ogień tam, gdzie jest dym, ogień ten nie jest początkowo widoczny. Ten stan podobny jest do początkowego stanu świadomości Kṛṣṇy. Odkurzanie lustra z kurzu można porównać do procesu oczyszczającego lustro umysłu za pomocą licznych metod duchowych. Najlepszą z tych metod jest intonowanie świętych imion Pana. Przykład płodu okrytego macicą ilustruje sytuację bardzo beznadziejną, gdyż dziecko w łonie matki jest tak bezradne, że nie może nawet się poruszać. Ten stan świadomości właściwy jest drzewom. Drzewa są również żywymi istotami, ale zostały umieszczone w takich warunkach życia z powodu przejawienia tak wielkiej żądzy, iż prawie całkowicie zostały pozbawione świadomości. Przykład z zakurzonym lustrem odnosi się do ptaków i zwierząt, a ogień przykryty dymem porównywany jest do istot ludzkich. W formie ludzkiej żywa istota może odżywić nieco świadomość Kṛṣṇy, i jeśli poczyni dalsze postępy, może ona rozniecić ogień życia duchowego. Przez staranne manipulowanie dymem ognia można doprowadzić do tego, że ogień ten wybuchnie pełnym płomieniem. Dlatego też ludzka forma życia jest dla żywej istoty szansą uwolnienia się z sideł egzystencji materialnej. W ludzkiej formie życia, poprzez kultywowanie—pod właściwym przewodnictwem—świadomości Kṛṣṇy, można pokonać wroga, czyli żądzę.

**TEKST 39** आवृतं ज्ञानमेतेन ज्ञानिनो नित्यवैरिणा ।
कामरूपेण कौन्तेय दुष्पूरेणानलेन च ॥३९॥

*āvṛtaṁ jñānam etena jñānino nitya-vairiṇā*
*kāma-rūpeṇa kaunteya duṣpūreṇānalena ca*

*āvṛtam*—przykryta; *jñānam*—czysta świadomość; *etena*—przez to; *jñāninaḥ*—znawcy; *nitya-vairiṇā*—przez wiecznego wroga; *kāma-rūpeṇa*—w postaci żądzy; *kaunteya*—O synu Kuntī; *duṣpūreṇa*—nigdy nie usatysfakcjonowana; *analena*—przez ogień; *ca*—również.

**W ten sposób czysta świadomość mądrej, żywej istoty przykryta zostaje przez jej wiecznego wroga—żądzę, nigdy nie zaspokojoną i palącą jak ogień.**

*ZNACZENIE:* Jest powiedziane w *Manu-smṛti*, że żądza nigdy nie może zostać zaspokojona żadną ilością uciech zmysłowych, tak jak nigdy nie zagasi się ognia ciągle dorzucając do niego opał. Centrum wszelkiej działalności w tym świecie materialnym stanowi seks i dlatego świat ten nazywany jest *maithunya-āgāra*, czyli jarzmem życia seksualnego. W zwykłym więzieniu przestępców trzyma się za kratami; podobnie, przestępcy nieposłuszni prawom Pana zostają spętani przez seks. Postęp cywilizacji, której podstawą jest zadowalanie zmysłów, oznacza przedłużenie egzystencji materialnej żywej istoty. Zatem żądza jest oznaką ignorancji, zatrzymującą żywą istotę w tym świecie materialnym. Ktoś angażujący się w zadowalanie zmysłów może doznawać pewnego uczucia szczęścia, ale w rzeczywistości to tzw. szczęście jest jego największym wrogiem.

**TEKST 40** इन्द्रियाणि मनो बुद्धिरस्याधिष्ठानमुच्यते ।
एतैर्विमोहयत्येष ज्ञानमावृत्य देहिनम् ॥४०॥

*indriyāṇi mano buddhir asyādhiṣṭhānam ucyate*
*etair vimohayaty eṣa jñānam āvṛtya dehinam*

*indriyāṇi*—zmysły; *manaḥ*—umysł; *buddhiḥ*—inteligencja; *asya*—tego pożądania; *adhiṣṭhānam*—siedziba; *ucyate*—jest nazywana; *etaiḥ*—przez tych wszystkich; *vimohayati*—oszałamia; *eṣaḥ*—to pożądanie; *jñānam*—wiedza; *āvṛtya*—przykrywając; *dehinam*—wcielonej istoty.

**To ona—żądza, spowija prawdziwą wiedzę żywej istoty i oszałamia ją, a zmysły, umysł i inteligencja są jej siedliskiem.**

*ZNACZENIE:* Wróg zajął różne strategiczne pozycje w ciele uwarunkowanej żywej istoty i dlatego Pan Kṛṣṇa wskazuje te miejsca, tak aby ten, kto chce pokonać wroga, mógł wiedzieć gdzie go znaleźć. Umysł stanowi centrum wszelkich czynności zmysłów i na ogół, gdy słyszymy o przedmiotach zmysłowych, staje się on zbiornikiem wszelkich pomysłów względem zadowalania zmysłów. W rezultacie umysł i zmysły stają się magazynem żądz, a inteligencja jest stolicą takich pożądliwych skłonności. Inteligencja jest bardzo bliskim sąsiadem duszy. Pożądliwa inteligencja powoduje to, że dusza przyswaja sobie fałszywe ego i utożsamia się z materią, a przez to również z umysłem i zmysłami. Dusza staje się ofiarą materialnych uciech zmysłowych i błędnie uważa je za prawdziwe szczęście. To błędne utożsamianie się duszy z materią zostało wspaniale wytłumaczone w *Śrīmad-Bhāgavatam* (10.84.13):

*yasyātma-buddhiḥ kuṇape tri-dhātuke*
*sva-dhīḥ kalatrādiṣu bhauma ijya-dhīḥ*
*yat-tīrtha-buddhiḥ salile na karhicij*
*janeṣv abhijñeṣu sa eva go-kharaḥ*

"Ludzka istota, która utożsamia się z ciałem złożonym z trzech elementów, która uboczne produkty tego ciała uważa za swoich krewnych, która traktuje miejsce swoich narodzin jako przedmiot kultu, a do miejsc pielgrzymek udaje się po to raczej, aby wziąć tam kąpiel—a nie żeby spotkać się z ludźmi posiadającymi wiedzę transcendentalną, powinna być uważana za podobną osłowi albo krowie."

**TEKST 41** तस्मात्त्वमिन्द्रियाण्यादौ नियम्य भरतर्षभ ।
पाप्मानं प्रजहि ह्येनं ज्ञानविज्ञाननाशनम् ॥४१॥

*tasmāt tvam indriyāṇy ādau niyamya bharatarṣabha*
*pāpmānaṁ prajahi hy enaṁ jñāna-vijñāna-nāśanam*

*tasmāt*—dlatego; *tvam*—ty; *indriyāṇi*—zmysły; *ādau*—na początku; *niyamya*—przez uregulowanie; *bharata-ṛṣabha*—O pierwszy wśród potomków Bharaty; *pāpmānam*—wielka oznaka grzechu; *prajahi*—trzymaj w karbach; *hi*—z pewnością; *enam*—ta; *jñāna*—wiedzy; *vijñāna*—i naukowa wiedza o czystej duszy; *nāśanam*—niszczyciel.

**Dlatego, o Arjuno, najlepszy spośród potomków Bharaty, panując nad zmysłami, staraj się od samego początku trzymać w karbach to największe znamię grzechu—żądzę, i zgładź tę zabójczynię wiedzy i samorealizacji.**

*ZNACZENIE:* Pan poradził Arjunie, aby od samego początku panował nad zmysłami, tak aby był w stanie trzymać w karbach tego największego, grzesznego wroga—żądzę, która niszczy pobudki do realizacji duchowej, a szczególnie wiedzę o duszy. *Jñāna* odnosi się do wiedzy o jaźni jako o odmiennej od nie-jaźni, czyli innymi słowy, wiedzy, że dusza nie jest ciałem. *Vijñāna* odnosi się do ściśle określonej wiedzy o duszy i jej konstytucjonalnej pozycji oraz związku z Duszą Najwyższą. Zostało to wytłumaczone w *Śrīmad-Bhāgavatam* (2.9.31) w następujący sposób:

*jñānaṁ parama-guhyaṁ me yad vijñāna-samanvitam*
*sa-rahasyaṁ tad-aṅgaṁ ca gṛhāṇa gaditaṁ mayā*

"Wiedza o duszy i Duszy Najwyższej jest wiedzą bardzo poufną i tajemniczą. Jednak, jeśli tłumaczy ją—z jej różnymi aspektami—Sam Pan, wiedzę tę można poznać i zrealizować." Taką ogólną i szczegółową wiedzę o duszy ofiarowuje nam *Bhagavad-gītā*. Żywe istoty są integralnymi cząstkami Pana, a zatem ich przeznaczeniem jest służenie Panu. Taka świadomość nazywana jest świadomością Kṛṣṇy. Takiej świadomości należy uczyć się już od samych początków życia, tak aby stać się w pełni świadomym Kṛṣṇy i postępować zgodnie z tą świadomością.

Pożądanie jest jedynie wypaczonym odbiciem miłości do Boga, będącej czymś naturalnym dla każdej żywej istoty. Jeśli jednak ktoś od samego początku wychowywany jest w świadomości Kṛṣṇy, to nie ma niebezpieczeństwa, że ta naturalna miłość do Boga może zdegenerować się do pożądania. Kiedy miłość do Boga ulega degeneracji i przemienia się w pożądanie, bardzo trudno jest wtedy powrócić do stanu normalnego. Niemniej jednak, świadomość Kṛṣṇy ma taką moc, że nawet ten, kto późno zaczyna, może—przez przestrzeganie zasad służby oddania—zostać wielbicielem Boga. Więc na każdym etapie życia, czyli z chwilą zrozumienia takiej potrzeby, można zacząć kontrolować zmysły w świadomości Kṛṣṇy, w służbie oddania dla Pana, i przemienić pożądanie w miłość do Boga. A miłość ta jest stanem najwyższej doskonałości w ludzkim życiu.

TEKST 42 इन्द्रियाणि पराण्याहुरिन्द्रियेभ्यः परं मनः ।
मनसस्तु परा बुद्धिर्यो बुद्धेः परतस्तु सः ॥४२॥

*indriyāṇi parāṇy āhur indriyebhyaḥ paraṁ manaḥ*
*manasas tu parā buddhir yo buddheḥ paratas tu saḥ*

*indriyāṇi*—zmysły; *parāṇi*—wyższe; *āhuḥ*—jest powiedziane; *indriyebhyaḥ*—więcej niż zmysły; *param*—wyższe; *manaḥ*—umysł; *manasaḥ*—więcej niż umysł; *tu*—również; *parā*—wyższa; *buddhiḥ*—inteligencja; *yaḥ*—kto; *buddheḥ*—więcej niż inteligencja; *parataḥ*—wyższy; *tu*—ale; *saḥ*—on.

**Funkcjonujące zmysły stoją ponad martwą materią; umysł zaś jest nadrzędny w stosunku do zmysłów; jednak inteligencja stoi wyżej od umysłu; a ona (dusza) przewyższa nawet inteligencję.**

*ZNACZENIE:* Kumulująca się w ciele żądza znajduje ujście w zmysłach. Zatem zmysły są nadrzędne w stosunku do całego ciała. Ujścia te nie są używane w przypadku wyższej świadomości, czyli świadomości Kṛṣṇy. W świadomości Kṛṣṇy dusza wchodzi w bezpośredni związek z Najwyższą Osobą Boga; zatem hierarchia czynności ciała, tak jak to tutaj opisano, kulminuje w Duszy Najwyższej. Czynności ciała oznaczają funkcjonowanie zmysłów, a wstrzymanie funkcjonowania zmysłów oznacza wstrzymanie wszystkich czynności ciała. Ponieważ jednak umysł jest aktywny, to nawet chociaż ciało jest w stanie spoczynku, umysł będzie funkcjonował—tak jak to się dzieje podczas snu. Ponad umysłem jednak jest determinacja inteligencji, a ponad inteligencją—prawdziwa dusza. Kiedy więc dusza zostanie bezpośrednio połączona z Najwyższym, wtedy w naturalny sposób podążą za nią elementy niższe, mianowicie inteligencja, umysł i zmysły. Podobny ustęp jest w *Kaṭha Upaniṣad*, i mówi on, że przedmioty zmysłów stoją wyżej od zmysłów, a umysł przewyższa przedmioty zmysłów. Jeśli zatem umysł jest bezpośrednio i stale zaangażowany w służbę dla Pana, wtedy zmysły nie mają okazji zająć się czymś innym. To stanowisko umysłu zostało już wcześniej wytłumaczone. *Paraṁ dṛṣṭvā nivartate*. Jeżeli umysł zostanie zaangażowany w transcendentalną służbę dla Pana, wtedy nie ma on okazji zwrócenia się ku niższym skłonnościom. W *Kaṭha Upaniṣad* dusza została określona jako *mahān*, czyli wielka. Przewyższa więc ona wszystko—mianowicie: przedmioty zmysłów, zmysły, umysł i inteligencję. Dlatego zrozumienie konstytucjonalnej pozycji duszy jest rozwiązaniem całego problemu.

Należy zatem, za pomocą inteligencji, odkryć konstytucjonalną pozycję duszy i wtedy zawsze angażować umysł w świadomość Kṛṣṇy.

To rozwiąże cały problem. Spirytualistom-nowicjuszom na ogół radzi się, aby trzymali się z dala od przedmiotów zmysłów. Poza tym należy wzmocnić umysł, używając do tego celu inteligencji. Jeśli ktoś, z pomocą inteligencji, zaangażuje swój umysł w świadomość Kṛṣṇy—całkowicie podporządkowując się Najwyższej Osobie Boga—wtedy umysł ten automatycznie się wzmacnia. I nawet chociaż zmysły są mocne, niczym węże, nie będą one już więcej groźne, tak jak niegroźne są węże ze złamanymi zębami jadowymi. Mimo iż dusza jest panem inteligencji, umysłu, jak również zmysłów, to jednak dopóki nie wzmocni się ona przez obcowanie z Kṛṣṇą—w świadomości Kṛṣṇy, zawsze będzie istniała możliwość upadku, gdy tylko umysł zostanie poruszony.

TEKST 43 एवं बुद्धेः परं बुद्ध्वा संस्तभ्यात्मानमात्मना ।
जहि शत्रुं महाबाहो कामरूपं दुरासदम् ॥४३॥

*evaṁ buddheḥ paraṁ buddhvā saṁstabhyātmānam ātmanā*
*jahi śatruṁ mahā-bāho kāma-rūpaṁ durāsadam*

*evam*—zatem; *buddheḥ*—od inteligencji; *param*—wyższa; *buddhvā*—wiedząc; *saṁstabhya*—przez ustabilizowanie; *ātmānam*—umysł; *ātmanā*—przez rozważną inteligencję; *jahi*—zwalcz; *śatrum*—wroga; *mahā-bāho*—O potężny; *kāma-rūpam*—w postaci żądzy; *durāsadam*—groźna.

**Zatem wiedząc, iż dusza jest transcendentalna wobec zmysłów materialnych, umysłu i inteligencji, należy wzmocnić umysł za pomocą rozważnej inteligencji duchowej (świadomość Kṛṣṇy), i w ten sposób—poprzez siły duchowe—pokonać nienasyconego wroga, znanego jako żądza.**

*ZNACZENIE:* Ten Trzeci Rozdział *Bhagavad-gīty* ostatecznie kieruje nas ku świadomości Kṛṣṇy—poprzez poznawanie siebie jako wiecznego sługi Najwyższej Osoby Boga, i bynajmniej nie uważa on bezosobowej próżni za cel ostateczny. Życiu materialnemu właściwa jest skłonność do zmysłowości i panowania nad zasobami natury materialnej. Pragnienie dominacji i zadowalania zmysłów są największymi wrogami uwarunkowanej duszy. Jednak poprzez siłę świadomości Kṛṣṇy można kontrolować zmysły materialne, umysł i inteligencję. Nie powinno się nagle porzucać swojej pracy i obowiązków. Poprzez stopniowy rozwój świadomości Kṛṣṇy można osiągnąć płaszczyznę transcendentalną, gdzie—dzięki niewzruszonej inteligencji skierowanej ku własnej, czystej tożsamości—nie podlega się już wpływom materialnych zmysłów i umysłu. Taka jest konkluzja tego rozdziału. Spekulacje filozoficzne i sztuczne próby kontrolowania zmysłów, przez tzw. praktykę pozycji *yogi*, nie mogą pomóc w życiu duchowym człowiekowi, który znajduje się na niedojrzałym etapie egzystencji materialnej. Musi on, za pomocą wyższej inteligencji, zostać wyćwiczony w świadomości Kṛṣṇy.

W ten sposób Bhaktivedanta kończy objaśnienia do Trzeciego Rozdziału *Śrīmad Bhagavad-gīty*, traktującego o *Karma-yodze*, czyli pełnieniu nakazanych obowiązków w świadomości Kṛṣṇy.

# ROZDZIAŁ IV

# Wiedza Transcendentalna

**TEKST 1**

श्रीभगवानुवाच
इमं विवस्वते योगं प्रोक्तवानहमव्ययम् ।
विवस्वान्मनवे प्राह मनुरिक्ष्वाकवेऽब्रवीत् ॥१॥

*śrī-bhagavān uvāca*
*imaṁ vivasvate yogaṁ proktavān aham avyayam*
*vivasvān manave prāha manur ikṣvākave 'bravīt*

*śrī-bhagavān uvāca*—Najwyższa Osoba Boga rzekł; *imam*—to; *vivasvate*—bogu słońca; *yogam*—nauka o związku z Najwyższym; *proktavān*—przekazałem; *aham*—Ja; *avyayam*—niezniszczalna; *vivasvān*—Vivasvān (imię boga słońca); *manave*—ojcu ludzkości (o imieniu Vaivasvata); *prāha*—powiedział; *manuḥ*—ojciec ludzkości; *ikṣvākave*—Królowi Ikṣvāku; *abravīt*—powiedział.

**Osoba Boga, Pan Śrī Kṛṣṇa, rzekł: Ja przekazałem tę niezniszczalną naukę yogi bogu słońca Vivasvānowi, a Vivasvān przekazał ją Manu, ojcu ludzkości. Manu z kolei pouczył o niej Ikṣvāku.**

*ZNACZENIE:* Znajdujemy tutaj historię *Bhagavad-gīty* przekazywanej od czasów niepamiętnych, to znaczy od chwili, kiedy została wyjawiona królom wszystkich planet, począwszy od planety Słońce. Szczególnym obowiązkiem królów wszystkich planet jest ochrona mieszkańców tych planet. Zatem klasa królewska powinna zrozumieć naukę *Bhagavad-gīty*, tak aby była w stanie kierować swoimi poddanymi i chronić ich od materialnej niewoli żądzy. Ludzkie życie ma służyć kultywacji wiedzy duchowej—w wiecznym związku z Najwyższą Osobą Boga—a przywódcy wszystkich krajów i planet zobowiązani są udzielić jej swoim obywatelom—poprzez wykształcenie, kulturę i oddanie. Innymi słowy, zadaniem przywódców wszystkich państw jest szerzenie wiedzy o świadomości Kṛṣṇy, tak aby ludzie mogli wyciągnąć korzyści z tej wielkiej nauki i wybrać właściwą, prowadzącą do sukcesu drogę—korzystając z szansy jaką daje ludzka forma życia.

W tym milenium, bóg słońca, które jest źródłem wszystkich planet w tym systemie słonecznym, znany jest jako Vivasvān, król słońca. W *Brahma-saṁhicie* (5.52) jest powiedziane:

*yac-cakṣur eṣa savitā sakala-grahāṇāṁ*
*rājā samasta-sura-mūrtir aśeṣa-tejāḥ*
*yasyājñayā bhramati sambhṛta-kāla-cakro*
*govindam ādi-puruṣaṁ tam ahaṁ bhajāmi*

"Pragnę wielbić"—powiedział Pan Brahmā—"Najwyższą, oryginalną Osobę Boga, Govindę (Kṛṣṇę), pod którego kontrolą słońce—będące królem wszystkich planet—przyjmuje bezgraniczną moc i ciepło. Słońce reprezentuje oko Pana i przebiega swoją orbitę zgodnie z Jego nakazem."

Słońce jest królem wszystkich planet, a bóg słońca (obecnie o imieniu Vivasvān) rządzi tą planetą, która kontroluje wszystkie inne, dostarczając im ciepła i światła. Obraca się ono z rozkazu Kṛṣṇy i Pan początkowo uczynił Vivasvāna Swoim pierwszym uczniem mającym zrozumieć naukę *Bhagavad-gīty*. *Gītā* nie jest zatem spekulatywną rozprawą przeznaczoną dla niewiele znaczących, światowych naukowców, ale jest wzorcową księgą wiedzy przekazywaną od czasów niepamiętnych.

Historię *Gīty* możemy prześledzić w *Mahābhāracie* (*Śānti-parva* 348.51-52):

*tretā-yugādau ca tato vivasvān manave dadau*
*manuś ca loka-bhṛty-arthaṁ sutāyekṣvākave dadau*

*ikṣvākuṇā ca kathito vyāpya lokān avasthitaḥ*

"Na początku milenium zwanego Tretā-yugą ta nauka o związku z Najwyższym została wyjawiona Manu przez Vivasvāna. Manu, ojciec ludzkości, udzielił jej swemu synowi Mahārājowi Ikṣvāku, królowi tej planety Ziemi i przodkowi dynastii Raghu, w której pojawił się Pan Rāmacandra." Zatem *Bhagavad-gītā* istniała w ludzkim społeczeństwie od czasów Mahārāja Ikṣvāku.

Obecnie mamy za sobą już pięć tysięcy lat Kali-yugi, która trwa 432 000 lat. Przed tym okresem była Dvāpara-yuga (800 000 lat), a wcześniej Tretā-yuga (1 200 000 lat). Zatem Manu przekazał naukę *Bhagavad-gīty* swemu synowi i uczniowi Mahārājowi Ikṣvāku, będącemu królem tej ziemskiej planety, jakieś 2 005 000 lat temu. Wiek obecnego Manu oblicza się na około 305 300 000 lat, z których minęło już 120 400 000 lat. Przyjmując, że przed narodzinami Manu, Pan przekazał *Gītę* Swemu uczniowi Vivasvānowi, bogu słońca, to z przybliżonych obliczeń wynika, że *Gītā* została wygłoszona przynajmniej 120 400 000 lat temu. A w społeczeństwie ludzkim przekazywana jest już od około dwóch milionów lat. Około pięć tysięcy lat temu Pan ponownie powtórzył ją Arjunie. Jest to przybliżony wiek *Gīty*, według niej samej i według jej autora, Pana Śrī Kṛṣṇy. Została ona przekazana bogu słońca, Vivasvānowi, który—sam będąc *kṣatriyą*—jest ojcem wszystkich *kṣatriyów* (stąd zwie się ich potomkami boga słońca, czyli *kṣatriyami sūrya-vaṁśa*). Ponieważ *Bhagavad-gītā* jest tak dobra jak *Vedy*, jako że wyjawiona została przez Najwyższą Osobę Boga—wiedza ta jest *apauruṣeya*, nadludzka. Skoro więc nakazy wedyjskie przyjmowane są takimi jakimi są, bez ludzkiej interpretacji, zatem tak też należy przyjmować *Gītę*, bez świeckiej interpretacji. Światowi awanturnicy mogą spekulować na temat *Gīty* na swój własny sposób, ale nie będzie to *Bhagavad-gītā* taka, jaką jest. *Bhagavad-gītā* musi więc zostać przyjęta taką jaką jest, poprzez sukcesję uczniów, tak jak to opisano tutaj, że Pan przekazał ją bogu słońca, bóg słońca swemu synowi Manu, a Manu z kolei swemu synowi Ikṣvāku.

**TEKST 2**

एवं परम्पराप्राप्तमिमं राजर्षयो विदुः ।
स कालेनेह महता योगो नष्टः परन्तप ॥२॥

*evaṁ paramparā-prāptam imaṁ rājarṣayo viduḥ*
*sa kāleneha mahatā yogo naṣṭaḥ parantapa*

*evam*—w ten sposób; *paramparā*—przez sukcesję uczniów; *prāptam*—otrzymali; *imam*—tę naukę; *rāja-ṛṣayaḥ*—święci królowie; *viduḥ*—zrozumieli; *saḥ*—tę wiedzę; *kālena*—z biegiem czasu; *iha*—w tym świecie; *mahatā*—wielka; *yogaḥ*—nauka o związku z Najwyższym; *naṣṭaḥ*—rozproszona; *parantapa*—O Arjuno, pogromco wroga.

**Ta najwyższa nauka przekazywana była poprzez sukcesję uczniów i święci królowie poznawali ją w ten sposób. Ale z biegiem czasu sukcesja uczniów została przerwana i nauka ta—taka jaką jest—zdaje się być stracona.**

*ZNACZENIE:* Oznajmiono tutaj wyraźnie, że *Gītā* była szczególnie przeznaczona dla świętych królów, jako że oni—zarządzając swoimi poddanymi—mieli wypełniać jej cel. Z pewnością nie została ona przeznaczona dla osób demonicznych, które—wymyślając różnego typu interpretacje mające zaspokoić ich własne cele—unicestwiają jej wartość, tak aby nikt nie mógł wyciągnąć z niej korzyści. Skoro tylko pierwotny cel *Bhagavad-gīty* poszedł w niepamięć—za przyczyną niesumiennych komentatorów, zaistniała potrzeba odnowienia sukcesji uczniów. Pięć tysięcy lat temu Sam Pan zauważył, że sukcesja uczniów została przerwana i dlatego oznajmił, iż cel *Gīty* uległ zapomnieniu. Również obecnie jest tak wiele różnych wydań *Gīty* (szczególnie w języku angielskim), ale prawie wszystkie z nich są niezgodne z nauką autoryzowanej sukcesji uczniów. Istnieje niezliczona ilość interpretacji *Gīty* napisanych przez różnych świeckich naukowców, lecz prawie żaden z nich nie akceptuje Najwyższej Osoby Boga, Kṛṣṇy, mimo iż robią dobry interes na słowach Śrī Kṛṣṇy. Interpretacje te utrzymywane są w demonicznym duchu, ponieważ demony nie wierzą w Boga—chociaż korzystają z własności Najwyższego. Jako że zaistniała wielka potrzeba na angielskie wydanie *Gīty*—takiej jaką przekazuje system *paramparā* (sukcesja uczniów)—uczyniono tutaj próbę mającą zaspokoić tę wielką potrzebę. *Bhagavad-gītā* przyjęta taką jaką jest, stanowi wielki dar dla ludzkości; jeżeli natomiast przyjmuje się ją jak rozprawę o charakterze filozoficznej spekulacji, czytanie jej jest wtedy stratą czasu.

**TEKST 3**

स एवायं मया तेऽद्य योगः प्रोक्तः पुरातनः ।
भक्तोऽसि मे सखा चेति रहस्यं ह्येतदुत्तमम् ॥३॥

*sa evāyaṁ mayā te 'dya yogaḥ proktaḥ purātanaḥ*
*bhakto 'si me sakhā ceti rahasyaṁ hy etad uttamam*

*saḥ*—ta sama; *eva*—z pewnością; *ayam*—ta; *mayā*—przeze Mnie; *te*—tobie; *adya*—dzisiaj; *yogaḥ*—nauka o *yodze; proktaḥ*—wygłoszona; *purātanaḥ*—bardzo stara; *bhaktaḥ*—wielbiciel; *asi*—jesteś; *me*—Mój; *sakhā*—przyjacielem; *ca*—również; *iti*—dlatego; *rahasyam*—tajemnica; *hi*—z pewnością; *etat*—ta; *uttamam*—transcendentalna.

**Przekazuję ci tutaj tę starożytną naukę o związku z Najwyższym, jako że jesteś Moim wielbicielem i przyjacielem, i dlatego możesz zrozumieć transcendentalną tajemnicę tej nauki.**

*ZNACZENIE:* Są dwa rodzaje ludzi, mianowicie: wielbiciele i demony. Pan uczynił Arjunę odbiorcą nauk *Bhagavad-gīty* dlatego, że był on

Jego wielbicielem. Demony jednak nie są w stanie zrozumieć tej wielkiej, tajemnej nauki. Istnieje wiele wydań tej wielkiej księgi wiedzy i niektóre z nich posiadają komentarze wielbicieli, niektóre natomiast zostały zinterpretowane przez demony. Komentarze wielbicieli są prawdziwe, podczas gdy te pisane przez demony są bezużyteczne. Arjuna zaakceptował Kṛṣṇę jako Najwyższą Osobę Boga i każdy komentarz *Gīty* zgodny z postawą Arjuny jest prawdziwą służbą oddania na rzecz tej wielkiej nauki. Demony jednakże nie przyjmują Kṛṣṇy takim, jakim On jest. Wymyślają swój własny obraz Kṛṣṇy, sprowadzając tym samym ludzi i ogół czytelników z drogi właściwego zrozumienia Jego nauk. Werset ten ostrzega przed takimi błędnymi ścieżkami. Tak więc, aby odnieść prawdziwą korzyść z tych nauk *Śrīmad Bhagavad-gīty*, należy wziąć przykład z sukcesji uczniów, zapoczątkowanej przez Arjunę.

**TEKST 4** अर्जुन उवाच

अपरं भवतो जन्म परं जन्म विवस्वतः ।
कथमेतद् विजानीयां त्वमादौ प्रोक्तवानिति ॥४॥

*arjuna uvāca*
*aparaṁ bhavato janma paraṁ janma vivasvataḥ*
*katham etad vijānīyāṁ tvam ādau proktavān iti*

*arjunaḥ uvāca*—Arjuna rzekł; *aparam*—młodszy; *bhavataḥ*—Twoje; *janma*—narodziny; *param*—starszy; *janma*—narodziny; *vivasvataḥ*-boga słońca; *katham*—jak; *etat*—to; *vijānīyām*—mam zrozumieć; *tvam*—Ty; *ādau*—na początku; *proktavān*—przekazałeś; *iti*—zatem.

**Arjuna rzekł: Bóg słońca Vivasvān narodził się wcześniej niż Ty, jak więc mam to rozumieć, że na początku jemu przekazałeś tę wiedzę?**

*ZNACZENIE:* Arjuna jest uznanym wielbicielem Pana, więc jak mógł on wątpić w słowa Kṛṣṇy? Prawda jest taka, że Arjuna nie pytał w swoim imieniu, ale pytał dla korzyści tych, którzy nie wierzą w Najwyższą Osobę Boga, albo demonów, które nie chcą zaakceptować Kṛṣṇy jako Najwyższej Osoby Boga. To jedynie dla ich korzyści Arjuna zadaje tego typu pytania, tak jak gdyby sam nie był świadomy Osoby Boga, czyli Kṛṣṇy. Z Rozdziału Dziesiątego dowiemy się, że Arjuna doskonale wiedział, iż Kṛṣṇa jest Najwyższą Osobą Boga, źródłem wszystkiego i ostatnim słowem w transcendencji. Ponieważ na tej Ziemi Kṛṣṇa pojawił się jako syn Devakī, pospolitemu człowiekowi bardzo trudno jest zrozumieć, w jaki sposób Kṛṣṇa pozostał tą samą Najwyższą

Osobą Boga, osobą pierwotną i wieczną. Aby zatem to wyjaśnić, Arjuna zadaje pytanie Kṛṣṇie, tak aby On Sam mógł udzielić autorytatywnej odpowiedzi. Fakt, że Kṛṣṇa jest najwyższym autorytetem, przyjmuje cały świat, nie tylko w czasach obecnych, ale od czasów niepamiętnych; nie akceptują Go jedynie demony. Skoro więc Kṛṣṇa jest przez wszystkich uznanym autorytetem, Arjuna zadał Mu to pytanie w tym celu, aby Kṛṣṇa mógł Sam Siebie opisać, nie czekając na demony, które zawsze usiłują przedstawić Go w fałszywym świetle—w sposób zrozumiały dla nich samych i ich zwolenników. Wszyscy—dla swojego własnego dobra, powinni poznać naukę o Kṛṣṇie. Jeśli Kṛṣṇa mówi Sam o Sobie, jest to korzystne dla wszystkich światów. Takie wyjaśnienia dane przez Samego Kṛṣṇę mogą być dziwne dla demonów, jako że demony zawsze analizują Kṛṣṇę z własnego punktu widzenia. Ci natomiast, którzy są wielbicielami Pana, z ochotą przyjmują zdania o Kṛṣṇie, tym bardziej wypowiadane przez Samego Kṛṣṇę. Wielbiciele będą zawsze odnosić się z szacunkiem do takich autorytatywnych wypowiedzi o Kṛṣṇie, ponieważ zawsze gorąco pragną wiedzieć o Nim coraz więcej. Ateiści, którzy uważają Kṛṣṇę za zwykłego człowieka, mogą w ten sposób dowiedzieć się, iż Kṛṣṇa jest nadludzki, że jest On *sac-cid-ānanda vigraha*—wieczną formą pełną szczęścia i wiedzy—że jest On transcendentalny i nie podlega wpływom trzech sił natury materialnej, i nie ogranicza Go czas ani przestrzeń. Wielbiciel Kṛṣṇy, tak jak Arjuna, z całą pewnością rozumie Jego transcendentalną pozycję. Zadanie tego pytania Panu jest jedynie próbą przeciwstawienia się ateistycznemu stanowisku osób, które uważają Kṛṣṇę za zwykłą ludzką istotę, podlegającą wpływom *guṇ* natury materialnej.

**TEKST 5**

श्रीभगवानुवाच
बहूनि मे व्यतीतानि जन्मानि तव चार्जुन ।
तान्यहं वेद सर्वाणि न त्वं वेत्थ परन्तप ॥५॥

*śrī-bhagavān uvāca*
*bahūni me vyatītāni janmāni tava cārjuna*
*tāny ahaṁ veda sarvāṇi na tvaṁ vettha parantapa*

*śrī-bhagavān uvāca*—Osoba Boga rzekł; *bahūni*—wiele; *me*—Moich; *vyatītāni*—minęło; *janmāni*—narodziny; *tava*—Twoich; *ca*—i również; *arjuna*—O Arjuno; *tāni*—te; *aham*—Ja; *veda*—znam; *sarvāṇi*—wszystkie; *na*—nie; *tvam*—ty; *vettha*—znasz; *parantapa*—O pogromco wroga.

**Osoba Boga rzekł: Wiele, wiele narodzin mamy za sobą tak ty, jak i Ja, Arjuno. Ja pamiętam wszystkie z nich, ale ty nie możesz ich pamiętać, o pogromco wroga!**

*ZNACZENIE:* W *Brahma-saṁhicie* (5.33) znajdujemy informacje o bardzo wielu inkarnacjach Pana. Jest tam powiedziane:

*advaitam acyutam anādim ananta-rūpam*
*ādyaṁ purāṇa-puruṣaṁ nava-yauvanaṁ ca*
*vedeṣu durlabham adurlabham ātma-bhaktau*
*govindam ādi-puruṣaṁ tam ahaṁ bhajāmi*

"Wielbię Najwyższą Osobę Boga, Govindę (Kṛṣṇę), który jest pierwotną osobą—który jest absolutny, nieomylny i nie mający początku. I chociaż rozprzestrzenił się w nieograniczoną ilość form, jest ciągle tym samym, najstarszym, a pojawiającym się zawsze jak uosobienie młodości. Takie wieczne, pełne szczęścia, wszystko-wiedzące formy Pana poznają zwykle najlepsi uczeni wedyjscy, a zawsze manifestowane są one czystym i niezachwianym wielbicielom Pana."

W *Brahma-saṁhicie* (5.39) jest również powiedziane:

*rāmādi-mūrtiṣu kalā-niyamena tiṣṭhan*
*nānāvatāram akarod bhuvaneṣu kintu*
*kṛṣṇaḥ svayaṁ samabhavat paramaḥ pumān yo*
*govindam ādi-puruṣaṁ tam ahaṁ bhajāmi*

"Wielbię Najwyższą Osobę Boga, Govindę (Kṛṣṇę), który jest wiecznie obecny w różnych inkarnacjach, takich jak Rāma, Nṛsiṁha i w wielu podinkarnacjach, ale który jest zarazem oryginalną Osobą Boga, znanym jako Kṛṣṇa—który również przychodzi osobiście."

*Vedy* mówią, że Pan—chociaż jeden bez wtórego—przejawia się w niezliczonych formach. Jest On jak kamień *vaidurya*, który zmienia kolor, a jednak zawsze pozostaje tym samym. Wszystkie te wielorakie formy Pana znane są czystym i niezachwianym wielbicielom; nie można ich zrozumieć jedynie przez studiowanie *Ved* (*vedeṣu durlabham adurlabham ātma-bhaktau*). Wielbiciele, tacy jak Arjuna, są nieodłącznymi towarzyszami Pana i kiedykolwiek Pan inkarnuje, oni pojawiają się razem z Nim, aby służyć Mu na różne sposoby. Arjuna jest jednym z takich wielbicieli Pana. Z wersetu tego dowiadujemy się, że kilka milionów lat temu, kiedy Pan Kṛṣṇa przekazywał *Bhagavad-gītę* bogu słońca Vivasvānowi, obecny był przy tym również Arjuna, ale w innej roli niż obecnie. Różnica pomiędzy Panem a Arjuną jest taka, że Pan pamięta to wydarzenie, podczas gdy Arjuna nie może go pamiętać. Na tym polega różnica między żywą istotą (będącą integralną cząstką Pana) a Najwyższym Panem. Mimo iż Arjuna został tutaj nazwany wielkim bohaterem zdolnym do pokonania wrogów, nie jest on w stanie przypomnieć sobie tego, co zdarzyło się w jego różnych, poprzednich wcieleniach. Zatem żywa istota—jakkolwiek wielką by była według ocen materialnych—nigdy nie może dorównać Najwyższemu Panu. Każdy, kto jest nieodłącznym towarzyszem Pana, jest z pewnością osobą wyzwoloną—nigdy jednak nie może być równym Panu. Pan nazwany został w *Brahma-saṁhicie* nieomylnym (*acyuta*), co oznacza, iż nigdy nie zapomina On Siebie, nawet wówczas, kiedy wchodzi w kontakt z materią. Dlatego Pan i żywa istota nigdy nie mogą być równe pod każdym względem, nawet wtedy, kiedy żywa istota jest wyzwolona, jak Arjuna. Chociaż Arjuna jest wielbicielem Pana, zapomina on czasami o Jego naturze. Jednak, dzięki bożej łasce, wielbiciel może od razu zrozumieć nieomylną formę Pana, podczas gdy poznanie tej transcendentalnej natury jest rzeczą niemożliwą dla niewielbiciela, czyli demona. Umysły demonów nie mogą zatem zrozumieć opisów *Gīty*. Kṛṣṇa pamiętał czyny, których dokonał miliony lat wcześniej, Arjuna jednak nie mógł tego pamiętać, pomimo faktu, że zarówno Kṛṣṇa, jak i Arjuna są wieczni w swojej naturze. Możemy również zauważyć tutaj, że żywa istota zapomina o wszystkim dlatego, że zmienia ciało. Pan natomiast pamięta, jako że nigdy nie zmienia On Swojego ciała, które zawsze jest *sac-cid-ānanda*. Jest On *advaita*, co oznacza, że nie ma różnicy pomiędzy Jego ciałem a Nim Samym. Wszystko związane z Nim jest duchem; podczas gdy uwarunkowana dusza jest różna od swego ciała materialnego. I ponieważ ciało Pana i Jego dusza są tożsame, Jego pozycja zawsze różni się od pozycji zwykłej żywej istoty, nawet jeśli schodzi On na platformę materialną. Demony nie mogą zgodzić się z tą transcendentalną naturą Pana, którą Pan Sam tłumaczy w następnych wersetach.

## TEKST 6

अजोऽपि सन्नव्ययात्मा भूतानामीश्वरोऽपि सन् ।
प्रकृतिं स्वामधिष्ठाय सम्भवाम्यात्ममायया ॥६॥

*ajo 'pi sann avyayātmā bhūtānām īśvaro 'pi san*
*prakṛtiṁ svām adhiṣṭhāya sambhavāmy ātma-māyayā*

*ajaḥ*—nienarodzony; *api*—chociaż; *san*—będąc takim; *avyaya*—nie ulegające degeneracji; *ātmā*—ciało; *bhūtānām*—spośród wszystkich tych, którzy się rodzą; *īśvaraḥ*—Najwyższy Pan; *api*—chociaż; *san*—będąc takim; *prakṛtim*—w transcendentalnej formie; *svām*—Mnie;

*adhiṣṭhāya*—tak usytuowany; *sambhavāmi*—inkarnuję; *ātma-māyayā*—przez Moją wewnętrzną energię.

**Mimo iż jestem nienarodzony i Moje transcendentalne ciało nigdy nie ulega zniszczeniu, i chociaż jestem Panem wszystkich żywych istot, to jednak w każdym milenium pojawiam się w Mojej oryginalnej, transcendentalnej formie.**

*ZNACZENIE:* Pan informuje tutaj o osobliwości Swoich narodzin: chociaż może pojawiać się jak zwykła osoba, to jednak pamięta wszystko o niezliczonej liczbie Swoich przeszłych "narodzin". Podczas gdy zwykły człowiek nie może pamiętać nawet tego, co robił zaledwie parę godzin wcześniej. Jeśli zapytamy kogoś, co robił poprzedniego dnia o tej samej godzinie, niełatwo będzie mu dać natychmiastową odpowiedź. Będzie z pewnością musiał wysilić swoją pamięć, zanim przypomni sobie, co robił dokładnie o tej samej godzinie dzień wcześniej. A pomimo tego ludzie często śmią uważać się za Boga, czyli Kṛṣṇę. Nie należy dać się zbałamucić takim bezsensownym twierdzeniom. Następnie Pan tłumaczy Swoją *prakṛti*, czyli Swoją formę. *Prakṛti* znaczy "natura", jak również *svarūpa*, czyli "czyjaś forma". Pan mówi, że pojawia się w Swoim własnym ciele. Nie zmienia On Swojego ciała, tak jak to się dzieje w przypadku zwykłych żywych istot. Uwarunkowana dusza może posiadać jeden rodzaj ciała w życiu obecnym, jednak w życiu następnym otrzyma inne ciało. Nie ma ona stałego ciała w tym świecie materialnym, ale wędruje z jednego ciała do innego. Jednakże inaczej jest w przypadku Pana. Kiedykolwiek zstępuje On w ten materialny świat, zawsze—dzięki Swojej wewnętrznej mocy—przychodzi w tym samym, oryginalnym ciele. Innymi słowy, Kṛṣṇa pojawia się w tym materialnym świecie w Swojej oryginalnej i wiecznej, dwuramiennej postaci trzymającej flet. Pojawia się dokładnie w Swoim wiecznym—nieskalanym przez ten świat materialny—ciele. Chociaż przychodzi w tym samym ciele transcendentalnym i jest Panem wszechświata, to jednak zdaje się rodzić jak zwykła żywa istota. I pomimo faktu, że Pan Kṛṣṇa rośnie od Swojego wieku dziecięcego do chłopięcego, a następnie do młodości, to jednak nie przekracza wieku młodości. W czasie bitwy na Polu Kurukṣetra miał On wielu wnuków, czyli, według obliczeń materialnych, był w sędziwym wieku. Jednak ciągle wyglądał On jak młody, dwudziesto albo dwudziestopięcioletni mężczyzna. Nigdy nie oglądamy obrazów z Kṛṣṇą w podeszłym wieku, ponieważ On nigdy nie starzeje się tak jak my, pomimo faktu, że jest najstarszą osobą w całym stworzeniu—przeszłym, obecnym i przyszłym. Jego ciało ani inteligencja nigdy nie ulegają degeneracji ani zmianom.

Zatem oczywistym jest, że mimo iż przebywa w tym świecie materialnym, jest On tym samym, nienarodzonym, niezmiennym w Swoim transcendentalnym ciele i inteligencji, posiadającym wieczną, pełną szczęścia i wiedzy formę. Jego pojawianie się i odchodzenie podobne jest wschodzącemu słońcu, przesuwającemu się przed naszymi oczyma, a następnie znikającemu z pola naszego widzenia. Kiedy słońce znajduje się poza zasięgiem naszego wzroku, myślimy, że ono zaszło, a kiedy pojawia się przed naszymi oczyma, myślimy, że znajduje się na horyzoncie. W rzeczywistości słońce zawsze pozostaje w swoim stałym położeniu, lecz z powodu naszych wadliwych, niedoskonałych zmysłów sądzimy, iż pojawia się ono na niebie, a następnie znika. A ponieważ pojawianie się i znikanie Pana zupełnie różni się od przychodzenia i odchodzenia jakiejkolwiek innej żywej istoty, jest rzeczą oczywistą, że jest On—dzięki Swojej wewnętrznej potędze—wieczną, pełną szczęścia wiedzą i nigdy nie ulega zanieczyszczeniu przez naturę materialną. *Vedy* również potwierdzają to, że Najwyższa Osoba Boga jest nienarodzonym, mimo iż zdaje się On rodzić podczas przejawiania Swoich niezliczonych manifestacji. Także uzupełniająca literatura wedyjska zapewnia nas, że chociaż Pan zdaje się pojawiać w tym świecie poprzez narodziny, to jednak nie zmienia On ciała. W *Bhāgavatam* pojawia się On przed Swoją matką jako czteroręki Nārāyaṇa, w pełni udekorowany sześcioma rodzajami bogactw. Pan pojawia się w Swojej wiecznej, oryginalnej formie dzięki Swojej bezprzyczynowej łasce dla żywych istot, tak aby mogły skoncentrować się na Najwyższym Panu takim, jakim On jest naprawdę, a nie na wytworach czy imaginacjach umysłu, które impersonaliści błędnie uważają za formę Pana. Według słownika *Viśva-kośa*, słowo *māyā* albo *ātma-māyā* odnosi się do bezprzyczynowej łaski Pana. Pan świadomy jest wszystkich Swoich poprzednich ukazań i zniknięć; żywa istota natomiast, skoro tylko otrzyma następne ciało, całkowicie zapomina o swoim ciele przeszłym. On jest Panem wszystkich żywych istot. Kiedy przebywa na tej ziemi, dokonuje cudownych, nadludzkich czynów. Jest On zatem zawsze tą samą Absolutną Prawdą i nie ma różnicy pomiędzy Jego formą a duszą albo pomiędzy Jego ciałem a Jego jakościami. Można zadać pytanie, dlaczego Pan pojawia się w tym świecie materialnym, a następnie z niego odchodzi? Wytłumaczenie tego znajdziemy w następnym wersecie.

**TEKST 7**

यदा यदा हि धर्मस्य ग्लानिर्भवति भारत ।
अभ्युत्थानमधर्मस्य तदात्मानं सृजाम्यहम् ॥७॥

*yadā yadā hi dharmasya glānir bhavati bhārata*

*abhyutthānam adharmasya tadātmānaṁ sṛjāmy aham*

*yadā yadā*—gdziekolwiek i kiedykolwiek; *hi*—z pewnością; *dharmasya*—religii; *glāniḥ*—rozbieżności; *bhavati*—manifestuje się; *bhārata*—O potomku Bharaty; *abhyutthānam*—przewaga; *adharmasya*—bezbożności; *tadā*—w tym czasie; *ātmānam*—osobiście; *sṛjāmi*—zstępuję; *aham*—Ja.

**Zawsze, kiedy tylko i gdzie tylko zamierają praktyki religijne, o potomku Bharaty, i zaczyna szerzyć się bezbożność—wtedy zstępuję osobiście.**

*ZNACZENIE:* Znaczące jest tutaj słowo *sṛjāmi*. *Sṛjāmi* nie może być użyte w znaczeniu tworzenia, albowiem według poprzedniego wersetu postać Pana ani Jego ciało nie zostają stworzone (gdyż wszystkie z Jego form istnieją wiecznie). Zatem *sṛjāmi* oznacza, że Pan manifestuje się takim, jakim jest. Chociaż Pan pojawia się planowo, mianowicie pod koniec Dvāpara-yugi (w dwudziestym ósmym milenium siódmego Manu, jednego dnia Brahmy), to jednak nie musi się On stosować do takich reguł. Ma On całkowicie wolną wolę i może postępować tak, jak tego zapragnie. Pojawia się On ze Swojej własnej woli, gdy tylko zaczyna dominować bezbożność i zanika prawdziwa religia. Zasady religii zostały wyłożone w *Vedach* i jakakolwiek niezgodność co do właściwego wypełniania zasad wedyjskich jest przyczyną bezbożności. W *Bhāgavatam* jest powiedziane, że takie zasady są prawem ustanowionym przez Pana. Tylko Pan może być twórcą systemu religijnego. Przyjmuje się również, że *Vedy* zostały pierwotnie przekazane przez Samego Pana sercu Brahmy. Zatem zasady *dharmy*, czyli religii, są bezpośrednimi nakazami Najwyższej Osoby Boga (*dharmaṁ tu sākṣād bhagavat-praṇītam*). Zasady te są również w sposób oczywisty zalecane w całej *Bhagavad-gīcie*. Całym celem *Ved* jest ustanowienie takich zasad—z nakazu Pana. Również pod koniec *Gīty* Pan mówi wyraźnie, że najwyższą zasadą religii jest podporządkowanie się Jemu jedynie i nic ponad to. Zasady wedyjskie prowadzą do całkowitego oddania się Panu i kiedy tylko zasady te niszczone są przez demony—Pan pojawia się osobiście. Z *Bhāgavatam* dowiadujemy się, że Pan Buddha jest inkarnacją Kṛṣṇy, która pojawiła się w czasie, kiedy krzewił się materializm i materialiści używali autorytetu *Ved* jako pretekstu do swoich niecnych poczynań. Chociaż w *Vedach* istnieją pewne ścisłe prawa i nakazy do ofiar zwierzęcych mających służyć określonym celom, to ludzie o skłonnościach demonicznych urządzają takie ofiary bez odwoływania się do zasad wedyjskich. Pan Buddha pojawił się, aby położyć temu kres i ustanowić wedyjskie zasady łagodności. Każdy *avatāra*, czyli inkarnacja Pana, ma pewną szczególną misję do spełnienia. Wszystkie te *avatāry* zostały opisane w pismach objawionych. Nie należy zatem nikogo uważać za *avatāra*, jeśli nie jest on uznany za takiego przez pisma święte. Nie jest to prawdą, że Pan pojawia się tylko na ziemi indyjskiej. Może On pojawić się wszędzie, gdzie tylko i kiedy tylko zapragnie. W każdej Swojej inkarnacji przekazuje tyle wiedzy o religii, ile są w stanie zrozumieć określeni ludzie, w ich określonych warunkach. Jednakże misja jest ta sama—doprowadzenie ludzi do świadomości Boga i nakłonienie ich do posłuszeństwa wobec zasad religijnych. Czasami przychodzi On osobiście, a czasami przysyła Swojego bona fide reprezentanta, w postaci Swego syna czy sługi. Czasami też przychodzi Sam, ale w jakiejś zamaskowanej postaci.

Zasady *Bhagavad-gīty* zostały przekazane Arjunie, a tym samym i innym światłym osobom, jako że Arjuna był osobą światłą w porównaniu ze zwykłymi ludźmi w innych częściach świata. To, że dwa plus dwa równa się cztery, jest zasadą matematyczną prawdziwą zarówno w arytmetyce w klasie pierwszej, jak również w klasach wyższych. Jednak istnieje matematyka wyższa i niższa. Wszystkie inkarnacje Pana uczą tych samych zasad, ale w zależności od okoliczności, zasady zdają się być wyższymi albo niższymi. Wyższe zasady religii—jak to zostanie później wytłumaczone—zaczynają się wraz z zaakceptowaniem czterech porządków życia duchowego i czterech porządków życia społecznego. Całym celem misji różnych inkarnacji jest wzbudzenie wszędzie świadomości Kṛṣṇy. Świadomość taka jest przejawiona lub nieprzejawiona tylko w zależności od różnych warunków.

## TEKST 8

परित्राणाय साधूनां विनाशाय च दुष्कृताम् ।
धर्मसंस्थापनार्थाय सम्भवामि युगे युगे ॥८॥

*paritrāṇāya sādhūnāṁ vināśāya ca duṣkṛtām*
*dharma-saṁsthāpanārthāya sambhavāmi yuge yuge*

*paritrāṇāya*—dla wybawienia; *sādhūnām*—wielbicieli; *vināśāya*—po to, aby unicestwić; *ca*—i; *duṣkṛtām*—niegodziwców; *dharma*—zasady religii; *saṁsthāpana-arthāya*—odnowić; *sambhavāmi*—pojawiam się; *yuge*—milenium; *yuge*—po milenium.

**Po to, aby wyzwolić pobożnych i unicestwić niegodziwców, jak również dla odnowienia zasad religii, Ja Sam przychodzę w każdym milenium.**

*ZNACZENIE:* Według *Bhagavad-gīty*, *sādhu* (osoba święta) jest człowiekiem świadomym Kṛṣṇy. Może się na pozór wydawać, że jakaś osoba jest niereligijna, jeśli jednak posiada ona w pełni kwalifikacje świadomości Kṛṣṇy, oznacza to, że jest ona *sādhu*. Słowo *duṣkṛtām* natomiast odnosi się do tego, kto nie dba o świadomość Kṛṣṇy. Tacy niegodziwcy, czyli *duṣkṛtām*, nazywani są głupcami i najniższymi spośród ludzkości, mimo iż mogą nawet posiadać wysokie wykształcenie świeckie. Z drugiej strony, osoba, która w stu procentach zaangażowała się w świadomość Kṛṣṇy, jest uważana za *sādhu*, nawet jeśli nie posiada wykształcenia ani dobrego wychowania. Jeśli chodzi o ateistów, to Najwyższy Pan nie musi pojawiać się osobiście, aby ich unicestwić, tak jak to zrobił z demonami Rāvaṇą i Kaṁsą. Pan ma wielu pośredników, całkowicie zdolnych do zniszczenia demonów. Zstępuje On szczególnie po to, aby ukoić Swoich niezachwianych wielbicieli, którzy zawsze są niepokojeni przez demony. Demony bezustannie nękają wielbicieli, nawet jeśli ci ostatni są ich krewnymi. I tak Prahlāda Mahārāja był prześladowany przez swojego ojca—Hiraṇyakaśipu. Devakī zaś, matka Kṛṣṇy, była siostrą swojego prześladowcy Kaṁsy, który nękał ją i jej męża Vasudevę, jako że z nich to miał się narodzić Pan. Pan Kṛṣṇa pojawił się więc przede wszystkim w tym celu, aby uchronić Devakī, a nie po to aby zabić Kaṁsę. Jednak obie te rzeczy wykonał jednocześnie. Dlatego jest powiedziane tutaj, iż Pan pojawia się w różnych inkarnacjach, aby chronić Swoich wielbicieli i zniszczyć demonicznych niegodziwców.

Te zasady inkarnacji podsumowuje następujący werset z *Caitanya-caritāmṛty* (*Madhya* 20.263-264) Kṛṣṇadāsy Kavirājy:

*sṛṣṭi-hetu yei mūrti prapañce avatare*
*sei īśvara-mūrti 'avatāra' nāma dhare*

*māyātīta paravyome sabāra avasthāna*
*viśve avatari' dhare 'avatāra' nāma*

"*Avatāra*, czyli inkarnacja Boga, zstępuje z królestwa Bożego w tę materialną manifestację. I określona postać Osoby Boga, który przychodzi w ten sposób, nazywana jest inkarnacją albo *avatārą*. Takie inkarnacje przebywają w świecie duchowym, w królestwie Boga, a kiedy zstępują do tego świata materialnego, wtedy otrzymują nazwę *avatāra*."

Są różnego rodzaju *avatāry*, takie jak *puruṣāvatāry, guṇāvatāry, līlāvatāry, śakty-āveśa avatāry, manvantara-avatāry* i *yugāvatāry*—i wszystkie one pojawiają się planowo w całym wszechświecie. Jednakże Pan Kṛṣṇa jest pierwszym Panem, źródłem wszystkich *avatārów*. Pan

Kṛṣṇa przychodzi w określonym celu—mianowicie po to, aby uśmierzyć cierpienia Swoich czystych wielbicieli, którzy pragną zobaczyć Go w Jego oryginalnych rozrywkach we Vṛndāvan. Zatem pierwszym celem *avatāry* Kṛṣṇy jest zadowolenie Jego niezachwianych wielbicieli.

Pan mówi, iż osobiście pojawia się w każdym milenium. To znaczy, że inkarnuje On także w wieku Kali. Jak to zostało oznajmione w *Śrīmad-Bhāgavatam*, inkarnacją w tym wieku Kali jest Pan Caitanya Mahāprabhu, który rozprzestrzenił kult Kṛṣṇy w formie ruchu *saṅkīrtana* (zbiorowe intonowanie świętych imion) i rozszerzył świadomość Kṛṣṇy na całe Indie. Przepowiedział także, że ta kultura *saṅkīrtana* rozprzestrzeni się na cały świat, przechodząc z miasta do miasta i z wioski do wioski. Pan Caitanya, jako inkarnacja Kṛṣṇy, Osoby Boga, nie został opisany bezpośrednio, ale w poufnych częściach pism objawionych, takich jak *Upaniṣady, Mahābhārata, Bhāgavatam* itd. Ruch *saṅkīrtana* Pana Caitanyi bardzo przyciąga wielbicieli Kṛṣṇy. Ten *avatāra* Pana nie zabija, ale dzięki Swojej bezprzyczynowej łasce zbawia niegodziwców.

**TEKST 9**

जन्म कर्म च मे दिव्यमेवं यो वेत्ति तत्त्वतः ।
त्यक्त्वा देहं पुनर्जन्म नैति मामेति सोऽर्जुन ॥९॥

*janma karma ca me divyam evaṁ yo vetti tattvataḥ*
*tyaktvā dehaṁ punar janma naiti mām eti so 'rjuna*

*janma*—narodziny; *karma*—praca; *ca*—również; *me*—Moich; *divyam*—transcendentalne; *evam*—w ten sposób; *yaḥ*—każdy, kto; *vetti*—zna; *tattvataḥ*—w rzeczywistości; *tyaktvā*—opuszczając; *deham*—to ciało; *punaḥ*—znowu; *janma*—narodziny; *na*—nigdy; *eti*—osiąga; *mām*—Mnie; *eti*—osiąga; *saḥ*—on; *arjuna*—O Arjuno.

**Kto zna transcendentalną naturę Mojego pojawiania się i Moich czynów, ten, opuściwszy to ciało, nigdy nie rodzi się ponownie w tym świecie materialnym, ale osiąga Moją wieczną siedzibę, o Arjuno.**

*ZNACZENIE:* Zstępowanie Pana z Jego transcendentalnej siedziby zostało już wytłumaczone w wersecie szóstym. Kto jest w stanie zrozumieć prawdę o pojawianiu się Osoby Boga, ten już został uwolniony z niewoli materialnej, a zatem zaraz po opuszczeniu tego ciała materialnego powróci on do królestwa Boga. Takie wyzwolenie żywej istoty z materialnej niewoli nie jest wcale rzeczą łatwą. Impersonaliści i *yogīni* osiągają wyzwolenie dopiero po wielu trudach i po wielu, wielu narodzinach. I nawet wtedy wyzwolenie, które osiągają—mianowicie wejście w bezosobowe *brahmajyoti* Pana—jest jedynie wyzwoleniem częściowym, w którym zawsze istnieje ryzyko powrotu do tego świata materialnego. Natomiast wielbiciel Pana osiąga Jego siedzibę z chwilą śmierci tego ciała materialnego, jedynie przez zrozumienie transcendentalnej natury ciała Pana i Jego czynów, nie narażając się na powrót do tego materialnego świata. W *Brahma-saṁhicie* (5.33) jest powiedziane, iż Pan posiada bardzo wiele form i inkarnacji: *advaitam acyutam anādim ananta-rūpam*. Chociaż istnieje wiele transcendentalnych form Pana, są one ciągle jedną i tą samą Najwyższą Osobą Boga. Należy przyjąć ten fakt z przekonaniem, mimo iż jest to czymś niepojętym dla świeckich naukowców i filozofów empiryków. Jak oznajmiono w *Vedach* (*Puruṣa-bodhinī Upaniṣad*):

*eko devo nitya-līlānurakto*
*bhakta-vyāpī hṛdy antar-ātmā*

"Jeden Najwyższa Osoba Boga jest wiecznie związany ze Swoimi niezachwianymi wielbicielami w bardzo wielu transcendentalnych formach." W tym wersecie *Gīty* Pan osobiście potwierdza wersję wedyjską. Kto przyjmuje tę prawdę na mocy autorytetu *Ved* i Najwyższej Osoby Boga i kto nie traci czasu na spekulacje filozoficzne, ten osiąga najwyższy stan doskonałego wyzwolenia. Jedynie przez przyjęcie tej prawdy w oparciu o wiarę, można bez wątpienia osiągnąć wyzwolenie. Wedyjska wersja *tat tvam asi* odnosi się do tego przypadku. Każdy kto rozumie to, że Pan Kṛṣṇa jest Najwyższym albo kto mówi Panu: "Ty jesteś Najwyższym Brahmanem, Osobą Boga", ten zostaje natychmiast wyzwolony i wskutek tego ma zapewnione wejście w transcendentalne królestwo Boga i obcowanie z Panem. Innymi słowy, taki pełen wiary wielbiciel Pana niewątpliwie osiąga doskonałość. Potwierdza to następujące twierdzenie wedyjskie:

*tam eva viditvāti mṛtyum eti*
*nānyaḥ panthā vidyate 'yanāya*

"Doskonały stan wyzwolenia od narodzin i śmierci można osiągnąć jedynie przez wiedzę o Panu, Najwyższej Osobie Boga, i nie ma innego sposobu na osiągnięcie tej doskonałości." (*Śvetāśvatara Upaniṣad* 3.8) To, że nie ma innej alternatywy oznacza, że każdy kto nie rozumie tego, że Pan Kṛṣṇa jest Najwyższą Osobą Boga, z pewnością pogrążony jest w ignorancji. Nie może on więc osiągnąć zbawienia jedynie przez lizanie zewnętrznej powierzchni słoika z miodem, czyli przez interpretowanie *Bhagavad-gīty* odpowiednio do swojej świeckiej erudycji. Filozofowie empirycy mogą odgrywać bardzo ważne role w świecie materialnym, ale niekoniecznie muszą być odpowiednimi kandydatami do wyzwolenia. Tacy nadęci, "światowi" naukowcy muszą czekać na bezprzyczynową łaskę wielbiciela Pana. Należy zatem kultywować świadomość Kṛṣṇy z wiarą i wiedzą, i w ten sposób osiągnąć doskonałość.

TEKST 10 वीतरागभयक्रोधा मन्मया मामुपाश्रिताः ।
बहवो ज्ञानतपसा पूता मद्भावमागताः ॥१०॥

*vīta-rāga-bhaya-krodhā man-mayā mām upāśritāḥ*
*bahavo jñāna-tapasā pūtā mad-bhāvam āgatāḥ*

*vīta*—wolny od; *rāga*—przywiązanie; *bhaya*—strach; *krodhāḥ*—i złość; *mat-mayā*—całkowicie we Mnie; *mām*—we Mnie; *upāśritāḥ*—będąc całkowicie usytuowanym; *bahavaḥ*—wiele; *jñāna*—wiedzy; *tapasā*—przez pokutę; *pūtāḥ*—będąc oczyszczonymi; *mat-bhāvam*—transcendentalna miłość do Mnie; *āgatāḥ*—osiągnęli.

**Będąc wolnymi od przywiązania, strachu i gniewu, całkowicie pogrążywszy się we Mnie i we Mnie przyjmując schronienie, wielu, bardzo wielu w przeszłości oczyściło się poprzez wiedzę o Mnie—i w ten sposób wszyscy oni osiągnęli transcendentalną miłość do Mnie.**

*ZNACZENIE:* Jak to opisano powyżej, bardzo trudno jest zrozumieć osobową naturę Najwyższej Prawdy Absolutnej osobom, które są zbyt przywiązane do rzeczy materialnych. Na ogół ludzie przywiązani do cielesnej koncepcji życia są tak pochłonięci materializmem, że prawie niemożliwym jest dla nich zrozumienie tego, iż Najwyższy jest osobą. Tacy materialiści nie są nawet w stanie zrozumieć, że istnieje ciało transcendentalne, które jest niezniszczalne, pełne wiedzy i wiecznie szczęśliwe. Ciało materialne podlega zniszczeniu, pełne jest ignorancji i całkowicie nieszczęśliwe. Dlatego ludzie na ogół mają tę samą ideę w umyśle, kiedy słyszą o osobowej formie Pana. Dla takich materialistycznie myślących ludzi czymś najwyższym jest postać ogromnej manifestacji materialnej. Wskutek tego uważają, że Najwyższy jest bezosobowy. I ponieważ są zbyt pochłonięci rzeczami materialnymi, przeraża ich myśl o zachowaniu osobowości po wyzwoleniu z materii. Kiedy słyszą, że życie duchowe również jest indywidualne i osobowe, obawiają się zostać ponownie osobami, więc naturalnie preferują pewien rodzaj wtopienia się w bezosobową próżnię. Na ogół porównują oni żywe istoty do baniek na oceanie, które następnie w nim giną. (Taka jest najwyższa doskonałość duchowej egzystencji pozbawionej osobowości.) Jest to pewien rodzaj pełnego strachu stanu życia, pozbawionego doskonałej wiedzy o egzystencji duchowej. Ponadto jest wiele osób, które w ogóle nie są w stanie zrozumieć duchowej egzystencji. Zaaferowani wieloma teoriami i zakłopotani sprzecznościami różnego rodzaju filozoficznych spekulacji, są rozgoryczeni albo źli, i dochodzą do niemądrego wniosku, że nie ma najwyższej przyczyny, i że wszystko jest ostatecznie próżnią. Jest to chorobliwy stan życia. Niektórzy są zbyt związani materialnie i dlatego nie przywiązują wagi do życia duchowego. Niektórzy z nich pragną stopić się z najwyższą przyczyną duchową, a niektórzy wątpią we wszystko i powodowani rozpaczą, złoszczą się na wszelkiego rodzaju spekulacje duchowe. Ta ostatnia grupa ludzi ucieka się do różnych środków odurzających, a ich chorobliwe halucynacje uważane są niekiedy za wizje duchowe. Należy uwolnić się od wszystkich trzech stanów przywiązania do świata materialnego: lekceważenia życia duchowego, strachu przed duchową, osobową tożsamością i koncepcją próżni, będącej skutkiem frustracji w życiu. Aby uwolnić się od tych trzech stanów materialnej koncepcji życia, należy przyjąć schronienie w Panu, pod kierunkiem bona fide mistrza duchowego, i przestrzegać zasad życia w oddaniu. Ostatni etap życia w oddaniu nazywany jest *bhāva*, czyli transcendentalną miłością do Boga.

Według ustępu z *Bhakti-rasāmṛta-sindhu* (1.4.15-16) dotyczącego nauki o służbie oddania:

*ādau śraddhā tataḥ sādhu- saṅgo 'tha bhajana-kriyā*
*tato 'nartha-nivṛttiḥ syāt tato niṣṭhā rucis tataḥ*

*athāsaktis tato bhāvas tataḥ premābhyudañcati*
*sādhakānām ayaṁ premṇaḥ prādurbhāve bhavet kramaḥ*

"Na początku trzeba mieć wstępne pragnienie realizacji duchowej. To doprowadzi do etapu, na którym szuka się towarzystwa osób duchowo oświeconych. Następny etap to inicjacja przez oświeconego mistrza duchowego. Pod jego kierunkiem początkujący bhakta (wielbiciel Pana) zaczyna proces służby oddania. Przez pełnienie służby oddania pod kierunkiem mistrza duchowego uwalnia się od materialnych przywiązań, osiąga wytrwałość w dążeniu do samorealizacji i zaczyna znajdować upodobanie w słuchaniu o Absolutnej Osobie Boga, Śrī Kṛṣṇie. To upodobanie prowadzi go dalej do przywiązania się do świadomości Kṛṣṇy, które to przywiązanie dojrzewa w *bhāva*, czyli początkowy stan transcendentalnej miłości do Boga. Prawdziwa miłość do Boga nazywana jest *prema* i jest ona stanem najwyższej doskonałości życia." Dla stanu *prema* właściwe jest bezustanne zaangażowanie w transcendentalną służbę miłości dla Pana. A więc przez powolny proces służby oddania pod przewodnictwem bona fide mistrza duchowego, można osiągnąć najwyższy stan, uwolniwszy się od wszelkich przywiązań do rzeczy materialnych, od strachu przed własną indywidualną duchową osobowością i od frustracji wiodącej do filozofii próżni. Wtedy ostatecznie można osiągnąć siedzibę Najwyższego Pana.

TEKST 11 ये यथा मां प्रपद्यन्ते तांस्तथैव भजाम्यहम् ।
मम वर्त्मानुवर्तन्ते मनुष्याः पार्थ सर्वशः ॥११॥

*ye yathā māṁ prapadyante tāṁs tathaiva bhajāmy aham*
*mama vartmānuvartante manuṣyāḥ pārtha sarvaśaḥ*

*ye*—wszyscy, którzy; *yathā*—tak; *mām*—Mnie; *prapadyante*—podporządkowują się; *tān*—ich; *tathā*—tak; *eva*—z pewnością; *bhajāmi*—nagradzam; *aham*—Ja; *mama*—Moja; *vartma*—ścieżka; *anuvartante*—podążają; *manuṣyāḥ*—wszyscy ludzie; *pārtha*—O synu Pṛthy; *sarvaśaḥ*—pod każdym względem.

**Każdego z nich—kiedy podporządkowuje się Mnie—nagradzam odpowiednio. Każdy podąża Moją ścieżką pod każdym względem, o synu Pṛthy.**

*ZNACZENIE:* Każdy poszukuje Kṛṣṇy w różnych aspektach Jego manifestacji. Kṛṣṇa, Najwyższa Osoba Boga, jest częściowo realizowany w Swoim bezosobowym blasku *brahmajyoti* i jako wszechprzenikająca Dusza Najwyższa, zamieszkująca wewnątrz wszystkiego—nie wyłączając cząstek atomów. W pełni zrealizować Kṛṣṇę mogą jednak tylko Jego czyści wielbiciele. Zatem Kṛṣṇa jest przedmiotem realizacji dla każdego, i w ten sposób każdy jest usatysfakcjonowany odpowiednio do swego pragnienia posiadania Go. Również w świecie transcendentalnym Kṛṣṇa odwzajemnia się Swoim czystym wielbicielom w związkach transcendentalnych w taki sposób, jak oni tego pragną. Ktoś może pragnąć Kṛṣṇy jako Najwyższego Pana, ktoś inny jako swojego przyjaciela, ktoś jako syna, a jeszcze ktoś jako kochanka. Kṛṣṇa nagradza Swoich wielbicieli jednakowo, według różnego natężenia ich miłości do Niego. To samo odwzajemnianie uczuć pomiędzy Panem a Jego różnego rodzaju wielbicielami istnieje również w świecie materialnym. Czyści wielbiciele obcują z Osobą Pana zarówno tutaj, jak i w Jego transcendentalnej siedzibie, służąc Mu i czerpiąc z tej służby miłości transcendentalną radość. Jeśli chodzi o impersonalistów, którzy chcą popełnić duchowe samobójstwo—niszcząc indywidualną egzystencję żywej istoty—Kṛṣṇa pomaga im również, przyjmując ich w Swoje promienne *brahmajyoti*. Tacy impersonaliści nie chcą zaakceptować wiecznej i pełnej szczęścia Osoby Boga. Wskutek zniszczenia swojej indywidualności nie mogą oni rozkoszować się szczęściem pochodzącym z transcendentalnej służby dla Osoby Pana. Niektórzy z nich, ci którzy nie są mocno usytuowani nawet w egzystencji bezosobowej, powracają na płaszczyznę materialną, aby tutaj spełnić swoje uśpione pragnienie działania. Nie zostają oni promowani na planety duchowe, ale otrzymują ponowną szansę życia na planetach materialnych. Tych, którzy pracują dla zysków, Pan, jako *yajñeśvara*, nagradza upragnionymi efektami ich określonych obowiązków; a *yogīnów* ubiegających się o siły mistyczne, obdarza takimi siłami. Innymi słowy, sukces każdego zależy jedynie od Jego łaski, a różne procesy duchowe są jedynie różnymi stopniami sukcesu na tej samej ścieżce. Dopóki jednak nie osiągnie się najwyższej doskonałości w świadomości Kṛṣṇy, wszelkie wysiłki pozostają niedoskonałymi, tak jak oznajmia to *Śrīmad-Bhāgavatam* (2.3.10):

*akāmaḥ sarva-kāmo vā mokṣa-kāma udāra-dhīḥ*
*tīvreṇa bhakti-yogena yajeta puruṣaṁ param*

"Bez względu na to, czy ktoś wolny jest od wszelkich pragnień (w przypadku wielbicieli), czy pragnie wszelkich korzyści albo ubiega się o wyzwolenie, powinien on z całych sił starać się czcić Najwyższą Osobę Boga, aby osiągnąć całkowitą doskonałość kulminującą w świadomości Kṛṣṇy."

**TEKST 12** काङ्क्षन्तः कर्मणां सिद्धिं यजन्त इह देवताः ।
क्षिप्रं हि मानुषे लोके सिद्धिर्भवति कर्मजा ॥१२॥

*kāṅkṣantaḥ karmaṇāṁ siddhiṁ yajanta iha devatāḥ*
*kṣipraṁ hi mānuṣe loke siddhir bhavati karma-jā*

*kāṅkṣantaḥ*—pragnąc; *karmaṇām*—działań przynoszących korzyści; *siddhim*—doskonałość; *yajante*—czczą przez składanie ofiar; *iha*—w tym świecie materialnym; *devatāḥ*—półbogowie; *kṣipram*—bardzo szybko; *hi*—z pewnością; *mānuṣe*—w społeczeństwie ludzkim; *loke*—w tym świecie; *siddhiḥ*—sukces; *bhavati*—przychodzi; *karma-jā*—z pracy dla korzyści.

**Ludzie w tym świecie pragną, aby ich działanie dla zysków zakończyło się sukcesem, i dlatego oddają cześć półbogom. Oczywiście, szybko osiąga człowiek rezultaty takiego działania.**

*ZNACZENIE:* Istnieje wielkie nieporozumienie, jeśli chodzi o bogów i półbogów tego materialnego świata, i ludzie o mniejszej inteligencji (chociaż uchodzący za wielkich uczonych) uważają półbogów za różne formy Najwyższego Pana. W rzeczywistości półbogowie nie są różnymi formami Pana, lecz Jego różnymi częściami. Bóg jest jeden, ale Jego cząstki są liczne. *Vedy* oznajmiają: *nityo nityānām*—jest jeden Bóg. *Īśvaraḥ paramaḥ kṛṣṇaḥ*. Jest jeden Najwyższy Bóg—Kṛṣṇa, a półbogowie zostali wyposażeni w moce pozwalające im zarządzać tym światem materialnym. Wszyscy półbogowie są żywymi istotami (*nityānām*) wyposażonymi w różnym stopniu w moce materialne. Nie mogą oni równać się Najwyższemu Bogu—Nārāyaṇowi, Viṣṇu, czyli Kṛṣṇie. Każdy kto uważa, że Bóg i półbogowie znajdują się na tym samym poziomie, ten nazywany jest ateistą, czyli *pāṣaṇḍī*. Nawet tak wielcy półbogowie jak Brahmā i Śiva nie mogą być porównywani z Najwyższym Panem. W rzeczywistości Pan wielbiony jest przez takich półbogów, jak Brahmā i Śiva (*śiva-viriñci-nutam*). Jest wielu przywódców społecznych, których niemądrzy ludzie wielbią z powodu błędnego pojmowania zoomorfizmu i antropomorfizmu. *Iha devatāḥ* oznacza jakiegoś potężnego człowieka albo półboga tego materialnego świata. Ale Nārāyaṇa, Viṣṇu, czyli Kṛṣṇa, Najwyższa Osoba Boga, nie należy do tego świata. Jest On ponad nim, czyli jest transcendentalny w stosunku do tego materialnego stworzenia. Nawet Śrīpāda Śaṅkarācārya, przywódca impersonalistów, jest zdania, że Nārāyaṇa, czyli Kṛṣṇa, znajduje się poza tym materialnym stworzeniem. Jednakże niemądrzy ludzie (*hṛta-jñāna*) wielbią półbogów, ponieważ pragną natychmiastowych korzyści. Osiągają je, ale nie wiedzą, że korzyści w ten sposób zdobyte są przemijające i przeznaczone są dla ludzi mniej inteligentnych. Osoba inteligentna jest świadoma Kṛṣṇy i nie ma potrzeby czczenia miernych półbogów dla jakiejś natychmiastowej, krótkotrwałej korzyści. Półbogowie tego świata materialnego, jak również ich czciciele, znikną wraz z unicestwieniem tego materialnego stworzenia. Dary półbogów są materialne i przemijające. Zarówno światy materialne, jak i ich mieszkańcy, razem z półbogami i ich czcicielami, są bańkami w oceanie kosmicznym. W tym świecie jednakże ludzkie społeczeństwo szaleje za takimi przemijającymi rzeczami jak materialne bogactwa, czyli posiadanie ziemi, rodziny i przedmiotów dających zadowolenie zmysłom. Aby te rzeczy osiągnąć, oddają cześć półbogom albo potężnym jednostkom w społeczeństwie ludzkim. Jeśli ktoś otrzymuje stanowisko ministra w rządzie, dzięki wielbieniu jakiegoś przywódcy politycznego, uważa on, że otrzymał wielkie dobrodziejstwo. Dlatego wszyscy oni płaszczą się przed tzw. przywódcami albo "grubymi rybami" w celu otrzymania przemijających korzyści, i rzeczywiście osiągają te rzeczy. Tacy niemądrzy ludzie nie są zainteresowani świadomością Kṛṣṇy dla trwałego rozwiązania trudów egzystencji materialnej. Wszyscy oni uganiają się za uciechami zmysłowymi, i aby sobie to chociaż trochę ułatwić, przywiązani są do czczenia potężnych żywych istot, znanych jako półbogowie. Werset ten wskazuje na to, że ludzie rzadko interesują się świadomością Kṛṣṇy. Są raczej zainteresowani uciechami materialnymi, i z tego powodu wielbią pewne potężne żywe istoty.

TEKST 13 चातुर्वर्ण्यं मया सृष्टं गुणकर्मविभागशः ।
तस्य कर्तारमपि मां विद्ध्यकर्तारमव्ययम् ॥१३॥

*cātur-varṇyaṁ mayā sṛṣṭaṁ guṇa-karma-vibhāgaśaḥ*
*tasya kartāram api māṁ viddhy akartāram avyayam*

*cātuḥ-varṇyam*—cztery podziały społeczeństwa ludzkiego; *mayā*—przeze Mnie; *sṛṣṭam*—stworzone; *guṇa*—cechy; *karma*—i pracy; *vibhāgaśaḥ*—według podziału; *tasya*—tego; *kartāram*—ojciec; *api*—chociaż; *mām*—Mnie; *viddhi*—możesz wiedzieć; *akartāram*—jako nic nie czyniący; *avyayam*—będąc niezmiennym.

**Cztery podziały ludzkiego społeczeństwa zostały stworzone przeze Mnie, odpowiednio do trzech sił natury materialnej i przypisanej im pracy. I chociaż Ja jestem stwórcą tego systemu, powinieneś wiedzieć, że Ja Sam nic nie czynię i pozostaję niezmiennym.**

*ZNACZENIE:* Pan jest stwórcą wszystkiego. Wszystko zostało zrodzone z Niego, wszystko jest utrzymywane przez Niego i wszystko po unicestwieniu spocznie w Nim. Jest On zatem również stwórcą czterech podziałów społecznych, począwszy od grupy ludzi inteligentnych, nazywanych fachowo braminami, będących pod wpływem *guṇy* dobroci. Następną grupą jest grupa administracyjna, nazywana *kṣatriyami* i znajduje się ona pod wpływem *guṇy* pasji. Kupcy, nazywani *vaiśyami*, znajdują się pod wpływem mieszaniny dwóch sił natury: pasji i ignorancji, a *śūdrowie*, czyli robotnicy, są pod działaniem trzeciej siły natury materialnej—ignorancji. Pomimo tego, że Pan Kṛṣṇa jest stwórcą tych czterech podziałów życia społecznego, nie należy On do żadnego z nich, ponieważ nie jest On żadną z dusz uwarunkowanych, z których część tworzy społeczeństwo ludzkie. Ludzkie społeczeństwo podobne jest do każdego innego społeczeństwa zwierzęcego, i aby wynieść ludzi ponad stan zwierzęcy, Pan stworzył wyżej wspomniane podziały społeczne. W ten sposób członkowie odpowiednich grup mogą systematycznie rozwijać świadomość Kṛṣṇy. Skłonności poszczególnych ludzi do określonych prac są uwarunkowane siłami natury materialnej, pod wpływem których ludzie ci się znajdują. Symptomy odpowiadające różnym siłom natury materialnej zostały opisane w Osiemnastym

Rozdziale tej książki. Jednak osoba świadoma Kṛṣṇy przewyższa nawet bramina. Cechą bramina jest to, że zna on Brahmana—Najwyższą Prawdę Absolutną. Jednak większość z nich zbliża się tylko do bezosobowej manifestacji Pana Kṛṣṇy—Brahmana. I jedynie człowiek, który przekracza ograniczoną wiedzę bramina i osiąga wiedzę o Najwyższej Osobie Boga, Panu Śrī Kṛṣṇie, zostaje osobą świadomą Kṛṣṇy (albo innymi słowy Vaiṣṇavą). Świadomość Kṛṣṇy zawiera wiedzę o różnych pełnych ekspansjach Kṛṣṇy, takich jak: Rāma, Nṛsiṁha, Varāha itd. Tak jak Kṛṣṇa jest transcendentalny do podziałów społeczeństwa ludzkiego, tak również osoba świadoma Kṛṣṇy jest transcendentalna wobec takich podziałów, bez względu na to, czy weźmiemy tutaj pod uwagę podziały grupowe, narodowe czy też rasowe.

**TEKST 14** न मां कर्माणि लिम्पन्ति न मे कर्मफले स्पृहा ।
इति मां योऽभिजानाति कर्मभिर्न स बध्यते ॥१४॥

*na māṁ karmāṇi limpanti na me karma-phale spṛhā*
*iti māṁ yo 'bhijānāti karmabhir na sa badhyate*

*na*—nigdy; *mām*—Mnie; *karmāṇi*—wszelkie rodzaje prac; *limpanti*—oddziaływują; *na*—nie; *me*—Moje; *karma-phale*—w działaniu dla zysku; *spṛhā*—dążenie; *iti*—w ten sposób; *mām*—Mnie; *yaḥ*—ten, kto; *abhijānāti*—wie; *karmabhiḥ*—przez skutki takiej pracy; *na*—nigdy; *saḥ*—on; *badhyate*—uwikłuje się.

**Nie ma pracy, która by miała na Mnie wpływ, ani też nie ubiegam się o owoce działania. Kto rozumie tę prawdę o Mnie, ten nie uwikłuje się w rezultaty pracy.**

*ZNACZENIE:* Tak jak w tym świecie materialnym istnieją prawa mówiące, iż król nie może postępować źle, albo że król nie podlega prawu państwowemu—podobnie Pan, chociaż jest stwórcą świata materialnego, to jednak nie podlega On wpływom czynności tego świata. Stwarza On i pozostaje z dala od tego stworzenia, podczas gdy żywe istoty—z powodu swojej skłonności do panowania nad zasobami materialnymi—uwikłane są w rezultaty czynności materialnych. Właściciel jakiejś firmy nie jest odpowiedzialny za złe czy dobre czyny pracowników. Pracownicy ci sami są za nie odpowiedzialni. Żywe istoty są zaangażowane w różnego rodzaju czynności mające na celu zadowalanie zmysłów, ale czynności te nie zostały nakazane przez Pana. W tym świecie żywe istoty pracują nad postępem w zadowalaniu zmysłów i dążą do osiągnięcia wyższych planet po śmierci. Pan, będąc kompletnym w Sobie, nie czuje pociągu do tzw. szczęścia niebiańskiego, czyli szczęścia osiągalnego na planetach niebiańskich. Półbogowie z tych planet są jedynie Jego sługami. Właściciel firmy nigdy nie pragnie niższego rodzaju szczęścia, takiego jakiego mogliby pragnąć zatrudniani przez niego robotnicy. Pan pozostaje z dala od działalności materialnej i skutków tej działalności. Na przykład deszcze nie są odpowiedzialne za różne gatunki roślinności pojawiającej się na ziemi, chociaż bez takich deszczów rośliny te nie mogłyby rosnąć. Wedyjskie *smṛti* potwierdza to w następujący sposób:

*nimitta-mātram evāsau sṛjyānāṁ sarga-karmaṇi*
*pradhāna-kāraṇī-bhūtā yato vai sṛjya-śaktayaḥ*

"W stworzeniu materialnym Pan jest tylko najwyższą przyczyną. Bezpośrednią przyczyną jest natura materialna, dzięki której pojawiła się ta manifestacja kosmiczna." Jest wiele gatunków żywych istot, takich jak półbogowie, istoty ludzkie i niższe zwierzęta, i wszystkie z nich podlegają skutkom swoich przeszłych dobrych i złych czynów. Pan tylko odpowiednio ułatwia im spełnianie takich czynów i reguluje je trzema siłami natury materialnej. Nigdy jednak nie jest odpowiedzialny za ich przeszłe i obecne czyny. *Vedānta-sūtra* (2.1.34) potwierdza, że Pan nigdy nie jest stronniczy wobec żadnej żywej istoty (*vaiṣamya-nairghṛṇye na sāpekṣatvāt*). Żywa istota sama odpowiedzialna jest za swoje własne czyny. Pan tylko—za pośrednictwem natury materialnej, Swojej zewnętrznej energii—ułatwia jej spełnianie tych czynów. Każdy kto posiadł doskonałą wiedzę o skomplikowanym prawie *karmy*, czyli o pracy dla zysku, nie podlega już skutkom swoich czynów. Innymi słowy, osoba która rozumie tę transcendentalną naturę Pana, jest człowiekiem doświadczonym w świadomości Kṛṣṇy, a zatem nigdy nie podlega prawom *karmy*. Kto natomiast nie zna transcendentalnej natury Pana i kto myśli, że czynności Pana mają na celu osiągnięcie jakichś korzyści, tak jak jest to w przypadku żywych istot, ten z pewnością zostanie uwikłany w rezultaty swoich czynów. Ale osoba znająca Najwyższą Prawdę jest duszą wyzwoloną, usytuowaną w świadomości Kṛṣṇy.

**TEKST 15** एवं ज्ञात्वा कृतं कर्म पूर्वैरपि मुमुक्षुभिः ।
कुरु कर्मैव तस्मात्त्वं पूर्वैः पूर्वतरं कृतम् ॥१५॥

*evaṁ jñātvā kṛtaṁ karma pūrvair api mumukṣubhiḥ*
*kuru karmaiva tasmāt tvaṁ pūrvaiḥ pūrvataraṁ kṛtam*

*evam*—w ten sposób; *jñātvā*—dobrze wiedząc; *kṛtam*—została wykonana; *karma*—praca; *pūrvaiḥ*—przez autorytety z przeszłości; *api*—

zaprawdę; *mumukṣubhiḥ*—które osiągnęły wyzwolenie; *kuru*—po prostu pełń; *karma*—nakazany obowiązek; *eva*—z pewnością; *tasmāt*—zatem; *tvam*—ty; *pūrvaiḥ*—przez przodków; *pūrva-taram*—w starożytności; *kṛtam*—jak były wykonywane.

**Wszystkie wyzwolone dusze w czasach starożytnych działały z tą wiedzą o Mojej transcendentalnej naturze. Zatem powinieneś pełnić swój obowiązek, podążając za ich przykładem.**

*ZNACZENIE:* Są dwa rodzaje ludzi. Niektórzy z nich mają serce pełne nieczystych pragnień, inni zaś wolni są od takich materialnych zanieczyszczeń. Świadomość Kṛṣṇy jest równie korzystna dla obu tych rodzajów ludzi. Ci, którzy są pełni zanieczyszczeń, mogą zacząć praktykowanie świadomości Kṛṣṇy i stopniowo, poprzez przestrzeganie zasad służby oddania, oczyścić się. Ci, którzy już pozbyli się tych nieczystości, mogą kontynuować działanie w tej samej świadomości Kṛṣṇy, tak aby inni mogli podążyć za ich przykładem i tym samym odnieść korzyść. Osoby niemądre albo będące nowicjuszami w świadomości Kṛṣṇy, nie posiadające wiedzy o świadomości Kṛṣṇy, często chcą zaprzestać działania. Trzeba jednak pamiętać, że Pan nie pochwalił zamiaru Arjuny, który chciał wycofać się z walki na Polu Kurukṣetra. Zaprzestanie działania w świadomości Kṛṣṇy i usunięcie się w odosobnione miejsce, aby tam praktykować świadomość Kṛṣṇy na pokaz, jest mniej istotne od rzeczywistego zaangażowania się w pracę dla Kṛṣṇy. Należy tylko wiedzieć, w jaki sposób działać. Arjuna otrzymał radę, aby działać w świadomości Kṛṣṇy, biorąc przykład z pierwszych uczniów Pana, takich jak wcześniej wspomniany bóg słońca, Vivasvān. Najwyższy Pan zna wszystkie Swoje przeszłe czyny, jak również czyny tych, którzy w przeszłości działali w świadomości Kṛṣṇy. Dlatego poleca On działanie boga słońca, który parę milionów lat temu nauczył się tej sztuki od Pana. Wszyscy tacy uczniowie Pana wymienieni zostali tutaj jako wyzwolone osoby z przeszłości, które pełniły obowiązki zlecone im przez Kṛṣṇę.

**TEKST 16** किं कर्म किमकर्मेति कवयोऽप्यत्र मोहिताः ।
तत्ते कर्म प्रवक्ष्यामि यज्ज्ञात्वा मोक्ष्यसेऽशुभात् ॥१६॥

*kiṁ karma kim akarmeti kavayo 'py atra mohitāḥ*
*tat te karma pravakṣyāmi yaj jñātvā mokṣyase 'śubhāt*

*kim*—czym jest; *karma*—działanie; *kim*—czym jest; *akarma*—bierność; *iti*—w ten sposób; *kavayaḥ*—inteligentni; *api*—również; *atra*—w tej sprawie; *mohitāḥ*—są zdezorientowani; *tat*—to; *te*—tobie; *karma*—

praca; *pravakṣyāmi*—wytłumaczę; *yat*—którą; *jñātvā*—znając; *mokṣyase*—będziesz wyzwolony; *aśubhāt*—od złego losu.

**Nawet inteligentni nie są zdecydowani co do tego, co jest czynem a co bezczynem. Więc wytłumaczę ci teraz, czym czyn jest, a posiadłszy tę wiedzę, wyzwolony będziesz od złego losu.**

*ZNACZENIE:* Praca w świadomości Kṛṣṇy powinna być wykonywana zgodnie z przykładami wcześniejszych bona fide wielbicieli. To poleca werset 15. Werset następny tłumaczy, dlaczego działanie takie nie powinno być niezależne.

Aby działać w świadomości Kṛṣṇy, należy poddać się prowadzeniu osób autoryzowanych, pochodzących z sukcesji uczniów. Zostało to już wyjaśnione na początku tego rozdziału. O systemie świadomości Kṛṣṇy został początkowo pouczony bóg słońca, bóg słońca wytłumaczył go swemu synowi Manu, a Manu z kolei wytłumaczył go swemu synowi Ikṣvāku. W ten sposób system ten jest rozpowszechniany na Ziemi od tych niepamiętnych czasów. Należy zatem iść w ślady wcześniejszych autorytetów, pochodzących z linii sukcesji uczniów. W przeciwnym razie nawet najbardziej inteligentni ludzie będą zdezorientowani co do wzorowego działania w świadomości Kṛṣṇy. Dlatego Pan postanowił bezpośrednio pouczyć Arjunę o świadomości Kṛṣṇy; każdy więc, kto bierze przykład z Arjuny, z pewnością nie zostaje zwiedziony.

Zostało powiedziane, że zwyczajów religijnych nie może ustanowić osoba posiadająca niedoskonałą wiedzę empiryczną. W rzeczywistości zasady religijne może ustanowić tylko Sam Pan. *Dharmaṁ tu sākṣād bhagavat-praṇītam* (*Bhāg*. 6.3.19). Nikt nie może stworzyć zasad religijnych za pomocą niedoskonałych spekulacji. Należy brać przykład z wielkich autorytetów, takich jak Brahmā, Śiva, Nārada, Manu, Kumārowie, Kapila, Prahlāda, Bhīṣma, Śukadeva Gosvāmī, Yamarāja, Janaka i Bali Mahārāja. Za pomocą spekulacji umysłowych nie można stwierdzić, co jest religią albo samorealizacją. Dlatego, dzięki bezprzyczynowej łasce dla Swoich wielbicieli, Pan bezpośrednio tłumaczy Arjunie, czym jest czyn i czym jest bezczyn. Tylko czyny pełnione w świadomości Kṛṣṇy są w stanie uwolnić spełniającą je osobę z sideł egzystencji materialnej.

**TEKST 17** कर्मणो ह्यपि बोद्धव्यं बोद्धव्यं च विकर्मणः ।
अकर्मणश्च बोद्धव्यं गहना कर्मणो गतिः ॥१७॥

*karmaṇo hy api boddhavyaṁ boddhavyaṁ ca vikarmaṇaḥ*
*akarmaṇaś ca boddhavyaṁ gahanā karmaṇo gatiḥ*

*karmaṇaḥ*—pracy; *hi*—z pewnością; *api*—również; *boddhavyam*—należy zrozumieć; *boddhavyam*—należy zrozumieć; *ca*—również; *vikarmaṇaḥ*—pracy zakazanej; *akarmaṇaḥ*—bezczynu; *ca*—również; *boddhavyam*—należy zrozumieć; *gahanā*—bardzo trudno; *karmaṇaḥ*—pracy; *gatiḥ*—wejście.

**Niełatwo zrozumieć jest zawiłości działania. Należy posiąść właściwą wiedzę o tym, czym jest czyn, co to jest czyn zakazany i czym jest bezczyn.**

*ZNACZENIE:* Jeśli ktoś poważnie traktuje wyzwolenie z niewoli materialnej, musi on zrozumieć różnicę pomiędzy działaniem, biernością i czynem nie popieranym przez autorytety. Należy starać się przeanalizować czyn, jego skutki i czyny niewłaściwe, jako że przedmiot ten jest bardzo trudny. Aby zrozumieć świadomość Kṛṣṇy i działanie zgodne z jej zasadami, należy dowiedzieć się o swoim związku z Najwyższym. Kto posiadł doskonałą wiedzę, ten wie, że każda żywa istota jest wiecznym sługą Pana i dlatego musi działać w świadomości Kṛṣṇy. Cała *Bhagavad-gītā* zmierza do takiego wniosku. Wszystkie inne wnioski, nie będące w zgodzie z tą świadomością i odpowiadającemu jej działaniu, są czynami zakazanymi, czyli *vikarmą*. Aby to zrozumieć, należy obcować z autorytetami w świadomości Kṛṣṇy i od nich poznać tę tajemnicę—jest to tak dobre, jak bezpośrednia nauka od Pana. W przeciwnym razie nawet najbardziej inteligentne osoby będą zdezorientowane.

## TEKST 18

कर्मण्यकर्म यः पश्येदकर्मणि च कर्म यः ।
स बुद्धिमान्मनुष्येषु स युक्तः कृत्स्नकर्मकृत् ॥१८॥

*karmaṇy akarma yaḥ paśyed akarmaṇi ca karma yaḥ*
*sa buddhimān manuṣyeṣu sa yuktaḥ kṛtsna-karma-kṛt*

*karmaṇi*—w działaniu; *akarma*—bezczyn; *yaḥ*—ten, kto; *paśyet*—widzi; *akarmaṇi*—w bezczynie; *ca*—również; *karma*—działanie dla zysku; *yaḥ*—ten, kto; *saḥ*—on; *buddhi-mān*—jest inteligentny; *manuṣyeṣu*—w społeczeństwie ludzkim; *saḥ*—on; *yuktaḥ*—znajduje się w pozycji transcendentalnej; *kṛtsna-karma-kṛt*—chociaż zaangażowany we wszelkie czyny.

**Kto widzi bierność w działaniu i działanie w bierności, ten jest inteligentnym pośród ludzi. I chociaż zaangażowany we wszelkiego rodzaju czyny, zajmuje on transcendentalną pozycję.**

*ZNACZENIE:* Osoba działająca w świadomości Kṛṣṇy jest w naturalny sposób wolna od więzów *karmy*. Wszystkie jej czyny pełnione są dla Kṛṣṇy, dlatego nie cieszy się ona rezultatami swojej pracy ani też nie cierpi z ich powodu. Jest to więc osoba inteligentna w społeczeństwie ludzkim, nawet chociaż zaangażowana jest we wszelkiego rodzaju prace dla Kṛṣṇy. *Akarma* znaczy bez następstw działania. Impersonaliści porzucają pracę dla zysku, obawiając się, aby ich działanie nie było przeszkodą na ścieżce realizacji duchowej, ale przedstawiciel kultu osobowego zna swoją właściwą pozycję—wie, że jest wiecznym sługą Najwyższej Osoby Boga. Dlatego angażuje się on w działanie w świadomości Kṛṣṇy. Ponieważ wszystko robi dla Kṛṣṇy, cieszy się tylko szczęściem transcendentalnym pochodzącym z pełnienia służby. Ci, którzy zaangażowali się w ten proces, nie posiadają pragnienia zadowalania własnych zmysłów. Zrozumienie swojej pozycji jako wiecznego sługi Kṛṣṇy chroni ich przed wszelkiego rodzaju skutkami ich prac.

**TEKST 19** यस्य सर्वे समारम्भाः कामसंकल्पवर्जिताः ।
ज्ञानाग्निदग्धकर्माणं तमाहुः पण्डितं बुधाः ॥१९॥

*yasya sarve samārambhāḥ kāma-saṅkalpa-varjitāḥ*
*jñānāgni-dagdha-karmāṇaṁ tam āhuḥ paṇḍitaṁ budhāḥ*

*yasya*—ten, którego; *sarve*—wszelkiego rodzaju; *samārambhāḥ*—próby; *kāma*—w oparciu o pragnienie zadowalania zmysłów; *saṅkalpa*—zdecydowanie; *varjitāḥ*—są pozbawieni; *jñāna*—doskonałej wiedzy; *agni*—przez ogień; *dagdha*—spalony; *karmāṇam*—którego praca; *tam*—jego; *āhuḥ*—uważają; *paṇḍitam*—za uczonego; *budhāḥ*—ci, którzy wiedzą.

**Ten posiada kompletną wiedzę, którego każdy czyn wolny jest od pragnienia zadowalania zmysłów. Mędrcy mówią, że reakcje jego pracy palone są przez ogień doskonałej wiedzy.**

*ZNACZENIE:* Tylko osoba posiadająca pełną wiedzę może zrozumieć działanie osoby w świadomości Kṛṣṇy. Ponieważ osoba świadoma Kṛṣṇy jest wolna od wszelkiego rodzaju skłonności do zadowalania zmysłów, oznacza to, że z pomocą doskonałej wiedzy o swojej konstytucjonalnej pozycji wiecznego sługi Najwyższej Osoby Boga spaliła ona skutki swojej pracy. Tylko ten jest naprawdę uczonym, kto osiągnął taką doskonałość wiedzy. Rozwój tej wiedzy o wiecznej służbie dla Pana porównywany jest do ognia. Ogień taki, raz rozniecony, może spalić wszelkiego rodzaju skutki działania.

**TEKST 20** त्यक्त्वा कर्मफलासंगं नित्यतृप्तो निराश्रयः ।
कर्मण्यभिप्रवृत्तोऽपि नैव किञ्चित् करोति सः ॥२०॥

*tyaktvā karma-phalāsaṅgaṁ nitya-tṛpto nirāśrayaḥ*
*karmaṇy abhipravṛtto 'pi naiva kiñcit karoti saḥ*

*tyaktvā*—porzuciwszy; *karma-phala-āsaṅgam*—przywiązanie do owoców pracy; *nitya*—zawsze; *tṛptaḥ*—będąc zadowolonym; *nirāśrayaḥ*—bez jakiegokolwiek schronienia; *karmaṇi*—w działaniu; *abhipravṛttaḥ*—będąc całkowicie zaangażowanym; *api*—pomimo; *na*—nie; *eva*—z pewnością; *kiñcit*—cokolwiek; *karoti*—robi; *saḥ*—on.

**Pozbywszy się wszelkiego przywiązania do owoców swojego działania, zawsze zadowolony i niezależny, nie wykonuje on żadnej pracy dla zysków, chociaż zaangażowany jest we wszelkiego rodzaju działanie.**

*ZNACZENIE:* Taka wolność od więzów działania możliwa jest tylko w świadomości Kṛṣṇy, kiedy wszystko poświęca się Kṛṣṇie. Osoba świadoma Kṛṣṇy w swoim działaniu kieruje się czystą miłością dla Najwyższej Osoby Boga i dlatego nie przywiązuje się do efektów tego działania. Nie przywiązuje ona wagi nawet do własnego utrzymania, gdyż wszystko pozostawia Kṛṣṇie. Nie pragnie ona gromadzić żadnych przedmiotów ani chronić tych, które już znajdują się w jej posiadaniu. Wypełnia ona swój obowiązek najlepiej jak potrafi i wszystko pozostawia Kṛṣṇie. Taka wolna od przywiązań osoba nigdy nie podlega dobrym czy złym skutkom działania, jak gdyby nie wykonywała żadnej pracy. Jest to oznaką *akarmy*, czyli działania, w którym nie podlega się skutkom tego działania. Każde inne działanie, pozbawione świadomości Kṛṣṇy, jest wiążące dla jego wykonawcy i jest prawdziwym aspektem *vikarmy*, tak jak to już wytłumaczono wcześniej.

**TEKST 21** निराशीर्यतचित्तात्मा त्यक्तसर्वपरिग्रहः ।
शारीरं केवलं कर्म कुर्वन्नाप्नोति किल्बिषम् ॥२१॥

*nirāśīr yata-cittātmā tyakta-sarva-parigrahaḥ*
*śārīraṁ kevalaṁ karma kurvan nāpnoti kilbiṣam*

*nirāśīḥ*—bez pragnienia korzyści; *yata*—kontrolowany; *citta-ātmā*—umysł i inteligencja; *tyakta*—porzucając; *sarva*—wszelkie; *parigrahaḥ*—poczucie własności do całego majątku; *śārīram*—w utrzymaniu ciała i duszy razem; *kevalam*—jedynie; *karma*—praca; *kurvan*—czyniąc; *na*—nigdy; *āpnoti*—nie nabywa; *kilbiṣam*—następstwa grzechów.

**Człowiek taki, posiadając pełne zrozumienie, działa doskonale kontrolując umysł i inteligencję, uwalnia się od poczucia własności w stosunku do swojego majątku i pracuje jedynie po to, aby zaspokoić proste potrzeby życia. W ten sposób działając, nie naraża się na reakcje grzechu.**

*ZNACZENIE:* Osoba świadoma Kṛṣṇy nie oczekuje żadnych efektów swojej pracy—ani dobrych ani złych. W pełni kontroluje ona swój umysł i inteligencję. Wie, że jest cząstką Najwyższego, a zatem rola odgrywana przez nią—jako integralną cząstkę całości—nie jest jej własnym działaniem, ale spełniana jest przez Najwyższego za jej pośrednictwem. Kiedy ręka porusza się, nie robi ona tego z własnej woli, ale poprzez wysiłek całego ciała. Pragnienia osoby świadomej Kṛṣṇy zawsze harmonizują z pragnieniem Najwyższego, jako że nie posiada ona pragnień zadowalania własnych zmysłów. Porusza się ona dokładnie tak, jak część jakiejś maszyny. I tak jak ta część wymaga oliwienia i czyszczenia, aby mogła sprawnie spełniać swoją funkcję, podobnie osoba świadoma Kṛṣṇy utrzymuje się dzięki swojej pracy, tak aby być zdolną do pełnienia transcendentalnej służby miłości dla Pana. Dlatego jest ona wolna od wszelkich następstw swoich wysiłków. Tak jak zwierzę, nie rości sobie ona pretensji nawet do swojego ciała. Okrutny właściciel zwierzęcia czasami zabija je, a pomimo tego zwierzę to nie protestuje. Nie ma ono żadnej prawdziwej niezależności. Osoba świadoma Kṛṣṇy, całkowicie pochłonięta realizacją duchową, ma bardzo mało czasu na fałszywe posiadanie jakiegokolwiek przedmiotu materialnego. Chcąc jedynie utrzymać ciało i duszę razem, nie potrzebuje ona zajmować się żadnymi nieczystymi sprawami po to, aby gromadzić pieniądze. Jest zatem wolna od tego rodzaju materialnych grzechów i nie podlega skutkom swojego działania.

## TEKST 22

यदृच्छालाभसन्तुष्टो द्वन्द्वातीतो विमत्सरः ।
समः सिद्धावसिद्धौ च कृत्वापि न निबध्यते ॥२२॥

*yadṛcchā-lābha-santuṣṭo dvandvātīto vimatsaraḥ*
*samaḥ siddhāv asiddhau ca kṛtvāpi na nibadhyate*

*yadṛcchā*—spontanicznie; *lābha*—z zysku; *santuṣṭaḥ*—zadowolony; *dvandva*—dualizm; *atītaḥ*—pokonał; *vimatsaraḥ*—wolny od zazdrości; *samaḥ*—wytrwały; *siddhau*—w sukcesie; *asiddhau*—w niepowodzeniu;

*ca*—również; *kṛtvā*—czyniąc; *api*—chociaż; *na*—nigdy; *nibadhyate*—jest poruszony.

**Kto zadowala się tym, co przychodzi spontanicznie, kto uwolnił się od dualizmów i od zazdrości, kto pozostaje niewzruszony zarówno w szczęściu, jak i niepowodzeniu, ten nigdy nie uwikła się, chociaż czyn pełni.**

*ZNACZENIE:* Osoba świadoma Kṛṣṇy nie wkłada dużo wysiłku nawet w utrzymanie swego ciała. Zadowala się tym, co przychodzi samo. Nigdy nie pożycza ona ani nie żebrze, ale pracuje sumiennie, tak jak ją na to stać, i zadowala się tym, co osiąga poprzez swoją uczciwą pracę. Jest ona zatem niezależna w utrzymaniu siebie. Nie pozwala na to, aby czyjakolwiek służba przeszkadzała w jej służbie w świadomości Kṛṣṇy. Jednakże, aby służyć Kṛṣṇie, może ona uczestniczyć w każdego rodzaju pracy, pozostając niewzruszoną wobec dualizmów tego świata materialnego. Takie dualizmy odczuwane są na przykład podczas upałów i chłodu czy w szczęściu i nieszczęściu. Osoba świadoma Kṛṣṇy jest ponad tymi dualizmami, gdyż dla zadowolenia Kṛṣṇy nie waha się działać w jakikolwiek sposób. Dlatego pozostaje niewzruszona, zarówno wobec szczęścia, jak i nieszczęścia. Symptomy takie charakterystyczne są dla osób posiadających doskonałą wiedzę transcendentalną.

**TEKST 23** गतसंगस्य मुक्तस्य ज्ञानावस्थितचेतसः ।
यज्ञायाचरतः कर्म समग्रं प्रविलीयते ॥२३॥

*gata-saṅgasya muktasya jñānāvasthita-cetasaḥ*
*yajñāyācarataḥ karma samagraṁ pravilīyate*

*gata-saṅgasya*—nie związanego z siłami natury materialnej; *muktasya*—wyzwolonego; *jñāna-avasthita*—usytuowany w transcendencji; *cetasaḥ*—którego mądrość; *yajñāya*—dla Yajñi (Kṛṣṇy); *ācarataḥ*—działając; *karma*—praca; *samagram*—całkowicie; *pravilīyate*—całkowicie wtapia się.

**Praca człowieka uniezależnionego od trzech sił materialnej natury i posiadającego kompletną wiedzę transcendentalną, całkowicie wtapia się w transcendencję.**

*ZNACZENIE:* Kto osiągnął pełną świadomość Kṛṣṇy, ten uwolnił się od wszelkich dualizmów, a tym samym od zanieczyszczenia siłami natury materialnej. Może zostać wyzwolony, ponieważ zna swoją konstytucjonalną pozycję w związku z Kṛṣṇą—wskutek tego umysł jego nie może zostać odciągnięty od świadomości Kṛṣṇy. Wszystko co robi poświęca Kṛṣṇie, który jest pierwotnym Viṣṇu. Wszystkie jego prace są praktycznie ofiarami, jako że ofiara polega na zadowalaniu Najwyższej Osoby, Viṣṇu, Kṛṣṇy. Wynikające z tej pracy następstwa na pewno wtapiają się w transcendencję i jej wykonawca nie cierpi żadnych materialnych skutków.

TEKST 24 ब्रह्मार्पणं ब्रह्म हविर्ब्रह्माग्नौ ब्रह्मणा हुतम् ।
ब्रह्मैव तेन गन्तव्यं ब्रह्मकर्मसमाधिना ॥२४॥

*brahmārpaṇaṁ brahma havir brahmāgnau brahmaṇā hutam*
*brahmaiva tena gantavyaṁ brahma-karma-samādhinā*

*brahma*—natury duchowej; *arpaṇam*—wkład; *brahma*—Najwyższy; *haviḥ*—masło; *brahma*—duchowy; *agnau*—w ogniu ofiarnym; *brahmaṇā*—przez duszę; *hutam*—ofiarowany; *brahma*—królestwo duchowe; *eva*—z pewnością; *tena*—przez niego; *gantavyam*—do osiągnięcia; *brahma*—duchowy; *karma*—w czynnościach; *samādhinā*—przez całkowite zaabsorbowanie się.

**Kto całkowicie pogrążony jest w świadomości Kṛṣṇy, ten z pewnością osiągnie królestwo duchowe, albowiem poświęca się on całkowicie czynnościom duchowym, w których rezultat procesu konsumpcji jest absolutny, a to, co zostało ofiarowane, jest tej samej natury duchowej.**

*ZNACZENIE:* Opisano tutaj, w jaki sposób czyny spełniane w świadomości Kṛṣṇy mogą ostatecznie doprowadzić do celu duchowego. Są różnego rodzaju czynności w świadomości Kṛṣṇy i wszystkie z nich opisane zostaną w wersetach następnych. Na razie przedstawiono tylko zasady świadomości Kṛṣṇy. Uwarunkowana dusza, uwikłana w nieczystości materialne, działa w atmosferze materialnej. Musi ona jednak uwolnić się od takich warunków. Procesem, który jej w tym pomoże, jest świadomość Kṛṣṇy. Na przykład pacjent, który cierpi na rozstrój przewodu pokarmowego z powodu spożywania w nadmiarze produktów mlecznych, leczony jest innym produktem mlecznym, mianowicie twarogiem. Zaabsorbowana materią uwarunkowana dusza może zostać wyleczona przez świadomość Kṛṣṇy. Takie jest stwierdzenie *Gīty*. Proces ten jest powszechnie znany jako *yajña*, czyny (ofiary) przeznaczone jedynie dla zadowolenia Viṣṇu, czyli Kṛṣṇy. Im bardziej czynności tego świata materialnego spełniane są w świadomości Kṛṣṇy, czyli jedynie dla Viṣṇu, tym bardziej uduchawia się atmosfera tego świata—poprzez całkowite pogrążenie się w tej świadomości. Słowo *brahma* (Brahman) znaczy "duchowy". Pan posiada ciało duchowe, a promienie Jego transcendentalnego ciała, Jego duchowy blask, nazywany jest *brahmajyoti*. W tym *brahmajyoti* usytuowane jest wszystko co istnieje; kiedy jednak *jyoti* przykryte zostaje iluzją (*māyą*), czyli przyjemmościami zmysłowymi—nazywane jest wtedy materią. Ta materialna zasłona może zostać natychmiast usunięta poprzez świadomość Kṛṣṇy; w ten sposób: ofiara dla świadomości Kṛṣṇy, czynnik akceptujący taką ofiarę lub daninę, proces jej spożycia, ofiarowujący i rezultat—wszystko to razem staje się Brahmanem, czyli Prawdą Absolutną. Prawda Absolutna przykryta przez *māyę* nazywana jest materią. Materia zaangażowana w służbę dla Prawdy Absolutnej odzyskuje swoje cechy duchowe. Świadomość Kṛṣṇy jest procesem przemiany świadomości iluzorycznej w świadomość Brahmana, czyli Najwyższego. Kiedy umysł całkowicie pogrąża się w świadomości Kṛṣṇy, mówi się, że jest on w *samādhi*, czyli ekstazie. Wszystko, co robione jest z taką transcendentalną świadomością, nazywane jest *yajñą*, czyli ofiarą dla Absolutu. W takim stanie świadomości duchowej: ofiarowujący, ofiara, spożycie, wykonujący lub przewodzący pełnieniu ofiary i rezultat, czyli zysk końcowy—wszystko to staje się jednym w Absolucie, Najwyższym Brahmanie. Taka jest metoda świadomości Kṛṣṇy.

**TEKST 25** दैवमेवापरे यज्ञं योगिनः पर्युपासते ।
ब्रह्माग्नावपरे यज्ञं यज्ञेनैवोपजुह्वति ॥२५॥

*daivam evāpare yajñaṁ yoginaḥ paryupāsate*
*brahmāgnāv apare yajñaṁ yajñenaivopajuhvati*

*daivam*—w wielbieniu półbogów; *eva*—w ten sposób; *apare*—pewne inne; *yajñam*—ofiary; *yoginaḥ*—mistycy; *paryupāsate*—wielbią w doskonały sposób; *brahma*—Prawdy Absolutnej; *agnau*—w ogniu; *apare*—inni; *yajñam*—ofiara; *yajñena*—przez ofiarę; *eva*—w ten sposób; *upajuhvati*—ofiarowują.

**Niektórzy z yogīnów wielbią półbogów, urządzając dla nich różnego rodzaju ofiary, podczas gdy inni składają ofiary w ogniu Najwyższego Brahmana.**

*ZNACZENIE:* Jak to opisano powyżej, osoba wypełniająca obowiązki w świadomości Kṛṣṇy nazywana jest również doskonałym *yogīnem* albo mistykiem pierwszej klasy. Ale są również inni, którzy spełniają podobne ofiary dla wielbionych przez siebie półbogów, i jeszcze inni, którzy takie ofiary spełniają dla Najwyższego Brahmana, czyli dla bezosobowego aspektu Najwyższego Pana. Są więc ofiary różnego rodzaju. Takie różne ofiary, spełniane przez różnego rodzaju ludzi, stwarzają tylko złudzenie odmienności. W rzeczywistości ofiara znaczy zadowolenie Najwyższego Pana—Viṣṇu, który znany jest również jako Yajña. Wszystkie te różne odmiany ofiar można podzielić na dwie podstawowe grupy: poświęcanie jakichś ziemskich bogactw i ofiary w dążeniu do wiedzy transcendentalnej. Osoby świadome Kṛṣṇy poświęcają wszelkie materialne posiadłości dla zadowolenia Najwyższego Pana, podczas gdy inni, którzy pragną jakiegoś przemijającego szczęścia materialnego, poświęcają posiadane przez siebie dobra materialne dla zadowolenia takich półbogów jak Indra, bóg słońca itd. Jeszcze inni, mianowicie impersonaliści, poświęcają swoje tożsamości poprzez połączenie się z bezosobowym Brahmanem. Półbogowie są potężnymi żywymi istotami wyznaczonymi przez Najwyższego Pana do utrzymania tego świata oraz kierowania wszystkimi funkcjami materialnymi, jak ogrzewanie, oświetlanie wszechświata i dostarczanie wody. Osoby zainteresowane korzyściami materialnymi oddają cześć półbogom przez spełnianie różnego rodzaju ofiar polecanych w *Vedach*. Nazywani są oni *bahv-īśvara-vādī*, czyli wierzącymi w wielu bogów. Natomiast inni, którzy wielbią bezosobową cechę Prawdy Absolutnej i uważają postacie półbogów za przemijające, poświęcają swoje indywidualne "ja" w najwyższym ogniu i w ten sposób, przez połączenie się z egzystencją Najwyższego, kończą swoją indywidualną egzystencję. Tacy impersonaliści spędzają swój czas na filozoficznych spekulacjach, chcąc w ten sposób zrozumieć transcendentalną naturę Najwyższego. Innymi słowy, pracujący dla zysków poświęcają swoje materialne bogactwa dla uciech zmysłowych, podczas gdy impersonaliści poświęcają swoje desygnaty materialne w nadziei połączenia się z egzystencją Najwyższego. Dla impersonalistów ogniem ołtarza ofiarnego jest Najwyższy Brahman, a ofiarą jest jaźń, konsumowana przez ogień Brahmana. Osoba świadoma Kṛṣṇy, tak jak Arjuna, poświęca jednakże wszystko dla zadowolenia Kṛṣṇy—zarówno swoje materialne bogactwa, jak i własne "ja". Jest ona zatem *yogīnem* pierwszej klasy, nie tracąc przy tym swojej indywidualnej egzystencji.

**TEKST 26** श्रोत्रादीनीन्द्रियाण्यन्ये संयमाग्निषु जुह्वति ।
शब्दादीन् विषयानन्य इन्द्रियाग्निषु जुह्वति ॥२६॥

*śrotrādīnīndriyāṇy anye saṁyamāgniṣu juhvati*
*śabdādīn viṣayān anya indriyāgniṣu juhvati*

*śrotra-ādīni*—jak proces słuchania; *indriyāṇi*—zmysły; *anye*—inni; *saṁyama*—wstrzemięźliwości; *agniṣu*—w ogniu; *juhvati*—ofiarowują;

*śabda-ādīn*—wibracje głosowe itd.; *viṣayān*—przedmioty zadowalania zmysłów; *anye*—inni; *indriya*—narządów zmysłów; *agniṣu*—w ogniu; *juhvati*—ofiarowują.

**Niektórzy z nich (niezachwiani brahmacārīni) poświęcają proces słuchania i zmysły w ogniu kontrolowanego umysłu, podczas gdy inni (gṛhasthowie żyjący zgodnie z zasadami) poświęcają w ogniu zmysłów przedmioty zmysłów.**

*ZNACZENIE:* Członkowie czterech etapów życia ludzkiego, mianowicie: *brahmacārīn, gṛhastha, vānaprastha* i *sannyāsī*, wszyscy powinni zostać doskonałymi *yogīnami*, czyli transcendentalistami. Ponieważ celem życia ludzkiego nie jest zwierzęce zadowalanie zmysłów, cztery porządki życia ludzkiego zostały zorganizowane w taki sposób, aby umożliwić ludziom osiągnięcie doskonałości w życiu duchowym. *Brahmacārīn*, czyli uczeń znajdujący się pod opieką bona fide mistrza duchowego, kontroluje umysł przez powstrzymywanie się od zadowalania zmysłów. *Brahmacārīn* słucha tylko słów dotyczących świadomości Kṛṣṇy. Słuchanie jest podstawą rozumienia i dlatego czysty *brahmacārīn* całkowicie angażuje się w *harer nāmānukīrtanam*—śpiewanie i słuchanie o chwałach Pana. Powstrzymuje się on od słuchania wibracji materialnych, a słuch swój angażuje w słuchanie transcendentalnych wibracji *mantry* Hare Kṛṣṇa. Osoby żyjące w małżeństwie, które mają pewną swobodę, jeśli chodzi o zadowalanie zmysłów, robią to z dużym umiarem. Życie seksualne, jedzenie mięsa i przyjmowanie środków odurzających i pobudzających—są to powszechne tendencje w społeczeństwie ludzkim, ale *gṛhastha* (osoba w związku małżeńskim) żyjący według zasad, nie nadużywa życia seksualnego ani nie folguje sobie w inny sposób w zadowalaniu zmysłów. Małżeństwa zawierane na zasadach religijnych są powszechne we wszystkich cywilizowanych społeczeństwach ludzkich, gdyż jest to sposób na ograniczenie życia seksualnego. Taka wstrzemięźliwość i nieprzywiązywanie się do życia seksualnego jest również rodzajem *yajñi*, jako że wstrzemięźliwy *gṛhastha* poświęca swoją ogólną skłonność do zadowalania zmysłów dla wyższego, transcendentalnego życia.

**TEKST 27**

सर्वाणीन्द्रियकर्माणि प्राणकर्माणि चापरे ।
आत्मसंयमयोगाग्नौ जुह्वति ज्ञानदीपिते ॥२७॥

*sarvāṇīndriya-karmāṇi prāṇa-karmāṇi cāpare*
*ātma-saṁyama-yogāgnau juhvati jñāna-dīpite*

*sarvāṇi*—spośród wszystkich; *indriya*—zmysły; *karmāṇi*—czynności; *prāṇa-karmāṇi*—funkcje oddechu życia; *ca*—również; *apare*—inni; *ātma-saṁyama*—kontrolowania umysłu; *yoga*—proces łączenia się; *agnau*—w ogniu; *juhvati*—ofiaruje; *jñāna-dīpite*—z pobudek do samorealizacji.

**Ci, którzy zainteresowani są osiągnięciem samorealizacji poprzez kontrolę umysłu i zmysłów, składają czynności wszystkich zmysłów, jak również powietrze życia, jako ofiarę w ogniu kontrolowanego umysłu.**

*ZNACZENIE:* Jest tutaj mowa o systemie *yogi* przedstawionym przez Patañjalego. W *Yoga-sūtrze* Patañjalego, dusza nazywana jest *pratyag-ātmą* i *parāg-ātmą*. Dopóki dusza przywiązana jest do zadowalania zmysłów, nazywana jest *parāg-ātmą*, ale skoro tylko uwalnia się od tego przywiązania, jest zwana *pratyag-ātmą*. Dusza podlega działaniom dziesięciu rodzajów powietrza znajdującego się wewnątrz ciała, a uświadomić to sobie można poprzez system oddychania. System *yogi* Patañjalego naucza, w jaki sposób kontrolować funkcjonowanie powietrza wewnątrz ciała, tak aby ostatecznie wszystkie funkcje tego powietrza wykorzystać do oczyszczenia duszy z przywiązań materialnych. Według tego systemu *yogi* ostatecznym celem jest *pratyag-ātmā*, która nie ma nic wspólnego z czynnościami materialnymi. Zmysły współdziałają z przedmiotami zmysłów i wszystkie angażują się w czynności poza duszą. Uszy słuchają, oczy patrzą, nos wącha, język smakuje, a ręka dotyka. Czynności te nazywają się funkcjami *prāṇa-vāyu*. *Apāna-vāyu* kieruje się w dół, *vyāna-vāyu* działa w sposób kurczący i rozszerzający, *samāna-vāyu* utrzymuje równowagę, *udāna-vāyu* kieruje się w górę. Ten kto jest oświecony, angażuje je wszystkie w rozwój realizacji duchowej.

## TEKST 28

द्रव्ययज्ञास्तपोयज्ञा योगयज्ञास्तथापरे ।
स्वाध्यायज्ञानयज्ञाश्च यतयः संशितव्रताः ॥२८॥

*dravya-yajñās tapo-yajñā yoga-yajñās tathāpare*
*svādhyāya-jñāna-yajñāś ca yatayaḥ saṁśita-vratāḥ*

*dravya-yajñāḥ*—poświęcenie własności; *tapaḥ-yajñāḥ*—ofiara w wyrzeczeniu; *yoga-yajñāḥ*—ofiara w ośmiostopniowym mistycyzmie; *tathā*—w ten sposób; *apare*—inni; *svādhyāya*—ofiara poprzez studiowanie *Ved*; *jñāna-yajñāḥ*—ofiara w osiąganiu wiedzy transcendentalnej;

*ca*—również; *yatayaḥ*—osoby oświecone; *saṁśita-vratāḥ*—czyniące niezłomne śluby.

**Przyjąwszy niezłomne śluby, niektórzy zostali oświeceni poprzez poświęcenie swych bogactw, inni zaś przez praktykowanie surowych wyrzeczeń, praktykę ośmiostopniowego systemu yogi mistycznej, czy przez studiowanie Ved w celu uczynienia postępu w transcendentalnej wiedzy.**

*ZNACZENIE:* Ofiary tego rodzaju można podzielić na różne kategorie. Niektóre osoby na przykład poświęcają swój majątek na różne cele dobroczynne. W Indiach istnieją bogate związki kupieckie albo warstwy książęce, które otwierają różnego rodzaju instytucje dobroczynne, jak *dharma-śālā, anna-kṣetra, atithi-śālā, anāthālaya* i *vidyā-pīṭha*. Również w innych krajach jest wiele szpitali, domów starców i podobnych instytucji charytatywnych, których celem jest rozdział żywności, kształcenie oraz darmowe leczenie dla biednych. Wszelka taka działalność dobroczynna nazywana jest *dravyamaya-yajña*. Są też tacy, którzy dla osiągnięcia wyższego poziomu życia lub w celu osiągnięcia wyższych planet w tym wszechświecie, dobrowolnie przyjmują wszelkiego rodzaju wyrzeczenia, jak *candrāyaṇa* i *cāturmāsya*. Proces ten polega na czynieniu ślubów dla poddania życia pewnym surowym prawom. Na przykład osoba składająca śluby *cāturmāsya* nie goli się przez cztery miesiące w roku (od lipca do października), nie spożywa pewnych pokarmów, nie przyjmuje dwóch posiłków dziennie albo nie opuszcza domu. Taka rezygnacja z pewnych wygód życia nazywana jest *tapomaya-yajñą*. Są jeszcze inni, którzy angażują się w różnego rodzaju *yogi* mistyczne, jak np. system Patañjalego (w celu połączenia się z Absolutem), *haṭha-yogę* czy *aṣṭāṅga-yogę* (dla osiągnięcia pewnego rodzaju doskonałości). Niektórzy zaś wędrują do wszystkich świętych miejsc pielgrzymek. Wszystkie te praktyki nazywają się *yoga-yajñami*, czyli ofiarami dla osiągnięcia pewnego rodzaju doskonałości w tym świecie materialnym. Są również inni, którzy studiują różnego rodzaju literaturę wedyjską, szczególnie *Upaniṣady* i *Vedānta-sūtry* albo filozofię Sāṅkhya. Nazywa się to *svādhyāya-yajñą* albo poświęcenie się studiom. Wszyscy ci *yogīni* z wiarą pełnią różnego rodzaju ofiary i dążą do wyższego poziomu życia. Świadomość Kṛṣṇy jednakże różni się od wszystkich tych procesów, jako że jest ona bezpośrednią służbą dla Najwyższego Pana. Świadomości Kṛṣṇy nie można osiągnąć poprzez żadną z wyżej wymienionych ofiar, ale jedynie dzięki łasce Pana i Jego bona fide wielbicieli. Świadomość Kṛṣṇy jest zatem transcendentalna.

TEKST 29

अपाने जुह्वति प्राणं प्राणेऽपानं तथापरे ।
प्राणापानगती रुद्ध्वा प्राणायामपरायणाः ।
अपरे नियताहाराः प्राणान् प्राणेषु जुह्वति ॥२९॥

*apāne juhvati prāṇaṁ prāṇe 'pānaṁ tathāpare*
*prāṇāpana-gatī ruddhvā prāṇāyāma-parāyaṇāḥ*
*apare niyatāhārāḥ prāṇān prāṇeṣu juhvati*

*apāne*—w powietrzu kierującym się w dół; *juhvati*—ofiarowuje; *prāṇam*—powietrze, które działa na zewnątrz; *prāṇe*—w powietrzu wychodzącym na zewnątrz; *apānam*—powietrze skierowane w dół; *tathā*—jak również; *apare*—inni; *prāṇa*—powietrza wychodzącego na zewnątrz; *apāna*—i powietrza kierującego się w dół; *gatī*—ruch; *ruddhvā*—kontrolując; *prāṇa-āyāma*—trans wywoływany wstrzymaniem wszelkiego oddechu; *parāyaṇāḥ*—tak nastawieni; *apare*—inni; *niyata*—kontrolując; *āhārāḥ*—jedzenie; *prāṇān*—powietrze wychodzące; *prāṇeṣu*—w powietrzu wychodzącym; *juhvati*—ofiarowują.

**A są nawet tacy, którzy—aby osiągnąć trans—skłaniają się ku procesowi powstrzymywania oddechu, praktykując zatrzymanie ruchu wydechu we wdechu, a wdechu w wydechu, i tym sposobem—zatrzymawszy wszelkie oddychanie—w końcu pozostają w transie. Niektórzy z nich, poprzez zmniejszenie ilości przyjmowanego pokarmu, składają wydech jemu samemu w ofierze.**

*ZNACZENIE:* Ten system *yogi*, polegający na kontrolowaniu procesu oddychania, nazywany jest *prāṇāyāmą* i na początku praktykowany jest w systemie *haṭha-yogi* poprzez różne postawy siedzące. Wszystkie z tych procesów polecane są dla kontrolowania zmysłów i dla postępu w realizacji duchowej. Praktyka ta obejmuje również kontrolowanie powietrza wewnątrz ciała, tak aby zmienić kierunek jego obiegu na przeciwny. Powietrze *apāna* kieruje się w dół, a powietrze *prāṇa* w górę. *Yogīn* zajmujący się systemem *prāṇāyāma* praktykuje oddychanie w przeciwnym kierunku, tak aż prądy powietrza zneutralizują się w *pūraka*, zrównoważeniu. Kiedy wydychane powietrze ofiarowane jest powietrzu wdychanemu, nazywa się to *recaka*. Kiedy oba prądy powietrza zostaną całkowicie zatrzymane, nazywane jest to *yogą kumbhaka*. Poprzez praktykowanie *yogi kumbhaka*, *yogīn* przedłuża swoje życie o wiele, wiele lat, tak aby móc osiągnąć doskonałość w realizacji duchowej. Inteligentny *yogīn* stara się osiągnąć doskonałość w przeciągu jednego życia, nie czekając na następne. I przez praktykę *kumbhaka-yogi* przedłuża swoje życie o wiele, wiele lat. Osoba świadoma Kṛṣṇy jednakże, pełniąc zawsze transcendentalną służbę miłości dla Pana, automatycznie staje się kontrolerem swoich zmysłów. Ponieważ zmysły jej są zawsze zaangażowane w służbę dla Kṛṣṇy, nie mają one okazji zajęcia się czymś innym. Wskutek tego, z chwilą zakończenia tego życia jest ona w naturalny sposób przenoszona na transcendentalny plan Pana Kṛṣṇy. Dlatego też nie robi ona żadnych wysiłków w celu przedłużenia swojego życia. Od razu osiąga platformę wyzwolenia, jak oznajmia to *Bhagavad-gītā* (14.26):

*māṁ ca yo 'vyabhicāreṇa bhakti-yogena sevate*
*sa guṇān samatītyaitān brahma-bhūyāya kalpate*

"Ten kto angażuje się w czystą służbę oddania dla Pana, wznosi się ponad siły natury materialnej i natychmiast osiąga platformę duchową." Osoba świadoma Kṛṣṇy zaczyna od etapu transcendentalnego i bezustannie pogrążona jest w tej świadomości. Dlatego nie upada i szybko osiąga królestwo Najwyższego Pana. Praktyka polegająca na zmniejszeniu ilości pokarmu jest podejmowana automatycznie, kiedy ktoś je tylko *kṛṣṇa-prasādam*, czyli pożywienie najpierw ofiarowane Panu. Zmniejszenie ilości spożywanego pokarmu jest bardzo pomocne w kontroli zmysłów. A bez kontrolowania zmysłów nie ma możliwości wydostania się z tej materialnej niewoli.

**TEKST 30** सर्वेऽप्येते यज्ञविदो यज्ञक्षपितकल्मषाः ।
यज्ञशिष्टामृतभुजो यान्ति ब्रह्म सनातनम् ॥३०॥

*sarve 'py ete yajña-vido yajña-kṣapita-kalmaṣāḥ*
*yajña-śiṣṭāmṛta-bhujo yānti brahma sanātanam*

*sarve*—wszystkie; *api*—chociaż na pozór różne; *ete*—te; *yajña-vidaḥ*—świadome celu spełnienia ofiar; *yajña-kṣapita*—będąc oczyszczonym w rezultacie spełnienia takich czynów; *kalmaṣāḥ*—następstwo grzechów; *yajña-śiṣṭa*—rezultatu spełnienia takich *yajñi*; *amṛta-bhujaḥ*—ci, którzy spróbowali takiego nektaru; *yānti*—osiągają; *brahma*—najwyższą; *sanātanam*—wieczną atmosferę.

**Wszyscy ci, którzy ofiarę pełnią i znają jej znaczenie, zostają oczyszczeni z następstw swoich grzechów, a skosztowawszy nektaru będącego rezultatem takiej ofiary, wznoszą się ku tej najwyższej, wiecznej atmosferze.**

*ZNACZENIE:* Z powyższego objaśnienia różnego typu ofiar, mianowicie: ofiary z własnego majątku, studiowania *Ved* albo doktryn filozoficznych i praktykowania systemu *yogi*, można dowiedzieć się, że głównym celem ich wszystkich jest kontrolowanie zmysłów. Zadowalanie zmysłów jest główną przyczyną egzystencji materialnej; zatem dopóki ktoś tego nie zarzuci, nie ma on szansy na wzniesienie się do wiecznej platformy—pełnej wiedzy, szczęścia i życia. Platforma ta znajduje się w wiecznej atmosferze, atmosferze Brahmana. Wszystkie wyżej wymienione ofiary pomocne są w oczyszczeniu się z następstw grzechów tego materialnego życia. Przez taki postęp nie tylko osiąga się szczęście i pełnię w tym życiu, ale również, po opuszczeniu ciała materialnego, wchodzi się do wiecznego królestwa Boga, czy to łącząc się z bezosobowym Brahmanem, czy obcując bezpośrednio z Najwyższą Osobą Boga, Kṛṣṇą.

## TEKST 31 नायं लोकोऽस्त्ययज्ञस्य कुतोऽन्यः कुरुसत्तम ॥३१॥

*nāyaṁ loko 'sty ayajñasya kuto 'nyaḥ kuru-sattama*

*na*—nigdy; *ayam*—to; *lokaḥ*—planeta; *asti*—jest; *ayajñasya*—dla tego, kto nie pełni żadnych ofiar; *kutaḥ*—gdzie jest; *anyaḥ*—inny; *kuru-sat-tama*—O najlepszy spośród Kaurawów.

**O najlepszy spośród Kaurawów, bez pełnienia ofiary nie można być szczęśliwym na tej planecie ani w tym życiu, cóż więc powiedzieć o następnym?**

*ZNACZENIE:* Bez względu na to, jaką formę posiadamy w tym życiu, pozostajemy nieświadomi swojej rzeczywistej pozycji. Innymi słowy, przyczyną naszego pobytu w tym świecie materialnym są złożone skutki naszego grzesznego życia w przeszłości. Niewiedza jest przyczyną grzechu, a grzech jest przyczyną przeciągania się naszej egzystencji w tym świecie materialnym. Ludzka forma życia jest jedyną furtką, przez którą można wydostać się z tego uwikłania. Dlatego *Vedy* dają nam szansę takiej ucieczki, wskazując ścieżki religii, ekonomicznego dobrobytu, uregulowanego zadowalania zmysłów i, w końcu—środki do całkowitego wydostania się z tych nieszczęsnych warunków. Ścieżka religii, czyli różnego rodzaju ofiary polecone wyżej, automatycznie rozwiązuje nasze problemy ekonomiczne. Przez pełnienie *yajñi* możemy mieć wystarczającą ilość pożywienia, mleka itd.—nawet jeśli jest tzw. wzrost populacji. Kiedy ciało zostaje odpowiednio nakarmione i zaopatrzone w potrzebne mu przedmioty, naturalnie następnym etapem jest zadowalanie zmysłów. Dlatego *Vedy* zalecają uświęcone małżeństwa dla uregulowanego zadowalania zmysłów. Można zatem stopniowo wznosić się z niewoli materialnej do poziomu wyzwolenia, a najwyższą doskonałością wyzwolonego życia jest obcowanie z Najwyższym Panem. Doskonałość można osiągnąć przez spełnianie *yajñi* (ofiar), jak to opisano powyżej. Jeśli nie pełni się *yajñi* odpowiednio do zaleceń wedyjskich, nie można oczekiwać szczęścia nawet w tym życiu, nie mówiąc już o życiu następnym: w innym ciele i na innej planecie. Na różnych wyższych planetach istnieją różne poziomy materialnych wygód i we wszystkich przypadkach na osoby zaangażowane w pełnienie różnego rodzaju *yajñi* czeka ogromne szczęście. Jednak najwyższym rodzajem szczęścia jakie może osiągnąć człowiek, jest wzniesienie się na planety duchowe—poprzez praktykowanie świadomości Kṛṣṇy. Życie w świadomości Kṛṣṇy jest zatem rozwiązaniem wszystkich problemów egzystencji materialnej.

**TEKST 32** एवं बहुविधा यज्ञा वितता ब्रह्मणो मुखे ।
कर्मजान् विद्धि तान् सर्वानेवं ज्ञात्वा विमोक्ष्यसे ॥३२॥

*evaṁ bahu-vidhā yajñā vitatā brahmaṇo mukhe*
*karma-jān viddhi tān sarvān evaṁ jñātvā vimokṣyase*

*evam*—w ten sposób; *bahu-vidhāḥ*—różne rodzaje; *yajñāḥ*—ofiar; *vitatāḥ*—są rozpowszechniane; *brahmaṇaḥ*—*Ved; mukhe*—przez usta; *karma-jān*—zrodzone z pracy; *viddhi*—powinieneś wiedzieć; *tān*—ich; *sarvān*—wszystkie; *evam*—w ten sposób; *jñātvā*—wiedząc; *vimokṣyase*—będziesz wyzwolony.

**Wszystkie te ofiary polecane są przez Vedy i wszystkie one zrodziły się z różnego typu prac. Znając je jako takie, osiągniesz wyzwolenie.**

*ZNACZENIE:* *Vedy* wspominają o wszystkich typach ofiar, wymienionych powyżej, jako odpowiadających ludziom zajętym różnego rodzaju pracami. Ponieważ ludzie są tak bardzo pochłonięci cielesną koncepcją życia, ofiary te zostały ustalone w taki sposób, że pozwalają one angażować albo ciało, albo umysł, albo inteligencję. Ale ostatecznym celem ich wszystkich jest doprowadzenie do wyzwolenia z tego ciała. Pan potwierdza to tutaj Swymi własnymi słowami.

**TEKST 33** श्रेयान् द्रव्यमयाद् यज्ञाज्ज्ञानयज्ञः परन्तप ।
सर्वं कर्माखिलं पार्थ ज्ञाने परिसमाप्यते ॥३३॥

*śreyān dravya-mayād yajñāj jñāna-yajñaḥ parantapa*
*sarvaṁ karmākhilaṁ pārtha jñāne parisamāpyate*

*śreyān*—większy; *dravya-mayāt*—z posiadłości materialnych; *yajñāt*—niż ofiara; *jñāna-yajñaḥ*—ofiara w wiedzy; *parantapa*—O pogromco wroga; *sarvam*—wszystkie; *karma*—czynności; *akhilam*—na ogół; *pārtha*—O synu Pṛthy; *jñāne*—w wiedzy; *parisamāpyate*—kulminuje w.

**O pogromco wroga, ofiara spełniana w wiedzy lepsza jest niż jedynie ofiara z posiadłości materialnych. Ale wszelkie ofiary z pracy, o synu Pṛthy, kończą się wiedzą transcendentalną.**

*ZNACZENIE:* Celem wszystkich ofiar jest osiągnięcie doskonałej wiedzy, następnie uwolnienie się od trosk materialnych i ostatecznie—zaangażowanie się w transcendentalną służbę miłości dla Najwyższego Pana (świadomość Kṛṣṇy). Niemniej jednak, we wszystkich tych aktach ofiarnych zawiera się pewna tajemnica i tajemnicę tę należy poznać. Ofiary przyjmują czasami różne formy, w zależności od określonych wierzeń pełniącego te ofiary. Kiedy wiara spełniającego ofiarę osiąga stan wiedzy transcendentalnej, powinien być on uważany za bardziej światłego, niż ten, który składa ofiarę z bogactw materialnych bez takiej wiedzy, jako że ofiary składane bez wiedzy pozostają na platformie materialnej i nie przynoszą żadnych korzyści duchowych. Prawdziwa wiedza kulminuje w świadomości Kṛṣṇy, będącej najwyższym stanem wiedzy transcendentalnej. Bez wzniesienia się do wiedzy, ofiary są jedynie czynnościami materialnymi. Kiedy jednakże ofiary te zostaną wzniesione do poziomu transcendentalnej wiedzy, wszystkie takie czynności osiągają platformę duchową. W zależności od różnego stopnia świadomości, czyny ofiarne nazywane są czasami *karma-kāṇḍa*, czyli czynnościami dla zysków, a czasami *jñāna-kāṇḍa*—wiedzą mającą na celu poszukiwanie prawdy. I niewątpliwie lepiej jest, jeśli wszystkie czyny ofiarne znajdują swój finał w wiedzy.

**TEKST 34** तद् विद्धि प्रणिपातेन परिप्रश्नेन सेवया ।
उपदेक्ष्यन्ति ते ज्ञानं ज्ञानिनस्तत्त्वदर्शिनः ॥३४॥

*tad viddhi praṇipātena paripraśnena sevayā*
*upadekṣyanti te jñānaṁ jñāninas tattva-darśinaḥ*

*tat*—tę wiedzę o różnego rodzaju ofiarach; *viddhi*—spróbuj zrozumieć; *praṇipātena*—przez zbliżenie się do mistrza duchowego; *paripraśnena*—przez pokorne pytanie; *sevayā*—przez pełnienie służby; *upadekṣyanti*—wtajemniczą; *te*—ciebie; *jñānam*—w wiedzę; *jñāninaḥ*—samozrealizowany; *tattva*—prawdy; *darśinaḥ*—ci, którzy widzieli.

**Spróbuj poznać prawdę przez zbliżenie się do mistrza duchowego. Zadawaj mu pokorne pytania i służ mu z oddaniem. Samozrealizowana dusza może udzielić ci wiedzy, gdyż ona ujrzała prawdę.**

*ZNACZENIE:* Ścieżka realizacji duchowej jest niewątpliwie trudna. Dlatego Pan radzi nam przyjęcie mistrza duchowego z linii sukcesji uczniów zapoczątkowanej przez Samego Pana. Nikt nie może być bona fide mistrzem duchowym, jeśli nie przestrzega tej zasady sukcesji uczniów. Oryginalnym mistrzem duchowym jest Sam Pan, a osoba pochodząca z sukcesji uczniów może wyjawić swemu uczniowi przekaz Pana w postaci niezmienionej. Nikt nie może zrealizować się duchowo wymyślając swój własny proces, tak jak jest to zwyczajem niemądrych oszustów. *Bhāgavatam* (6.3.19) mówi: *dharmaṁ tu sākṣād bhagavat-praṇītam*—ścieżka religii została wskazana bezpośrednio przez Pana. Zatem ani spekulacje umysłowe, ani jałowe dyskusje nie mogą nikomu pomóc w uczynieniu postępu w życiu duchowym. Postępu takiego nie można też uczynić poprzez niezależne studiowanie ksiąg wiedzy. Po to, aby otrzymać wiedzę, należy zbliżyć się do bona fide mistrza duchowego. Należy przyjąć takiego mistrza duchowego, całkowicie mu się podporządkować i służyć mu bez fałszywego prestiżu. Sekret postępu w życiu duchowym polega na zadowalaniu samozrealizowanego mistrza duchowego. Zadawanie pytań i pokora stanowią o duchowym rozumieniu. Bez pokory i pełnienia służby, zadawanie pytań mistrzowi duchowemu nie będzie skuteczne. Uczeń musi zostać poddany sprawdzianowi mistrza duchowego, i kiedy mistrz duchowy przekonuje się o jego szczerym pragnieniu, automatycznie błogosławi go prawdziwym rozumieniem duchowym. Werset ten potępia zarówno bezrozumne naśladownictwo, jak i zadawanie absurdalnych pytań. Należy nie tylko pokornie słuchać mistrza duchowego, ale również poprzez pokorę, zadawanie pytań i pełnienie służby, zdobywać od niego wiedzę. Bona fide mistrz duchowy jest z natury bardzo dobry dla uczniów. A wtedy, gdy uczeń jest pokorny i zawsze gotowy do pełnienia służby, zadawanie pytań i przekaz wiedzy stają się doskonałe.

**TEKST 35** यज्ज्ञात्वा न पुनर्मोहमेवं यास्यसि पाण्डव ।
येन भूतान्यशेषाणि द्रक्ष्यस्यात्मन्यथो मयि ॥३५॥

*yaj jñātvā na punar moham evaṁ yāsyasi pāṇḍava*
*yena bhūtāny aśeṣāṇi drakṣyasy ātmany atho mayi*

*yat*—co; *jñātvā*—wiedząc; *na*—nigdy; *punaḥ*—znowu; *moham*—złudzeniu; *evam*—w ten sposób; *yāsyasi*—pójdziesz; *pāṇḍava*—O synu Pāṇḍu; *yena*—przez które; *bhūtāni*—żywe istoty; *aśeṣāṇi*—wszystkie;

*drakṣyasi*—zobaczysz; *ātmani*—w Najwyższej Duszy; *atha u*—czyli innymi słowy; *mayi*—we Mnie.

**A kiedy zdobędziesz prawdziwą wiedzę od duszy samozrealizowanej, nigdy ponownie nie ulegniesz złudzeniu, gdyż dzięki tej wiedzy zrozumiesz, że wszystkie żywe istoty są jedynie częścią Najwyższego, czyli—innymi słowy—należą one do Mnie.**

*ZNACZENIE:* Kto otrzymał wiedzę od duszy samozrealizowanej, czyli osoby, która zna prawdziwą postać rzeczy, ten wie, że wszystkie żywe istoty są cząstkami Najwyższej Osoby Boga, Pana Śrī Kṛṣṇy. Złudzenie egzystencji oddzielnej od Kṛṣṇy nazywane jest *māyą* (*mā*—nie; *yā*—to). Niektórzy myślą, że nie mamy nic wspólnego z Kṛṣṇą, że Kṛṣṇa jest tylko wielką osobistością historyczną, Absolutem zaś jest bezosobowy Brahman. W rzeczywistości, jak informuje o tym *Bhagavad-gītā*, bezosobowy Brahman jest osobistym blaskiem Kṛṣṇy, Najwyższej Osoby Boga, przyczyny wszystkiego. *Brahma-saṁhitā* wyraźnie oznajmia, że Kṛṣṇa jest Najwyższą Osobą Boga, przyczyną wszystkich przyczyn. Nawet miliony inkarnacji są jedynie Jego różnymi ekspansjami. Ekspansjami Kṛṣṇy są również żywe istoty. Filozofowie Māyāvādī błędnie myślą, że Kṛṣṇa traci Swą oddzielną egzystencję w wielu Swoich ekspansjach. Myśl taka jest z natury materialna. W tym materialnym świecie zdobyliśmy doświadczenie, iż rzecz, która została rozdzielona na części, traci swoją pierwotną tożsamość. Filozofowie Māyāvādī nie potrafią zrozumieć tego, że Absolut oznacza, iż jeden plus jeden równa się jeden, i jeden minus jeden również wynosi jeden. Tak jest bowiem w przypadku świata absolutnego.

Z braku dostatecznej wiedzy o nauce absolutu jesteśmy teraz w złudzeniu i dlatego myślimy, iż jesteśmy oddzieleni od Kṛṣṇy. Chociaż jesteśmy oddzielnymi cząstkami Kṛṣṇy, to jednak nie jesteśmy różni od Niego. Różnice cielesne pomiędzy żywymi istotami są *māyą*, czyli nie są czymś rzeczywistym. Zadaniem nas wszystkich jest zadowalanie Kṛṣṇy. Jedynie z powodu *māyi* Arjuna myślał, że okresowy, cielesny związek z krewnymi był czymś ważniejszym od jego wiecznego, duchowego związku z Kṛṣṇą. Cała nauka *Bhagavad-gīty* zmierza do tego wniosku, że żywa istota, jako Jego wieczny sługa, nigdy nie może zostać oddzielona od Kṛṣṇy, a jej wrażenie bycia tożsamością samodzielną, nie związaną z Kṛṣṇą, nazywane jest *māyą*. Żywe istoty, jako oddzielone cząstki Najwyższego, mają pewien cel do spełnienia. Zapomniawszy o tym celu, od czasów niepamiętnych przebywają w różnego rodzaju ciałach: jako ludzie, zwierzęta, półbogowie itd. Przyczyną tych różnic cielesnych jest zapomnienie o transcendentalnej służbie dla Pana. Kto jednak angażuje się w taką służbę poprzez świadomość Kṛṣṇy, ten od razu zostaje od tego złudzenia uwolniony. Czystą wiedzę można otrzymać jedynie od bona fide mistrza duchowego i w ten sposób uchronić się przed złudzeniem, że żywa istota jest równa Kṛṣṇie. Doskonała wiedza oznajmia, że Najwyższa Dusza (Kṛṣṇa) jest najwyższym schronieniem dla wszystkich żywych istot, a porzucając to schronienie, żywe istoty—pod wpływem energii materialnej—ulegają złudzeniu, odnosząc wrażenie, iż posiadają oddzielną tożsamość. Wskutek tego—w różnym stopniu utożsamiając się z materią—zapominają o Kṛṣṇie. Kiedy jednak takie ulegające złudzeniu żywe istoty osiągają świadomość Kṛṣṇy, oznacza to, że znajdują się na ścieżce do wyzwolenia. Potwierdza to *Bhāgavatam* (2.10.6): *muktir hitvānyathā-rūpaṁ svarūpeṇa vyavasthitiḥ*. Wyzwolenie jest równoznaczne z osiągnięciem swojej konstytucjonalnej pozycji wiecznego sługi Kṛṣṇy (świadomość Kṛṣṇy).

## TEKST 36

अपि चेदसि पापेभ्यः सर्वेभ्यः पापकृत्तमः ।
सर्वं ज्ञानप्लवेनैव वृजिनं सन्तरिष्यसि ॥३६॥

*api ced asi pāpebhyaḥ sarvebhyaḥ pāpa-kṛt-tamaḥ*
*sarvaṁ jñāna-plavenaiva vṛjinaṁ santariṣyasi*

*api*—nawet; *cet*—jeśli; *asi*—jesteś; *pāpebhyaḥ*—z grzeszników; *sarvebhyaḥ*—ze wszystkich; *pāpa-kṛt-tamaḥ*—największym grzesznikiem; *sarvam*—wszystkie takie grzeszne czyny; *jñāna-plavena*—za pomocą łodzi wiedzy transcendentalnej; *eva*—na pewno; *vṛjinam*—ocean nieszczęść; *santariṣyasi*—całkowicie pokonasz.

**Nawet gdybyś był uważany za największego spośród wszystkich grzeszników, to jeśli zajmiesz miejsce w łodzi wiedzy transcendentalnej, będziesz w stanie przepłynąć ocean nieszczęść.**

*ZNACZENIE:* Prawidłowe zrozumienie swojej konstytucjonalnej pozycji w związku z Kṛṣṇą jest rzeczą tak wspaniałą, że jest w stanie od razu uwolnić daną osobę od zabójczej walki o egzystencję, która toczy się w oceanie niewiedzy. Materialny świat porównywany jest czasami do oceanu niewiedzy, a czasami do płonącego lasu. Walka o życie w oceanie jest bardzo bolesna, nawet dla doskonałego pływaka; jeśli znajdzie się ktoś, kto uratuje tego zmagającego się z oceanem pływaka, jest on największym wybawcą. Doskonała wiedza otrzymana od Najwyższej Osoby Boga jest ścieżką wiodącą do wyzwolenia. A łódź świadomości Kṛṣṇy jest bardzo prosta, ale zarazem najbardziej wzniosła.

TEKST 37 यथैधांसि समिद्धोऽग्निर्भस्मसात् कुरुतेऽर्जुन ।
ज्ञानाग्निः सर्वकर्माणि भस्मसात् कुरुते तथा ॥३७॥

*yathaidhāṁsi samiddho 'gnir bhasma sāt-kurute 'rjuna*
*jñānāgniḥ sarva-karmāṇi bhasma-sāt kurute tathā*

*yathā*—tak jak; *edhāṁsi*—drwa, opał; *samiddhaḥ*—płonący; *agniḥ*—ogień; *bhasma-sāt*—popiół; *kurute*—obraca; *arjuna*—O Arjuno; *jñāna-agniḥ*—ogień wiedzy; *sarva-karmāṇi*—wszelkie skutki czynów materialnych; *bhasma-sāt*—w popiół; *kurute*—obraca; *tathā*—podobnie.

**Tak jak płonący ogień obraca w popiół spalane drewno, tak też Arjuno czyni ogień wiedzy, spalając na popiół wszystkie reakcje czynów materialnych.**

*ZNACZENIE:* Doskonała wiedza o duszy i Duszy Najwyższej oraz ich związku została porównana tutaj do ognia. Ogień ten spala i obraca w popiół zarówno skutki czynów niepobożnych, jak i wszelkie następstwa czynów pobożnych. Skutki te mogą znajdować się na różnych etapach rozwoju: istnieją skutki dopiero tworzące się, skutki już owocujące, skutki już odebrane oraz skutki *a priori*. Jednak wiedza o konstytucjonalnej pozycji żywej istoty obraca je wszystkie w popiół. Jeśli ktoś posiada doskonałą wiedzę, wszystkie skutki jego czynów, zarówno *a priori*, jak i *a posteriori*, ulegają spaleniu. *Vedy* (*Bṛhad-āraṇyaka Upaniṣad* 4.4.22) oznajmiają: *ubhe uhaivaiṣa ete taraty amṛtaḥ sādhv-asādhūnī*: ”Osoba ta przezwycięża skutki zarówno pobożnych, jak i niepobożnych czynów.”

TEKST 38 न हि ज्ञानेन सदृशं पवित्रमिह विद्यते ।
तत् स्वयं योगसंसिद्धः कालेनात्मनि विन्दति ॥३८॥

*na hi jñānena sadṛśaṁ pavitram iha vidyate*
*tat svayaṁ yoga-saṁsiddhaḥ kālenātmani vindati*

*na*—nic; *hi*—z pewnością; *jñānena*—za pomocą wiedzy; *sadṛśam*—w porównaniu; *pavitram*—uświęcony; *iha*—w tym świecie; *vidyate*—istnieje; *tat*—to; *svayam*—sam; *yoga*—w oddaniu; *saṁsiddhaḥ*—dojrzały; *kālena*—z biegiem czasu; *ātmani*—w sobie; *vindati*—cieszy się.

**Nie ma nic bardziej wzniosłego i czystego w tym świecie nad wiedzę transcendentalną. Wiedza taka jest dojrzałym owocem wszelkiego mistycyzmu. A kto osiągnął dojrzałość w praktyce służby oddania, z biegiem czasu zaczyna rozkoszować się tą wiedzą w sobie samym.**

*ZNACZENIE:* Kiedy mówimy o wiedzy transcendentalnej, mamy na myśli rozumienie duchowe. Nie ma zatem nic tak wzniosłego i czystego jak wiedza transcendentalna. Niewiedza jest przyczyną naszej niewoli, a wiedza jest drogą do wyzwolenia. Wiedza ta jest dojrzałym owocem służby oddania. Kto ją posiadł, ten nie musi już nigdzie szukać spokoju, gdyż raduje się pokojem będącym w nim samym. Innymi słowy, wiedza ta i pokój kulminują w świadomości Kṛṣṇy. Jest to ostatnie słowo *Bhagavad-gīty*.

**TEKST 39** श्रद्धावाँल्लभते ज्ञानं तत्परः संयतेन्द्रियः ।
ज्ञानं लब्ध्वा परां शान्तिमचिरेणाधिगच्छति ॥३९॥

*śraddhāvāl̐ labhate jñānaṁ tat-paraḥ saṁyatendriyaḥ*
*jñānaṁ labdhvā parāṁ śāntim acireṇādhigacchati*

*śraddhā-vān*—człowiek wierzący; *labhate*—osiąga; *jñānam*—wiedzę; *tat-paraḥ*—bardzo przywiązany do niej; *saṁyata*—kontrolowane; *indriyaḥ*—zmysły; *jñānam*—wiedzę; *labdhvā*—osiągnąwszy; *parām*—transcendentalny; *śāntim*—pokój; *acireṇa*—wkrótce; *adhigacchati*—osiąga.

**Taką transcendentalną wiedzę jest w stanie osiągnąć człowiek pełen wiary, który jest zaabsorbowany tą wiedzą, i który panuje nad zmysłami, a zdobywszy ją, szybko osiąga najwyższy pokój duchowy.**

*ZNACZENIE:* Taką wiedzę o świadomości Kṛṣṇy może osiągnąć człowiek, który ma mocną wiarę w Kṛṣṇę. Wierzącym nazywany jest ten, kto myśli, że jedynie przez działanie w świadomości Kṛṣṇy może osiągnąć najwyższą doskonałość. Wiarę taką można zdobyć przez pełnienie służby oddania i przez intonowanie Hare Kṛṣṇa, Hare Kṛṣṇa, Kṛṣṇa Kṛṣṇa, Hare Hare, Hare Rāma, Hare Rāma, Rāma Rāma, Hare Hare, które oczyszcza nasze serce z wszelkiego materialnego brudu. Poza tym należy kontrolować zmysły. Osoba pokładająca wiarę w Kṛṣṇie i kontrolująca zmysły może szybko i bez trudu osiągnąć doskonałość w wiedzy o świadomości Kṛṣṇy.

**TEKST 40** अज्ञश्चाश्रद्दधानश्च संशयात्मा विनश्यति ।
नायं लोकोऽस्ति न परो न सुखं संशयात्मनः ॥४०॥

*ajñaś cāśraddadhānaś ca saṁśayātmā vinaśyati*
*nāyaṁ loko 'sti na paro na sukhaṁ saṁśayātmanaḥ*

*ajñaḥ*—głupiec nie posiadający wiedzy pism wzorcowych; *ca*—i; *aśraddadhānaḥ*—bez wiary w pisma objawione; *ca*—również; *saṁśaya*—wątpliwości; *ātmā*—osoba; *vinaśyati*—upada ponownie; *na*—nigdy; *ayam*—w tym; *lokaḥ*—świat; *asti*—jest; *na*—ani nie; *paraḥ*—w następnym życiu; *na*—nie; *sukham*—szczęście; *saṁśaya*—pełen wątpliwości; *ātmanaḥ*—osoby.

**Kto jednak nie posiada wiedzy ani wiary, kto wątpi w pisma objawione, ten nie osiągnie boskiej świadomości; osoba taka upada. Dla wątpiącej duszy nie ma szczęścia ani w tym świecie, ani w następnym.**

*ZNACZENIE:* Spośród wielu standardowych i autorytatywnych pism objawionych, najlepszym jest *Bhagavad-gītā*. Ludzie, którzy w swym postępowaniu niemalże podobni są do zwierząt, nie posiadają wiary w standardowe pisma objawione ani też nie mają wiedzy o nich. A niektórzy, nawet chociaż posiadają wiedzę o takich pismach i mogą cytować z nich ustępy, to nie mają właściwej wiary w ich słowa. Są też inni, którzy wierząc w pisma święte, takie jak *Bhagavad-gītā*, nie wierzą jednak w Najwyższą Osobę Boga, Śrī Kṛṣṇę, i nie oddają Mu czci. Takie osoby nie mogą wytrwać w świadomości Kṛṣṇy i upadają. Te spośród wszystkich wyżej wymienionych osób, które nie mają żadnej wiary i zawsze wątpią, nie czynią w ogóle postępu. Ludzie pozbawieni wiary w Boga i Jego objawione słowo nie znajdują niczego dobrego ani w tym świecie, ani w następnym. Dla takich osób nie ma żadnego szczęścia. Dlatego należy z wiarą przestrzegać zasad pism objawionych i w ten sposób wznieść się do platformy wiedzy. Bowiem tylko taka wiedza może pomóc w osiągnięciu transcendentalnej platformy duchowego rozumienia. Innymi słowy, osoby wątpiące nie zajmują żadnej pozycji na ścieżce wyzwolenia duchowego. Aby osiągnąć sukces, należy brać przykład z wielkich *ācāryów* pochodzących z sukcesji uczniów.

## TEKST 41

योगसंन्यस्तकर्माणं ज्ञानसञ्छिन्नसंशयम् ।
आत्मवन्तं न कर्माणि निबध्नन्ति धनञ्जय ॥४१॥

*yoga-sannyasta-karmāṇaṁ jñāna-sañchinna-saṁśayam*
*ātmavantaṁ na karmāṇi nibadhnanti dhanañjaya*

*yoga*—przez służbę oddania w *karma-yodze; sannyasta*—ten, który wyrzekł się; *karmāṇam*—owoców swych czynów; *jñāna*—przez wiedzę; *sañchinna*—przecięte; *saṁśayam*—wątpliwości; *ātma-vantam*—utwierdzony w sobie; *na*—nigdy; *karmāṇi*—praca; *nibadhnanti*—wiążą; *dhanañjaya*—O zdobywco bogactw.

**Kto działa w służbie oddania, wyrzekając się owoców swojej pracy, i którego wątpliwości zostały rozproszone przez wiedzę transcendentalną—ten rzeczywiście utwierdzony jest w sobie. Wskutek tego, o zdobywco bogactw, nie jest on związany przez reakcje pracy.**

*ZNACZENIE:* Kto przestrzega instrukcji *Gīty*, tak jak nakazuje to Pan, Najwyższa Osoba Boga, ten—dzięki łasce wiedzy transcendentalnej—uwalnia się od wszelkich wątpliwości. Jako integralna cząstka Pana, posiadając pełną świadomość Kṛṣṇy, jest on już utwierdzony w samowiedzy. Wskutek tego czyn nie jest już dla niego przyczyną niewoli.

**TEKST 42** तस्मादज्ञानसम्भूतं हृत्स्थं ज्ञानासिनात्मनः ।
छित्त्वैनं संशयं योगमातिष्ठोत्तिष्ठ भारत ॥४२॥

*tasmād ajñāna-sambhūtaṁ hṛt-sthaṁ jñānāsinātmanaḥ*
*chittvainaṁ saṁśayaṁ yogam ātiṣṭhottiṣṭha bhārata*

*tasmāt*—dlatego; *ajñāna-sambhūtam*—zrodzony z ignorancji; *hṛt-stham*—usytuowany w sercu; *jñāna*—wiedzy; *asinā*—przez broń; *ātmanaḥ*—duszy; *chittvā*—przecinając; *enam*—to; *saṁśayam*—wątpliwości; *yogam*—w *yodze; ātiṣṭha*—będąc utwierdzonym; *uttiṣṭha*—powstań do walki; *bhārata*—O potomku Bharaty.

**Zatem wszelkie wątpliwości, które powstały w twoim sercu z powodu niewiedzy, powinieneś zwalczyć bronią wiedzy. Uzbroiwszy się w yogę, o Bhārato, powstań i walcz!**

*ZNACZENIE:* System *yogi*, o którym mowa w tym rozdziale, nazywany jest *sanātana-yogą*, czyli wiecznymi czynnościami żywej istoty. W *yodze* tej można wyróżnić dwa rodzaje aktów ofiarnych: jeden nazywany jest ofiarą z własnych bogactw materialnych, a drugi wiedzą o duszy, co jest czysto duchowym zajęciem. Jeśli ofiara z dóbr materialnych nie idzie w parze z realizacją duchową, wtedy staje się ona ofiarą materialną. Kto natomiast dokonuje takiej ofiary w jakimś celu duchowym, czyli w służbie oddania, ten czyni doskonałą ofiarę. Jeśli weźmiemy pod uwagę czynności duchowe, znajdziemy tu również dwa podziały, mianowicie: zrozumienie własnego "ja" (czyli własnej konstytucjonalnej pozycji) oraz zrozumienie prawdy o Najwyższej Osobie Boga. Kto podąża ścieżką wytyczoną przez *Gītę*, taką jaką ona jest, ten bez trudu może zrozumieć te dwie dziedziny wiedzy duchowej. Nie ma on trudności w osiągnięciu doskonałej wiedzy o duszy jako integralnej cząstce Pana. I wiedza taka jest dobrodziejstwem, gdyż osoba ta może dzięki niej zrozumieć transcendentalne czyny Pana. Na początku tego rozdziału Pan Sam wspomniał o Swoich transcendentalnych czynach. Kto nie rozumie nauk *Gīty*, ten jest osobą niewierzącą, co oznacza też, że niewłaściwie korzysta ze swojej częściowej niezależności danej mu przez Pana. Jeśli ktoś, pomimo takich nauk, nie rozumie prawdziwej natury Pana, jako wiecznej, pełnej szczęścia i wszechwiedzącej Osoby Boga, ten z pewnością jest głupcem numer jeden. Niewiedzę można zniweczyć poprzez stopniowe przyjmowanie zasad świadomości Kṛṣṇy. Świadomość Kṛṣṇy może zostać rozbudzona poprzez różnego rodzaju ofiary składane półbogom, ofiary dla Brahmana, ofiarę celibatu, życia rodzinnego, kontrolowanie zmysłów, praktykowanie *yogi* mistycznej, oddawanie się pokutom, rezygnację z dóbr materialnych, studiowanie *Ved* i przez uczestniczenie w instytucji społecznej nazywanej *varṇa-aśrama-dharmą*. Wszystko to uważane jest za ofiarę i podstawą tych wszystkich czynności jest uregulowane działanie. Jednakże ważną rzeczą w tych wszystkich zajęciach jest samorealizacja. Kto dąży do tego celu, ten jest prawdziwym studentem *Bhagavad-gīty*; kto natomiast wątpi w autorytet Kṛṣṇy—upada. Dlatego jest taka zasada, która oznajmia, że *Bhagavad-gītę*, czy też każde inne pismo święte, należy studiować pod kierunkiem bona fide mistrza duchowego, służąc mu i całkowicie mu się podporządkowując. Bona fide mistrz duchowy pochodzi z sukcesji uczniów istniejącej od czasów niepamiętnych i nie wypacza on nauk Najwyższego Pana, jakich miliony lat temu udzielił On bogu słońca (przez którego następnie nauki *Bhagavad-gīty* zostały przekazane do ziemskiego królestwa). Należy więc podążać ścieżką wytyczoną przez *Bhagavad-gītę*, tak jak poleca to sama *Gītā*, i należy wystrzegać się ludzi zainteresowanych własną korzyścią i popularnością, którzy zwodzą innych ze słusznej drogi. Pan jest bezwzględnie najwyższą osobą, a Jego czyny są transcendentalne. Kto to rozumie, ten jest osobą wyzwoloną już od samego początku swoich studiów nad *Gītą*.

W ten sposób Bhaktivedanta kończy objaśnienia do Czwartego Rozdziału *Śrīmad Bhagavad-gīty*, traktującego o Wiedzy Transcendentalnej.

## ROZDZIAŁ V

# Karma-yoga – Działanie w Świadomości Kṛṣṇy

**TEKST 1**

अर्जुन उवाच
संन्यासं कर्मणां कृष्ण पुनर्योगं च शंससि ।
यच्छ्रेय एतयोरेकं तन्मे ब्रूहि सुनिश्चितम् ॥१॥

*arjuna uvāca*
*sannyāsaṁ karmaṇāṁ kṛṣṇa punar yogaṁ ca śaṁsasi*
*yac chreya etayor ekaṁ tan me brūhi su-niścitam*

*arjunaḥ uvāca*—Arjuna rzekł; *sannyāsam*—wyrzeczenie; *karmaṇām*—ze wszystkich czynności; *kṛṣṇa*—O Kṛṣṇo; *punaḥ*—ponownie; *yogam*—służba oddania; *ca*—również; *śaṁsasi*—pochwalasz; *yat*—która; *śreyaḥ*—jest korzystniejsza; *etayoḥ*—z tych dwu; *ekam*—jeden; *tat*—to; *me*—mnie; *brūhi*—powiedz proszę; *su-niścitam*—wyraźnie.

**Arjuna rzekł: O Kṛṣṇo, najpierw poprosiłeś mnie, abym wyrzekł się działania, a następnie poleciłeś mi pracę w oddaniu. Zatem, proszę Cię teraz, powiedz mi wyraźnie, która z tych dwu dróg jest lepsza?**

*ZNACZENIE:* W Piątym Rozdziale *Bhagavad-gīty* Pan mówi, że praca w służbie oddania lepsza jest od jałowych spekulacji umysłowych. Służba oddania łatwiejsza jest od tej drugiej drogi, jako że będąc z natury transcendentalną, uwalnia od reakcji. Rozdział Drugi podaje elementarną wiedzę o duszy i tłumaczy jej niewolę w ciele materialnym. Tłumaczy on również, w jaki sposób wydostać się z tej niewoli poprzez *buddhi-yogę*, czyli służbę oddania. Trzeci Rozdział wyjaśnia, że osoba, która osiągnęła platformę wiedzy, nie ma już żadnych obowiązków do spełnienia. A w Rozdziale Czwartym Pan oznajmił Arjunie, że wszelkiego rodzaju czyny ofiarne kulminują w wiedzy. Jednakże pod koniec Rozdziału Czwartego Pan poradził Arjunie, aby powstał i walczył w pełnej wiedzy. Zatem podkreślając równocześnie wagę obu—zarówno pracy w oddaniu, jak i bierności w wiedzy—Kṛṣṇa wprawił Arjunę w zakłopotanie i zmieszał jego determinację. Arjuna rozumie, że wyrzeczenie w wiedzy polega na porzuceniu wszelkiego rodzaju prac zaliczanych do czynności zmysłowych. Ale jak można przestać działać, kiedy pełni się pracę w służbie oddania? Innymi słowy, myśli on, że *sannyāsa*, czyli wyrzeczenie w wiedzy, powinna być całkowicie wolna od wszelkiego rodzaju aktywności, ponieważ praca i wyrzeczenie zdają się być dla niego czymś nie do pogodzenia. Zdaje się on nie rozumieć tego, że praca wykonywana w pełnej wiedzy nie pociąga za sobą żadnych skutków, zatem jest taka sama jak bierność. Dlatego zapytuje on, czy powinien całkowicie wyrzec się wszelkiego działania, czy też pracować w pełnej wiedzy.

## TEKST 2

श्रीभगवानुवाच
संन्यासः कर्मयोगश्च निःश्रेयसकरावुभौ ।
तयोस्तु कर्मसंन्यासात् कर्मयोगो विशिष्यते ॥२॥

*śrī-bhagavān uvāca*
*sannyāsaḥ karma-yogaś ca niḥśreyasa-karāv ubhau*
*tayos tu karma-sannyāsāt karma-yogo viśiṣyate*

*śrī-bhagavān uvāca*—Osoba Boga rzekł; *sannyāsaḥ*—wyrzeczenie się działania; *karma-yogaḥ*—praca w oddaniu; *ca*—również; *niḥśreyasa-karau*—prowadzące do ścieżki wyzwolenia; *ubhau*—obie; *tayoḥ*—z tych dwóch; *tu*—ale; *karma-sannyāsāt*—w porównaniu z wyrzeczeniem się pracy dla zysków; *karma-yogaḥ*—praca w oddaniu; *viśiṣyate*—jest lepsza.

**Osoba Boga rzekł: Zarówno wyrzeczenie się pracy, jak i praca w oddaniu prowadzą do wyzwolenia. Ale z tych dwu dróg—praca w służbie oddania lepsza jest od wyrzeczenia się czynu.**

*ZNACZENIE:* Praca dla zysków (w poszukiwaniu uciech zmysłowych) jest przyczyną niewoli materialnej. Tak długo, dopóki jest się zaangażowanym w czynności mające na celu podwyższenie poziomu wygód cielesnych, tak długo będzie się transmigrowało poprzez różne gatunki ciał, przedłużając bez końca niewolę materialną. *Śrīmad-Bhāgavatam* (5.5.4-6) potwierdza to w następujący sposób:

*nūnaṁ pramattaḥ kurute vikarma*
*yad indriya-prītaya āpṛṇoti*
*na sādhu manye yata ātmano 'yam*
*asann api kleśa-da āsa dehaḥ*

*parābhavas tāvad abodha-jāto*
*yāvan na jijñāsata ātma-tattvam*
*yāvat kriyās tāvad idaṁ mano vai*
*karmātmakaṁ yena śarīra-bandhaḥ*

*evaṁ manaḥ karma-vaśaṁ prayuṅkte*
*avidyayātmany upadhīyamāne*
*prītir na yāvan mayi vāsudeve*
*na mucyate deha-yogena tāvat*

"Ludzie uganiają się za zadowalaniem zmysłów, nie wiedząc, że to obecne, pełne nieszczęść ciało jest wynikiem karmicznego działania w przeszłości. Chociaż ciało to jest krótkotrwałe, zawsze sprawia ono tak wiele różnych kłopotów. Zatem praca dla zadowalania zmysłów nie jest dobra. Tak długo, dopóki ktoś nie docieka swojej prawdziwej tożsamości, jego życie jest porażką. Dopóki nie zna on swojej prawdziwej tożsamości, musi pracować dla osiągnięcia korzyści, by oddać się przyjemnościom zmysłowym, a dopóki ktoś jest zaabsorbowany zadowalaniem zmysłów, tak długo musi on transmigrować z jednego ciała do innego. Chociaż umysł może być pochłonięty czynami dla materialnej korzyści i pozostawać pod wpływem ignorancji, należy rozwinąć miłość do służby oddania dla Vāsudevy. Tylko w ten sposób można otrzymać szansę wydostania się z niewoli egzystencji materialnej."

Zatem *jñāna* (czyli wiedza o tym, że nie jest się tym ciałem materialnym, ale duszą) nie jest wystarczająca do wyzwolenia. Należy *działać*, ale na płaszczyźnie duchowej, gdyż w przeciwnym wypadku nie ma ucieczki z niewoli materialnej. Działanie w świadomości Kṛṣṇy nie jest jednakże działaniem na płaszczyźnie materialnej, gdzie w grę wchodzą zyski. Czynności pełnione w pełnej wiedzy umacniają nasz postęp w prawdziwej wiedzy. Bez świadomości Kṛṣṇy, zwykłe wyrzeczenie się czynu dla zysku właściwie nie oczyszcza serca uwarunkowanej duszy. A dopóki serce nie zostanie oczyszczone, tak długo trzeba działać na platformie materialnej, gdzie celem są zyski. Ale praca w świadomości Kṛṣṇy automatycznie pomaga uniknąć rezultatów czynu, tak że nie trzeba schodzić na platformę materialną. Zatem praca w świadomości Kṛṣṇy zawsze wyższa jest od wyrzeczenia, w którym istnieje możliwość upadku. Wyrzeczenie bez świadomości Kṛṣṇy jest niepełne, jak zapewnia o tym Śrīla Rūpa Gosvāmī w swoim *Bhakti-rasāmṛta-sindhu* (1.2.258):

*prāpañcikatayā buddhyā hari-sambandhi-vastunaḥ*
*mumukṣubhiḥ parityāgo vairāgyaṁ phalgu kathyate*

"Osoby, które—dążąc do wyzwolenia—wyrzekają się rzeczy związanych z Najwyższą Osobą Boga, uważając je za materialne, posiadają niepełne wyrzeczenie." Wyrzeczenie jest kompletne wtedy, gdy posiada się wiedzę, że wszystko co istnieje należy do Pana, i że nikt nie powinien uważać się za właściciela czegokolwiek. Należy zrozumieć to, że w rzeczywistości nic nie należy do nikogo. Więc gdzie tu mowa o wyrzeczeniu? Ten, kto wie, że wszystko jest własnością Kṛṣṇy—jest zawsze wyrzeczony. A skoro wszystko należy do Kṛṣṇy, wszystko powinno zostać zaangażowane w służbę dla Kṛṣṇy. Taka doskonała forma działania w świadomości Kṛṣṇy jest daleko lepsza od każdej ilości sztucznych wyrzeczeń praktykowanych przez *sannyāsīnów* ze szkoły Māyāvādī.

## TEKST 3

ज्ञेयः स नित्यसंन्यासी यो न द्वेष्टि न काङ्क्षति ।
निर्द्वन्द्वो हि महाबाहो सुखं बन्धात् प्रमुच्यते ॥३॥

*jñeyaḥ sa nitya-sannyāsī yo na dveṣṭi na kāṅkṣati*
*nirdvandvo hi mahā-bāho sukhaṁ bandhāt pramucyate*

*jñeyaḥ*—należy wiedzieć; *saḥ*—on; *nitya*—zawsze; *sannyāsī*—osoba w wyrzeczonym porządku życia; *yaḥ*—kto; *na*—nigdy; *dveṣṭi*—odczuwa niechęć; *na*—ani nie; *kāṅkṣati*—pragnie; *nirdvandvaḥ*—wolny od wszelkich dualizmów; *hi*—z pewnością; *mahā-bāho*—O potężnie uzbrojony; *sukham*—szczęśliwie; *bandhāt*—z niewoli; *pramucyate*—jest całkowicie wyzwolony.

**Ten, kto ani nie pragnie, ani nie nienawidzi owoców swoich czynów, znany jest jako zawsze wyrzeczony. Taka osoba, wolna od wszelkich dualizmów, bez trudu wydostaje się z materialnej niewoli i osiąga doskonałe wyzwolenie, o potężny Arjuno.**

*ZNACZENIE:* Osoba w pełni świadoma Kṛṣṇy jest zawsze wyrzeczona, ponieważ nie czuje ona niechęci do owoców swojego czynu ani też ich nie pragnie. Osoba o takim wyrzeczeniu, oddająca się transcendentalnej służbie miłości dla Pana, posiada doskonałą wiedzę, jako że zna ona swoją konstytucjonalną pozycję w związku z Kṛṣṇą. Wie ona doskonale, że Kṛṣṇa jest całością, a ona sama jest tylko cząstką Kṛṣṇy.

Wiedza taka jest doskonała, ponieważ jest ona słuszna jakościowo i ilościowo. Idea jedności z Kṛṣṇą jest błędna, jako że część nigdy nie może równać się całości. Wiedza o tym, że żywa istota jest równa Kṛṣṇie jakościowo, ale różna ilościowo, jest prawdziwą wiedzą transcendentalną prowadzącą do osiągnięcia całkowitej pełni siebie, kiedy niczego się już nie pragnie i nad niczym nie rozpacza. Osoba, która osiągnęła taką pełnię, jest wolna od wszelkich dualizmów, gdyż wszystko co czyni, czyni dla Kṛṣṇy. Będąc wolną od wszelkich dualizmów, jest ona wyzwolona—już nawet w tym świecie materialnym.

**TEKST 4** सांख्ययोगौ पृथग् बालाः प्रवदन्ति न पण्डिताः ।
एकमप्यास्थितः सम्यगुभयोर्विन्दते फलम् ॥४॥

*sāṅkhya-yogau pṛthag bālāḥ pravadanti na paṇḍitāḥ*
*ekam apy āsthitaḥ samyag ubhayor vindate phalam*

*sāṅkhya*—analityczne studia nad tym materialnym światem; *yogau*—praca w służbie oddania; *pṛthak*—różny; *bālāḥ*—mniej inteligentni; *pravadanti*—mówią; *na*—nigdy; *paṇḍitāḥ*—uczeni; *ekam*—w jednej; *api*—nawet; *āsthitaḥ*—będąc usytuowanym; *samyak*—całkowity; *ubhayoḥ*—obu; *vindate*—korzysta; *phalam*—rezultat.

**Tylko nie posiadający wiedzy uważają, że służba oddania (karma-yoga) jest czymś różnym od analitycznych studiów nad tym materialnym światem (Sāṅkhya). Prawdziwie uczeni mówią, że ten, kto poważnie potraktuje jedną z tych ścieżek, osiąga rezultaty obu.**

*ZNACZENIE:* Celem analitycznych studiów nad tym światem materialnym jest znalezienie duszy egzystencji. Duszą świata materialnego jest Viṣṇu, czyli Dusza Najwyższa. Służba oddania dla Pana pociąga za sobą służbę dla Duszy Najwyższej. Jeden proces polega na odnalezieniu korzeni drzewa, a drugi—na podlaniu tych korzeni. Prawdziwy student filozofii Sāṅkhya znajduje korzeń tego materialnego świata—Viṣṇu, i potem, posiadłszy doskonałą wiedzę, angażuje się w służbę dla Pana. Dlatego zasadniczo nie ma różnicy pomiędzy tymi dwoma drogami, gdyż celem obu jest Viṣṇu. Ci, którzy nie znają ostatecznego celu, mówią, że cel Sāṅkhyi i *karma-yogi* nie jest tym samym celem, ale prawdziwie uczony wie, jaki jest wspólny cel tych różnych procesów.

**TEKST 5** यत् सांख्यैः प्राप्यते स्थानं तद् योगैरपि गम्यते ।
एकं सांख्यं च योगं च यः पश्यति स पश्यति ॥५॥

*yat sāṅkhyaiḥ prāpyate sthānaṁ tad yogair api gamyate*

*ekaṁ sāṅkhyaṁ ca yogaṁ ca yaḥ paśyati sa paśyati*

*yat*—co; *sāṅkhyaiḥ*—za pomocą filozofii Sāṅkhya; *prāpyate*—zostaje osiągnięte; *sthānam*—pozycja; *tat*—to; *yogaiḥ*—przez służbę oddania; *api*—również; *gamyate*—można osiągnąć; *ekam*—jeden; *sāṅkhyam*—analityczne studia; *ca*—i; *yogam*—praca w oddaniu; *ca*—i; *yaḥ*—ten, kto; *paśyati*—widzi; *saḥ*—ten; *paśyati*—widzi prawdziwie.

**Ten, kto wie, że cel osiągnięty przez analityczne studia można również osiągnąć przez pracę w służbie oddania i kto rozumie, że analityczne studia i służba oddania są na tym samym poziomie, ten widzi rzeczy prawdziwie.**

*ZNACZENIE:* Prawdziwym celem poszukiwań filozoficznych jest znalezienie ostatecznego celu życia. Ponieważ tym ostatecznym celem życia jest samorealizacja, nie ma różnicy pomiędzy wynikiem końcowym osiągniętym przez oba te procesy. Poprzez poszukiwania filozoficzne (Sāṅkhya) dochodzi się do wniosku, że żywa istota nie przynależy do tego świata materialnego, ale że jest ona cząstką najwyższej duchowej całości. A więc, że dusza nie ma nic wspólnego z tym światem materialnym; jej działanie musi mieć jakiś związek z Najwyższym. Kiedy działa ona w świadomości Kṛṣṇy, zajmuje wtedy swoją właściwą, konstytucjonalną pozycję. W procesie Sāṅkhya należy uwolnić się od przywiązań materialnych, a w procesie *yogi* oddania należy przywiązać się do pracy w świadomości Kṛṣṇy. W rzeczywistości obie metody są takie same, chociaż na pozór wydaje się, że jeden proces wymaga uwolnienia się od przywiązań, drugi natomiast polega na przywiązaniu się. Jednakże uwolnienie się od przywiązania do rzeczy materialnych i przywiązanie się do Kṛṣṇy jest jednym i tym samym. Ten, kto może to zrozumieć, rozumie rzeczy prawdziwie.

## TEKST 6

संन्यासस्तु महाबाहो दुःखमाप्तुमयोगतः ।
योगयुक्तो मुनिर्ब्रह्म न चिरेणाधिगच्छति ॥६॥

*sannyāsas tu mahā-bāho duḥkham āptum ayogataḥ*
*yoga-yukto munir brahma na cireṇādhigacchati*

*sannyāsaḥ*—wyrzeczony porządek życia; *tu*—ale; *mahā-bāho*—O potężnie uzbrojony; *duḥkham*—niedola; *āptum*—być trapionym przez; *ayogataḥ*—bez służby oddania; *yoga-yuktaḥ*—zaangażowany w służbę oddania; *muniḥ*—myśliciel; *brahma*—Najwyższy; *na cireṇa*—bez zwłoki; *adhigacchati*—osiąga.

**Ten, kto nie angażuje się w służbę oddania dla Pana, nie może być szczęśliwy poprzez zwykłe wyrzeczenie, lecz mędrcy zaangażowani w służbę oddania szybko osiągają Najwyższego.**

*ZNACZENIE:* Są dwie klasy *sannyāsīnów*, czyli osób prowadzących wyrzeczony tryb życia. *Sannyāsīni* ze szkoły Māyāvādī zajmują się studiowaniem filozofii Sāṅkhya, podczas gdy *sannyāsīni* ze szkoły Vaiṣṇava studiują filozofię *Bhāgavatam*, które jest komentarzem do *Vedānta-sūtr*. *Sannyāsīni* Māyāvādī studiują również *Vedānta-sūtry*, ale tu korzystają ze swojego własnego komentarza, zwanego *Śārīraka-bhāṣya*, napisanego przez Śaṅkarācāryę. Studenci szkoły *Bhāgavata* zaangażowani są w służbę oddania dla Pana według zasad *pāñcarātrikī*, i dlatego *sannyāsīni* Vaiṣṇavowie są w rozmaity sposób zaangażowani w transcendentalną służbę dla Pana. *Sannyāsīni* ze szkoły Vaiṣṇava nie mają nic wspólnego z czynami materialnymi, ale wykonują różne prace w swojej służbie dla Pana. Natomiast *sannyāsīni* Māyāvādī, zajęci studiami Sāṅkhyi i Vedānty, jak również spekulacjami, nie mogą czerpać przyjemności z takiej transcendentalnej służby. Ponieważ studia ich są bardzo nudne, czasami męczą się spekulacjami na temat Brahmana i wtedy zaczynają studiować *Bhāgavatam*, ale bez właściwego rozumienia. Wskutek tego ich studia nad *Śrīmad-Bhāgavatam* stają się bardzo kłopotliwe. Wszystkie te czcze spekulacje i impersonalistyczne interpretacje tworzone sztucznymi sposobami nie przynoszą żadnego pożytku *sannyāsīnom* Māyāvādī. *Sannyāsīni* ze szkoły Vaiṣṇava, którzy zaangażowali się w służbę oddania, znajdują szczęście w wypełnianiu swoich transcendentalnych obowiązków i mają gwarancję ostatecznego wejścia w królestwo Boga. *Sannyāsīni* Māyāvādī czasami upadają ze ścieżki samorealizacji i ponownie zaczynają zajmować się czynnościami natury filantropijnej i altruistycznej, które nie są niczym innym, jak tylko zajęciami materialnymi. Dlatego wniosek jest taki, że ci, którzy angażują się w świadomość Kṛṣṇy, są w lepszej sytuacji od *sannyāsīnów* zajmujących się spekulacjami na temat: co jest Brahmanem, a co nie jest Brahmanem, chociaż oni również po wielu narodzinach osiągają świadomość Kṛṣṇy.

**TEKST 7** योगयुक्तो विशुद्धात्मा विजितात्मा जितेन्द्रियः ।
सर्वभूतात्मभूतात्मा कुर्वन्नपि न लिप्यते ॥७॥

*yoga-yukto viśuddhātmā vijitātmā jitendriyaḥ*
*sarva-bhūtātma-bhūtātmā kurvann api na lipyate*

*yoga-yuktaḥ*—zaangażowany w służbę oddania; *viśuddha-ātmā*—dusza oczyszczona; *vijita-ātmā*—opanowany; *jita-indriyaḥ*—pokonawszy zmysły; *sarva-bhūta*—wszystkim żywym istotom; *ātma-bhūta-ātmā*—współczujący; *kurvan api*—chociaż zajęty pracą; *na*—nigdy; *lipyate*—jest związany.

**Człowiek pracujący w oddaniu, będący czystą duszą i kontrolujący umysł i zmysły—drogi jest każdemu i każdy jemu jest drogi. Chociaż zawsze zajęty pracą, człowiek taki nigdy nie uwikłuje się w jej skutki.**

*ZNACZENIE:* Ten, kto znajduje się na ścieżce wyzwolenia w świadomości Kṛṣṇy, jest bardzo drogi każdej żywej istocie i każda żywa istota jest jemu droga. Dzieje się tak dzięki jego świadomości Kṛṣṇy. Taka osoba nie może myśleć o nikim w oddzieleniu od Kṛṣṇy, tak samo jak liście i gałęzie drzewa nie są oddzielone od pnia. Wie ona bardzo dobrze, że przez podlewanie korzeni drzewa, woda zostanie doprowadzona do wszystkich liści i gałęzi, a jeśli pokarm zostanie dostarczony do żołądka, to automatycznie energia będzie rozprowadzona po całym ciele. Ponieważ ten, kto pracuje w świadomości Kṛṣṇy, jest sługą wszystkich, jest on bardzo drogi każdemu. I ponieważ każdy zadowolony jest z jego pracy, ma on czystą świadomość. Mając czystą świadomość, jest on w stanie kontrolować umysł. A skoro kontroluje umysł, kontrolowane są również zmysły. Ponieważ umysł jego zawsze skoncentrowany jest na Kṛṣṇie, nie ma on okazji zajęcia się czymś innym, nie związanym ze służbą dla Pana. Nie chce słyszeć on o niczym, co nie jest związane z Kṛṣṇą, nie chce jeść niczego, co nie zostało wpierw ofiarowane Kṛṣṇie, ani nie pragnie uczęszczać do żadnych miejsc nie związanych z Kṛṣṇą. Dzięki temu kontrolowane są jego zmysły. Człowiek, który kontroluje zmysły, nie może być dla nikogo przykry. Można zapytać: "Dlaczego wobec tego Arjuna był agresywny w stosunku do innych (w walce)? Czyż nie posiadał on świadomości Kṛṣṇy?" Ale Arjuna tylko pozornie był agresywny, ponieważ (jak to zostało wytłumaczone w Rozdziale Drugim) wszystkie osoby zgromadzone na polu walki zachowały swoje życie jako indywidualności—jako że dusza nie może nigdy zostać zabita. Więc duchowo nikt nie został zabity w bitwie na Polu Kurukṣetra. Zmieniły się tylko ich wierzchnie okrycia—z woli Kṛṣṇy, który był tam osobiście obecny. Zatem Arjuna, biorąc udział w walce na Polu Kurukṣetra, w rzeczywistości w ogóle nie walczył; po prostu wypełniał on rozkazy Kṛṣṇy, w pełnej świadomości Kṛṣṇy. Taka osoba nigdy nie zostaje uwikłana w skutki swoich czynów.

**TEKSTY 8-9**

नैव किञ्चित् करोमीति युक्तो मन्येत तत्त्ववित् ।
पश्यञ् शृण्वन् स्पृशञ् जिघ्रन्नश्नन् गच्छन् स्वपन् श्वसन् ॥८॥
प्रलपन् विसृजन् गृह्णन्नुन्मिषन्निमिषन्नपि ।
इन्द्रियाणीन्द्रियार्थेषु वर्तन्त इति धारयन् ॥९॥

*naiva kiñcit karomīti yukto manyeta tattva-vit*
*paśyañ śṛṇvan spṛśañ jighrann aśnan gacchan svapan śvasan*

*pralapan visṛjan gṛhṇann unmiṣan nimiṣann api*
*indriyāṇīndriyārtheṣu vartanta iti dhārayan*

*na*—nigdy; *eva*—z pewnością; *kiñcit*—wszystko; *karomi*—czynię; *iti*—w ten sposób; *yuktaḥ*—pogrążony w boskiej świadomości; *manyeta*—myśli; *tattva-vit*—ten, który zna prawdę; *paśyan*—widząc; *śṛṇvan*—słysząc; *spṛśan*—dotykając; *jighran*—wąchając; *aśnan*—jedząc; *gacchan*—chodząc; *svapan*—śniąc; *śvasan*—oddychając; *pralapan*—mówiąc; *visṛjan*—porzucając; *gṛhnan*—przyjmując; *unmiṣan*—otwierając; *nimiṣan*—zamykając; *api*—pomimo; *indriyāṇi*—zmysły; *indriya-artheṣu*—w zadowalaniu zmysłów; *vartante*—niech się tym zajmują; *iti*—w ten sposób; *dhārayan*—rozważając.

**Kto osiągnął taką boską świadomość, ten—chociaż patrzy, słucha, dotyka, wącha, je, porusza się, śpi i oddycha—zawsze wie w głębi, że naprawdę nic nie czyni. Gdyż mówiąc, wypróżniając się, przyjmując pokarm, otwierając i zamykając oczy, wie zawsze, że to tylko materialne zmysły wchodzą w kontakt z przedmiotami zmysłów, on zaś sam nie ma z nimi nic wspólnego.**

*ZNACZENIE:* Życie osoby świadomej Kṛṣṇy jest czyste i wskutek tego nie ma ona nic wspólnego z żadną pracą zależną od pięciu bezpośrednich i pośrednich przyczyn: wykonawcy, pracy, sytuacji, wysiłku i losu. Jest tak dlatego, że zaangażowana jest ona w transcendentalną służbę miłości dla Kṛṣṇy. Chociaż wydawać się może, że jej ciało i zmysły pozostają aktywne, to jednak zawsze świadoma jest ona swojej rzeczywistej pozycji, którą jest duchowe zajęcie. W świadomości materialnej zmysły zajęte są samozadowalaniem, podczas gdy w świadomości Kṛṣṇy zaangażowane są w zadowalanie zmysłów Kṛṣṇy. Dlatego osoba świadoma Kṛṣṇy jest zawsze wolna, chociaż zdaje się być zajętą czynnościami zmysłowymi. Czynności takie jak patrzenie i słuchanie są czynnościami zmysłów koniecznymi do zdobywania wiedzy, podczas gdy poruszanie się, mówienie, wypróżnianie itd., są funkcjami zmysłów koniecznymi do działania. Osoba świadoma Kṛṣṇy nigdy nie jest uzależniona od czynności zmysłów. Ponieważ wie, że jest wiecznym sługą Pana, nie może ona angażować się w żadne czyny—za wyjątkiem czynów w świadomości Kṛṣṇy.

**TEKST 10** ब्रह्मण्याधाय कर्माणि संगं त्यक्त्वा करोति यः ।
लिप्यते न स पापेन पद्मपत्रमिवाम्भसा ॥१०॥

*brahmaṇy ādhāya karmāṇi saṅgaṁ tyaktvā karoti yaḥ*
*lipyate na sa pāpena padma-patram ivāmbhasā*

*brahmaṇi*—Najwyższej Osobie Boga; *ādhāya*—oddając dla; *karmāṇi*—wszystkie prace; *saṅgam*—przywiązanie; *tyaktvā*—porzucając; *karoti*—pełni; *yaḥ*—kto; *lipyate*—znajduje się pod wpływem; *na*—nigdy; *saḥ*—on; *pāpena*—przez grzech; *padma-patram*—liść lotosu; *iva*—jak; *ambhasā*—przez wodę.

**Kto pełni swój obowiązek bez przywiązania, oddając owoce swego czynu Najwyższemu Panu, ten nie podlega wpływom grzechu, tak jak liść lotosu, który mimo iż jest w wodzie—nie jest przez nią dotykany.**

*ZNACZENIE:* Tutaj *brahmaṇi* znaczy w świadomości Kṛṣṇy. Materialny świat jest sumą manifestacji trzech sił natury materialnej, fachowo nazywanej *pradhāna*. Hymny wedyjskie: *sarvaṁ hy etad brahma* (*Māṇḍūkya Upaniṣad* 2), *tasmād etad brahma nāma-rūpam annaṁ ca jāyate* (*Muṇḍaka Upaniṣad* 1.2.10) i słowa *Bhagavad-gīty* (14.3), *mama yonir mahad brahma*, mówią, że wszystko w tym materialnym świecie jest manifestacją Brahmana. I chociaż skutki zostały zamanifestowane w rozmaity sposób, nie są one różne od przyczyny. *Īśopaniṣad* mówi, że wszystko jest związane z Najwyższym Brahmanem, czyli Kṛṣṇą, a zatem wszystko należy jedynie do Niego. Ten, kto wie doskonale, że wszystko należy do Kṛṣṇy, że On jest właścicielem wszystkiego—a zatem wszystko zaangażowane jest w Jego służbę—w naturalny sposób nie ma nic wspólnego ze skutkami swoich czynów, czy to cnotliwych, czy grzesznych. Wie, że nawet jego ciało materialne, będące darem od Kṛṣṇy dla spełniania jakiegoś szczególnego rodzaju działalności, może zostać zaangażowane w świadomość Kṛṣṇy. W ten sposób nie ulega on zanieczyszczeniom przez skutki grzechów, tak jak liść lotosu nie jest mokry, chociaż znajduje się w wodzie. Pan mówi również w *Gīcie* (3.30): *mayi sarvāṇi karmāṇi sannyasya*: "Wszystkie czyny dedykuj Mnie (Kṛṣṇie)". Wniosek jest więc taki, że osoba nie posiadająca świadomości Kṛṣṇy postępuje według koncepcji cielesnej i zmysłowej, podczas gdy osoba świadoma Kṛṣṇy w swoim postępowaniu kieruje się wiedzą, że ciało jest własnością Kṛṣṇy, zatem powinno ono zostać zaangażowane w Jego służbę.

**TEKST 11** कायेन मनसा बुद्ध्या केवलैरिन्द्रियैरपि ।
योगिनः कर्म कुर्वन्ति संगं त्यक्त्वात्मशुद्धये ॥११॥

*kāyena manasā buddhyā kevalair indriyair api*
*yoginaḥ karma kurvanti saṅgaṁ tyaktvātma-śuddhaye*

*kāyena*—ciałem; *manasā*—umysłem; *buddhyā*—inteligencją; *kevalaiḥ*—oczyszczony; *indriyaiḥ*—zmysłami; *api*—nawet; *yoginaḥ*—osoby świadome Kṛṣṇy; *karma*—czyny; *kurvanti*—spełniają; *saṅgam*—przywiązanie; *tyaktvā*—porzucając; *ātma*—duszy; *śuddhaye*—w celu oczyszczenia się.

**Yogīni, uwalniając się od przywiązania, uaktywniają ciało, umysł, inteligencję, a nawet zmysły, jedynie w celu oczyszczenia się.**

*ZNACZENIE:* Jeśli ktoś działa w świadomości Kṛṣṇy—dla zadowolenia zmysłów Kṛṣṇy—to każdy czyn jego ciała, umysłu, inteligencji, czy nawet zmysłów, wolny jest od zanieczyszczeń materialnych. Czyny osoby świadomej Kṛṣṇy nie mają żadnych materialnych następstw. Zatem oczyszczone czyny, nazywane powszechnie *sad-ācāra*, mogą być bez trudu spełniane przez działanie w świadomości Kṛṣṇy. Śrī Rūpa Gosvāmī opisuje to w następujący sposób w swej *Bhakti-rasāmṛta-sindhu* (1.2.187):

*īhā yasya harer dāsye karmaṇā manasā girā*
*nikhilāsv apy avasthāsu jīvan-muktaḥ sa ucyate*

"Osoba działająca w świadomości Kṛṣṇy albo, innymi słowy, pełniąca służbę dla Kṛṣṇy za pomocą swojego ciała, umysłu, inteligencji i słów, jest osobą wyzwoloną—nawet w tym świecie materialnym, chociaż może być zaangażowana w wiele tzw. materialnych czynności." Wolna jest ona od fałszywego ego i nie wierzy, że jest tym ciałem materialnym, ani nawet że jest właścicielem tego ciała. Wie, że nie jest tym ciałem, i że ciało to nie należy do niej. Wie, że sama należy do Kṛṣṇy, i że również ciało jest Jego własnością. Jeśli wszystkie produkty ciała, umysłu, inteligencji, swoje słowa, życie, majątek itd.—cokolwiek tylko posiada—zaangażuje w służbę dla Kṛṣṇy, od razu łączy się z Kṛṣṇą. Jest jednym z Kṛṣṇą i wolna jest od fałszywego ego, które jest przyczyną wiary, że jest się tym ciałem itd. Jest to doskonały stan świadomości Kṛṣṇy.

TEKST 12 युक्तः कर्मफलं त्यक्त्वा शान्तिमाप्नोति नैष्ठिकीम् ।
अयुक्तः कामकारेण फले सक्तो निबध्यते ॥१२॥

*yuktaḥ karma-phalaṁ tyaktvā śāntim āpnoti naiṣṭhikīm*
*ayuktaḥ kāma-kāreṇa phale sakto nibadhyate*

*yuktaḥ*—ktoś zaangażowany w służbę oddania; *karma-phalam*—skutki wszystkich czynów; *tyaktvā*—porzucając; *śāntim*—doskonały spokój; *āpnoti*—osiąga; *naiṣṭhikīm*—niezachwiany; *ayuktaḥ*—ktoś nie posiadający świadomości Kṛṣṇy; *kāma-kāreṇa*—dla korzystania z owoców pracy; *phale*—w skutki; *saktaḥ*—przywiązany; *nibadhyate*—zostaje uwikłany.

**Niezachwiana w swoim oddaniu dusza osiąga doskonały spokój—Mnie ofiarowując owoce wszystkich swoich czynów. Natomiast osoba pozbawiona boskiej świadomości, chciwa owoców swojej pracy—pozostaje w materialnej niewoli.**

*ZNACZENIE:* Różnica między osobą świadomą Kṛṣṇy a osobą o świadomości materialnej jest taka, że ta pierwsza przywiązana jest do Kṛṣṇy, podczas gdy ta druga przywiązana jest do owoców swojej pracy. Osoba, która przywiązana jest do Kṛṣṇy i pracuje jedynie dla Niego, jest prawdziwie wyzwoloną osobą i nie jest żądna nagrody za swoją pracę. *Bhāgavatam* wyjaśnia, że przyczyną pożądania owoców czynu jest koncepcja dualizmu, czyli brak wiedzy o Prawdzie Absolutnej. Kṛṣṇa, Osoba Boga, jest Najwyższą Absolutną Prawdą. W świadomości Kṛṣṇy nie ma dualizmu. Wszystko co istnieje jest wytworem energii Kṛṣṇy, a Kṛṣṇa jest wszechdobrem. Zatem czynności w świadomości Kṛṣṇy znajdują się na planie absolutnym; są one transcendentalne i nie mają żadnych następstw materialnych. Dlatego osoba w świadomości Kṛṣṇy napełniona jest pokojem. Tego pokoju nie może jednak posiadać ten, kto zajmuje się obliczaniem zysków, mając na celu zadowalanie zmysłów. Zdanie sobie sprawy z tego, że nie ma życia poza Kṛṣṇą—jest pokojem i wolnością od strachu. Na tym polega tajemnica świadomości Kṛṣṇy.

TEKST 13 सर्वकर्माणि मनसा संन्यस्यास्ते सुखं वशी ।
नवद्वारे पुरे देही नैव कुर्वन्न कारयन् ॥१३॥

*sarva-karmāṇi manasā sannyasyāste sukhaṁ vaśī*

*nava-dvāre pure dehī naiva kurvan na kārayan*

*sarva*—wszystkie; *karmāṇi*—czynności; *manasā*—przez umysł; *sannyasya*—porzucając; *āste*—pozostaje; *sukham*—w szczęściu; *vaśī*—ten, kto jest kontrolowany; *nava-dvāre*—w miejscu o dziewięciu bramach; *pure*—w mieście; *dehī*—wcielona dusza; *na*—nigdy; *eva*—z pewnością; *kurvan*—robiąc wszystko; *na*—nie; *kārayan*—będąc sprawcą działania.

**Kiedy wcielona żywa istota kontroluje swoją naturę i mentalnie wyrzeka się wszelkiego działania, wtedy szczęśliwie rezyduje w mieście dziewięciu bram (ciele materialnym), będąc wolną od działania i nie będąc jego sprawcą.**

*ZNACZENIE:* Wcielona dusza żyje w mieście dziewięciu bram. Czynności ciała, czyli symbolicznego "miasta-ciała", spełniane są automatycznie pod wpływem poszczególnych sił natury materialnej. Chociaż dusza zależna jest od warunków cielesnych, to jednak może się ona od nich uniezależnić—jeśli tego zapragnie. Tylko z powodu zapomnienia o swojej wyższej naturze, utożsamia się z tym ciałem materialnym i dlatego cierpi. Dzięki świadomości Kṛṣṇy może ona odzyskać swoją prawdziwą pozycję i w ten sposób wyzwolić się z cielesnego więzienia. Jeśli zatem ktoś przyjmuje świadomość Kṛṣṇy, natychmiast uniezależnia się on od czynności cielesnych. Prowadząc takie kontrolowane życie, ze zmienioną świadomością, żyje on szczęśliwie w mieście dziewięciu bram. Te dziewięć bram opisano w sposób następujący:

*nava-dvāre pure dehī haṁso lelāyate bahiḥ*
*vaśī sarvasya lokasya sthāvarasya carasya ca*

"Najwyższa Osoba Boga, przebywający w ciele żywej istoty, jest kontrolerem wszystkich żywych istot we wszechświecie. Ciało posiada dziewięć bram (dwoje oczu, dwa nozdrza, dwoje uszu, usta, odbytnicę i narządy rozrodcze). Żywa istota w swoim uwarunkowanym stanie utożsamia się z ciałem, ale kiedy zaczyna utożsamiać się z Panem wewnątrz siebie, staje się tak wolna jak Pan—nawet chociaż jeszcze przebywa w ciele." (*Śvetāśvatara Upaniṣad* 3.18) Zatem osoba świadoma Kṛṣṇy wolna jest zarówno od wewnętrznych, jak i zewnętrznych czynności ciała materialnego.

**TEKST 14** न कर्तृत्वं न कर्माणि लोकस्य सृजति प्रभुः ।
न कर्मफलसंयोगं स्वभावस्तु प्रवर्तते ॥१४॥

*na kartṛtvaṁ na karmāṇi lokasya sṛjati prabhuḥ*
*na karma-phala-saṁyogaṁ svabhāvas tu pravartate*

*na*—nigdy; *kartṛtvam*—prawo własności; *na*—ani nie; *karmāṇi*—czyny; *lokasya*—ludzi; *sṛjati*—stwarza; *prabhuḥ*—pan miasta-ciała; *na*—ani nie; *karma-phala*—skutkami czynów; *saṁyogam*—związek; *svabhāvaḥ*—siły natury materialnej; *tu*—ale; *pravartate*—działa.

**Wcielona dusza, będąc panem miasta-ciała, nie spełnia żadnych czynów, nie wytwarza owoców działania ani też nie nakłania nikogo do działania. Sprawcą tego wszystkiego są trzy siły natury materialnej.**

*ZNACZENIE:* Żywa istota, jak to zostanie wytłumaczone w Rozdziale Siódmym, jest jedną z energii czy natur Najwyższego Pana i jest odmienna od—będącej innej natury—materii, nazywanej niższą naturą Pana. Tak czy inaczej, ta wyższa natura (żywa istota) od niepamiętnych czasów pozostaje w kontakcie z materią. Tymczasowe ciało, czyli materialne miejsce pobytu, które otrzymuje, jest przyczyną różnorodnych czynności i wynikających z nich następstw. Żyjąc w takim uwarunkowanym stanie, cierpi ona z powodu następstw czynności ciała, poprzez utożsamianie się z nim (z powodu niewiedzy). To niewiedza, pod wpływem której znajduje się ona od czasów niepamiętnych, jest przyczyną cierpień i udręk cielesnych. Ale jeśli tylko żywa istota osiągnie stan, w którym nie jest związana z czynami ciała, natychmiast uwalnia się również od następstw tych czynów. Tak długo jak przebywa ona w tym mieście-ciele, zdaje się być jego panem, ale w rzeczywistości nie jest ani jego właścicielem, ani kontrolerem jego czynów i następstw tych czynów. Znajduje się ona po prostu w środku materialnego oceanu, walcząc o egzystencję. Miotają nią fale oceanu, a ona nie ma nad nimi żadnej kontroli. Najlepszym rozwiązaniem jest wydostanie się z tych odmętów poprzez transcendentalną świadomość Kṛṣṇy. I tylko to może ocalić ją od wszelkiego niepokoju.

**TEKST 15** नादत्ते कस्यचित् पापं न चैव सुकृतं विभुः ।
अज्ञानेनावृतं ज्ञानं तेन मुह्यन्ति जन्तवः ॥१५॥

*nādatte kasyacit pāpaṁ na caiva sukṛtaṁ vibhuḥ*
*ajñānenāvṛtaṁ jñānaṁ tena muhyanti jantavaḥ*

*na*—nigdy; *ādatte*—przyjmuje; *kasyacit*—czyjś; *pāpam*—grzech; *na*—ani nie; *ca*—również; *eva*—z pewnością; *su-kṛtam*—czyny pobożne;

*vibhuḥ*—Najwyższy Pan; *ajñānena*—przez niewiedzę; *āvṛtam*—przykryty; *jñānam*—wiedza; *tena*—przez tą; *muhyanti*—są zdezorientowane; *jantavaḥ*—żywe istoty.

**Ani też Najwyższy Pan nie przyjmuje na Siebie niczyich grzechów czy pobożnych czynów. Wcielone istoty są jednakże zdezorientowane—z powodu ignorancji, która okryła ich prawdziwą wiedzę.**

*ZNACZENIE:* Sanskryckie słowo *vibhu* oznacza Najwyższego Pana, który pełen jest nieograniczonej wiedzy, bogactw, siły, sławy, piękna i wyrzeczenia. Jest On zawsze usatysfakcjonowany w Sobie i nie jest niepokojony ani przez grzeszne, ani przez pobożne czyny. Nie tworzy On jakichś szczególnych sytuacji dla żywej istoty, ale to ona sama—zdezorientowana z powodu niewiedzy—pragnie znajdować się w pewnych warunkach życia, i w ten sposób zaczyna się łańcuch jej czynów i następstw tych czynów. Żywa istota jest—dzięki swojej wyższej naturze—pełna wiedzy. Niemniej jednak, z powodu swojej ograniczonej siły, z łatwością ulega ona wpływom niewiedzy. Pan jest wszechpotężny, ale żywa istota taką nie jest. Pan jest *vibhu*, czyli wszechwiedzący, ale żywa istota jest *aṇu*, czyli rozmiarów atomu. Ponieważ jest ona żywą duszą, ma ona wolną wolę, jeśli chodzi o pragnienia. Takie pragnienia spełniane są tylko dzięki wszechpotędze Pana. A zatem, kiedy żywa istota posiada jakieś niemądre pragnienia, Pan pozwala jej spełniać te pragnienia, ale nigdy nie jest On odpowiedzialny za czyny i skutki tych czynów w poszczególnej sytuacji, której żywa istota zapragnęła. Uwarunkowana i zdezorientowana żywa istota utożsamia się z określonym ciałem materialnym i podlega wpływom przemijających niepowodzeń i szczęścia w życiu. Pan jest bezustannym towarzyszem żywej istoty jako Paramātmā, czyli Dusza Najwyższa, a zatem może On znać pragnienia indywidualnej duszy, tak jak będąc w pobliżu kwiatu, można powąchać jego zapach. Pragnienie jest subtelną formą uwarunkowania żywej istoty. Pan spełnia jej życzenia w takim stopniu, w jakim ona na to zasługuje. "Człowiek strzela, Pan Bóg kule nosi." Indywidualna istota nie jest zatem wszechmocna w spełnianiu swoich pragnień. Pan jednakże może spełnić każde życzenie i, będąc bezstronnym w stosunku do każdego, nie staje On na przeszkodzie pragnieniom drobnych, niezależnych żywych istot. Jednakże, gdy ktoś pragnie Kṛṣṇy, Pan roztacza nad nim szczególną opiekę i zachęca go do takich pragnień, tak aby istota taka mogła Go osiągnąć i być wiecznie szczęśliwą. Hymn wedyjski mówi: *eṣa u hy eva sādhu karma kārayati taṁ yam ebhyo lokebhya unninīṣate, eṣa u evāsādhu karma kārayati yam adho ninīṣate*: "Pan angażuje żywą istotę w pobożne czyny, tak aby mogła ona zrobić postęp. Pan angażuje ją w niepobożne czyny, tak aby mogła iść do piekła." (*Kauṣītakī Upaniṣad* 3.8)

*ajño jantur anīśo 'yam ātmanaḥ sukha-duḥkhayoḥ*
*īśvara-prerito gacchet svargaṁ vāśv abhram eva ca*

"Żywa istota jest całkowicie zależna w swoim szczęściu czy nieszczęściu. Przez wolę Pana może ona iść do nieba albo do piekła, podobnie jak chmura pędzona jest przez wiatr."

Zatem wcielona dusza z powodu swojego odwiecznego pragnienia, aby uniknąć świadomości Kṛṣṇy, sama jest przyczyną swojej dezorientacji. Chociaż konstytucjonalnie jest wieczną, pełną szczęścia i pełną wiedzy, to z powodu swojej znikomości zapomina o tej swojej konstytucjonalnej pozycji—jaką jest służba dla Pana—i w ten sposób zostaje usidlona przez niewiedzę. I z powodu tej niewiedzy twierdzi, że Pan odpowiedzialny jest za jej uwarunkowaną egzystencję. Potwierdzają to również *Vedānta-sūtry* (2.1.34). *Vaiṣamya-nairghṛṇye na sāpekṣatvāt tathā hi darśayati*: "Pan zawsze wolny jest od nienawiści ani też nie preferuje nikogo, chociaż wydaje się, że tak jest."

**TEKST 16** ज्ञानेन तु तदज्ञानं येषां नाशितमात्मनः ।
तेषामादित्यवज्ज्ञानं प्रकाशयति तत् परम् ॥१६॥

*jñānena tu tad ajñānaṁ yeṣāṁ nāśitam ātmanaḥ*
*teṣām āditya-vaj jñānaṁ prakāśayati tat param*

*jñānena*—przez wiedzę; *tu*—ale; *tat*—to; *ajñānam*—niewiedza; *yeṣām*—tych; *nāśitam*—jest niszczona; *ātmanaḥ*—żywej istoty; *teṣām*—ich; *āditya-vat*—jak wschodzące słońce; *jñānam*—wiedza; *prakāśayati*—wyjawia; *tat param*—świadomość Kṛṣṇy.

**Kiedy jednak ktoś zostaje oświecony wiedzą, która niszczy niewiedzę, wtedy ona—wiedza—objawia mu wszystko, tak jak słońce oświetla wszystko podczas dnia.**

*ZNACZENIE:* Z pewnością zdezorientowani są ci, którzy zapomnieli Kṛṣṇę, w przeciwieństwie do osób, które posiadają świadomość Kṛṣṇy. W *Bhagavad-gīcie* jest powiedziane: *sarvaṁ jñāna-plavena, jñānāgniḥ sarva-karmāṇi* i *na hi jñānena sadṛśam*. Wiedza jest zawsze wysoko ceniona. A czym jest ta wiedza? Doskonałą wiedzę osiąga ten, kto podporządkowuje się Kṛṣṇie, tak jak mówi o tym 19 werset Rozdziału Siódmego: *bahūnāṁ janmanām ante jñānavān māṁ prapadyate*. Kiedy ktoś po wielu, wielu narodzinach podporządkowuje się Kṛṣṇie w pełnej wiedzy, czyli gdy osiąga świadomość Kṛṣṇy, wtedy wszystko zostaje mu wyjawione, podobnie jak słońce oświetla wszystko w czasie dnia. Żywa istota jest szalona na tak wiele sposobów i, na przykład, kiedy bezceremonialnie uważa siebie za Boga, wtedy wpada w ostatnią pułapkę niewiedzy. Ale gdyby żywa istota była Bogiem, to czy mogłaby pozostawać pod wpływem niewiedzy? Czy Bóg może ulegać wpływom niewiedzy? Gdyby tak było, wówczas niewiedza—czyli Szatan, byłby potężniejszy od Boga. Prawdziwą wiedzę można zdobyć od tego, kto posiada doskonałą świadomość Kṛṣṇy. Należy zatem odnaleźć takiego bona fide mistrza duchowego i pod jego kierunkiem uczyć się, czym jest świadomość Kṛṣṇy, gdyż świadomość Kṛṣṇy może usunąć wszelką niewiedzę, podobnie jak słońce rozprasza ciemność. Nawet chociaż ktoś może posiadać doskonałą wiedzę o tym, że nie jest tym ciałem, i że jest transcendentalny w stosunku do tego ciała, to jednak może on dalej nie być w stanie uświadomić sobie różnicy pomiędzy duszą i Duszą Najwyższą. Może on dowiedzieć się wszystkiego, jeśli postara się o schronienie u doskonałego bona fide mistrza duchowego świadomego Kṛṣṇy. Ten może jedynie poznać Boga i własny z Nim związek, kto rzeczywiście spotka reprezentanta Boga. Reprezentant Boga nigdy nie twierdzi, że sam jest Bogiem, chociaż otrzymuje szacunek taki, jaki zwykle oddaje się Bogu, gdyż posiada on prawdziwą wiedzę o Bogu. Należy nauczyć się, jaka jest różnica pomiędzy Bogiem a żywą istotą. Dlatego Pan Kṛṣṇa oznajmił w Drugim Rozdziale (2.12), że każda żywa istota jest indywidualnością, i że Pan również jest indywidualnością. Byli oni oddzielnymi istotami w przeszłości, są takimi obecnie—i nie stracą swojej indywidualności w przyszłości, nawet po wyzwoleniu. W nocy widzimy wszystko tak, jak można to widzieć w ciemności, ale podczas dnia, kiedy świeci słońce, widzimy przedmioty takimi, jakimi są naprawdę. Prawdziwa wiedza oznacza: tożsamość i indywidualność w życiu duchowym.

**TEKST 17** तद्बुद्धयस्तदात्मानस्तन्निष्ठास्तत्परायणाः
गच्छन्त्यपुनरावृत्तिं ज्ञाननिर्धूतकल्मषाः ॥१७॥

*tad-buddhayas tad-ātmānas tan-niṣṭhās tat-parāyaṇāḥ*
*gacchanty apunar-āvṛttiṁ jñāna-nirdhūta-kalmaṣāḥ*

*tat-buddhayaḥ*—ci, których inteligencja zawsze skupiona jest na Najwyższym; *tat-ātmānaḥ*—ci, którzy zawsze koncentrują umysł na Najwyższym; *tat-niṣṭhāḥ*—ci, którzy pokładają wiarę jedynie w Najwyższym; *tat-parāyaṇāḥ*—kto całkowicie przyjął schronienie w Nim; *gacchanti*—idzie; *apunaḥ-āvṛttim*—do wyzwolenia; *jñāna*—przez wiedzę; *nirdhūta*—oczyszczone; *kalmaṣāḥ*—obawy.

**Kto swoją inteligencję, wiarę i umysł skupia na Najwyższym i w Nim przyjmuje schronienie, ten, mocą doskonałej wiedzy, całkowicie uwalnia się od obaw i wskutek tego posuwa się naprzód na ścieżce wyzwolenia.**

*ZNACZENIE:* Pan Kṛṣṇa jest Najwyższą Transcendentalną Prawdą. Oświadczenie, że Kṛṣṇa jest Najwyższą Osobą Boga, jest esencją całej *Bhagavad-gīty*. Tak przedstawia Go również cała literatura wedyjska. *Para-tattva* oznacza najwyższą rzeczywistość, którą znawcy Najwyższego uznają pod postacią Brahmana, Paramātmy albo Bhagavāna. Bhagavān, czyli Najwyższa Osoba Boga, jest ostatnim słowem w Absolucie. Nie ma nic ponad to. Pan mówi: *mattaḥ parataraṁ nānyat kiñcid asti dhanañjaya*. Kṛṣṇa utrzymuje też bezosobowego Brahmana: *brahmaṇo hi pratiṣṭhāham*. Zatem Kṛṣṇa jest Najwyższą Rzeczywistością pod każdym względem. Ten, kto zawsze swoje myśli, inteligencję i wiarę pokłada w Kṛṣṇie oraz w Nim przyjmuje schronienie—innymi słowy, ten, kto jest w pełni świadomy Kṛṣṇy, niewątpliwie uwalnia się od wszelkich obaw i osiąga doskonałą wiedzę we wszystkim, co dotyczy transcendencji. Osoba świadoma Kṛṣṇy może dokładnie zrozumieć, że w Kṛṣṇie istnieje dualizm (jednoczesna tożsamość i indywidualność), i uzbrojona w taką transcendentalną wiedzę, może czynić stały postęp na ścieżce wyzwolenia.

**TEKST 18** विद्याविनयसम्पन्ने ब्राह्मणे गवि हस्तिनि ।
शुनि चैव श्वपाके च पण्डिताः समदर्शिनः ॥१८॥

*vidyā-vinaya-sampanne brāhmaṇe gavi hastini*
*śuni caiva śva-pāke ca paṇḍitāḥ sama-darśinaḥ*

*vidyā*—z wiedzą; *vinaya*—i łagodność; *sampanne*—całkowicie wyposażony; *brāhmaṇe*—w braminie; *gavi*—w krowie; *hastini*—w słoniu; *śuni*—w psie; *ca*—i; *eva*—z pewnością; *śva-pāke*—w zjadaczu psów (człowieku wykluczonym z kasty); *ca*—odpowiednio; *paṇḍitāḥ*—ci, którzy posiadają tę mądrość; *sama-darśinaḥ*—widzą jednakowo.

**Pokorny mędrzec, dzięki cnocie prawdziwej wiedzy, widzi jednakowo uczonego i łagodnego bramina, krowę, słonia, psa i zjadacza psów (pariasa).**

*ZNACZENIE:* Osoba świadoma Kṛṣṇy nie czyni żadnych różnic pomiędzy kastami czy gatunkami. Bramin i człowiek znajdujący się poza systemem kastowym mogą być różni ze społecznego punktu widzenia, albo pies i krowa, czy słoń, mogą różnić się gatunkiem, ale takie różnice cielesne nie mają dużego znaczenia z punktu widzenia uczonego transcendentalisty. Jest tak z powodu ich związku z Najwyższym; Najwyższy Pan bowiem, poprzez Swoją pełną część jako Paramātmā, obecny jest w sercu każdej istoty. Takie rozumienie Najwyższego jest prawdziwą wiedzą. Jeśli chodzi o ciała w różnych gatunkach życia czy różnych kastach, to Pan jest jednakowo dobry dla każdego, gdyż jest On przyjacielem każdej żywej istoty i obecny jest w sercu każdej z nich jako Paramātmā, bez względu na warunki, w jakich znajduje się żywa istota. Pan, jako Paramātmā, obecny jest zarówno w człowieku znajdującym się poza systemem kastowym, jak i w braminie, chociaż ciało bramina różni się od ciała człowieka wykluczonego z kasty. Ciała są materialnym wytworem różnych sił natury materialnej, ale dusza i Dusza Najwyższa wewnątrz ciała są tej samej jakości duchowej. Podobieństwo jakościowe duszy i Duszy Najwyższej nie czyni ich podobnymi ilościowo, gdyż dana dusza indywidualna obecna jest tylko w jednym określonym ciele, podczas gdy Paramātmā obecna jest we wszystkich ciałach. Osoba świadoma Kṛṣṇy posiada pełną wiedzę o tym, a zatem jest osobą prawdziwie uczoną i widzi w jednakowy sposób. Podobnymi cechami duszy i Duszy Najwyższej jest to, że obie są świadome, wieczne i pełne szczęścia. Ale różnica jest taka, że świadomość duszy indywidualnej ogranicza się do jednego ciała, podczas gdy Dusza Najwyższa świadoma jest wszystkich ciał. Dusza Najwyższa obecna jest we wszystkich ciałach bez wyjątku.

**TEKST 19** इहैव तैर्जितः सर्गो येषां साम्ये स्थितं मनः ।
निर्दोषं हि समं ब्रह्म तस्माद् ब्रह्मणि ते स्थिताः ॥१९॥

*ihaiva tair jitaḥ sargo yeṣāṁ sāmye sthitaṁ manaḥ*
*nirdoṣaṁ hi samaṁ brahma tasmād brahmaṇi te sthitāḥ*

*iha*—w tym życiu; *eva*—z pewnością; *taiḥ*—przez nie; *jitaḥ*—pokonali; *sargaḥ*—narodziny i śmierć; *yeṣām*—których; *sāmye*—w spokoju umysłu; *sthitam*—usytuowani; *manaḥ*—umysł; *nirdoṣam*—bez skazy; *hi*—z pewnością; *samam*—w spokoju umysłu; *brahma*—jak Najwyższy; *tasmāt*—dlatego; *brahmaṇi*—w Najwyższym; *te*—oni; *sthitāḥ*—są usytuowani.

**Ci, których umysł cichy jest i niewzruszony, już pokonali narodziny i śmierć. Są oni nieskazitelni jak Brahman, a zatem już osiągnęli Brahmana.**

*ZNACZENIE:* Spokój umysłu, tak jak zostało to stwierdzone wyżej, jest oznaką samorealizacji. To znaczy że ci, którzy taki stan osiągnęli, już pokonali uwarunkowania materialne—szczególnie narodziny i śmierć. Jak długo ktoś utożsamia się z ciałem, tak długo uważany jest za duszę uwarunkowaną, ale skoro tylko osiągnie spokój umysłu—poprzez samorealizację—wyzwala się z uwarunkowanego stanu życia. Innymi słowy, nie musi już więcej rodzić się w tym materialnym świecie, ale po śmierci może wejść do nieba duchowego. Pan jest bez skazy, ponieważ jest wolny od pożądania i nienawiści. A gdy również żywa istota wolna jest od tego skalania, staje się ona wtedy czystą i zdolną do wejścia w niebo duchowe. Takie osoby mają być uważane za już wyzwolone, a cechy ich zostały opisane poniżej.

**TEKST 20** न प्रहृष्येत् प्रियं प्राप्य नोद्विजेत् प्राप्य चाप्रियम् ।
स्थिरबुद्धिरसम्मूढो ब्रह्मविद् ब्रह्मणि स्थितः ॥२०॥

*na prahṛṣyet priyaṁ prāpya nodvijet prāpya cāpriyam*
*sthira-buddhir asammūḍho brahma-vid brahmaṇi sthitaḥ*

*na*—nigdy; *prahṛṣyet*—unosi się radością; *priyam*—przyjemne; *prāpya*—zdobywając; *na*—nie; *udvijet*—poruszona; *prāpya*—osiągając; *ca*—również; *apriyam*—nieprzyjemne; *sthira-buddhiḥ*—inteligentny; *asammūḍhaḥ*—niewzruszony; *brahma-vit*—ten, kto doskonale zna Najwyższego; *brahmaṇi*—w transcendencji; *sthitaḥ*—usytuowany.

**Ten, kto nie unosi się radością, gdy zdobędzie coś przyjemnego ani nie rozpacza, gdy spotkają go rzeczy nieprzyjemne; kto posiada niewzruszoną inteligencję i mądrość, i zna naukę o Bogu—ten już usytuowany jest w transcendencji.**

*ZNACZENIE:* Podane zostały tutaj cechy osoby samozrealizowanej. Pierwszą cechą jest to, że jest ona wolna od złudzenia i nie utożsamia się fałszywie z ciałem materialnym. Wie doskonale, że nie jest tym ciałem, ale że jest fragmentaryczną cząstką Najwyższej Osoby Boga. Dlatego nie unosi się radością, gdy coś zdobędzie, ani też nie rozpacza, tracąc cokolwiek związanego z ciałem. Ta niewzruszoność umysłu nazywana jest *sthira-buddhi*, czyli inteligencją jaźni. Taka osoba nigdy nie myli swojego wulgarnego ciała z duszą ani nie uważa ciała za wieczne, i nie lekceważy istnienia duszy. Ta wiedza prowadzi ją do etapu poznania kompletnej nauki o Prawdzie Absolutnej, mianowicie do poznania Brahmana, Paramātmy i Bhagavāna. Wskutek tego zna ona doskonale swoją konstytucjonalną pozycję, bez fałszywych prób stania się równym

Panu pod każdym względem. Jest to nazywane realizacją Brahmana, czyli samorealizacją. Taka niewzruszona świadomość nazywana jest świadomością Kṛṣṇy.

**TEKST 21** बाह्यस्पर्शेष्वसक्तात्मा विन्दत्यात्मनि यत् सुखम् ।
स ब्रह्मयोगयुक्तात्मा सुखमक्षयमश्नुते ॥२१॥

*bāhya-sparśeṣv asaktātmā vindaty ātmani yat sukham*
*sa brahma-yoga-yuktātmā sukham akṣayam aśnute*

*bāhya-sparśeṣu*—w zewnętrznej przyjemności zmysłowej; *asakta-ātmā*—ten, kto nie jest przywiązany; *vindati*—raduje się; *ātmani*—w sobie; *yat*—to, które; *sukham*—szczęście; *saḥ*—on; *brahma-yoga*—przez skoncentrowanie się na Brahmanie; *yukta-ātmā*—połączony z jaźnią; *sukham*—szczęście; *akṣayam*—nieograniczone; *aśnute*—cieszy się.

**Taką wyzwoloną osobę nie pociągają materialne przyjemności zmysłowe, zawsze bowiem pozostaje w ekstazie, radując się w jaźni swojej. W ten sposób samozrealizowana osoba, koncentrując się na Najwyższym, cieszy się nieograniczonym szczęściem.**

*ZNACZENIE:* Śrī Yāmunācārya, wielki wielbiciel w świadomości Kṛṣṇy, powiedział:

*yad-avadhi mama cetaḥ kṛṣṇa-padāravinde*
*nava-nava-rasa-dhāmany udyataṁ rantum āsīt*
*tad-avadhi bata nārī-saṅgame smaryamāne*
*bhavati mukha-vikāraḥ suṣṭhu niṣṭhīvanaṁ ca*

"Odkąd zaangażowałem się w transcendentalną służbę miłości dla Kṛṣṇy, znajdując w Nim ciągle nową przyjemność, kiedy tylko pomyślę o przyjemności seksualnej, spluwam na tę myśl i usta moje wykrzywiają się z niesmakiem." Osoba praktykująca *brahma-yogę*, czyli świadomość Kṛṣṇy, jest tak pochłonięta swoją służbą miłości dla Pana, że traci ona smak do zmysłowych przyjemności materialnych. Najwyższą z przyjemności materialnych jest przyjemność seksualna. Cały świat kręci się wokół niej, a materialista nie może w ogóle pracować bez tego bodźca. Ale osoba świadoma Kṛṣṇy może pracować z większym wigorem bez przyjemności seksualnej, której wręcz unika. Taki jest sprawdzian realizacji duchowej. Realizacja duchowa i doznania seksualne nie idą w parze. Osoba świadoma Kṛṣṇy, będąc duszą wyzwoloną, nie jest przyciągana przez żaden rodzaj przyjemności zmysłowych.

TEKST 22
ये हि संस्पर्शजा भोगा दुःखयोनय एव ते ।
आद्यन्तवन्तः कौन्तेय न तेषु रमते बुधः ॥२२॥

*ye hi saṁsparśa-jā bhogā duḥkha-yonaya eva te*
*ādy-antavantaḥ kaunteya na teṣu ramate budhaḥ*

*ye*—ci; *hi*—z pewnością; *saṁsparśa-jāḥ*—przez kontakt ze zmysłami materialnymi; *bhogāḥ*—przyjemności; *duḥkha*—niedola; *yonayaḥ*—źródła; *eva*—z pewnością; *te*—są one; *ādi*—początek; *anta*—koniec; *vantaḥ*—podlegający; *kaunteya*—O synu Kuntī; *na*—nigdy; *teṣu*—w tych; *ramate*—czerpie przyjemność; *budhaḥ*—osoba inteligentna.

**Osoba inteligentna unika źródeł nieszczęść, które powstają w kontakcie ze zmysłami materialnymi. O synu Kuntī, przyjemności takie mają swój początek i swój koniec, więc mędrzec nie gustuje w nich.**

*ZNACZENIE:* Materialne przyjemności zmysłowe powstają w kontakcie ze zmysłami materialnymi, które wszystkie są krótkotrwałe, gdyż krótkotrwałe jest również samo ciało. Wyzwolona dusza nie jest zainteresowana niczym przemijającym. Znając dobrze radość czerpaną z przyjemności transcendentalnych, jak mogłaby zgodzić się na korzystanie ze złudnych przyjemności? W *Padma Purāṇie* jest powiedziane:

*ramante yogino 'nante satyānande cid-ātmani*
*iti rāma-padenāsau paraṁ brahmābhidhīyate*

"Mistyk czerpie nieskończoną transcendentalną przyjemność z Prawdy Absolutnej i dlatego Najwyższa Absolutna Prawda—Osoba Boga—znany jest również jako Rāma."

W *Śrīmad-Bhāgavatam* (5.5.1) jest powiedziane również:

*nāyaṁ deho deha-bhājāṁ nṛ-loke*
*kaṣṭān kāmān arhate viḍ-bhujāṁ ye*
*tapo divyaṁ putrakā yena sattvaṁ*
*śuddhyed yasmād brahma-saukhyaṁ tv anantam*

"Moi drodzy synowie, nie ma powodu, aby ciężko pracować dla zadowalania zmysłów, kiedy się posiada ludzkie ciało; takie przyjemności dostępne są również jedzącym odchody świniom. Powinniście raczej oddawać się pokutom, aby oczyścić swoje życie, a dzięki temu będziecie mogli rozkoszować się nieograniczonym szczęściem transcendentalnym."

Zatem tych, którzy są prawdziwymi *yogīnami* albo uczonymi transcendentalistami, nie pociągają przyjemności zmysłowe, które są tylko przyczyną przedłużania się niewoli w tym materialnym świecie.

Im bardziej ktoś oddaje się przyjemnościom zmysłowym, tym bardziej uwikłuje się w materialną niedolę.

TEKST 23 शक्नोतीहैव यः सोढुं प्राक् शरीरविमोक्षणनात् ।
कामक्रोधोद्भवं वेगं स युक्तः स सुखी नरः ॥२३॥

*śaknotīhaiva yaḥ soḍhuṁ prāk śarīra-vimokṣaṇāt*
*kāma-krodhodbhavaṁ vegaṁ sa yuktaḥ sa sukhī naraḥ*

*śaknoti*—zdolny do; *iha eva*—nawet w obecnym ciele; *yaḥ*—ten, kto; *soḍhum*—tolerować; *prāk*—przed; *śarīra*—ciało; *vimokṣaṇāt*—porzucając; *kāma*—pragnienie; *krodha*—i złość; *udbhavam*—pochodząca z; *vegam*—bodźce; *saḥ*—on; *yuktaḥ*—w ekstazie; *saḥ*—on; *sukhī*—szczęśliwy; *naraḥ*—ludzka istota.

**Kto jeszcze przed porzuceniem tego ciała jest w stanie tolerować impulsy zmysłów materialnych i opanować siłę pożądania i złości, ten jest prawidłowo usytuowany i żyje on szczęśliwie w tym świecie.**

*ZNACZENIE:* Jeśli ktoś chce uczynić stały postęp na ścieżce samorealizacji, musi on starać się kontrolować impulsy zmysłów materialnych. Wchodzą tu w grę impulsy: mowy, złości, umysłu, żołądka, narządów płciowych i języka. Ten, kto jest w stanie kontrolować wszystkie te zmysły i umysł, nazywany jest *gosvāmīm* albo *svāmīm*. Taki *gosvāmī* prowadzi ściśle kontrolowane życie i całkowicie panuje nad zmysłami. Niezaspokojone pragnienia materialne są źródłem złości i poruszają one umysł, oczy i klatkę piersiową. Dlatego należy nauczyć się je kontrolować jeszcze przed porzuceniem tego materialnego ciała. Ten, kto potrafi to robić, jest osobą samozrealizowaną i jest szczęśliwy w tym stanie. Bezustanne kontrolowanie pożądania i złości jest obowiązkiem transcendentalisty.

TEKST 24 योऽन्तःसुखोऽन्तरारामस्तथान्तर्ज्योतिरेव यः ।
स योगी ब्रह्मनिर्वाणं ब्रह्मभूतोऽधिगच्छति ॥२४॥

*yo 'ntaḥ-sukho 'ntar-ārāmas tathāntar-jyotir eva yaḥ*
*sa yogī brahma-nirvāṇaṁ brahma-bhūto 'dhigacchati*

*yaḥ*—ten, kto; *antaḥ-sukhaḥ*—szczęśliwy w sobie; *antaḥ-ārāmaḥ*—aktywnie radujący się wewnątrz siebie; *tathā*—tak jak; *antaḥ-jyotiḥ*—kierując do wewnątrz; *eva*—z pewnością; *yaḥ*—ktokolwiek; *saḥ*—on; *yogī*—mistyk; *brahma-nirvāṇam*—wyzwolenie w Najwyższym; *brahma-bhūtaḥ*—będąc samozrealizowanym; *adhigacchati*—osiąga.

**Kto czerpie szczęście z wewnątrz, kto aktywny jest w jaźni swojej i pełen jest wewnętrznej radości, kierując swoją uwagę ku wewnątrz, ten jest prawdziwie doskonałym mistykiem. Ten wyzwolony jest w Najwyższym i ten ostatecznie osiąga Najwyższego.**

*ZNACZENIE:* Dopóki ktoś nie jest zdolny do czerpania wewnętrznego szczęścia, jak może wycofać się z zewnętrznej działalności mającej na celu zdobycie pozornego szczęścia? Osoba wyzwolona doświadcza rzeczywistego szczęścia. Może ona zatem siedzieć w ciszy w jakimkolwiek miejscu i radować się pulsującym życiem swojej jaźni. Taka wyzwolona osoba nie pragnie już więcej zewnętrznego szczęścia materialnego. Stan taki nazywany jest *brahma-bhūta*, a jego osiągnięcie daje pewność powrotu do Boga—z powrotem do domu.

**TEKST 25** लभन्ते ब्रह्मनिर्वाणम् ऋषयः क्षीणकल्मषाः ।
छिन्नद्वैधा यतात्मानः सर्वभूतहिते रताः ॥२५॥

*labhante brahma-nirvāṇam ṛṣayaḥ kṣīṇa-kalmaṣāḥ*
*chinna-dvaidhā yatātmānaḥ sarva-bhūta-hite ratāḥ*

*labhante*—osiągają; *brahma-nirvāṇam*—wyzwolenie w Najwyższym; *ṛṣayaḥ*—ci, którzy aktywni są wewnątrz siebie; *kṣīṇa-kalmaṣāḥ*—wolni od wszelkich grzechów; *chinna*—oderwawszy się; *dvaidhāḥ*—dualność; *yata-ātmānaḥ*—zajęty samorealizacją; *sarva-bhūta*—dla wszystkich żywych istot; *hite*—w pracę dobroczynną; *ratāḥ*—zaangażowani.

**Kto wolny jest od grzechu oraz od dualizmów mających swoje źródło w wątpieniu, którego umysł skierowany jest do wewnątrz i kto zawsze zajęty jest pracą dla dobra wszystkich żywych istot, ten osiąga wyzwolenie w Najwyższym.**

*ZNACZENIE:* Tylko o osobie w pełni świadomej Kṛṣṇy można powiedzieć, że zaangażowana jest w pracę korzystną dla wszystkich żywych istot. Osoba posiadająca wiedzę, że Kṛṣṇa jest źródłem wszystkiego i pracująca w tym duchu, pracuje dla każdego. Przyczyną cierpień ludzkości jest zapomnienie o Kṛṣṇie jako o najwyższym podmiocie radości, najwyższym właścicielu i najlepszym przyjacielu. Dlatego działanie w celu przywrócenia tej świadomości w całym ludzkim społeczeństwie jest pracą dobroczynną najwyższego rodzaju. Nie można zajmować się pierwszej klasy działalnością dobroczynną, jeśli się nie jest wyzwolonym w Najwyższym. Osoba świadoma Kṛṣṇy nie wątpi w supremację Kṛṣṇy. Nie ma ona żadnych wątpliwości, gdyż wolna jest od wszystkich grzechów. Jest to stan boskiej miłości.

Osoba dbająca tylko o fizyczny dobrobyt ludzkiego społeczeństwa nie może w rzeczywistości pomóc nikomu. Krótkotrwała pomoc dla zewnętrznego ciała i umysłu nie jest zadowalająca. Prawdziwą przyczyną kłopotów człowieka w jego ciężkiej walce o egzystencję jest zapomnienie o jego związku z Najwyższym Panem. Natomiast ten, kto w pełni świadomy jest swojego związku z Kṛṣṇą, ten jest prawdziwie wyzwoloną duszą, chociaż może przebywać w tym świecie materialnym.

**TEKST 26** कामक्रोधविमुक्तानां यतीनां यतचेतसाम् ।
अभितो ब्रह्मनिर्वाणं वर्तते विदितात्मनाम् ॥२६॥

*kāma-krodha-vimuktānāṁ yatīnāṁ yata-cetasām*
*abhito brahma-nirvāṇaṁ vartate viditātmanām*

*kāma*—z pragnień; *krodha*—i złości; *vimuktānām*—tych, którzy są wyzwoleni; *yatīnām*—świętych osób; *yata-cetasām*—osób, które całkowicie kontrolują umysł; *abhitaḥ*—mają zagwarantowane w bliskiej przyszłości; *brahma-nirvāṇam*—wyzwolenie w Najwyższym; *vartate*—jest; *vidita-ātmanām*—tych, którzy są zrealizowani.

**Kto wolny jest od złości i wszelkich materialnych pragnień, kto posiadł samorealizację i samoopanowanie—i ciągle dąży do doskonałości, ten wkrótce osiągnie wyzwolenie w Najwyższym.**

*ZNACZENIE:* Spośród wszystkich świętych osób dążących wytrwale do wyzwolenia, najlepszym jest ten, kto jest świadomy Kṛṣṇy. *Bhāgavatam* (4.22.39) potwierdza ten fakt jak następuje:

*yat-pāda-paṅkaja-palāśa-vilāsa-bhaktyā*
*karmāśayaṁ grathitam udgrathayanti santaḥ*
*tadvan na rikta-matayo yatayo 'pi ruddha-*
*sroto-gaṇās tam araṇaṁ bhaja vāsudevam*

"Staraj się wielbić, poprzez służbę oddania, Vāsudevę—Najwyższą Osobę Boga. Nawet wielcy mędrcy nie są w stanie kontrolować siły zmysłów tak skutecznie jak ci, którzy doznają transcendentalnej radości służąc lotosowym stopom Pana, tępiąc w ten sposób głęboko zakorzenione pragnienie zadowalania zmysłów."

Pragnienie korzystania z owoców swoich prac jest tak głęboko zakorzenione w uwarunkowanej duszy, że nawet wielkim mędrcom bardzo trudno jest takie pragnienia kontrolować, pomimo wielkich wysiłków. Ale bezustannie zaangażowany w służbę oddania, świadomy

Kṛṣṇy bhakta Pana, doskonały w samorealizacji—szybko osiąga wyzwolenie w Najwyższym. Dzięki swojej doskonałej wiedzy o samorealizacji zawsze pogrążony jest on w ekstazie. Cytat ten jest analogicznym do tego przykładem:

*darśana-dhyāna-saṁsparśair matsya-kūrma-vihaṅgamāḥ*
*svāny apatyāni puṣṇanti tathāham api padma-ja*

"Przez wzrok, medytację i dotyk jedynie, ryba, żółw i ptaki utrzymują swoje potomstwo. Podobnie również Ja czynię, O Padmajo!"

Ryba wychowuje swoje potomstwo jedynie patrząc na nie. Żółw robi to samo poprzez medytację. Żółw składa jaja na lądzie i medytuje o nich będąc w wodzie. Podobnie, wielbiciel świadomy Kṛṣṇy—chociaż przebywa z dala od siedziby Pana—może wznieść się do tej siedziby jedynie przez bezustanne myślenie o Panu (przez zaangażowanie się w świadomość Kṛṣṇy). Nie cierpi on z powodu nieszczęść materialnych; ten stan życia nazywany jest *brahma-nirvāṇa*, czyli wolnością od nieszczęść materialnych (dzięki ciągłemu pogrążeniu się w Najwyższym).

## TEKSTY 27-28

स्पर्शान् कृत्वा बहिर्बाह्यांश्चक्षुश्चैवान्तरे भ्रुवोः ।
प्राणापानौ समौ कृत्वा नासाभ्यन्तरचारिणौ ॥२७॥
यतेन्द्रियमनोबुद्धिर्मुनिर्मोक्षपरायणः ।
विगतेच्छाभयक्रोधो यः सदा मुक्त एव सः ॥२८॥

*sparśān kṛtvā bahir bāhyāṁś cakṣuś caivāntare bhruvoḥ*
*prāṇāpānau samau kṛtvā nāsābhyantara-cāriṇau*

*yatendriya-mano-buddhir munir mokṣa-parāyaṇaḥ*
*vigatecchā-bhaya-krodho yaḥ sadā mukta eva saḥ*

*sparśān*—przedmioty zmysłów, takie jak głos; *kṛtvā*—trzymając; *bahiḥ*—zewnętrzny; *bāhyān*—niepotrzebny; *cakṣuḥ*—oczy; *ca*—również; *eva*—z pewnością; *antare*—pomiędzy; *bhruvoḥ*—brwi; *prāṇa-apānau*—powietrze kierujące się w górę i w dół; *samau*—w zawieszeniu; *kṛtvā*—trzymać; *nāsa-abhyantara*—w nozdrzach; *cāriṇau*—wiejący; *yata*—kontrolowany; *indriya*—zmysły; *manaḥ*—umysł; *buddhiḥ*—inteligencja; *muniḥ*—transcendentalista; *mokṣa*—dla wyzwolenia; *parāyaṇaḥ*—o takim przeznaczeniu; *vigata*—porzuciwszy; *icchā*—pragnienia; *bhaya*—strach; *krodhaḥ*—złość; *yaḥ*—ten, kto; *sadā*—zawsze; *muktaḥ*—wyzwolony; *eva*—z pewnością; *saḥ*—jest on.

**Wyrzekłszy się wszelkich zewnętrznych przedmiotów zmysłów, koncentrując wzrok pomiędzy brwiami, powstrzymując w nozdrzach**

**powietrze zewnętrzne i wewnętrzne—i w ten sposób kontrolując umysł, zmysły i inteligencję, dążący do wyzwolenia transcendentalista uwalnia się od pragnienia, strachu i złości. Ten, kto zawsze pozostaje w tym stanie—niewątpliwie jest osobą wyzwoloną.**

*ZNACZENIE:* Przez zaangażowanie się w świadomość Kṛṣṇy można natychmiast zrozumieć swoją duchową tożsamość, a następnie—dzięki służbie oddania—poznać Najwyższego Pana. Ten, kto jest niezachwiany w służbie oddania, osiąga pozycję transcendentalną i staje się zdolnym do odczucia obecności Pana w sferze własnej działalności. Ta szczególna pozycja nazywana jest wyzwoleniem w Najwyższym.

Po wytłumaczeniu wyżej wymienionych zasad wyzwolenia w Najwyższym, Pan naucza Arjunę, w jaki sposób można osiągnąć taką pozycję poprzez praktykę mistycyzmu, czyli *yogi* znanej jako *aṣṭāṅga-yoga*. *Aṣṭāṅga-yoga* dzieli się na osiem praktyk, nazywanych: *yama, niyama, āsana, prāṇāyāma, pratyāhāra, dhāraṇā, dhyāna* i *samādhi*. *Yoga* ta została dokładnie opisana w Rozdziale Szóstym, a koniec Rozdziału Piątego daje jedynie wstępne wiadomości o niej. W praktyce tej należy wykluczyć—poprzez proces *pratyāhāra*—przedmioty zmysłów, takie jak: dźwięk, dotyk, formę, smak i zapach, a następnie skierować wzrok pomiędzy brwi i skoncentrować go na czubku nosa, trzymając oczy na wpółprzymknięte. Nie można zamknąć oczu, gdyż istnieje ryzyko zaśnięcia. Nie należy też całkowicie otwierać oczu, gdyż wtedy uwagę mogą przyciągać przedmioty zmysłowe. Ruch oddechu powstrzymywany jest w nozdrzach poprzez neutralizację ruchów powietrza wewnątrz ciała, kierujących się w górę i w dół. Poprzez praktykę takiej *yogi*, odsuwając od siebie przedmioty zmysłów, można osiągnąć panowanie nad zmysłami, i w ten sposób przygotować się do wyzwolenia w Najwyższym.

Ten proces *yogi* pomaga uwolnić się od wszelkiego rodzaju strachu i złości, a następnie odczuć obecność Duszy Najwyższej w pozycji transcendentalnej. Innymi słowy, najłatwiejszym procesem praktykowania zasad *yogi* jest świadomość Kṛṣṇy. Zostanie to dokładniej wytłumaczone w rozdziale następnym. Osoba świadoma Kṛṣṇy, będąc zawsze zaangażowaną w służbę oddania, nie naraża się na ryzyko zajęcia zmysłów czymś innym. Jest to lepszy sposób kontrolowania zmysłów niż ten w *aṣṭāṅga-yodze*.

**TEKST 29** भोक्तारं यज्ञतपसां सर्वलोकमहेश्वरम् ।
सुहृदं सर्वभूतानां ज्ञात्वा मां शान्तिमृच्छति ॥२९॥

*bhoktāraṁ yajña-tapasāṁ sarva-loka-maheśvaram*

*suhṛdaṁ sarva-bhūtānāṁ jñātvā māṁ śāntim ṛcchati*

*bhoktāram*—obdarzony; *yajña*—ofiar; *tapasām*—oraz pokut i wyrzeczeń; *sarva-loka*—spośród wszystkich planet i ich półbogów; *maha-īśvaram*—Najwyższy Pan; *su-hṛdam*—dobroczyńca; *sarva*—wszystkich; *bhūtānām*—żywych istot; *jñātvā*—posiadając taką wiedzę; *mām*—Mnie (Pana Kṛṣṇę); *śāntim*—ulga od cierpień materialnych; *ṛcchati*—osiąga.

**Osoba w pełni świadoma Mnie, znając Mnie jako ostateczny cel wszelkich ofiar i wyrzeczeń, Najwyższego Pana wszystkich planet i półbogów oraz przyjaciela i dobroczyńcę wszystkich żywych istot, osiąga pokój i wolność od wszelkich nieszczęść i cierpień materialnych.**

*ZNACZENIE:* Wszystkie uwarunkowane dusze w sidłach złudnej energii dążą do osiągnięcia pokoju w tym świecie materialnym. Ale nie znają one recepty na pokój, która podana jest w tej części *Bhagavad-gīty*. Najlepsza recepta na pokój jest taka: korzyść ze wszystkich ludzkich czynów powinien czerpać Pan Kṛṣṇa. Ludzie powinni wszystko poświęcić transcendentalnej służbie dla Pana, ponieważ On jest właścicielem wszystkich planet, i zamieszkujących je półbogów. Nikt nie jest większy od Niego. Jest On większy od największych półbogów, Pana Śivy i Brahmy. *Vedy* (*Śvetāśvatara Upaniṣad* 6.7) opisują Najwyższego Pana jako *tam īśvarāṇāṁ paramaṁ maheśvaram*. Znajdując się pod wpływem iluzji, żywe istoty próbują być panami wszystkiego, co znajduje się w zasięgu ich wzroku, ale w rzeczywistości znajdują się one pod kontrolą materialnej energii Pana. Najwyższy Pan jest panem energii materialnej, a uwarunkowane dusze znajdują się pod kontrolą ścisłych praw natury materialnej. Dopóki nie zrozumie się tej czystej prawdy, nie można osiągnąć pokoju w tym świecie, ani indywidualnie, ani kolektywnie. Istota świadomości Kṛṣṇy jest taka, że Pan Kṛṣṇa jest Najwyższym Panem, a wszystkie żywe istoty, razem z wielkimi półbogami, są Jego podwładnymi. Doskonały spokój można osiągnąć jedynie w całkowitej świadomości Kṛṣṇy.

Rozdział Piąty tłumaczy w praktyczny sposób świadomość Kṛṣṇy, znaną powszechnie jako *karma-yoga*. Dana jest tutaj odpowiedź na pytanie wynikające ze spekulacji umysłowych, w jaki sposób *karma-yoga* może doprowadzić do wyzwolenia. Pracować w świadomości Kṛṣṇy—znaczy pracować z pełną wiedzą, że Pan jest najwyższym. Taka praca nie jest różna od wiedzy transcendentalnej. Bezpośrednią świadomością Kṛṣṇy jest *bhakti-yoga*, a *jñāna-yoga* jest ścieżką prowadzącą do *bhakti-yogi*. Świadomość Kṛṣṇy oznacza działanie w pełnej wiedzy o swoim związku z Najwyższym Absolutem, a doskonałością takiej świadomości jest pełna wiedza o Kṛṣṇie, czyli Najwyższej Osobie Boga. Czysta dusza, będąc fragmentaryczną, integralną cząstką Boga, jest Jego wiecznym sługą. Wchodzi ona w kontakt z *māyą* (ułudą), kierując się żądzą panowania nad nią, i to jest przyczyną jej niezliczonych cierpień. Tak długo, dopóki jest w kontakcie z materią, dopóty musi ona pracować, aby zaspokoić swoje potrzeby materialne. Jednakowoż świadomość Kṛṣṇy przenosi nas z powrotem w życie duchowe—nawet jeśli znajdujemy się pod wpływem praw natury materialnej—albowiem metoda ta (poprzez praktyczne działanie w tym świecie) odradza w nas duchową egzystencję. Im większy ktoś zrobił postęp, tym bardziej jest wolny od szponów materii. Pan nie jest stronniczy w stosunku do nikogo. Wszystko zależy od naszych wysiłków w wykonywaniu obowiązków w świadomości Kṛṣṇy, które pomagają nam w kontrolowaniu zmysłów i pokonaniu wpływów pożądania i złości. Osoba, która jest mocno utwierdzona w świadomości Kṛṣṇy przez kontrolę wyżej wymienionych pasji, pozostaje w transcendentalnym stanie nazywanym *brahma-nirvāṇa*. W świadomości Kṛṣṇy praktykuje się automatycznie ośmiostopniową *yogę* mistyczną, ponieważ osiąga się jej ostateczny cel. Praktyka *yama, niyama, āsana, prāṇāyāma, pratyāhāra, dhāraṇā, dhyāna* i *samādhi* jest stopniowym procesem prowadzącym do oświecenia. Ale praktyki te jedynie poprzedzają doskonałość osiąganą w służbie oddania, która sama może przynieść pokój ludzkim istotom, i która jest najwyższą doskonałością życia.

W ten sposób Bhaktivedanta kończy objaśnienia do Piątego Rozdziału *Śrīmad Bhagavad-gīty*, traktującego o *Karma-yodze*, czyli czynie w świadomości Kṛṣṇy.

# ROZDZIAŁ VI

# Dhyāna-yoga

**TEKST 1**

श्रीभगवानुवाच
अनाश्रितः कर्मफलं कार्यं कर्म करोति यः ।
स संन्यासी च योगी च न निरग्निर्न चाक्रियः ॥१॥

*śrī-bhagavān uvāca*
*anāśritaḥ karma-phalaṁ kāryaṁ karma karoti yaḥ*
*sa sannyāsī ca yogī ca na niragnir na cākriyaḥ*

*śrī-bhagavān uvāca*—Pan rzekł; *anāśritaḥ*—nie przyjmując schronienia; *karma-phalam*—owocu pracy; *kāryam*—obowiązkowa; *karma*—praca; *karoti*—pełni; *yaḥ*—ten, kto; *saḥ*—on; *sannyāsī*—w wyrzeczonym porządku życia; *ca*—również; *yogī*—mistyk; *ca*—również; *na*—nie; *niḥ*—bez; *agniḥ*—ogień; *na*—ani nie; *ca*—również; *akriyaḥ*—bez obowiązku.

**Najwyższa Osoba Boga rzekł: Kto nie przywiązuje się do owoców swojej pracy i pełni swój obowiązek tak, jak powinien—ten posiada prawdziwe wyrzeczenie i jest prawdziwym mistykiem, nie zaś ten, kto nie zapala ognia i nie wykonuje żadnej pracy.**

*ZNACZENIE:* W rozdziale tym Pan tłumaczy, iż ośmiostopniowy proces *yogi* jest środkiem kontroli zmysłów i umysłu. Jednakże jest to system bardzo trudny dla większości ludzi, szczególnie w tym wieku Kali. Chociaż rozdział ten poleca ośmiostopniowy proces *yogi*, to jednak Pan podkreśla, że lepszym jest proces *karma-yogi*, czyli działanie w świadomości Kṛṣṇy. Każdy w tym świecie pracuje, aby utrzymać swoją rodzinę i majątek, ale nikt nie pracuje bezinteresownie, nie mając na celu zadowolenia własnych zmysłów—czy to w pojęciu węższym, czy rozszerzonym. Kryterium doskonałości jest praca w świadomości Kṛṣṇy, a nie praca w celu korzystania z jej efektów. Praca w świadomości Kṛṣṇy jest obowiązkiem każdej istoty, gdyż wszystkie one są konstytucjonalnie integralnymi cząstkami Najwyższego. Części ciała pracują dla zadowolenia całego ciała. Kończyny ciała nie pracują dla samozadowolenia, ale dla zadowolenia całości. Podobnie, kiedy żywa istota pracuje dla zadowolenia najwyższej całości, a nie dla samozadowolenia, jest ona doskonałym *yogīnem*, doskonałym *sannyāsīnem*.

*Sannyāsīni* czasami błędnie myślą, że zostali wyzwoleni od wszelkich obowiązków materialnych i dlatego przestają spełniać *agnihotra yajñe* (ofiary ogniowe). W rzeczywistości chodzi im o korzyść własną, jako że celem ich jest zjednoczenie się z bezosobowym Brahmanem. Pragnienie takie przewyższa każde pragnienie materialne, ale nie jest ono pozbawione interesowności. Podobnie *yogīn* mistyk, który praktykuje system *yogi* polegający na medytacji z półotwartymi oczyma i unika wszelkiej działalności materialnej, również pragnie zadowolić swoje własne "ja". Osoba w świadomości Kṛṣṇy natomiast pracuje dla zadowolenia całości i pozbawiona jest samointeresowności. Osoba świadoma Kṛṣṇy zawsze wolna jest od pragnienia samozadowolenia. Jej kryterium sukcesu jest zadowolenie Kṛṣṇy i dlatego jest ona doskonałym *sannyāsīnem*, doskonałym *yogīnem*. Pan Caitanya, najwyższy symbol doskonałego wyrzeczenia, modli się w ten sposób:

*na dhanaṁ na janaṁ na sundarīṁ*
*kavitāṁ vā jagad-īśa kāmaye*
*mama janmani janmanīśvare*
*bhavatād bhaktir ahaitukī tvayi*

"O wszechmocny Panie, nie pragnę bogactw ani pięknych kobiet. Ani nie zależy mi też na tym, aby mieć jakichś zwolenników. Moim jedynym pragnieniem jest służyć Tobie w oddaniu, narodziny po narodzinach."

**TEKST 2** यं संन्यासमिति प्राहुर्योगं तं विद्धि पाण्डव ।
न ह्यसंन्यस्तसंकल्पो योगी भवति कश्चन ॥२॥

*yaṁ sannyāsam iti prāhur yogaṁ taṁ viddhi pāṇḍava*
*na hy asannyasta-saṅkalpo yogī bhavati kaścana*

*yam*—co; *sannyāsam*—wyrzeczenie; *iti*—zatem; *prāhuḥ*—mówią; *yogam*—połączenie się z Najwyższym; *tam*—to; *viddhi*—musisz wiedzieć; *pāṇḍava*—O synu Pāṇḍu; *na*—nigdy; *hi*—z pewnością; *asannyasta*—bez porzucenia; *saṅkalpaḥ*—pragnienie samozadowolenia; *yogī*—mistyk transcendentalista; *bhavati*—staje się; *kaścana*—nikt.

**To, co nazywa się wyrzeczeniem, jest tym samym co yoga, czyli połączeniem się z Najwyższym, o synu Pāṇḍu, gdyż nikt nie może zostać yogīnem, dopóki nie porzuci pragnienia zadowalania zmysłów.**

*ZNACZENIE:* Prawdziwa *sannyāsa-yoga*, czyli *bhakti*, oznacza, że należy poznać swoją konstytucjonalną pozycję i działać zgodnie z tą wiedzą. Żywa istota nie ma oddzielnej, niezależnej tożsamości, ale jest marginalną energią Najwyższego. Jeżeli znajduje się ona w matni energii materialnej, jest wtedy uwarunkowana, kiedy zaś jest świadoma Kṛṣṇy, czyli świadoma energii duchowej, wówczas znajduje się w swoim prawdziwym i naturalnym stanie życia. Zatem, gdy ktoś posiada kompletną wiedzę, porzuca on wszelkie uciechy zmysłowe, to znaczy wyrzeka się wszystkich czynności mających na celu zadowolenie zmysłów. Praktykowane jest to przez *yogīnów*, którzy powściągają zmysły od przywiązań materialnych. Ale osoba w świadomości Kṛṣṇy nie ma okazji angażowania zmysłów w czynności nie mające związku z Kṛṣṇą. Dlatego osoba świadoma Kṛṣṇy jest jednocześnie i *yogīnem*, i *sannyāsīnem*. Cel wiedzy i panowania nad zmysłami, czyli cel procesów *jñāny* i *yogi*, jest automatycznie realizowany w świadomości Kṛṣṇy. Dla tego, kto nie jest w stanie wyrzec się czynności wynikających z jego egoistycznej natury, praktykowanie *jñāny* i *yogi* jest bezcelowe. Prawdziwym celem dla żywej istoty jest porzucenie egoistycznego zadowalania swoich zmysłów i przygotowanie się do zadowalania Najwyższego. Osoba świadoma Kṛṣṇy nie pragnie żadnego rodzaju przyjemności dla siebie samej, ale zawsze zaangażowana jest w zadowalanie Najwyższego. Ten, kto nie ma żadnej wiedzy o Najwyższym, musi zajmować się samozadowalaniem, gdyż nikt nie może pozostać na platformie bezczynności. Wszystkie cele w doskonały sposób osiąga się przez praktykę świadomości Kṛṣṇy.

**TEKST 3**

आरुरुक्षोर्मुनेर्योगं कर्म कारणमुच्यते ।
योगारूढस्य तस्यैव शमः कारणमुच्यते ॥३॥

*ārurukṣor muner yogaṁ karma kāraṇam ucyate*
*yogārūḍhasya tasyaiva śamaḥ kāraṇam ucyate*

*āruruksoḥ*—tego, kto rozpoczął praktykę *yogi; muneḥ*—mędrca; *yogam*—ośmiostopniowy system *yogi; karma*—praca; *kāraṇam*—środki; *ucyate*—mówi się, że jest; *yoga*—*yoga* ośmiostopniowa; *ārūḍhasya*—ten, kto osiągnął; *tasya*—jego; *eva*—z pewnością; *śamaḥ*—porzucenie wszelkiej działalności materialnej; *kāraṇam*—środki; *ucyate*—mówi się, że jest.

**Dla tego, kto jest neofitą w ośmiostopniowym systemie yogi, praca jest uważana za środek; a dla tego, kto już zaawansowany jest w yodze, środkiem jest porzucenie wszelkich czynności materialnych.**

*ZNACZENIE: Yogą* nazywany jest proces połączenia się z Najwyższym, który można porównać do drabiny prowadzącej do szczytu realizacji duchowej. Drabina ta zaczyna się od najniższego etapu życia materialnego żywej istoty i wznosi się do doskonałej samorealizacji w czystym życiu duchowym. Poszczególne części tej drabiny znane są pod różnymi nazwami, odpowiadającymi różnym jej wysokościom. Cała drabina nazywana jest *yogą* i można podzielić ją na trzy części, mianowicie *jñāna-yogę, dhyāna-yogę* i *bhakti-yogę*. Jej początek nazywany jest etapem *yogārurukṣu*, a najwyższy szczebel nazywa się *yogārūḍha*.

Jeśli chodzi o system *yogi* ośmiostopniowej, to początkowe próby wejścia w medytację poprzez przestrzeganie regulujących zasad i praktykę rozmaitych siedzących póz (które są mniej lub bardziej ćwiczeniami cielesnymi) uważane są za materialne działania dla osiągnięcia rezultatów. Wszystkie takie czynności prowadzą do osiągnięcia doskonałej równowagi umysłowej, umożliwiającej kontrolę zmysłów. Gdy ktoś osiąga doskonałość w praktyce medytacyjnej, wstrzymuje się wtedy od wszelkich niepożądanych czynności umysłowych.

Osoba świadoma Kṛṣṇy, jednakże, już od samego początku usytuowana jest na platformie medytacji, gdyż zawsze myśli ona o Kṛṣṇie. I ponieważ jest bezustannie zaangażowana w służbę dla Pana, należy uważać, że porzuciła ona wszelkie czynności materialne.

## TEKST 4

यदा हि नेन्द्रियार्थेषु न कर्मस्वनुषज्जते ।
सर्वसंकल्पसंन्यासी योगारूढस्तदोच्यते ॥४॥

*yadā hi nendriyārtheṣu na karmasv anuṣajjate*
*sarva-saṅkalpa-sannyāsī yogārūḍhas tadocyate*

*yadā*—kiedy; *hi*—z pewnością; *na*—nie; *indriya-artheṣu*—w zadowalaniu zmysłów; *na*—nigdy; *karmasu*—w czynności materialne (dla osiągnięcia korzyści); *anuṣajjate*—niepotrzebnie angażuje się; *sarva-*

*saṅkalpa*—wszystkich pragnień materialnych; *sannyāsī*—wyrzeczony; *yoga-ārūḍhaḥ*—zaawansowany w *yodze*; *tadā*—w tym czasie; *ucyate*—uważany jest.

**Mówi się o osobie, że osiągnęła yogę—gdy wyrzekłszy się wszelkich materialnych pragnień, nigdy już nie czyni ona nic dla zadowolenia własnych zmysłów ani nie angażuje się w czynności dla rezultatów.**

*ZNACZENIE:* Ten, kto całkowicie zaangażowany jest w transcendentalną służbę miłości dla Pana, jest zadowolony w sobie samym, a zatem nie poszukuje już uciech zmysłowych ani nie angażuje się w pracę dla korzyści. Ten natomiast, kto nie służy Kṛṣṇie, musi zadowalać zmysły, gdyż nie można żyć bez żadnego zajęcia. Nie będąc świadomym Kṛṣṇy, poszukuje on jakichś egoistycznych zajęć, czy to w pospolitym, czy też szerszym tego słowa znaczeniu. Natomiast osoba świadoma Kṛṣṇy może robić wszystko dla zadowolenia Pana i w ten sposób może być całkowicie wolną od zadowalania zmysłów. Ten, kto nie ma takiej świadomości, musi pozbywać się pragnień materialnych w sposób mechaniczny, zanim wzniesie się do szczytowego stopnia drabiny *yogi*.

**TEKST 5** उद्धरेदात्मनात्मानं नात्मानमवसादयेत् ।
आत्मैव ह्यात्मनो बन्धुरात्मैव रिपुरात्मनः ॥५॥

*uddhared ātmanātmānaṁ nātmānam avasādayet*
*ātmaiva hy ātmano bandhur ātmaiva ripur ātmanaḥ*

*uddharet*—musi uratować się; *ātmanā*—przy pomocy umysłu; *ātmānam*—uwarunkowana dusza; *na*—nigdy; *ātmānam*—uwarunkowana dusza; *avasādayet*—zdegradować; *ātmā*—umysł; *eva*—z pewnością; *hi*—naprawdę; *ātmanaḥ*—uwarunkowanej duszy; *bandhuḥ*—przyjaciel; *ātmā*—umysł; *eva*—z pewnością; *ripuḥ*—wróg; *ātmanaḥ*—uwarunkowanej duszy.

**Poprzez własny umysł człowiek musi wyzwolić się, a nie degradować. Umysł jest przyjacielem uwarunkowanej duszy, ale też i jej wrogiem.**

*ZNACZENIE:* Słowo *ātmā* może, w zależności od sytuacji, określać ciało, umysł albo duszę. W systemie *yogi* szczególnie ważny jest umysł i uwarunkowana dusza. Tutaj słowo *ātmā* odnosi się do umysłu, jako że umysł jest centralnym punktem praktyki *yogi*. Celem systemu *yogi* jest kontrolowanie umysłu i uwolnienie go od przywiązania do przedmiotów zmysłów. Podkreślono tutaj, że umysł musi być tak wyćwiczony, aby był w stanie wydobyć uwarunkowaną duszę z bagna niewiedzy.

W życiu materialnym jesteśmy uzależnieni od działania zmysłów i umysłu. W rzeczywistości przyczyną uwięzienia duszy w tym świecie materialnym jest uzależnienie umysłu od fałszywego ego, które pragnęło panować nad materialną naturą. Umysł musi być tak wyszkolony, aby nie pociągały go powaby natury materialnej, gdyż w ten sposób można ocalić uwarunkowaną duszę. Człowiek nie powinien degradować się przez zainteresowanie przedmiotami zmysłów. Im bardziej ktoś przyciągany jest przez przedmioty zmysłów, tym bardziej pogrąża się w życie materialne. Najlepszym sposobem uwolnienia się od tego uwikłania jest ciągłe angażowanie umysłu w świadomość Kṛṣṇy. Słowo *hi* zostało użyte dla podkreślenia tego punktu, to znaczy, że bezwzględnie należy to czynić. Jest powiedziane również:

*mana eva manuṣyāṇāṁ kāraṇaṁ bandha-mokṣayoḥ*
*bandhāya viṣayāsaṅgo muktyai nirviṣayaṁ manaḥ*

"Umysł jest dla człowieka zarówno źródłem niewoli, jak i przyczyną wyzwolenia. Przyczyną niewoli jest wtedy, kiedy przywiązany jest do przedmiotów zmysłów, a wolny od takiego przywiązania jest przyczyną wyzwolenia." (*Amṛta-bindu Upaniṣad* 2) Zatem umysł, który jest zawsze zaangażowany w świadomość Kṛṣṇy, jest przyczyną najwyższego wyzwolenia.

## TEKST 6

बन्धुरात्मात्मनस्तस्य येनात्मैवात्मना जितः ।
अनात्मनस्तु शत्रुत्वे वर्तेतात्मैव शत्रुवत् ॥६॥

*bandhur ātmātmanas tasya yenātmaivātmanā jitaḥ*
*anātmanas tu śatrutve vartetātmaiva śatru-vat*

*bandhuḥ*—przyjaciel; *ātmā*—umysł; *ātmanaḥ*—żywej istoty; *tasya*—jego; *yena*—przez którego; *ātmā*—umysł; *eva*—z pewnością; *ātmanā*—przez żywą istotę; *jitaḥ*—pokonany; *anātmanaḥ*—tego, komu nie udało się opanować umysłu; *tu*—ale; *śatrutve*—z powodu wrogości; *varteta*—pozostaje; *ātmā eva*—ten sam umysł; *śatru-vat*—jako wróg.

**Dla tego, kto pokonał umysł, umysł ten jest najlepszym przyjacielem; ale komu się to nie powiodło, temu własny umysł będzie największym wrogiem.**

*ZNACZENIE:* Celem praktykowania ośmiostopniowego procesu *yogi* jest kontrolowanie umysłu po to, aby uczynić go przyjacielem w wypełnianiu misji człowieczeństwa. Jeśli umysł nie jest kontrolowany, to praktykowanie *yogi* (na pokaz) jest jedynie stratą czasu. Ten, kto nie jest w stanie kontrolować umysłu, żyje zawsze z największym wrogiem, wskutek czego jego życie i misja są zmarnowane. Konstytucjonalną pozycją żywej istoty jest wypełnianie rozkazów czegoś wyższego. Dopóki czyjś umysł pozostaje niepokonanym wrogiem, tak długo osoba ta musi postępować tak, jak dyktuje jej pożądanie, złość, skąpstwo, złudzenie. Natomiast ten, kto pokonał umysł, dobrowolnie podporządkowuje się Osobie Boga, który usytuowany jest w sercu każdego jako Paramātmā. Prawdziwa praktyka *yogi* polega na poznaniu Paramātmy w sercu, i następnie poddaniu się Jego woli. Kto bezpośrednio przyjmuje świadomość Kṛṣṇy, ten bezzwłocznie i w sposób doskonały poddaje się też woli Pana.

## TEKST 7

जितात्मनः प्रशान्तस्य परमात्मा समाहितः ।
शीतोष्णसुखदुःखेषु तथा मानापमानयोः ॥७॥

*jitātmanaḥ praśāntasya paramātmā samāhitaḥ*
*śītoṣṇa-sukha-duḥkheṣu tathā mānāpamānayoḥ*

*jita-ātmanaḥ*—tego, kto pokonał umysł; *praśāntasya*—tego, kto osiągnął spokój przez taką kontrolę umysłu; *parama-ātmā*—Dusza Najwyższa; *samāhitaḥ*—zbliżył się całkowicie; *śīta*—wobec zimna; *uṣṇa*—ciepło; *sukha*—w szczęściu; *duḥkheṣu*—w niedoli; *tathā*—również; *māna*—wobec honoru; *apamānayoḥ*—i dyshonoru.

**Ten, kto pokonał umysł, ten już zbliżył się do Duszy Najwyższej—gdyż uzyskał on spokój. Dla takiego człowieka szczęście i nieszczęście, zimno i ciepło, honor i dyshonor—to samo znaczą.**

*ZNACZENIE:* Właściwie każda żywa istota jest skłonna do poddania się woli Najwyższej Osoby Boga, który umiejscowiony jest w sercu każdego jako Paramātmā. Kiedy jednak umysł zostaje zwiedziony przez zewnętrzną energię iluzoryczną, człowiek uwikłuje się w czynności materialne. Zatem skoro tylko ktoś opanuje umysł za pomocą jednego z systemów *yogi*, to należy uważać, że już osiągnął on cel. Należy poddać się wyższemu przewodnictwu. Kiedy umysł koncentruje się na wyższej naturze, nie ma on innego wyjścia, jak poddać się woli Najwyższego. Umysł musi dostrzec tę wyższą wolę i poddać się jej. Skutek opanowania umysłu jest taki, że następuje automatyczne poddanie się woli Paramātmy, czyli Duszy Najwyższej. Ponieważ tę transcendentalną pozycję osiąga od razu osoba świadoma Kṛṣṇy (wielbiciel Pana), nie jest ona już dłużej niepokojona przez dualizmy egzystencji materialnej, mianowicie: szczęście, nieszczęście, ciepło, zimno itd. Stan ten jest praktycznie *samādhi*, czyli pogrążeniem się w Najwyższym.

TEKST 8 ज्ञानविज्ञानतृप्तात्मा कूटस्थो विजितेन्द्रियः ।
युक्त इत्युच्यते योगी समलोष्ट्राश्मकाञ्चनः ॥८॥

*jñāna-vijñāna-tṛptātmā kūṭa-stho vijitendriyaḥ*
*yukta ity ucyate yogī sama-loṣṭrāśma-kāñcanaḥ*

*jñāna*—przez zdobytą wiedzę; *vijñāna*—i wiedzę zrealizowaną; *tṛpta*—zadowolony; *ātmā*—żywa istota; *kūṭa-sthaḥ*—usytuowany duchowo; *vijita-indriyaḥ*—kontrolujący zmysły; *yuktaḥ*—gotowy do samorealizacji; *iti*—w ten sposób; *ucyate*—jest powiedziane; *yogī*—mistyk; *sama*—zrównoważony; *loṣṭra*—kamienie; *aśma*—skała; *kāñcanaḥ*—złoto.

**Zaś mówi się o osobie, że utwierdzona jest w samorealizacji i nazywa się ją yogīnem (czyli mistykiem) wtedy, gdy w pełni usatysfakcjonowana jest ona wartością osiągniętej wiedzy i realizacji. Taka osoba usytuowana jest w transcendencji i całkowicie panuje nad sobą. Widzi ona wszystko—cokolwiek by to nie było: kamienie, skałę czy złoto—jako to samo.**

*ZNACZENIE:* Książkowa wiedza bez realizacji Najwyższej Prawdy jest bezużyteczna. Oznajmiono to w sposób następujący:

*ataḥ śrī-kṛṣṇa-nāmādi na bhaved grāhyam indriyaiḥ*
*sevonmukhe hi jihvādau svayam eva sphuraty adaḥ*

"Nikt nie może zrozumieć transcendentalnej natury imienia, formy, jakości i rozrywek Śrī Kṛṣṇy swoimi materialnie zanieczyszczonymi zmysłami. Tylko temu, kto przepełniony jest duchem dzięki transcendentalnej służbie dla Pana, wyjawione zostają transcendentalne imię, forma, jakości i rozrywki Pana." (*Bhakti-rasāmṛta-sindhu* 1.2.234)

Ta *Bhagavad-gītā* jest nauką o świadomości Kṛṣṇy. Nikt nie może stać się świadomym Kṛṣṇy dzięki zwykłemu wykształceniu. Trzeba być wystarczająco szczęśliwym, aby obcować z osobą, która posiada czystą świadomość. Osoba świadoma Kṛṣṇy zrealizowała wiedzę dzięki łasce Kṛṣṇy, jako że jest ona usatysfakcjonowana czystą służbą oddania. Doskonałość osiąga się poprzez realizację wiedzy. Przez wiedzę transcendentalną można umocnić się w swoich przekonaniach, ale poprzez zwykłą wiedzę uniwersytecką można łatwo zostać zbałamuconym i zdezorientowanym z powodu pozornych sprzeczności. Naprawdę opanowaną jest tylko dusza zrealizowana, dlatego że całkowicie podporządkowała się Kṛṣṇie. Jest ona transcendentalna, ponieważ nie ma nic wspólnego ze światową uczonością. Światowa uczoność i spekulacje umysłowe, które mogą być złotem dla innych, nie mają dla niej większej wartości niż skały i kamienie.

TEKST 9

सुहृन्मित्रार्युदासीनमध्यस्थद्वेष्यबन्धुषु ।
साधुष्वपि च पापेषु समबुद्धिर्विशिष्यते ॥९॥

*suhṛn-mitrāry-udāsīna- madhyastha-dveṣya-bandhuṣu*
*sādhuṣv api ca pāpeṣu sama-buddhir viśiṣyate*

*su-hṛt*—życzliwym z natury; *mitra*—pełni uczucia dobroczyńcy; *ari*—wrogowie; *udāsīna*—bezstronni pomiędzy walczącymi; *madhya-stha*—pośrednicy między walczącymi; *dveṣya*—zazdrośni; *bandhuṣu*—krewni albo życzliwi; *sādhuṣu*—pobożnym; *api*—tak jak; *ca*—i; *pāpeṣu*—grzesznikom; *sama-buddhiḥ*—mając zrównoważoną inteligencję; *viśiṣyate*—jest bardziej zaawansowany.

**Jeszcze bardziej zaawansowany jest ten, kto traktuje jednakowo wszystkich: uczciwego dobroczyńcę, przyjaciół, wrogów, zazdrośników, pobożnych, grzeszników i tych, którzy są obojętni i niestronniczy.**

TEKST 10

योगी युञ्जीत सततमात्मानं रहसि स्थितः ।
एकाकी यतचित्तात्मा निराशीरपरिग्रहः ॥१०॥

*yogī yuñjīta satatam ātmānaṁ rahasi sthitaḥ*
*ekākī yata-cittātmā nirāśīr aparigrahaḥ*

*yogī*—transcendentalista; *yuñjīta*—musi koncentrować się w świadomości Kṛṣṇy; *satatam*—bezustannie; *ātmānam*—siebie (przez ciało, umysł i duszę); *rahasi*—w odludnym miejscu; *sthitaḥ*—będąc tak usytuowanym; *ekākī*—sam; *yata-citta-ātmā*—zawsze uważny w swoim umyśle; *nirāśīḥ*—nie będąc zainteresowanym niczym innym; *aparigrahaḥ*—wolny od uczucia posiadania.

**Transcendentalista powinien zawsze angażować swoje ciało, umysł i jaźń w związek z Najwyższym. Powinien żyć samotnie w odludnym miejscu, zawsze uważnie kontrolując umysł. Wolny powinien być od pragnień i poczucia własności.**

*ZNACZENIE:* Kṛṣṇa realizowany jest w różnych etapach jako Brahman, Paramātmā i Najwyższa Osoba Boga. Świadomość Kṛṣṇy oznacza, mówiąc zwięźle, bezustanne zaangażowanie w transcendentalną służbę miłości dla Pana. Ci, którzy są przywiązani do bezosobowego Brahmana albo zlokalizowanej Duszy Najwyższej, również są częściowo świadomi Kṛṣṇy, gdyż bezosobowy Brahman jest duchowym blaskiem emanującym z Kṛṣṇy, a Dusza Najwyższa jest wszechprzenikającą, częściową ekspansją Pana. Zatem impersonaliści i medytujący są również świadomi Kṛṣṇy, ale w sposób pośredni. Najwyższym transcendentalistą jest osoba bezpośrednio świadoma Kṛṣṇy, ponieważ taki bhakta wie, co oznacza Brahman i Paramātmā. Jego wiedza o Prawdzie Absolutnej jest doskonała, podczas gdy impersonalista i *yogīn* praktykujący medytację są świadomi Kṛṣṇy w sposób niedoskonały.

Niemniej jednak, wszyscy oni zostali pouczeni tutaj, aby nie odstępowali od swoich zajęć, tak aby wcześniej czy później móc osiągnąć najwyższą doskonałość. Rzeczą najważniejszą dla transcendentalisty jest bezustanne skupianie umysłu na Kṛṣṇie. Powinno się zawsze myśleć o Kṛṣṇie, nie zapominając o Nim ani na chwilę. Koncentracja umysłu na Najwyższym nazywana jest *samādhi* albo transem. Aby być w ciągłym skupieniu, należy zawsze pozostawać w odosobnieniu i unikać zakłóceń zewnętrznych. Powinno się być bardzo uważnym w przyjmowaniu warunków korzystnych dla samorealizacji i odrzucaniu niekorzystnych. Zdecydowanie nie należy uganiać się za niepotrzebnymi rzeczami materialnymi, aby nie uzależnić się od poczucia posiadania.

Wszystkie te przykazania i środki ostrożności są w doskonały sposób zachowywane przez tego, kto posiada bezpośrednią świadomość Kṛṣṇy, ponieważ świadomość taka jest wyrzeczeniem się siebie i niewielka jest w niej szansa na zaborczość materialną. Śrīla Rūpa Gosvāmī charakteryzuje świadomość Kṛṣṇy w ten sposób:

*anāsaktasya viṣayān yathārham upayuñjataḥ*
*nirbandhaḥ kṛṣṇa-sambandhe yuktaṁ vairāgyam ucyate*

*prāpañcikatayā buddhyā hari-sambandhi-vastunaḥ*
*mumukṣubhiḥ parityāgo vairāgyaṁ phalgu kathyate*

"Gdy ktoś nie jest przywiązany do niczego, ale jednocześnie przyjmuje wszystko, co ma związek z Kṛṣṇą, jest on usytuowany właściwie— ponad zaborczością. Z drugiej strony, ten, kto odrzuca wszystko, nie wiedząc, że ma to związek z Kṛṣṇą, nie posiada pełnego wyrzeczenia." (*Bhakti-rasāmṛta-sindhu* 2.255-256)

Osoba świadoma Kṛṣṇy wie doskonale, że wszystko należy do Kṛṣṇy i tym samym jest zawsze wolna od uczucia posiadania czegokolwiek na własność. Wskutek tego nie ugania się za niczym dla siebie. Wie jak przyjmować rzeczy korzystne dla świadomości Kṛṣṇy i jak odrzucać te, które nie sprzyjają takiej świadomości. Nie jest przywiązana do rzeczy materialnych, gdyż zawsze jest transcendentalna i zawsze jest samotna, nie mając nic wspólnego z osobami nie będącymi w świadomości Kṛṣṇy. Zatem osoba świadoma Kṛṣṇy jest doskonałym *yogīnem*.

## TEKSTY 11-12

शुचौ देशे प्रतिष्ठाप्य स्थिरमासनमात्मनः ।
नात्युच्छ्रितं नातिनीचं चैलाजिनकुशोत्तरम् ॥११॥
तत्रैकाग्रं मनः कृत्वा यतचित्तेन्द्रियक्रियः ।
उपविश्यासने युञ्ज्याद् योगमात्मविशुद्धये ॥१२॥

*śucau deśe pratiṣṭhāpya sthiram āsanam ātmanaḥ*
*nāty-ucchritaṁ nāti-nīcaṁ cailājina-kuśottaram*

*tatraikāgraṁ manaḥ kṛtvā yata-cittendriya-kriyaḥ*
*upaviśyāsane yuñjyād yogam ātma-viśuddhaye*

*śucau*—w uświęconej; *deśe*—ziemi; *pratiṣṭhāpya*—kładąc; *sthiram*—mocno; *āsanam*—siedzenie; *ātmanaḥ*—jego własny; *na*—nie; *ati*—za bardzo; *ucchritam*—wysoki; *na*—ani nie; *ati*—zbyt; *nīcam*—niski; *caila-ajina*—z miękkiego sukna i skóry jelenia; *kuśa*—i trawy *kuśa*; *uttaram*—przykrycie; *tatra*—na nim; *eka-agram*—mając na uwadze jedynie jedną rzecz; *manaḥ*—umysł; *kṛtvā*—czyniąc; *yata-citta*—kontrolując umysł; *indriya*—zmysły; *kriyaḥ*—i czynności; *upaviśya*—siedząc; *āsane*—na miejscu; *yuñjyāt*—powinien wykonywać; *yogam*—praktyka *yogi; ātma*—serce; *viśuddhaye*—dla oczyszczenia.

**Aby praktykować yogę, należy udać się w odludne miejsce, położyć na ziemi trawę kuśa, przykryć ją skórą jelenia i miękkim suknem. Siedzenie nie może być ani za wysokie, ani za niskie, i powinno znajdować się w świętym miejscu. Yogīn powinien siedzieć na nim w niezmiennej pozie i oddawać się praktyce yogi dla oczyszczenia serca, przez kontrolowanie umysłu i zmysłów, i skupiając umysł na jednym punkcie.**

*ZNACZENIE:* ”Święte miejsce” odnosi się do miejsc pielgrzymek. W Indiach, *yogīni*, transcendentaliści czy bhaktowie (wielbiciele Pana) opuszczają swoje domy i osiedlają się w takich miejscach jak Prayāga, Mathurā, Vṛndāvana, Hṛṣīkeśa i Hardwar, czyli tam, gdzie płyną święte rzeki, Yamunā i Ganges—i w odosobnieniu praktykują *yogę*. Często nie jest to jednak możliwe, szczególnie dla ludzi z Zachodu. Tak zwane towarzystwa *yogīnów* w wielkich miastach mogą odnosić sukcesy, jeśli chodzi o korzyści materialne—nie są one natomiast wcale odpowiednie dla rzeczywistej praktyki *yogi*. Nie może praktykować medytacji ten, kto nie kontroluje siebie, i którego umysł nie jest spokojny. Dlatego w *Bṛhan-nāradīya Purāṇie* jest powiedziane, że w Kali-yudze (obecnej *yudze*, czyli wieku)—kiedy ludzie na ogół żyją krótko, są leniwi, jeśli chodzi o realizację duchową i bezustannie niepokojeni przez różnego rodzaju troski—najlepszym sposobem realizacji duchowej jest intonowanie świętych imion Pana:

*harer nāma harer nāma harer nāmaiva kevalam*
*kalau nāsty eva nāsty eva nāsty eva gatir anyathā*

”W tym wieku kłótni i hipokryzji, jedyną metodą prowadzącą do duchowego wyzwolenia jest intonowanie świętych imion Pana. Nie ma innej drogi, nie ma innej drogi, nie ma innej drogi.”

## TEKSTY 13-14

समं कायशिरोग्रीवं धारयन्नचलं स्थिरः ।
सम्प्रेक्ष्य नासिकाग्रं स्वं दिशश्चानवलोकयन् ॥१३॥
प्रशान्तात्मा विगतभीर्ब्रह्मचारिव्रते स्थितः ।
मनः संयम्य मच्चित्तो युक्त आसीत मत्परः ॥१४॥

*samaṁ kāya-śiro-grīvaṁ dhārayann acalaṁ sthiraḥ*
*samprekṣya nāsikāgraṁ svaṁ diśaś cānavalokayan*

*praśāntātmā vigata-bhīr brahmacāri-vrate sthitaḥ*
*manaḥ saṁyamya mac-citto yukta āsīta mat-paraḥ*

*samam*—prosto; *kāya*—ciało; *śiraḥ*—głowa; *grīvam*—i szyja; *dhārayan*—trzymając; *acalam*—nie poruszone; *sthiraḥ*—spokojny; *samprekṣya*—patrząc; *nāsikā*—nosa; *agram*—na czubek; *svam*—własny; *diśaḥ*—wszystkie strony; *ca*—również; *anavalokayan*—nie patrząc; *praśānta*—niewzruszony; *ātmā*—umysł; *vigata-bhīḥ*—wolny od strachu; *brahmacāri-vrate*—zachowując celibat; *sthitaḥ*—usytuowany; *manaḥ*—umysł; *saṁyamya*—całkowicie pokonując; *mat*—na Mnie (Kṛṣṇie); *cittaḥ*—koncentrując umysł; *yuktaḥ*—prawdziwy *yogīn; āsīta*—powinien siedzieć; *mat*—Mnie; *paraḥ*—ostateczny cel.

**Ciało, szyję i głowę należy trzymać prosto—w jednej linii—i cały czas patrzeć na czubek nosa. W ten sposób, z niewzruszonym, całkowicie pokonanym umysłem, będąc wolnym od strachu i ściśle przestrzegając celibatu, należy medytować o Mnie wewnątrz swego serca i Mnie uczynić ostatecznym celem życia.**

*ZNACZENIE:* Celem *yogi* jest poznanie Kṛṣṇy, który usytuowany jest w sercu każdej żywej istoty jako Paramātmā, czteroramienna postać Viṣṇu. *Yogę* praktykuje się po to, aby odkryć i zrozumieć tę zlokalizowaną postać Viṣṇu, a nie dla żadnego innego celu. Zlokalizowany *viṣṇu-mūrti* jest pełnym reprezentantem Kṛṣṇy zamieszkującym wewnątrz naszych serc. Ten, kto nie planuje zrealizowania *viṣṇu-mūrti*, niepotrzebnie angażuje się w *yogę* dla zabawy, tylko tracąc w ten sposób czas. Kṛṣṇa jest ostatecznym celem życia, a *viṣṇu-mūrti* usytuowany wewnątrz serca każdej żywej istoty jest przedmiotem praktyki *yogi*. Aby zrealizować tego usytuowanego w sercu *viṣṇu-mūrti*, należy ściśle przestrzegać celibatu; powinno się zatem opuścić dom i zamieszkać samotnie w odludnym miejscu, medytując w wyżej opisanej pozie. Nie można codziennie zabawiać się seksem w domu czy gdzie indziej i uczęszczać na tzw. kursy *yogi*, i w ten sposób zostać *yogīnem*. Należy praktykować kontrolowanie umysłu i unikać wszelkiego rodzaju zadowalania zmysłów, wśród których życie seksualne jest głównym. W zasadach celibatu napisanych przez wielkiego mędrca Yājñavalkyę jest powiedziane:

*karmaṇā manasā vācā sarvāvasthāsu sarvadā*
*sarvatra maithuna-tyāgo brahmacaryaṁ pracakṣate*

"Śluby *brahmacaryi* mają pomóc składającemu je w całkowitym powstrzymywaniu się od seksu w czynie, słowach i myślach—o każdej porze, w każdych warunkach i w każdym miejscu." Nikt nie może praktykować prawdziwej *yogi*, nadużywając życia seksualnego. Dlatego *brahmacaryi* naucza się od dzieciństwa, kiedy się jeszcze nie ma wiedzy o życiu seksualnym. Dzieci pięcioletnie posyłane są do *guru-kuli*, czyli tam gdzie mieszka mistrz duchowy, i mistrz duchowy szkoli młodych chłopców w ścisłej dyscyplinie stawania się *brahmacārīnami*. Bez takiej praktyki nikt nie może uczynić postępu w żadnej *yodze*, czy to *dhyāna*, *jñāna* czy *bhakti*. *Brahmacārīnem* nazywany jest również ten, kto przestrzega zasad regulujących życie małżeńskie, utrzymując związek seksualny tylko z własną żoną (również regulowany przepisami pism). Taki wstrzemięźliwy, żyjący w małżeństwie *brahmacārīn* może zostać przyjęty do szkoły *bhakti*, ale szkoły *dhyāna* i *jñāna* nie przyjmują nawet takich *brahmacārīnów*. Bezkompromisowo żądają one całkowitej abstynencji. W szkole *bhakti*, żyjącemu w małżeństwie *brahmacārīnowi* pozwala się na kontrolowane życie seksualne, ponieważ kult *bhakti* jest tak silny, że poprzez zaangażowanie się w wyższego rodzaju służbę dla Pana, natychmiast traci się pociąg do seksu. *Bhagavad-gītā* (2.59) oznajmia:

*viṣayā vinivartante nirāhārasya dehinaḥ*
*rasa-varjaṁ raso 'py asya paraṁ dṛṣṭvā nivartate*

Podczas gdy inni siłą powstrzymują się od zadowalania zmysłów, wielbiciel Pana, dzięki temu, że posiada wyższy smak, automatycznie rezygnuje z tych rzeczy. Poza bhaktą nikt nie zna tego wyższego smaku.

*Vigata-bhīḥ*. Nie można być wolnym od strachu, jeśli nie jest się w pełni świadomym Kṛṣṇy. Uwarunkowana dusza jest przepełniona bojaźnią z powodu swojego zanieczyszczonego umysłu i zapomnienia o swoim wiecznym związku z Kṛṣṇą. *Bhāgavatam* (11.2.37) mówi: *bhayaṁ dvitīyābhiniveśataḥ syād īśād apetasya viparyayo 'smṛtiḥ*. Świadomość Kṛṣṇy jest jedyną podstawą nieustraszoności. Zatem doskonała praktyka możliwa jest dla tej osoby, która jest świadoma Kṛṣṇy. A ponieważ ostatecznym celem praktyki *yogi* jest zobaczenie Pana wewnątrz, to osoba świadoma Kṛṣṇy już jest najlepszym ze wszystkich *yogīnów*. Wymienione tutaj zasady *yogi* różnią się od tych, które obowiązują w popularnych obecnie tzw. towarzystwach *yogīnów*.

**TEKST 15** युञ्जन्नेवं सदात्मानं योगी नियतमानसः ।
शान्तिं निर्वाणपरमां मत्संस्थामधिगच्छति ॥१५॥

*yuñjann evaṁ sadātmānaṁ yogī niyata-mānasaḥ*
*śāntiṁ nirvāṇa-paramāṁ mat-saṁsthām adhigacchati*

*yuñjan*—praktykując; *evam*—jak wspomniano wyżej; *sadā*—bezustannie; *ātmānam*—ciało, umysł i dusza; *yogī*—mistyk transcendentalista; *niyata-mānasaḥ*—opanowanym umysłem; *śāntim*—pokój; *nirvāṇa-paramām*—porzucenie życia materialnego; *mat-saṁsthām*—niebo duchowe (królestwo Boga); *adhigacchati*—osiąga.

**W ten sposób praktykując bezustannie kontrolowanie ciała, umysłu i czynności, porzucając życie materialne, mistyk transcendentalista o opanowanym umyśle osiąga królestwo Boga (czyli siedzibę Kṛṣṇy).**

*ZNACZENIE:* Werset ten wyraźnie oznajmia, jaki jest ostateczny cel praktykowania *yogi*. Praktyka ta nie ma służyć osiągnięciu jakichś tam udogodnień materialnych; ma ona umożliwić całkowite porzucenie życia materialnego. Według *Bhagavad-gīty*: nie ten jest *yogīnem*, kto dąży do polepszenia zdrowia albo doskonałości materialnej, a porzucenie życia materialnego nie polega na wejściu w "próżnię", która jest tylko mitem. Nigdzie w stworzeniu Pana nie istnieje żadna próżnia. Porzucenie egzystencji materialnej umożliwia raczej wejście do nieba duchowego, siedziby Pana. Siedziba ta została opisana w *Bhagavad-gīcie* jako takie miejsce, gdzie nie jest potrzebne słońce, księżyc ani elektryczność. Wszystkie planety w królestwie duchowym same w sobie pełne są światła, podobnie jak słońce na niebie materialnym. Królestwo Boga jest wszędzie, ale niebo duchowe i planety tam się znajdujące nazywane są *paraṁ dhāma*, czyli siedzibami wyższymi.

Doświadczony *yogīn*, który doskonale rozumie Pana Kṛṣṇę, tak jak Pan Sam tutaj wyraźnie to oznajmia (*mat-cittaḥ, mat-paraḥ, mat-sthānam*), może uzyskać prawdziwy spokój i ostatecznie osiągnąć Jego siedzibę, Kṛṣṇalokę, znaną jako Goloka Vṛndāvana. *Brahma-saṁhitā* (5.37) informuje (*goloka eva nivasaty akhilātma-bhūtaḥ*), że Pan—chociaż przebywający zawsze w Swojej siedzibie, nazywanej Goloka—jest (dzięki Swoim wyższym energiom duchowym) również wszechprzenikającym Brahmanem i zlokalizowaną Paramātmą. Nikt nie może osiągnąć nieba duchowego (Vaikuṇṭha) ani wejść do wiecznej siedziby Pana (Goloka Vṛndāvana) bez właściwego zrozumienia Kṛṣṇy i Jego pełnej ekspansji Viṣṇu. Zatem osoba działająca w świadomości Kṛṣṇy jest doskonałym *yogīnem*, jako że zawsze jest zaabsorbowana czynami Kṛṣṇy (*sa vai manaḥ kṛṣṇa-padāravindayoḥ*). Z *Ved* (*Śvetāśvatara Upaniṣad* 3.8) dowiadujemy się również, *tam eva viditvāti mṛtyum eti*: "Ścieżkę narodzin i śmierci można pokonać jedynie przez zrozumienie Najwyższej Osoby Boga, Kṛṣṇy." Innymi słowy, doskonałością systemu *yogi* jest uwolnienie się od egzystencji materialnej, a nie jakieś magiczne sztuczki czy wyczyny gimnastyczne omamiające niewinnych ludzi.

**TEKST 16** नात्यश्नतस्तु योगोऽस्ति न चैकान्तमनश्नतः ।
न चातिस्वप्नशीलस्य जाग्रतो नैव चार्जुन ॥१६॥

*nāty-aśnatas tu yogo 'sti na caikāntam anaśnataḥ*
*na cāti-svapna-śīlasya jāgrato naiva cārjuna*

*na*—nigdy; *ati*—za dużo; *aśnataḥ*—tego, który je; *tu*—ale; *yogaḥ*—łącząc się z Najwyższym; *asti*—jest; *na*—ani nie; *ca*—również; *ekāntam*—przesadnie; *anaśnataḥ*—wstrzymując się od jedzenia; *na*—ani nie; *ca*—również; *ati*—za dużo; *svapna-śīlasya*—tego, kto śpi; *jāgrataḥ*—lub ten, kto zbyt długo czuwa w nocy; *na*—nie; *eva*—nigdy; *ca*—i; *arjuna*—O Arjuno.

**Nie można zostać yogīnem, o Arjuno, jeśli je się zbyt mało lub zbyt dużo, czy też śpi się za długo lub nie śpi się wystarczająco.**

*ZNACZENIE:* Werset ten zaleca *yogīnom* uregulowanie diety i snu. Jedzenie zbyt dużo oznacza jedzenie więcej niż potrzeba do utrzymania ciała i duszy razem. Nie ma potrzeby, aby ludzie jedli zwierzęta, ponieważ jest pod dostatkiem zbóż, warzyw, owoców i mleka. Według *Bhagavad-gīty*, taki skład pożywienia odpowiedni jest dla ludzi będących w *gunie* dobroci. Mięso zwierząt jedzą ludzie będący pod wpływem *guny* ignorancji. Ci, którzy spożywają pokarm zwierzęcy, którzy piją, palą i przyjmują pożywienie, które nie było wpierw ofiarowane Kṛṣṇie, będą cierpieli skutki tych grzechów, jako że jedzą tylko nieczyste rzeczy. *Bhuñjate te tv aghaṁ pāpā ye pacanty ātma-kāraṇāt*. Każdy, kto je dla przyjemności zmysłowej, czyli kto gotuje dla siebie, nie ofiarowując swego pokarmu Kṛṣṇie, spożywa tylko grzech. A ten, kto spożywa grzech i je więcej niż potrzeba, nie może praktykować doskonałej *yogi*. Najlepiej jest przyjmować tylko pozostałości pokarmu ofiarowanego Kṛṣṇie. Osoba świadoma Kṛṣṇy nie je niczego, co nie zostało wpierw ofiarowane Panu. Zatem tylko osoba świadoma Kṛṣṇy może osiągnąć doskonałość w praktyce *yogi*. Nie może praktykować *yogi* ten, kto sztucznie wstrzymuje się od pokarmu, stwarzając swoją własną metodę postów. Osoba świadoma Kṛṣṇy przestrzega postów w sposób zgodny z zaleceniami pism świętych. Nie pości ani nie je więcej niż potrzeba, a zatem jest zdolna do praktyki *yogi*. Ten, kto je więcej niż potrzeba, będzie dużo śnił podczas snu i wskutek tego musi spać więcej, niż to jest konieczne. Nie należy spać więcej niż sześć godzin na dobę. Ten, kto śpi więcej, z pewnością znajduje się pod wpływem ignorancji. Osoba w *gunie* ignorancji jest leniwa i ma skłonność do długiego spania. Taka osoba nie może praktykować *yogi*.

**TEKST 17** युक्ताहारविहारस्य युक्तचेष्टस्य कर्मसु ।
युक्तस्वप्नावबोधस्य योगो भवति दुःखहा ॥१७॥

*yuktāhāra-vihārasya yukta-ceṣṭasya karmasu*
*yukta-svapnāvabodhasya yogo bhavati duḥkha-hā*

*yukta*—umiarkowany; *āhāra*—jedzenie; *vihārasya*—odpoczynek; *yukta*—uregulowany; *ceṣṭasya*—tego, kto pracuje dla utrzymania; *karmasu*—w wypełnianiu obowiązków; *yukta*—uregulowany; *svapna-avabodhasya*—sen i czuwanie; *yogaḥ*—praktyka *yogi; bhavati*—staje się; *duḥkha-hā*—zlikwidowanie cierpienia.

**Kto posiada umiar w swoich zwyczajach jedzenia, spania, pracy i odpoczynku, ten poprzez praktykę yogi może zlikwidować wszelkie materialne cierpienia.**

*ZNACZENIE:* Przesada w rzeczach takich, jak jedzenie, spanie, obrona i seks—będących potrzebami ciała—może uniemożliwić postęp w praktyce *yogi*. Jeśli chodzi o jedzenie, to może ono zostać uregulowane wtedy, gdy przyjmuje się tylko *prasādam*, pokarm uświęcony. Panu Kṛṣṇie ofiarowuje się, zgodnie z zaleceniami *Bhagavad-gīty* (9.26), jarzyny, kwiaty, owoce, zboże, mleko itd. W ten sposób osoba w świadomości Kṛṣṇy jest automatycznie szkolona, aby nie przyjmować pokarmu nie przeznaczonego dla ludzi, czyli tego, które nie jest w kategorii dobroci. Jeśli chodzi o spanie, osoba świadoma Kṛṣṇy jest zawsze czujna w wypełnianiu swoich obowiązków w świadomości Kṛṣṇy. Każda niepotrzebna chwila snu jest uważana za wielką stratę. *Avyartha-kālātvam*: osoba świadoma Kṛṣṇy nie może przeżyć ani minuty swego życia bez pełnienia służby dla Pana. Dlatego ilość jej snu jest zmniejszona do minimum. Ideałem w tym względzie był Śrīla Rūpa Gosvāmī, który zawsze był zaangażowany w służbę dla Kṛṣṇy i nie mógł spać dłużej niż dwie godziny na dobę, a czasami jeszcze mniej. Ṭhākura Haridāsa nie przyjmował *prasādam* ani nie kładł się spać nawet na chwilę, dopóki nie skończył swojego codziennego intonowania w liczbie trzystu tysięcy imion. Jeśli chodzi o pracę, osoba świadoma Kṛṣṇy nie robi niczego, co nie ma związku ze sprawami Kṛṣṇy—tym samym praca jej jest zawsze zgodna z nakazami pism i nie jest skażona zadowalaniem zmysłów. A skoro nie wchodzi tu w grę zadowalanie zmysłów, osoba świadoma Kṛṣṇy nie potrzebuje materialnego wypoczynku. Ponieważ jest ona umiarkowana w swojej pracy, mowie, śnie, czuwaniu i innych czynnościach cielesnych, nie ma dla niej żadnych cierpień materialnych.

**TEKST 18** यदा विनियतं चित्तमात्मन्येवावतिष्ठते ।
निस्पृहः सर्वकामेभ्यो युक्त इत्युच्यते तदा ॥१८॥

*yadā viniyataṁ cittam ātmany evāvatiṣṭhate*
*nispṛhaḥ sarva-kāmebhyo yukta ity ucyate tadā*

*yadā*—kiedy; *viniyatam*—szczególnie zdyscyplinowany; *cittam*—umysł i jego czynności; *ātmani*—w transcendencji; *eva*—z pewnością; *avatiṣṭhate*—zostaje usytuowany; *nispṛhaḥ*—wolny od pragnień; *sarva*—wszelkiego rodzaju; *kāmebhyaḥ*—materialne zadowalanie zmysłów; *yuktaḥ*—niewzruszony w *yodze; iti*—w ten sposób; *ucyate*—mówi się, że jest; *tadā*—w tym czasie.

**Kiedy yogīn, poprzez praktykę yogi, opanowuje czynności swojego umysłu i wchodzi w transcendencję—wolny od wszelkich pragnień materialnych—mówi się o nim wtedy, że jest umocniony w yodze.**

*ZNACZENIE:* Działania *yogīna* różnią się od czynności zwykłego człowieka właściwym dla *yogīna* pozbyciem się wszelkich pragnień materialnych—z których seks jest nadrzędnym. Doskonały *yogīn* w taki sposób panuje nad swoim umysłem, że nie może być już więcej niepokojony przez żadne pragnienia materialne. Ten doskonały stan może automatycznie osiągnąć osoba w świadomości Kṛṣṇy, tak jak oznajmia to *Śrīmad-Bhāgavatam* (9.4.18-20):

*sa vai manaḥ kṛṣṇa-padāravindayor*
*vacāṁsi vaikuṇṭha-guṇānuvarṇane*
*karau harer mandira-mārjanādiṣu*
*śrutiṁ cakārācyuta-sat-kathodaye*

*mukunda-liṅgālaya-darśane dṛśau*
*tad-bhṛtya-gātra-sparśe 'ṅga-saṅgamam*
*ghrāṇaṁ ca tat-pāda-saroja-saurabhe*
*śrīmat-tulasyā rasanāṁ tad-arpite*

*pādau hareḥ kṣetra-padānusarpaṇe*
*śiro hṛṣīkeśa-padābhivandane*
*kāmaṁ ca dāsye na tu kāma-kāmyayā*
*yathottama-śloka-janāśrayā ratiḥ*

"Król Ambarīṣa najpierw skupił swój umysł na lotosowych stopach Pana Kṛṣṇy, następnie, po kolei, słowa swoje zaangażował w opisywanie transcendentalnych cech Pana, swoje ręce w czyszczenie świątyni Pana, uszy w słuchanie o czynach Pana, oczy w oglądanie Jego transcendentalnej formy, ciało w dotykanie ciał bhaktów, nozdrza w wąchanie zapachu lotosowych kwiatów ofiarowanych Panu, język w smakowanie liścia *tulasī* ofiarowanego lotosowym stopom Pana, nogi w wędrowanie do miejsc pielgrzymek i świątyń Pana, głowę w składanie pokłonów Panu, a pragnienia—w wypełnianie Jego misji. Wszystkie te transcendentalne czynności są właściwe czystemu bhakcie."

Taki transcendentalny stan może wydawać się niewymownie subiektywnym dla zwolenników metody impersonalistycznej; natomiast dla osoby świadomej Kṛṣṇy jest on—jak świadczy o tym powyższy opis zajęć Mahārāja Ambarīṣy—bardzo łatwy i praktyczny. Zajęcia takie nie są praktyczne tak długo, dopóki umysł nie skoncentruje się—poprzez bezustanne pamiętanie—na lotosowych stopach Pana. W służbie oddania dla Kṛṣṇy te polecane czynności nazywane są *arcana*, czyli zaangażowaniem wszystkich zmysłów w służbę dla Pana. Zmysły i umysł muszą być czymś zajęte. Zwykła abnegacja nie jest rzeczą praktyczną. Dlatego transcendentalne zaangażowanie zmysłów i umysłu, w powyżej opisany sposób, jest dla ogółu ludzi, szczególnie tych, którzy nie przyjęli wyrzeczonego porządku życia, doskonałą metodą dla osiągnięć transcendentalnych, nazywanych w *Bhagavad-gīcie*: *yukta*.

**TEKST 19** यथा दीपो निवातस्थो नेंगते सोपमा स्मृता ।
योगिनो यतचित्तस्य युञ्जतो योगमात्मनः ॥१९॥

*yathā dīpo nivāta-stho neṅgate sopamā smṛtā*
*yogino yata-cittasya yuñjato yogam ātmanaḥ*

*yathā*—jak; *dīpaḥ*—lampa; *nivāta-sthaḥ*—w miejscu, gdzie nie ma wiatru; *na*—nie; *iṅgate*—migocze; *sā*—to; *upamā*—porównanie; *smṛtā*—jest uważany; *yoginaḥ*—*yogīna*; *yata-cittasya*—który opanował umysł; *yuñjataḥ*—bezustannie zaangażowany; *yogam*—w medytację; *ātmanaḥ*—o transcendencji.

**Tak jak płomień lampy spokojny jest i nie kołysze się w bezwietrznym miejscu, tak też transcendentalista, który opanował umysł, pozostaje niewzruszony w swojej medytacji o transcendentalnej jaźni.**

*ZNACZENIE:* Prawdziwie świadoma Kṛṣṇy osoba, zawsze pogrążona w transcendencji, bezustannie medytująca o swoim uwielbionym Panu, jest tak spokojna jak płomień lampy w bezwietrznym miejscu.

**TEKSTY 20-23** यत्रोपरमते चित्तं निरुद्धं योगसेवया ।
यत्र चैवात्मनात्मानं पश्यन्नात्मनि तुष्यति ॥२०॥
सुखमात्यन्तिकं यत्तद् बुद्धिग्राह्यमतीन्द्रियम् ।
वेत्ति यत्र न चैवायं स्थितश्चलति तत्त्वतः ॥२१॥
यं लब्ध्वा चापरं लाभं मन्यते नाधिकं ततः ।
यस्मिन् स्थितो न दुःखेन गुरुणापि विचाल्यते ॥२२॥
तं विद्याद्दुःखसंयोगवियोगं योगसंज्ञितम् ॥२३॥

*yatroparamate cittaṁ niruddhaṁ yoga-sevayā*
*yatra caivātmanātmānaṁ paśyann ātmani tuṣyati*

*sukham ātyantikaṁ yat tad buddhi-grāhyam atīndriyam*
*vetti yatra na caivāyaṁ sthitaś calati tattvataḥ*

*yaṁ labdhvā cāparaṁ lābhaṁ manyate nādhikaṁ tataḥ*
*yasmin sthito na duḥkhena guruṇāpi vicālyate*

*taṁ vidyād duḥkha-saṁyoga- viyogaṁ yoga-saṁjñitam*

*yatra*—w tym stanie rzeczy, gdzie; *uparamate*—znika (dzięki temu, że odczuwa szczęście transcendentalne); *cittam*—czynności umysłu; *niruddham*—nie mając nic wspólnego z materią; *yoga-sevayā*—przez praktykę *yogi; yatra*—w której; *ca*—również; *eva*—z pewnością; *ātmanā*—czystym umysłem; *ātmānam*—jaźń; *paśyan*—realizując pozycję; *ātmani*—w sobie (w jaźni); *tuṣyati*—jest usatysfakcjonowany; *sukham*—szczęście; *ātyantikam*—najwyższe; *yat*—które; *tat*—to; *buddhi*—przez inteligencję; *grāhyam*—dostępny; *atīndriyam*—transcendentalna; *vetti*—wie; *yatra*—w której; *na*—nigdy; *ca*—również; *eva*—z pewnością; *ayam*—on; *sthitaḥ*—usytuowany; *calati*—porusza się; *tattvataḥ*—od prawdy; *yam*—to, które; *labdhvā*—przez osiągnięcie; *ca*—również; *aparam*—każdy inny; *lābham*—zdobycz; *manyate*—uważa; *na*—nigdy; *adhikam*—więcej; *tataḥ*—niż to; *yasmin*—w którym; *sthitaḥ*—będąc usytuowanym; *na*—nigdy; *duḥkhena*—przez nieszczęścia; *guruṇā api*—nawet chociaż bardzo trudne; *vicālyate*—jest wstrząśnięty; *tam*—to; *vidyāt*—musisz wiedzieć; *duḥkha-saṁyoga*—nieszczęść wynikających z kontaktów z materią; *viyogam*—wyniszczenie; *yoga-saṁjñitam*—zwana ekstazą w *yodze*.

**W tym stanie doskonałości, zwanym transem albo samādhi, umysł—dzięki praktyce yogi—całkowicie wyzwolony jest od materialnych czynności mentalnych. Doskonałość tę cechuje zdolność oglądania duszy czystym umysłem oraz czerpanie z tego przyjemności i szczęścia. W tym radosnym stanie człowiek pełen jest niekończącego się, transcendentalnego szczęścia, doświadczanego poprzez zmysły transcendentalne. Ten, kto to osiągnął, żyje zawsze w prawdzie i uważa, że nie ma większej zdobyczy ponad to. Jest on zawsze zrównoważony, nawet w obliczu największych trudności. Stan ten jest prawdziwą wolnością od wszelkich nieszczęść wynikających z kontaktu z materią.**

*ZNACZENIE:* Przez praktykę *yogi* można stopniowo uwolnić się od koncepcji materialnych. Jest to najistotniejsza właściwość zasady *yogi*. Potem następuje trans, czyli *samādhi*, co oznacza, że *yogīn*—za pomocą transcendentalnego umysłu i inteligencji—realizuje Duszę Najwyższą, bez błędnego utożsamiania Jej z duszą własną. Praktyka *yogi* jest mniej lub bardziej oparta na zasadach systemu Patañjalego. Niektórzy nieautoryzowani komentatorzy próbują utożsamiać duszę indywidualną z Duszą Najwyższą, a moniści uważają to za wyzwolenie, ale nie rozumieją oni prawdziwego celu systemu *yogi* Patañjalego. System Patañjalego akceptuje przyjemność transcendentalną, ale moniści nie akceptują jej, obawiając się, by tym nie narazić na niebezpieczeństwo teorii jedni. Nie przyjmują oni dualizmu wiedzy i poznającego; ale tutaj werset ten potwierdza istnienie transcendentalnej przyjemności realizowanej poprzez transcendentalne zmysły. Potwierdza to również sam Patañjali Muni, sławny przedstawiciel systemu *yogi*. Wielki mędrzec mówi w swoich *Yoga-sūtrach* (3.34): *puruṣārtha-śūnyānāṁ guṇānāṁ pratiprasavaḥ kaivalyaṁ svarūpa-pratiṣṭhā vā citi-śaktir iti.*

Ta *citi-śakti*, czyli wewnętrzna moc, jest transcendentalna. *Puruṣa-artha* oznacza religijność materialną, rozwój ekonomiczny, zadowalanie zmysłów i, w końcu, próby stania się jednym z Najwyższym. Ta "jedność z Najwyższym" nazwana jest przez monistów *kaivalyam*. Ale według Patañjalego, to *kaivalyam* jest wewnętrzną, czyli transcendentalną mocą, dzięki której żywa istota staje się świadoma swojej konstytucjonalnej pozycji. Pan Caitanya nazywa ten stan *ceto-darpaṇa-mārjanam*, czyli oczyszczeniem brudnego lustra umysłu. To "oczyszczenie" jest w rzeczywistości wyzwoleniem, czyli *bhava-mahā-dāvāgni-nirvāpaṇam*. Teoria *nirvāṇy* (będącej również wstępnym etapem wyzwolenia) zgodna jest z tą zasadą. W *Bhāgavatam* (2.10.6) zaś nazwane jest to *svarūpeṇa vyavasthitiḥ*. Tym wersetem również *Bhagavad-gītā* potwierdza to stanowisko.

Po *nirvāṇie*, materialnym wygaszeniu, następuje manifestacja czynności duchowych, czyli służba oddania dla Pana, nazywana świadomością Kṛṣṇy. Używając słów *Bhāgavatam*, *svarūpeṇa vyavasthitiḥ*: jest to "prawdziwe życie żywej istoty." *Māyā*, czyli złudzenie, jest stanem życia duchowego zanieczyszczonego przez materialną infekcję. Uwolnienie się od tej materialnej infekcji nie oznacza destrukcji oryginalnej, wiecznej pozycji żywej istoty. Potwierdza to również Patañjali słowami: *kaivalyaṁ svarūpa-pratiṣṭhā vā citi-śaktir iti*. Ta *citi-śakti*, czyli przyjemność transcendentalna, jest prawdziwym życiem. Potwierdza to *Vedānta-sūtra* (1.1.12), która mówi o niej jako *ānanda-mayo 'bhyāsāt*. Ta naturalna transcendentalna przyjemność jest ostatecznym celem *yogi* i jest bez trudu osiągana poprzez pełnienie służby oddania, czyli *bhakti-yogę*. *Bhakti-yoga* zostanie omówiona szerzej w Rozdziale Siódmym *Bhagavad-gīty*.

W systemie *yogi*, jak to opisuje ten rozdział, istnieją dwa rodzaje *samādhi*, nazywane *samprajñāta-samādhi* i *asamprajñāta-samādhi*. Kiedy ktoś osiąga pozycję transcendentalną poprzez różne poszukiwania filozoficzne, nazywa się to *samprajñāta-samādhi*. W *asamprajñāta-samādhi* nie ma już więcej żadnego związku ze zwykłymi przyjemnościami, gdyż jest się wtedy transcendentalnym wobec wszystkich rodzajów szczęścia czerpanego ze zmysłów. Raz osiągnąwszy pozycję transcendentalną, *yogīn* nie traci jej już nigdy. Bez osiągnięcia tej pozycji nie może on odnieść sukcesu. Współczesna tzw. praktyka *yogi*, która nie wyklucza różnych przyjemności zmysłowych, jest sprzeczna sama w sobie. *Yogīn* folgujący sobie w seksie i używkach jest śmieszny. Nawet ci *yogīni* nie są najlepszymi *yogīnami*, którzy zainteresowani są tzw. *siddhi* (doskonałościami). Nie może osiągnąć stanu doskonałości ten, kto zainteresowany jest pewnymi ubocznymi produktami *yogi*, jak jest to stwierdzone w tym wersecie. Zatem osoby zajmujące się wyczynami gimnastycznymi albo *siddhi*, w celach pokazowych, powinny wiedzieć, iż w ten sposób zatracają cel *yogi*.

Najlepszą i niezawodną metodą *yogi* w tym wieku jest świadomość Kṛṣṇy. Osoba świadoma Kṛṣṇy jest tak szczęśliwa w swoich zajęciach, że nie pragnie ona innego szczęścia. Istnieje wiele przeszkód, szczególnie w tym wieku hipokryzji, aby praktykować *haṭha-yogę, dhyāna-yogę* i *jñāna-yogę*, ale nie ma takiego problemu, jeśli chodzi o praktykowanie *karma-yogi* albo *bhakti-yogi*.

Tak długo, jak posiadamy to ciało materialne, musimy zaspokajać potrzeby tego ciała; chodzi mianowicie o jedzenie, spanie, obronę i prokreację. Ale osoba praktykująca czystą *bhakti-yogę*, czyli świadomość Kṛṣṇy, nie rozbudza zmysłów przy zaspokajaniu tych potrzeb. Zadowala się tym, co jest niezbędne do życia, robiąc najlepszy użytek ze złej rzeczy, i raduje się szczęściem transcendentalnym w świadomości Kṛṣṇy. Zachowuje obojętność wobec przypadkowych zjawisk—takich jak wypadki, choroby, ubóstwo czy nawet śmierć najdroższego krewnego—zawsze natomiast gotowa jest do wypełniania swoich obowiązków w świadomości Kṛṣṇy, czyli w *bhakti-yodze*. Wypadki takie nigdy nie są przeszkodą w wypełnianiu jej obowiązków. *Bhagavad-gītā* (2.14) zaś oświadcza: *āgamāpāyino 'nityās tāṁs titikṣasva bhārata*. Znosi ona te wszystkie nieszczęścia, gdyż wie, że przychodzą one i odchodzą, nie wpływając na spełnianie jej obowiązków. W ten sposób osiąga najwyższą doskonałość w praktyce *yogi*.

**TEKST 24**

स निश्चयेन योक्तव्यो योगोऽनिर्विण्णचेतसा ।
संकल्पप्रभवान् कामांस्त्यक्त्वा सर्वानशेषतः ।
मनसैवेन्द्रियग्रामं विनियम्य समन्ततः ॥२४॥

*sa niścayena yoktavyo yogo 'nirviṇṇa-cetasā*
*saṅkalpa-prabhavān kāmāṁs tyaktvā sarvān aśeṣataḥ*
*manasaivendriya-grāmaṁ viniyamya samantataḥ*

*saḥ*—ten; *niścayena*—z mocną determinacją; *yoktavyaḥ*—musi być praktykowany; *yogaḥ*—system *yogi; anirviṇṇa-cetasā*—bez odchyleń; *saṅkalpa*—spekulacje umysłowe; *prabhavān*—zrodzony z; *kāmān*—pragnienia materialne; *tyaktvā*—porzucając; *sarvān*—wszystko; *aśeṣataḥ*—całkowicie; *manasā*—przez umysł; *eva*—z pewnością; *indriya-grāmam*—wszystkie zmysły; *viniyamya*—regulując; *samantataḥ*—ze wszystkich stron.

**Należy oddać się praktyce yogi z niezachwianą determinacją i wiarą, nie zbaczając z tej ścieżki. Należy porzucić wszystkie, bez**

**wyjątku, pragnienia zrodzone z umysłowych spekulacji i z pomocą umysłu kontrolować wszystkie zmysły, pod każdym względem.**

*ZNACZENIE:* *Yogīn* powinien być zdeterminowany i powinien wykonywać swoje praktyki cierpliwie i bez odchyleń. Nie powinien wątpić w końcowy sukces i powinien podążać tą ścieżką z dużą wytrwałością, nie zniechęcając się w przypadku jakiejkolwiek zwłoki w osiągnięciu ostatecznego sukcesu. Sukces jest pewien dla nieugiętego praktyka. Rūpa Gosvāmī mówi o *bhakti-yodze*:

*utsāhān niścayād dhairyāt tat-tat-karma-pravartanāt*
*saṅga-tyāgāt sato vṛtteḥ ṣaḍbhir bhaktiḥ prasidhyati*

"Proces *bhakti-yogi* można praktykować pomyślnie, z entuzjazmem, wytrwałością i determinacją, poprzez wypełnianie wyznaczonych sobie obowiązków w towarzystwie bhaktów i przez całkowite zaangażowanie się w czynności właściwe dla *guṇy* dobroci." (*Upadeśāmṛta* 3)

Jeśli chodzi o determinację, to należy naśladować przykład wróbla, który stracił swoje jajeczka w falach oceanu. Złożył je na brzegu, ale zabrały je potężne fale. Wróbel bardzo się tym zmartwił i poprosił ocean, aby oddał mu jego własność. Ocean nie zwrócił nawet uwagi na jego prośbę. Więc wróbel postanowił osuszyć ocean. Zaczął czerpać wodę swoim małym dziobem, a każdy śmiał się z jego nieprawdopodobnego uporu. Wieść o jego próbach rozeszła się daleko i w końcu usłyszał ją Garuḍa, olbrzymi ptak noszący Pana Viṣṇu. Przepełnił się on współczuciem dla swojej małej siostrzyczki i przybył, aby zobaczyć wróbla. Ponieważ spodobał mu się upór małego ptaka, obiecał mu pomóc. Natychmiast poprosił ocean o zwrot jajeczek i zagroził, że sam przejmie pracę wróbla. Przestraszony ocean bezzwłocznie oddał zabrane jajeczka. W ten sposób, dzięki łasce Garuḍy, wróbel został uszczęśliwiony.

Podobnie, praktyka *yogi*, szczególnie *bhakti-yogi* w świadomości Kṛṣṇy, również może wydawać się czymś niezwykle trudnym. Jeśli jednak ktoś przestrzega zasad z wielką determinacją, na pewno otrzyma pomoc od Pana, gdyż Bóg pomaga tym, którzy pomagają sobie samym.

**TEKST 25** शनैः शनैरुपरमेद् बुद्ध्या धृतिगृहीतया ।
आत्मसंस्थं मनः कृत्वा न किञ्चिदपि चिन्तयेत् ॥२५॥

*śanaiḥ śanair uparamed buddhyā dhṛti-gṛhītayā*
*ātma-saṁsthaṁ manaḥ kṛtvā na kiñcid api cintayet*

*śanaiḥ*—stopniowo; *śanaiḥ*—krok za krokiem; *uparamet*—należy powstrzymywać; *buddhyā*—za pomocą inteligencji; *dhṛti-gṛhītayā*—spełniony z przekonaniem; *ātma-saṁstham*—usytuowany w transcendencji; *manaḥ*—umysł; *kṛtvā*—czyniąc; *na*—nie; *kiñcit*—wszystko inne; *api*—nawet; *cintayet*—powinien myśleć o.

**I tak stopniowo, krok po kroku, będąc wspieranym przez mocną wiarę, należy wprawić się w trans, używając do tego celu inteligencji, aby w ten sposób umysł—porzucając wszystkie inne myśli—mógł skoncentrować się na jaźni jedynie.**

*ZNACZENIE:* Kierując się właściwą wiarą i inteligencją, należy stopniowo porzucić wszelkie zajęcia zmysłowe. Nazywa się to *pratyāhāra*. Umysł, będąc kontrolowanym przez przekonania, medytację i wstrzymanie czynności zmysłów, powinien zostać doprowadzony do transu, czyli *samādhi*. Wtedy nie ma już niebezpieczeństwa zaangażowania się w życie materialne. Innymi słowy, chociaż tak długo, dopóki posiadamy ciało materialne, musimy mieć związek z materią, to jednak nie należy myśleć o zadowalaniu zmysłów. Nie powinno się myśleć o żadnej przyjemności poza przyjemnością Najwyższej Jaźni. Stan ten jest łatwo osiągalny przez bezpośrednie praktykowanie świadomości Kṛṣṇy.

**TEKST 26** यतो यतो निश्चलति मनश्चञ्चलमस्थिरम् ।
ततस्ततो नियम्यैतदात्मन्येव वशं नयेत् ॥२६॥

*yato yato niścalati manaś cañcalam asthiram*
*tatas tato niyamyaitad ātmany eva vaśaṁ nayet*

*yataḥ yataḥ*—gdziekolwiek; *niścalati*—zostaje prawdziwie poruszony; *manaḥ*—umysł; *cañcalam*—chwiejny; *asthiram*—niestały; *tataḥ tataḥ*—stamtąd; *niyamya*—regulując; *etat*—to; *ātmani*—w duszy; *eva*—z pewnością; *vaśam*—kontrola; *nayet*—musi sprowadzić pod.

**Bez względu na to, gdzie by umysł nie zbłądził—z powodu swojej chwiejnej i niespokojnej natury—należy natychmiast powstrzymać go i z powrotem poddać kontroli jaźni.**

*ZNACZENIE:* Natura umysłu jest chwiejna i niespokojna. Samozrealizowany *yogīn* powinien jednak kontrolować ten umysł; umysł nie może kontrolować jego. Ten, kto kontroluje umysł (a tym samym również i zmysły), nazywany jest *gosvāmīm* albo *svāmīm*; ten natomiast, kto kontrolowany jest przez umysł, nazywany jest *go-dāsą*, czyli sługą zmysłów. *Gosvāmī* zna najwyższy rodzaj szczęścia zmysłowego.

W transcendentalnym szczęściu zmysłowym, zmysły zaangażowane są w służbę Hṛṣīkeśy, czyli najwyższego właściciela zmysłów—Kṛṣṇy. Służenie Panu oczyszczonymi zmysłami nazywa się świadomością Kṛṣṇy. Jest to sposób na całkowite opanowanie zmysłów. Co więcej, jest to największą doskonałością praktyki *yogi*.

TEKST 27 प्रशान्तमनसं ह्येनं योगिनं सुखमुत्तमम् ।
उपैति शान्तरजसं ब्रह्मभूतमकल्मषम् ॥२७॥

*praśānta-manasaṁ hy enaṁ yoginaṁ sukham uttamam*
*upaiti śānta-rajasaṁ brahma-bhūtam akalmaṣam*

*praśānta*—spokojny, skupiony na lotosowych stopach Kṛṣṇy; *manasam*—tego, którego umysł; *hi*—z pewnością; *enam*—ten; *yoginam*—yogīn; *sukham*—szczęście; *uttamam*—najwyższe; *upaiti*—osiąga; *śānta-rajasam*—uspokojone namiętności; *brahma-bhūtam*—wyzwolony przez utożsamienie się z Absolutem; *akalmaṣam*—uwolniony od wszelkich następstw swoich przeszłych grzechów.

**Yogīn, który skupia swój umysł na Mnie, zaprawdę osiąga najwyższą doskonałość transcendentalnego szczęścia. Jest on ponad siłą pasji i staje się świadomym swojej jakościowej jedności z Najwyższym, i tak uwalnia się od wszelkich reakcji swoich przeszłych czynów.**

*ZNACZENIE: Brahma-bhūta* jest stanem wolności od materialnych zanieczyszczeń i zaangażowaniem się w transcendentalną służbę dla Pana. *Mad-bhaktiṁ labhate parām* (Bg. 18.54). Nie można pozostać w jakości Brahmana, Absolutu, jeśli umysł nie jest skoncentrowany na lotosowych stopach Pana. *Sa vai manaḥ kṛṣṇa-padāravindayoḥ*. Być nieustannie zaangażowanym w transcendentalną służbę dla Pana, czyli być w świadomości Kṛṣṇy, to znaczy być faktycznie wyzwolonym spod wpływu *guṇy* pasji i wszelkich materialnych zanieczyszczeń.

TEKST 28 युञ्जन्नेवं सदात्मानं योगी विगतकल्मषः ।
सुखेन ब्रह्मसंस्पर्शमत्यन्तं सुखमश्नुते ॥२८॥

*yuñjann evaṁ sadātmānaṁ yogī vigata-kalmaṣaḥ*
*sukhena brahma-saṁsparśam atyantaṁ sukham aśnute*

*yuñjan*—angażując się w praktykę *yogi; evam*—w ten sposób; *sadā*—zawsze; *ātmānam*—dusza; *yogī*—ten, kto jest w kontakcie z Najwyższą Jaźnią; *vigata*—jest wolny od; *kalmaṣaḥ*—wszelkie zanieczyszczenia materialne; *sukhena*—w szczęściu transcendentalnym; *brahma-saṁ-*

*sparśam*—będąc w ciągłym kontakcie z Najwyższym; *atyantam*—najwyższe; *sukham*—szczęście; *aśnute*—osiąga.

**W ten sposób taki opanowany yogīn, bezustannie zaangażowany w praktykę yogi, uwalnia się od wszelkich zanieczyszczeń materialnych i osiąga najwyższy stan doskonałego szczęścia w transcendentalnej służbie miłości dla Pana.**

*ZNACZENIE:* Samorealizacja oznacza poznanie własnej konstytucjonalnej pozycji w związku z Najwyższym. Indywidualna dusza jest cząstką Najwyższego i jej pozycją jest pełnienie transcendentalnej służby dla Pana. Ten transcendentalny kontakt z Najwyższym nazywany jest *brahma-saṁsparśa*.

TEKST 29 सर्वभूतस्थमात्मानं सर्वभूतानि चात्मनि ।
ईक्षते योगयुक्तात्मा सर्वत्र समदर्शनः ॥२९॥

*sarva-bhūta-stham ātmānaṁ sarva-bhūtāni cātmani*
*īkṣate yoga-yuktātmā sarvatra sama-darśanaḥ*

*sarva-bhūta-stham*—usytuowany we wszystkich istotach; *ātmānam*—Dusza Najwyższa; *sarva*—wszystkie; *bhūtāni*—istoty; *ca*—również; *ātmani*—w jaźni; *īkṣate*—widzi; *yoga-yukta-ātmā*—zjednoczony w świadomości Kṛṣṇy; *sarvatra*—wszędzie; *sama-darśanaḥ*—widząc jednakowo.

**Prawdziwy yogīn widzi Mnie we wszystkich istotach, widząc również każde stworzenie we Mnie. Zaprawdę, osoba zrealizowana widzi Mnie, tego samego Najwyższego Pana, wszędzie.**

*ZNACZENIE:* *Yogīn* świadomy Kṛṣṇy jest doskonałym obserwatorem, ponieważ widzi Kṛṣṇę, Najwyższego, w sercu każdej żywej istoty jako Duszę Najwyższą (Paramātmā). *Īśvaraḥ sarva-bhūtānāṁ hṛd-deśe 'rjuna tiṣṭhati*. Pan pod Swoją postacią Paramātmy przebywa zarówno w sercu psa, jak i bramina. Doskonały *yogīn* wie, że Pan jest wiecznie transcendentalny i nie jest materialnie zanieczyszczony przez Swoją obecność czy to w psie, czy braminie. Dzieje się tak dzięki najwyższej neutralności Pana. W sercu indywidualnej istoty jest usytuowana również dusza indywidualna, ale nie jest ona obecna we wszystkich sercach. Na tym polega różnica między duszą indywidualną i Duszą Najwyższą. Tak wyraźnie nie może widzieć osoba, która nie praktykuje *yogi* poważnie. Natomiast osoba świadoma Kṛṣṇy widzi Pana zarówno w sercu wierzącego, jak i niewierzącego. *Smṛti* potwierdza to następującymi słowami: *ātatatvāc ca mātṛtvāc ca ātmā hi paramo hariḥ*. Pan, będąc źródłem wszystkich stworzeń, podobny jest matce i żywicielowi. Tak jak matka nie jest stronnicza wobec swoich dzieci, takim jest również najwyższy ojciec (czy matka). Dlatego Dusza Najwyższa jest zawsze obecny w każdej żywej istocie, jak również każda żywa istota jest usytuowana w energii Pana.

Jak zostanie to wytłumaczone w Rozdziale Siódmym, Pan posiada zasadniczo dwie energie—duchową (czyli wyższą) i materialną (czyli niższą). Żywa istota, chociaż z natury przynależna wyższej energii, jest uwarunkowana przez energię niższą; zawsze jednak pozostaje ona w energii Pana. Każda żywa istota jest pogrążona w Nim, w ten czy inny sposób.

*Yogīn* widzi jednakowo, ponieważ widzi, że wszystkie żywe istoty, mimo tego że znajdują się w różnych warunkach—odpowiednio do skutków swojego postępowania—w każdych warunkach pozostają sługami Boga. Będąc w energii materialnej, żywa istota służy materialnym zmysłom, będąc zaś w energii duchowej, służy bezpośrednio Najwyższemu Panu. W każdym przypadku jest ona jednak sługą Boga. Taka wizja równości jest doskonała w osobie świadomej Kṛṣṇy.

## TEKST 30

यो मां पश्यति सर्वत्र सर्वं च मयि पश्यति ।
तस्याहं न प्रणश्यामि स च मे न प्रणश्यति ॥३०॥

*yo māṁ paśyati sarvatra sarvaṁ ca mayi paśyati*
*tasyāhaṁ na praṇaśyāmi sa ca me na praṇaśyati*

*yaḥ*—ktokolwiek; *mām*—Mnie; *paśyati*—widzi; *sarvatra*—wszędzie; *sarvam*—wszystko; *ca*—i; *mayi*—we Mnie; *paśyati*—widzi on; *tasya*—dla niego; *aham*—Ja; *na*—nie; *praṇaśyāmi*—jestem stracony; *saḥ*—on; *ca*—również; *me*—dla Mnie; *na*—ani nie; *praṇaśyati*—jest stracony.

**Kto widzi Mnie wszędzie i wszystko widzi we Mnie, ten nigdy Mnie nie traci ani Ja nie tracę Jego.**

*ZNACZENIE:* Osoba świadoma Kṛṣṇy wszędzie widzi Pana Kṛṣṇę i wszystko widzi w Nim. Taka osoba może zdawać się widzieć wszystkie oddzielne manifestacje natury materialnej, jednak w każdym przypadku jest ona świadoma Kṛṣṇy, wiedząc, że wszystko jest manifestacją Jego energii. Nic nie może istnieć bez Kṛṣṇy i Kṛṣṇa jest Panem wszystkiego—taka jest podstawowa zasada świadomości Kṛṣṇy. Świadomość Kṛṣṇy jest rozkwitem miłości do Kṛṣṇy. Jest to pozycja transcendentalna, nawet w stosunku do wyzwolenia materialnego. Jest to stan wykraczający poza samorealizację, w którym wielbiciel staje się jednym z Kṛṣṇą w tym sensie, że Kṛṣṇa staje się wszystkim dla Swojego wielbiciela, a wielbiciel osiąga pełnię w miłości do Kṛṣṇy. Wtedy tworzy się bardzo intymny związek pomiędzy Panem i Jego wielbicielem. Na tym etapie żywa istota nigdy nie może zostać unicestwiona. Osoba Boga nigdy nie znika wówczas sprzed oczu Swojego wielbiciela. Natomiast "wtopienie się" w Kṛṣṇę jest duchowym unicestwieniem. Wielbiciel Pana nie podejmuje takiego ryzyka. W *Brahma-saṁhicie* (5.38) jest powiedziane:

*premāñjana-cchurita-bhakti-vilocanena*
*santaḥ sadaiva hṛdayeṣu vilokayanti*
*yaṁ śyāmasundaram acintya-guṇa-svarūpaṁ*
*govindam ādi-puruṣaṁ tam ahaṁ bhajāmi*

"Wielbię Najwyższego Pana, Govindę, zawsze oglądanego przez Jego wielbiciela oczami przesłoniętymi mgłą miłości. Wielbiciel widzi Go wewnątrz swojego serca w Jego wiecznej formie Śyāmasundary."

Na tym etapie Pan Kṛṣṇa nigdy nie znika sprzed oczu Swojego wielbiciela, ani też wielbiciel nigdy nie traci widoku Pana. To samo odnosi się do *yogīna*, który ogląda Pana jako Paramātmę. Taki *yogīn* przeistacza się w czystego wielbiciela i nie może znieść ani chwili bez oglądania Pana wewnątrz siebie.

**TEKST 31** सर्वभूतस्थितं यो मां भजत्येकत्वमास्थितः ।
सर्वथा वर्तमानोऽपि स योगी मयि वर्तते ॥३१॥

*sarva-bhūta-sthitaṁ yo māṁ bhajaty ekatvam āsthitaḥ*
*sarvathā vartamāno 'pi sa yogī mayi vartate*

*sarva-bhūta-sthitam*—usytuowany w sercu każdego; *yaḥ*—ten, kto; *mām*—Mnie; *bhajati*—służy w oddaniu; *ekatvam*—w jedności; *āsthitaḥ*—usytuowany; *sarvathā*—pod każdym względem; *vartamānaḥ*—będąc usytuowanym; *api*—pomimo; *saḥ*—on; *yogī*—transcendentalista; *mayi*—we Mnie; *vartate*—pozostaje.

**Taki yogīn, który angażuje się w pełną czci służbę dla Duszy Najwyższej, wiedząc, że Ja i Dusza Najwyższa jesteśmy jednym—we wszystkich okolicznościach pozostaje pogrążony we Mnie.**

*ZNACZENIE:* *Yogīn*, który praktykuje medytację o Duszy Najwyższej, widzi wewnątrz siebie kompletną cząstkę Kṛṣṇy—czteroramiennego Viṣṇu trzymającego konchę, dysk, berło i kwiat lotosu. *Yogīn* powinien wiedzieć, że ten Viṣṇu nie jest różny od Kṛṣṇy. Kṛṣṇa w tej formie (jako Dusza Najwyższa) obecny jest w sercu każdej istoty. Co więcej, nie ma żadnej różnicy pomiędzy nieskończoną ilością Dusz Najwyższych obecnych w nieskończonej liczbie serc. Nie ma też różnicy między osobą świadomą Kṛṣṇy, zawsze zaangażowaną w transcendentalną służbę miłości dla Kṛṣṇy, i doskonałym *yogīnem* pogrążonym w medytacji o Duszy Najwyższej. *Yogīn* w świadomości Kṛṣṇy—nawet chociaż może być zaangażowany w różnego rodzaju czynności w tym świecie materialnym—zawsze pogrążony jest w Kṛṣṇie. Potwierdza to Śrīla Rūpa Gosvāmī w *Bhakti-rasāmṛta-sindhu* (1.2.187): *nikhilāsv apy avasthāsu jīvan-muktaḥ sa ucyate*. Wielbiciel Pana, który zawsze działa w świadomości Kṛṣṇy, jest już wyzwolony. W *Nārada-pañcarātra* jest to potwierdzone w ten sposób:

*dik-kālādy-anavacchinne kṛṣṇe ceto vidhāya ca*
*tan-mayo bhavati kṣipraṁ jīvo brahmaṇi yojayet*

"Przez skoncentrowanie swojej uwagi na transcendentalnej formie Kṛṣṇy, który jest wszechprzenikający i poza czasem i przestrzenią, można pogrążyć się w myślach o Kṛṣṇie i w ten sposób osiągnąć szczęśliwy stan transcendentalnego obcowania z Nim."

Świadomość Kṛṣṇy jest najwyższym stanem ekstazy w praktyce *yogi*. Już samo zrozumienie, że Kṛṣṇa obecny jest w sercu każdego jako Paramātmā, czyni *yogīna* doskonałym. *Vedy* (*Gopāla-tāpanī Upaniṣad* 1.21) potwierdzają tę niepojętą moc Pana w następujący sposób: *eko 'pi san bahudhā yo 'vabhāti*. "Chociaż Pan jest jeden, jest On obecny w niezliczonych sercach jako wielu." Podobnie, w *smṛti-śāstra* jest powiedziane:

*eka eva paro viṣṇuḥ sarva-vyāpī na saṁśayaḥ*
*aiśvaryād rūpam ekaṁ ca sūrya-vat bahudheyate*

"Viṣṇu jest jeden, a jednak jest On wszechprzenikający. Dzięki Swojej niepojętej mocy jest On obecny wszędzie, pomimo tego, iż posiada jedną formę. Podobnie jak słońce, które pojawia się w wielu miejscach naraz."

**TEKST 32** आत्मौपम्येन सर्वत्र समं पश्यति योऽर्जुन ।
सुखं वा यदि वा दुःखं स योगी परमो मतः ॥३२॥

*ātmaupamyena sarvatra samaṁ paśyati yo 'rjuna*
*sukhaṁ vā yadi vā duḥkhaṁ sa yogī paramo mataḥ*

*ātma*—ze swoją jaźnią; *aupamyena*—przez porównanie; *sarvatra*—wszędzie; *samam*—jednakowo; *paśyati*—widzi; *yaḥ*—ten, kto; *arjuna*—O Arjuno; *sukham*—szczęście; *vā*—albo; *yadi*—jeśli; *vā*—albo; *duḥ-*

*kham*—niedola; *saḥ*—taki; *yogī*—transcendentalista; *paramaḥ*—doskonały; *mataḥ*—jest uważany.

**Ten jest doskonałym yogīnem, o Arjuno, kto poprzez porównanie z sobą samym widzi prawdziwą równość wszystkich istot, zarówno w ich szczęściu, jak i niedoli.**

*ZNACZENIE:* Doskonałym *yogīnem* jest osoba świadoma Kṛṣṇy. Dzięki swojemu osobistemu doświadczeniu jest ona też świadoma szczęścia i nieszczęścia wszystkich istot. Przyczyna niedoli żywej istoty leży w zapomnieniu jej związku z Bogiem. A przyczyną szczęścia jest wiedza, że Kṛṣṇa jest najwyższym podmiotem radości wszystkich czynności ludzkiej istoty, jest właścicielem wszystkich lądów i planet, i najbardziej szczerym przyjacielem wszystkich żywych istot. Doskonały *yogīn* wie, że żywa istota, pozostająca pod wpływem sił natury materialnej i uwarunkowana przez nie, podlega trzem rodzajom nieszczęść materialnych z powodu zapomnienia o swoim związku z Kṛṣṇą. Ponieważ osoba świadoma Kṛṣṇy jest szczęśliwa, dlatego próbuje wszędzie rozprzestrzeniać wiedzę o Kṛṣṇie. Doskonały *yogīn*, który wszędzie usiłuje nauczać o wadze świadomości Kṛṣṇy—jest najlepszym filantropem w świecie i jest najdroższym sługą Pana. *Na ca tasmān manuṣyeṣu kaścin me priya-kṛttamaḥ* (*Bg.* 18.69). Innymi słowy, wielbiciel Pana zawsze bierze pod uwagę dobro wszystkich żywych istot, a zatem jest prawdziwym przyjacielem każdego. Jest najlepszym *yogīnem*, gdyż nie pragnie on doskonałości w *yodze* dla własnej korzyści, ale stara się pomóc innym. Nigdy nie zazdrości też swoim bliźnim. Taka jest różnica pomiędzy czystym wielbicielem Pana, a *yogīnem* zainteresowanym jedynie swoim własnym oświeceniem. *Yogīn*, który schronił się w odludnym miejscu, aby tam medytować w doskonałych warunkach, nie może być tak doskonały jak bhakta, który czyni wszystko, aby skierować każdego człowieka ku świadomości Kṛṣṇy.

**TEKST 33** अर्जुन उवाच

योऽयं योगस्त्वया प्रोक्तः साम्येन मधुसूदन ।
एतस्याहं न पश्यामि चञ्चलत्वात् स्थितिं स्थिराम् ॥३३॥

*arjuna uvāca*
*yo 'yaṁ yogas tvayā proktaḥ sāmyena madhusūdana*
*etasyāhaṁ na paśyāmi cañcalatvāt sthitiṁ sthirām*

*arjunaḥ uvāca*—Arjuna rzekł; *yaḥ ayam*—ten system; *yogaḥ*—mistycyzm; *tvayā*—przez Ciebie; *proktaḥ*—opisany; *sāmyena*—na ogół; *madhu-sūdana*—O zabójco demona Madhu; *etasya*—tego; *aham*—ja; *na*—nie; *paśyāmi*—widzę; *cañcalatvāt*—ponieważ jest niespokojny; *sthitim*—położenie; *sthirām*—spokojny.

**Arjuna rzekł: O Madhusūdano, system yogi, który teraz opisałeś, wydaje mi się niepraktyczny i przekraczający moje możliwości, gdyż umysł jest zmienny i niespokojny.**

*ZNACZENIE:* Arjuna odrzucił tutaj przedstawiony mu przez Pana Kṛṣṇę system *yogi* mistycznej, której opis zaczyna się słowami *śucau deśe* i kończy słowami *yogī paramaḥ*. Nie czuł się na siłach, aby go praktykować. W tym wieku Kali, opuszczenie domu i udanie się do odludnego miejsca w górach czy w lasach w celu praktykowania *yogi*, jest dla zwykłego człowieka czymś zupełnie niemożliwym. Dla tego wieku charakterystyczna jest ciężka walka o życie, które zresztą nie trwa długo. Ludzie nie mają poważnego stosunku do samorealizacji nawet prostymi i praktycznymi metodami, nie mówiąc już o tym trudnym systemie *yogi*, który wymaga odpowiedniego sposobu życia, określonego sposobu siedzenia, wyboru odpowiedniego miejsca i umysłu wolnego od wszelkich zajęć materialnych. Jako człowiek praktyczny, Arjuna uważał, iż niemożliwością jest praktykowanie tego systemu *yogi*, mimo iż sam obdarzony był wieloma zdolnościami. Należał do rodziny królewskiej i posiadał wiele wartościowych zalet; był wielkim wojownikiem, bardzo długo żył, a przede wszystkim był najbliższym przyjacielem Pana Kṛṣṇy, Najwyższej Osoby Boga. Pięć tysięcy lat temu miał o wiele więcej udogodnień, niż my mamy teraz, a jednak odrzucił ten system *yogi*. Nie znajdujemy żadnych wzmianek historycznych o tym, aby kiedykolwiek go praktykował. Zatem system ten należy uznać za na ogół niemożliwy do praktykowania w tym wieku Kali. Oczywiście, może być on możliwy dla bardzo niewielu niezwykłych osób, ale dla większości ludzi jest to propozycja nie do przyjęcia. Jeśli tak było pięć tysięcy lat temu, to co dopiero mówić o czasach obecnych? Ci, którzy starają się naśladować ten system *yogi* w różnych tzw. szkołach i towarzystwach, chociaż zadowoleni są z siebie, tracą tylko czas. Zupełnie nieświadomi są prawdziwego celu takiej praktyki.

**TEKST 34** चञ्चलं हि मनः कृष्ण प्रमाथि बलवद्दृढम् ।
तस्याहं निग्रहं मन्ये वायोरिव सुदुष्करम् ॥३४॥

*cañcalaṁ hi manaḥ kṛṣṇa pramāthi balavad dṛḍham*
*tasyāhaṁ nigrahaṁ manye vāyor iva su-duṣkaram*

*cañcalam*—niespokojny; *hi*—z pewnością; *manaḥ*—umysł; *kṛṣṇa*—O Kṛṣṇo; *pramāthi*—poruszony; *bala-vat*—silny; *dṛḍham*—uparty; *tasya*—jego; *aham*—ja; *nigraham*—pokonanie; *manye*—myślę; *vāyoḥ*—wiatru; *iva*—jak; *su-duṣkaram*—trudne.

**Ponieważ umysł jest niespokojny, buntowniczy, uparty i bardzo silny, o Kṛṣṇo, pokonanie go zdaje mi się być sztuką trudniejszą niż ujarzmienie wiatru.**

*ZNACZENIE:* Umysł jest tak silny i uparty, że czasami pokonuje inteligencję, chociaż to on ma być podległy inteligencji. Niewątpliwie trudno jest kontrolować umysł człowiekowi w tym praktycznym świecie, gdzie na każdym kroku musi on stawiać czoła tak wielu przeciwieństwom. Ktoś w sposób sztuczny może próbować osiągnąć umysłowe zrównoważenie, zarówno w stosunku do przyjaciół, jak i do wrogów, ale właściwie żaden przeciętny człowiek nie może tego dokonać, gdyż jest to trudniejsze od kontrolowania wiejącego wiatru. Literatura wedyjska (*Kaṭha Upaniṣad* 1.3.3-4) mówi:

*ātmānaṁ rathinaṁ viddhi śarīraṁ ratham eva ca*
*buddhiṁ tu sārathiṁ viddhi manaḥ pragraham eva ca*

*indriyāṇi hayān āhur viṣayāṁs teṣu go-carān*
*ātmendriya-mano-yuktaṁ bhoktety āhur manīṣiṇaḥ*

"Indywidualna istota jest pasażerem w wozie swego ciała, którego woźnicą jest inteligencja. Umysł jest przyrządem do kierowania, a końmi są zmysły. Dusza jest zatem cierpiącym lub radującym się pasażerem w towarzystwie umysłu i zmysłów. Tak rozumieją to wielcy myśliciele." Inteligencja ma kierować umysłem, który jednak jest tak silny i uparty, że często pokonuje nawet inteligencję, tak jak ostra infekcja może przewyższyć skuteczność leku. Taki silny umysł może być kontrolowany przez praktykę *yogi*, ale metoda ta nie jest praktyczna dla takiego "światowego" człowieka jak Arjuna. A cóż dopiero możemy powiedzieć o człowieku współczesnym? Użyte tutaj porównanie jest bardzo trafne: nie można ujarzmić wiejącego wiatru, a jeszcze trudniej jest ujarzmić niespokojny umysł. Najłatwiejszy sposób kontrolowania umysłu, który podał Pan Caitanya, to intonowanie w pełnej pokorze "Hare Kṛṣṇa", wielkiej wyzwalającej *mantry*. Polecona metoda polega na całkowitym pogrążeniu swego umysłu w Kṛṣṇie: *sa vai manaḥ kṛṣṇa-padāravindayoḥ*. Tylko wówczas nie będzie żadnego innego zajęcia, które by mogło poruszyć umysł.

TEKST 35 श्रीभगवानुवाच

असंशयं महाबाहो मनो दुर्निग्रहं चलम् ।
अभ्यासेन तु कौन्तेय वैराग्येण च गृह्यते ॥३५॥

*śrī-bhagavān uvāca*
*asaṁśayaṁ mahā-bāho mano durnigrahaṁ calam*
*abhyāsena tu kaunteya vairāgyeṇa ca gṛhyate*

*śrī-bhagavān uvāca*—Osoba Boga rzekł; *asaṁśayam*—bez wątpienia; *mahā-bāho*—O potężnie uzbrojony; *manaḥ*—umysł; *durnigraham*—trudny do utrzymania w karbach; *calam*—niespokojny; *abhyāsena*—przez praktykę; *tu*—ale; *kaunteya*—O synu Kuntī; *vairāgyeṇa*—przez uwolnienie się od przywiązań; *ca*—również; *gṛhyate*—może być w ten sposób kontrolowany.

**Pan Śrī Kṛṣṇa rzekł: O potężny synu Kuntī, niewątpliwie bardzo trudno jest utrzymać w karbach niespokojny umysł, ale jest to możliwe przez odpowiednią praktykę i przez uwolnienie się od przywiązań.**

*ZNACZENIE:* Pan potwierdza zdanie Arjuny, że bardzo trudno jest kontrolować uparty umysł, ale jednocześnie mówi, że jest to możliwe przez praktykę i uwolnienie się od przywiązań. Na czym polega ta praktyka? W obecnym wieku nikt nie może ściśle przestrzegać takich nakazów, jak schronienie się w świętym miejscu, skoncentrowanie umysłu na Duszy Najwyższej, opanowanie zmysłów i umysłu, zachowanie celibatu, życie w samotności itd. Przez praktykę świadomości Kṛṣṇy można jednak zaangażować się w dziewięć rodzajów służby oddania dla Pana. Przede wszystkim należy słuchać o Kṛṣṇie. Jest to potężna metoda transcendentalna służąca uwolnieniu umysłu od wszelkich wątpliwości. Im więcej się słucha o Kṛṣṇie, tym bardziej zostaje się oświeconym i obojętnym na wszystko co mogłoby oddalić umysł od Kṛṣṇy. Poprzez nieangażowanie umysłu w czynności niepoświęcone Panu można łatwo nauczyć sią *vairāgyi*. *Vairāgya* oznacza uwolnienie się od przywiązania do materii i pogrążenie umysłu w duchu. Jest to trudniejsze dla impersonalistów, podczas gdy bhakta bez trudu przywiązuje umysł do czynów Kṛṣṇy. Jest to praktyczne, gdyż przez słuchanie o Kṛṣṇie automatycznie przywiązujemy się do Najwyższego Ducha. To przywiązanie nazywa się *pareśānubhūti*, czyli zadowoleniem duchowym. Jest ono porównywane do zadowolenia, które odczuwa głodny człowiek przy każdym kęsie spożywanego pokarmu. Im więcej je głodny człowiek, tym większe odczuwa zadowolenie i wzmacnia się. W podobny sposób odczuwa się zadowolenie transcendentalne podczas pełnienia służby oddania, kiedy umysł uwalnia się od przywiązań do rzeczy materialnych. Jest to podobne leczeniu choroby doskonałą metodą leczniczą i właściwą dietą. Słuchanie o transcendentalnych czynach Pana Kṛṣṇy jest zatem doskonałą metodą leczniczą dla szalonego umysłu, a spożywanie pokarmu ofiarowanego Kṛṣṇie jest odpowiednią dietą dla cierpiącego pacjenta. Tą metodą leczniczą jest proces świadomości Kṛṣṇy.

TEKST 36 असंयतात्मना योगो दुष्प्राप इति मे मतिः ।
वश्यात्मना तु यतता शक्योऽवाप्तुमुपायतः ॥३६॥

*asaṁyatātmanā yogo duṣprāpa iti me matiḥ*
*vaśyātmanā tu yatatā śakyo 'vāptum upāyataḥ*

*asaṁyata*—nieokiełznany; *ātmanā*—przez umysł; *yogaḥ*—samorealizacja; *duṣprāpaḥ*—trudna do osiągnięcia; *iti*—w ten sposób; *me*—Moje; *matiḥ*—zdanie; *vaśya*—kontrolowany; *ātmanā*—przez umysł; *tu*—ale; *yatatā*—starając się; *śakyaḥ*—praktyczny; *avāptum*—do osiągnięcia; *upāyataḥ*—przez właściwe środki.

**Wielkim trudem jest samorealizacja dla tego, kto posiada nieokiełznany umysł. Ten natomiast, kto opanował umysł i kto stosuje odpowiednie środki, ten może być pewien sukcesu. Takie jest Moje zdanie.**

*ZNACZENIE:* Najwyższa Osoba Boga oznajmia, że ten, kto nie stosuje właściwej metody leczniczej w celu uwolnienia umysłu od zaangażowania w sprawy materialne, raczej nie osiągnie sukcesu w samorealizacji. Usiłowanie praktykowania *yogi* przy jednoczesnym zaangażowaniu umysłu w uciechy materialne podobne jest próbom rozniecenia ognia przez polewanie go wodą. Praktyka *yogi* bez kontrolowania umysłu jest jedynie stratą czasu. Także pokazy *yogi* mogą być intratne materialnie, ale są bezużyteczne jeśli chodzi o samorealizację. Umysł musi być kontrolowany przez nieustanne angażowanie go w transcendentalną służbę miłości dla Pana. Nie możemy trwale kontrolować umysłu, jeśli nie jesteśmy zaangażowani w świadomość Kṛṣṇy. Osoba świadoma Kṛṣṇy osiąga efekty praktyki *yogi* bez specjalnych wysiłków, natomiast praktykujący *yogę* nie może osiągnąć sukcesu bez świadomości Kṛṣṇy.

TEKST 37 अर्जुन उवाच
अयतिः श्रद्धयोपेतो योगाच्चलितमानसः ।
अप्राप्य योगसंसिद्धिं कां गतिं कृष्ण गच्छति ॥३७॥

*arjuna uvāca*
*ayatiḥ śraddhayopeto yogāc calita-mānasaḥ*
*aprāpya yoga-saṁsiddhiṁ kāṁ gatiṁ kṛṣṇa gacchati*

*arjunaḥ uvāca*—Arjuna rzekł; *ayatiḥ*—transcendentalista, który nie odniósł sukcesu; *śraddhayā*—z wiarą; *upetaḥ*—zaangażowany; *yogāt*—z mistycznego połączenia; *calita*—który zboczył; *mānasaḥ*—tego, który ma taki umysł; *aprāpya*—doznając niepowodzenia; *yoga-saṁsiddhim*—najwyższa doskonałość w mistycyzmie; *kām*—jakiej; *gatim*—przeznaczenie; *kṛṣṇa*—O Kṛṣṇo; *gacchati*—osiąga.

**Arjuna rzekł: O Kṛṣṇo, jakie jest przeznaczenie pechowego transcendentalisty, który nie wytrwa w procesie samorealizacji—chociaż początkowo podejmuje go z wiarą—i zostaje pochłonięty sprawami materialnymi, nie osiągając tym samym doskonałości w yodze?**

*ZNACZENIE: Bhagavad-gītā* opisuje ścieżkę samorealizacji, czyli mistycyzmu. Podstawową zasadą samorealizacji jest wiedza, że żywa istota nie jest tym ciałem materialnym. Jest ona różna od niego i szczęście może znaleźć tylko w wiecznym życiu, pełnym radości i wiedzy, które to cechy są transcendentalne w stosunku do ciała i umysłu. Do samorealizacji dochodzi się ścieżką wiedzy, poprzez praktykę ośmiostopniowego systemu *yogi* albo poprzez praktykę *bhakti-yogi*. W każdym z tych procesów należy uświadomić sobie konstytucjonalną pozycję żywej istoty, jej związek z Bogiem oraz metodę, poprzez którą można odnowić ten utracony związek i osiągnąć najwyższy stan doskonałej świadomości Kṛṣṇy. Stosując się do jednej z trzech wyżej wymienionych metod, na pewno osiągnie się—wcześniej czy później—najwyższy cel. Pan zapewnił o tym w Rozdziale Drugim—nawet niewielki wysiłek na ścieżce transcendentalnej daje wielką nadzieję na wyzwolenie. Spośród tych trzech metod, szczególnie odpowiednią dla tego wieku jest *bhakti-yoga*, która jest najbardziej bezpośrednią metodą realizacji Boga. Arjuna, chcąc jeszcze upewnić się o tym, prosi Pana Kṛṣṇę, aby potwierdził Swoje wcześniejsze zdanie. Praktyka ośmiostopniowego systemu *yogi* i proces kultywowania wiedzy są na ogół bardzo trudne dla tego wieku, pomimo faktu, że ktoś może bardzo poważnie podchodzić do ścieżki samorealizacji. Z wielu powodów można nie odnieść sukcesu, nawet pomimo stałego wysiłku. Przede wszystkim, ktoś może nie być wystarczająco poważny, jeśli chodzi o przestrzeganie procesu. Podążanie ścieżką transcendentalną jest bardziej lub mniej wypowiedzeniem wojny energii iluzorycznej. Wskutek tego, kiedy tylko jakaś osoba usiłuje uwolnić się ze szponów tej energii, energia ta próbuje pokonać ją wszelkiego rodzaju ponętami. Uwarunkowana dusza i tak już znajduje się pod urokiem sił natury materialnej i jest wszelka szansa, że będzie wabiona ponownie, nawet w czasie praktykowania dyscypliny transcendentalnej. Nazywa się to *yogāc calita-mānasaḥ*: zboczeniem z transcendentalnej ścieżki. Arjuna pragnie dowiedzieć się, jakie są skutki takiego zejścia ze ścieżki samorealizacji.

TEKST 38 कच्चिन्नोभयविभ्रष्टश् छिन्नाभ्रमिव नश्यति ।
अप्रतिष्ठो महाबाहो विमूढो ब्रह्मणः पथि ॥३८॥

*kaccin nobhaya-vibhraṣṭaś chinnābhram iva naśyati*
*apratiṣṭho mahā-bāho vimūḍho brahmaṇaḥ pathi*

*kaccit*—czy; *na*—nie; *ubhaya*—zarówno; *vibhraṣṭaḥ*—ten, który zboczył; *chinna*—rozdarta; *abhram*—chmura; *iva*—podobnie; *naśyati*—znika; *apratiṣṭhaḥ*—bez żadnej pozycji; *mahā-bāho*—O potężny Kṛṣṇo; *vimūḍhaḥ*—zdezorientowany; *brahmaṇaḥ*—transcendencji; *pathi*—na ścieżce.

**O potężny Kṛṣṇo, czy człowiek taki, zboczywszy ze ścieżki transcendencji, nie znika jak rozpływająca się chmura, nie znajdując miejsca w żadnej sferze i nie odnosząc sukcesu duchowego ani materialnego?**

*ZNACZENIE:* Są dwie ścieżki postępu. Ci, którzy są materialistami, nie są zainteresowani transcendencją. Bardziej interesuje ich postęp materialny na drodze rozwoju ekonomicznego albo promocja na wyższe planety poprzez odpowiednie działanie. Kiedy ktoś wchodzi na ścieżkę transcendencji, musi porzucić wszelką działalnośc materialną i poświęcić wszystkie formy tzw. szczęścia materialnego. Jeśli aspirujący transcendentalista nie odnosi sukcesu, wtedy zdaje się tracić dwie drogi; innymi słowy, nie może cieszyć się ani szczęściem materialnym, ani sukcesem duchowym. Nie zajmuje żadnej pozycji—jest jak rozwiana chmura. Czasami jakaś chmurka odłącza się od małej chmury i przyłącza się do dużej. Jeśli jednak nie napotka dużej chmury, zostaje wtedy rozwiana przez wiatr i przestaje istnieć. *Brahmaṇaḥ pathi* jest ścieżką transcendentalnej realizacji przez poznanie siebie jako zasadniczo duchowej cząstki Najwyższego Pana, który manifestuje się jako Brahman, Paramātmā i Bhagavān. Pan Śrī Kṛṣṇa jest pełną manifestacją Najwyższej Absolutnej Prawdy i dlatego transcendentalista, który podporządkuje się Najwyższej Osobie—odnosi sukces. Osiągnięcie tego celu poprzez realizację Brahmana i Paramātmy wymaga bardzo wielu okresów życia: *bahūnāṁ janmanām ante*. Dlatego najdoskonalszą z transcendentalnych realizacji jest *bhakti-yoga*, czyli świadomość Kṛṣṇy, która jest metodą bezpośrednią.

TEKST 39 एतन्मे संशयं कृष्ण छेत्तुमर्हस्यशेषतः ।
त्वदन्यः संशयस्यास्य छेत्ता न ह्युपपद्यते ॥३९॥

*etan me saṁśayaṁ kṛṣṇa chettum arhasy aśeṣataḥ*
*tvad-anyaḥ saṁśayasyāsya chettā na hy upapadyate*

*etat*—to jest; *me*—moja; *saṁśayam*—wątpliwość; *kṛṣṇa*—O Kṛṣṇo; *chettum*—rozwiać; *arhasi*—proszę Cię; *aśeṣataḥ*—całkowicie; *tvat*—oprócz Ciebie; *anyaḥ*—inny; *saṁśayasya*—wątpliwości; *asya*—tego; *chettā*—usuwający; *na*—nigdy; *hi*—z pewnością; *upapadyate*—można znaleźć.

**O Kṛṣṇo, proszę, rozprosz całkowicie te moje wątpliwości. Oprócz Ciebie, nikt nie jest w stanie tego zrobić.**

*ZNACZENIE:* Kṛṣṇa jest doskonałym znawcą przeszłości, teraźniejszości i przyszłości. Na początku *Bhagavad-gīty* Pan powiedział, że wszystkie żywe istoty istniały jako indywidua w przeszłości, istnieją jako takie teraz i zachowają swą indywidualność w przyszłości, nawet po wyzwoleniu z materialnego uwikłania. A zatem wyjaśnił On już problem przyszłości indywidualnej żywej istoty. Teraz Arjuna pragnie dowiedzieć się, jaka przyszłość czeka transcendentalistę, któremu się nie powiodło. Nikt nie przewyższa Kṛṣṇę ani nikt nie jest Mu równy, więc oczywiście nie mogą Mu też dorównać tzw. wielcy mędrcy i filozofowie będący w łaskach natury materialnej. Wypowiedź Kṛṣṇy jest zatem ostateczną i pełną odpowiedzią na wszystkie wątpliwości, jako że zna On doskonale przeszłość, teraźniejszość i przyszłość—nikt natomiast nie zna Jego. Jedynie Kṛṣṇa i wielbiciel świadomy Kṛṣṇy mogą znać prawdziwą postać rzeczy.

TEKST 40 श्रीभगवानुवाच
पार्थ नैवेह नामुत्र विनाशस्तस्य विद्यते ।
न हि कल्याणकृत्कश्चिद् दुर्गतिं तात गच्छति ॥४०॥

*śrī-bhagavān uvāca*
*pārtha naiveha nāmutra vināśas tasya vidyate*
*na hi kalyāṇa-kṛt kaścid durgatiṁ tāta gacchati*

*śrī-bhagavān uvāca*—Najwyższa Osoba Boga rzekł; *pārtha*—O synu Pṛthy; *na eva*—nigdy tak nie jest; *iha*—w tym świecie materialnym;

*na*—nigdy; *amutra*—w przyszłym życiu; *vināśaḥ*—zniszczenie; *tasya*—jego; *vidyate*—istnieje; *na*—nigdy; *hi*—z pewnością; *kalyāṇa-kṛt*—ten, kto spełnia dobre czyny; *kaścit*—ktokolwiek; *durgatim*—do degradacji; *tāta*—Mój przyjacielu; *gacchati*—zdąża.

**Najwyższa Osoba Boga rzekł: Synu Pṛthy, transcendentalista, który oddaje się dobrym czynom, nie ginie ani w tym świecie, ani w świecie duchowym. Kto czyni dobrze, Mój przyjacielu, ten nigdy nie zostaje pokonany przez zło.**

*ZNACZENIE:* W *Śrīmad-Bhāgavatam* (1.5.17) Śrī Nārada Muni instruuje Vyāsadevę w następujący sposób:

*tyaktvā sva-dharmaṁ caraṇāmbujaṁ harer*
*bhajann apakvo 'tha patet tato yadi*
*yatra kva vābhadram abhūd amuṣya kiṁ*
*ko vārtha āpto 'bhajatāṁ sva-dharmataḥ*

"Jeśli ktoś porzuca wszelkie materialne nadzieje i poszukiwania i przyjmuje całkowite schronienie w Najwyższej Osobie Boga, nie ma dla niego żadnej straty ani degradacji. Z drugiej strony, ten, kto nie jest wielbicielem Pana, może całkowicie poświęcić się swoim zawodowym obowiązkom, a mimo to nie zyskuje nic." Dla ludzi z perspektywami materialnymi istnieje wiele czynności, zarówno zwyczajowych, jak i polecanych w pismach. Jednak dla duchowego postępu w życiu, dla świadomości Kṛṣṇy, transcendentalista powinien porzucić wszelką działalność materialną. Ktoś może argumentować, że przez świadomość Kṛṣṇy można osiągnąć najwyższą doskonałość, ale tylko wtedy, jeśli ukończy się ten proces. W przypadku, gdy nie osiągnie się takiego stanu doskonałości, traci się zarówno materialnie, jak i duchowo. Pisma święte mówią, że trzeba cierpieć wskutek tego, że nie wypełniło się swoich obowiązków. Zatem, jeśli komuś nie udało się właściwie wypełnić swoich obowiązków transcendentalnych, doświadczy skutków tego. *Bhāgavatam* zapewnia takiego pechowego transcendentalistę, że nie ma on powodów do obaw. Chociaż może podlegać on wpływom następstw niewłaściwego wypełniania obowiązków, to jednak nie ma dla niego żadnej straty. Pomyślna świadomość Kṛṣṇy nigdy nie zostaje zapomniana i ten, kto był w nią zaangażowany, będzie kontynuował ją i w następnym życiu, nawet gdyby urodził się w najniższej rodzinie. Z drugiej strony, ten, kto sumiennie wypełnia swoje obowiązki, niekoniecznie osiągnie pomyślne efekty, jeśli nie jest świadomy Kṛṣṇy.

Można to rozumieć w ten sposób. Ludzkość można podzielić na dwie grupy: mianowicie tych, którzy prowadzą uregulowany tryb życia i tych, którzy nie uznają żadnych zasad. Ci, którzy zajmują się jedynie zwierzęcym zadowalaniem zmysłów, bez wiedzy o swoim przyszłym życiu czy zbawieniu duchowym, należą do grupy nie kierującej się w życiu zasadami. Ci natomiast, którzy przestrzegają nakazów pism świętych odnoszących się do ich obowiązków, zaliczani są do grupy prowadzącej uregulowany tryb życia. Osoby, które nie uznają zasad—zarówno cywilizowane, jak i niecywilizowane, wykształcone, jak i niewykształcone, mocne i słabe—pełne są zwierzęcych skłonności. Działanie ich nigdy nie jest dobre, gdyż oddając się jedynie zwierzęcym skłonnościom (jakimi są: jedzenie, spanie, obrona i prokreacja), wiecznie pozostają w świecie materialnym, który jest zawsze pełen niedoli. Z drugiej strony, ci, którzy kierują się zaleceniami pism świętych, stopniowo dochodząc do świadomości Kṛṣṇy, czynią prawdziwy postęp w życiu.

Osoby podążające pomyślną ścieżką można z kolei podzielić na trzy grupy, mianowicie: (1) tych, którzy przestrzegają nakazów pism świętych, ciesząc się dobrami materialnymi, (2) tych, którzy starają się znaleźć ostateczne wyzwolenie z egzystencji materialnej i (3) tych, którzy są wielbicielami świadomymi Kṛṣṇy. Osoby, które przestrzegają nakazów pism świętych dla osiągnięcia szczęścia materialnego, mogą być dalej podzielone na dwie klasy: tych, którzy pracują dla zysków i tych, którzy nie pragną niczego dla zadowalania zmysłów. Pierwsi z nich mogą osiągnąć wyższy poziom życia—nawet promocję na wyższe planety—ale ponieważ nie uwalniają się od egzystencji materialnej, nie podążają prawdziwie pomyślną drogą. Jedynymi pomyślnymi czynami są te, które prowadzą do wyzwolenia. Każde działanie nie prowadzące do samorealizacji czy uwolnienia się od materialnej koncepcji życia nie ma żadnej pozytywnej wartości. Jedyną pomyślną działalnością jest zatem działanie w świadomości Kṛṣṇy. A kto dobrowolnie zaakceptuje wszelkie niewygody cielesne dla uczynienia postępu na ścieżce świadomości Kṛṣṇy, może być nazwany doskonałym transcendentalistą praktykującym surowe wyrzeczenie. A ponieważ ośmiostopniowa *yoga* ostatecznie prowadzi do zrealizowania świadomości Kṛṣṇy, jest ona również pomyślną praktyką. I zaprawdę nikt, kto w tym celu czyni wszystko, co leży w jego mocy, nie musi obawiać się degradacji.

**TEKST 41** प्राप्य पुण्यकृतां लोकानुषित्वा शाश्वतीः समाः ।
शुचीनां श्रीमतां गेहे योगभ्रष्टोऽभिजायते ॥४१॥

*prāpya puṇya-kṛtāṁ lokān uṣitvā śāśvatīḥ samāḥ*
*śucīnāṁ śrīmatāṁ gehe yoga-bhraṣṭo 'bhijāyate*

*prāpya*—po osiągnięciu; *puṇya-kṛtām*—tych, którzy spełniali pobożne czyny; *lokān*—planety; *uṣitvā*—po okresie zamieszkiwania; *śāśvatīḥ*—wielu; *samāḥ*—lat; *śucīnām*—pobożnych; *śrī-matām*—pomyślnych; *gehe*—w domu; *yoga-bhraṣṭaḥ*—ten, kto upadł ze ścieżki samorealizacji; *abhijāyate*—rodzi się.

**Yogīn, który nie odniósł sukcesu, po wielu, wielu latach przyjemności na planetach pobożnych żywych istot, rodzi się w rodzinie prawych ludzi albo w bogatej rodzinie arystokratycznej.**

*ZNACZENIE: Yogīni*, którym nie powiodło się w praktyce *yogi*, dzielą się na dwie klasy: do pierwszej zaliczani są ci, którzy upadli po uczynieniu niewielkiego postępu; druga klasa natomiast obejmuje tych, którzy upadli mając za sobą długą praktykę *yogi*. *Yogīn*, który upada po krótkim okresie praktyki, idzie na wyższe planety, gdzie dostają się pobożne istoty. Po spędzeniu tam długiego życia, jest on z powrotem przysyłany na tę planetę, rodząc się w rodzinie prawego bramina *vaiṣṇavy* albo w bogatej rodzinie kupieckiej.

Prawdziwym celem praktyki *yogi* jest osiągnięcie najwyższej doskonałości w świadomości Kṛṣṇy, jak to zostało wytłumaczone w ostatnim wersecie tego rozdziału. Osoby, które nie dochodzą do tego przeznaczenia i upadają, wabione urokami materii, mogą—dzięki łasce Pana—całkowicie zaspokoić swoje pragnienia materialne. Następnie otrzymują one szansę pomyślnego życia w rodzinach prawych ludzi lub w rodzinach arystokratycznych. Ci, którzy rodzą się w takich rodzinach, mogą wykorzystać wynikłe z tego faktu udogodnienia i znowu spróbować wznieść się do pełnej świadomości Kṛṣṇy.

**TEKST 42** अथवा योगिनामेव कुले भवति धीमताम् ।
एतद्धि दुर्लभतरं लोके जन्म यदीदृशम् ॥४२॥

*atha vā yoginām eva kule bhavati dhīmatām*
*etad dhi durlabhataraṁ loke janma yad īdṛśam*

*atha vā*—albo; *yoginām*—uczonych transcendentalistów; *eva*—na pewno; *kule*—w rodzinie; *bhavati*—rodzi się; *dhī-matām*—tych, którzy obdarzeni są wielką mądrością; *etat*—to; *hi*—na pewno; *durlabhataram*—bardzo rzadkie; *loke*—w tym świecie; *janma*—narodziny; *yat*—te, które; *īdṛśam*—takie.

**Albo też (jeśli nie powiodło mu się po długotrwałej praktyce yogi) przychodzi na świat w rodzinie transcendentalistów obdarzonych**

**wielką mądrością. Zaprawdę, narodziny takie są rzadkością w tym świecie.**

*ZNACZENIE:* Wysoko ocenione zostały tutaj narodziny w rodzinie *yogīnów* albo transcendentalistów (tych o wielkiej mądrości), ponieważ dziecko, które przyszło na świat w takiej rodzinie, otrzymuje bodźce duchowe już od samych początków życia. Jest tak szczególnie w rodzinach *ācāryów* albo *gosvāmīch*. Rodziny takie są wielce uczone i oddane Bogu—dzięki tradycji i praktyce—i często dzieci urodzone w takich czcigodnych rodzinach zostają mistrzami duchowymi. W Indiach jest wiele takich rodzin *ācāryów*, ale obecnie uległy one degeneracji z powodu niewystarczającego wykształcenia i praktyki. Dzięki łasce Pana istnieją jeszcze nadal rodziny, które wychowują transcendentalistów, pokolenie po pokoleniu. Narodziny w takiej rodzinie są niewątpliwie wielkim szczęściem. Dzięki łasce Pana, nasz mistrz duchowy, Oṁ Viṣṇupāda Śrī Śrīmad Bhaktisiddhānta Sarasvatī Gosvāmī Mahārāja, i moja skromna osoba, obaj przyszliśmy na świat w takich rodzinach i obaj byliśmy szkoleni w służbie oddania dla Pana od początku życia. Później spotkaliśmy się za zrządzeniem systemu transcendentalnego.

## TEKST 43

तत्र तं बुद्धिसंयोगं लभते पौर्वदेहिकम् ।
यतते च ततो भूयः संसिद्धौ कुरुनन्दन ॥४३॥

*tatra taṁ buddhi-saṁyogaṁ labhate paurva-dehikam*
*yatate ca tato bhūyaḥ saṁsiddhau kuru-nandana*

*tatra*—skutkiem tego; *tam*—to; *buddhi-saṁyogam*—odnowienie takiej świadomości; *labhate*—odzyskuje; *paurva-dehikam*—z poprzedniego ciała; *yatate*—dąży; *ca*—również; *tataḥ*—następnie; *bhūyaḥ*—znowu; *saṁsiddhau*—do doskonałości; *kuru-nandana*—O synu Kuru.

**Narodziwszy się w takiej rodzinie, odzyskuje on boską świadomość ze swojego poprzedniego życia i stara się poczynić dalsze postępy, aby osiągnąć pełny sukces, o synu Kuru.**

*ZNACZENIE:* Przykładem takich pomyślnych narodzin—dla odnowienia osiągniętej w poprzednim życiu świadomości transcendentalnej—jest król Bharata, który za trzecim razem przyszedł na świat w rodzinie dobrego bramina. Król Bharata był władcą świata i od jego czasu planeta ta znana jest wśród półbogów jako Bhārata-varṣa. Wcześniej była znana jako Ilāvṛta-varṣa. Władca ten już w młodym wieku zrezygnował z rządów—mając na celu osiągnięcie doskonałości duchowej—jednak nie odniósł sukcesu. W swoim następnym życiu urodził się w rodzinie dobrego bramina i znany był jako Jaḍa Bharata, jako że zawsze przebywał w odosobnieniu i z nikim nie rozmawiał. Później został odkryty przez króla Rahūgaṇę jako największy transcendentalista. Jego życie może służyć za przykład, że wysiłki transcendentalne, czyli praktyka *yogi*, nigdy nie idzie na marne. Dzięki łasce Pana transcendentalista otrzymuje ponowne szanse dla osiągnięcia pełnej doskonałości w świadomości Kṛṣṇy.

**TEKST 44** पूर्वाभ्यासेन तेनैव ह्रियते ह्यवशोऽपि सः ।
जिज्ञासुरपि योगस्य शब्दब्रह्मातिवर्तते ॥४४॥

*pūrvābhyāsena tenaiva hriyate hy avaśo 'pi saḥ*
*jijñāsur api yogasya śabda-brahmātivartate*

*pūrva*—poprzednia; *abhyāsena*—przez praktykę; *tena*—przez tę; *eva*—z pewnością; *hriyate*—jest przyciągany; *hi*—niewątpliwie; *avaśaḥ*—automatycznie; *api*—również; *saḥ*—on; *jijñāsuḥ*—pragnący wiedzieć; *api*—nawet; *yogasya*—o *yodze; śabda-brahma*—nakazy pism świętych dotyczące rytuałów; *ativartate*—przekracza.

**Dzięki boskiej świadomości swojego poprzedniego życia automatycznie zostaje on przyciągany przez zasady yogi—nawet ich nie szukając. Taki dociekliwy transcendentalista stoi zawsze ponad rytualistycznymi zasadami pism świętych.**

*ZNACZENIE:* Zaawansowani *yogīni* nie są zbytnio zainteresowani rytuałami pism świętych, ale automatycznie przyciągani są przez zasady *yogi*, które mogą pomóc im wznieść się do pełnej świadomości Kṛṣṇy, najwyższej doskonałości *yogi*. Takie lekceważenie rytuałów wedyjskich przez zaawansowanych transcendentalistów *Śrīmad-Bhāgavatam* (3.33.7) tłumaczy w sposób następujący:

*aho bata śva-paco 'to garīyān*
*yaj-jihvāgre vartate nāma tubhyam*
*tepus tapas te juhuvuḥ sasnur āryā*
*brahmānūcur nāma gṛṇanti ye te*

"O mój Panie! Bardzo zaawansowane w życiu duchowym są osoby, które intonują Twoje święte imiona, nawet jeśli przyszły na świat w rodzinach, które żywią się psami. Z pewnością praktykowały one wszystkie rodzaje wyrzeczeń i spełniały wszelkie ofiary, kąpały się we wszystkich świętych miejscach i skończyły wszystkie studia nad świętymi pismami".

Słynny przykład tego dał Pan Caitanya, kiedy przyjął Ṭhākura Haridāsę na jednego ze Swoich najbliższych uczniów. Chociaż Ṭhākur Haridāsa przyszedł na świat w rodzinie muzułmańskiej, Pan Caitanya podniósł go do godności *nāmācāryi*, dzięki temu, że ściśle przestrzegał on zasady intonowania trzystu tysięcy świętych imion Pana dziennie: Hare Kṛṣṇa, Hare Kṛṣṇa, Kṛṣṇa Kṛṣṇa, Hare Hare, Hare Rāma, Hare Rāma, Rāma Rāma, Hare Hare. I ponieważ intonował święte imiona Pana bezustannie, należy rozumieć, że w swoim poprzednim życiu musiał przejść przez wszystkie rytualistyczne praktyki *Ved*, znane jako *śabda-brahma*. Jeśli nie jest się oczyszczonym, nie można przyjąć zasad świadomości Kṛṣṇy ani intonować świętego imienia Pana—Hare Kṛṣṇa.

**TEKST 45** प्रयत्नाद् यतमानस्तु योगी संशुद्धकिल्बिषः ।
अनेकजन्मसंसिद्धस्ततो याति परां गतिम् ॥४५॥

*prayatnād yatamānas tu yogī saṁśuddha-kilbiṣaḥ*
*aneka-janma-saṁsiddhas tato yāti parāṁ gatim*

*prayatnāt*—przez ścisłą praktykę; *yatamānaḥ*—dążąc; *tu*—i; *yogī*—taki transcendentalista; *saṁśuddha*—oczyszczony; *kilbiṣaḥ*—którego wszelkie rodzaje grzechów; *aneka*—po wielu, wielu; *janma*—narodzinach; *saṁsiddhaḥ*—osiągnąwszy doskonałość; *tataḥ*—następnie; *yāti*—osiąga; *parām*—najwyższe; *gatim*—przeznaczenie.

**Jeśli taki yogīn, uwolniwszy się od wszelkich nieczystości, robi szczery wysiłek, aby uczynić dalszy postęp, wtedy ostatecznie—osiągnąwszy doskonałość (po wielu, wielu narodzinach, w których oddaje się takiej praktyce)—osiąga najwyższy cel.**

*ZNACZENIE:* Osoba urodzona w rodzinie szczególnie prawych ludzi, rodzinie arystokratycznej czy świętej, staje się świadoma swoich korzystnych warunków dla praktykowania *yogi*. Dlatego z determinacją zabiera się do nie dokończonego zadania, i tym sposobem całkowicie oczyszcza się z wszelkich materialnych zanieczyszczeń. Kiedy ostatecznie uwolni się od tych wszelkich nieczystości, osiąga najwyższą doskonałość—świadomość Kṛṣṇy. Świadomość Kṛṣṇy jest doskonałym stanem wolności od wszelkich nieczystości. Potwierdza to *Bhagavad-gītā* (7.28):

*yeṣāṁ tv anta-gataṁ pāpaṁ janānāṁ puṇya-karmaṇām*
*te dvandva-moha-nirmuktā bhajante māṁ dṛḍha-vratāḥ*

"Kiedy ktoś po wielu, wielu narodzinach, w których spełniał pobożne czyny, uwalnia się całkowicie od wszelkich nieczystości i złudnych dualizmów, angażuje się on wtedy w transcendentalną służbę dla Pana."

TEKST 46 तपस्विभ्योऽधिको योगी ज्ञानिभ्योऽपि मतोऽधिकः ।
कर्मिभ्यश्चाधिको योगी तस्माद्योगी भवार्जुन ॥४६॥

*tapasvibhyo 'dhiko yogī jñānibhyo 'pi mato 'dhikaḥ*
*karmibhyaś cādhiko yogī tasmād yogī bhavārjuna*

*tapasvibhyaḥ*—niż asceci; *adhikaḥ*—większy; *yogī*—*yogīn; jñānibhyaḥ*—niż mędrzec; *api*—również; *mataḥ*—uważany; *adhikaḥ*—większy; *karmibhyaḥ*—niż pracujący dla korzyści; *ca*—również; *adhikaḥ*—większy; *yogī*—*yogīn; tasmāt*—dlatego też; *yogī*—transcendentalista; *bhava*—zostań; *arjuna*—O Arjuno.

**Yogīn przewyższa ascetę, większy jest od empiryka i tego, co pracuje dla zysków. Dlatego też, o Arjuno, bez względu na okoliczności, bądź yogīnem.**

*ZNACZENIE:* Kiedy mówimy o *yodze*, odnosimy to do procesu połączenia naszej świadomości z Najwyższą Absolutną Prawdą. Taki proces nazywany jest rozmaicie przez różnych praktykujących, w zależności od przyjętej metody. Kiedy ten proces połączenia polega głównie na pracy przynoszącej owoce, nazywany jest *karma-yogą*; kiedy jest w przeważającym stopniu empiryczny—nazywa się go *jñāna-yogą*; a kiedy polega na związku z Najwyższym Panem poprzez służbę oddania—nazywany jest *bhakti-yogą*. Jak to zostanie wytłumaczone w następnym wersecie, *bhakti-yoga*, czyli świadomość Kṛṣṇy, jest ostateczną doskonałością wszystkich praktyk *yogi*. Pan zapewnił tutaj o wyższości *yogi*, ale nie powiedział, żeby była ona lepsza od *bhakti-yogi*. *Bhakti-yoga* jest pełną wiedzą duchową, a zatem nic nie może jej przewyższyć. Asceza bez wiedzy o duszy jest niedoskonała. Wiedza doświadczalna bez podporządkowania się Najwyższemu Panu jest również niedoskonała. A praca dla owoców bez świadomości Kṛṣṇy jest stratą czasu. Zatem z wszystkich wymienionych form *yogi*, najwyżej oceniona została *bhakti-yoga*. Jeszcze dobitniej tłumaczy to werset następny.

TEKST 47 योगिनामपि सर्वेषां मद्गतेनान्तरात्मना ।
श्रद्धावान् भजते यो मां स मे युक्ततमो मतः ॥४७॥

*yogināṁ api sarveṣāṁ mad-gatenāntar-ātmanā*
*śraddhāvān bhajate yo māṁ sa me yuktatamo mataḥ*

*yoginām*—spośród *yogīnów; api*—również; *sarveṣām*—wszelkiego rodzaju; *mat-gatena*—pogrążony we Mnie, zawsze myślący o Mnie; *antaḥ-ātmanā*—wewnątrz siebie; *śraddhā-vān*—w pełnej wierze; *bhajate*—pełni transcendentalną służbę miłości; *yaḥ*—ten, kto; *mām*—dla Mnie (Najwyższego Pana); *saḥ*—on; *me*—przeze Mnie; *yukta-tamaḥ*—największy *yogīn; mataḥ*—jest uważany.

**Zaś spośród wszystkich yogīnów, ten, kto zawsze trwa przy Mnie z wielką wiarą, myśli o Mnie wewnątrz siebie—wielbiąc Mnie w transcendentalnej służbie miłości—jest najbardziej zjednoczony ze Mną w yodze i jest najwyższym ze wszystkich. Takie jest Moje zdanie.**

*ZNACZENIE:* Znaczące tutaj jest słowo *bhajate*. *Bhajate* ma swój rdzeń w czasowniku *bhaj*, którego używa się, kiedy istnieje potrzeba służenia. Angielskie słowo "czcić" (worship) nie może być używane w tym samym znaczeniu co słowo *bhaj*. "Czcić" znaczy wielbić albo okazywać szacunek i honor osobie wartościowej. Ale służba z miłością i wiarą jest szczególnie przeznaczona dla Najwyższej Osoby Boga. Można nie oddawać czci człowiekowi zasługującemu na szacunek albo półbogowi i można być nazwanym nieuprzejmym, ale nie można uniknąć służby dla Boga, nie będąc całkowicie potępionym. Każda żywa istota jest integralną cząstką Najwyższej Osoby Boga, a zatem przeznaczeniem jej jest służenie Najwyższemu Panu, zgodnie z jej konstytucjonalną pozycją. Jeśli tego nie czyni, upada. *Bhāgavatam* (11.5.3) potwierdza to w sposób następujący:

*ya eṣāṁ puruṣaṁ sākṣād ātma-prabhavam īśvaram*
*na bhajanty avajānanti sthānād bhraṣṭāḥ patanty adhaḥ*

"Każdy kto nie pełni służby i lekceważy swoje obowiązki wobec Najwyższego Pana, który jest źródłem wszystkich żywych istot, ten z pewnością upadnie ze swojej konstytucjonalnej pozycji."

Również w tym wersecie zostało użyte słowo *bhajanti*. Zatem *bhajanti* odnosi się jedynie do Najwyższego Pana, podczas gdy słowo "czcić" może odnosić się do półbogów oraz jakiejkolwiek żywej istoty. Słowo *avajānanti*, użyte w tym wersecie ze *Śrīmad-Bhāgavatam*, znajdujemy również w *Bhagavad-gīcie*. *Avajānanti māṁ mūḍhāḥ*: "Tylko głupcy i niegodziwcy wyśmiewają Najwyższą Osobę Boga, Pana Kṛṣṇę." Głupcy tacy komentują również *Bhagavad-gītę*, nie mając postawy służenia Panu. Wskutek tego nie potrafią zrozumieć właściwej różnicy pomiędzy słowem *bhajanti* a słowem "czcić".

*Bhakti-yoga* jest kulminacją wszystkich rodzajów praktyk *yogi*. Wszystkie inne *yogi* są jedynie środkiem do osiągnięcia momentu *bhakti* w *bhakti-yodze*. *Yoga* właściwie znaczy *bhakti-yoga*; wszystkie inne *yogi* są posuwaniem się naprzód w kierunku przeznaczenia *bhakti-yogi*. Droga samorealizacji od *karma-yogi* do kulminacji w *bhakti-yodze* jest bardzo długa. Początkiem tej ścieżki jest *karma-yoga* wolna od działania dla zysku. Kiedy *karma-yoga* zwiększa się o wiedzę i wyrzeczenie, to etap ten nazywany jest *jñāna-yogą*. Kiedy *jñāna-yoga* powiększa się o medytację o Duszy Najwyższej w sercu—poprzez różne procesy fizyczne—i umysł skupiony jest na Nim, nazywa się to *aṣṭāṅga-yogą*. Kiedy natomiast ktoś przekracza *aṣṭāṅga-yogę* i dochodzi do istoty—Najwyższej Osoby Boga, Kṛṣṇy—nazywane jest to *bhakti-yogą*, i jest to kulminacją. W rzeczywistości *bhakti-yoga* jest ostatecznym celem, ale aby przeanalizować *bhakti-yogę* dokładnie, należy zrozumieć też inne *yogi*. Zatem *yogīn*, który czyni postęp, znajduje się na prawdziwej ścieżce wiecznie dobrego losu. Ten natomiast, kto zatrzymuje się w jakimś określonym punkcie i nie robi dalszego postępu, nazywany jest odpowiednio: *karma-yogīnem, jñāna-yogīnem* albo *dhyāna-yogīnem, rāja-yogīnem, haṭha-yogīnem* itd. Jeśli ktoś jest wystarczająco szczęśliwy, aby dojść do momentu *bhakti-yogi*, oznacza to, że przeszedł on już przez wszystkie inne praktyki *yogi*. Osiągnięcie świadomości Kṛṣṇy jest zatem najwyższym etapem *yogi*, podobnie jak mówiąc o Himalajach odnosimy to do najwyższych gór w świecie, z których najwyższy szczyt, Mount Everest, uważany jest za punkt kulminacyjny.

Tylko przez wielkie szczęście ktoś dochodzi do świadomości Kṛṣṇy na ścieżce *bhakti-yogi* i jest on wtedy naprawdę dobrze usytuowany—stosownie do wedyjskich pouczeń. Idealny *yogīn* skupia swoją uwagę na Kṛṣṇie, który nazywany jest Śyāmasundarą. Jest On pięknego koloru chmury, a Jego lotosowa twarz promienna jest jak słońce. Szata Jego lśni od klejnotów, a ciało przystrojone jest girlandami kwiatów. Swoim wspaniałym blaskiem, nazywanym *brahmajyoti*, oświetla On wszystkie strony świata. Inkarnuje w różnych formach, takich jak: Rāma, Nṛsiṁha, Varāha i Kṛṣṇa (Najwyższa Osoba Boga), i pojawia się jak ludzka istota: jako syn matki Yaśody—znany jako Kṛṣṇa, Govinda i Vāsudeva. Jest On doskonałym dzieckiem, mężem, przyjacielem i panem—i pełen jest wszelkich mocy i jakości transcendentalnych. Kto jest w pełni świadomy tych cech Pana, ten nazywany jest doskonałym *yogīnem*.

Taki stan najwyższej doskonałości w *yodze* można osiągnąć tylko poprzez *bhakti-yogę*, jak potwierdza to cała literatura wedyjska:

*yasya deve parā bhaktir yathā deve tathā gurau*
*tasyaite kathitā hy arthāḥ prakāśante mahātmanaḥ*

"Tylko tym wielkim duszom, które mają mocną wiarę w Pana i mistrza duchowego, zostaje automatycznie wyjawione znaczenie całej literatury wedyjskiej." (*Śvetāśvatara Upaniṣad* 6.23)

*Bhaktir asya bhajanaṁ tad ihāmutropādhi-nairāsyenāmuṣmin manaḥ-kalpanam, etad eva naiṣkarmyam.* "*Bhakti* znaczy służba oddania dla Pana, która wolna jest od pragnienia korzyści materialnych, czy to w tym życiu, czy w następnym. Będąc wolnym od takich skłonności, należy całkowicie pogrążyć umysł w Najwyższym. Taki jest cel *naiṣkarmya*." (*Gopāla-tāpanī Upaniṣad* 1.15)

Są to niektóre ze sposobów pełnienia *bhakti*, czyli świadomości Kṛṣṇy, najwyższego stanu doskonałości w systemie *yogi*.

W ten sposób Bhaktivedanta kończy objaśnienia do Szóstego Rozdziału *Śrīmad Bhagavad-gīty*, traktującego o *Dhyāna-yodze*.

# ROZDZIAŁ VII

# Wiedza o Absolucie

**TEKST 1**

श्रीभगवानुवाच
मय्यासक्तमनाः पार्थ योगं युञ्जन्मदाश्रयः ।
असंशयं समग्रं मां यथा ज्ञास्यसि तच्छृणु ॥१॥

*śrī-bhagavān uvāca*
*mayy āsakta-manāḥ pārtha yogaṁ yuñjan mad-āśrayaḥ*
*asaṁśayaṁ samagraṁ māṁ yathā jñāsyasi tac chṛṇu*

*śrī-bhagavān uvāca*—Najwyższy Pan rzekł; *mayi*—Mnie; *āsakta-manāḥ*—umysł przywiązany; *pārtha*—O synu Pṛthy; *yogam*—samorealizacja; *yuñjan*—praktykując; *mat-āśrayaḥ*—będąc świadomym Mnie (świadomość Kṛṣṇy); *asaṁśayam*—bez wątpienia; *samagram*—całkowicie; *mām*—Mnie; *yathā*—jak; *jñāsyasi*—możesz poznać; *tat*—to; *śṛṇu*—spróbuj wysłuchać.

**Najwyższa Osoba Boga rzekł: Posłuchaj teraz, o synu Pṛthy, jak przez praktykę yogi, w pełnej świadomości o Mnie, z umysłem przywiązanym do Mnie, możesz—uwolniwszy się od wątpliwości—poznać Mnie w pełni.**

*ZNACZENIE:* Siódmy Rozdział *Bhagavad-gīty* opisuje dokładnie naturę świadomości Kṛṣṇy. Kṛṣṇa jest pełen wszelkich bogactw, a z tego rozdziału możemy dowiedzieć się, w jaki sposób manifestuje On te Swoje bogactwa. Jest tu również mowa o czterech rodzajach ludzi szczęśliwych, którzy przywiązują się do Kṛṣṇy, oraz czterech rodzajach ludzi nieszczęśliwych, którzy nigdy nie wykazują zainteresowania Kṛṣṇą.

W pierwszych sześciu rozdziałach *Bhagavad-gīty* żywa istota została opisana jako niematerialna dusza, która poprzez różnego rodzaju *yogi* może wznieść się do poziomu samorealizacji. Koniec Szóstego Rozdziału wyraźnie mówi o tym, że ciągła koncentracja umysłu na Kṛṣṇie, albo innymi słowy świadomość Kṛṣṇy, jest najwyższą formą *yogi*. Tylko przez skoncentrowanie umysłu na Kṛṣṇie, a nie w żaden inny sposób, można całkowicie poznać Prawdę Absolutną. Realizacja bezosobowego *brahmajyoti* albo zlokalizowanej Paramātmy nie jest doskonałą wiedzą o Absolutnej Prawdzie, gdyż jest to realizacja częściowa. Kompletną i naukową wiedzą jest Kṛṣṇa, i osobie świadomej Kṛṣṇy wszystko zostaje wyjawione. Kto jest w pełni świadomy Kṛṣṇy, ten wie, że Kṛṣṇa jest bez wątpienia ostateczną wiedzą. Różnego rodzaju *yogi* są tylko stopniami na ścieżce świadomości Kṛṣṇy. Kto bezpośrednio przyjmuje świadomość Kṛṣṇy, ten automatycznie i całkowicie poznaje *brahmajyoti* i Paramātmę. Przez praktykę *yogi* świadomości Kṛṣṇy można poznać wszystko dokładnie, mianowicie Prawdę Absolutną, żywe istoty, materialną naturę i ich manifestacje, ze wszystkim co do nich przynależy.

Należy zatem rozpocząć praktykę *yogi*, tak jak poleca to ostatni werset Rozdziału Szóstego. Koncentracja umysłu na Kṛṣṇie, Najwyższym, możliwa jest poprzez pełnienie służby oddania w dziewięciu różnych formach, z których *śravaṇam* jest pierwszą i najważniejszą. Dlatego Pan mówi Arjunie: *tac chṛṇu*, czyli "Słuchaj ode Mnie". Nikt nie może być większym od Kṛṣṇy autorytetem, a zatem przez słuchanie od Niego ma się największą okazję, aby stać się doskonałą, świadomą Kṛṣṇy osobą. Dlatego też należy uczyć się bezpośrednio od Kṛṣṇy albo od czystego wielbiciela Kṛṣṇy—a nie od naładowanego wiedzą akademicką parweniusza, nie będącego bhaktą.

Ten proces poznawania Kṛṣṇy, Najwyższej Osoby Boga, Prawdy Absolutnej, opisany jest w *Śrīmad-Bhāgavatam*, w Drugim Rozdziale Pierwszego Canto, w sposób następujący:

*śṛṇvatāṁ sva-kathāḥ kṛṣṇaḥ puṇya-śravaṇa-kīrtanaḥ*
*hṛdy antaḥ-stho hy abhadrāṇi vidhunoti suhṛt satām*

*naṣṭa-prāyeṣv abhadreṣu nityaṁ bhāgavata-sevayā*
*bhagavaty uttama-śloke bhaktir bhavati naiṣṭhikī*

*tadā rajas-tamo-bhāvāḥ kāma-lobhādayaś ca ye*
*ceta etair anāviddhaṁ sthitaṁ sattve prasīdati*

*evaṁ prasanna-manaso bhagavad-bhakti-yogataḥ*
*bhagavat-tattva-vijñānaṁ mukta-saṅgasya jāyate*

*bhidyate hṛdaya-granthiś chidyante sarva-saṁśayāḥ*
*kṣīyante cāsya karmāṇi dṛṣṭa evātmanīśvare*

”Samo słuchanie o Kṛṣṇie z literatury wedyjskiej albo słuchanie bezpośrednio od Niego, poprzez *Bhagavad-gītę*, jest zajęciem chwalebnym. Kto bezustannie angażuje się w słuchanie o Nim, dla tego Pan Kṛṣṇa, który mieszka w każdym sercu, jest najlepszym przyjacielem i uwalnia On Swojego wielbiciela od wszelkich nieczystości. Dzięki temu, taki wielbiciel w naturalny sposób rozwija swoją uśpioną wiedzę transcendentalną. Im więcej słucha on o Kṛṣṇie z *Bhāgavatam* i od innych wielbicieli, tym bardziej umacnia się w swojej służbie oddania dla Pana. Przez rozwój służby oddania uwalnia się od ignorancji i pasji, a tym samym znika też materialne pożądanie i skąpstwo. Kiedy znikają wszelkie nieczystości, kandydat pozostaje stale w czystej dobroci, zostaje ożywiony przez służbę oddania i doskonale rozumie naukę Boga. W ten sposób *bhakti-yoga* zrywa mocne więzy materialnych związków i umożliwia natychmiastowe osiągnięcie stanu *asaṁśayaṁ samagram*—zrozumienie Najwyższej Prawdy Absolutnej, Osoby Boga.” (*Bhāg*. 1.2.17-21)

Zatem naukę o Kṛṣṇie można zrozumieć tylko przez słuchanie od Kṛṣṇy albo od Jego wielbiciela w świadomości Kṛṣṇy.

**TEKST 2** ज्ञानं तेऽहं सविज्ञानमिदं वक्ष्याम्यशेषतः ।
यज्ज्ञात्वा नेह भूयोऽन्यज्ज्ञातव्यमवशिष्यते ॥२॥

*jñānaṁ te 'haṁ sa-vijñānam idaṁ vakṣyāmy aśeṣataḥ*
*yaj jñātvā neha bhūyo 'nyaj jñātavyam avaśiṣyate*

*jñānam*—wiedza dotycząca zjawisk; *te*—tobie; *aham*—Ja; *sa*—z; *vijñānam*—wiedza pozazjawiskowa; *idam*—to; *vakṣyāmi*—wytłumaczę; *aśeṣataḥ*—całkowicie; *yat*—którą; *jñātvā*—znając; *na*—nie; *iha*—w tym świecie; *bhūyaḥ*—dalej; *anyat*—coś więcej; *jñātavyam*—poznawalny; *avaśiṣyate*—pozostaje.

**Wyjawię ci teraz wiedzę zjawiskową i pozazjawiskową, którą poznawszy—nic więcej nie będziesz miał do poznania.**

*ZNACZENIE:* Kompletna wiedza zawiera wiedzę o świecie zjawiskowym, znajdującym się poza nim duchu oraz źródle ich obu. Jest to wiedza transcendentalna. Pan pragnie wytłumaczyć Arjunie wyżej wspomniany system wiedzy, ponieważ Arjuna jest Jego zaufanym bhaktą i przyjacielem. Pan tłumaczy to na początku Rozdziału Czwartego i potwierdza to ponownie tutaj: doskonałą wiedzę może posiadać tylko wielbiciel Pana, albowiem otrzymuje ją bezpośrednio od Pana poprzez sukcesję uczniów. Trzeba być więc wystarczająco inteligentnym, aby znać źródło wszelkiej wiedzy, które jest przyczyną wszystkich przyczyn i jedynym przedmiotem medytacji we wszystkich rodzajach praktyki *yogi*. Kiedy zostaje poznana przyczyna wszystkich przyczyn, wtedy zostaje poznane wszystko, co jest do poznania, i nic nie pozostaje nieznanym. *Vedy* (*Muṇḍaka Upaniṣad* 1.3) mówią: *kasmin bhagavo vijñāte sarvam idaṁ vijñātaṁ bhavati.*

**TEKST 3** मनुष्याणां सहस्रेषु कश्चिद् यतति सिद्धये ।
यततामपि सिद्धानां कश्चिन्मां वेत्ति तत्त्वतः ॥३॥

*manuṣyāṇāṁ sahasreṣu kaścid yatati siddhaye*
*yatatām api siddhānāṁ kaścin māṁ vetti tattvataḥ*

*manuṣyāṇām*—ludzi; *sahasreṣu*—spośród wielu tysięcy; *kaścit*—ktoś; *yatati*—dąży; *siddhaye*—do doskonałości; *yatatām*—spośród tych, którzy usiłują; *api*—naprawdę; *siddhānām*—tych, którzy osiągnęli doskonałość; *kaścit*—ktoś; *mām*—Mnie; *vetti*—zna; *tattvataḥ*—prawdziwie.

**Spośród wielu tysięcy ludzi, jeden może dążyć do doskonałości, a spośród tych, którzy doskonałość osiągnęli, zaledwie jeden zna Mnie naprawdę.**

*ZNACZENIE:* Są różne typy ludzi i spośród wielu tysięcy może jeden będzie na tyle zainteresowany realizacją transcendentalną, aby starać się dowiedzieć, czym jest dusza, czym jest ciało i czym jest Prawda Absolutna. Na ogół ludzie oddają się jedynie zwierzęcym skłonnościom; mianowicie jedzeniu, spaniu, obronie i prokreacji, i prawie nikt nie jest zainteresowany wiedzą transcendentalną. Początkowe rozdziały *Gīty* (od pierwszego do szóstego) przeznaczone są dla tych, którzy zainteresowani są wiedzą transcendentalną, zrozumieniem duszy, Duszy Najwyższej, procesami realizacji poprzez *jñāna-yogę, dhyāna-yogę* i odróżnieniem duszy od materii. Kṛṣṇę jednakże mogą poznać tylko osoby będące w świadomości Kṛṣṇy. Inni transcendentaliści mogą zrealizować bezosobowego Brahmana, gdyż jest to łatwiejsze niż zrozumienie Kṛṣṇy. Kṛṣṇa jest Najwyższą Osobą, ale jednocześnie jest On ponad wiedzą o Brahmanie i Paramātmie. *Yogīni* i *jñānī* tracą orientację w swoich próbach zrozumienia Kṛṣṇy. Chociaż największy spośród impersonalistów, Śrīpāda Śaṅkarācārya, przyznał w swoim komentarzu do *Gīty*, że Kṛṣṇa jest Najwyższą Osobą Boga, jednak jego zwolennicy nie akceptują Kṛṣṇy jako takiego, albowiem bardzo trudno jest poznać Kṛṣṇę, nawet jeśli ma się za sobą transcendentalną realizację bezosobowego Brahmana.

Kṛṣṇa jest Najwyższą Osobą Boga, przyczyną wszystkich przyczyn, pierwszym Panem Govindą. *Īśvaraḥ paramaḥ kṛṣṇaḥ sac-cid-ānanda-vigrahaḥ; anādir ādir govindaḥ sarva-kāraṇa-kāraṇam*. Bardzo trudno jest poznać Go tym, którzy nie są Jego wielbicielami. Mimo iż nie-wielbiciele ci uważają, że ścieżka *bhakti*—czyli służba oddania—jest bardzo łatwa, to jednak sami nie są w stanie jej praktykować. Jeśli jednak ścieżka *bhakti* jest taka łatwa, jak twierdzą to nie-wielbiciele, to dlaczego podejmują trudniejszą drogę? W rzeczywistości ścieżka *bhakti* nie jest wcale taka łatwa. Tak zwane ścieżki *bhakti* praktykowane przez osoby nieautoryzowane—bez wiedzy o prawdziwej *bhakti*—mogą być łatwe, kiedy jednak jest ona praktykowana zgodnie z zaleceniami, tzw. naukowcy i filozofowie spekulanci odpadają z tej ścieżki. Śrīla Rūpa Gosvāmī pisze w swoim *Bhakti-rasāmṛta sindhu* (1.2.101):

*śruti-smṛti-purāṇādi- pañcarātra-vidhiṁ vinā*
*aikāntikī harer bhaktir utpātāyaiva kalpate*

"Służba oddania dla Pana, która ignoruje autoryzowaną literaturę wedyjską (jak *Upaniṣady, Purāṇy, Nārada-pañcarātrę*), jest jedynie niepotrzebnym zakłócaniem spokoju w społeczeństwie."

Impersonaliści, którzy zrealizowali Brahmana, albo *yogīni*, którzy zrealizowali Paramātmę, nie są w stanie zrozumieć, jak Kṛṣṇa, Najwyższa Osoba Boga, może być synem Yaśody albo woźnicą Arjuny. Kṛṣṇa wprawia często w zakłopotanie nawet wielkich półbogów (*muhyanti yat sūrayaḥ*). *Māṁ tu veda na kaścana:* "Nikt Mnie nie zna takim jakim jestem"—mówi Pan. A jeśli ktoś zna Go, to *sa mahātmā su-durlabhaḥ*, "taka wielka dusza jest czymś bardzo rzadkim." Dopóki więc dana osoba nie pełni służby oddania, to będąc nawet wielkim naukowcem czy filozofem, nie może ona znać Kṛṣṇy takim jakim On jest (*tattvataḥ*). Tylko czysty wielbiciel może wiedzieć coś o niepojętych, transcendentalnych jakościach Kṛṣṇy, przyczyny wszystkich przyczyn, o Jego wszechmocy i bogactwach, sławie, sile, pięknie, wiedzy i wyrzeczeniu—jako że Kṛṣṇa jest zawsze bardzo życzliwy dla Swoich wielbicieli. Jest On ostatnim słowem w realizacji Brahmana, i jedynie wielbiciele mogą zrealizować Go takim, jakim jest. Dlatego jest powiedziane:

*ataḥ śrī-kṛṣṇa-nāmādi na bhaved grāhyam indriyaiḥ*
*sevonmukhe hi jihvādau svayam eva sphuraty adaḥ*

"Nikt nie może poznać Kṛṣṇy—takim jakim On jest—poprzez swoje ograniczone i niedoskonałe zmysły materialne. Ale objawia się On

Swoim wielbicielom, zadowolony z ich transcendentalnej służby miłości dla Niego." (*Bhakti-rasāmṛta-sindhu* 1.2.234)

## TEKST 4

भूमिरापोऽनलो वायुः खं मनो बुद्धिरेव च ।
अहंकार इतीयं मे भिन्ना प्रकृतिरष्टधा ॥४॥

*bhūmir āpo 'nalo vāyuḥ khaṁ mano buddhir eva ca*
*ahaṅkāra itīyaṁ me bhinnā prakṛtir aṣṭadhā*

*bhūmiḥ*—ziemia; *āpaḥ*—woda; *analaḥ*—ogień; *vāyuḥ*—powietrze; *kham*—eter; *manaḥ*—umysł; *buddhiḥ*—inteligencja; *eva*—na pewno; *ca*—i; *ahaṅkāraḥ*—fałszywe ego; *iti*—w ten sposób; *iyam*—wszystko to; *me*—Moje; *bhinnā*—oddzielne; *prakṛtiḥ*—energie; *aṣṭadhā*—wszystkie osiem.

**Ziemia, woda, ogień, powietrze, eter, umysł, inteligencja i fałszywe ego—wszystkie (w liczbie ośmiu) są Moimi oddzielonymi energiami materialnymi.**

*ZNACZENIE:* Nauka o Bogu analizuje konstytucjonalną pozycję Boga i Jego różnych energii. Natura materialna nazywana jest *prakṛti* albo energią Pana w Jego różnych inkarnacjach *puruṣa* (ekspansjach) jak opisuje to *Sātvata-tantra*:

*viṣṇos tu trīṇi rūpāṇi puruṣākhyāny atho viduḥ*
*ekaṁ tu mahataḥ sraṣṭṛ dvitīyaṁ tv aṇḍa-saṁsthitam*
*tṛtīyaṁ sarva-bhūta-sthaṁ tāni jñātvā vimucyate*

"Dla materialnego tworzenia, kompletna ekspansja Pana Kṛṣṇy przyjmuje trzy formy Viṣṇu. Pierwszy—Mahā-Viṣṇu, tworzy całą energię materialną, znaną jako *mahat-tattva*. Drugi—Garbhodakaśāyī Viṣṇu, wchodzi we wszystkie wszechświaty, aby stworzyć w każdym z nich różnorodność form. Trzeci—Kṣīrodakaśāyī Viṣṇu, jest rozprzestrzeniony we wszystkich wszechświatach jako wszechprzenikająca Dusza Najwyższa i znany jest jako Paramātmā, który obecny jest nawet wewnątrz każdego atomu. Ktokolwiek zna te trzy postacie Viṣṇu, może uwolnić się z materialnej niewoli."

Ten materialny świat jest tymczasową manifestacją jednej z energii Pana. Wszystkie zdarzenia mające miejsce w tym świecie kierowane są przez tych trzech Viṣṇu, ekspansje Pana Kṛṣṇy. *Puruṣa* te nazywane są inkarnacjami. Kto nie zna nauki o Bogu (Kṛṣṇie), ten na ogół uważa, iż materialny świat istnieje dla przyjemności żywych istot, i że to one są przyczynami, kontrolerami i panami energii materialnej (*puruṣami*), korzystającymi z przyjemności z nią związanych. Jednak według

*Bhagavad-gīty* ta ateistyczna konkluzja jest całkowicie fałszywa. W omawianym wersecie jest powiedziane, że oryginalną przyczyną manifestacji materialnej jest Kṛṣṇa. Potwierdza to również *Śrīmad-Bhāgavatam*. Składniki tej manifestacji materialnej są oddzielonymi energiami Pana. Nawet *brahmajyoti*, które jest ostatecznym celem dla impersonalistów, jest Jego energią duchową zamanifestowaną w niebie duchowym. W *brahmajyoti* nie istnieje jednak różnorodność duchowa, która ma miejsce na Vaikuṇṭhalokach, i impersonaliści przyjmują to *brahmajyoti* za ostateczny, wieczny cel. Manifestacja Paramātmy jest również wszechprzenikającym aspektem Kṣīrodakaśāyī Viṣṇu, i jest to manifestacja tymczasowa. Manifestacja Paramātmy nie istnieje wiecznie w niebie duchowym. Zatem rzeczywistą Prawdą Absolutną jest Najwyższa Osoba Boga, Kṛṣṇa. On jest źródłem wszystkich energii, które można podzielić na Jego energie wewnętrzne i energie oddzielone od Niego.

W energii materialnej jest osiem—wyżej wymienionych—zasadniczych manifestacji. Spośród nich wszystkich, pierwsze pięć manifestacji, mianowicie: ziemia, woda, ogień, powietrze i eter—nazywane są stworzeniem gigantycznym albo "wulgarnym". Stworzenie to zawiera pięć przedmiotów zmysłów, które są manifestacjami fizycznego głosu, dotyku, formy, smaku i zapachu. Nauka materialna obejmuje te dziesięć rzeczy i nic ponadto. Pozostałe trzy rzeczy, mianowicie: umysł, inteligencja i fałszywe ego są lekceważone przez materialistów. Filozofowie, którzy mają do czynienia z czynnościami umysłu, również nie posiadają doskonałej wiedzy, ponieważ nie znają oni ostatecznego źródła—Kṛṣṇy. Fałszywe ego—"ja jestem" i "to jest moje", które tworzą podstawową zasadę egzystencji materialnej—obejmuje dziesięć narządów zmysłów przeznaczonych do spełniania czynności materialnych. Inteligencja odnosi się do całego przejawienia materialnego, nazywanego *mahat-tattva*. Z ośmiu oddzielonych energii Pana manifestują się dwadzieścia cztery elementy materialnego świata, które są podstawą ateistycznej filozofii Sāṅkhya. Elementy te są oryginalnie pochodnymi energii Kṛṣṇy i są one oddzielone od Niego, ale ateistyczni filozofowie Sāṅkhya, posiadający mały zasób wiedzy, nie wiedzą, iż Kṛṣṇa jest przyczyną wszystkich przyczyn. Podstawowym przedmiotem dyskusji w filozofii Sāṅkhya jest jedynie manifestacja zewnętrznej energii Kṛṣṇy, tak jak jest to opisane w *Bhagavad-gīcie*.

**TEKST 5** अपरेयमितस्त्वन्यां प्रकृतिं विद्धि मे पराम् ।
जीवभूतां महाबाहो ययेदं धार्यते जगत् ॥५॥

*apareyam itas tv anyāṁ prakṛtiṁ viddhi me parām*

*jīva-bhūtāṁ mahā-bāho yayedaṁ dhāryate jagat*

*aparā*—niższa; *iyam*—ta; *itaḥ*—oprócz tej; *tu*—ale; *anyām*—inna; *prakṛtim*—energia; *viddhi*—spróbuj zrozumieć; *me*—Moja; *parām*—wyższa; *jīva-bhūtām*—obejmująca żywe istoty; *mahā-bāho*—O potężnie uzbrojony; *yayā*—przez którego; *idam*—to; *dhāryate*—używana albo wykorzystywana; *jagat*—świat materialny.

**Oprócz tych energii, o potężny Arjuno, istnieje Moja wyższa energia, którą są wszystkie żywe istoty wykorzystujące zasoby tej niższej, materialnej natury.**

*ZNACZENIE:* Werset ten wyraźnie mówi, iż żywe istoty należą do wyższej natury (czyli energii) Najwyższego Pana. Niższą energią jest materia zamanifestowana w takich elementach, jak: ziemia, woda, ogień, powietrze, eter, umysł, inteligencja i fałszywe ego. Obie formy natury materialnej, mianowicie "wulgarna" (ziemia itd.) i "subtelna" (umysł itd.), są produktami energii niższej. Żywe istoty, które wykorzystują niższą energię do różnych celów, same przynależą do wyższej energii Najwyższego Pana, i to właśnie dzięki tej energii cały materialny świat funkcjonuje. Manifestacja kosmiczna nie ma żadnej mocy działania, jeśli nie jest poruszana przez energię wyższą, żywą istotę. Energie są zawsze kontrolowane przez źródło energii, a zatem żywe istoty są zawsze kontrolowane przez Pana. Nie mają one niezależnej egzystencji. Nigdy nie posiadają takiej siły, jaką posiada Pan, jak to sobie mogą myśleć ludzie nieinteligentni. Różnica pomiędzy żywymi istotami i Panem została opisana w *Śrīmad-Bhāgavatam* (10.87.30) w sposób następujący:

*aparimitā dhruvās tanu-bhṛto yadi sarva-gatās*
*tarhi na śāsyateti niyamo dhruva netarathā*
*ajani ca yan-mayaṁ tad avimucya niyantṛ bhavet*
*samam anujānatāṁ yad amataṁ mata-duṣṭatayā*

"O Wieczny Najwyższy! Gdyby wcielone żywe istoty były wieczne i wszechprzenikające tak jak Ty, nie byłyby wtedy pod Twoją kontrolą. Ale ponieważ są one Twoimi drobnymi energiami, podlegają Twojej najwyższej kontroli. Dlatego prawdziwe wyzwolenie polega na podporządkowaniu się żywych istot Twojej kontroli i to podporządkowanie czyni je szczęśliwymi. Mogą być one kontrolerami tylko w tej konstytucjonalnej pozycji. Ludzie o ubogim zasobie wiedzy, będący zwolennikami teorii monistycznej, mówiącej, iż Bóg i żywe istoty są równe pod każdym względem, są w rzeczywistości zwodzeni przez błędne i nieczyste poglądy."

Najwyższy Pan Kṛṣṇa jest jedynym kontrolerem i wszystkie żywe istoty kontrolowane są przez Niego. Te żywe istoty są Jego wyższą energią, ponieważ ich egzystencja jakościowo jest równa egzystencji Najwyższego. Jednak nigdy nie dorównują Panu wielkością mocy. Podczas eksploatacji energii niższej (materii "subtelnej" i "wulgarnej"), wyższa energia (żywa istota) zapomina o swojej prawdziwej—duchowej—inteligencji i umyśle. Przyczyną tego zapominania jest oddziaływanie na nią materii. Kiedy jednak uwalnia się ona spod wpływu złudnej energii materialnej, wtedy osiąga stan nazywany *mukti*, czyli wyzwolenie. Pod wpływem materialnej iluzji fałszywe "ego" myśli: "Jestem materią i zdobycze materialne należą do mnie." Ze swojej właściwej pozycji zdaje sobie ona sprawę dopiero wtedy, kiedy uwalnia się od wszystkich idei materialnych, do których należy też koncepcja dorównania pod każdym względem Bogu. *Gītā* potwierdza to, iż żywa istota jest jedynie jedną z wielu energii Kṛṣṇy; kiedy zaś energia ta uwolni się od zanieczyszczeń materialnych, wtedy osiąga pełną świadomość Kṛṣṇy, czyli wyzwolenie.

**TEKST 6** एतद्योनीनि भूतानि सर्वाणीत्युपधारय ।
अहं कृत्स्नस्य जगतः प्रभवः प्रलयस्तथा ॥६॥

*etad-yonīni bhūtāni sarvāṇīty upadhāraya*
*ahaṁ kṛtsnasya jagataḥ prabhavaḥ pralayas tathā*

*etat*—te dwie natury; *yonīni*—których źródło narodzin; *bhūtāni*—wszystko stworzone; *sarvāṇi*—wszystko; *iti*—w ten sposób; *upadhāraya*—wiedz; *aham*—Ja; *kṛtsnasya*—wszystko obejmujący; *jagataḥ*—tego świata; *prabhavaḥ*—źródło manifestacji; *pralayaḥ*—unicestwienie; *tathā*—jak również.

**Wszystkie stworzone istoty mają swoje źródło w tych dwóch naturach. Wiedz, że Ja jestem początkiem i końcem wszystkiego, co materialne i duchowe w tym świecie.**

*ZNACZENIE:* Wszystko, co istnieje, jest produktem materii i ducha. Duch jest podstawą stworzenia, a materia tworzona jest przez ducha. Duch nie powstaje na pewnym etapie rozwoju materialnego. To raczej energia duchowa jest podstawą zamanifestowania się materialnego świata. Ciało materialne rozwija się dzięki obecności ducha w materii. Dziecko rośnie stopniowo od wieku chłopięcego do męskiego, dzięki obecności w jego ciele tej wyższej energii—duszy. Podobnie, cała manifestacja kosmiczna tego potężnego wszechświata rozwinęła się dzięki obecności Duszy Najwyższej, Viṣṇu. Zatem, zarówno duch jak i materia, które łączą się razem, aby zamanifestować tę gigantyczną formę wszechświata, są oryginalnie dwiema energiami Pana. Pan jest więc oryginalną przyczyną wszystkiego. Fragmentaryczna, integralna cząstka Pana—mianowicie żywa istota—może skonstruować wieżowiec, fabrykę albo nawet wielkie miasto, nie może ona jednak stworzyć ogromnego wszechświata. Przyczyną wszechświata jest duża dusza, czyli Dusza Najwyższa. A Kṛṣṇa, Najwyższy, jest stwórcą zarówno dusz dużych, jak i małych. Zatem On jest oryginalną przyczyną wszystkich przyczyn, jak potwierdza to *Kaṭha Upaniṣad* (2.2.13). *Nityo nityānāṁ cetanaś cetanānām*.

**TEKST 7** मत्तः परतरं नान्यत् किञ्चिदस्ति धनञ्जय ।
मयि सर्वमिदं प्रोतं सूत्रे मणिगणा इव ॥७॥

*mattaḥ parataraṁ nānyat kiñcid asti dhanañjaya*
*mayi sarvam idaṁ protaṁ sūtre maṇi-gaṇā iva*

*mattaḥ*—poza Mną; *para-taram*—wyższy; *na*—nie; *anyat kiñcit*—wszystko inne; *asti*—jest; *dhanañjaya*—O zdobywco bogactw; *mayi*—we Mnie; *sarvam*—wszystko, co istnieje; *idam*—to, co widzimy; *protam*—nanizane; *sūtre*—na nić; *maṇi-gaṇāḥ*—perły; *iva*—podobnie.

**O zdobywco bogactw, nie masz prawdy wyższej ode Mnie. Wszystko spoczywa na Mnie, tak jak perły nanizane na nić spoczywają na niej.**

*ZNACZENIE:* Istnieje powszechna polemika na temat: czy Prawda Absolutna jest osobą, czy też jest bezosobowa? Według *Bhagavad-gīty*, Prawdą Absolutną jest Najwyższa Osoba Boga, Śrī Kṛṣṇa. Potwierdzane jest to na każdym kroku i szczególnie potwierdza to również ten werset. Zapewnia o tym też *Brahma-saṁhitā*: *īśvaraḥ paramaḥ kṛṣṇaḥ sac-cid-ānanda-vigrahaḥ*; to znaczy, że Najwyższą Prawdą Absolutną, Osobą Boga, jest Pan Kṛṣṇa, który jest pierwotnym Panem, oceanem wszelkich przyjemności—Govindą, i wieczną formą pełną szczęścia i wiedzy. Te autorytatywne źródła nie pozostawiają żadnych wątpliwości, że Prawda Absolutna jest Najwyższą Osobą, przyczyną wszystkich przyczyn. Impersonaliści jednakże argumentują swoje stanowisko, powołując się na opis wedyjski zamieszczony w *Śvetāśvatara Upaniṣad* (3.10): *tato yad uttarataraṁ tad arūpam anāmayam; ya etad vidur amṛtās te bhavanti athetare duḥkham evāpiyanti*. "Pierwsza żywa istota we wszechświecie, Brahmā, jest w tym materialnym świecie najwyższym spośród półbogów, ludzkich istot i zwierząt. Ale poza Brahmą jest Transcendencja, nie mająca formy materialnej i wolny od wszelkich materialnych zanieczyszczeń. Każdy kto może Go poznać, również staje się transcendentalnym, a ci, którzy Go nie znają, cierpią niedole tego materialnego świata."

Impersonaliści kładą większy nacisk na słowo *arūpam*. Ale to *arūpam* nie znaczy—bezosobowy. Mówi ono o transcendentalnej formie wieczności, szczęścia i wiedzy, opisanej w *Brahma-saṁhicie* (cytowanej powyżej). Inne wersety w *Śvetāśvatara Upaniṣad* (3.8-9) uzasadniają to w następujący sposób:

*vedāham etaṁ puruṣaṁ mahāntam*
*āditya-varṇaṁ tamasaḥ parastāt*
*tam eva vidvān ati mṛtyum eti*
*nānyaḥ panthā vidyate 'yanāya*

*yasmāt paraṁ nāparam asti kiñcid*
*yasmān nāṇīyo no jyāyo 'sti kiñcit*
*vṛkṣa iva stabdho divi tiṣṭhaty ekas*
*tenedaṁ pūrṇaṁ puruṣeṇa sarvam*

"Znam Najwyższą Osobę Boga, który jest transcendentalny do wszystkich materialnych koncepcji ciemności. Tylko ten, kto Go zna, może uwolnić się od więzów narodzin i śmierci. Nie ma innego sposobu wyzwolenia, oprócz tej wiedzy o Najwyższej Osobie.

"Nie ma prawdy wyższej od tej Najwyższej Osoby, jako że On jest najwyższy. Jest On mniejszy od najmniejszego i jest On większy od największego. Jest On jak milczące drzewo i On oświetla transcendentalne niebo. Tak jak drzewo rozprzestrzenia swoje korzenie, tak On rozprzestrzenił Swoje rozległe energie."

Wersety te dowodzą, że Najwyższą Absolutną Prawdą jest Najwyższa Osoba Boga, który jest wszechprzenikający poprzez Swoje wielorakie energie; zarówno materialne, jak i duchowe.

## TEKST 8

रसोऽहमप्सु कौन्तेय प्रभास्मि शशिसूर्ययोः ।
प्रणवः सर्ववेदेषु शब्दः खे पौरुषं नृषु ॥८॥

*raso 'ham apsu kaunteya prabhāsmi śaśi-sūryayoḥ*
*praṇavaḥ sarva-vedeṣu śabdaḥ khe pauruṣaṁ nṛṣu*

*rasaḥ*—smak; *aham*—Ja; *apsu*—w wodzie; *kaunteya*—O synu Kuntī; *prabhā*—światło; *asmi*—Ja jestem; *śaśi-sūryayoḥ*—księżyca i słońca; *praṇavaḥ*—trzy litery *a-u-m; sarva*—we wszystkim; *vedeṣu*—*Vedy; śabdaḥ*—wibracja dźwiękowa; *khe*—w eterze; *pauruṣam*—możliwość; *nṛṣu*—w człowieku.

**Ja jestem smakiem wody, światłem słońca i księżyca, sylabą oṁ w mantrach wedyjskich; Ja jestem dźwiękiem w eterze i możliwością w człowieku, o synu Kunti.**

*ZNACZENIE:* Werset ten tłumaczy, w jaki sposób Pan jest wszechprzenikający poprzez Swoje różnorodne materialne i duchowe energie. Początkowo można Go dostrzec poprzez Jego różne energie i w ten sposób jest On realizowany bezosobowo. Tak jak półbóg na słońcu jest osobą i dostrzegalny jest poprzez swoją wszechprzenikającą energię, blask słoneczny, podobnie Pan, mimo iż przebywający wiecznie w Swoim królestwie, dostrzegany jest poprzez Jego wszechprzenikające, rozległe energie. Smak wody jest jej czynnym składnikiem. Nikt nie lubi pić wody morskiej, gdyż czysty smak wody zmieszany jest z solą. Smak wody zależy od jej czystości i ten czysty smak wody jest jedną z energii Pana. Impersonalista odczuwa obecność Pana w wodzie poprzez jej smak, a wielbiciel również chwali Pana za łaskawe dostarczanie smacznej wody dla ugaszenia ludzkiego pragnienia. Taki jest sposób na dostrzeganie Najwyższego. Praktycznie mówiąc, nie ma konfliktu pomiędzy personalizmem a impersonalizmem. Kto zna Boga, ten wie, że koncepcja osobowa i bezosobowa są równocześnie obecne we wszystkim i nie ma żadnych sprzeczności. Dlatego Pan Caitanya ustanowił Swoją wzniosłą doktrynę: *acintya bheda*-i-*abheda-tattva*—mówiącą o równoczesnej jedności i odmienności.

Światło słońca i księżyca oryginalnie emanuje z *brahmajyoti*, bezosobowego blasku Pana. A *praṇava*, czyli *oṁkāra*, transcendentalny dźwięk występujący na początku wszystkich hymnów wedyjskich, jest zwrotem kierowanym do Najwyższego Pana. Ponieważ impersonaliści tak bardzo obawiają się nazywania Pana Kṛṣṇy Jego niezliczonymi imionami, wolą wibrować transcendentalny dźwięk *oṁkāra*. Ale nie zdają sobie sprawy z tego, że *oṁkāra* jest dźwiękową reprezentacją Kṛṣṇy. Panowanie świadomości Kṛṣṇy rozprzestrzenia się wszędzie—a kto ją zna, ten jest błogosławiony. Osoby nie znające Kṛṣṇy znajdują się pod wpływem iluzji. Zatem wiedza o Kṛṣṇie jest wyzwoleniem, a niewiedza o Nim—niewolą.

**TEKST 9** पुण्यो गन्धः पृथिव्यां च तेजश्चास्मि विभावसौ ।
जीवनं सर्वभूतेषु तपश्चास्मि तपस्विषु ॥९॥

*puṇyo gandhaḥ pṛthivyāṁ ca tejaś cāsmi vibhāvasau*
*jīvanaṁ sarva-bhūteṣu tapaś cāsmi tapasviṣu*

*puṇyaḥ*—oryginalny; *gandhaḥ*—zapach; *pṛthivyām*—w ziemi; *ca*—również; *tejaḥ*—temperatura; *ca*—również; *asmi*—Ja jestem; *vibhāva-*

*sau*—w ogniu; *jīvanam*—życie; *sarva*—we wszystkich; *bhūteṣu*—żywych istotach; *tapaḥ*—pokuta; *ca*—również; *asmi*—jestem; *tapasviṣu*—w tych, którzy oddają się pokutom.

**Ja jestem oryginalną wonią ziemi, Ja jestem ciepłem ognia, życiem wszystkiego co żyje, i Ja jestem pokutą wszystkich ascetów.**

*ZNACZENIE: Puṇya* oznacza to, co nie uległo rozkładowi; *puṇya* jest czymś oryginalnym. Wszystko w tym materialnym świecie ma pewną woń, aromat. Posiada ją kwiat, ziemia, woda, ogień, powietrze itd. Zapachem nieskalanym, oryginalnym i przenikającym wszystko jest Kṛṣṇa. Wszystko ma również określony, oryginalny smak i smak ten można zmienić przez mieszaninę związków chemicznych. Więc wszystko, co oryginalne, ma pewien zapach i smak. *Vibhāvasu* znaczy ogień. Bez ognia nie możemy uruchomić fabryk, nie możemy gotować itd., i tym ogniem jest Kṛṣṇa. Ciepłem ognia jest Kṛṣṇa. Według medycyny wedyjskiej, niestrawność spowodowana jest niską temperaturą w żołądku. Więc ogień potrzebny jest nawet do trawienia. Będąc świadomym Kṛṣṇy, zdajemy sobie sprawę z tego, że ziemia, woda, ogień i wszystkie czynne składniki, wszystkie związki chemiczne i elementy materialne istnieją dzięki Kṛṣṇie. Od Kṛṣṇy zależy również długość ludzkiego życia. Dzięki łasce Kṛṣṇy człowiek może przedłużyć lub skrócić swoje życie. Świadomość Kṛṣṇy jest zatem aktywna w każdej sferze.

**TEKST 10** बीजं मां सर्वभूतानां विद्धि पार्थ सनातनम् ।
बुद्धिर्बुद्धिमतामस्मि तेजस्तेजस्विनामहम् ॥१०॥

*bījaṁ māṁ sarva-bhūtānāṁ viddhi pārtha sanātanam*
*buddhir buddhimatām asmi tejas tejasvinām aham*

*bījam*—ziarno; *mām*—Mnie; *sarva-bhūtānām*—wszystkich żywych istot; *viddhi*—spróbuj zrozumieć; *pārtha*—O synu Pṛthy; *sanātanam*—oryginalny, wieczny; *buddhiḥ*—inteligencja; *buddhi-matām*—inteligentnego; *asmi*—Ja jestem; *tejaḥ*—dzielność; *tejasvinām*—potężnego; *aham*—Ja jestem.

**O synu Pṛthy, wiedz, że to Ja jestem oryginalnym nasieniem wszelkiego życia, inteligencją inteligentnego i męstwem wszystkich potężnych ludzi.**

*ZNACZENIE: Bījam* oznacza nasienie; nasieniem wszystkiego jest Kṛṣṇa. Są różne żywe istoty, poruszające się i nieruchome. Do stworzeń ruchomych należą: ptaki, zwierzęta, ludzie i wiele innych żywych istot;

a do nieruchomych—drzewa i rośliny. Każda żywa istota zawiera się w 8 400 000 gatunkach życia, z których jedne mają zdolność poruszania się, inne natomiast pozostają nieruchome. Jednakże we wszystkich przypadkach nasieniem ich życia jest Kṛṣṇa. Jak mówi o tym literatura wedyjska, Brahman, czyli Najwyższa Prawda Absolutna, jest tą formą, z której wszystko emanuje. Kṛṣṇa jest Parabrahmanem, Najwyższym Duchem. Brahman jest bezosobowy, a Parabrahman jest osobą. Jak to oznajmia *Bhagavad-gītā*, Brahman bezosobowy zawiera się w aspekcie osobowym. Zatem oryginalnym źródłem wszystkiego jest Kṛṣṇa. On jest korzeniem utrzymującym wszystko w tej manifestacji kosmicznej, tak jak korzeń utrzymuje całe drzewo. Potwierdza to również literatura wedyjska (*Kaṭha Upaniṣad* 2.2.13):

*nityo nityānāṁ cetanaś cetanānām*
*eko bahūnāṁ yo vidadhāti kāmān*

Jest On pierwszym wiecznym pomiędzy wszystkimi wiecznymi. Jest On najwyższą żywą istotą pomiędzy wszystkimi żywymi istotami i jedynie On Sam utrzymuje wszelkie życie. Bez inteligencji nie można działać, a Kṛṣṇa mówi również, że On jest źródłem wszelkiej inteligencji. Nie posiadając inteligencji, nie można zrozumieć Najwyższej Osoby Boga, Kṛṣṇy.

## TEKST 11

बलं बलवतां चाहं कामरागविवर्जितम् ।
धर्माविरुद्धो भूतेषु कामोऽस्मि भरतर्षभ ॥११॥

*balaṁ balavatāṁ cāhaṁ kāma-rāga-vivarjitam*
*dharmāviruddho bhūteṣu kāmo 'smi bharatarṣabha*

*balam*—siła; *bala-vatām*—mocnego; *ca*—i; *aham*—jestem; *kāma*—pasja; *rāga*—przywiązanie; *vivarjitam*—wolny od; *dharma-aviruddhaḥ*—nie będący przeciwko zasadom religijnym; *bhūteṣu*—we wszystkich istotach; *kāmaḥ*—życie seksualne; *asmi*—Ja jestem; *bharata-ṛṣabha*—O panie Bhāratów.

**Ja jestem siłą mocnych, wolnych od pasji i pożądania, o panie Bhāratów (Arjuno), Ja jestem życiem seksualnym, które nie jest sprzeczne z religijnymi zasadami.**

*ZNACZENIE:* Siła mocnych powinna być wykorzystywana do ochrony słabych, a nie dla wyładowania osobistych agresji. Podobnie, celem życia seksualnego, zgodnego z zasadami religijnymi (*dharmą*), powinno być wydanie na świat potomstwa i tylko to. Następnie, obowiązkiem rodziców jest uczynienie swoich dzieci świadomymi Kṛṣṇy.

TEKST 12 ये चैव सात्त्विका भावा राजसास्तामसाश्च ये ।
मत्त एवेति तान् विद्धि न त्वहं तेषु ते मयि ॥१२॥

*ye caiva sāttvikā bhāvā rājasās tāmasāś ca ye*
*matta eveti tān viddhi na tv ahaṁ teṣu te mayi*

*ye*—wszystkie, które; *ca*—i; *eva*—z pewnością; *sāttvikāḥ*—w dobroci; *bhāvāḥ*—stan istnienia; *rājasāḥ*—w *guṇie* pasji; *tāmasāḥ*—w *guṇie* ignorancji; *ca*—również; *ye*—wszystko, które; *mattaḥ*—ode Mnie; *eva*—na pewno; *iti*—w ten sposób; *tān*—ci; *viddhi*—spróbuj się dowiedzieć; *na*—nie; *tu*—ale; *aham*—Ja; *teṣu*—w nich; *te*—oni; *mayi*—we Mnie.

**Wiedz, że wszystkie stany istnienia, czy to będące w dobroci, pasji czy też ignorancji—z Mojej manifestują się energii. W pewnym sensie jestem więc wszystkim, a jednak jestem niezależny i siły natury materialnej nie mają na Mnie wpływu, lecz—wprost przeciwnie—spoczywają one we Mnie.**

*ZNACZENIE:* Wszystkie materialne czynności w tym materialnym świecie pozostają pod wpływem trzech sił natury materialnej. Mimo iż siły te są emanacjami Najwyższego Pana Kṛṣṇy, On Sam nie jest uzależniony od nich. Na przykład, ktoś może zostać ukarany zgodnie z prawem państwowym, lecz król, prawodawca, temu prawu nie podlega. Podobnie, wszystkie siły natury materialnej—dobroć, pasja i ignorancja—są emanacjami Najwyższego Pana Kṛṣṇy, ale Kṛṣṇa nie jest uzależniony od materialnej natury. Dlatego jest On *nirguṇa*, co oznacza, że te *guṇy*, czyli siły natury materialnej, mimo iż ich źródłem jest On Sam, nie mają na Niego wpływu. Jest to jedna z cech charakterystycznych dla Bhagavāna, Najwyższej Osoby Boga.

TEKST 13 त्रिभिर्गुणमयैर्भावैरेभिः सर्वमिदं जगत् ।
मोहितं नाभिजानाति मामेभ्यः परमव्ययम् ॥१३॥

*tribhir guṇa-mayair bhāvair ebhiḥ sarvam idaṁ jagat*
*mohitaṁ nābhijānāti mām ebhyaḥ param avyayam*

*tribhiḥ*—trzy; *guṇa-mayaiḥ*—składający się z *guṇ*; *bhāvaiḥ*—przez stan istnienia; *ebhiḥ*—wszystko to; *sarvam*—cały; *idam*—ten; *jagat*—wszechświat; *mohitam*—omamiony; *na abhijānāti*—nie zna; *mām*—

Mnie; *ebhyaḥ*—ponad tymi; *param*—Najwyższy; *avyayam*—niewyczerpany.

**Cały świat omamiony trzema siłami natury materialnej: dobrocią, pasją i ignorancją, nie zna Mnie, który—niewyczerpanym będąc—jestem ponad tymi siłami.**

*ZNACZENIE:* Cały świat jest zauroczony trzema siłami natury materialnej. Ludzie omamieni przez te trzy siły nie mogą zrozumieć, iż Najwyższy Pan, Kṛṣṇa, jest transcendentalny do nich.

Pozostające pod wpływem natury materialnej żywe istoty mają określone typy ciał, specyficzną psychikę i odpowiadające im czynności biologiczne. Są cztery rodzaje ludzi funkcjonujących w tych trzech *guṇach* natury materialnej. Osoby będące całkowicie pod wpływem dobroci nazywane są braminami; te, które są pod wpływem pasji, nazywane są *kṣatriyami*. Osoby znajdujące się pod wpływem pasji i ignorancji zwie się *vaiśyami*, a ci, którzy całkowicie pogrążeni są w ignorancji, nazywani są *śūdrami*. Będący jeszcze niżej są właściwie zwierzętami, albo wiodą zwierzęce życie. Jednakże te desygnaty nie są wieczne. Bez względu na to, czy jest się braminem, *kṣatriyą, vaiśyą* czy kimkolwiek—w każdym przypadku to życie jest przemijające. Mimo iż to życie jest takie krótkie i nie wiemy, czym będziemy w życiu przyszłym, to jednak dziś—oczarowani energią iluzoryczną—widzimy siebie w świetle cielesnej koncepcji życia. Wskutek tego myślimy, iż jesteśmy Amerykanami, Rosjanami, Hindusami, braminami, muzułmanami itd. Schwytani w pułapkę sił natury materialnej, zapominamy o Najwyższej Osobie Boga, który jest poza tymi wszystkimi siłami natury. Pan Kṛṣṇa mówi, iż ludzie usidleni przez te *guṇy* nie rozumieją, że poza tym materialnym tłem jest Najwyższa Osoba Boga.

Jest wiele różnych rodzajów żywych istot: istot ludzkich, półbogów, zwierząt itd., i każda z nich znajduje się pod wpływem natury materialnej—zapomniawszy o transcendentalnej Osobie Boga. Osoby, którymi rządzi pasja i ignorancja, a nawet te będące w dobroci, nie mogą wyjść poza koncepcję bezosobowej Prawdy Absolutnej—koncepcję bezosobowego Brahmana. Najwyższy Pan w Swojej osobowej postaci, posiadający wszelkie piękno, bogactwo, wiedzę, siłę, sławę i wyrzeczenie—wprowadza ich w zakłopotanie. Jeśli nawet ci w *gunie* dobroci nie mogą tego pojąć, to jaka jest nadzieja dla tych w pasji i ignorancji? Świadomość Kṛṣṇy jest jednak transcendentalna do tych trzech sił natury materialnej, i kto jest prawdziwie w niej umocniony—ten jest naprawdę wyzwolonym.

**TEKST 14**

दैवी ह्येषा गुणमयी मम माया दुरत्यया ।
मामेव ये प्रपद्यन्ते मायामेतां तरन्ति ते ॥१४॥

*daivī hy eṣā guṇa-mayī mama māyā duratyayā*
*mām eva ye prapadyante māyām etāṁ taranti te*

*daivī*—transcendentalny; *hi*—z pewnością; *eṣā*—to; *guṇa-mayī*—składająca się z trzech sił natury materialnej; *mama*—Moja; *māyā*—energia; *duratyayā*—bardzo trudna do przezwyciężenia; *mām*—Mnie; *eva*—z pewnością; *ye*—ci, którzy; *prapadyante*—podporządkowują; *māyām etām*—ta energia iluzoryczna; *taranti*—pokonują; *te*—oni.

**Niełatwo jest przezwyciężyć tę Moją boską—składającą się z trzech sił natury materialnej—energię. Ale bez trudu mogą pokonać ją ci, którzy podporządkowali się Mnie.**

*ZNACZENIE:* Najwyższa Osoba Boga ma niezliczone energie i wszystkie te energie są boskie. Mimo iż żywe istoty są częścią Jego energii i z tego powodu są boskie, to jednak w kontakcie z energią materialną zostaje przykryta ich wyższa, pierwotna moc. Kiedy jest się w ten sposób przykrytym przez energię materialną, pokonanie jej oddziaływania jest rzeczą całkowicie niemożliwą. Jak to już wcześniej zostało powiedziane, zarówno natura materialna, jak i duchowa, będąc emanacjami Najwyższej Osoby Boga, są wieczne. Żywe istoty należą do wiecznej, wyższej natury Pana, ale z powodu skalania naturą niższą—materią, ich złudzenie jest również wieczne. Uwarunkowana dusza jest dlatego nazywana *nitya-baddha*, czyli wiecznie uwarunkowaną. Nikt nie jest w stanie prześledzić historii swojego uwarunkowania, począwszy od jakiegoś momentu w historii materialnej. Wskutek tego oswobodzenie się z sideł natury materialnej jest bardzo trudne. Mimo iż ta natura materialna jest energią niższą, jest ona prowadzona ostatecznie przez najwyższą wolę, której żywa istota nie jest w stanie pokonać. Niższa natura materialna została tutaj zdefiniowana jako energia boska, dzięki jej styczności i poruszaniu jej przez boską wolę. Poruszana przez naturę boską, natura materialna, chociaż niższa, działa wspaniale w konstruowaniu i destrukcji manifestacji kosmicznej. *Vedy* potwierdzają to w sposób następujący: *māyāṁ tu prakṛtiṁ vidyān māyinaṁ tu maheśvaram*. "Chociaż *māyā* (iluzja) jest fałszywa albo tymczasowa, podstawą *māyi* jest najwyższy magik—Osoba Boga, który jest Maheśvarą, najwyższym kontrolerem." (*Śvetāśvatara Upaniṣad* 4.10)

Innym znaczeniem słowa *guṇa* jest sznur. Należy to rozumieć w ten sposób, że uwarunkowana dusza jest mocno związana sznurami iluzji. Człowiek ze związanymi rękoma i stopami nie może uwolnić się sam. Musi otrzymać pomoc od innej osoby, która nie jest związana. Ponieważ związany nie może pomóc związanemu, oswobodziciel musi być wyzwolony. Zatem tylko Pan Kṛṣṇa albo Jego bona fide reprezentant—mistrz duchowy, może przynieść wolność uwarunkowanej duszy. Bez takiej wyższej pomocy nie można uwolnić się z więzów natury materialnej. Wolność osiągnąć można dzięki służbie oddania i świadomości Kṛṣṇy. Kṛṣṇa, będąc Panem energii iluzorycznej, może rozkazać tej nieprzezwyciężonej energii, aby wyzwoliła uwarunkowaną duszę. Takie oswobodzenie nakazuje On dzięki Swojej bezprzyczynowej łasce dla podporządkowanej duszy i dzięki Swojemu ojcowskiemu uczuciu dla żywej istoty, która jest w rzeczywistości ukochanym synem Pana. Dlatego podporządkowanie się lotosowym stopom Pana jest jedynym środkiem wydostania się z mocnego uchwytu szponów natury materialnej.

Znaczące są tutaj również słowa *mām eva*. *Mām* oznacza—tylko Kṛṣṇie (Viṣṇu), a nie Brahmie albo Śivie. Mimo iż Brahmā i Śiva są osobami niezwykle wyniesionymi i są prawie na poziomie Viṣṇu, to jednak będąc inkarnacjami *rajo-guṇy* (pasji) i *tamo-guṇy* (ignorancji), nie są w stanie uwolnić uwarunkowanej duszy ze szponów *māyi*. Innymi słowy, zarówno Brahmā, jak i Śiva, również pozostają pod wpływem *māyi*. Jedynie Viṣṇu jest panem *māyi*; dlatego tylko On jeden może oswobodzić uwarunkowaną duszę. *Vedy* (*Śvetāśvatara Upaniṣad* 3.8) potwierdzają to słowami: *tam eva viditvā*: "Wolność możliwa jest tylko poprzez zrozumienie Kṛṣṇy." Nawet Pan Śiva potwierdza, iż wyzwolenie można osiągnąć tylko dzięki łasce Viṣṇu. Mówi on: *mukti-pradātā sarveṣāṁ viṣṇur eva na saṁśayaḥ*: "Nie ma żadnej wątpliwości co do tego, że Viṣṇu jest wyzwolicielem każdego."

**TEKST 15** न मां दुष्कृतिनो मूढाः प्रपद्यन्ते नराधमाः ।
माययापहृतज्ञाना आसुरं भावमाश्रिताः ॥१५॥

*na māṁ duṣkṛtino mūḍhāḥ prapadyante narādhamāḥ*
*māyayāpahṛta-jñānā āsuraṁ bhāvam-āśritāḥ*

*na*—nie; *mām*—Mnie; *duṣkṛtinaḥ*—złoczyńcy; *mūḍhāḥ*—głupcy; *prapadyante*—podporządkowują się; *nara-adhamāḥ*—najniżsi spośród ludzi; *māyayā*—przez energię iluzoryczną; *apahṛta*—skradziona; *jñānāḥ*—którego wiedza; *āsuram*—demoniczna; *bhāvam*—natura; *āśritāḥ*—przyjmując.

**Ale ci, którzy są największymi głupcami, najniższymi spośród rodzaju ludzkiego, ci, których wiedza została skradziona przez**

**iluzję i niegodziwcy o ateistycznej naturze demonów nigdy Mi się nie podporządkowują.**

*ZNACZENIE: Bhagavad-gītā* mówi, że jedynie przez podporządkowanie się lotosowym stopom Kṛṣṇy, Najwyższej Osoby Boga, można przezwyciężyć surowe prawa natury materialnej. W tym momencie powstaje pytanie: jak to się dzieje, że wykształceni filozofowie, naukowcy, biznesmeni i wszyscy przywódcy zwykłych ludzi nie podporządkowują się lotosowym stopom Śrī Kṛṣṇy, wszechpotężnej Osoby Boga? Przywódcy ludzkości uciekają się do różnych sposobów w poszukiwaniu wyzwolenia (czyli *mukti*) spod twardych praw natury materialnej, czyniąc wielkie plany i usilnie do tego dążąc przez wiele, wiele lat i żywotów. Jeśli to wyzwolenie możliwe jest po prostu przez podporządkowanie się lotosowym stopom Najwyższej Osoby Boga, dlaczego więc ci inteligentni i ciężko pracujący przywódcy nie przyjmują tej prostej metody?

*Gītā* odpowiada na to pytanie bardzo szczerze. Naprawdę uczeni przywódcy społeczni, tacy jak Brahmā, Śiva, Kapila, Kumārowie, Manu, Vyāsa, Devala, Asita, Janaka, Prahlāda, Bali, a później Madhvācārya, Rāmānujācārya, Śrī Caitanya i wielu innych—będący prawdziwymi filozofami, naukowcami, nauczycielami, politykami itd.—podporządkowują się lotosowym stopom Najwyższej Osoby, wszechpotężnemu autorytetowi. Ci natomiast, którzy nie są prawdziwymi filozofami, naukowcami, nauczycielami, administratorami itd., ale pozują na takich dla jakichś zysków materialnych, takie osoby nie przyjmują planu czy ścieżki Najwyższego Pana. Nie mają oni właściwie pojęcia o Bogu. Stwarzają po prostu swoje własne, ziemskie plany i wskutek tego komplikują problemy egzystencji materialnej w swoich daremnych próbach rozwiązania ich. Ponieważ materialna energia (natura) jest bardzo potężna, może ona przeciwstawić się nieautoryzowanym planom ateistów i wykpić wiedzę "komisji planujących."

Ateistyczni producenci planów zostali określeni tutaj słowem *duṣkṛtinaḥ*, czyli "łotry, kanalie, szubrawcy". *Kṛtī* oznacza kogoś, kto spełnił jakiś chwalebny uczynek. Ateistyczny producent planów również bywa czasami inteligentny i spotyka się z podziwem, jako że inteligencja potrzebna jest do stworzenia każdego wielkiego planu, czy to dobrego czy złego. Ponieważ jednak ateista robi ze swego umysłu niewłaściwy użytek, sprzeciwiając się planowi Najwyższego Pana, nazywany jest on *duṣkṛtī*, co oznacza, że jego inteligencja i wysiłki zostały niewłaściwie skierowane.

*Gītā* wyraźnie mówi o tym, że energia materialna pracuje całkowicie pod kierunkiem Najwyższego Pana. Nie jest ona niezależna. Działa ona na tej samej zasadzie jak cień przesuwający się za przedmiotem. Jednakowoż ta materialna energia jest bardzo silna, a ateista—z powodu swojego bezbożnego usposobienia—nie może wiedzieć, w jaki sposób ona pracuje ani też nie może znać planu Najwyższego Pana. Pod wpływem złudzenia, jak też sił pasji i ignorancji, wszystkie jego plany zawodzą. Tak było w przypadku Hiraṇyakaśipu i Rāvaṇy, których plany zostały obrócone w proch, mimo iż obaj byli materialnie wykształconymi naukowcami, filozofami, władcami i nauczycielami. Łotrów tych, *duṣkṛtina*, można podzielić na cztery różne grupy, które opisano poniżej.

(1) *Mūḍha*—to wielcy głupcy, podobni ciężko pracującym zwierzętom jucznym. Pragną korzystać z owoców swojej pracy nie dzieląc się nimi z Najwyższym. Typowym przykładem jucznego zwierzęcia jest osioł. To pokorne zwierzę zmuszane jest przez swego pana do ciężkiej pracy. Nie wie ono dla kogo tak ciężko pracuje dzień i noc. Zadowala sią wiązką trawy i chwilą snu, cały czas obawiając się, że zostanie zbite przez swojego pana; nawet zaspokajając swoją żądzę seksualną ryzykuje tym, iż będzie bezustannie kopane przez stronę przeciwną. Osioł ten śpiewa czasami poezję i filozofię, ale ten ryk jedynie niepokoi innych. Taka jest pozycja głupców pracujących dla korzyści. Nie wiedzą oni dla kogo powinni pracować. Nie wiedzą, iż *karma* (praca) przeznaczona jest dla *yajñi* (ofiary).

Najczęściej ci, którzy pracują ciężko dzień i noc, aby uwolnić się od brzemienia stworzonych przez siebie samych obowiązków, mówią, iż nie mają czasu słuchać o nieśmiertelności żywych istot. Dla takich *mūḍha* krótkotrwałe osiągnięcia materialne są wszystkim—pomimo faktu, iż korzystają oni jedynie z bardzo niewielkiej części owoców swojej pracy. Czasami spędzają bezsenne dnie i noce po to, aby osiągnąć jakąś tam korzyść, i chociaż cierpią z powodu wrzodów i niestrawności, zadowalają się praktycznie żadnym pożywieniem. Dzień i noc zaabsorbowani są jedynie ciężką pracą dla korzyści nierzeczywistych panów. Nie posiadając wiedzy o swoim prawdziwym panu, niemądrzy wyrobnicy tracą swój cenny czas, służąc mamonie. Nigdy nie podporządkowują się panu wszystkich panów, ani też nie zajmują sobie czasu słuchaniem o Nim z właściwych źródeł. Świnia, która żre odchody, nie będzie chciała jeść słodyczy zrobionych z cukru i ghee. Podobnie też, niemądry wyrobnik będzie niestrudzenie słuchał tematów związanych z zadowalaniem zmysłów w tym przemijającym doczesnym świecie, ale będzie miał bardzo mało czasu, by słuchać o wiecznej żyjącej sile, która porusza ten materialny świat.

(2) Inna klasa *duṣkṛtī* (łotrów) nazywana jest *narādhama*, czyli najniższymi spośród ludzkości. *Nara* oznacza ludzką istotę, a *adhama* znaczy najniższy. Wśród 8 400 000 różnych gatunków żywych istot istnieje 400 000 gatunków ludzkich. Poza nimi jest niezliczona ilość

różnych niższych form ludzkiego życia, które są prawie niecywilizowane. Cywilizowane ludzkie istoty posiadają zasady życia społecznego, politycznego i religijnego. Ci, którzy są rozwinięci społecznie i politycznie, ale nie posiadają zasad religijnych, muszą być uważani za *narādhama*. Ani też religia bez Boga nie jest religią, jako że celem przestrzegania zasad religijnych jest poznanie Najwyższej Prawdy i związku człowieka z Nim. W *Gīcie* Osoba Boga wyraźnie mówi, że nie ma żadnego autorytetu ponad Nim, i że On jest Najwyższą Prawdą. Cywilizowana forma ludzkiego życia ma służyć *odzyskaniu utraconej świadomości* o wiecznym związku z Najwyższą Prawdą, Osobą Boga— Śrī Kṛṣṇą, który jest wszechpotężny. Każdy, kto nie wykorzystuje tej szansy, zaliczany jest do *narādhama*. Z objawionych pism dowiadujemy się, że kiedy dziecko znajduje się w łonie matki (w niezwykle niewygodnej pozycji) modli się ono do Boga o wyzwolenie i obiecuje, że skoro tylko wydostanie się na zewnątrz, będzie wielbić tylko Jego. Ponieważ żywa istota jest wiecznie spokrewniona z Bogiem, modlenie się do Niego w obliczu jakichś trudności jest jej naturalnym instynktem. Lecz po oswobodzeniu, pod wpływem *māyi*, energii iluzorycznej, dziecko zapomina o trudach narodzin i zapomina również o swoim wyzwolicielu.

Obowiązkiem opiekunów dzieci jest rozbudzenie tej drzemiącej w nich boskiej świadomości. Dziesięć obrzędów będących procesami oczyszczającymi, jak oznajmia *Manu-smṛti* (zbiór zasad religijnych), ma służyć rozbudzeniu świadomości Boga w systemie *varṇāśrama*. Jednakże żaden z tych procesów nie jest obecnie ściśle przestrzegany w żadnej części świata i dlatego 99,9 procent populacji można zaliczyć do *narādhama*.

Kiedy cała populacja staje się *narādhama*, wtedy w naturalny sposób cała ich tzw. edukacja sprowadza się do zera i zostaje unieważniona przez wszechpotężną energię natury fizycznej. Według *Gīty*, ten jest człowiekiem prawdziwie uczonym, kto jednakowo widzi wykształconego bramina, psa, krowę, słonia i zjadacza psów. W taki sposób widzi prawdziwy wielbiciel. Śrī Nityānanda Prabhu, który jest inkarnacją Boga jako boski mistrz, wyzwolił braci Jagāi i Mādhāi, będących typowymi *narādhama*, i pokazał w jaki sposób łaska prawdziwego wielbiciela spływa na najniższych spośród rodzaju ludzkiego. A więc potępiony przez Osobę Boga *narādhama* może ponownie rozbudzić swoją świadomość duchową tylko dzięki miłosierdziu wielbiciela Pana.

Śrī Caitanya Mahāprabhu, propagując *bhāgavata-dharmę*, czyli czyny spełniane przez wielbicieli, polecił, aby ludzie pokornie słuchali przekazu Najwyższej Osoby Boga. Esencją tego przekazu jest *Bhagavad-gītā*. Najniżsi spośród rodzaju ludzkiego mogą zostać wyzwoleni jedynie poprzez pokorny proces słuchania tych przekazów, ale na nieszczęście nie są oni nimi nawet w najmniejszym stopniu zainteresowani, nie mówiąc już o podporządkowaniu się woli Najwyższego Pana. *Narādhama*, czyli najniżsi spośród rodzaju ludzkiego, całkowicie lekceważą pierwszy i najważniejszy obowiązek ludzkich istot.

(3) Następna grupa *duṣkṛtī* nazywana jest *māyayāpahṛta-jñānāḥ*. Są to te osoby, których wiedza została sprowadzona do zera poprzez oddziaływanie złudnej energii materialnej. Przeważnie są to osoby bardzo uczone—wielcy filozofowie, poeci, literaci, naukowcy, itd.—ale wprowadzeni w błąd przez energię iluzoryczną, nie są posłuszni Najwyższemu Panu.

W obecnych czasach jest bardzo wielu takich *māyayāpahṛta-jñānāḥ*, nawet pomiędzy wykładowcami *Gīty*. W *Gīcie* zrozumiałym i prostym językiem zostało powiedziane, że Śrī Kṛṣṇa jest Najwyższą Osobą Boga. Nikt nie przewyższa Go ani nikt Mu nie dorównuje. Jest tam mowa o Nim jako o ojcu Brahmy, pierwotnym ojcu wszystkich istot ludzkich. W rzeczywistości Pan Kṛṣṇa jest nie tylko ojcem Brahmy, ale również ojcem wszystkich gatunków życia. Jest On źródłem bezosobowego Brahmana i Paramātmy; Dusza Najwyższa obecna w każdej żywej istocie jest Jego pełną, kompletną cząstką. On jest źródłem wszystkiego i dlatego wszyscy powinni podporządkować się Jego lotosowym stopom. Pomimo wszystkich tych wyraźnych orzeczeń, *māyayāpahṛta-jñānāḥ* wyśmiewa Osobę Najwyższego Pana i uważa Go jedynie za zwykłą ludzką istotę. Nie wie on, że ta błogosławiona forma ludzkiego życia została zaprojektowana według wiecznej i transcendentalnej postaci Najwyższego Pana.

Wszystkie nieautoryzowane interpretacje *Gīty* pisane przez klasę *māyayāpahṛta-jñānāḥ*, poza systemem *paramparā*, są wielkimi przeszkodami na ścieżce duchowego poznania. Zwiedzeni interpretatorzy nie podporządkowują się lotosowym stopom Śrī Kṛṣṇy ani też nie uczą innych przestrzegania tej zasady.

(4) Ostatnia klasa *duṣkṛtī* nazywana jest *āsuraṁ bhāvam āśritāḥ*. Są to ludzie z zasady demoniczni, będący klasą jawnych ateistów. Niektórzy z nich utrzymują, iż Najwyższy Pan nigdy nie może zejść do tego świata materialnego, ale nie potrafią podać istotnych powodów, dlaczego by nie miał tego uczynić. Są i inni, którzy uważają Go za podrzędnego w stosunku do Jego cechy bezosobowej, mimo iż *Gīta* twierdzi wręcz coś przeciwnego. Zazdrośni o Najwyższą Osobę Boga, ateiści będą prezentowali mnóstwo bezprawnych, wytworzonych w fabrykach ich umysłów inkarnacji. Takie osoby, których życiową zasadą jest oczernianie Osoby Boga, nie są w stanie podporządkować się lotosowym stopom Śrī Kṛṣṇy.

Śrī Yāmunācārya Albandaru z południowych Indii mówi: "O mój Panie! Mimo iż wszystkie, usytuowane w *guṇie* dobroci, objawione święte pisma potwierdzają Twoje niezwykłe cechy, czyny i osobowość, i mimo iż uznają Ciebie wszystkie sławne z pobożności i głębi swojej wiedzy transcendentalnej autorytety, to jednak pozostajesz niepoznawalnym dla osób kierujących się zasadami ateistycznymi."

Zatem: (1) osoby bardzo niemądre; (2) najniżsi spośród rodzaju ludzkiego; (3) zbałamuceni spekulanci i (4) jawni ateiści, tak jak to przedstawiono powyżej, nigdy nie podporządkowują się lotosowym stopom Osoby Boga, pomimo iż zalecają to pisma święte i wielkie autorytety.

## TEKST 16

चतुर्विधा भजन्ते मां जनाः सुकृतिनोऽर्जुन ।
आर्तो जिज्ञासुरर्थार्थी ज्ञानी च भरतर्षभ ॥१६॥

*catur-vidhā bhajante māṁ janāḥ sukṛtino 'rjuna*
*ārto jijñāsur arthārthī jñānī ca bharatarṣabha*

*catuḥ-vidhāḥ*—cztery rodzaje; *bhajante*—pełnią służbę; *mām*—dla Mnie; *janāḥ*—osoby; *su-kṛtinaḥ*—pobożni; *arjuna*—O Arjuno; *ārtaḥ*—strapieni; *jijñāsuḥ*—dociekający; *artha-arthī*—pragnący materialnych korzyści; *jñānī*—ten, kto zna prawdziwą postać rzeczy; *ca*—również; *bharata-ṛṣabha*—O wielki pomiędzy potomkami Bharaty.

**O najlepszy spośród Bhāratów, cztery rodzaje pobożnych ludzi podejmuje służbę oddania dla Mnie: strapieni, pragnący bogactw, ciekawi i ci, którzy poszukują wiedzy o Absolucie.**

*ZNACZENIE:* W przeciwieństwie do złoczyńców, ci, którzy są zwolennikami regulujących zasad pism świętych, nazywani są *sukṛtinaḥ* (czyli posłusznymi wobec nakazów pism świętych, praw moralnych i społecznych), i są oni więcej lub mniej oddani Najwyższemu Panu. Osoby takie można podzielić na cztery grupy: do pierwszej można zaliczyć tych, którzy czasami znajdują się w niedoli; do drugiej—potrzebujących pieniędzy; do trzeciej—tych, którzy są czasami ciekawi; a do czwartej—osoby poszukujące czasami wiedzy o Prawdzie Absolutnej. Przychodzą oni do Najwyższego Pana, aby pełnić służbę oddania dla różnych celów. Nie są to czyści wielbiciele, ponieważ w zamian za służbę oddania oczekują oni spełnienia swoich pragnień. Czysta służba oddania jest wolna od wszelkich aspiracji i od pragnienia korzyści materialnej. *Bhakti-rasāmṛta-sindhu* (1.1.11) definiuje czyste oddanie w ten sposób:

*anyābhilāṣitā-śūnyaṁ jñāna-karmādy-anāvṛtam*
*ānukūlyena kṛṣṇānu- śīlanaṁ bhaktir uttamā*

"Transcendentalną służbę miłości dla Najwyższego Pana należy pełnić z pełną życzliwością, bez pragnienia korzyści materialnej i roszczenia sobie prawa do owoców swojej pracy oraz bez filozoficznych spekulacji. Taka służba nazywa się czystą służbą oddania."

Te cztery rodzaje ludzi przychodzą do Najwyższego Pana, aby pełnić służbę oddania, a gdy—poprzez obcowanie z czystymi wielbicielami—zostają oczyszczeni, wtedy również zostają czystymi wielbicielami. Jednak dla niegodziwców służba oddania jest czymś bardzo trudnym, jako że są oni egoistyczni z natury, nie kierują się żadnymi zasadami i nie mają żadnego celu duchowego. Ale zdarza się niekiedy, że nawet niektórzy z nich, jeśli przypadkowo mają styczność z czystym wielbicielem, również stają się czystymi wielbicielami.

Osoby zawsze zajęte pracą dla zysku przychodzą do Pana, kiedy dotknięte zostaną materialną niedolą, i przebywając w tym czasie z czystymi wielbicielami, również stają się, w tej samej niedoli, wielbicielami Pana. Ci, którzy są po prostu sfrustrowani, również czasami przychodzą, aby obcować z czystymi wielbicielami, i zaczyna ciekawić ich wiedza o Bogu. Podobnie jest w przypadku filozofów, którzy po bezowocnych poszukiwaniach rozczarowują się do każdej dziedziny wiedzy, i chcąc dowiedzieć się czegoś o Bogu, przychodzą do Najwyższego Pana, aby pełnić służbę oddania. W ten sposób, dzięki łasce Najwyższego Pana i Jego czystego wielbiciela, przekraczają wiedzę o bezosobowym Brahmanie i zlokalizowanej Paramātmie. Na ogół, kiedy strapieni, ciekawscy, poszukujący wiedzy i ci, którzy potrzebują pieniędzy, uwolnią się od pragnień materialnych, i kiedy w pełni zrozumieją, że materialne wyrzeczenie nie ma nic wspólnego z postępem duchowym, wtedy zostają czystymi wielbicielami. Do momentu, kiedy nie osiągną tego oczyszczonego stanu, wielbiciele w transcendentalnej służbie Pana skalani są pracą dla zysku i poszukiwaniem świeckiej wiedzy itd. Aby więc osiągnąć czyste oddanie, należy przekroczyć wszystkie tego typu pragnienia.

## TEKST 17

तेषां ज्ञानी नित्ययुक्त एकभक्तिर्विशिष्यते ।
प्रियो हि ज्ञानिनोऽत्यर्थमहं स च मम प्रियः ॥१७॥

*teṣāṁ jñānī nitya-yukta eka-bhaktir viśiṣyate*
*priyo hi jñānino 'tyartham ahaṁ sa ca mama priyaḥ*

*teṣām*—spośród nich; *jñānī*—posiadający pełną wiedzę; *nitya-yuktaḥ*—zawsze zaangażowany; *eka*—jedynie; *bhaktiḥ*—w służbie oddania; *viśiṣyate*—jest szczególny; *priyaḥ*—bardzo drogi; *hi*—z pewnością; *jñāninaḥ*—osobie posiadającej wiedzę; *atyartham*—wysoce; *aham*—Ja jestem; *saḥ*—on; *ca*—również; *mama*—Mnie; *priyaḥ*—drogi.

**Spośród nich najlepszym jest ten, który posiada pełną wiedzę i zawsze pełni czystą służbę oddania dla Mnie. Albowiem Ja jestem mu bardzo drogi i on jest Mi drogi.**

*ZNACZENIE:* Uwolniwszy się od skalania pragnieniami materialnymi, zarówno strapieni, nękani ciekawością, będący w nędzy, jak i poszukujący najwyższej wiedzy, wszyscy oni mogą zostać czystymi wielbicielami. A ten spośród nich, który posiada wiedzę o Prawdzie Absolutnej i wolny jest od wszelkich pragnień materialnych, zostaje prawdziwie czystym wielbicielem Pana. A najlepszym spośród tych czterech klas ludzi jest ten wielbiciel, mówi Pan, który posiada doskonałą wiedzę i jednocześnie zaangażowany jest w służbę oddania. Zdobywając wiedzę zaczyna zdawać sobie sprawę z tego, że jest on czymś różnym od tego materialnego ciała, a z dalszym postępem dochodzi do poznania bezosobowego Brahmana i Paramātmy. Kiedy zostaje całkowicie oczyszczony, rozumie, że jego konstytucjonalną pozycją jest wieczne służenie Bogu. Więc—przez obcowanie z czystymi wielbicielami—zarówno nękani ciekawością, strapieni, poszukujący poprawy materialnej i posiadający wiedzę, wszyscy stają się czystymi. Ale kto już na wstępnym etapie posiada pełną wiedzę o Najwyższym Panu i jednocześnie pełni służbę oddania, ten jest bardzo drogi Panu. Posiadając czystą wiedzę o transcendencji Najwyższej Osoby Boga, jest on w ten sposób chroniony w swej służbie oddania, i żadne nieczystości materialne nie mają na niego wpływu.

**TEKST 18** उदाराः सर्व एवैते ज्ञानी त्वात्मैव मे मतम् ।
आस्थितः स हि युक्तात्मा मामेवानुत्तमां गतिम् ॥१८॥

*udārāḥ sarva evaite jñānī tv ātmaiva me matam*
*āsthitaḥ sa hi yuktātmā mām evānuttamāṁ gatim*

*udārāḥ*—wspaniałomyślny; *sarve*—wszystkie; *eva*—z pewnością; *ete*—te; *jñānī*—ten, kto posiada wiedzę; *tu*—ale; *ātmā eva*—tak jak Ja; *me*—Moje; *matam*—zdanie; *āsthitaḥ*—usytuowany; *saḥ*—on; *hi*—z pewnością; *yukta-ātmā*—zaangażowany w służbę oddania; *mām*—we Mnie; *eva*—z pewnością; *anuttamām*—najwyższe; *gatim*—przeznaczenie.

**Wszyscy ci wielbiciele są niewątpliwie wielkimi duszami, lecz tego, kto posiadł wiedzę o Mnie, uważam za tak dobrego jak Swoją własną Osobę. Pełniąc dla Mnie transcendentalną służbę, bez wątpienia osiągnie Mnie—najwyższy i najdoskonalszy cel.**

*ZNACZENIE:* Nie znaczy to, że inni wielbiciele, którzy nie posiadają tak kompletnej wiedzy, nie są drodzy Panu. Mówi On, że wszyscy oni są wielcy, ponieważ bez względu na to, w jakim celu ktoś przychodzi do Pana, jest on nazywany *mahātmą*, czyli wielką duszą. Pan przyjmuje wielbicieli, którzy pragną czerpać korzyści z pełnienia służby oddania, ponieważ jest to pewna wymiana uczuć. Powodowani uczuciem, proszą oni Pana o jakieś korzyści materialne, a kiedy je otrzymują, są tak usatysfakcjonowani, że również czynią postęp w służbie oddania. Ale szczególnie drogim Panu jest wielbiciel, który posiada pełną wiedzę o Nim, gdyż jego jedynym celem jest służenie Mu z miłością i oddaniem. Taki wielbiciel nie może przeżyć ani sekundy w rozłączeniu z Najwyższym Panem, czy też nie pełniąc służby dla Niego. Podobnie, Najwyższy Pan, zadowolony ze Swego wielbiciela, nie może go opuścić.

W *Śrīmad-Bhāgavatam* (9.4.68) Pan mówi:

*sādhavo hṛdayaṁ mahyaṁ sādhūnāṁ hṛdayaṁ tv aham*
*mad-anyat te na jānanti nāhaṁ tebhyo manāg api*

"Wielbiciele zawsze obecni są w Moim sercu i również Ja jestem zawsze obecny w ich sercach. Wielbiciel nie zna niczego poza Mną, a Ja również nie mogę zapomnieć o nim. Czysty wielbiciel zawsze pozostaje w bardzo bliskim związku ze Mną. Posiadając pełną wiedzę, nigdy nie traci on kontaktu z duchowością i dlatego jest Mi bardzo drogi."

**TEKST 19** बहूनां जन्मनामन्ते ज्ञानवान्मां प्रपद्यते ।
वासुदेवः सर्वमिति स महात्मा सुदुर्लभः ॥१९॥

*bahūnāṁ janmanām ante jñānavān māṁ prapadyate*
*vāsudevaḥ sarvam iti sa mahātmā su-durlabhaḥ*

*bahūnām*—wielu; *janmanām*—powtarzających się narodzinach i śmierci; *ante*—po; *jñāna-vān*—posiadający pełną wiedzę; *mām*—Mnie; *prapadyate*—podporządkowuje się; *vāsudevaḥ*—Osoba Boga, Kṛṣṇa; *sarvam*—wszystko; *iti*—w ten sposób; *saḥ*—ta; *mahā-ātmā*—wielka dusza; *su-durlabhaḥ*—bardzo rzadko spotykana.

**Po wielu narodzinach i śmierciach, ten, kto posiadł prawdziwą wiedzę, podporządkowuje się Mnie, znając Mnie jako przyczynę**

**wszystkich przyczyn i wszystkiego, co jest. Taka wielka dusza jest czymś bardzo rzadkim.**

*ZNACZENIE:* Dopiero po wielu, wielu żywotach, podejmując służbę oddania albo pełniąc jakieś rytuały transcendentalne, żywa istota może osiągnąć prawdziwe zrozumienie, iż ostatecznym celem realizacji duchowej jest Najwyższa Osoba Boga. Osoba znajdująca się na początkowym etapie realizacji duchowej, kiedy to próbuje uwolnić się od przywiązań materialnych, ma pewne skłonności do impersonalizmu. Kiedy jednak uczyni postęp, wtedy zaczyna rozumieć, że życie duchowe jest aktywne, i że aktywność ta składa się na służbę oddania. Kiedy to sobie uświadamia, przywiązuje się do Najwyższej Osoby Boga i podporządkowuje się Mu. Wtedy jest w stanie zrozumieć, że miłosierdzie Pana Kṛṣṇy jest wszystkim, że On jest przyczyną wszystkich przyczyn, a ta manifestacja materialna nie jest niezależna od Niego. Zdaje ona sobie też sprawę z tego, iż ten materialny świat jest wypaczonym odbiciem różnorodności duchowej i dostrzega związek wszystkiego z Najwyższym Panem Kṛṣṇą. Więc wszystko o czym myśli odnosi do Vāsudevy, czyli Kṛṣṇy. Taka uniwersalna wizja Vāsudevy przyspiesza jej pełne podporządkowanie się Najwyższemu Panu, Śrī Kṛṣṇie, który staje się dla niej najwyższym celem. Tak podporządkowane, wielkie dusze są czymś bardzo rzadkim.

Werset ten został wspaniale wytłumaczony w Trzecim Rozdziale (wersety 14 i 15) w *Śvetāśvatara Upaniṣad*:

*sahasra-śīrṣā puruṣaḥ sahasrākṣaḥ sahasra-pāt*
*sa bhūmiṁ viśvato vṛtvā- tyātiṣṭhad daśāṅgulam*

*puruṣa evedaṁ sarvaṁ yad bhūtaṁ yac ca bhavyam*
*utāmṛtatvasyeśāno yad annenātirohati*

W *Chāndogya Upaniṣad* (5.1.15) jest powiedziane, *na vai vāco na cakṣūṁṣi na śrotrāṇi na manāṁsīty ācakṣate prāṇa iti evācakṣate prāṇo hy evaitāni sarvāṇi bhavanti:* "Głównym czynnikiem w ciele żywej istoty nie jest ani moc mówienia, ani moc widzenia, ani moc słuchania, ani też moc myślenia. Centrum wszystkich czynności jest życie." Podobnie, pierwszą i główną istotą wszystkiego jest Pan Vāsudeva, czyli Osoba Boga, Pan Śrī Kṛṣṇa. Ciało to posiada moc mówienia, widzenia, słuchania, zdolność myślenia itd., ale jego czynności nie mają żadnego znaczenia, jeśli nie mają one związku z Najwyższym Panem. Ponieważ Vāsudeva jest wszechprzenikający i wszystko jest Vāsudevą, wielbiciel podporządkowuje się Jemu z pełną wiedzą (zob. *Bhagavad-gītā* 7.17 i 11.40).

TEKST 20 कामैस्तैस्तैर्हृतज्ञानाः प्रपद्यन्तेऽन्यदेवताः ।
तं तं नियममास्थाय प्रकृत्या नियताः स्वया ॥२०॥

*kāmais tais tair hṛta-jñānāḥ prapadyante 'nya-devatāḥ*
*taṁ taṁ niyamam āsthāya prakṛtyā niyatāḥ svayā*

*kāmaiḥ*—przez pragnienia; *taiḥ taiḥ*—różne; *hṛta*—pozbawiona; *jñānāḥ*—wiedza; *prapadyante*—podporządkowują się; *anya*—innym; *devatāḥ*—półbogom; *tam tam*—odpowiednie; *niyamam*—zasady; *āsthāya*—przestrzegając; *prakṛtyā*—przez naturę; *niyatāḥ*—kontrolowani; *svayā*—przez własną.

**Ci, których inteligencja skradziona została przez pragnienia materialne, podporządkowują się półbogom i przestrzegają określonych zasad kultu, odpowiednio do swojej natury.**

*ZNACZENIE:* Osoby wolne od wszelkich materialnych zanieczyszczeń podporządkowują się Najwyższemu Panu i angażują się w Jego służbę oddania. Tak długo jak te materialne zanieczyszczenia nie zostaną "spłukane", są oni z natury nie-wielbicielami. Ale nawet ci, którzy mają pragnienia materialne i zwracają się do Najwyższego Pana, nie są tak bardzo przyciągani przez zewnętrzną naturę. Ponieważ wybrali właściwy cel, szybko uwalniają się od materialnego pożądania. *Śrīmad-Bhāgavatam* radzi, że bez względu na to, czy jest się wolnym od wszelkich pragnień materialnych, czy też jest się pełnym takich pragnień; albo też pragnie się oczyszczenia od wszelkich materialnych przywiązań lub jest się czystym wielbicielem, bez pragnienia zadowalania zmysłów—we wszystkich przypadkach należy podporządkować się Vāsudevie i wielbić tylko Jego. Jak mówi *Bhāgavatam* (2.3.10):

*akāmaḥ sarva-kāmo vā mokṣa-kāma udāra-dhīḥ*
*tīvreṇa bhakti-yogena yajeta puruṣaṁ param*

Ludzie mniej inteligentni, którzy utracili rozumienie duchowe, przyjmują schronienie półbogów, i w ten sposób szybko realizują swoje pragnienia materialne. Ludzie tacy bardzo rzadko przychodzą do Najwyższej Osoby Boga, ponieważ znajdują się pod wpływem określonych sił natury materialnej (pasji i ignorancji), i dlatego wielbią różnych półbogów. Osiągają oni satysfakcję, przestrzegając określonych zasad kultu. Kierują się swoimi małostkowymi pragnieniami i nie wiedzą jak osiągnąć najwyższy cel. Wielbiciel Najwyższego Pana nie jest w ten sposób zwiedziony. Ponieważ literatura wedyjska poleca czczenie różnych półbogów w różnych celach (na przykład choremu człowiekowi poleca się czczenie słońca), ci, którzy nie są wielbicielami Pana uważają, że dla pewnych celów półbogowie są lepsi od Najwyższego Pana. Ale czysty wielbiciel wie, że Najwyższy Pan Kṛṣṇa jest panem wszystkich. W *Caitanya-caritāmṛta* (Ādi 5.142) jest powiedziane, *ekale īśvara kṛṣṇa, āra saba bhṛtya*: tylko Najwyższa Osoba Boga, Kṛṣṇa, jest prawdziwym panem, a wszyscy inni są sługami. Dlatego czysty wielbiciel nigdy nie udaje się do półbogów w celu zaspokojenia swoich materialnych potrzeb. Całkowicie polega on na Najwyższym Panu i zadowala się wszystkim, cokolwiek otrzymuje od Niego.

**TEKST 21** यो यो यां यां तनुं भक्तः श्रद्धयार्चितुमिच्छति ।
तस्य तस्याचलां श्रद्धां तामेव विदधाम्यहम् ॥२१॥

*yo yo yāṁ tanuṁ bhaktaḥ śraddhayārcitum icchati*
*tasya tasyācalāṁ śraddhāṁ tām eva vidadhāmy aham*

*yaḥ yaḥ*—ktokolwiek; *yām yām*—którykolwiek; *tanum*—postać półboga; *bhaktaḥ*—bhakta; *śraddhayā*—z wiarą; *arcitum*—czcić; *icchati*—pragnień; *tasya tasya*—jemu; *acalām*—trwała; *śraddhām*—wiara; *tām*—ta; *eva*—z pewnością; *vidadhāmi*—daję; *aham*—Ja.

**Ja przebywam w sercu każdej żywej istoty jako Dusza Najwyższa. Kiedy tylko ktoś pragnie oddawać cześć jakiemuś półbogowi, Ja umacniam jego wiarę w ten sposób, aby mógł poświęcić się temu określonemu bóstwu.**

*ZNACZENIE:* Bóg dał niezależność każdemu. Jeśli zatem ktoś pragnie radości materialnych i pragnie bardzo szczerze otrzymać takie udogodnienia od materialnych półbogów, Najwyższy Pan, przebywający w sercu każdego jako Dusza Najwyższa, rozumie to i ułatwia to takim osobom. Jako najwyższy ojciec wszystkich żywych istot, nie ingeruje On w ich niezależność, ale w pełni umożliwia im zaspokojenie ich pragnień materialnych. Niektórzy mogą zapytać, dlaczego wszechpotężny Bóg ułatwia żywym istotom korzystanie z radości tego materialnego świata i w ten sposób pozwala im wpaść w sidła energii iluzorycznej. Odpowiedź jest taka, że gdyby Najwyższy Pan—jako Naddusza, nie dawał takich udogodnień, wtedy niezależność nie miałaby żadnego znaczenia. Każdemu daje On całkowitą niezależność—taką, jakiej dana osoba pragnie—ale Jego ostateczną instrukcję znajdujemy w *Bhagavad-gīcie*: człowiek powinien porzucić wszelkie zajęcia i w pełni podporządkować się Jemu. To uczyni go prawdziwie szczęśliwym.

Zarówno żywa istota, jak i półbogowie zależni są od woli Najwyższej Osoby Boga. Zatem żywa istota nie może wielbić półboga według własnego pragnienia, ani półbóg nie może udzielić żadnej łaski bez najwyższej woli. Istnieje takie powiedzenie, że nawet źdźbło trawy nie porusza się bez woli Najwyższej Osoby Boga. Na ogół, osoby spotykające się z kłopotami w tym materialnym świecie udają się do półbogów, tak jak radzi im to literatura wedyjska Osoba pragnąca jakiejś określonej rzeczy może oddawać cześć takiemu a takiemu półbogowi. Na przykład osobie chorej poleca się czczenie słońca; osoba pragnąca wykształcenia może czcić boginię nauki, Sarasvatī; a osoba pragnąca pięknej żony może oddawać cześć bogini Umie, żonie Pana Śivy. W ten sposób *śāstry* (pisma wedyjskie) polecają różne sposoby oddawania czci różnym półbogom. A ponieważ poszczególne żywe istoty chcą korzystać z określonych udogodnień materialnych, Pan wzbudza w nich silne pragnienie otrzymania takiej łaski od określonego półboga—i w ten sposób otrzymują oni tę łaskę. Najwyższy Pan wybiera również odpowiedni sposób pełnienia służby oddania przez żywą istotę dla określonego półboga. Sami półbogowie nie mogą natchnąć żywej istoty takim zainteresowaniem, ale ponieważ On jest Najwyższym Panem, czyli Nadduszą, i obecny jest w sercu wszystkich żywych istot, może pobudzić człowieka do oddawania czci pewnym półbogom. Półbogowie są w rzeczywistości różnymi częściami kosmicznego ciała Najwyższego Pana; zatem nie mają oni żadnej niezależności. W literaturze wedyjskiej jest powiedziane: "Najwyższa Osoba Boga, jako Naddusza, obecny jest również w sercu półboga; zatem to On, poprzez półboga, spełnia pragnienia żywej istoty. Zarówno półbóg, jak i żywa istota zależni są od najwyższej woli. Nie posiadają oni niezależności."

## TEKST 22

स तया श्रद्धया युक्तस्तस्याराधनमीहते ।
लभते च ततः कामान्मयैव विहितान् हि तान् ॥२२॥

*sa tayā śraddhayā yuktas tasyārādhanam īhate*
*labhate ca tataḥ kāmān mayaiva vihitān hi tān*

*saḥ*—on; *tayā*—tą; *śraddhayā*—inspiracją; *yuktaḥ*—obdarzony; *tasya*—tego półboga; *ārādhanam*—dla wielbienia; *īhate*—dąży; *labhate*—osiąga; *ca*—i; *tataḥ*—z tego; *kāmān*—jego pragnienia; *mayā*—przeze Mnie; *eva*—jedynie; *vihitān*—zaaranżowany; *hi*—z pewnością; *tān*—tych.

**Obdarzony taką wiarą, szuka on łaski określonego półboga i pragnienia jego zostają spełnione. Ale w rzeczywistości to właśnie Ja obdarzam go tymi łaskami.**

*ZNACZENIE:* Bez pozwolenia Najwyższego Pana, półbogowie nie mogą obdarzyć swoich czcicieli łaskami. Żywa istota może zapomnieć, że wszystko jest własnością Najwyższego Pana, ale nie zapominają o tym półbogowie. Sprawcami tego, iż żywa istota czci półbogów i otrzymuje upragnione rezultaty, nie są sami półbogowie, ale stanowi o tym Najwyższa Osoba Boga. Nie wiedząc o tym, mniej inteligentne osoby zwracają się do półbogów z prośbą o łaski. Kiedy natomiast czysty wielbiciel znajduje się w potrzebie, modli się tylko do Najwyższego Pana. Prośba o korzyść materialną nie jest jednak czymś właściwym dla czystego wielbiciela. Żywa istota zwraca się do półbogów zwykle wtedy, kiedy szaleńczo pragnie zaspokoić swoje pożądanie. Zdarza się to wówczas, kiedy żywa istota pragnie czegoś niewłaściwego i Sam Pan nie spełnia tego pragnienia. W *Caitanya-caritāmṛta* jest powiedziane, że kto czci Najwyższego Pana i w tym samym czasie pragnie uciech materialnych, ten jest sprzeczny w swoich pragnieniach. Służba oddania dla Najwyższego Pana i kult jakiegoś półboga nie mogą znajdować się na tej samej platformie, jako że czczenie półbogów jest czymś z natury materialnym, natomiast służba oddania dla Najwyższego Pana jest całkowicie duchowa.

Dla żywej istoty pragnącej powrócić do Boga, materialne pragnienia są przeszkodami w osiągnięciu tego celu. Czysty wielbiciel Pana nie otrzymuje łask materialnych upragnionych przez mniej inteligentne żywe istoty, które dlatego wolą raczej wielbić półbogów tego materialnego świata, niż zaangażować się w służbę oddania dla Najwyższego Pana.

**TEKST 23** अन्तवत्तु फलं तेषां तद् भवत्यल्पमेधसाम् ।
देवान् देवयजो यान्ति मद्भक्ता यान्ति मामपि ॥२३॥

*antavat tu phalaṁ teṣāṁ tad bhavaty alpa-medhasām*
*devān deva-yajo yānti mad-bhaktā yānti mām api*

*anta-vat*—krótkotrwały; *tu*—ale; *phalam*—owoc; *teṣām*—ich; *tat*—to; *bhavati*—staje się; *alpa-medhasām*—tych o niewielkiej inteligencji; *devān*—do półbogów; *deva-yajaḥ*—czciciele półbogów; *yānti*—udają się; *mat*—Moi; *bhaktāḥ*—bhaktowie; *yānti*—przychodzą; *mām*—do Mnie; *api*—również.

**Ludzie o małej inteligencji czczą półbogów, a owoce tego kultu są ograniczone i krótkotrwałe. Wielbiąc półbogów, udają się na planety półbogów; natomiast Moi wielbiciele ostatecznie przychodzą na Moją najwyższą planetę.**

*ZNACZENIE:* Niektórzy komentatorzy *Gīty* mówią, iż przez oddawanie czci półbogom można również osiągnąć Najwyższego Pana. Werset ten jednak mówi wyraźnie, że czciciele półbogów udają się do różnych systemów planetarnych, w zależności od tego, którego półboga czcili. Czciciel słońca udaje się na słońce, a czciciel półboga księżyca osiąga księżyc. Czciciel Indry może osiągnąć planetę tego półboga. Nieprawdą jest to, że każdy, bez względu na to jakiego czci półboga, osiągnie Najwyższą Osobę Boga. Przeczy temu ten werset, wyraźnie mówiący o tym, że czciciele półboga udają się na różne planety w tym świecie materialnym, natomiast wielbiciel Najwyższego Pana osiąga bezpośrednio najwyższą planetę Osoby Boga.

Można argumentować w ten sposób, że skoro półbogowie są różnymi częściami ciała Najwyższego Pana, to przez wielbienie ich powinno się osiągnąć ten sam cel, co przez wielbienie Najwyższego Pana. Jednakże czciciele półbogów są mniej inteligentni, gdyż nie wiedzą do jakiej części ciała należy dostarczyć pożywienie. Niektórzy z nich są tak niemądrzy, iż twierdzą, że jest wiele części ciała, do których można dostarczyć pożywienie, i że jest wiele sposobów dostarczania tego pożywienia. Nie brzmi to bardzo optymistycznie. Czy ktoś może dostarczyć ciału pożywienie przez uszy albo oczy? Nie wiedzą oni, że półbogowie są różnymi częściami kosmicznego ciała Najwyższego Pana, i w swojej ignorancji wierzą, że każdy półbóg jest oddzielnym Bogiem i konkurentem Najwyższego Pana.

Nie tylko półbogowie, ale również zwykłe, żywe istoty są częściami Najwyższego Pana. Według *Śrīmad-Bhāgavatam*, bramini są głową Najwyższego Pana, *kṣatriyowie* są Jego ramionami, *vaiśyowie* są Jego tułowiem, *śūdrowie*—nogami, i wszyscy oni spełniają różne funkcje. Jeśli ktoś wie, że zarówno on sam, jak i półbogowie są integralnymi cząstkami Najwyższego Pana, to—bez względu na sytuację—jego wiedza jest doskonała. Jeśli natomiast nie rozumie tego, osiąga różne planety, gdzie rezydują półbogowie. To nie jest to samo przeznaczenie, które osiąga wielbiciel.

Rezultaty osiągnięte dzięki łasce półbogów są nietrwałe. W tym materialnym świecie zarówno planety, półbogowie, jak i ich czciciele, wszyscy ulegają unicestwieniu. Dlatego werset ten mówi wyraźnie, że rezultaty wynikające z wielbienia półbogów są krótkotrwałe, i że kult taki praktykują tylko osoby mniej inteligentne. Czysty wielbiciel angażuje się w świadomość Kṛṣṇy i poprzez służbę oddania dla Najwyższego Pana osiąga wieczne życie, pełne szczęścia i wiedzy. Jego osiągnięcia różnią się od zdobyczy zwykłego czciciela półbogów. Najwyższy Pan jest nieograniczony; Jego łaska jest nieograniczona, Jego miłosierdzie jest nieskończone, dlatego nieograniczone jest miłosierdzie Najwyższego Pana dla Jego czystych wielbicieli.

TEKST 24 अव्यक्तं व्यक्तिमापन्नं मन्यन्ते मामबुद्धयः ।
परं भावमजानन्तो ममाव्ययमनुत्तमम् ॥२४॥

*avyaktaṁ vyaktim āpannaṁ manyante mām abuddhayaḥ*
*paraṁ bhāvam ajānanto mamāvyayam anuttamam*

*avyaktam*—niezamanifestowany; *vyaktim*—osobowość; *āpannam*—otrzymałem; *manyante*—myślą; *mām*—Mnie; *abuddhayaḥ*—osoby mniej inteligentne; *param*—najwyższy; *bhāvam*—istnienie; *ajānantaḥ*—nie znając; *mama*—Mojej; *avyayam*—niezniszczalnej; *anuttamam*—najwspanialszej.

**Nieinteligentni, nie znający Mnie doskonale myślą, iż Ja, Najwyższa Osoba Boga, Kṛṣṇa, byłem wcześniej bezosobowym i teraz przyjąłem tę formę i osobowość. Z powodu ubogiego zasobu wiedzy nie znają Mojej wyższej, niezmiennej i doskonałej natury.**

*ZNACZENIE:* Czciciele półbogów określeni zostali jako osoby mniej inteligentne. Ten werset podobnie określa impersonalistów. Pan Kṛṣṇa rozmawia tutaj z Arjuną w Swojej osobowej formie, a jednak—z powodu niewiedzy—impersonaliści sprzeczają się, że Najwyższy Pan ostatecznie nie posiada formy. Yāmunācārya, wielki wielbiciel Pana pochodzący z sukcesji uczniów wywodzącej się od Rāmānujācāryi, napisał w związku z tym dwa bardzo istotne wersety. Mówi on:

*tvāṁ śīla-rūpa-caritaiḥ parama-prakṛṣṭaiḥ*
*sattvena sāttvikatayā prabalaiś ca śāstraiḥ*
*prakhyāta-daiva-paramārtha-vidāṁ mataiś ca*
*naivāsura-prakṛtayaḥ prabhavanti boddhum*

"Mój drogi Panie, tacy wielbiciele jak Vyāsadeva i Nārada wiedzą, że to Ty jesteś Osobą Boga. Studiując literaturę wedyjską można dowiedzieć się o Twoich cechach, Twojej formie, czynach, i w ten sposób można zrozumieć, iż jesteś Najwyższą Osobą Boga. Pojąć Ciebie nie mogą jednak osoby będące w pasji i niewiedzy, demony i niewielbiciele. Takie osoby nie są w stanie Ciebie zrozumieć. Mimo iż mogą być ekspertami w dyskusjach na temat *Vedānty, Upaniṣadów* i innej literatury wedyjskiej, to jednak niemożliwym jest dla nich zrozumienie Osoby Boga." (*Stotra-ratna* 12)

W *Brahma-saṁhicie* jest powiedziane, że Osoby Boga nie można poznać jedynie przez studiowanie *Vedānty*. Osobę Najwyższego można zrozumieć tylko dzięki łasce Najwyższego Pana. Dlatego werset ten wyraźnie mówi, że mało inteligentni są nie tylko czciciele półbogów, ale również ci niewielbiciele, którzy zajmują się spekulacjami na temat literatury wedyjskiej i studiowaniem *Vedānty* bez prawdziwej świadomości Kṛṣṇy. Dla nich niemożliwym jest zrozumienie osobowej natury Boga. Osoby, które ulegają wrażeniu, że Prawda Absolutna jest nieosobowa, określone zostały jako *abuddhayaḥ*, czyli ci, którzy nie znają ostatecznej postaci Prawdy Absolutnej. *Śrīmad-Bhāgavatam* oznajmia, że najwyższa realizacja rozpoczyna się od bezosobowego Brahmana, następnie wznosi się do zlokalizowanej Nadduszy—lecz ostatnim słowem w Prawdzie Absolutnej jest Osoba Boga. Współcześni impersonaliści są jeszcze mniej inteligentni, gdyż nie biorą przykładu nawet ze swojego wielkiego poprzednika—Śaṅkarācāryi, który wyraźnie oznajmił, że Kṛṣṇa jest Najwyższą Osobą Boga. Nie znając Najwyższej Osoby Boga, impersonaliści uważają, że Kṛṣṇa jest jedynie synem Devakī i Vasudevy albo księciem, czy też potężną żywą istotą. Taka postawa została również potępiona w *Bhagavad-gīcie* (9.11). *Avajānanti māṁ mūḍhā mānuṣīṁ tanum āśritam:* "Tylko głupcy uważają Mnie za zwykłą osobę."

Faktem jest, że nikt nie może zrozumieć Kṛṣṇy bez pełnienia służby oddania i bez rozwinięcia w sobie świadomości Kṛṣṇy. Potwierdza to *Bhāgavatam* (10.14.29):

*athāpi te deva padāmbuja-dvaya-*
*prasāda-leśānugṛhīta eva hi*
*jānāti tattvaṁ bhagavan mahimno*
*na cānya eko 'pi ciraṁ vicinvan*

"Mój Panie, wielkość Twojej osobowości może zrozumieć ten, kto otrzymał choćby ślad łaski Twoich lotosowych stóp. Ale ci, którzy w celu poznania Najwyższej Osoby Boga oddają się spekulacjom, nie są w stanie Cię poznać, nawet gdyby studiowali *Vedy* przez wiele, wiele lat." Nie można zrozumieć ani Najwyższej Osoby Boga, Kṛṣṇy, ani Jego form, cech, imienia, jedynie na drodze spekulacji umysłowych, bądź dyskusji nad literaturą wedyjską. Należy zrozumieć Go poprzez pełnienie służby oddania. Tylko wtedy, kiedy jest się całkowicie zaangażowanym w świadomość Kṛṣṇy, zaczynając od intonowania *mahā-mantry*—Hare Kṛṣṇa, Hare Kṛṣṇa, Kṛṣṇa Kṛṣṇa, Hare Hare; Hare Rāma, Hare Rāma, Rāma Rāma, Hare Hare—można zrozumieć Najwyższą Osobę Boga. Nie będący wielbicielami impersonaliści sądzą, że ciało Kṛṣṇy stworzone jest z tej materialnej natury i że wszystkie Jego czyny, Jego forma i wszystko związane z Nim jest *māyą*. Tacy impersonaliści znani są jako Māyāvādī. Nie znają oni ostatecznej prawdy.

Werset dwudziesty oznajmia wyraźnie: (*kāmais tais tair hṛta-jñānāḥ prapadyante 'nya-devatāḥ*). "Różnym półbogom podporządkowują się ci, którzy oślepieni są poprzez pożądliwe pragnienia." Jest to uznanym faktem, że oprócz Najwyższej Osoby Boga istnieją półbogowie, którzy mają swoje różne planety. Swoją planetę posiada również Pan. Jak oznajmia to dwudziesty trzeci werset, *devān deva-yajo yānti mad-bhaktā yānti mām api*: czciciele półbogów udają się na planety odpowiednich półbogów, a ci, którzy są wielbicielami Pana Kṛṣṇy, osiągają planetę Kṛṣṇy—Kṛṣṇalokę. Mimo iż zostało to wyraźnie oznajmione, niemądrzy impersonaliści nadal twierdzą, że Pan jest bezpostaciowy, a Jego formy są oszustwem. Czyż z nauk *Gīty* wynika, że półbogowie i ich siedziby są czymś bezosobowym? Stanowczo nie. Ani półbogowie, ani Kṛṣṇa, Najwyższa Osoba Boga, nie są bezosobowi. Wszyscy oni są osobami. Pan Kṛṣṇa jest Najwyższą Osobą Boga i posiada On Swoją własną planetę, i swoje planety mają też półbogowie.

Zatem monistyczne twierdzenie, że ostateczna prawda jest pozbawiona formy, i że ta forma jest czymś narzuconym, nie jest zgodne z prawdą. Werset ten mówi dobitnie, że forma Kṛṣṇy nie jest wymysłem. Z *Gīty* możemy dowiedzieć się, że zarówno półbogowie, jak i Najwyższy Pan posiadają formę, i że Pan Kṛṣṇa jest *sac-cid-ānanda*, wieczną i pełną szczęścia wiedzą. *Vedy* również potwierdzają, że Najwyższa Prawda Absolutna jest *ānanda-mayo 'bhyāsāt*, czyli z natury pełny błogiej przyjemności, i że jest On naturalnym oceanem nieograniczonych, pomyślnych jakości. A w *Gīcie* Pan mówi, że chociaż jest On *aja* (nienarodzony), to jednak przychodzi. Są to fakty, które powinniśmy zrozumieć czytając *Bhagavad-gītę*. Nie możemy więc zrozumieć, jak Najwyższa Osoba Boga może być bezosobowy; z punktu *Gīty*, teoria wymyślona przez impersonalistycznych monistów jest z gruntu fałszywa. *Gītā* oznajmia bardzo wyraźnie, że Najwyższa Prawda Absolutna, Pan Kṛṣṇa, posiada zarówno formę, jak i osobowość.

**TEKST 25** नाहं प्रकाशः सर्वस्य योगमायासमावृतः ।
मूढोऽयं नाभिजानाति लोको मामजमव्ययम् ॥२५॥

*nāhaṁ prakāśaḥ sarvasya yoga-māyā-samāvṛtaḥ*
*mūḍho 'yaṁ nābhijānāti loko mām ajam avyayam*

*na*—ani nie; *aham*—Ja; *prakāśaḥ*—przejawiam się; *sarvasya*—każdemu; *yoga-māyā*—przez wewnętrzną moc; *samāvṛtaḥ*—przykryty; *mūḍhaḥ*—głupcy; *ayam*—ci; *na*—nie; *abhijānāti*—mogą zrozumieć; *lokaḥ*—osoby; *mām*—Mnie; *ajam*—nienarodzony; *avyayam*—niewyczerpany.

**Nigdy nie objawiam się głupcom i nieinteligentnym. Dla nich okryty jestem Moją wewnętrzną mocą i dlatego nie wiedzą, iż jestem nienarodzony i nieomylny.**

*ZNACZENIE:* Można argumentować, że skoro Kṛṣṇa był obecny na tej ziemi i był widzialny dla każdego, to dlaczego nie objawia się każdemu teraz? W rzeczywistości jednak nie ukazywał się On każdemu. Kiedy Kṛṣṇa był obecny na tej planecie, było zaledwie paru takich, którzy wiedzieli, iż jest On Najwyższą Osobą Boga. Kiedy na zgromadzeniu Kauravów Śiśupāla nie chciał zgodzić się, aby Kṛṣṇę wybrano prezydentem zgromadzenia, Bhīṣma opowiedział się po stronie Kṛṣṇy, oświadczając, iż jest On Najwyższym Bogiem. Jedynie Pāṇḍavowie, poza paru innymi, wiedzieli, że Kṛṣṇa jest Najwyższym; nie każdy był tego świadom. Nie dał się On poznać niewielbicielom i zwykłym ludziom. Dlatego Kṛṣṇa w *Gīcie* mówi, że za wyjątkiem Jego czystych wielbicieli, wszyscy ludzie uważają Go za podobnego samym sobie. Tylko Swoim wielbicielom objawił się On jako źródło wszelkich przyjemności. Natomiast dla innych, dla nieinteligentnych niewielbicieli, pozostał On pod przykryciem Swojej wewnętrznej mocy.

Z modlitw Kuntī w *Śrīmad-Bhāgavatam* (1.8.19) dowiadujemy się, że Pan pozostaje pod zasłoną *yoga-māyi* i wskutek tego zwykli ludzie nie mogą Go poznać. O tej zasłonie *yoga-māyi* mówi również *Īśopaniṣad* (*mantra* 15), gdzie wielbiciel modli się;

*hiraṇmayena pātreṇa satyasyāpihitaṁ mukham*
*tat tvaṁ pūṣann apāvṛṇu satya-dharmāya dṛṣṭaye*

"O mój Panie, Ty utrzymujesz i chronisz cały wszechświat, a służba oddania dla Ciebie jest najwyższą zasadą religijną. Dlatego proszę Cię, abyś również ochronił mnie. Twoja transcendentalna forma przykryta jest przez *yoga-māyę*, zaś *brahmajyoti* jest zasłoną Twojej wewnętrznej mocy. Bądź tak dobry i usuń tę promienną światłość, która przeszkadza mi w oglądaniu Twojej *sac-cid-ānanda-vigraha*, wiecznej, pełnej szczęścia i wiedzy formy." Najwyższa Osoba Boga w Jego transcendentalnej, pełnej szczęścia i wiedzy formie przykryty jest wewnętrzną mocą *brahmajyoti*, i z tego powodu mniej inteligentni impersonaliści nie mogą dostrzec Najwyższego.

Również w *Śrīmad-Bhāgavatam* (10.14.7) znajduje się modlitwa Brahmy: "O Najwyższa Osobo Boga, o Najwyższa Duszo, o panie wszelkich tajemnic, któż może ocenić Twoją moc i rozrywki w tym świecie? Zawsze rozszerzasz Swoją wewnętrzną moc i dlatego też nikt nie może Ciebie poznać. Naukowcy mogą zbadać budowę atomową tego materialnego świata, a nawet planet, jednak nie są w stanie ocenić

Śrī Śrīmad

A.C. Bhaktivedanta Swami Prabhupāda

Założyciel-ācārya Międzynarodowego Towarzystwa Świadomości Kṛṣṇy

**Śrīla Bhaktisiddhānta Sarasvatī Ṭhākura,** mistrz duchowy Śrī Śrīmad A.C. Bhaktivedanty Swamiego Prabhupādy

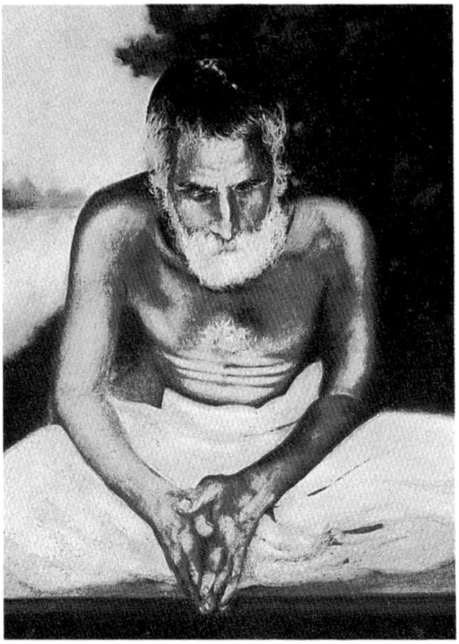

**Śrīla Gaurakiśora Dāsa Bābājī,** mistrz duchowy Śrīla Bhaktisiddhānty Sarasvatīego

**Śrīla Bhaktivinoda Ṭhākura,** inicjator szerzenia świadomości Kṛṣṇy w języku angielskim

**Śrī Rūpa Gosvāmī i Śrī Sanātana Gosvāmī,** najbardziej zaufani bhaktowie Pana Caitanyi

**Pañca-tattva**
Śrī Kṛṣṇa Caitanya
w otoczeniu Swoich najbliższych towarzyszy

Dhṛtarāṣṭra rzekł: „O Sañjayo, cóż uczynili pragnący walki synowie moi i synowie Pāṇḍu, zgromadziwszy się na Kurukṣetrze, która jest miejscem pielgrzymek?" Na to Sañjaya zaczął opowiadać ślepemu królowi, co zaszło na polu bitwy.

Pāṇḍavowie pod wodzą Śrī Kṛṣṇy i Arjuny zadęli w konchy, a dźwięk ten siał trwogę.

Pośrodku pola bitwy, pomiędzy dwiema armiami, Pan Kṛṣṇa przekazuje Arjunie naukę o niezniszczalnej jaźni.

W kosmicznej postaci Pana Arjuna ujrzał niezliczone wszechświaty. Złożywszy ręce, zaczął się modlić.

Jak w tym ciele wcielona dusza bezustannie wędruje od wieku chłopięcego poprzez młodość aż do starości, tak po śmierci udaje się do innego ciała. Zmiany takie nie zwodzą osoby zrównoważonej.

*Jīvātmā,* czyli dusza, wędruje przez 8 400 000 gatunków życia w cyklu narodzin i śmierci. Tylko w życiu ludzkim żywa istota może się z niego wyrwać.

*Yogīn*-mistyk nie będący bhaktą Kṛṣṇy musi długo oddawać się wyrzeczeniom w odludnym miejscu, panując nad umysłem i zmysłami. W obecnym wieku, wieku Kali, ten system *yogi* jest zbyt trudny.

Paramātmā, Dusza Najwyższa, mieszka w sercu każdej żywej istoty. Ta postać Viṣṇu z konchą, dyskiem, lotosem i buławą w rękach nie jest różna od Kṛṣṇy.

Cały materialny kosmos ze wszystkimi wszechświatami stwarzany jest przez Śrī Kṛṣṇę za pośrednictwem Viṣṇu — Jego ekspansji.

Uwarunkowana dusza jest pasażerem na rydwanie materialnego ciała, którego woźnicą jest inteligencja. Umysł jest cuglami, a nieokiełznane zmysły są niczym dzikie konie.

Jeśli ludzka istota rozwija w sobie cechy zwierzęce, w następnym życiu z pewnością otrzyma zwierzęce ciało, by doznawać takich przyjemności, jakie są temu ciału właściwe.

W chwili śmierci świadomość, jaką rozwinął człowiek za życia, przenosi go do następnego ciała zgodnie z prawem karmy.

„Zawsze myśl o Mnie, zostań Moim wielbicielem, czcij Mnie i składaj Mi hołd. W ten sposób na pewno przyjdziesz do Mnie. Obiecuję ci to jako Memu bardzo drogiemu przyjacielowi”.

Twoich energii i mocy, mimo iż Ty jawisz się przed nimi." Najwyższa Osoba Boga, Pan Kṛṣṇa, jest nie tylko nienarodzony, ale jest On też *avyaya*, niewyczerpany. Jego wieczna forma jest szczęściem i wiedzą, a Jego niezliczone energie są niewyczerpane.

**TEKST 26** वेदाहं समतीतानि वर्तमानानि चार्जुन ।
भविष्याणि च भूतानि मां तु वेद न कश्चन ॥२६॥

*vedāhaṁ samatītāni vartamānāni cārjuna*
*bhaviṣyāṇi ca bhūtāni māṁ tu veda na kaścana*

*veda*—znam; *aham*—Ja; *samatītāni*—całkowicie należący do przeszłości; *vartamānāni*—teraźniejszość; *ca*—i; *arjuna*—O Arjuno; *bhaviṣyāṇi*—przyszłość; *ca*—i; *bhūtāni*—wszystkie żywe istoty; *mām*—Mnie; *tu*—ale; *veda*—zna; *na*—nie; *kaścana*—nikt.

**O Arjuno, jako Najwyższa Osoba Boga wiem o wszystkim, co zdarzyło się w przeszłości, co dzieje się obecnie i znam wszystko to, co dopiero nadejdzie. Znam również wszystkie żywe istoty; nikt natomiast nie zna Mnie.**

*ZNACZENIE:* Wyraźnie wyjaśniona została tutaj kwestia personalizmu i impersonalizmu. Jeśli Kṛṣṇa, postać Najwyższej Osoby Boga, byłby *māyą*, istotą materialną, jak uważają impersonaliści, wtedy tak jak każda żywa istota zmieniałby On Swoje ciało i zapominałby o wszystkim, co zdarzyło się w Jego życiu przeszłym. Nikt, kto posiada ciało materialne, nie może pamiętać swojego przeszłego życia. Nie może też przepowiadać swojego życia przyszłego ani nawet zdarzeń mających nastąpić w jego życiu obecnym. Dopóki nie jest się wolnym od zanieczyszczeń materialnych, dopóty nie można znać przeszłości, teraźniejszości i przyszłości.

Pan Kṛṣṇa wyraźnie mówi, że—w przeciwieństwie do zwykłej ludzkiej istoty—dokładnie zna On wszystko to, co zdarzyło się w przeszłości, to, co dzieje się obecnie i to, co będzie miało miejsce w przyszłości. Z Rozdziału Czwartego dowiedzieliśmy się, że Pan Kṛṣṇa pamięta jak miliony lat temu udzielał nauki bogu słońca, Vivasvānowi. Kṛṣṇa zna każdą żywą istotę, jako że w sercu każdej z nich usytuowany jest On jako Dusza Najwyższa. Lecz pomimo tego, że obecny jest On w każdej żywej istocie jako Naddusza, i pomimo Jego obecności jako Najwyższa Osoba Boga, mniej inteligentni nie mogą zrealizować Go jako Najwyższej Osoby, nawet jeśli są w stanie zrealizować bezosobowego Brahmana. Transcendentalne ciało Śrī Kṛṣṇy nigdy nie ulega zniszczeniu. Jest On tak jak słońce, a *māyā* jest jak chmura. W świecie materialnym możemy oglądać słońce, chmury, różne planety i gwiazdy. Chmury mogą chwilowo zakrywać wszystkie te obiekty niebieskie, ale to przykrycie jest tylko pozorne i wynika z naszego ograniczonego widzenia. Słońce, księżyc i gwiazdy w rzeczywistości nie są przykryte. Podobnie, *māyā* nie może przykryć Najwyższego Pana. Dzięki Swojej wewnętrznej mocy nie manifestuje się On ludziom mniej inteligentnym. Trzeci werset tego rozdziału mówi, że spośród wielu milionów ludzi tylko paru stara się zdobyć doskonałość w tej ludzkiej formie życia, a spośród wielu tysięcy takich doskonałych ludzi zaledwie jeden może zrozumieć, kim jest Pan Kṛṣṇa. Nawet jeśli ktoś osiągnął doskonałość dzięki realizacji bezosobowego Brahmana czy zlokalizowanej Paramātmy, nie może w żaden sposób zrozumieć Najwyższej Osoby Boga, Śrī Kṛṣṇy, nie będąc w świadomości Kṛṣṇy.

## TEKST 27

इच्छाद्वेषसमुत्थेन द्वन्द्वमोहेन भारत ।
सर्वभूतानि सम्मोहं सर्गे यान्ति परन्तप ॥२७॥

*icchā-dveṣa-samutthena dvandva-mohena bhārata*
*sarva-bhūtāni sammohaṁ sarge yānti parantapa*

*icchā*—pragnienie; *dveṣa*—i nienawiść; *samutthena*—zrodzone z; *dvandva*—dualizmu; *mohena*—przez złudzenie; *bhārata*—O potomku Bharaty; *sarva*—wszystkie; *bhūtāni*—żywe istoty; *sammoham*—w złudzeniu; *sarge*—rodząc się; *yānti*—idą; *parantapa*—O pogromco nieprzyjaciół.

**O potomku Bharaty, pogromco nieprzyjaciół, wszystkie żywe istoty rodzą się w złudzeniu, opanowane dualizmami wyrastającymi z pożądania i nienawiści.**

*ZNACZENIE:* Prawdziwą, konstytucjonalną pozycją żywej istoty jest poddanie się Najwyższemu Panu, który jest czystą wiedzą. Kiedy ktoś znajduje się w iluzji, w oddzieleniu od tej czystej wiedzy, wtedy kontrolowany jest przez energię iluzoryczną—i nie może zrozumieć Najwyższej Osoby Boga. Ta złudna energia manifestuje się w dualizmie pożądania i nienawiści. Z powodu tej żądzy i nienawiści, osoba będąca w ignorancji chce stać sią jednym z Najwyższym Panem i zazdrości Kṛṣṇie jako Najwyższej Osobie Boga. Czyści wielbiciele, którzy wolni są od tego rodzaju ułudy, jak również od skalania pożądaniem i nienawiścią, mogą zrozumieć, że Pan Kṛṣṇa pojawia się poprzez Swoje wewnętrzne moce. Ci natomiast, którzy zostali zwiedzeni z powodu ulegania dualizmom i niewiedzy, myślą, że Najwyższa Osoba Boga stwarzany jest poprzez energie materialne. Jest to ich nieszczęściem.

Takie pozostające w iluzji osoby w znamienny sposób kładą nacisk na takie dualizmy jak honor i dyshonor, nieszczęście i szczęście, kobieta i mężczyzna, dobro i zło, przyjemność i ból itd., myśląc: "To jest moja żona, to jest mój dom, ja jestem panem tego domu, ja jestem mężem tej żony." Dualizmy takie właściwe są złudzeniu. Osoby omamione przez te dualizmy są kompletnymi głupcami i dlatego nie mogą zrozumieć Najwyższej Osoby Boga.

TEKST 28 येषां त्वन्तगतं पापं जनानां पुण्यकर्मणाम् ।
ते द्वन्द्वमोहनिर्मुक्ता भजन्ते मां दृढव्रताः ॥२८॥

*yeṣāṁ tv anta-gataṁ pāpaṁ janānāṁ puṇya-karmaṇām*
*te dvandva-moha-nirmuktā bhajante māṁ dṛḍha-vratāḥ*

*yeṣām*—których; *tu*—ale; *anta-gatam*—całkowicie wyplenione; *pāpam*—grzech; *janānām*—osób; *puṇya*—pobożnych; *karmaṇām*—których uprzednie czyny; *te*—oni; *dvandva*—dualizmu; *moha*—złudzenia; *nirmuktāḥ*—wolni od; *bhajante*—angażują się w służbę oddania; *mām*—dla Mnie; *dṛḍha-vratāḥ*—z determinacją.

**Osoby, które działały pobożnie w swoich poprzednich żywotach, jak i w życiu obecnym, i które całkowicie wypleniły swoje grzechy, uwolniły się od dualizmów ułudy i z determinacją angażują się w pełnienie służby oddania dla Mojej Osoby.**

*ZNACZENIE:* Werset ten mówi o tych, którzy zdolni są do wzniesienia się na płaszczyznę transcendentalną. Bardzo trudno jest przezwyciężyć dualizm żądzy i nienawiści osobom, które prowadzą grzeszne życie, są ateistami, głupcami lub oszustami. Tylko ci mogą rozpocząć pełnienie służby oddania i stopniowo wznieść się do poziomu czystej wiedzy o Najwyższej Osobie Boga, którzy żyli w zgodzie z zasadami religijnymi, spełniali pobożne czyny i zwalczyli następstwa swoich grzechów. Wtedy stopniowo będą w stanie medytować w ekstazie o Najwyższej Osobie Boga. Na tym polega proces usytuowania się na platformie duchowej. To wzniesienie się do platformy duchowej możliwe jest w świadomości Kṛṣṇy, w towarzystwie czystych bhaktów, gdyż przez obcowanie z wielkimi wielbicielami można uwolnić się od ułudy.

W *Śrīmad-Bhāgavatam* (5.5.2) zostało powiedziane, że kto naprawdę pragnie wyzwolenia, ten musi służyć wielbicielom Najwyższego Pana (*mahat-sevāṁ dvāram āhur vimukteḥ*). Kto natomiast obcuje z materialistami, znajduje się na ścieżce prowadzącej do najciemniejszych regionów życia (*tamo-dvāraṁ yoṣitāṁ saṅgi-saṅgam*). Wszyscy wielbiciele Pana przemierzają ziemię jedynie w tym celu, aby wyleczyć uwarunkowane dusze z ich złudzeń. Impersonaliści nie wiedzą, że zapomnienie o swej konstytucjonalnej pozycji, którą jest podporządkowanie się Panu, jest największym pogwałceniem prawa bożego. Dopóki nie odzyska się swojej konstytucjonalnej pozycji, dopóty nie można zrozumieć Najwyższej Osoby Boga ani też całkowicie i z determinacją zaangażować się w transcendentalną służbę miłości dla Niego.

## TEKST 29

जरामरणमोक्षाय मामाश्रित्य यतन्ति ये ।
ते ब्रह्म तद् विदुः कृत्स्नमध्यात्मं कर्म चाखिलम् ॥२९॥

*jarā-maraṇa-mokṣāya mām āśritya yatanti ye*
*te brahma tad viduḥ kṛtsnam adhyātmaṁ karma cākhilam*

*jarā*—od starości; *maraṇa*—i śmierci; *mokṣāya*—w celu wyzwolenia; *mām*—Mnie; *āśritya*—przyjmując schronienie; *yatanti*—wysiłek; *ye*—wszyscy ci, którzy; *te*—takie osoby; *brahma*—Brahman; *tat*—w rzeczywistości; *viduḥ*—wiedzą oni; *kṛtsnam*—wszystko; *adhyātmam*—transcendentalna; *karma*—czyny; *ca*—również; *akhilam*—całkowicie.

**Inteligentni, dążący do wyzwolenia od starości i śmierci, we Mnie przyjmują schronienie, dla Mnie pełniąc służbę oddania. Wiedząc wszystko o czynach transcendentalnych, są oni w rzeczywistości Brahmanem.**

*ZNACZENIE:* Narodziny, śmierć, starość i choroby są nierozłącznie związane z tym ciałem materialnym. Nie dotyczą one ciała duchowego. Dla ciała duchowego nie ma narodzin, śmierci, starzenia się i chorób, więc ten, kto osiąga ciało duchowe, staje się jednym z towarzyszy Najwyższej Osoby Boga i angażuje się w pełnienie wiecznej służby oddania—i ten jest naprawdę wyzwolonym. *Ahaṁ brahmāsmi*: Ja jestem duchem. Należy wiedzieć, że jest się Brahmanem, duszą. Ta koncepcja życia, iż jest się Brahmanem, istnieje również w służbie oddania, jak mówi o tym ten werset. Czyści wielbiciele zajmują transcendentalną pozycję na płaszczyźnie Brahmana i wiedzą wszystko o czynach transcendentalnych.

Cztery rodzaje nieczystych wielbicieli, którzy angażują się w służbę oddania dla Pana, osiągają upragnione przez siebie cele i dzięki łasce Pana, kiedy są w pełni świadomi Kṛṣṇy, mogą czerpać prawdziwą radość z duchowego obcowania z Panem. Ci natomiast, którzy wielbią półbogów, nigdy nie osiągają Najwyższego Pana na Jego najwyższej planecie. Nawet te mniej inteligentne osoby, które zrealizowały Brahmana, nie mogą osiągnąć najwyższej planety Kṛṣṇy, znanej jako

Goloka Vṛndāvana. Tylko osoby działające w świadomości Kṛṣṇy (*mām āśritya*) są prawdziwie godne tego, aby być nazwanymi Brahmanem, albowiem tylko one naprawdę starają się osiągnąć planetę Kṛṣṇy. Takie osoby nie mają żadnych wątpliwości w stosunku do Kṛṣṇy, a zatem są rzeczywiście Brahmanem.

Ci, którzy wielbią formę, czyli *arcā* Pana, albo ci, którzy medytują o Panu jedynie w celu wyzwolenia się z niewoli materialnej, również znają, dzięki łasce Pana, znaczenie Brahmana, *adhibhūta* itd., jak to tłumaczy Pan w następnym rozdziale.

**TEKST 30** साधिभूताधिदैवं मां साधियज्ञं च ये विदुः ।
प्रयाणकालेऽपि च मां ते विदुर्युक्तचेतसः ॥३०॥

*sādhibhūtādhidaivaṁ māṁ sādhiyajñaṁ ca ye viduḥ*
*prayāṇa-kāle 'pi ca māṁ te vidur yukta-cetasaḥ*

*sa-adhibhūta*—i zasada rządząca manifestacją materialną; *adhidaivam*—rządząca wszystkimi półbogami; *mām*—Mnie; *sa-adhiyajñam*—kontrolujący wszystkie ofiary; *ca*—również; *ye*—ci, którzy; *viduḥ*—znają; *prayāṇa*—śmierci; *kāle*—w czasie; *api*—nawet; *ca*—i; *mām*—Mnie; *te*—oni; *viduḥ*—znają; *yukta-cetasaḥ*—z umysłem pogrążonym we Mnie.

**Ci, którzy—w pełnej świadomości o Mnie—znają Mnie, Najwyższego Pana, jako zasadę rządzącą całą manifestacją materialną, półbogami i wszelkimi typami ofiar—takie osoby mogą zrozumieć i poznać Mnie, Najwyższą Osobę Boga, nawet w chwili śmierci.**

*ZNACZENIE:* Osoby działające w świadomości Kṛṣṇy nigdy nie zbaczają ze ścieżki całkowitego poznania Najwyższej Osoby Boga. W transcendentalnym towarzystwie świadomości Kṛṣṇy można zrozumieć, że Najwyższy Pan jest czynnikiem, który rządzi całą manifestacją materialną, a nawet półbogami. Przebywając w takim transcendentalnym towarzystwie można stopniowo przekonać się, kim jest Najwyższy Pan. Dzięki temu osoba świadoma Kṛṣṇy nie będzie mogła o Nim zapomnieć w chwili śmierci. A zatem naturalną koleją rzeczy zostanie ona przeniesiona na planetę Najwyższej Osoby Boga — Golokę Vṛndāvanę.

Rozdział Siódmy tłumaczy szczególnie, w jaki sposób można zostać osobą całkowicie świadomą Kṛṣṇy. Początkiem świadomości Kṛṣṇy jest związek z osobami, które są świadome Kṛṣṇy. Związek taki jest duchowy i jest bezpośrednim nawiązaniem kontaktu z Najwyższym Panem, dzięki którego łasce można zrozumieć, że Kṛṣṇa jest Najwyższym Bogiem. Jednocześnie można prawdziwie zrozumieć konstytucjonalną pozycję żywej istoty i to, w jaki sposób zapomina ona o Kṛṣṇie, uwikłując się w czynności materialne. Obcując z właściwymi osobami i stopniowo rozwijając świadomość Kṛṣṇy, żywa istota może zrozumieć, że to na skutek zapomnienie o Kṛṣṇie została uwarunkowana prawami natury materialnej. Może również zrozumieć, że ta ludzka forma życia jest szansą na odzyskanie świadomości Kṛṣṇy i że należy w pełni z tej szansy skorzystać, aby osiągnąć bezprzyczynową łaskę Najwyższego Pana.

Rozdział ten porusza wiele tematów. Mówi o człowieku w niedoli, o człowieku kierującym się ciekawością, człowieku będącym w potrzebie materialnej, o wiedzy o Brahmanie, Paramātmie, wyzwoleniu od narodzin, śmierci i chorób oraz o wielbieniu Najwyższego Pana. Kto jednakże jest naprawdę zaawansowany w świadomości Kṛṣṇy, ten nie dba o te różne procesy, ale po prostu podejmuje działanie bezpośrednio w świadomości Kṛṣṇy i w ten sposób osiąga swą konstytucjonalną pozycję wiecznego sługi Pana Kṛṣṇy. Taka osoba znajduje przyjemność w słuchaniu o Najwyższym Panu i gloryfikowaniu Go w czystej służbie oddania. Jest przekonana o tym, że dzięki temu spełnione zostaną wszystkie jej cele. Ta zdecydowana wiara nazywana jest *dṛḍha-vrata* i stanowi ona początek *bhakti-yogi,* czyli transcendentalnej służby miłości. Takie jest orzeczenie wszystkich świętych pism. Rozdział Siódmy jest kwintesencją tego przekonania.

W ten sposób Bhaktivedanta kończy objaśnienia do Siódmego Rozdziału *Śrīmad Bhagavad-gīty,* traktującego o wiedzy o Absolucie.

# ROZDZIAŁ VIII

# Osiąganie Najwyższego

**TEKST 1** अर्जुन उवाच
किं तद् ब्रह्म किमध्यात्मं किं कर्म पुरुषोत्तम ।
अधिभूतं च किं प्रोक्तमधिदैवं किमुच्यते ॥१॥

*arjuna uvāca*
*kiṁ tad brahma kim adhyātmaṁ kiṁ karma puruṣottama*
*adhibhūtaṁ ca kiṁ proktam adhidaivaṁ kim ucyate*

*arjunaḥ uvāca*—Arjuna rzekł; *kim*—czym; *tat*—to; *brahma*—Brahman; *kim*—czym; *adhyātmam*—dusza; *kim*—czym; *karma*—czynności dla rezultatów; *puruṣa-uttama*—O Najwyższa Osobo; *adhibhūtam*—manifestacja materialna; *ca*—i; *kim*—co; *proktam*—jest nazywane; *adhidaivam*—półbogowie; *kim*—co; *ucyate*—jest nazywane.

**Arjuna zapytał: O mój Panie, o Najwyższa Osobo, czym jest Brahman? Czym jest dusza? Co to są czynności przynoszące owoce? Czym jest manifestacja materialna? I kim są półbogowie? Proszę, wytłumacz mi to.**

*ZNACZENIE:* W tym rozdziale Pan Kṛṣṇa odpowiada na różne pytania Arjuny, zaczynając od pytania: "Czym jest Brahman?" Pan tłumaczy również na czym polega *karma* (czynności dla rezultatów), czym jest służba oddania, zasady *yogi* oraz służba oddania w swojej czystej postaci. *Śrīmad-Bhāgavatam* tłumaczy, że Najwyższa Absolutna Prawda znany jest jako Brahman, Paramātmā i Bhagavān. Ponadto Brahmanem nazywana jest również żywa istota, indywidualna dusza.

Arjuna również zapytuje o *ātmę*, która odnosi się do ciała, duszy i umysłu. Według słownika wedyjskiego, *ātmā* odnosi się do umysłu, duszy, ciała, jak również do zmysłów.

Arjuna nazwał tutaj Najwyższego Pana Puruṣottamą, Najwyższą Osobą, co oznacza, że zadał te pytania nie tyle przyjacielowi, co Najwyższej Osobie, wiedząc, że jedynie On jest najwyższym autorytetem zdolnym do udzielenia definitywnych odpowiedzi.

**TEKST 2**

अधियज्ञः कथं कोऽत्र देहेऽस्मिन्मधुसूदन ।
प्रयाणकाले च कथं ज्ञेयोऽसि नियतात्मभिः ॥२॥

*adhiyajñaḥ kathaṁ ko 'tra dehe 'smin madhusūdana*
*prayāṇa-kāle ca kathaṁ jñeyo 'si niyatātmabhiḥ*

*adhiyajñaḥ*—Pan ofiar; *katham*—jak; *kaḥ*—kto; *atra*—tutaj; *dehe*—w ciele; *asmin*—w tym; *madhusūdana*—O Madhusūdano; *prayāṇa-kāle*—w chwili śmierci; *ca*—i; *katham*—jak; *jñeyaḥ asi*—Ty możesz być znanym; *niyata-ātmabhiḥ*—przez samokontrolujących się.

**O Madhusūdano, kim jest Pan ofiar, w jaki sposób mieszka On w ciele? I w jaki sposób ci, którzy zaangażowani są w pełnienie służby oddania, mogą zrealizować Cię w chwili śmierci?**

*ZNACZENIE:* ”Pan ofiar” może odnosić się albo do Indry albo do Viṣṇu. Viṣṇu jest pierwszym wśród najważniejszych półbogów (włączając w to Brahmę i Śivę), a Indra przewodzi półbogom zarządzającym. Zarówno Viṣṇu, jak i Indra czczeni są poprzez spełnianie *yajñi* (ofiar). Ale tutaj Arjuna pyta, kto jest w rzeczywistości Panem *yajñi*, i w jaki sposób Pan ten rezyduje wewnątrz ciała żywej istoty.

Arjuna nazwał tutaj Pana Madhusūdaną, a to dlatego, że Kṛṣṇa zabił kiedyś demona imieniem Madhu. W rzeczywistości pytania te, mające naturę wątpliwości, nie powinny powstać w umyśle Arjuny—jest on przecież wielbicielem świadomym Kṛṣṇy. Zatem wątpliwości te są jak demony. A ponieważ Kṛṣṇa jest ekspertem w zabijaniu demonów, Arjuna zwraca się tutaj do Niego, jako do Madhusūdany, aby zabił demoniczne wątpliwości powstałe w jego umyśle.

Bardzo znaczące w tym wersecie jest słowo *prayāṇa-kāle*, ponieważ to, co robimy w ciągu życia, będzie sprawdzone w momencie śmierci. Arjuna pragnie dowiedzieć się o tych, którzy są bezustannie zaangażowani w świadomość Kṛṣṇy. Jaka będzie ich pozycja w ostatnim momencie. W krytycznym momencie śmierci funkcje ciała zostają przerwane i umysł nie jest w normalnym stanie. A będąc zaniepokojonym stanem ciała, można nie być w stanie pamiętać Najwyższego Pana.

Dlatego Mahārāja Kulaśekhara, wielki wielbiciel, modli się: "Mój drogi Panie, pozwól mi umrzeć natychmiast, teraz, kiedy jestem zdrów, tak aby łabędź mojego umysłu mógł wejść pomiędzy łodyżki Twoich lotosowych stóp." Metafora ta została użyta dlatego, że łabędź, ptak wodny, znajduje przyjemność w zagłębianiu się w kwiaty lotosu; jest to jego rozrywką. Mahārāja Kulaśekhara mówi Panu: "Teraz mój umysł nie jest zaniepokojony i jestem całkiem zdrów. Jeśli umrę natychmiast, myśląc o Twoich lotosowych stopach, wówczas z pewnością osiągnę doskonałość w służbie oddania dla Ciebie. Lecz jeśli będę musiał czekać aż nadejdzie naturalna śmierć, to nie wiem co wówczas się zdarzy, ponieważ w tym czasie funkcje mojego ciała zostaną przerwane, gardło będzie ściśnięte i nie wiem, czy będę w stanie intonować Twoje imię. Więc lepiej abym opuścił to ciało natychmiast." Arjuna zapytuje więc, w jaki sposób umysł w takiej krytycznej chwili może skupić się na lotosowych stopach Kṛṣṇy.

**TEKST 3** श्रीभगवानुवाच

अक्षरं ब्रह्म परमं स्वभावोऽध्यात्ममुच्यते ।
भूतभावोद्भवकरो विसर्गः कर्मसंज्ञितः ॥३॥

*śrī-bhagavān uvāca*
*akṣaraṁ brahma paramaṁ svabhāvo 'dhyātmam ucyate*
*bhūta-bhāvodbhava-karo visargaḥ karma-saṁjñitaḥ*

*śrī-bhagavān uvāca*—Najwyższa Osoba Boga rzekł; *akṣaram*—niezniszczalny; *brahma*—Brahman; *paramam*—transcendentalny; *svabhāvaḥ*—wieczna natura; *adhyātmam*—jaźń; *ucyate*—jest nazywana; *bhūta-bhāva-udbhava-karaḥ*—wytwarzanie materialnych ciał żywych istot; *visargaḥ*—stworzenie; *karma*—czynności dla rezultatów; *saṁjñitaḥ*—jest nazywany.

**Najwyższa Osoba Boga rzekł: Niepodlegająca zniszczeniu, transcendentalna żywa istota nazywana jest Brahmanem. A jej wieczna natura nazywana jest adhyātmą, jaźnią. Działanie prowadzące do rozwoju ciał materialnych nazywa się karmą, czyli czynnościami przynoszącymi owoce.**

*ZNACZENIE:* Brahman nie ulega zniszczeniu, istnieje wiecznie i jego konstytucja nigdy nie podlega zmianom. Ale poza Brahmanem istnieje Parabrahman. Brahman odnosi się do żywej istoty, a Parabrahman do Najwyższej Osoby Boga. Konstytucjonalna pozycja żywej istoty różna jest od tej, którą przyjmuje ona w tym świecie materialnym.

W świadomości materialnej jej naturą jest dążenie do panowania nad materią, natomiast w świadomości duchowej (świadomości Kṛṣṇy) jej pozycją jest służenie Najwyższemu. Kiedy żywa istota posiada świadomość materialną, musi przyjmować różnego rodzaju ciała w tym świecie materialnym. To nazywane jest *karmą*, czyli rozmaitym tworzeniem poprzez siły świadomości materialnej.

W literaturze wedyjskiej żywa istota nazywana jest *jīvātmą* i Brahmanem, ale nigdy nie jest nazywana Parabrahmanem. Żywa istota (*jīvātmā*) zajmuje różne pozycje—czasami łączy się z ciemną naturą materialną i utożsamia się z materią; czasami zaś utożsamia się z wyższą naturą duchową. Dlatego nazywana jest ona marginalną energią Najwyższego Pana. Odpowiednio do swojej identyfikacji czy to z naturą materialną, czy duchową, otrzymuje ona albo ciało materialne, albo duchowe. W świecie materialnym może ona przyjąć ciało jakiegokolwiek z 8 400 000 gatunków życia, ale w świecie duchowym posiada ona tylko jedno ciało. W świecie materialnym przejawia się czasami jako człowiek, półbóg, zwierzę, ptak itd., odpowiednio do swojej *karmy*. Aby osiągnąć materialne planety niebiańskie (planety znajdujące się w wyższym systemie planetarnym) i korzystać z tamtejszych wygód, czasami pełni ofiary (*yajñe*), lecz kiedy wyczerpią się jej zasługi, znowu powraca na ziemię w ludzkiej postaci. Ten proces jest nazywany *karmą*.

*Chāndogya Upaniṣad* opisuje wedyjski proces ofiar. Na ołtarzu ofiarnym składa się pięć rodzajów ofiar w pięć różnych ogni. Za te pięć rodzajów ogni przyjmuje się: planety niebiańskie, chmury, ziemię, mężczyznę i kobietę, a pięcioma rodzajami ofiar są: wiara, osoba oddająca się przyjemnościom na księżycu, deszcz, ziarno i nasienie.

W procesie ofiar żywa istota spełnia specyficzne ofiary, aby osiągnąć określone planety niebiańskie, i w rezultacie osiąga je. Kiedy wyczerpią się zasługi ofiar, wtedy żywa istota schodzi na ziemię w postaci deszczu, następnie przyjmuje postać zbóż, które spożywane są przez człowieka i przemieniane w nasienie. Nasienie to zapładnia kobietę, i w ten sposób żywa istota ponownie osiąga ludzką formę, aby ponownie pełnić ofiary, czyli aby powtórzyć ten sam cykl. W taki sposób żywa istota wiecznie podąża materialną ścieżką. Jednakże osoba świadoma Kṛṣṇy unika takich ofiar. Bezpośrednio przyjmuje świadomość Kṛṣṇy i przygotowuje się do powrotu do królestwa Boga.

Impersonalistyczni komentatorzy *Bhagavad-gīty* niemądrze zakładają, że Brahman przyjmuje formę *jīvy* w świecie materialnym, i aby to uzasadnić, powołują się na siódmy werset Piętnastego Rozdziału *Gīty*. Ale w wersecie tym Pan również mówi o żywej istocie jako "Mojej wiecznej cząstce". Cząstka Boga, żywa istota, może upaść w ten świat materialny, jednak Najwyższy Pan (Acyuta) nigdy nie upada. Zatem przypuszczenie, że Najwyższy Brahman przyjmuje postać *jīvy*, jest nie do przyjęcia. Ważne jest, aby pamiętać, że w literaturze wedyjskiej Brahman (żywa istota) odróżniany jest od Parabrahmana (Najwyższego Pana).

TEKST 4 अधिभूतं क्षरो भावः पुरुषश्चाधिदैवतम् ।
अधियज्ञोऽहमेवात्र देहे देहभृतां वर ॥४॥

*adhibhūtaṁ kṣaro bhāvaḥ puruṣaś cādhidaivatam*
*adhiyajño 'ham evātra dehe deha-bhṛtāṁ vara*

*adhibhūtam*—fizyczna manifestacja; *kṣaraḥ*—bezustannie zmieniająca się; *bhāvaḥ*—natura; *puruṣaḥ*—forma kosmiczna łącznie z wszystkimi półbogami, takimi jak: półbóg słońca i księżyca; *ca*—i; *adhidaivatam*—zwana *adhidaiva; adhiyajñaḥ*—Dusza Najwyższa; *aham*—Ja (Kṛṣṇa); *eva*—z pewnością; *atra*—w tym; *dehe*—ciele; *deha-bhṛtām*—wcielonego; *vara*—O najlepszy.

**O najlepszy spośród wcielonych istot, fizyczna natura, która podlega bezustannym zmianom, jest zwana adhibhūta (manifestacją materialną). Kosmiczna forma Najwyższego Pana, która zawiera wszystkich półbogów, jak półbóg słońca i księżyca, jest zwana adhidaiva. A Ja, Najwyższy Pan, reprezentowany przez Duszę Najwyższą w sercu każdej wcielonej żywej istoty, jestem zwany adhiyajña (Panem ofiar).**

*ZNACZENIE:* Natura fizyczna zmienia się bezustannie. Ciała materialne na ogół przechodzą sześć stanów: rodzą się, rosną, trwają przez pewien czas, wytwarzają pewne produkty uboczne, słabną i w końcu znikają. Natura fizyczna nazywana jest *adhibhūta*. Jest ona tworzona w pewnym momencie, i w pewnym momencie zostaje unicestwiona. Koncepcja kosmicznej formy Najwyższego Pana, obejmująca wszystkich półbogów i ich różne planety, nazywana jest *adhidaivata*. A obecna w ciele razem z duszą indywidualną Dusza Najwyższa—pełna reprezentacja Pana Kṛṣṇy—nazywana jest Paramātmą albo *adhiyajñą*, i usytuowana jest w sercu. Słowo *eva* jest szczególnie ważne w kontekście tego wersetu, gdyż za pomocą tego słowa Pan Kṛṣṇa kładzie nacisk na to, że Paramātmā nie jest różna od Niego. Dusza Najwyższa (Najwyższa Osoba Boga), usytuowany obok duszy indywidualnej, jest świadkiem czynów tej duszy indywidualnej i źródłem jej rozmaitej świadomości. Dusza Najwyższa daje *jīvie* okazję do swobodnego działania i obserwuje jej czyny. Funkcje wszystkich różnych manifestacji Najwyższego Pana automatycznie stają się jasne dla czystego wielbiciela świadomego Kṛṣṇy, zaangażowanego w transcendentalną służbę dla Pana. Początkujący wielbiciel (neofita), który nie może zbliżyć się do Najwyższego Pana w Jego manifestacji Duszy Najwyższej, kontempluje olbrzymią kosmiczną formę Pana, nazywaną *adhidaivata*. Neofitom radzi się, aby kontemplowali kosmiczną formę Pana, czyli *virāṭ-puruṣę*, za którego nogi uważane są niższe systemy planetarne, za oczy—słońce i księżyc, a za głowę—wyższe systemy planetarne.

**TEKST 5** अन्तकाले च मामेव स्मरन्मुक्त्वा कलेवरम् ।
यः प्रयाति स मद्भावं याति नास्त्यत्र संशयः ॥५॥

*anta-kāle ca mām eva smaran muktvā kalevaram*
*yaḥ prayāti sa mad-bhāvaṁ yāti nāsty atra saṁśayaḥ*

*anta-kāle*—pod koniec życia; *ca*—również; *mām*—Mnie; *eva*—z pewnością; *smaran*—pamiętając; *muktvā*—opuszczając; *kalevaram*—ciało; *yaḥ*—ten, kto; *prayāti*—idzie; *saḥ*—ten; *mat-bhāvam*—Moją naturę; *yāti*—osiąga; *na*—nie; *asti*—jest; *atra*—tutaj; *saṁśayaḥ*—wątpliwości.

**Ktokolwiek zaś w chwili śmierci, opuszczając ciało, pamięta Mnie jedynie, ten natychmiast osiąga Moją naturę. Co do tego nie ma żadnych wątpliwości.**

*ZNACZENIE:* Werset ten podkreśla wagę świadomości Kṛṣṇy. Każdy, kto opuszcza swoje ciało będąc świadomym Kṛṣṇy, od razu przenoszony jest do transcendentalnej natury Najwyższego Pana. Najwyższy Pan jest najczystszym z najczystszych. Zatem ten, kto jest bezustannie świadomy Kṛṣṇy, również jest najczystszym z najczystszych. Ważne jest tutaj słowo *smaran* ("pamiętanie"). Pamiętanie o Kṛṣṇie nie jest możliwe dla duszy nieczystej, która nie praktykowała świadomości Kṛṣṇy w służbie oddania. Zatem należy praktykować świadomość Kṛṣṇy od początku życia. Dla tego, kto pragnie osiągnąć sukces pod koniec życia, zasadniczym jest proces pamiętania Kṛṣṇy. Dlatego—idąc w ślady Pana Caitanyi—należy bezustannie intonować *mahā-mantrę*—Hare Kṛṣṇa, Hare Kṛṣṇa, Kṛṣṇa Kṛṣṇa, Hare Hare; Hare Rāma, Hare Rāma, Rāma Rāma, Hare Hare, będąc przy tym tak tolerancyjnym jak drzewo (*taror iva sahiṣṇunā*). Osoba intonująca Hare Kṛṣṇa może napotkać na jakieś przeszkody. Niemniej jednak, tolerując wszelkie przeciwności, należy wytrwale intonować Hare Kṛṣṇa, Hare Kṛṣṇa, Kṛṣṇa Kṛṣṇa, Hare Hare; Hare Rāma, Hare Rāma, Rāma Rāma, Hare Hare, tak aby pod koniec życia osiągnąć pełną korzyść ze świadomości Kṛṣṇy.

TEKST 6 यं यं वापि स्मरन् भावं त्यजत्यन्ते कलेवरम् ।
तं तमेवैति कौन्तेय सदा तद्भावभावितः ॥६॥

*yaṁ yaṁ vāpi smaran bhāvaṁ tyajaty ante kalevaram*
*taṁ tam evaiti kaunteya sadā tad-bhāva-bhāvitaḥ*

*yam yam*—cokolwiek; *vā api*—w ogóle; *smaran*—pamiętając; *bhāvam*—naturę; *tyajati*—porzuca; *ante*—pod koniec; *kalevaram*—to ciało; *tam tam*—podobne; *eva*—na pewno; *eti*—otrzymuje; *kaunteya*—O synu Kuntī; *sadā*—zawsze; *tat*—ten; *bhāva*—stan istnienia; *bhāvitaḥ*—pamiętając.

**Albowiem jaki stan istnienia pamięta ten, kto porzuca swoje ciało, o synu Kuntī, taki stan bez wątpienia osiągnie.**

*ZNACZENIE:* Wytłumaczony został tutaj proces przemiany natury danej osoby w krytycznym momencie śmierci. Osoba, która pod koniec swego życia opuszcza ciało myśląc o Kṛṣṇie, osiąga transcendentalną naturę Najwyższego Pana, ale nie jest to prawdą, że ten sam transcendentalny stan osiąga też ten, kto myśli o czymś innym niż o Kṛṣṇie. Jest to bardzo istotne i powinniśmy o tym wiedzieć. Jak można umrzeć we właściwym stanie umysłu? Mahārāja Bharata, mimo iż był tak wielką osobowością, myślał w chwili śmierci o jeleniu i w następnym życiu narodził się w ciele jelenia. Musiał on przyjąć ciało tego zwierzęcia, chociaż jako jeleń pamiętał on swoje przeszłe czyny. Na to, o czym myślimy w chwili śmierci, wpływa końcowy rezultat myśli i czynów całego życia. Zatem postępowanie w tym życiu determinuje przyszły stan istnienia. Jeśli ktoś wiedzie obecne życie w *guṇie* dobroci i zawsze myśli o Kṛṣṇie, to będzie mógł pamiętać Kṛṣṇę pod koniec życia. Dzięki temu wzniesie się do transcendentalnej natury Kṛṣṇy. Jeśli jest się transcendentalnie zaangażowanym w służbę Kṛṣṇy, wtedy następne ciało będzie transcendentalne (duchowe), nie materialne. Dlatego też intonowanie Hare Kṛṣṇa, Hare Kṛṣṇa, Kṛṣṇa Kṛṣṇa, Hare Hare; Hare Rāma, Hare Rāma, Rāma Rāma, Hare Hare jest najlepszą metodą na szczęśliwą zmianę swojego stanu istnienia pod koniec życia.

TEKST 7 तस्मात्सर्वेषु कालेषु मामनुस्मर युध्य च ।
मय्यर्पितमनोबुद्धिर्मामेवैष्यस्यसंशयः ॥७॥

*tasmāt sarveṣu kāleṣu māṁ anusmara yudhya ca*
*mayy arpita-mano-buddhir mām evaiṣyasy asaṁśayaḥ*

*tasmāt*—dlatego też; *sarveṣu*—w każdym; *kāleṣu*—czasie; *mām*—Mnie; *anusmara*—pamiętaj stale; *yudhya*—walcz; *ca*—również; *mayi*—Mnie;

*arpita*—podporządkowując; *manaḥ*—umysł; *buddhiḥ*—intelekt; *mām*—Mnie; *eva*—na pewno; *eṣyasi*—osiągniesz; *asaṁśayaḥ*—bez wątpienia.

**Dlatego też Arjuno, powinieneś zawsze myśleć o Mnie w Mojej formie Kṛṣṇy i jednocześnie wypełniać swój nakazany obowiązek walki. Poświęcając Mnie swoje czyny, skupiając na Mnie swój umysł i inteligencję, osiągniesz Mnie bez wątpienia.**

*ZNACZENIE:* Te nauki skierowane do Arjuny są ważne dla wszystkich ludzi zaangażowanych w czynności materialne. Pan nie mówi, że powinniśmy porzucić swoje obowiązki czy zajęcia. Można je kontynuować, myśląc jednocześnie o Kṛṣṇie—poprzez intonowanie Hare Kṛṣṇa. To uwalnia od materialnych zanieczyszczeń i zajmuje umysł i inteligencję Kṛṣṇą. Kto intonuje imiona Kṛṣṇy, ten bez wątpienia zostanie przeniesiony na najwyższą planetę—Kṛṣṇalokę.

**TEKST 8**

अभ्यासयोगयुक्तेन चेतसा नान्यगामिना ।
परमं पुरुषं दिव्यं याति पार्थानुचिन्तयन् ॥८॥

*abhyāsa-yoga-yuktena cetasā nānya-gāminā*
*paramaṁ puruṣaṁ divyaṁ yāti pārthānucintayan*

*abhyāsa-yoga*—przez praktykę; *yuktena*—zaangażowany w medytację; *cetasā*—przez umysł i inteligencję; *na anya-gāminā*—nie zbaczając; *paramam*—Najwyższy; *puruṣam*—Osoba Boga; *divyam*—transcendentalny; *yāti*—osiąga; *pārtha*—O synu Pṛthy; *anucintayan*—bezustannie myśląc o.

**Kto medytuje o Mnie jako Najwyższej Osobie Boga, bezustannie angażując swój umysł w pamiętanie Mnie, nie zbaczając ze ścieżki, ten, o Pārtho, z pewnością Mnie osiągnie.**

*ZNACZENIE:* W wersecie tym Pan Kṛṣṇa podkreśla, jak istotne jest pamiętanie o Nim. Pamięć o Kṛṣṇie zostaje rozbudzona przez intonowanie *mahā-mantry*, Hare Kṛṣṇa. Poprzez tę praktykę intonowania i słuchania wibracji dźwiękowych Najwyższego Pana, zostają zaangażowane uszy, język i umysł. Ta mistyczna medytacja nie jest trudna w praktyce, a pomaga ona osiągnąć Najwyższego Pana. *Puruṣam* oznacza podmiot radości. Mimo iż żywe istoty należą do marginalnej energii Najwyższego Pana, są one materialnie zanieczyszczone. Uważają się za podmioty radości, ale nie są najwyższym podmiotem radości. Wyraźnie zostało powiedziane tutaj, że najwyższym podmiotem radości jest Najwyższa Osoba Boga w Swoich różnych manifestacjach i pełnych ekspansjach, takich jak: Nārāyaṇa, Vāsudeva itd.

Poprzez intonowanie Hare Kṛṣṇa, wielbiciele mogą bezustannie myśleć o przedmiocie swojego uwielbienia, Najwyższym Panu, w jakiejkolwiek z Jego postaci: Nārāyaṇie, Kṛṣṇie, Rāmie itd. Ta praktyka oczyści ich w taki sposób, że kończąc swoje życie zostaną przeniesieni do królestwa Boga—dzięki bezustannemu intonowaniu świętych imion Pana. Praktyka *yogi* polega na medytacji o Duszy Najwyższej znajdującej się wewnątrz serca; podobnie, przez intonowanie Hare Kṛṣṇa umysł ciągle koncentruje się na Najwyższym Panu. Umysł jest bardzo zmienny i dlatego należy siłą zająć go myślami o Kṛṣṇie. Często podawany jest przykład gąsienicy, która myśli o zostaniu motylem, i rzeczywiście jeszcze w tym samym życiu zostaje przemieniona w motyla. Podobnie, jeśli my będziemy bezustannie myśleć o Kṛṣṇie, to z pewnością z końcem naszego życia osiągniemy taką samą konstytucję cielesną jaką posiada Kṛṣṇa.

## TEKST 9

कविं पुराणमनुशासितारम्
अणोरणीयांसमनुस्मरेद् यः ।
सर्वस्य धातारमचिन्त्यरूपम्
आदित्यवर्णं तमसः परस्तात् ॥९॥

*kaviṁ purāṇam anuśāsitāram*
*aṇor aṇīyāṁsam anusmared yaḥ*
*sarvasya dhātāram acintya-rūpam*
*āditya-varṇaṁ tamasaḥ parastāt*

*kavim*—ten, który zna wszystko; *purāṇam*—najstarszy; *anuśāsitāram*—kontroler; *aṇoḥ*—niż atom; *aṇīyāṁsam*—mniejszy; *anusmaret*—zawsze myśląc o; *yaḥ*—ten, kto; *sarvasya*—wszystko; *dhātāram*—utrzymujący; *acintya*—niepojęty; *rūpam*—którego forma; *āditya-varṇam*—promienna jak słońce; *tamasaḥ*—wobec ciemności; *parastāt*—transcendentalny.

**Należy medytować o Najwyższej Osobie jako o tym, który zna wszystko, który jest najstarszy, który jest kontrolerem, który jest mniejszy od najmniejszego, który wszystko utrzymuje i żywi, który jest poza wszelkim materialnym wyobrażeniem, który jest niepojęty, i który zawsze jest osobą. Jest On promienny jak słońce, a będąc transcendentalnym—znajduje się poza tą naturą materialną.**

*ZNACZENIE:* Werset ten mówi o procesie myślenia o Najwyższym. Rzeczą najważniejszą jest to, że nie jest On bezosobowy, ani nie jest próżnią. Nie można bowiem medytować ani o czymś bezosobowym, ani o próżni. Jest to bardzo trudne. Natomiast proces myślenia o Kṛṣṇie jest bardzo łatwy i został on tutaj przedstawiony. Przede wszystkim jest On *puruṣa*, osobą—myślimy o osobie Rāmy i o osobie Kṛṣṇy. Ten werset *Bhagavad-gīty* opisuje kim jest osoba Pana, bez względu na to, czy ktoś myśli o Rāmie czy Kṛṣṇie. Pan jest *kavi*; to znaczy, że zna On przeszłość, teraźniejszość i przyszłość, a zatem zna wszystko. Jest On najstarszą osobą, ponieważ jest źródłem wszystkiego. Wszystko zostało zrodzone z Niego. On jest również najwyższym kontrolerem wszechświata, żywicielem i nauczycielem ludzkości. Jest On mniejszym od najmniejszego. Żywa istota jest rozmiarów jednej dziesięciotysięcznej czubka włosa, lecz Pan jest tak niepojęcie mały, że wchodzi w serce tej drobiny. Dlatego nazywany jest mniejszym od najmniejszego. Jako Najwyższy, może On wniknąć w atom i w serce najmniejszego i kontrolować go jako Naddusza. Mimo iż tak mały, jest On wszechprzenikający i utrzymuje wszystko. Przez Niego utrzymywane są wszystkie systemy planetarne. Często dziwimy się, w jaki sposób tak wielkie planety unoszą się w przestrzeni. Z wersetu tego dowiadujemy się, iż to Najwyższy Pan, dzięki Swoim niepojętym energiom, utrzymuje wszystkie te wielkie planety i systemy galaktyk. Bardzo ważne w tym związku jest słowo *acintya* ("niepojęty"). Moc Boga przekracza nasze wyobrażenie. Nie potrafimy jej ocenić i dlatego nazywana jest ona niepojętą (*acintya*). Kto może się z tym nie zgodzić? Przenika On ten świat materialny, a jednak jest poza Nim. My nie jesteśmy nawet w stanie pojąć tego materialnego świata, który jest tak znikomy w porównaniu ze światem duchowym—więc jak możemy pojąć to, co jest poza nim? *Acintya* oznacza to, co jest poza tym światem materialnym, to czego nasze argumenty, logika i filozoficzne spekulacje nie są w stanie dotknąć, to, co jest niepojęte. Dlatego osoba inteligentna, unikając bezużytecznych argumentów i spekulacji, powinna przyjąć to, co oznajmiają pisma święte, takie jak *Vedy*, *Bhagavad-gītā* i *Śrīmad-Bhāgavatam*, i powinna stosować się do ich nakazów. To doprowadzi ją do zrozumienia.

## TEKST 10

प्रयाणकाले मनसाचलेन
भक्त्या युक्तो योगबलेन चैव ।
भ्रुवोर्मध्ये प्राणमावेश्य सम्यक्
स तं परं पुरुषमुपैति दिव्यम् ॥१०॥

*prayāṇa-kāle manasācalena*
*bhaktyā yukto yoga-balena caiva*
*bhruvor madhye prāṇam āveśya samyak*
*sa taṁ paraṁ puruṣam upaiti divyam*

*prayāṇa-kāle*—w czasie śmierci; *manasā*—przez umysł; *acalena*—nie zbaczając; *bhaktyā*—w pełnym oddaniu; *yuktaḥ*—zaangażowany; *yoga-balena*—przez siłę *yogi* mistycznej; *ca*—również; *eva*—z pewnością; *bhruvoḥ*—dwie brwi; *madhye*—pomiędzy; *prāṇam*—powietrze życia; *āveśya*—umieszczając; *samyak*—całkowicie; *saḥ*—on; *tam*—to; *param*—transcendentalny; *puruṣam*—Osoba Boga; *upaiti*—osiąga; *divyam*—w królestwie duchowym.

**Kto w momencie śmierci umieszcza powietrze życia pomiędzy brwiami i—za pomocą yogi, ze zrównoważonym umysłem—z pełnym oddaniem pogrąża się w pamiętaniu Najwyższego Pana, ten z pewnością osiągnie Najwyższą Osobę Boga.**

*ZNACZENIE:* Werset ten mówi wyraźnie, że w czasie śmierci umysł musi być skupiony w oddaniu na Najwyższej Osobie Boga. Osobom doświadczonym w *yodze* radzi się, aby wzniosły siłę życiową pomiędzy brwi (do *ājñā-cakry*). Werset ten proponuje praktykę *ṣaṭ-cakra-yogi*, polegającą na medytacji na sześciu *cakrach*. Czysty wielbiciel nie praktykuje takiej *yogi*, ale ponieważ zawsze jest on zaangażowany w świadomość Kṛṣṇy, w chwili śmierci może pamiętać Najwyższą Osobę Boga dzięki Jego łasce. Tłumaczy to werset czternasty.

Ważne w tym wersecie są słowa *yoga-balena*, ponieważ bez praktyki *yogi*—czy to *ṣaṭ-cakra-yogi* czy *bhakti-yogi*—nie można w chwili śmierci osiągnąć tego transcendentalnego stanu istnienia. Nie można nagle przypomnieć sobie Najwyższego Pana w tym krytycznym momencie, jeśli nie ma się doświadczenia w jakimś systemie *yogi*, szczególnie w systemie *bhakti-yogi*. Ponieważ umysł w chwili śmierci jest bardzo niespokojny, należy już podczas życia praktykować transcendencję poprzez *yogę*.

**TEKST 11**

यदक्षरं वेदविदो वदन्ति
विशन्ति यद् यतयो वीतरागाः ।
यदिच्छन्तो ब्रह्मचर्यं चरन्ति
तत्ते पदं संग्रहेण प्रवक्ष्ये ॥११॥

*yad akṣaraṁ veda-vido vadanti*
*viśanti yad yatayo vīta-rāgāḥ*
*yad icchanto brahmacaryaṁ caranti*
*tat te padaṁ saṅgraheṇa pravakṣye*

*yat*—ten, który; *akṣaram*—sylaba *oṁ*; *veda-vidaḥ*—osoby dobrze znające *Vedy; vadanti*—mówią; *viśanti*—wchodzą; *yat*—w którym;

*yatayaḥ*—wielcy mędrcy; *vīta-rāgāḥ*—w wyrzeczonym porządku życia; *yat*—ten, który; *icchantaḥ*—pragnąc; *brahmacaryam*—celibat; *caranti*—praktykuje; *tat*—to; *te*—tobie; *padam*—sytuację; *saṅgraheṇa*—pokrótce; *pravakṣye*—wytłumaczę.

**Kształceni w Vedach, intonujący oṁkāra i będący wielkimi mędrcami w wyrzeczonym porządku życia—łączą się z Brahmanem. Kto pragnie takiej doskonałości, ten praktykuje celibat. Objaśnię ci teraz pokrótce ten proces, przezeń bowiem można osiągnąć zbawienie.**

*ZNACZENIE:* Pan Śrī Kṛṣṇa polecił Arjunie praktykę *ṣaṭ-cakra-yogi*, w której umieszcza się powietrze życia pomiędzy brwiami. Biorąc to za pewnik, że Arjuna może nie wiedzieć jak praktykować *ṣaṭ-cakra-yogę*, Pan tłumaczy ten proces w następujących wersetach. Pan mówi, że Brahman, mimo iż jeden bez wtórego, posiada różne manifestacje i cechy. Dla impersonalistów szczególnie, *akṣara*, czyli *oṁkāra*—sylaba *oṁ*—jest tożsama z Brahmanem. Kṛṣṇa wyjaśnia tutaj bezosobowego Brahmana, z którym łączą się mędrcy praktykujący wyrzeczony porządek życia.

W wedyjskim systemie wiedzy, studenci od samego początku nauczani są w jaki sposób wibrować *oṁ*, uczą się o bezosobowym Brahmanie i praktykują całkowity celibat, mieszkając razem z mistrzem duchowym. W ten sposób realizują oni dwie cechy Brahmana. Jest to zasadnicza praktyka dla postępu studentów w życiu duchowym. Jednak w obecnych czasach takie życie w całkowitej *brahmacaryi* (pozostawanie w celibacie) nie jest w ogóle możliwe. Społeczna struktura świata zmieniła się tak bardzo, że niemożliwym jest praktykowanie celibatu od samego początku życia studenckiego. W całym świecie jest wiele instytucji kształcących w różnych dziedzinach wiedzy, ale nie ma uznanej instytucji, w której studenci mogliby być szkoleni w zachowywaniu zasad *brahmacaryi*. Bez praktykowania celibatu bardzo trudno jest zrobić postęp w życiu duchowym. Dlatego Pan Caitanya zapowiedział, zgodnie z zaleceniami pism świętych dla tego wieku Kali, że za wyjątkiem intonowania świętego imienia Pana Kṛṣṇy: Hare Kṛṣṇa, Hare Kṛṣṇa, Kṛṣṇa Kṛṣṇa, Hare Hare; Hare Rāma, Hare Rāma, Rāma Rāma, Hare Hare, żaden inny proces realizacji Najwyższego nie jest możliwy.

**TEKST 12** सर्वद्वाराणि संयम्य मनो हृदि निरुध्य च ।
मूर्ध्न्याधायात्मनः प्राणमास्थितो योगधारणाम् ॥१२॥

*sarva-dvārāṇi saṁyamya mano hṛdi nirudhya ca*

*mūrdhny ādhāyātmanaḥ prāṇam āsthito yoga-dhāraṇām*

*sarva-dvārāṇi*—wszystkie bramy ciała; *saṁyamya*—kontrolując; *manaḥ*—umysł; *hṛdi*—w sercu; *nirudhya*—odgradzając; *ca*—również; *mūrdhni*—na głowie; *ādhāya*—skupiając; *ātmanaḥ*—duszy; *prāṇam*—powietrze życia; *āsthitaḥ*—usytuowany w; *yoga-dhāraṇām*—sytuacja *yodze*.

**Pozycja yogī polega na uwolnieniu się od przywiązania do wszelkich zmysłowych zajęć. Zamykając wejścia wszystkich zmysłów, skupiając umysł na sercu, a powietrze życia przenosząc na szczyt głowy, w taki oto sposób umacnia się on w yodze.**

*ZNACZENIE:* Aby praktykować *yogę*, należy, tak jak to tutaj nadmieniono, zamknąć drzwi do wszelkich uciech zmysłowych. Praktyka taka nazywana jest *pratyāhāra*, czyli powstrzymywaniem zmysłów od przedmiotów zmysłów. Zmysłowe narządy poznania, takie jak: oczy, uszy, nos, język i dotyk, powinny być całkowicie kontrolowane i nie powinny być angażowane w zadowalanie zmysłów. W ten sposób umysł skupia się na Duszy Najwyższej w sercu, a siła życia wznosi się do górnej części głowy. Proces ten dokładnie opisuje Rozdział Szósty. Jednak, jak wspomniano wcześniej, metoda ta nie jest praktyczna w tym wieku. Najlepszą i najdoskonalszą metodą jest świadomość Kṛṣṇy. Jeśli ktoś jest w stanie zawsze skupiać swój umysł na Kṛṣṇie poprzez służbę oddania, to bez trudu pozostanie on w niezakłóconej, transcendentalnej ekstazie, czyli w *samādhi*.

**TEKST 13** ॐ इत्येकाक्षरं ब्रह्म व्याहरन्मामनुस्मरन् ।
यः प्रयाति त्यजन् देहं स याति परमां गतिम् ॥१३॥

*oṁ ity ekākṣaraṁ brahma vyāharan mām anusmaran*
*yaḥ prayāti tyajan dehaṁ sa yāti paramāṁ gatim*

*oṁ*—kombinacja liter *oṁ* (*oṁkāra); iti*—w ten sposób; *eka-akṣaram*—ta jedna sylaba; *brahma*—absolut; *vyāharan*—wibrując; *mām*—Mnie (Kṛṣṇę); *anusmaran*—pamiętając; *yaḥ*—każdy kto; *prayāti*—opuszcza; *tyajan*—porzucając; *deham*—to ciało; *saḥ*—on; *yāti*—osiąga; *paramām*—najwyższe; *gatim*—przeznaczenie.

**Jeśli umocni się w tej praktyce yogi i wibruje świętą sylabę oṁ, najwyższy układ liter, a opuszczając swoje ciało myśli o Najwyższej Osobie Boga, wtedy z pewnością osiągnie planety duchowe.**

*ZNACZENIE:* Wyraźnie zostało powiedziane tutaj, że *oṁ*, Brahman i Pan Kṛṣṇa nie są czymś różnym. *Oṁ* jest bezosobowym dźwiękiem

Kṛṣṇy, a *mahā-mantra* Hare Kṛṣṇa zawiera *oṁ*. Intonowanie *mahāmantry* Hare Kṛṣṇa zostało wyraźnie polecone dla tego wieku. Więc jeśli ktoś opuszcza ciało intonując Hare Kṛṣṇa, Hare Kṛṣṇa, Kṛṣṇa Kṛṣṇa, Hare Hare; Hare Rāma, Hare Rāma, Rāma Rāma, Hare Hare, z pewnością osiągnie jedną z planet duchowych, odpowiednio do rodzaju swojej praktyki, ale wielbiciele Kṛṣṇy dostają się na planetę Kṛṣṇy, czyli Golokę Vṛndāvanę. Wyznawcy kultu osobowego również dostają się na wiele niezliczonych planet w niebie duchowym, znanych jako Vaikuṇṭhy, podczas gdy impersonaliści pozostają w *brahmajyoti*.

**TEKST 14** अनन्यचेताः सततं यो मां स्मरति नित्यशः ।
तस्याहं सुलभः पार्थ नित्ययुक्तस्य योगिनः ॥१४॥

*ananya-cetāḥ satataṁ yo māṁ smarati nityaśaḥ*
*tasyāhaṁ sulabhaḥ pārtha nitya-yuktasya yoginaḥ*

*ananya-cetāḥ*—bez odchyleń umysłu; *satatam*—zawsze; *yaḥ*—każdy, kto; *mām*—Mnie (Kṛṣṇę); *smarati*—pamięta; *nityaśaḥ*—regularnie; *tasya*—dla niego; *aham*—jestem; *su-labhaḥ*—bardzo łatwy do osiągnięcia; *pārtha*—O synu Pṛthy; *nitya*—regularnie; *yuktasya*—zaangażowany; *yoginaḥ*—dla wielbiciela.

**Bez trudu osiąga Mnie ten, o synu Pṛthy, kto bezustannie angażując się w służbę oddania, zawsze pamięta o Mnie.**

*ZNACZENIE:* Werset ten szczególnie opisuje przeznaczenie jakie osiągają niezachwiani wielbiciele, którzy służą Najwyższej Osobie Boga w *bhakti-yodze*. Poprzednie wersety wspominały o czterech rodzajach wielbicieli: strapionych, dociekliwych, poszukujących zysku materialnego i spekulujących filozofach. Opisane zostały tam również różne procesy wyzwolenia się z więzów materialnych: *karma-yoga, jñāna-yoga* i *haṭha-yoga*. Zasady tych systemów *yogi* mają w sobie nieco *bhakti*, ale tutaj mowa jest o czystej *bhakti-yodze*, bez żadnej domieszki jakiejkolwiek z wyżej wymienionych dróg *jñāny, karmy* czy *haṭha*. Jak wskazuje na to słowo *ananya-cetāḥ*, w czystej *bhakti-yodze* wielbiciel nie pragnie niczego poza Kṛṣṇą. Nie pragnie on promocji na wyższe planety, jedności z *brahmajyoti*, zbawienia, czy wyzwolenia z więzów materialnych. Czysty wielbiciel nie pragnie niczego. W *Caitanya-caritāmṛta* został on nazwany *niṣkāma*, co znaczy, że nie ma on żadnych interesownych pragnień. I tylko do niego należy doskonały spokój, a nie do tych, którzy walczą o osobiste korzyści. Podczas gdy *jñāna-yogīn, karma-yogīn* czy *haṭha-yogīn* mają swoje egoistyczne cele, czysty wielbiciel pragnie jedynie zadowolić Najwyższą Osobę Boga, a Pan mówi, że bez trudu może osiągnąć Go każdy, kto oddany jest Mu bez reszty.

Czysty wielbiciel zawsze angażuje się w służbę oddania dla Kṛṣṇy w jednej z Jego różnych osobowych form. Kṛṣṇa ma różne pełne ekspansje i inkarnacje, takie jak Rāma i Nṛsiṁha, i wielbiciel może wybrać jedną z tych transcendentalnych form Najwyższego Pana i na niej skupić swój umysł w służbie oddania. Taki bhakta nie spotyka się z żadnymi problemami, które nękają praktykujących inne *yogi*. *Bhakti-yoga* jest bardzo prosta, czysta i łatwa do wykonywania. Można rozpocząć ją od intonowania Hare Kṛṣṇa. Kṛṣṇa jest bardzo łaskawy dla wszystkich, ale jak to już wyjaśniliśmy wcześniej, szczególnie jest przychylny tym, którzy służą Mu zawsze i bez odchyleń. Pan na różne sposoby pomaga takim wielbicielom. Jak oznajmiają *Vedy* (*Kaṭha Upaniṣad* 1.2.23), *yam evaiṣa vṛṇute tena labhyas tasyaiṣa ātmā vivṛṇute tanuṁ svām*: kto jest w pełni podporządkowany i angażuje się w służbę oddania dla Najwyższego Pana, ten może zrozumieć Pana takim jakim jest On naprawdę. *Bhagavad-gītā* (10.10) stwierdza, *dadāmi buddhi-yogaṁ tam*: takiemu bhakcie Pan daje dostateczną inteligencję, dzięki której wielbiciel może ostatecznie osiągnąć Go w Jego duchowym królestwie.

Szczególną cechą czystego wielbiciela jest to, że zawsze, bez względu na czas i miejsce, myśli on o Kṛṣṇie. Nie powinno być w tym żadnych przeszkód. Powinien być on w stanie pełnić swoją służbę wszędzie i o każdej porze. Niektórzy mówią, iż wielbiciel powinien pozostawać w świętym miejscu, takim jak Vṛndāvana, czy też w tych świętych miastach, gdzie mieszkał Pan, ale czysty wielbiciel może mieszkać gdziekolwiek i tam—poprzez swoją służbę oddania—stworzyć atmosferę Vṛndāvany. To właśnie Śrī Advaita powiedział Panu Caitanyi—"Gdziekolwiek Ty jesteś, o Panie—*tam* jest Vṛndāvana".

Jak wskazują na to słowa *satatam* i *nityaśaḥ*, które oznaczają "zawsze", "regularnie", czy "każdego dnia", czysty wielbiciel bezustannie pamięta Kṛṣṇę i zawsze medytuje o Nim. Dla czystego wielbiciela o takich kwalifikacjach Pan jest najłatwiej osiągalny. *Bhakti-yoga* jest tym systemem, który *Gītā* poleca ponad wszystkie inne. Na ogół *bhakti-yogīni* zaangażowani są w służbę oddania na pięć różnych sposobów: (1) *śānta-bhakta* jest zaangażowany w służbę oddania w sposób neutralny; (2) *dāsya-bhakta* zaangażowany jest w służbę oddania jako sługa; (3) *sākhya-bhakta* jest przyjacielem Pana; (4) *vātsalya-bhakta*—zaangażowany w służbę oddania jako rodzic Pana; (5) *mādhurya-bhakta*—zaangażowany w służbę oddania jako kochanek Najwyższego Pana. Czysty wielbiciel będący w jakimkolwiek z tych związków z Panem, zawsze zaangażowany jest w transcendentalną służbę miłości dla Najwyższego Pana i nie może o Nim zapomnieć. Wskutek tego Pan jest dla niego łatwo osiągalny. Czysty wielbiciel nie może zapomnieć o Najwyższym Panu nawet na chwilę, i podobnie, Najwyższy Pan nawet na moment nie może zapomnieć o Swoim czystym wielbicielu. Jest to największe błogosławieństwo procesu świadomości Kṛṣṇy, intonowania *mahā-mantry*—Hare Kṛṣṇa, Hare Kṛṣṇa, Kṛṣṇa Kṛṣṇa, Hare Hare; Hare Rāma, Hare Rāma, Rāma Rāma, Hare Hare.

**TEKST 15** मामुपेत्य पुनर्जन्म दुःखालयमशाश्वतम् ।
नाप्नुवन्ति महात्मानः संसिद्धिं परमां गताः ॥१५॥

*mām upetya punar janma duḥkhālayam aśāśvatam*
*nāpnuvanti mahātmānaḥ saṁsiddhiṁ paramāṁ gatāḥ*

*mām*—Mnie; *upetya*—osiągając; *punaḥ*—ponownie; *janma*—narodziny; *duḥkha-ālayam*—miejsce nieszczęść; *aśāśvatam*—tymczasowe; *na*—nigdy; *āpnuvanti*—osiągają; *mahā-ātmānaḥ*—wielkie dusze; *saṁsiddhim*—doskonałość; *paramām*—ostateczną; *gatāḥ*—osiągnąwszy.

**Osiągnąwszy Mnie, wielkie dusze, będąc oddanymi Mi yogīnami, nigdy nie powracają do tego tymczasowego, pełnego nieszczęść świata, albowiem osiągnęły one najwyższą doskonałość.**

*ZNACZENIE:* Ponieważ ten tymczasowy świat materialny pełen jest nieszczęść związanych z narodzinami, starością, chorobami i śmiercią, naturalnie ten, kto osiąga największą doskonałość i dostaje się na najwyższą planetę, Kṛṣṇalokę, Golokę Vṛndāvanę, nie pragnie już więcej tutaj wracać. Literatura wedyjska opisuje tę planetę jako *avyakta* i *akṣara* oraz *paramā gati*; innymi słowy, planeta ta znajduje się poza naszą materialną wizją i jest nie do opisania, ale jest najwyższym celem, przeznaczeniem *mahātmów* (wielkich dusz). *Mahātmā* otrzymuje wiedzę transcendentalną od zrealizowanego wielbiciela i w ten sposób rozwija służbę oddania w świadomości Kṛṣṇy. Ta transcendentalna służba absorbuje go tak bardzo, że nie pragnie on już wzniesienia się na żadną z wyższych planet; nie pragnie nawet przeniesienia się na jakąkolwiek z planet duchowych. Pragnie jedynie Kṛṣṇy i towarzystwa Kṛṣṇy, i niczego innego. To jest najwyższą doskonałością życia. Werset ten mówi szczególnie o zwolennikach kultu osobowego, bhaktach Najwyższego Pana, Kṛṣṇy. Tacy świadomi Kṛṣṇy bhaktowie osiągają najwyższą doskonałość życia. Innymi słowy, są to dusze najwyższe.

TEKST 16

आब्रह्मभुवनाल्लोकाः पुनरावर्तिनोऽर्जुन ।
मामुपेत्य तु कौन्तेय पुनर्जन्म न विद्यते ॥१६॥

*ā-brahma-bhuvanāl lokāḥ punar āvartino 'rjuna*
*mām upetya tu kaunteya punar janma na vidyate*

*ā-brahma-bhuvanāt*—aż do planety Brahmaloka; *lokāḥ*—systemy planetarne; *punaḥ*—ponownie; *āvartinaḥ*—powracając; *arjuna*—O Arjuno; *mām*—do Mnie; *upetya*—przybywając; *tu*—ale; *kaunteya*—O synu Kuntī; *punaḥ janma*—ponowne narodziny; *na*—nigdy; *vidyate*—mają miejsce.

**Wszystkie planety w materialnym świecie, od najwyższej do najniższej, są miejscami niedoli, powtarzających się narodzin i śmierci. Lecz kto przybywa do Mojej siedziby, o synu Kuntī, ten nigdy już nie rodzi się ponownie.**

*ZNACZENIE:* Zanim będą w stanie osiągnąć transcendentalną siedzibę Kṛṣṇy i nigdy już nie powracać, wszelkiego rodzaju *yogīni* (*karma, jñāna, haṭha* itd.), muszą w końcu osiągnąć doskonałość oddania w *bhakti-yodze*, czyli świadomości Kṛṣṇy. Ci, którzy osiągają najwyższe planety materialne, czyli planety półbogów, nadal podlegają powtarzającym się narodzinom i śmierci. Jak ludzie z Ziemi wznoszą się na planety wyższe, tak ludzie z wyższych planet, takich jak Brahmaloka, Candraloka i Indraloka, upadają na Ziemię. Spełnianie ofiary nazywanej *pañcāgni-vidyā*, polecanej w *Chāndogya Upaniṣad*, umożliwia osiągnięcie Brahmaloki; kto jednak na Brahmaloce nie praktykuje świadomości Kṛṣṇy, musi powrócić na ziemię. Osoby, które osiągnąwszy planety wyższe robią tam postęp w świadomości Kṛṣṇy, stopniowo wznoszone są na planety coraz wyższe, a w czasie unicestwienia wszechświata przenoszone zostają do wiecznego królestwa duchowego. W swoim komentarzu do *Bhagavad-gīty*, Śrīdhara Svāmī cytuje następujący werset:

*brahmaṇā saha te sarve samprāpte pratisañcare*
*parasyānte kṛtātmānaḥ praviśanti paraṁ padam*

"Kiedy następuje unicestwienie tego materialnego wszechświata, Brahmā i jego wielbiciele, którzy bezustannie zaangażowani są w świadomość Kṛṣṇy, wszyscy—odpowiednio do swoich pragnień—przenoszeni są do świata duchowego, na określone planety duchowe."

TEKST 17

सहस्रयुगपर्यन्तमहर्यद् ब्रह्मणो विदुः ।
रात्रिं युगसहस्रान्तां तेऽहोरात्रविदो जनाः ॥१७॥

*sahasra-yuga-paryantam ahar yad brahmaṇo viduḥ*
*rātriṁ yuga-sahasrāntāṁ te 'ho-rātra-vido janāḥ*

*sahasra*—tysiąc; *yuga*—mileniów; *paryantam*—włączając; *ahaḥ*—dzień; *yat*—ten, który; *brahmaṇaḥ*—Brahmy; *viduḥ*—znają; *rātrim*—noc; *yuga*—milenia; *sahasra-antām*—podobnie, kończąc się po okresie tysiąclecia; *te*—oni; *ahaḥ-rātra*—dzień i noc; *vidaḥ*—którzy rozumieją; *janāḥ*—ludzie.

**Według ludzkich obliczeń, tysiąc epok wziętych razem składa się na jeden dzień Brahmy. Równie długo trwa jego noc.**

*ZNACZENIE:* Czas trwania materialnego wszechświata jest ograniczony. Manifestuje się on w cyklu *kalp*. *Kalpa* jest dniem Brahmy, a na jeden dzień Brahmy składa się tysiąc cykli czterech *yug*, czyli epok: Satya, Tretā, Dvāpara i Kali. Cykl Satya charakteryzuje się cnotliwością, mądrością i religijnością, nie ma tu praktycznie ignorancji i przestępstw, i *yuga* ta trwa 1 728 000 lat. W Tretā-yudze zaczyna się przestępczość i rozpusta, i *yuga* ta trwa 1 296 000 lat. W Dvāpara-yudze następuje jeszcze większy upadek moralności i religii, wzrasta przestępczość, i *yuga* ta trwa 864 000 lat. I ostatecznie, Kali-yuga (*yuga*, której doświadczamy przez ostatnie pięć tysięcy lat) charakteryzuje się obfitością konfliktów, ignorancją, niereligijnością i przestępczością, kiedy prawdziwe cnoty praktycznie już nie istnieją, i *yuga* ta trwa 432 000 lat. W Kali-yudze przestępczość wzrasta do tego stopnia, że pod koniec tej *yugi* Sam Najwyższy Pan pojawia się jako Kalki *avatāra*, aby zniszczyć demony, ocalić Swoich wielbicieli i rozpocząć następną Satya-yugę. Proces ten powtarza się. Cztery takie *yugi* powtórzone tysiąc razy składają się na jeden dzień Brahmy, i ta sama liczba tworzy jedną noc. Brahmā żyje sto takich "lat" i następnie umiera. Te "sto" lat równa się 311 trylionom 40 bilionom lat ziemskich. Według tych obliczeń, życie Brahmy zdaje się być niewiarygodnym i nieskończonym, lecz w porównaniu z wiecznością jest ono tak krótkie—jak błysk błyskawicy. W Oceanie Przyczyn jest niezliczona ilość Brahm—pojawiających się i znikających, jak bańki na Atlantyku. Będąc częścią tego materialnego wszechświata, Brahmā i jego stworzenie podlegają ciągłym zmianom.

W materialnym wszechświecie nawet Brahmā nie jest wolny od procesu narodzin, starości, chorób i śmierci. Jednakże, będąc—poprzez zarządzanie tym wszechświatem—bezpośrednio zaangażowanym w służbę Najwyższego Pana, od razu osiąga on wyzwolenie. Oświeceni *sannyāsīni* promowani są na planetę Brahmy, Brahmalokę, która jest najwyższą planetą w tym materialnym wszechświecie, i która trwa dłużej niż wszystkie inne planety "niebiańskie" z wyższej sfery systemu planetarnego. Lecz w odpowiednim czasie zarówno Brahmā, jak i wszyscy mieszkańcy Brahmaloki podlegają śmierci, zgodnie z prawami natury materialnej.

TEKST 18 अव्यक्ताद् व्यक्तयः सर्वाः प्रभवन्त्यहरागमे ।
रात्र्यागमे प्रलीयन्ते तत्रैवाव्यक्तसंज्ञके ॥१८॥

*avyaktād vyaktayaḥ sarvāḥ prabhavanty ahar-āgame*
*rātry-āgame pralīyante tatraivāvyakta-saṁjñake*

*avyaktāt*—z niezamanifestowanego; *vyaktayaḥ*—żywe istoty; *sarvāḥ*—wszystkie; *prabhavanti*—powstają; *ahaḥ-āgame*—na początku dnia; *rātri-āgame*—z zapadnięciem nocy; *pralīyante*—zostają unicestwione; *tatra*—w ten; *eva*—z pewnością; *avyakta*—niezamanifestowany; *saṁjñake*—nazywany.

**Kiedy zaczyna się dzień Brahmy, jawi się cały ten ogrom żywego istnienia—manifestując się ze stanu niezamanifestowanego—a gdy noc zapada, wszystko ono ponownie łączy się z niezamanifestowanym.**

TEKST 19 भूतग्रामः स एवायं भूत्वा भूत्वा प्रलीयते ।
रात्र्यागमेऽवशः पार्थ प्रभवत्यहरागमे ॥१९॥

*bhūta-grāmaḥ sa evāyaṁ bhūtvā bhūtvā pralīyate*
*rātry-āgame 'vaśaḥ pārtha prabhavaty ahar-āgame*

*bhūta-grāmaḥ*—ogół wszystkich żywych istot; *saḥ*—one; *eva*—z pewnością; *ayam*—to; *bhūtvā bhūtvā*—ciągle rodząc się; *pralīyate*—jest niszczone; *rātri*—nocy; *āgame*—z nadejściem; *avaśaḥ*—automatycznie; *pārtha*—O synu Pṛthy; *prabhavati*—manifestuje się; *ahaḥ*—dnia; *āgame*—z nadejściem.

**I raz za razem, gdy przychodzi dzień Brahmy, ten zastęp istot uaktywnia się, lecz z każdym zapadnięciem nocy, o Pārtho, bezradnie znika.**

*ZNACZENIE:* Istoty mniej inteligentne próbują pozostać w tym materialnym świecie i odpowiednio do swojej *karmy* zostają wynoszone lub ulegają degradacji w różnych systemach planetarnych. Podczas dnia Brahmy przejawiają swoją aktywność na wyższych lub niższych planetach w tym materialnym świecie, a z nadejściem nocy Brahmy wszystkie zostają unicestwione. Podczas tego dnia otrzymują różnego rodzaju ciała dla działalności materialnej, lecz w czasie nocy ciała te znikają. Pozostają wtedy skupione w ciele Viṣṇu, aby na nowo zamanifestować się z nadejściem kolejnego dnia Brahmy. *Bhūtvā bhūtvā pralīyate*: manifestują się podczas dnia, ale z zapadnięciem nocy ponownie giną. Kiedy życie Brahmy ostatecznie kończy się, wszystkie one ulegają unicestwieniu i pozostają niezamanifestowane przez wiele, wiele milionów lat. Ponownie manifestują się z chwilą narodzin Brahmy w następnym milenium. W ten sposób pozostają pod urokiem tego materialnego świata. Jednakże te inteligentne istoty, które przyjmują świadomość Kṛṣṇy, całkowicie wykorzystują swoje ludzkie życie w służbie oddania dla Pana, intonując Hare Kṛṣṇa, Hare Kṛṣṇa, Kṛṣṇa Kṛṣṇa, Hare Hare; Hare Rāma, Hare Rāma, Rāma Rāma, Hare Hare. W ten sposób przenoszą się już nawet w tym życiu na planetę Kṛṣṇy i osiągają tam wieczne szczęście, nie podlegając ponownie takim narodzinom.

**TEKST 20**

परस्तस्मात्तु भावोऽन्योऽव्यक्तोऽव्यक्तात्सनातनः ।
यः स सर्वेषु भूतेषु नश्यत्सु न विनश्यति ॥२०॥

*paras tasmāt tu bhāvo 'nyo 'vyakto 'vyaktāt sanātanaḥ*
*yaḥ sa sarveṣu bhūteṣu naśyatsu na vinaśyati*

*paraḥ*—transcendentalny; *tasmāt*—do tej; *tu*—ale; *bhāvaḥ*—natura; *anyaḥ*—inna; *avyaktaḥ*—niezamanifestowana; *avyaktāt*—dla niezamanifestowanej; *sanātanaḥ*—wieczna; *yaḥ saḥ*—ta, która; *sarveṣu*—cała; *bhūteṣu*—manifestacja; *naśyatsu*—ulegając unicestwieniu; *na*—nigdy; *vinaśyati*—unicestwiona.

**Jednak istnieje jeszcze inna niezamanifestowana natura—wieczna i transcendentalna w stosunku do tej zamanifestowanej i niezamanifestowanej materii. Jest ona najwyższą i nigdy nie ulega unicestwieniu. Kiedy wszystko w tym świecie ulega zagładzie, ta część pozostaje niezmienną.**

*ZNACZENIE:* Wyższa, duchowa energia Kṛṣṇy jest transcendentalna i wieczna. Jest ona poza wszelkimi zmianami, którym podlega natura materialna, manifestująca się podczas dnia Brahmy, a podczas nocy Brahmy ulegająca unicestwieniu. Wyższa energia Kṛṣṇy posiada jakości całkowicie przeciwne do natury materialnej. Wyższa i niższa natura objaśnione zostały w Rozdziale Siódmym.

**TEKST 21**

अव्यक्तोऽक्षर इत्युक्तस्तमाहुः परमां गतिम् ।
यं प्राप्य न निवर्तन्ते तद्धाम परमं मम ॥२१॥

*avyakto 'kṣara ity uktas tam āhuḥ paramāṁ gatim*
*yaṁ prāpya na nivartante tad dhāma paramaṁ mama*

*avyaktaḥ*—niezamanifestowany; *akṣaraḥ*—nieomylny; *iti*—zatem; *uktaḥ*—jest powiedziane; *tam*—ta; *āhuḥ*—jest znana; *paramām*—ostateczne; *gatim*—przeznaczenie; *yam*—które; *prāpya*—osiągając; *na*—nigdy; *nivartante*—powraca; *tat*—ta; *dhāma*—siedziba; *paramam*—najwyższa; *mama*—Moja.

**To najwyższe miejsce pobytu, które Vedāntyści opisują jako niezamanifestowane i nieomylne, i które znane jest jako najwyższe przeznaczenie, z którego, kto raz je osiągnął, nigdy nie powraca—jest Moim najwyższym królestwem.**

*ZNACZENIE:* Najwyższa siedziba Osoby Boga, Kṛṣṇy, opisana została w *Brahma-saṁhicie* jako *cintāmaṇi-dhāma*—miejsce, gdzie spełniane są wszystkie pragnienia. Najwyższe królestwo Pana Kṛṣṇy, znane jako Goloka Vṛndāvana, pełne jest pałaców z "kamieni filozoficznych". I pełne jest drzew nazywanych "drzewami pragnień", które dostarczają każdego rodzaju pożądanego pożywienia. Są tam krowy nazywane *surabhi*, dające nieograniczone ilości mleka. Zaś Pan obsługiwany jest w Swoim królestwie przez setki tysięcy bogiń szczęścia (Lakṣmī), i nazywany jest tam Govindą, pierwotnym Panem, przyczyną wszystkich przyczyn. Pan zwykł tam grać na Swoim flecie (*veṇuṁ kvaṇantam*). Jego transcendentalna forma jest najbardziej atrakcyjną we wszystkich światach—Jego oczy podobne są płatkom kwiatu lotosu, a ciało Jego jest koloru chmur. Jest On tak atrakcyjny, że Jego piękno przewyższa piękno tysięcy Kupidynów. Nosi szafranowe szaty, girlandę wokół szyi i pawie pióro we włosach. W *Bhagavad-gīcie* Pan Kṛṣṇa daje jedynie niewielkie informacje o Swojej osobistej siedzibie (Goloce Vṛndāvanie), która jest najwyższą planetą w królestwie duchowym. Szeroki opis tej planety dany jest w *Brahma-saṁhicie*. Literatura wedyjska (*Kaṭha Upaniṣad* 1.3.11) mówi, że nie ma nic wyższego ponad to miejsce pobytu Najwyższego Pana, i że miejsce to jest najwyższym przeznaczeniem (*puruṣān na paraṁ kiñcit sā kāṣṭhā paramā gatiḥ*). Kto przychodzi tam, nigdy nie powraca do tego świata materialnego. Najwyższe królestwo Kṛṣṇy i Sam Kṛṣṇa, będąc tej samej jakości, nie są czymś różnym. Vṛndāvana znajdująca się na naszej planecie Ziemi, położona 90 mil na południowy-wschód od Delhi, jest repliką tej najwyższej Goloki Vṛndāvany usytuowanej w niebie duchowym. Kiedy Kṛṣṇa zszedł na tę Ziemię, oddawał się rozrywkom na tym określonym kawałku lądu, znanym jako Vṛndāvana i mierzącym około 84 mil kwadratowych, w okręgu Mathurā w Indiach.

TEKST 22 पुरुषः स परः पार्थ भक्त्या लभ्यस्त्वनन्यया ।
यस्यान्तःस्थानि भूतानि येन सर्वमिदं ततम् ॥२२॥

*puruṣaḥ sa paraḥ pārtha bhaktyā labhyas tv ananyayā*
*yasyāntaḥ-sthāni bhūtāni yena sarvam idaṁ tatam*

*puruṣaḥ*—Najwyższa Osoba; *saḥ*—On; *paraḥ*—Najwyższy, którego nikt nie przewyższa; *pārtha*—O synu Pṛthy; *bhaktyā*—przez służbę oddania; *labhyaḥ*—może zostać osiągnięty; *tu*—ale; *ananyayā*—czyste, niezachwiane; *yasya*—którego; *antaḥ-sthāni*—wewnątrz; *bhūtāni*—całej tej manifestacji materialnej; *yena*—przez którego; *sarvam*—wszystko; *idam*—cokolwiek możemy zobaczyć; *tatam*—rozprzestrzeniony.

**Najwyższa Osoba Boga, który przewyższa wszystko, osiągalny jest przez czyste oddanie. Mimo iż zawsze obecny w Swojej siedzibie, jest wszechprzenikający i wszystko usytuowane jest w Nim.**

*ZNACZENIE:* Wyraźnie oznajmiono tutaj, że najwyższym przeznaczeniem, z którego nie ma powrotu, jest siedziba Kṛṣṇy, Najwyższej Osoby. *Brahma-saṁhitā* opisuje to najwyższe królestwo jako *ānanda-cinmaya-rasa*, miejsce, gdzie wszystko jest wypełnione duchową radością. Cokolwiek tam istnieje, pełne jest duchowego szczęścia—nie ma tam niczego, co materialne. Wszelka tamtejsza różnorodność jest ekspansją Samego Najwyższego Boga, gdyż cała ta manifestacja jest całkowicie energią duchową, jak wyjaśnione to zostało w Rozdziale Siódmym. Jeśli chodzi o ten świat materialny, to chociaż Pan przebywa zawsze w Swojej najwyższej siedzibie, jest On niemniej jednak wszechprzenikający poprzez Swoją energię materialną. Więc poprzez energie duchowe i materialne obecny jest wszędzie—zarówno w światach duchowych, jak i materialnych. *Yasyāntaḥ-sthāni* oznacza, iż utrzymuje On wszystko, czy to w energii duchowej, czy materialnej. Pan jest wszechprzenikający przez te dwie energie.

Wyraźnie zostało powiedziane tutaj (przez użycie słowa *bhaktyā*), że jedynie przez *bhakti*, czyli służbę oddania, można dostać się do najwyższej siedziby Kṛṣṇy lub na niezliczone planety Vaikuṇṭhy. Żaden inny proces nie jest przydatny do osiągnięcia tej najwyższej siedziby. Tę najwyższą siedzibę i Najwyższą Osobę Boga opisują również *Vedy* (*Gopāla-tāpanī Upaniṣad* 3.2). *Eko vaśī sarva-gaḥ kṛṣṇaḥ*. W siedzibie tej jest tylko jeden Najwyższa Osoba Boga, którego imię jest Kṛṣṇa. Jest On najwyższym, miłosiernym Bóstwem, i chociaż jest jeden, rozwinął się w miliony pełnych ekspansji. *Vedy* porównują Pana do spokojnie stojącego drzewa, które rodzi wiele różnorodnych owoców, kwiatów oraz zmienia liście. Pełne ekspansje Pana, które przewodniczą planetom Vaikuṇṭha, są czterorękie i znane są pod różnymi imionami: Puruṣottama, Trivikrama, Keśava, Mādhava, Aniruddha, Hṛṣīkeśa, Saṅkarṣaṇa, Pradyumna, Śrīdhara, Vāsudeva, Dāmodara, Janārdana, Nārāyaṇa, Vāmana, Padmanābha itd.

*Brahma-saṁhitā* (5.37) stwierdza również, że chociaż Pan zawsze przebywa w najwyższym królestwie, na Goloce Vṛndāvanie, jest On wszechprzenikający, i dzięki temu wszystko przebiega sprawnie (*goloka eva nivasaty akhilātma-bhūtaḥ*). Jak oznajmiają *Vedy* (*Śvetāśvatara Upaniṣad* 6.8), *parāsya śaktir vividhaiva śrūyate svābhāvikī jñāna-bala-kriyā ca*: mocą Swoich wszechprzenikających energii Najwyższy Pan systematycznie i w sposób bezbłędny sprawuje pieczę nad wszystkimi sprawami w całej kosmicznej manifestacji, mimo iż Sam jest z dala od niej.

**TEKST 23** यत्र काले त्वनावृत्तिमावृत्तिं चैव योगिनः ।
प्रयाता यान्ति तं कालं वक्ष्यामि भरतर्षभ ॥२३॥

*yatra kāle tv anāvṛttim āvṛttiṁ caiva yoginaḥ*
*prayātā yānti taṁ kālaṁ vakṣyāmi bharatarṣabha*

*yatra*—w tym; *kāle*—czasie; *tu*—i; *anāvṛttim*—nie ma powrotu; *āvṛttim*—powrót; *ca*—również; *eva*—na pewno; *yoginaḥ*—różnego rodzaju mistyków; *prayātāḥ*—udawszy się; *yānti*—osiąga; *tam*—ten; *kālam*—czas; *vakṣyāmi*—opiszę; *bharata-ṛṣabha*—O najlepszy spośród Bhāratów.

**O najlepszy spośród Bhāratów, teraz objaśnię ci różne pory, o których gdy yogīn opuszcza ten świat, powraca tutaj albo nigdy już nie powraca.**

*ZNACZENIE:* Czyści wielbiciele Najwyższego Pana, będąc całkowicie Mu podporządkowanymi duszami, nie dbają o to, kiedy ani też jaką metodą opuszczą swoje ciała. Wszystko pozostawiają w rękach Kṛṣṇy, i w ten sposób bez trudu i szczęśliwie powracają do Boga. Ale ci, którzy nie są czystymi wielbicielami i zamiast tego polegają na takich metodach realizacji duchowej jak *karma-yoga, jñāna-yoga, haṭha-yoga*, muszą opuścić swoje ciała w odpowiednim czasie, aby mieć pewność, czy powrócą, czy też nie powrócą do tego świata narodzin i śmierci.

Doskonały *yogīn* może wybrać miejsce i czas dla opuszczenia tego świata materialnego, ale jeśli nie jest doskonałym, wtedy jego sukces zależy od przypadkowego odejścia w odpowiednim czasie. W następnych wersetach Pan tłumaczy najlepsze pory, najlepszy czas, do opuszczenia ciała, tak aby nie powrócić już tutaj więcej. Według Ācāryi Baladevy Vidyābhūṣaṇy, sanskryckie słowo *kāla*, użyte tutaj, odnosi się do bóstwa rządzącego czasem.

### TEKST 24

अग्निर्ज्योतिरहः शुक्लः षण्मासा उत्तरायणम् ।
तत्र प्रयाता गच्छन्ति ब्रह्म ब्रह्मविदो जनाः ॥२४॥

*agnir jyotir ahaḥ śuklaḥ ṣaṇ-māsā uttarāyaṇam*
*tatra prayātā gacchanti brahma brahma-vido janāḥ*

*agniḥ*—ogień; *jyotiḥ*—światło; *ahaḥ*—dzień; *śuklaḥ*—białe dwa tygodnie; *ṣaṭ-māsāḥ*—sześć miesięcy; *uttara-ayanam*—kiedy słońce wędruje po północnej stronie; *tatra*—tam; *prayātāḥ*—ci, którzy odchodzą; *gacchanti*—udają się; *brahma*—do Absolutu; *brahma-vidaḥ*—znawcy Absolutu; *janāḥ*—osoby.

**Znawcy Najwyższego Brahmana osiągają Najwyższego odchodząc z tego świata w pomyślnym momencie dnia, w świetle—kiedy bóstwo ognia panuje nad atmosferą, w czasie dwóch tygodni przybywającego księżyca, albo podczas sześciomiesięcznej wędrówki słońca po północnej stronie.**

*ZNACZENIE:* Kiedy mowa o ogniu, świetle, dniu i dwóch tygodniach księżyca, należy wiedzieć, że poza nimi znajdują się różne przewodzące bóstwa, które zajmują się organizowaniem przejścia duszy. W momencie śmierci umysł przenosi żywą istotę na ścieżkę nowego życia. Jeśli ktoś opuszcza ciało w sposób opisany powyżej, czy to przypadkowo, czy poprzez odpowiednie przygotowania, może osiągnąć bezosobowe *brahmajyoti*. Mistycy zaawansowani w praktyce *yogi* mogą wybrać odpowiedni czas i miejsce do opuszczenia ciała. Inni nie mają na to wpływu. Jeśli przypadkowo opuszczą ciało w pomyślnym momencie, wtedy nie powracają już do cyklu narodzin i śmierci. Jeśli jednak nie jest to czas odpowiedni, to istnieje wszelka możliwość powrotu. Ale czysty, świadomy Kṛṣṇy wielbiciel nie musi obawiać się powrotu, bez względu na to, czy opuszcza to ciało w momencie pomyślnym czy niepomyślnym, przypadkowo czy po przygotowaniu.

### TEKST 25

धूमो रात्रिस्तथा कृष्णः षण्मासा दक्षिणायनम् ।
तत्र चान्द्रमसं ज्योतिर्योगी प्राप्य निवर्तते ॥२५॥

*dhūmo rātris tathā kṛṣṇaḥ ṣaṇ-māsā dakṣiṇāyanam*
*tatra cāndramasaṁ jyotir yogī prāpya nivartate*

*dhūmaḥ*—dym; *rātriḥ*—noc; *tathā*—również; *kṛṣṇaḥ*—dwa tygodnie ciemnego księżyca; *ṣaṭ-māsāḥ*—sześć miesięcy; *dakṣiṇa-ayanam*—kiedy słońce wędruje po południowej stronie; *tatra*—tam; *cāndra-masam*—planeta Księżyc; *jyotiḥ*—światło; *yogī*—mistyk; *prāpya*—osiągając; *nivartate*—powraca.

**Mistyk, który odchodzi z tego świata podczas dymu, nocą, w ciągu dwóch tygodni ubywającego księżyca czy podczas sześciomiesięcznej wędrówki słońca po południowej stronie—osiąga planetę Księżyc, ale wraca tu ponownie.**

*ZNACZENIE:* W Trzecim Canto *Śrīmad-Bhāgavatam* Kapila Muni informuje, że osoby będące ekspertami w działaniu dla rezultatów i metodach składania ofiar tu na Ziemi, w chwili śmierci osiągają planetę Księżyc. Te zaawansowane dusze żyją na Księżycu około 10 000 lat (według obliczeń półbogów) i cieszą się tamtejszym życiem, pijąc napój *soma-rasa*. W końcu jednak powracają na Ziemię. Oznacza to, że na Księżycu żyją istoty wyższego rzędu, mimo iż mogą być one niedostrzegalne dla zmysłów wulgarnych.

**TEKST 26** शुक्लकृष्णे गती ह्येते जगतः शाश्वते मते ।
एकया यात्यनावृत्तिमन्ययावर्तते पुनः ॥२६॥

*śukla-kṛṣṇe gatī hy ete jagataḥ śāśvate mate*
*ekayā yāty anāvṛttim anyayāvartate punaḥ*

*śukla*—światło; *kṛṣṇe*—i ciemność; *gatī*—sposoby odejścia; *hi*—z pewnością; *ete*—te dwie; *jagataḥ*—tego materialnego świata; *śāśvate*—Ved; *mate*—według; *ekayā*—jedną; *yāti*—udaje się; *anāvṛttim*—nie ma powrotu; *anyayā*—drugą; *āvartate*—powraca; *punaḥ*—ponownie.

**Według Ved, dwa są sposoby opuszczania tego świata—jeden w świetle, a drugi w ciemności. Kiedy ktoś odchodzi w świetle, nie powraca nigdy, lecz kto w ciemności odchodzi, ten musi powrócić ponownie.**

*ZNACZENIE:* Ten sam opis odejścia i powrotu cytuje Ācārya Baladeva Vidyābhūṣaṇa z *Chāndogya Upaniṣad* (5.10.3-5). W ten sposób od niepamiętnych czasów przychodzą i odchodzą osoby pracujące dla zysków i filozofowie spekulanci. Właściwie nie osiągają oni ostatecznego zbawienia, ponieważ nie podporządkowują się Kṛṣṇie.

**TEKST 27** नैते सृती पार्थ जानन् योगी मुह्यति कश्चन ।
तस्मात्सर्वेषु कालेषु योगयुक्तो भवार्जुन ॥२७॥

*naite sṛtī pārtha jānan yogī muhyati kaścana*
*tasmāt sarveṣu kāleṣu yoga-yukto bhavārjuna*

*na*—nigdy; *ete*—te dwie; *sṛtī*—różne ścieżki; *pārtha*—O synu Pṛthy; *jānan*—nawet jeśli zna; *yogī*—wielbiciel Pana; *muhyati*—zdezorientowany; *kaścana*—jakikolwiek; *tasmāt*—dlatego; *sarveṣu kāleṣu*—zawsze; *yoga-yuktaḥ*—zaangażowany w świadomość Kṛṣṇy; *bhava*—zostań; *arjuna*—O Arjuno.

**Chociaż wielbiciele znają te dwie ścieżki, o Arjuno, nie błądzą nigdy. Dlatego bądź zawsze niewzruszony w oddaniu.**

*ZNACZENIE:* Kṛṣṇa mówi tutaj Arjunie, że nie powinien być on niepokojony istnieniem różnych ścieżek, którymi może podążać dusza, opuszczając ten świat materialny. Wielbiciel Najwyższego Pana nigdy nie powinien martwić się o to, czy odejdzie przypadkowo, czy też planowo. Wielbiciel powinien być niezachwiany w świadomości Kṛṣṇy i powinien intonować Hare Kṛṣṇa. Powinien on wiedzieć, że zainteresowanie którąkolwiek z tych wyżej wymienionych ścieżek jest kłopotliwe. Najlepszym sposobem na to, aby zawsze być pogrążonym w świadomości Kṛṣṇy, jest ciągłe pozostawanie w Jego służbie. To uczyni ścieżkę powrotu do królestwa duchowego bezpieczną, pewną i prostą. Szczególnie ważne w tym wersecie jest słowo *yoga-yukta*. Kto jest wytrwały w *yodze*, ten bezustannie, we wszystkich swoich czynnościach, pogrążony jest w świadomości Kṛṣṇy. Śrī Rūpa Gosvāmī radzi, *anāsaktasya viṣayān yathārham upayuñjataḥ*: aby nie przywiązywać się do świata materialnego i postępować w taki sposób, aby wszystkie nasze przedsięwzięcia były przesycone świadomością Kṛṣṇy. Dzięki temu systemowi, który zwany jest *yukta-vairāgya*, osiąga się doskonałość. Wielbiciel Pana nie jest niepokojony przez powyższe opisy, ponieważ wie on doskonale, że jego odejście do najwyższego królestwa gwarantuje mu jego służba oddania.

### TEKST 28

वेदेषु यज्ञेषु तपःसु चैव
दानेषु यत् पुण्यफलं प्रदिष्टम् ।
अत्येति तत्सर्वमिदं विदित्वा
योगी परं स्थानमुपैति चाद्यम् ॥२८॥

*vedeṣu yajñeṣu tapaḥsu caiva*
*dāneṣu yat puṇya-phalaṁ pradiṣṭam*
*atyeti tat sarvam idaṁ viditvā*
*yogī paraṁ sthānam upaiti cādyam*

*vedeṣu*—w studiowaniu *Ved; yajñeṣu*—w spełnianiu *yajñi* (ofiar); *tapaḥsu*—praktykując różnego rodzaju wyrzeczenia; *ca*—również; *eva*—z pewnością; *dāneṣu*—w rozdawaniu jałmużny; *yat*—ten, który; *puṇya-phalam*—efekt pobożnego postępowania; *pradiṣṭam*—wskazany; *atyeti*—przechodzi; *tat sarvam*—wszyscy ci; *idam*—to; *viditvā*—wiedząc; *yogī*—wielbiciel; *param*—najwyższa; *sthānam*—siedziba; *upaiti*—osiąga; *ca*—również; *ādyam*—oryginalny.

**Kto przyjmuje ścieżkę służby oddania, ten nie jest wcale pozbawiony rezultatów pochodzących ze studiowania Ved, praktykowania surowych wyrzeczeń, rozdawania jałmużny, czy też uprawiania filozofii i pracy dla korzyści. Wszystko to osiąga jedynie dzięki pełnieniu służby oddania i w końcu udaje się do najwyższej, wiecznej siedziby.**

*ZNACZENIE:* Werset ten jest podsumowaniem Rozdziału Siódmego i Ósmego, szczególnie jeśli chodzi o świadomość Kṛṣṇy i służbę oddania. *Vedy* należy studiować pod kierunkiem mistrza duchowego i, żyjąc pod jego opieką, praktykować wiele wyrzeczeń. *Brahmacārīn* ma mieszkać w domu mistrza duchowego i jako jego sługa, musi chodzić od drzwi do drzwi żebrząc, a następnie wszystko oddawać mistrzowi duchowemu. Przyjmuje pokarm tylko z polecenia mistrza duchowego, a jeśli ten nie zawoła go któregoś dnia na posiłek, wtedy pości. Są to niektóre z zasad wedyjskich odnoszących się do życia w *brahmacaryi*.

Studiując *Vedy* pod kierunkiem mistrza duchowego przez okres trwający od lat pięciu do dwudziestu, może stać się on człowiekiem doskonałego charakteru. *Ved* nie należy studiować w celu rekreacji, jak jest to w zwyczaju fotelowych spekulantów, lecz dla uformowania charakteru. Po takim przeszkoleniu *brahmacārīn* może ożenić się i rozpocząć życie rodzinne. Żyjąc w małżeństwie, nadal musi spełniać wiele ofiar i walczyć o dalsze oświecenie. Musi również rozdawać jałmużnę, odpowiednio do kraju, czasu i osoby, zdając sobie sprawę z różnicy pomiędzy dobroczynnością w dobroci, pasji i ignorancji, tak jak opisane one zostały w *Bhagavad-gīcie*. Po porzuceniu życia rodzinnego i przyjęciu porządku zwanego *vānaprastha*, oddaje się surowym pokutom, na przykład zamieszkuje w lesie, nosi odzienie z kory, nie goli się itd. Przez pełnienie tych czterech porządków (*brahmacarya, gṛhastha, vānaprastha* i ostatecznie *sannyāsa*) można osiągnąć doskonałość życia. Niektórzy zostają następnie promowani do królestw niebiańskich (planety w wyższym systemie planetarnym), a jeśli zostają jeszcze bardziej oświeceni, osiągają wyzwolenie w niebie duchowym, czy to w bezosobowym *brahmajyoti*, czy też na planetach Vaikuṇṭha albo Kṛṣṇaloce. Taką ścieżkę przedstawia literatura wedyjska.

Jednakże piękno świadomości Kṛṣṇy polega na tym, że angażując się w służbę oddania można od razu przekroczyć wszystkie rytuały odnoszące się do różnych porządków życia.

Słowa *idaṁ viditvā* oznaczają, że należy poznać instrukcje Kṛṣṇy dane w tym i w Siódmym Rozdziale *Bhagavad-gīty*. Należy spróbować zrozumieć je nie poprzez studia akademickie czy umysłowe spekulacje, lecz przez słuchanie ich w towarzystwie wielbicieli. Istota *Bhagavad-gīty* zawiera się w rozdziałach od Szóstego do Dwunastego. Pierwsze sześć i ostatnie sześć rozdziałów *Bhagavad-gīty* są niczym osłona sześciu rozdziałów środkowych, które są szczególnie chronione przez Pana. Jeśli ktoś jest na tyle szczęśliwym, aby zrozumieć *Gītę*—szczególnie te sześć środkowych rozdziałów—w obcowaniu z wielbicielami, wtedy jego życie natychmiast staje się chwalebne, bez praktykowania jakichkolwiek pokut, ofiar, dobroczynności, spekulacji itd., gdyż rezultaty wszystkich tych czynności można osiągnąć po prostu przez świadomość Kṛṣṇy.

Ten, kto ma odrobinę wiary w *Bhagavad-gītę*, powinien poznać ją od wielbiciela, gdyż, jak to zostało powiedziane na początku Rozdziału Czwartego, tylko bhaktowie mogą zrozumieć *Gītę*; poza tym nikt nie może doskonale zrozumieć jej celu. Zatem należy poznawać ją od wielbicieli Kṛṣṇy, a nie od spekulantów umysłowych. To jest oznaką wiary. Kiedy ktoś poszukuje bhakty Kṛṣṇy i ostatecznie osiąga jego towarzystwo, wówczas może rzeczywiście zacząć studiować i rozumieć *Bhagavad-gītę*. Dzięki postępowi uczynionemu w towarzystwie bhaktów dana osoba zostaje zaangażowana w służbę oddania, i przez pełnienie tej służby rozpraszają się jej wszelkie wątpliwości względem Kṛṣṇy, czyli Boga, czynności Kṛṣṇy, Jego formy, rozrywek, imienia i innych cech. Kiedy te wszystkie wątpliwości zostaną rozwiane, wówczas umacnia się ona w swoich studiach. Wtedy zaczyna czerpać niezwykłą przyjemność ze studiowania *Bhagavad-gīty* i osiąga stan, gdy bezustannie czuje się świadomą Kṛṣṇy. W tym zaawansowanym stanie rozwija pełną miłość do Kṛṣṇy. Ten stan najwyższej doskonałości życia umożliwia bhakcie przeniesienie się do siedziby Kṛṣṇy w niebie duchowym, na Golokę Vṛndāvanę, gdzie osiąga on wieczne szczęście.

W ten sposób Bhaktivedanta kończy objaśnienia do Ósmego Rozdziału *Śrīmad Bhagavad-gīty*, traktującego o osiąganiu Najwyższego.

# ROZDZIAŁ IX

# Wiedza Najbardziej Poufna

**TEKST 1** श्रीभगवानुवाच

इदं तु ते गुह्यतमं प्रवक्ष्याम्यनसूयवे ।
ज्ञानं विज्ञानसहितं यज्ज्ञात्वा मोक्ष्यसेऽशुभात् ॥१॥

*śrī-bhagavān uvāca*
*idaṁ tu te guhyatamaṁ pravakṣyāmy anasūyave*
*jñānaṁ vijñāna-sahitaṁ yaj jñātvā mokṣyase 'śubhāt*

*śrī-bhagavān uvāca*—Najwyższa Osoba Boga rzekł; *idam*—to; *tu*—ale; *te*—tobie; *guhya-tamam*—najbardziej poufna; *pravakṣyāmi*—mówię; *anasūyave*—dla tych, którzy nie zazdroszczą; *jñānam*—wiedza; *vijñāna*—wiedza zrealizowana; *sahitam*—z; *yat*—którą; *jñātvā*—znając; *mokṣyase*—będziesz wyzwolonym; *aśubhāt*—z pełnej trosk egzystencji materialnej.

**Najwyższa Osoba Boga rzekł: Mój drogi Arjuno, ponieważ nigdy Mi nie zazdrościsz, wyjawię ci teraz tę najskrytszą mądrość i realizację, którą poznawszy wyzwolony będziesz od trosk egzystencji materialnej.**

*ZNACZENIE:* Im więcej wielbiciel słucha o chwałach Najwyższego Pana, tym bardziej staje się oświecony. Ten proces słuchania poleca *Śrīmad-Bhāgavatam*: "Przekazy Najwyższej Osoby Boga są pełne mocy i moce te mogą zostać zrealizowane, jeśli tematy odnoszące się do Najwyższego Boga dyskutowane są pomiędzy wielbicielami. Nie można tego osiągnąć przez obcowanie ze świeckimi naukowcami czy spekulantami umysłowymi, jako że jest to wiedza zrealizowana."

Wielbiciele bezustannie zaangażowani są w służbę Najwyższego Pana. Pan zna mentalność i szczerość poszczególnych żywych istot, które zaangażowane są w świadomość Kṛṣṇy, i daje im inteligencję, aby w obcowaniu z wielbicielami zrozumiały naukę o Kṛṣṇie. Dyskusje o Kṛṣṇie posiadają szczególną moc i jeśli jakaś szczęśliwa osoba ma okazję przebywać z wielbicielami i stara się przyswoić tę wiedzę, wtedy z pewnością uczyni postęp w kierunku realizacji duchowej. Aby zachęcić Arjunę do coraz większego postępu w jego pełnej mocy służbie, Pan Kṛṣṇa przedstawia w tym rozdziale sprawy bardziej poufne od tych, które wyjawił wcześniej.

Sam początek *Bhagavad-gīty*, Rozdział Pierwszy, jest mniej lub bardziej wprowadzeniem do dalszej treści tej książki, a wiedza duchowa przedstawiona w Rozdziale Drugim i Trzecim nazywana jest poufną. Tematy dyskutowane w Rozdziale Siódmym i Ósmym szczególnie odnoszą się do służby oddania, i ponieważ przynoszą one oświecenie w świadomości Kṛṣṇy, nazywane są bardziej poufnymi. Lecz tematy przedstawione w Rozdziale Dziewiątym mają do czynienia z czystym, niezachwianym oddaniem i dlatego wiedza ta nazywana jest najbardziej poufną. Kto posiada najbardziej poufną wiedzę o Kṛṣṇie, ten jest z natury transcendentalny i nawet przebywając w tym świecie materialnym, wolny jest od jego materialnych trosk. *Bhakti-rasāmṛta-sindhu* mówi, że za wyzwolonego ma być uważany ten, kto ma szczere pragnienie pełnienia służby miłości dla Najwyższego Pana, nawet jeśli znajduje się w uwarunkowanym stanie życia materialnego. Podobne stwierdzenie—że każdy zaangażowany w ten sposób jest wyzwolony—znajdziemy w Dziesiątym Rozdziale *Bhagavad-gīty*.

Ten pierwszy werset ma szczególne znaczenie. Słowa *idaṁ jñānam* ("ta wiedza") odnoszą się do czystej służby oddania, na którą składa się dziewięć różnych czynności: słuchanie, intonowanie, pamiętanie, służenie, oddawanie czci, modlenie się, posłuszeństwo, utrzymywanie przyjaźni i oddawanie wszystkiego. Przez praktykowanie tych dziewięciu elementów służby oddania można wznieść się do świadomości duchowej—świadomości Kṛṣṇy. Kiedy serce zostaje uwolnione z zanieczyszczeń materialnych, wtedy można zrozumieć tę naukę o Kṛṣṇie. Sama wiedza, że żywa istota nie jest materialna, jest niewystarczająca. Może to być początkiem realizacji duchowej, ale należy jeszcze poznać różnicę pomiędzy czynnościami ciała a czynnościami duchowymi tego, kto rozumie, że nie jest tym ciałem.

W Rozdziale Siódmym dyskutowaliśmy już o potężnych mocach Najwyższej Osoby Boga, Jego różnych energiach, o naturze niższej i wyższej, i o całej tej manifestacji materialnej. Teraz, w Rozdziale Dziewiątym, opisane zostaną chwały Pana.

Bardzo ważne w tym wersecie jest również sanskryckie słowo *anasūyave*. Na ogół komentatorzy *Gīty*, nawet jeśli są wysoce kształceni, wszyscy są zazdrośni o Kṛṣṇę, Najwyższą Osobę Boga. Nawet najwięksi erudyci mylnie komentują *Bhagavad-gītę*. Ponieważ są oni zazdrośni o Kṛṣṇę, komentarze te są bezużyteczne. Jedynymi bona fide komentarzami są te pisane przez wielbicieli. Nikt nie może właściwie objaśniać *Bhagavad-gīty* ani dać doskonałej wiedzy o Kṛṣṇie, jeśli jest o Niego zazdrosny. Głupcem jest ten, kto krytykuje charakter Kṛṣṇy, nie znając Go. Należy z całą ostrożnością unikać komentarzy pisanych przez takie osoby. Wielką korzyść z tych rozdziałów może odnieść tylko ten, kto rozumie, że Kṛṣṇa jest Najwyższą Osobą Boga, i że jest On osobą czystą i transcendentalną.

## TEKST 2

राजविद्या राजगुह्यं पवित्रमिदमुत्तमम् ।
प्रत्यक्षावगमं धर्म्यं सुसुखं कर्तुमव्ययम् ॥२॥

*rāja-vidyā rāja-guhyaṁ pavitram idam uttamam*
*pratyakṣāvagamaṁ dharmyaṁ su-sukhaṁ kartum avyayam*

*rāja-vidyā*—królowa edukacji; *rāja-guhyam*—królowa wiedzy tajemnej; *pavitram*—najczystsza; *idam*—to; *uttamam*—transcendentalna; *pratyakṣa*—przez bezpośrednie doświadczenie; *avagamam*—rozumiana; *dharmyam*—zasada religii; *su-sukham*—bardzo szczęśliwy; *kartum*—wypełniać; *avyayam*—wieczny.

**Wiedza ta jest królową edukacji, sekretem sekretów, wiedzą najczystszą i doskonałością religii, albowiem umożliwia nam bezpośrednie postrzeganie jaźni poprzez realizację. Jest ona nieprzemijająca, a spełnianie jej jest radością.**

*ZNACZENIE*: Ten rozdział *Bhagavad-gīty* nazwany jest królową edukacji, zawiera on bowiem esencję wszystkich doktryn i filozofii przedstawionych wcześniej. Jest siedmiu głównych filozofów w Indiach: Gautama, Kaṇāda, Kapila, Yājñavalkya, Śāṇḍilya i Vaiśvānara, i ostatecznie Vyāsadeva, autor *Vedānta-sūtry*. Jest więc pokaźna ilość wiedzy na polu filozofii czy też wiedzy transcendentalnej. Teraz Pan mówi, że ten Dziewiąty Rozdział jest królową wśród takiej wiedzy, esencją wszelkiej wiedzy, którą można czerpać ze studiowania *Ved* i różnego rodzaju filozofii. Wiedza ta jest największym sekretem, jako że taka poufna albo transcendentalna wiedza pozwala zrozumieć różnicę pomiędzy duszą a ciałem. A ta królowa wszelkiej wiedzy tajemnej kończy się służbą oddania.

Na ogół ludzie nie posiadają tej tajemnej wiedzy; otrzymują jedynie wykształcenie świeckie, dotyczące spraw doczesnych. Jeśli chodzi o to zwykłe, świeckie wykształcenie, zajmuje się ono tak wieloma dziedzinami: polityką, socjologią, fizyką, chemią, matematyką, astronomią, techniką itd. Wielkie uniwersytety na całym świecie nauczają tak wielu różnych przedmiotów, ale na nieszczęście nie ma żadnego uniwersytetu ani instytucji kształcącej, gdzie by wykładano naukę o duszy, która jest najważniejszą częścią tego ciała. Bez obecności duszy ciało nie ma żadnej wartości. Jednak ludzie kładą wielki nacisk na cielesne potrzeby życia, nie dbając o żywotną duszę.

*Bhagavad-gītā*, szczególnie od Rozdziału Drugiego, podkreśla znaczenie duszy. Już na samym początku Pan mówi, że to ciało podlega zniszczeniu, podczas gdy dusza jest wieczna (*antavanta ime dehā nityasyoktāḥ śarīriṇaḥ*). Jest to tajemna część wiedzy; jest to po prostu wiedza o tym, że dusza jest czymś różnym od ciała, i że natura jej jest niezmienna, niezniszczalna i wieczna. Nie daje ona jednak pozytywnych informacji o duszy. Czasami ludzie utrzymują, że dusza jest czymś różnym od ciała, lecz kiedy ciało umiera, czyli gdy ktoś wyzwala się z ciała, dusza pozostaje w próżni i traci swoją osobowość. Nie jest to jednak prawdą. Jak może dusza, która jest tak aktywna w ciele, być bierną po wyzwoleniu się z ciała? Jest ona zawsze aktywna. Jeśli jest ona wieczną, jest wobec tego wiecznie aktywną, a jej aktywność w świecie duchowym jest najbardziej tajemną częścią wiedzy duchowej. Zatem, jak oznajmiono tutaj, wiedza o aktywności duszy jest królową wszelkiej wiedzy i jest wiedzą najbardziej poufną.

Jak tłumaczy to literatura wedyjska, wiedza ta jest najczystszą formą wszelkiej aktywności. W *Padma Purāṇie* zostały przeanalizowane grzeszne czyny ludzi, będące rezultatami życia w grzechu w przeszłości. Osoby zaangażowane w jakieś czynności przynoszące korzyści uwikłane są w różnego rodzaju stany i formy grzesznych reakcji. Na przykład, gdy zasiane zostanie nasienie jakiegoś określonego drzewa, drzewo nie pojawi się natychmiast—wymaga to pewnego czasu. Jest najpierw małą, kiełkującą roślinką, następnie przyjmuje postać drzewa, kwitnie, owocuje, i kiedy jest już odpowiednio duże, wtedy z jego owoców i kwiatów mogą korzystać ludzie, którzy go zasiali. Podobnie, gdy człowiek dopuści się jakiegoś grzechu, musi minąć pewien czas, zanim grzech ten zaowocuje. Są to różne etapy. Ktoś mógł już zarzucić grzeszną działalność, ale nadal cierpi z powodu następstw, czyli owoców swoich grzechów. Są grzechy, które pozostają jeszcze w postaci nasienia, i są inne, które już zaowocowały, i które dostarczają nam owoców, odbieranych przez nas w postaci trosk i bólów.

Jak tłumaczy to dwudziesty ósmy werset Rozdziału Siódmego, osoba, której następstwa grzechów zostały już wyczerpane, i która—uwolniwszy się od dualizmów tego świata materialnego—spełnia jedynie czyny pobożne, taka osoba angażuje się w służbę oddania dla Najwyższej Osoby Boga, Kṛṣṇy. Innymi słowy, kto rzeczywiście zaangażowany jest w służbę dla Najwyższego Pana, ten wolny jest już od wszelkich następstw grzechów. Potwierdza to *Padma Purāṇa*:

*aprārabdha-phalaṁ pāpaṁ kūṭaṁ bījaṁ phalonmukham*
*krameṇaiva pralīyeta viṣṇu-bhakti-ratātmanām*

Jeśli ktoś pełni służbę dla Najwyższej Osoby Boga, to wszelkie następstwa jego grzechów popełnionych w przeszłości—czy to już owocujące, czy niezamanifestowane, czy pozostające w formie nasienia—stopniowo zanikają. Oczyszczająca moc służby oddania jest bardzo potężna i nazywana jest ona *pavitram uttamam*, najczystszą. *Uttama* znaczy transcendentalny. *Tamas* oznacza ten materialny świat albo ciemność, a *uttama* jest określeniem tego, co jest transcendentalne do czynności materialnych. Czynności w służbie oddania nigdy nie powinny być uważane za czynności materialne, choć czasem może się wydawać, że wielbiciele mają zajęcia podobne do zajęć zwykłych ludzi. Kto rozumie i kto jest zaznajomiony ze służbą oddania, ten będzie wiedział, że czynności te nie są materialne. Są one wszystkie czynnościami duchowymi, pełnymi oddania, niezanieczyszczonymi przez cechy natury materialnej.

Jest powiedziane, że służba oddania jest czymś tak doskonałym, że natychmiast można odczuć efekty pełnienia jej. Ten bezpośredni rezultat jest prawdziwie zauważalny. Mamy tego praktyczne doświadczenie, że jakakolwiek osoba intonująca święte imiona Kṛṣṇy (Hare Kṛṣṇa, Hare Kṛṣṇa, Kṛṣṇa Kṛṣṇa, Hare Hare; Hare Rāma, Hare Rāma, Rāma Rāma, Hare Hare), z biegiem czasu, gdy zaczyna mantrować bez obraz, odczuwa pewną przyjemność transcendentalną i bardzo szybko uwalnia się od zanieczyszczeń materialnych. Jest to rzeczywiście widoczne. Co więcej, jeśli ktoś angażuje się nie tylko w słuchanie, ale próbuje również szerzyć wiadomość o służbie oddania albo pomaga w działalności misyjnej w świadomości Kṛṣṇy, stopniowo odczuwa postęp duchowy. Ten postęp duchowy nie zależy od żadnego rodzaju wykształcenia czy kwalifikacji zdobytych uprzednio. Sama metoda jest tak czysta, że można się oczyścić jedynie przez przyjęcie jej.

Stwierdza to również *Vedānta-sūtra* (3.2.26): *prakāśaś ca karmaṇy abhyāsāt*. "Moc służby oddania jest tak wielka, że jedynie przez pełnienie jej można zostać oświeconym. Co do tego nie ma żadnej wątpliwości." Praktycznym przykładem jest poprzednie życie Nārady. Nārada nie urodził się w wysoko postawionej rodzinie; był synem służącej i nie posiadał żadnego wykształcenia, lecz kiedy jego matka służyła wielkim wielbicielom Pana, również i on zaangażował się w tę służbę i czasami, podczas nieobecności swej matki, sam im usługiwał. Sam Nārada mówi:

*ucchiṣṭa-lepān anumodito dvijaiḥ*
*sakṛt sma bhuñje tad-apāsta-kilbiṣaḥ*
*evaṁ pravṛttasya viśuddha-cetasas*
*tad-dharma evātma-ruciḥ prajāyate*

W tym wersecie ze *Śrīmad-Bhāgavatam* (1.5.25) Nārada mówi swemu uczniowi Vyāsadevie, że w swoim poprzednim życiu, jeszcze jako chłopiec, służył oczyszczonym wielbicielom, kiedy ci przebywali w jego domu podczas czterech miesięcy okresu deszczowego, i że wtedy towarzyszył im. Czasami mędrcy ci zostawiali na talerzach resztki pożywienia, a chłopiec, który zwykł myć te naczynia, pragnął skosztować resztek pozostawionego przez nich pokarmu. Więc zapytał wielkich wielbicieli, czy może to zrobić i uzyskał pozwolenie. Dzięki spożyciu tych resztek Nārada uwolnił się od następstw swoich grzechów. W miarę jak jadł coraz więcej, serce jego stawało się tak czyste jak serca tych mędrców i stopniowo rozwinęły się w nim te same zamiłowania. Wielcy wielbiciele bezustannie rozkoszowali się czarem służby oddania dla Pana, słuchaniem, intonowaniem itd. i Nārada rozwinął to samo upodobanie. Nārada mówi dalej:

*tatrānvahaṁ kṛṣṇa-kathāḥ pragāyatām*
*anugraheṇāśṛṇavaṁ manoharāḥ*
*tāḥ śraddhayā me 'nupadaṁ viśṛṇvataḥ*
*priyaśravasy aṅga mamābhavad ruciḥ*

Poprzez obcowanie z mędrcami Nārada zapragnął również słuchać i śpiewać o chwałach Pana i rozwinął wielkie pragnienie służby oddania. Dlatego, jak opisuje *Vedānta-sūtra* (*prakāśaś ca karmaṇy abhyāsāt*): jeśli ktoś jedynie zaangażuje się w czynności służby oddania, automatycznie wszystko zostanie mu wyjawione i będzie mógł rozumieć. Nazywa się to *pratyakṣa*, bezpośrednim postrzeganiem.

Słowo *dharmyam* oznacza "ścieżka religii". Nārada był właściwie synem służącej. Nie miał możliwości chodzenia do szkoły. Po prostu towarzyszył swojej matce i, na szczęście, matka jego usługiwała wielbicielom Pana. Nārada, jako dziecko, wykorzystał tę szansę i jedynie dzięki obcowaniu z wielbicielami osiągnął najwyższy cel wszystkich religii. Najwyższym celem wszystkich religii jest służba oddania, jak oznajmia to *Śrīmad-Bhāgavatam* (*sa vai puṁsāṁ paro dharmo yato bhaktir adhokṣaje*). Religijni ludzie na ogół nie wiedzą, iż najwyższą doskonałością religii jest osiągnięcie stanu służby oddania. Jak już dyskutowaliśmy o tym w związku z ostatnim wersetem Rozdziału Ósmego (*vedeṣu yajñeṣu tapaḥsu caiva*), na ogół dla zrozumienia ścieżki samorealizacji potrzebna jest wiedza wedyjska. Lecz Nārada, mimo iż nigdy nie uczęszczał do szkoły mistrza duchowego i nie był kształcony w zasadach wedyjskich, osiągnął najwyższy rezultat pochodzący ze studiowania *Ved*. Proces ten posiada tak wielką moc, że nawet bez regularnego praktykowania religii można osiągnąć najwyższą doskonałość. Jak to jest możliwe? Potwierdza to również literatura wedyjska: *ācāryavān puruṣo veda*. Kto obcuje z wielkimi *ācāryami*, to nawet jeśli nie posiada wykształcenia i nie studiował *Ved*, może zaznajomić się z wszelką wiedzą, która konieczna jest do realizacji duchowej.

Proces służby oddania jest procesem bardzo radosnym (*su-sukham*). Dlaczego? Polega on głównie na *śravaṇaṁ kīrtanaṁ viṣṇoḥ*, więc można po prostu słuchać intonowania chwał Pana albo uczęszczać na wykłady filozoficzne z wiedzy transcendentalnej dawane przez autoryzowanych *ācāryów*. Jedynie siedząc i słuchając można się uczyć; następnie można jeść pozostałości smacznego pokarmu ofiarowanego Bogu. Służba oddania jest radosna w każdych warunkach. Można pełnić ją nawet w najbardziej ubogich warunkach. Pan mówi: *patraṁ puṣpaṁ phalaṁ toyam*. Jest On gotów przyjąć od wielbiciela każdą ofiarę. Nawet liść, kwiat, owoc, trochę wody, które są przecież osiągalne w każdej części świata. Ofiarowywać może każdy, bez względu na pozycję społeczną, i ofiara będzie przyjęta, jeśli przedmioty zostaną ofiarowane z miłością. Jest wiele takich przykładów w historii. Wielcy mędrcy, tacy jak Sanat-kumāra, zostali wielkimi wielbicielami Pana jedynie przez skosztowanie liści *tulasī* ofiarowanych Jego lotosowym stopom. Zatem proces służby oddania jest bardzo przyjemny i może być wykonywany w radosnym nastroju. Bóg przyjmuje tylko miłość, z którą ofiarowujemy Mu różne rzeczy.

Powiedziano tutaj, że służba oddania jest wieczna. Nie jest tak, jak utrzymują filozofowie Māyāvādī. Czasami przyjmują oni tzw. służbę oddania, lecz ich idea jest taka, że będą kontynuować ją do czasu, kiedy osiągną wyzwolenie. Ale w końcu, kiedy zostaną wyzwoleni, "staną się jednym z Bogiem". Taka tymczasowa służba oddania, pełniona z taką postawą, nie jest uważana za czystą. Prawdziwa służba oddania kontynuowana jest nawet po wyzwoleniu. Kiedy bhakta udaje się na planety duchowe w królestwie Boga, również tam służy Najwyższemu Panu. Nie próbuje On zostać jednym z Najwyższym Panem.

Jak dowiemy się o tym z *Bhagavad-gīty*, prawdziwa służba oddania zaczyna się po wyzwoleniu. Służba oddania rozpoczyna się (*samaḥ sarveṣu bhūteṣu mad-bhaktiṁ labhate parām*) po wyzwoleniu, czyli po przyjęciu pozycji Brahmana (*brahma-bhūta*). Nikt nie może poznać Najwyższej Osoby Boga przez niezależne praktykowanie *karma-yogi, jñāna-yogi* albo *aṣṭāṅga-yogi*, czy też jakiejkolwiek innej *yogi*. Dzięki tym systemom *yogi* można zrobić mały postęp w kierunku *bhakti-yogi*, ale bez osiągnięcia stanu służby oddania nie można zrozumieć, kim jest Osoba Boga. Również *Śrīmad-Bhāgavatam* potwierdza, że naukę o Kṛṣṇie, czyli o Bogu, można zrozumieć wtedy, kiedy jest się oczyszczonym przez pełnienie służby oddania, szczególnie przez słuchanie od dusz zrealizowanych *Śrīmad-Bhāgavatam* albo *Bhagavad-gīty*. *Evaṁ prasanna-manaso bhagavad-bhakti-yogataḥ*. Dopiero kiedy czyjeś serce zostanie oczyszczone ze wszystkich nonsensów, wtedy będzie mógł on zrozumieć, kim jest Bóg. Tak więc proces służby oddania—świadomość Kṛṣṇy—jest królową wszelkiego wykształcenia i królową wszelkiej wiedzy tajemnej. Jest on najczystszą formą religii i może być bez trudu spełniany w radosnym nastroju. Należy zatem przyjąć ten proces.

**TEKST 3** अश्रद्दधानाः पुरुषा धर्मस्यास्य परन्तप ।
अप्राप्य मां निवर्तन्ते मृत्युसंसारवर्त्मनि ॥३॥

*aśraddadhānāḥ puruṣā dharmasyāsya parantapa*
*aprāpya māṁ nivartante mṛtyu-saṁsāra-vartmani*

*aśraddadhānāḥ*—nie mający wiary; *puruṣāḥ*—takie osoby; *dharmasya*—ku procesowi religii; *asya*—tego; *parantapa*—O zabójco nieprzyjaciół; *aprāpya*—nie osiągając; *mām*—Mnie; *nivartante*—powracają; *mṛtyu*—śmierci; *saṁsāra*—w egzystencję materialną; *vartmani*—na ścieżce.

**Ci, którzy nie zachowują wiary w ścieżkę służby oddania, nie osiągają Mnie, o pogromco nieprzyjaciół, lecz powracają do cyklu narodzin i śmierci w tym materialnym świecie.**

*ZNACZENIE:* Nie posiadający wiary nie mogą spełniać procesu służby oddania—takie jest znaczenie tego wersetu. Wiarę rozbudzić można przez obcowanie z wielbicielami. Nieszczęśliwi są ludzie, którzy nawet po wysłuchaniu wszelkich dowodów literatury wedyjskiej od wielkich osobistości, nadal nie mają wiary w Boga. Są niezdecydowani i niewytrwali w służbie dla Pana. Zatem wiara jest najważniejszym czynnikiem dla postępu w świadomości Kṛṣṇy. W *Caitanya-caritāmṛta* jest powiedziane, że należy być całkowicie przekonanym, że po prostu przez służenie Najwyższemu Panu Śrī Kṛṣṇie osiąga się wszelką doskonałość. To nazywane jest prawdziwą wiarą. Jak oznajmia *Śrīmad-Bhāgavatam* (4.31.14):

*yathā taror mūla-niṣecanena*
*tṛpyanti tat-skandha-bhujopaśākhāḥ*
*prāṇopahārāc ca yathendriyāṇāṁ*
*tathaiva sarvārhaṇam acyutejyā*

"Przez podlewanie korzenia drzewa zaspokaja się potrzeby jego gałęzi, gałązek i liści, a przez dostarczenie pożywienia dla żołądka zadowala się wszystkie zmysły ciała. Podobnie, przez zaangażowanie się w transcendentalną służbę dla Najwyższego Pana automatycznie zadowala się wszystkich półbogów i wszystkie żywe istoty." Zatem po przeczytaniu *Bhagavad-gīty* powinno się niezwłocznie dojść do konkluzji podanej w samej *Gīcie*: należy porzucić wszelkie zajęcia i przyjąć służbę dla Najwyższego Pana, Kṛṣṇy, Osoby Boga. Jeśli ktoś przekonany jest do takiej filozofii życia, jest to wiarą.

Rozwinięciem tej wiary jest proces świadomości Kṛṣṇy. Ludzi w świadomości Kṛṣṇy można podzielić na trzy grupy. Do grupy trzeciej należą ci, którzy nie mają wiary. Nawet jeśli są oficjalnie zaangażowani w służbę oddania, nie mogą osiągnąć najwyższego stanu doskonałości. Najprawdopodobniej po pewnym czasie odejdą. Mogą zaangażować się w służbę oddania, ale ponieważ nie mają całkowitego przekonania i wiary, bardzo trudno jest im kontynuować ten proces świadomości Kṛṣṇy. Mamy tego praktyczne doświadczenie w prowadzeniu naszej działalności misyjnej. Niektórzy ludzie przychodzą i zgłaszają się do Towarzystwa Świadomości Kṛṣṇy z pewnym ukrytym motywem, lecz skoro tylko zaczyna im się lepiej materialnie powodzić, porzucają ten proces i wracają do dawnego sposobu życia. Jedynie dzięki wierze można uczynić postęp w świadomości Kṛṣṇy. Jeśli chodzi o rozwój wiary, to ten, kto zna dobrze literaturę o służbie oddania i osiągnął stan mocnej wiary, nazywany jest człowiekiem pierwszej klasy w świadomości Kṛṣṇy. Do klasy drugiej zaliczają się ci, którzy nie są za bardzo zaawansowani w rozumieniu pism świętych dotyczących służby oddania, ale którzy samoczynnie posiadają mocną wiarę, iż *kṛṣṇa-bhakti*, czyli służba dla Kṛṣṇy, jest najlepszą drogą i w dobrej wierze podjęli ten proces. Stoją zatem wyżej od trzeciej klasy ludzi, którzy nie mają ani doskonałej wiedzy pism świętych, ani właściwej wiary, lecz próbują praktykować ten proces przez obcowanie z wielbicielami i prostotę. Osoba trzeciej klasy w świadomości Kṛṣṇy może upaść, ale ten, kto należy do klasy drugiej nie upada. A dla tego, kto należy do klasy pierwszej, nie ma ryzyka upadku. Na pewno będzie czynił postęp i osiągnie końcowy rezultat. Jeśli chodzi o osobę trzeciej klasy w świadomości Kṛṣṇy, to chociaż jest ona przekonana, że służba oddania dla Kṛṣṇy jest czymś bardzo dobrym, nie zdobyła ona jeszcze odpowiedniej wiedzy o Kṛṣṇie, przekazanej przez takie pisma święte jak *Śrīmad-Bhāgavatam* i *Bhagavad-gītā*. Czasami te trzeciej klasy osoby w świadomości Kṛṣṇy mają pewne skłonności do *karma-yogi* albo *jñāna-yogi* i czasem są zdezorientowane, lecz skoro tylko uwolnią się od wpływu tych procesów, zostają osobami drugiej albo pierwszej klasy w świadomości Kṛṣṇy. Również wiarę w Kṛṣṇę można podzielić na trzy etapy i etapy te zostały opisane w *Śrīmad-Bhāgavatam*. Wyjaśnia się tam również (Canto 11) przywiązanie do Kṛṣṇy, które też może być pierwszej, drugiej i trzeciej klasy. Dla tych, którzy nawet po usłyszeniu o Kṛṣṇie i o doskonałości służby oddania dalej nie mają wiary, myśląc, że jest to przesadą, ścieżka ta jest bardzo trudna, nawet jeśli rzekomo zaangażowali się w służbę oddania. Dla nich mała jest nadzieja na osiągnięcie doskonałości. Zatem wiara jest bardzo ważnym czynnikiem w pełnieniu służby oddania.

**TEKST 4** मया ततमिदं सर्वं जगदव्यक्तमूर्तिना ।
मत्स्थानि सर्वभूतानि न चाहं तेष्ववस्थितः ॥४॥

*mayā tatam idaṁ sarvaṁ jagad avyakta-mūrtinā*
*mat-sthāni sarva-bhūtāni na cāhaṁ teṣv avasthitaḥ*

*mayā*—przeze Mnie; *tatam*—przeniknął; *idam*—ta; *sarvam*—cała; *jagat*—manifestacja kosmiczna; *avyakta-mūrtinā*—przez niezamanifestowaną formę; *mat-sthāni*—we Mnie; *sarva-bhūtāni*—wszystkie żywe istoty; *na*—nie; *ca*—również; *aham*—Ja; *teṣu*—w nich; *avasthitaḥ*—usytuowany.

**W Swojej niezamanifestowanej formie, przenikam cały wszechświat. Wszystkie istoty są we Mnie, lecz Ja nie jestem w nich.**

*ZNACZENIE:* Najwyższa Osoba Boga nie może zostać postrzeżony przez "wulgarne" zmysły materialne. Jest powiedziane:

*ataḥ śrī-kṛṣṇa-nāmādi na bhaved grāhyam indriyaiḥ*
*sevonmukhe hi jihvādau svayam eva sphuraty adaḥ*
(*Bhakti-rasāmṛta-sindhu* 1.2.234)

Imienia Pana Śrī Kṛṣṇy, Jego sławy, rozrywek itd. nie można poznać zmysłami materialnymi. Objawia się On tylko temu, kto zaangażowany jest w czystą służbę oddania pod właściwym kierownictwem. *Brahma-*

*saṁhitā* (5.38) mówi: *premāñjana-cchurita-bhakti-vilocanena santaḥ sadaiva hṛdayeṣu vilokayanti*: tylko ten może zawsze oglądać Najwyższą Osobę Boga, Govindę, wewnątrz i na zewnątrz siebie, kto rozwinął transcendentalną miłość do Niego. A więc nie jest On widoczny dla ogółu ludzi. Oznajmiono tutaj, że mimo iż jest On wszechprzenikający, wszędzie obecny, to jednak nie można Go dostrzec zmysłami materialnymi. Tutaj wskazują na to słowa *avyakta-mūrtinā*. W rzeczywistości jednak, chociaż my nie widzimy Jego, wszystko spoczywa w Nim. Jak dyskutowaliśmy o tym w Rozdziale Siódmym, cała materialna natura kosmiczna jest jedynie kombinacją Jego dwóch energii—wyższej energii duchowej i niższej energii materialnej. Tak jak blask słoneczny rozprzestrzeniony jest w całym wszechświecie, tak energia Boga rozprzestrzeniona jest w całym stworzeniu i wszystko w niej spoczywa.

Jednakże nie należy wyciągać z tego wniosku, że skoro rozprzestrzenia się On wszędzie, to utracił Swoją egzystencję osobową. Aby wykazać błędność takich twierdzeń, Pan mówi: "Jestem wszędzie i wszystko jest we Mnie, ale jednak jestem z dala od wszystkiego." Na przykład król stoi na czele rządu, który jest jedynie manifestacją mocy królewskiej. Różne departamenty w rządzie nie są niczym innym jak mocą króla i każdy departament opiera się na sile królewskiej. Jednak nie można spodziewać się osobistej obecności króla w każdym departamencie. Jest to wulgarny przykład. Podobnie, podstawą wszelkich manifestacji, które obserwujemy, i wszystkiego co istnieje—zarówno w świecie duchowym, jak i materialnym—jest energia Najwyższej Osoby Boga. Stworzenie powstaje przez dyfuzję Jego różnych energii i, jak oznajmia *Bhagavad-gītā*, *viṣṭabhyāham idaṁ kṛtsnam*: jest On wszędzie obecny poprzez Swoją osobistą reprezentację, dyfuzję Jego różnych energii.

## TEKST 5

न च मत्स्थानि भूतानि पश्य मे योगमैश्वरम् ।
भूतभृन्न च भूतस्थो ममात्मा भूतभावनः ॥५॥

*na ca mat-sthāni bhūtāni paśya me yogam aiśvaram*
*bhūta-bhṛn na ca bhūta-stho mamātmā bhūta-bhāvanaḥ*

*na*—nigdy; *ca*—również; *mat-sthāni*—usytuowane we Mnie; *bhūtāni*—wszelkie stworzenie; *paśya*—spójrz; *me*—Moją; *yogam aiśvaram*—niepojęte moce mistyczne; *bhūta-bhṛt*—żywiciel wszystkich żywych istot; *na*—nigdy; *ca*—również; *bhūta-sthaḥ*—w manifestacji kosmicznej; *mama*—Moja; *ātmā*—Jaźń; *bhūta-bhāvanaḥ*—źródło wszelkich manifestacji.

**A jednak wszystko, co jest stworzone, nie spoczywa we Mnie. Spójrz na Moją mistyczną wspaniałość! Chociaż Ja utrzymuję**

**i żywię wszystkie żywe istoty, i chociaż jestem wszędzie, to jednak nie jestem częścią tej manifestacji kosmicznej, gdyż Ja Sam jestem źródłem stworzenia.**

*ZNACZENIE:* Pan mówi, że wszystko co istnieje, spoczywa na Nim (*mat-sthāni sarva-bhūtāni*). Nie należy tego błędnie zrozumieć. Pan nie jest bezpośrednio zaangażowany w utrzymywanie i zasilanie manifestacji materialnej. Czasami oglądamy wizerunek Atlasa trzymającego na swoich ramionach wielki glob ziemski. Wygląda on na bardzo zmęczonego trzymaniem tej ziemskiej planety. Takiego obrazu nie należy kojarzyć z Kṛṣṇą utrzymującym stworzony przez Siebie wszechświat. Mówi On, że chociaż wszystko spoczywa w Nim, to jednak jest On z dala od wszystkiego. Systemy planetarne unoszą się w przestrzeni i ta przestrzeń jest energią Najwyższego Pana. Lecz On Sam jest czymś odmiennym od tej przestrzeni. Jest On inaczej usytuowany. Dlatego Pan mówi: "Chociaż wszystko spoczywa w Mojej niezmierzonej energii, to jednak Ja, jako Najwyższa Osoba Boga, znajduję się z dala od wszystkiego." Taka jest niezmierzona potęga Pana.

Wedyjski słownik *Nirukti* mówi *yujyate 'nena durghaṭeṣu kāryeṣu*: "Manifestując Swoje energie, Najwyższa Osoba Boga odbywa niepojęte, wspaniałe rozrywki." Energie Jego są niezliczone, a samo Jego postanowienie jest faktem. W ten sposób należy rozumieć Osobę Boga. My możemy się nosić z zamiarem zrobienia czegoś, lecz może zaistnieć tak wiele przeszkód uniemożliwiających nam spełnienie naszego zamiaru. Ale jeśli Kṛṣṇa pragnie coś zrobić, jedynie poprzez Jego wolę wszystko odbywa się w tak doskonały sposób, że nie można nawet wyobrazić sobie w jaki sposób się to dzieje. Pan tłumaczy ten fakt: mimo iż utrzymuje On i zasila wszelkie materialne manifestacje, to jednak nie dotyka On tych manifestacji. Wszystko jest tworzone, utrzymywane i niszczone jedynie poprzez Jego najwyższą wolę. Nie ma różnicy pomiędzy Jego umysłem a Nim Samym (tak jak istnieje różnica pomiędzy nami a naszym obecnym umysłem materialnym), jako że jest On absolutnym duchem. Pan jest obecny we wszystkim jednocześnie. Jednak zwykły człowiek nie może zrozumieć, w jaki sposób jest On obecny również osobiście. Jest On różny od tej manifestacji materialnej, jednak wszystko spoczywa na Nim. Wytłumaczone to zostało tutaj jako *yogam aiśvaram*, siła mistyczna Najwyższej Osoby Boga.

**TEKST 6** यथाकाशस्थितो नित्यं वायुः सर्वत्रगो महान् ।
तथा सर्वाणि भूतानि मत्स्थानीत्युपधारय ॥६॥

*yathākāśa-sthito nityaṁ vāyuḥ sarvatra-go mahān*

*tathā sarvāṇi bhūtāni mat-sthānīty upadhāraya*

*yathā*—tak bardzo jak; *ākāśa-sthitaḥ*—usytuowany w przestrzeni; *nityam*—zawsze; *vāyuḥ*—wiatr; *sarvatra-gaḥ*—wiejący wszędzie; *mahān*—wielki; *tathā*—podobnie; *sarvāṇi bhūtāni*—wszystkie istoty stworzone; *mat-sthāni*—usytuowane we Mnie; *iti*—w ten sposób; *upadhāraya*—spróbuj zrozumieć.

**Tak jak potężny wiatr, wiejący wszędzie, zawsze spoczywa w eterze, wiedz, że tak samo wszystkie stworzone istoty spoczywają we Mnie.**

*ZNACZENIE:* Dla przeciętnej osoby jest to prawie niezrozumiałe, w jaki sposób potężna manifestacja materialna może spoczywać w Nim. Pan daje przykład, który może ułatwić nam zrozumienie tego. Przestrzeń jest największą manifestacją, którą jesteśmy w stanie sobie wyobrazić. I w tej przestrzeni największą manifestacją tego kosmicznego świata jest wiatr, czyli powietrze. Ruch powietrza wpływa na to, że poruszają się wszystkie inne rzeczy. Ale chociaż wiatr jest wielki, to jednak usytuowany jest on w przestrzeni; nie znajduje się on poza niebem. Podobnie, wszystkie te wspaniałe manifestacje kosmiczne istnieją dzięki najwyższej woli Boga i wszystkie one zależne są od tej najwyższej woli. Istnieje powiedzenie, że nawet źdźbło trawy nie porusza się bez woli Najwyższej Osoby Boga. Zatem wszystko porusza się zgodnie z Jego wolą. Poprzez Jego wolę wszystko jest tworzone, utrzymywane i unicestwiane. Jednak On znajduje się z dala od wszystkiego, tak jak przestrzeń nie ma nic wspólnego z działaniem atmosfery.

W *Upaniṣadach* jest powiedziane *yad-bhīṣā vātaḥ pavate*: "Wiatr porusza się ze strachu przed Najwyższym Panem." (*Taittirīya Upaniṣad* 2.8.1) *Bṛhad-āraṇyaka Upaniṣad* (3.8.9) oznajmia *etasya vā akṣarasya praśāsane gārgi sūrya-candramasau vidhṛtau tiṣṭhata etasya vā akṣarasya praśāsane gārgi dyāv-āpṛthivyau vidhṛtau tiṣṭhataḥ.* "Z najwyższego rozkazu, pod kontrolą Najwyższej Osoby Boga poruszają się słońce, księżyc i inne wielkie planety." Zostało to oznajmione również w *Brahma-saṁhicie* (5.52):

*yac-cakṣur eṣa savitā sakala-grahāṇāṁ*
*rājā samasta-sura-mūrtir aśeṣa-tejāḥ*
*yasyājñayā bhramati sambhṛta-kāla-cakro*
*govindam ādi-puruṣaṁ tam ahaṁ bhajāmi*

Jest to opis ruchu słońca. Jest powiedziane, że słońce jest uważane za jedno z oczu Najwyższego Pana, i że ma ono niezmierzoną moc wydzielania ciepła i światła. Jednak porusza się ono po swojej orbicie z rozkazu i najwyższej woli Govindy. W literaturze wedyjskiej możemy znaleźć potwierdzenie tego, że ta manifestacja materialna, która wydaje się nam być tak wspaniałą i wielką, znjaduje się pod całkowitą kontrolą Najwyższej Osoby Boga. Dokładniej jest to wytłumaczone w dalszych wersetach tego rozdziału.

**TEKST 7** सर्वभूतानि कौन्तेय प्रकृतिं यान्ति मामिकाम् ।
कल्पक्षये पुनस्तानि कल्पादौ विसृजाम्यहम् ॥७॥

*sarva-bhūtāni kaunteya prakṛtiṁ yānti māmikām*
*kalpa-kṣaye punas tāni kalpādau visṛjāmy aham*

*sarva-bhūtāni*—wszystkie stworzone istoty; *kaunteya*—O synu Kunti; *prakṛtim*—natura; *yānti*—wchodzi; *māmikām*—Moja; *kalpa-kṣaye*—pod koniec milenium; *punaḥ*—ponownie; *tāni*—wszystkie te; *kalpa-ādau*—na początku milenium; *visṛjāmi*—stwarzam; *aham*—Ja.

**O synu Kuntī, pod koniec milenium wszystkie manifestacje materialne wchodzą w Moją naturę, a na początku następnego milenium ponownie je stwarzam poprzez moc Swoją.**

*ZNACZENIE:* Stworzenie, utrzymywanie i unicestwienie tej manifestacji materialnej całkowicie zależy od najwyższej woli Osoby Boga. ”Pod koniec milenium” znaczy z chwilą śmierci Brahmy. Brahmā żyje sto lat, a jeden jego dzień równa się 4 300 000 000 lat ziemskich. Równie długo trwa jego noc. Jego miesiąc składa się z trzydziestu takich dni i nocy, a jego rok z dwunastu miesięcy. Po upływie stu takich lat, kiedy Brahmā umiera, następuje zniszczenie, czyli unicestwienie manifestacji materialnej. Oznacza to, że energia zamanifestowana przez Najwyższego Pana zostaje ponownie pochłonięta przez Niego. Następnie, kiedy zaistnieje potrzeba zamanifestowania świata kosmicznego, dzieje się tak z Jego woli. *Bahu syām*: ”Mimo iż jednym jestem, mogę stać się wieloma.” Jest to wedyjski aforyzm (*Chāndogya Upaniṣad* 6.2.3). Ponownie rozprzestrzenia się On w tej energii materialnej i w ten sposób powstaje nowa manifestacja kosmiczna.

**TEKST 8** प्रकृतिं स्वामवष्टभ्य विसृजामि पुनः पुनः ।
भूतग्राममिमं कृत्स्नमवशं प्रकृतेर्वशात् ॥८॥

*prakṛtiṁ svām avaṣṭabhya visṛjāmi punaḥ punaḥ*
*bhūta-grāmam imaṁ kṛtsnam avaśaṁ prakṛter vaśāt*

*prakṛtim*—natura materialna; *svām*—Mojej własnej Jaźni; *avaṣṭabhya*—wchodząc w; *visṛjāmi*—stwarzam; *punaḥ punaḥ*—ciągle od nowa;

*bhūta-grāmam*—wszystkie te manifestacje kosmiczne; *imam*—te; *kṛt-snam*—cały; *avaśam*—automatycznie; *prakṛteḥ*—poprzez siły natury; *vaśāt*—w zależności od.

**Ode Mnie zależy cały porządek kosmiczny. Z Mojej woli bezustannie manifestują się światy i z Mojej woli ulegają zagładzie.**

*ZNACZENIE:* Ten świat materialny jest manifestacją niższej energii Najwyższej Osoby Boga. Zostało to już kilkakrotnie wytłumaczone. Z chwilą stworzenia Pan wysyła energię materialną, *mahat-tattvę*, w którą następnie wchodzi jako Swoja pierwsza inkarnacja Puruṣa—Mahā-Viṣṇu. Leżąc w Oceanie Przyczyn, wydycha On z Siebie niezliczone ilości wszechświatów i w każdy z tych wszechświatów wchodzi jako Garbhodakaśāyī Viṣṇu. Każdy wszechświat tworzony jest w ten sposób. Następnie manifestuje się On jako Kṣīrodakaśāyī Viṣṇu i w tej postaci przenika wszystko—nawet maleńkie atomy. Fakt ten został wytłumaczony tutaj. Wchodzi On we wszystko.

Z kolei, w ten nowo stworzony wszechświat, w naturę materialną, zostają wszczepione żywe istoty, które w zależności od swoich przeszłych czynów zajmują różne pozycje. W ten sposób rozpoczynają się czynności tego świata materialnego. Różne gatunki żywych istot rozpoczynają swoją aktywność już od momentu stworzenia. Nieprawdą jest, że wszystko podlega rozwojowi. Różne gatunki życia tworzone są razem ze wszechświatem. Równocześnie powstają ludzie, zwierzęta, ptaki—gdyż manifestacja ta odpowiada pragnieniom żywych istot w momencie ostatniego unicestwienia. Wyraźnie powiedziane jest tutaj, przez użycie słowa *avaśam*, że żywe istoty nie mają żadnego wpływu na ten proces. Po prostu ponownie zostaje zamanifestowany stan ich poprzedniego życia z ostatniej manifestacji, a dzieje się tak jedynie dzięki Jego woli. Niepojęta jest moc Pana, Najwyższej Osoby Boga. Po stworzeniu różnych gatunków życia—nie ma On z nimi żadnego związku. Świat manifestuje się w tym celu, aby żywe istoty mogły znaleźć ujście dla swoich skłonności, więc Pan nie staje temu na przeszkodzie.

**TEKST 9** न च मां तानि कर्माणि निबध्नन्ति धनञ्जय ।
उदासीनवदासीनमसक्तं तेषु कर्मसु ॥९॥

*na ca māṁ tāni karmāṇi nibadhnanti dhanañjaya*
*udāsīna-vad āsīnam asaktaṁ teṣu karmasu*

*na*—nigdy; *ca*—również; *mām*—Mnie; *tāni*—wszystkie te; *karmāṇi*—czynności; *nibadhnanti*—związują; *dhanañjaya*—O zdobywco bogactw;

*udāsīna-vat*—jako neutralny; *āsīnam*—usytuowany; *asaktam*—bez przywiązania; *teṣu*—do tych; *karmasu*—czynności.

**Jednak cała ta praca nie może Mnie związać, o Dhanañjayo. Nigdy nie przywiązuję się do tych czynności materialnych i zawsze pozostaję neutralny.**

*ZNACZENIE:* Nie należy myśleć w związku z tym, że Najwyższa Osoba Boga nie ma żadnego zajęcia. Jest On zawsze zajęty w Swoim świecie duchowym. W *Brahma-saṁhicie* (5.6) jest powiedziane, *ātmārāmasya tasyāsti prakṛtyā na samāgamaḥ*: "Zawsze pogrążony jest On w Swoich wiecznych, pełnych szczęścia czynnościach duchowych, nie mając nic wspólnego z czynnościami materialnymi." Czyny materialne spełniane są przez różne Jego moce, natomiast On Sam zawsze pozostaje wobec nich neutralnym. Na neutralność tę wskazuje tutaj słowo *udāsīna-vat*. Mimo iż sprawuje kontrolę nad każdą najmniejszą czynnością materialną, to jednak pozostaje neutralnym. Można tutaj użyć przykładu wysokiego sędziego, który siedzi na swojej ławie. Z jego rozkazu dzieje się tak wiele rzeczy: ktoś jest wieszany, ktoś wtrącony do więzienia, ktoś karany wysoką grzywną, lecz on nadal pozostaje neutralnym. Nie ma on do czynienia z jakimkolwiek zyskiem czy stratą. Podobnie neutralnym jest zawsze Pan, mimo iż ma On Swój udział w każdej sferze działania. *Vedānta-sūtra* (2.1.34) oznajmia, *vaiṣamya-nairghṛṇye na*: iż nie jest On usytuowany w dualizmach tego materialnego świata. Jest On zawsze transcendentalny w stosunku do nich. Nie przywiązuje się też do stwarzania ani unicestwiania tego materialnego świata. Żywe istoty przybierają różne formy w różnych gatunkach życia, odpowiednio do swoich przeszłych czynów, i Pan nie ingeruje w to.

## TEKST 10

मयाध्यक्षेण प्रकृतिः सूयते सचराचरम् ।
हेतुनानेन कौन्तेय जगद् विपरिवर्तते ॥१०॥

*mayādhyakṣeṇa prakṛtiḥ sūyate sa-carācaram*
*hetunānena kaunteya jagad viparivartate*

*mayā*—przeze Mnie; *adhyakṣeṇa*—przez kontrolę; *prakṛtiḥ*—natura materialna; *sūyate*—manifestuje; *sa*—obie; *cara-acaram*—ruchome i nieruchome; *hetunā*—z tego powodu; *anena*—to; *kaunteya*—O synu Kuntī; *jagat*—manifestacja kosmiczna; *viparivartate*—działa.

**Ta materialna natura—będąc jedną z Moich energii—działa pod Moją kontrolą, o synu Kuntī, i ona to stwarza wszelkie ruchome**

**i nieruchome istnienie. Według jej praw ta manifestacja jest tworzona i unicestwiana raz za razem.**

*ZNACZENIE:* Werset ten oznajmia, że Najwyższy Pan, mimo iż pozostający z dala od tego świata materialnego, pozostaje najwyższym jego kontrolerem. Najwyższy Pan jest najwyższą wolą i podstawą tej manifestacji materialnej, lecz rolę kierującą spełnia natura materialna. Kṛṣṇa również mówi w *Bhagavad-gīcie*: "Ja jestem ojcem" wszystkich żywych istot w różnych formach i gatunkach. Ojciec zapładnia łono matki nasieniem, aby dać życie dziecku, i podobnie, Najwyższy Pan jedynie poprzez Swoje spojrzenie zaszczepia wszystkie żywe istoty w łono natury materialnej i pojawiają się one w różnych formach i gatunkach, odpowiednio do swoich ostatnich pragnień i czynów. Wszystkie te żywe istoty, chociaż zrodzone pod spojrzeniem Najwyższego Pana, przyjmują różne ciała odpowiednio do swoich przeszłych czynów i pragnień. Więc Pan nie jest bezpośrednio zaangażowany w stwarzanie materialnego świata. Jedynie rzucając spojrzenie na naturę materialną, ożywia ją i wszystko zostaje natychmiast stworzone. Ponieważ rzuca On Swoje spojrzenie na naturę materialną, jest to niewątpliwie jakieś działanie ze strony Najwyższego Pana, lecz bezpośrednio nie ma On nic wspólnego z manifestacją tego świata materialnego. *Smṛti* podaje następujący przykład: jeśli przed kimś znajduje się pachnący kwiat, osoba ta może dotknąć zapachu kwiatu zmysłem węchu, jednakże to wąchanie i kwiat są czymś oddzielnym. Podobny związek istnieje pomiędzy światem materialnym i Najwyższą Osobą Boga. Nie mając właściwie nic wspólnego z tym światem, stwarza On Swoim spojrzeniem i postanowieniem. Krótko mówiąc, bez nadzoru Najwyższej Osoby Boga natura materialna nie jest sama w stanie zrobić niczego. Jednakże Najwyższa Osoba nie jest przywiązany do żadnych czynności materialnych.

**TEKST 11** अवजानन्ति मां मूढा मानुषीं तनुमाश्रितम् ।
परं भावमजानन्तो मम भूतमहेश्वरम् ॥११॥

***avajānanti māṁ mūḍhā mānuṣīṁ tanum āśritam***
***paraṁ bhāvam ajānanto mama bhūta-maheśvaram***

*avajānanti*—wyśmiewają; *mām*—Mnie; *mūḍhāḥ*—niemądrzy ludzie; *mānuṣīm*—w ludzkiej postaci; *tanum*—ciało; *āśritam*—przyjmuję; *param*—transcendentalny; *bhāvam*—natura; *ajānantaḥ*—nie znając; *mama*—Mojej; *bhūta*—wszystkiego, co istnieje; *maha-īśvaram*—najwyższy właściciel.

**Głupcy wyśmiewają Mnie, kiedy zstępuję w ludzkiej postaci. Nie znają Mojej transcendentalnej natury i nie wiedzą, że jestem Najwyższym Panem wszystkiego, co istnieje.**

*ZNACZENIE:* Z wyjaśnień poprzednich wersetów w tym rozdziale wyraźnie wynika, że Najwyższa Osoba Boga, mimo iż pojawia się jak ludzka istota, nie jest zwykłym człowiekiem. Osoba Boga, który kieruje stworzeniem, utrzymaniem i unicestwieniem tej manifestacji kosmicznej, nie może być ludzką istotą. Jest jednakże wielu niemądrych ludzi, którzy uważają Kṛṣṇę jedynie za potężnego człowieka i nic ponadto. W rzeczywistości jest On oryginalną Najwyższą Osobą, jak potwierdza to *Brahma-saṁhitā* (*īśvaraḥ paramaḥ kṛṣṇaḥ*): On jest Najwyższym Panem.

Jest wiele *īśvar* (kontrolerów), i jeden zdaje się być większym od drugiego. W zwykłym zarządzaniu sprawami tego świata materialnego biorą udział pewni urzędnicy lub kierownicy, ponad nimi są sekretarze, ponad nimi minister, a jeszcze wyżej prezydent. Każdy z nich jest kontrolerem, lecz jedni są kontrolowani przez innych. *Brahma-saṁhitā* oznajmia, że najwyższym kontrolerem jest Kṛṣṇa. Jest niewątpliwie wielu kontrolerów, zarówno w tym świecie materialnym, jak i duchowym, lecz Kṛṣṇa jest najwyższym spośród nich wszystkich (*īśvaraḥ paramaḥ kṛṣṇaḥ*), a ciało Jego jest *sac-cid-ānanda*, niematerialne.

Ciała materialne nie mogą spełniać cudownych czynów opisanych w wersetach poprzednich. Jego ciało jest wieczne, pełne szczęścia i pełne wiedzy. Chociaż nie jest On zwykłym człowiekiem, głupcy wyśmiewają Go i uważają za człowieka. Ciało Jego zostało tutaj nazwane *mānuṣīm*, ponieważ postępuje On tak jak człowiek, przyjaciel Arjuny, polityk zaangażowany w Bitwę na Polu Kurukṣetra. Na tak wiele sposobów postępuje On jak zwykły człowiek, lecz w rzeczywistości ciało Jego jest *sac-cid-ānanda-vigraha*—wiecznym szczęściem i absolutną wiedzą. Potwierdza to również język wedyjski. *Sac-cid-ānanda-rūpāya kṛṣṇāya*: "Ofiarowuję swoje wyrazy szacunku Najwyższej Osobie Boga, Kṛṣṇie, który jest wieczną i pełną szczęścia formą wiedzy." (*Gopāla-tāpanī Upaniṣad* 1.1) Są również inne opisy w języku wedyjskim. *Tam ekaṁ govindam*: "Ty jesteś Govindą, przyjemnością dla krów i zmysłów." *Sac-cid-ānanda-vigraham*: "Twoja wieczna forma jest transcendentalna, pełna wiedzy i szczęścia." (*Gopāla-tāpanī Upaniṣad* 1.35)

Pomimo transcendentalnych jakości ciała Pana Kṛṣṇy, jego pełnej wiedzy i szczęścia, jest wielu tzw. naukowców i komentatorów *Bhagavad-gīty*, którzy wyśmiewają Kṛṣṇę jako zwykłego człowieka. Naukowiec taki mógł narodzić się jako człowiek wyróżniający się, dzięki dobrym uczynkom w swoim poprzednim życiu, lecz przyczyną takiego pojmowania Kṛṣṇy jest ubogi zasób wiedzy. Dlatego jest on nazywany *mūḍha*, gdyż tylko głupcy—nie znając tajemniczych czynności Najwyższego Pana i Jego różnych mocy—uważają Kṛṣṇę za zwykłą ludzką istotę. Nie wiedzą oni, że ciało Kṛṣṇy jest symbolem całkowitej wiedzy i szczęścia, ani nie wiedzą iż On jest właścicielem wszystkiego co istnieje, i że każdego może On obdarzyć wyzwoleniem. Ponieważ nie wiedzą, że ma On tak wiele cech transcendentalnych, wyśmiewają się z Niego.

Nie wiedzą też, że pojawianie się Najwyższej Osoby Boga w tym świecie materialnym jest manifestacją Jego wewnętrznej energii. On jest panem energii materialnej. Tak jak to już zostało wyjaśnione w kilku miejscach (*mama māyā duratyayā*), twierdzi On, że ta energia materialna, chociaż bardzo potężna, znajduje się całkowicie pod Jego kontrolą i spod wpływu jej może uwolnić się tylko ten, kto podporządkowuje się Jemu. Jeśli dusza podporządkowana Kṛṣṇie może uwolnić się spod wpływu energii materialnej, to jak Najwyższy Pan, który kieruje stworzeniem, utrzymywaniem i unicestwieniem całej natury kosmicznej, mógłby mieć ciało materialne podobne do naszych? Taka koncepcja Kṛṣṇy jest całkowitą głupotą. Jednakże niemądre osoby nie mogą zrozumieć tego, że Osoba Boga, Kṛṣṇa, pojawiający się tak jak zwykły człowiek, może być kontrolerem wszystkich atomów i potężnej manifestacji formy kosmicznej. Największe i najmniejsze przekracza ich wyobrażenie, więc nie mogą pojąć, że postać podobna ludzkiej istocie może jednocześnie kontrolować coś nieskończenie dużego i nieskończenie małego. W rzeczywistości, mimo iż kontroluje On skończone i nieskończone, znajduje się On z dala od wszystkich tych manifestacji. Jak oznajmiono wcześniej, jest to możliwe dzięki Jego *yogam aiśvaram*, niepojętej mocy transcendentalnej. Chociaż niemądrzy ludzie nie potrafią sobie wyobrazić, w jaki sposób Kṛṣṇa, który pojawia się tak jak ludzka istota, może kontrolować coś nieskończenie dużego i nieskończenie małego; to czyści wielbiciele przyjmują to bez zastrzeżeń, gdyż wiedzą, że Kṛṣṇa jest Najwyższą Osobą Boga. Dlatego całkowicie podporządkowują się Jemu i angażują się w świadomość Kṛṣṇy, w służbę oddania dla Pana.

Jest wiele kontrowersji pomiędzy impersonalistami i personalistami, jeśli chodzi o pojawianie się Pana w ludzkiej postaci. Jeśli jednak skonsultujemy się z *Bhagavad-gītą* i *Śrīmad-Bhāgavatam*, autoryzowanymi tekstami dla zrozumienia nauki o Kṛṣṇie, wtedy dowiemy się, że Kṛṣṇa jest Najwyższą Osobą Boga. Nie jest On zwykłym człowiekiem, mimo iż pojawił się na tej Ziemi jak zwykła ludzka istota. W Pierwszym Rozdziale Pierwszego Canto *Śrīmad-Bhāgavatam*, gdzie mędrcy zapytują o czyny Kṛṣṇy, mówią oni:

*kṛtavān kila karmāṇi saha rāmeṇa keśavaḥ*
*ati-martyāni bhagavān gūḍhaḥ kapaṭa-māṇuṣaḥ*

"Pan Śrī Kṛṣṇa, Najwyższa Osoba Boga, razem z Balarāmą, grał rolę ludzkiej istoty, i tak zamaskowany, dokonał wielu nadludzkich czynów." (*Bhāg.* 1.1.20) Pojawianie się Pana w postaci człowieka zwodzi głupców. Żadna ludzka istota nie byłaby w stanie dokonać tak wspaniałych czynów, jakich dokonał Kṛṣṇa będąc obecnym na tej Ziemi. Kiedy Kṛṣṇa pojawił się przed Swoimi rodzicami, Vāsudevą i Devakī, pojawił się najpierw w postaci czterorękiej i dopiero na prośbę rodziców przemienił się w zwykłe dziecko. Jak oznajmia *Bhāgavatam* (10.3.46), *babhūva prākṛtaḥ śiśuḥ*: upodobnił się do zwykłego dziecka, zwykłej ludzkiej istoty. Tutaj również jest powiedziane, że Jego pojawianie się w postaci zwykłej ludzkiej istoty jest jedną z cech Jego transcendentalnego ciała. Również w Jedenastym Rozdziale *Bhagavad-gīty* jest powiedziane: *tenaiva rūpeṇa catur-bhujena*. Arjuna modlił się do Kṛṣṇy, aby Ten ponownie ukazał mu Swoją postać czteroręką. Po objawieniu tej formy, Kṛṣṇa, na prośbę Arjuny, z powrotem przyjął Swoją oryginalną, podobną formie ludzkiej postać (*mānuṣaṁ rūpam*). Wszystkie te różne cechy i postacie Najwyższego Pana z pewnością nie są właściwe dla zwykłej, ludzkiej istoty.

Niektórzy z tych, którzy wyśmiewają Kṛṣṇę—ci, którzy znajdują się pod wpływem filozofii Māyāvādī—cytują następujący werset ze *Śrīmad-Bhāgavatam* (3.29.21), *ahaṁ sarveṣu bhūteṣu bhūtātmāvasthitaḥ sadā*: "Najwyższy obecny jest w każdej żywej istocie", mający według nich dowodzić, że Kṛṣṇa jest jedynie zwykłym człowiekiem. Zamiast zajmować się interpretacjami osób wyśmiewających Kṛṣṇę, powinniśmy raczej zwrócić uwagę na tłumaczenie tego szczególnego wersetu przez *ācāryów* ze szkoły Vaiṣṇava, takich jak Jīva Gosvāmī i Viśvanātha Cakravartī Ṭhākura. Komentując ten werset Jīva Gosvāmī mówi, że Kṛṣṇa w Swojej pełnej, kompletnej ekspansji jako Paramātmā, czyli jako Dusza Najwyższa, obecny jest zarówno w istotach poruszających się, jak i nieruchomych. Dlatego każdy początkujący wielbiciel, który jedynie zwraca uwagę na *arcā-mūrti*, formę Najwyższego Pana w świątyni, a nie oddaje szacunku innym żywym istotom, nie odnosi żadnej korzyści z wielbienia formy Pana w świątyni. Są trzy rodzaje wielbicieli Pana i spośród nich wielbiciel początkujący (neofita w świadomości Kṛṣṇy) znajduje się na najniższym etapie. Początkujący wielbiciel zwraca większą uwagę na Bóstwa w świątyni, niż na innych wielbicieli, więc Viśvanātha Cakravartī Ṭhākura ostrzega, że należy skorygować ten rodzaj mentalności. Wielbiciel powinien zrozumieć, że Kṛṣṇa, jako Paramātmā, obecny jest w sercu każdego; zatem każde ciało jest uosobieniem świątyni Pana. Więc tak jak oddaje się szacunek świątyni Pana, podobnie należy we właściwy sposób oddawać szacunek każdemu ciału, w którym przebywa Paramātmā. Każdemu ciału należy oddawać właściwy szacunek i nie należy nikogo lekceważyć.

Jest również wielu impersonalistów, którzy wyśmiewają kult świątynny. Mówią, że skoro Bóg jest wszędzie, dlaczego ktoś ogranicza się do czczenia Go w świątyni? Ale jeśli Bóg jest wszędzie, czyż nie ma Go w świątyni albo w Bóstwie? Chociaż wyznawcy Boga osobowego i impersonaliści będą ciągle walczyć ze sobą, doskonały wielbiciel w świadomości Kṛṣṇy wie, że mimo iż Kṛṣṇa jest Najwyższą Osobą, jest On wszechprzenikający, jak potwierdza to *Brahma-saṁhitā*. Chociaż Jego osobistą siedzibą jest Goloka Vṛndāvana, gdzie zawsze przebywa, to jednak poprzez różne manifestacje Swoich energii i poprzez Swoje pełne ekspansje jest On obecny wszędzie, we wszystkich częściach stworzenia materialnego i duchowego.

**TEKST 12** मोघाशा मोघकर्माणो मोघज्ञाना विचेतसः ।
राक्षसीमासुरीं चैव प्रकृतिं मोहिनीं श्रिताः ॥१२॥

*moghāśā mogha-karmāṇo mogha-jñānā vicetasaḥ*
*rākṣasīm āsurīṁ caiva prakṛtiṁ mohinīṁ śritāḥ*

*mogha-āśāḥ*—zawiedzeni w swoich nadziejach; *mogha-karmāṇaḥ*—nie odnoszący sukcesu w pracy dla korzyści; *mogha-jñānāḥ*—zawiedzeni w wiedzy; *vicetasaḥ*—zdezorientowani; *rākṣasīm*—demoniczne; *āsurīm*—ateistyczne; *ca*—i; *eva*—z pewnością; *prakṛtim*—natura; *mohinīm*—dezorientujący; *śritāḥ*—przyjmując schronienie.

**Zdezorientowani w ten sposób, przyciągani są przez różnego rodzaju demoniczne i ateistyczne poglądy. Z powodu tej ułudy, zawodzą wszelkie ich nadzieje na wyzwolenie, a ich działania dla zysku i kultywowanie wiedzy wszystkie kończą się fiaskiem.**

*ZNACZENIE:* Jest wielu wielbicieli, którzy stwarzają pozory, że są w świadomości Kṛṣṇy i pełnią służbę oddania, lecz w swoim sercu nie uważają Najwyższej Osoby Boga, Kṛṣṇy, za Prawdę Absolutną. Takie osoby nigdy nie skosztują owocu służby oddania, którym jest powrót do Boga. Podobnie ci, którzy angażują się w przynoszące korzyści pobożne czyny, w nadziei wyzwolenia się z niewoli materialnej, również nigdy nie odniosą sukcesu, jeśli wyśmiewają Najwyższą Osobę Boga, Kṛṣṇę. Innymi słowy, osoby które kpią z Kṛṣṇy, wszystkie są demonami albo ateistami. Siódmy Rozdział *Bhagavad-gīty* mówi, że tacy niegodziwcy o naturze demonów nigdy nie podporządkowują się Kṛṣṇie. Dlatego ich umysłowe spekulacje dla osiągnięcia Prawdy Absolutnej doprowadzają ich do fałszywego wniosku, że zwykła żywa istota i Kṛṣṇa są jednym i tym samym. Posiadając takie fałszywe przekonania, myślą, iż ciało każdej ludzkiej istoty przykryte jest jedynie naturą materialną, lecz skoro tylko ktoś wyzwala się z tego ciała materialnego, różnice pomiędzy nim samym a Bogiem przestają istnieć. Z powodu takiej ułudy udaremnione zostają ich próby stania się jednym z Kṛṣṇą. Kultywowanie wiedzy duchowej przez ateistów i demony jest zawsze bezowocne. Takie jest znaczenie tego wersetu. Osoby takie na próżno kultywują wiedzę wedyjską zawartą w *Vedānta-sūtrze* i *Upaniṣadach*.

Uważanie Kṛṣṇy, Najwyższej Osoby Boga, za zwykłego człowieka jest wielką obrazą. Ci, którzy to czynią, na pewno są pod wpływem ułudy i dlatego nie mogą zrozumieć wiecznej formy Kṛṣṇy. *Bṛhad-viṣṇu-smṛti* mówi wyraźnie:

*yo vetti bhautikaṁ dehaṁ kṛṣṇasya paramātmanaḥ*
*sa sarvasmād bahiṣ-kāryaḥ śrauta-smārta-vidhānataḥ*
*mukhaṁ tasyāvalokyāpi sa-celaṁ snānam ācaret*

"Kto uważa ciało Kṛṣṇy za materialne, ten powinien być wyłączony ze wszystkich rytuałów i czynności *śruti* i *smṛti*. A jeśli ktoś przypadkiem zobaczy twarz takiej osoby, powinien natychmiast wykąpać się w Gangesie, aby uwolnić się od zanieczyszczenia. Ludzie drwią z Kṛṣṇy, ponieważ zazdrośni są o Najwyższą Osobę Boga. Ich przeznaczeniem są z pewnością powtarzające się narodziny w gatunkach demonicznego i ateistycznego życia. Wiedza ich wiecznie przykryta będzie ułudą i stopniowo cofną się oni w najciemniejsze regiony stworzenia."

**TEKST 13** महात्मानस्तु मां पार्थ दैवीं प्रकृतिमाश्रिताः ।
भजन्त्यनन्यमनसो ज्ञात्वा भूतादिमव्ययम् ॥१३॥

*mahātmānas tu māṁ pārtha daivīṁ prakṛtim āśritāḥ*
*bhajanty ananya-manaso jñātvā bhūtādim avyayam*

*mahā-ātmānaḥ*—wielkie dusze; *tu*—ale; *mām*—Mnie; *pārtha*—O synu Pṛthy; *daivīm*—boska; *prakṛtim*—natura; *āśritāḥ*—przyjąwszy schronienie; *bhajanti*—pełnią służbę; *ananya-manasaḥ*—z niezachwianym umysłem; *jñātvā*—wiedząc; *bhūta*—stworzenia; *ādim*—pierwotny; *avyayam*—niewyczerpany.

**O synu Pṛthy, wielkie, nie ulegające złudzeniu dusze chronione są przez boską naturę. Znając Mnie jako Najwyższą Osobę Boga, pierwotnego i nieograniczonego, całkowicie angażują się w służbę oddania.**

*ZNACZENIE:* Werset ten wyraźnie określa *mahātmę*. Pierwszą charakterystyczną cechą *mahātmy* jest to, że już usytuowany jest on w boskiej naturze. Nie podlega kontroli natury materialnej. W jaki sposób to osiąga? Tłumaczy to Rozdział Siódmy: kto podporządkowuje się Najwyższej Osobie Boga, Śrī Kṛṣṇie, od razu uwalnia się spod kontroli natury materialnej. Taki jest warunek. Spod kontroli natury materialnej można uwolnić się jedynie poprzez podporządkowanie swojej duszy Najwyższej Osobie Boga. Taka jest wstępna recepta. Skoro tylko żywa istota, będąca marginalną energią Pana, uwalnia się spod kontroli natury materialnej, zaczyna podlegać kierownictwu natury duchowej. To przewodnictwo natury duchowej nazywa się *daivī prakṛti*, naturą boską. Więc jeśli ktoś zostaje w ten sposób promowany—przez podporządkowanie się Najwyższej Osobie Boga—zostaje on wielką duszą, *mahātmą*.

*Mahātmā* nie poświęca swojej uwagi niczemu poza Kṛṣṇą, jako że wie on doskonale, że Kṛṣṇa jest oryginalną Najwyższą Osobą, przyczyną wszystkich przyczyn. Nie ma co do tego żadnych wątpliwości. Taki *mahātmā*, czyli wielka dusza, rozwija się przez obcowanie z innymi *mahātmāmi*, czystymi wielbicielami. Czystych wielbicieli nie przyciągają nawet inne formy Kṛṣṇy, takie jak np. czteroramienny Mahā-Viṣṇu. Przyciągani są jedynie do dwurękiej postaci Kṛṣṇy. Nie interesują ich inne postacie Kṛṣṇy ani żadna forma półboga czy istoty ludzkiej. Medytują jedynie o Kṛṣṇie, w świadomości Kṛṣṇy. W tejże świadomości zawsze pełnią służbę oddania dla Pana, od której nic nie jest w stanie ich odciągnąć.

### TEKST 14

सततं कीर्तयन्तो मां यतन्तश्च दृढव्रताः ।
नमस्यन्तश्च मां भक्त्या नित्ययुक्ता उपासते ॥१४॥

*satataṁ kīrtayanto māṁ yatantaś ca dṛḍha-vratāḥ*
*namasyantaś ca māṁ bhaktyā nitya-yuktā upāsate*

*satatam*—zawsze; *kīrtayantaḥ*—intonując; *mām*—o Mnie; *yatantaḥ*—czyniąc zdecydowany wysiłek; *ca*—również; *dṛḍha-vratāḥ*—z determinacją; *namasyantaḥ*—ofiarowując wyrazy szacunku; *ca*—i; *mām*—Mnie; *bhaktyā*—w oddaniu; *nitya-yuktāḥ*—zawsze zaangażowani; *upāsate*—wielbią.

**Zawsze intonując o Moich chwałach, czyniąc zdecydowany wysiłek, składając Mi pokłony, wielkie dusze nieprzerwanie czczą Mnie z oddaniem.**

*ZNACZENIE:* Nie można wyprodukować *mahātmy* przez naznaczenie pieczęcią zwykłego człowieka. Jego cechy zostały opisane tutaj: *mahātmā* zawsze zajęty jest gloryfikowaniem Najwyższego Pana

Kṛṣṇy, Osoby Boga. Nie jest zainteresowany niczym innym. Całkowicie oddaje się głoszeniu chwały Pana. Innymi słowy, nie jest on impersonalistą. Jeśli jest mowa o gloryfikacji, to gloryfikacja ta dotyczy Najwyższego Pana, Jego świętego imienia, Jego wiecznej formy, Jego transcendentalnych cech i Jego niezwykłych rozrywek. Należy gloryfikować wszystkie te rzeczy. Zatem *mahātmā* przywiązany jest do Najwyższej Osoby Boga.

*Bhagavad-gītā* nie określa mianem *mahātmy* tego, kto przywiązany jest do bezosobowej cechy Najwyższego Pana, *brahmajyoti*. Jest on opisany w inny sposób w następnym wersecie. *Mahātmā* zawsze zaangażowany jest w różne czynności służby oddania opisane w *Śrīmad-Bhāgavatam*, takie jak słuchanie i intonowanie o Viṣṇu, a nie o jakimś półbogu czy istocie ludzkiej. Jest to oddanie: *śravaṇaṁ, kīrtanaṁ viṣṇoḥ* i *smaraṇam*, pamiętanie Go. Taki *mahātmā* posiada wielkie zdecydowanie, aby ostatecznie osiągnąć towarzystwo Najwyższego Pana w jednej z pięciu transcendentalnych *ras*. Aby osiągnąć ten sukces, angażuje on wszelkie czyny: umysłowe, cielesne i wokalne, wszystko—w służbę dla Najwyższego Pana, Śrī Kṛṣṇy. To nazywane jest pełną świadomością Kṛṣṇy.

Są pewne czynności w służbie oddania, np. takie jak poszczenie w pewnych dniach (między innymi w jedenastym dniu po nowiu, czyli w Ekādaśī; w dzień pojawienia się Pana itd.), które nazywane są postanowieniami. Wszystkie te zasady i przepisy zostały ustanowione przez wielkich *ācāryów* dla tych, którzy są prawdziwie zainteresowani osiągnięciem towarzystwa Boga w świecie transcendentalnym. *Mahātmowie*, czyli wielkie dusze, ściśle przestrzegają tych praw i przepisów, i dlatego na pewno osiągną pożądany rezultat.

Jak opisano to w drugim wersecie tego rozdziału, służba oddania nie tylko jest łatwa, ale można ją spełniać w radosnym nastroju. Nie trzeba odbywać żadnych srogich pokut ani też czynić surowych wyrzeczeń. Bez względu na to, czy ktoś jest w małżeństwie, czy jest *sannyāsīnem*, czy *brahmacārīnem*, każdy może—pod kierunkiem doświadczonego mistrza duchowego—uczynić swoje życie służbą oddania. Służbę oddania dla Najwyższej Osoby Boga można pełnić wszędzie: w jakichkolwiek warunkach i w jakiejkolwiek życiowej pozycji—w ten sposób można stać się prawdziwym *mahātmą*—wielką duszą.

**TEKST 15** ज्ञानयज्ञेन चाप्यन्ये यजन्तो मामुपासते ।
एकत्वेन पृथक्त्वेन बहुधा विश्वतोमुखम् ॥१५॥

*jñāna-yajñena cāpy anye yajanto mām upāsate*
*ekatvena pṛthaktvena bahudhā viśvato-mukham*

*jñāna-yajñena*—przez kultywację wiedzy; *ca*—również; *api*—z pewnością; *anye*—inni; *yajantaḥ*—poświęcając; *mām*—Mnie; *upāsate*—wielbią; *ekatvena*—w jedności; *pṛthaktvena*—w dualizmach; *bahudhā*—w różnorodności; *viśvataḥ-mukham*—i w formie kosmicznej.

**Inni, którzy pełnią ofiarę przez kultywowanie wiedzy, czczą Najwyższego Pana jako jednego bez wtórego, różnego w wielu, i w formie kosmicznej.**

*ZNACZENIE:* Werset ten jest podsumowaniem wersetów poprzednich. Pan mówi Arjunie, że ci, którzy posiadają czystą świadomość Kṛṣṇy i nie znają niczego poza Kṛṣṇą, nazywani są *mahātmāmi*. Są też inne osoby, które nie zajmują takiej samej pozycji jak *mahātmowie*, ale które również na różne sposoby czczą Kṛṣṇę. Niektórzy z nich zostali już określeni jako będący w niedoli, cierpiący nędzę, nękani ciekawością i ci, którzy zajmują się kultywowaniem wiedzy. Są jeszcze inni, zajmujący jeszcze niższe pozycje, i tych można podzielić na trzy grupy: (1) tych, którzy czczą siebie samych jako równych Najwyższemu Panu, (2) tych, którzy wymyślają jakąś formę Najwyższego Pana i oddają jej cześć, (3) i tych, którzy uznają i wielbią Pana w Jego formie kosmicznej, czyli *viśva-rūpa*. Spośród tych trzech wyżej wymienionych rodzajów ludzi, najbardziej liczną grupę stanowią najniżej usytuowani, czyli ci, którzy czczą samych siebie jako Najwyższego Pana, uważając się za monistów. Myśląc, iż sami są Najwyższym Panem, samym sobie oddają cześć. Jest to również pewien rodzaj wielbienia Boga, gdyż rozumieją oni, że w rzeczywistości są duszą, a nie tym materialnym ciałem. Przynajmniej takie rozumienie jest dominujące. Na ogół w ten sposób czczą Boga impersonaliści. Do klasy drugiej należy zaliczyć czcicieli półbogów, tych, którzy w swoim wyobrażeniu każdą formę uważają za formę Najwyższego Pana. A do trzeciej klasy należą ci, którzy nie mogą pojąć niczego poza manifestacją tego materialnego wszechświata. Uważając wszechświat za ogromny organizm czy istotę, jemu oddają cześć. Wszechświat jest również formą Pana.

**TEKST 16** अहं क्रतुरहं यज्ञः स्वधाहमहमौषधम् ।
मन्त्रोऽहमहमेवाज्यमहमग्निरहं हुतम् ॥१६॥

*ahaṁ kratur ahaṁ yajñaḥ svadhāham aham auṣadham*
*mantro 'ham aham evājyam aham agnir ahaṁ hutam*

*aham*—Ja; *kratuḥ*—rytuał wedyjski; *aham*—Ja; *yajñaḥ*—ofiara *smṛti*; *svadhā*—oblacja; *aham*—Ja; *aham*—Ja; *auṣadham*—zioło lecznicze; *mantraḥ*—transcendentalny śpiew; *aham*—Ja; *aham*—Ja; *eva*—na pewno; *ājyam*—stopione masło; *aham*—Ja; *agniḥ*—ogień; *aham*—Ja; *hutam*—ofiara.

**Ale to Ja jestem rytuałem, poświęceniem, ofiarą dla przodków, ziołem leczniczym i transcendentalnym śpiewem. Ja jestem masłem, ogniem i ofiarą.**

*ZNACZENIE:* Kṛṣṇa jest również ofiarą wedyjską znaną jako *jyotiṣṭoma* i On jest również *mahā-yajñą*, o której mówi *smṛti*. Oblacje dla Pitṛloki albo ofiary dla zadowolenia Pitṛloki, uważane za rodzaj leku w postaci oczyszczonego masła, są również Kṛṣṇą. Kṛṣṇą są również *mantry* śpiewane przy tej okazji, jak również wszelkie artykuły zrobione z produktów mlecznych w celu ofiarowania. Kṛṣṇą jest też ogień, który jest jednym z pięciu elementów materialnych i dlatego uważany jest za oddzielną energię Kṛṣṇy. Innymi słowy, ofiary wedyjskie polecane w części *Ved* zwanej *karma-kāṇḍa* są w całości również Kṛṣṇą. Należy zatem rozumieć, że ci, którzy zaangażowani są w służbę oddania dla Kṛṣṇy, spełnili wszystkie ofiary polecane w *Vedach*.

**TEKST 17** पिताहमस्य जगतो माता धाता पितामहः ।
वेद्यं पवित्रम् ॐकार ऋक् साम यजुरेव च ॥१७॥

*pitāham asya jagato mātā dhātā pitāmahaḥ*
*vedyaṁ pavitram oṁkāra ṛk sāma yajur eva ca*

*pitā*—ojciec; *aham*—Ja; *asya*—tego; *jagataḥ*—wszechświat; *mātā*—matka; *dhātā*—ostoja; *pitāmahaḥ*—dziadek; *vedyam*—to, co jest do poznania; *pavitram*—to, co oczyszcza; *oṁ-kāra*—sylaba *oṁ*; *ṛk*—*Ṛg Veda; sāma*—*Sāma Veda; yajuḥ*—*Yajur Veda; eva*—z pewnością; *ca*—i.

**Ja jestem ojcem tego wszechświata, matką, ostoją, żywicielem, przodkiem. Ja jestem przedmiotem wiedzy, tym, który oczyszcza i sylabą oṁ. Ja także jestem Ṛg, Sāma i Yajur Vedą.**

*ZNACZENIE:* Cała manifestacja kosmiczna, poruszająca się i nieruchoma, manifestuje się poprzez różne oddziaływania energii Kṛṣṇy. W życiu materialnym tworzymy różne związki z różnymi żywymi istotami, które nie są niczym innym, jak tylko marginalną energią Kṛṣṇy, ale w tworzeniu *prakṛti* niektóre z nich zdają się być naszym ojcem, matką, dziadkiem, stwórcą itd. W rzeczywistości jednak są one wszystkie integralnymi cząstkami Kṛṣṇy. I jako takie, te żywe istoty, zdające się być naszym ojcem, matką itd., nie są niczym innym, tylko Kṛṣṇą. W tym wersecie słowo *dhātā* oznacza "stwórcę". Nie tylko nasz ojciec i matka są cząstkami Kṛṣṇy, lecz także stwórca, dziadek i babka itd. są Kṛṣṇą. Właściwie każda żywa istota, będąc integralną cząstką Kṛṣṇy—jest Kṛṣṇą. Zatem wszystkie *Vedy* kierują nas jedynie ku Kṛṣṇie. Każda wiedza, którą czerpiemy z *Ved*, jest jedynie krokiem w kierunku poznania Kṛṣṇy. Kṛṣṇą są szczególnie wszystkie te tematy, które pozwalają nam oczyścić naszą konstytucjonalną pozycję. Podobnie, żywa istota, która zgłębia zasady wedyjskie, jest również integralną cząstką Kṛṣṇy, a zatem też jest Kṛṣṇą. Słowo *oṁ*, nazywane *praṇava* i występujące we wszystkich *mantrach* wedyjskich, jest transcendentalną wibracją dźwiękową i również jest Kṛṣṇą. Występuje ono we wszystkich hymnach zawartych w czterech *Vedach: Sāma, Yajur, Ṛg* i *Atharva*, gdzie jest sylabą dominującą, dlatego więc uważane jest za Kṛṣṇę.

**TEKST 18** गतिर्भर्ता प्रभुः साक्षी निवासः शरणं सुहृत् ।
प्रभवः प्रलयः स्थानं निधानं बीजमव्ययम् ॥१८॥

*gatir bhartā prabhuḥ sākṣī nivāsaḥ śaraṇaṁ suhṛt*
*prabhavaḥ pralayaḥ sthānaṁ nidhānaṁ bījam avyayam*

*gatiḥ*—cel; *bhartā*—żywiciel; *prabhuḥ*—Pan; *sākṣī*—świadek; *nivāsaḥ*—siedziba; *śaraṇam*—schronienie; *su-hṛt*—najbliższy przyjaciel; *prabhavaḥ*—stworzenie; *pralayaḥ*—unicestwienie; *sthānam*—podstawa; *nidhānam*—miejsce spoczynku; *bījam*—nasienie; *avyayam*—niezniszczalne.

**Ja jestem celem, żywicielem, panem, świadkiem, siedzibą, schronieniem i najdroższym przyjacielem. Ja jestem stworzeniem i unicestwieniem, podstawą wszystkiego, miejscem spoczynku i wiecznym nasieniem.**

*ZNACZENIE: Gati* oznacza cel podróży, miejsce, gdzie chcemy się udać. Celem ostatecznym jest Kṛṣṇa, mimo iż ludzie nie wiedzą o tym. Kto nie zna Kṛṣṇy, ten błądzi i jego tzw. postęp jest albo częściowy, albo wyimaginowany. Jest wiele osób, które za swój cel uważają innych półbogów i przez ścisłe stosowanie się do odpowiednich metod osiągają różne planety, takie jak Candraloka, Sūryaloka, Indraloka, Maharloka itd. Lecz wszystkie takie *loki*, czyli planety, będąc stworzonymi przez Kṛṣṇę, jednocześnie są Kṛṣṇą i nie są Kṛṣṇą. Są Kṛṣṇą, ponieważ są manifestacjami energii Kṛṣṇy, ale w rzeczywistości są one jedynie krokiem w kierunku realizacji Kṛṣṇy. Zbliżanie się do różnych energii Kṛṣṇy jest pośrednim zbliżaniem się do Kṛṣṇy. Należy jednak zbliżyć się do Kṛṣṇy bezpośrednio, to zaoszczędzi czasu i energii. Jeśli jest możliwość dostania się na szczyt budynku za pomocą windy, dlaczego wspinać się schodami? Energia Kṛṣṇy jest podstawą wszystkiego i nic nie może istnieć poza schronieniem Kṛṣṇą. Kṛṣṇa jest najwyższym władcą, ponieważ wszystko należy do Niego i wszystko opiera się na Jego energii. Będąc obecnym w sercu każdej żywej istoty, jest On też najwyższym świadkiem. Nasze miejsce pobytu, kraje czy planety, na których żyjemy, są również Kṛṣṇą. Kṛṣṇa jest ostatecznym celem i schronieniem i dlatego powinniśmy przyjąć schronienie w Nim, czy to dla ochrony, czy w celu uwolnienia się z naszych niedoli. Kiedykolwiek przyjdzie nam przyjąć jakieś schronienie, powinniśmy pamiętać, że tym schronieniem ma być siła żywotna. Kṛṣṇa jest najwyższą żywą istotą. Ponieważ Kṛṣṇa jest źródłem naszej generacji, czyli najwyższym ojcem, nikt nie może być lepszym od Niego przyjacielem ani też nikt nie może nam lepiej życzyć niż On. Kṛṣṇa jest oryginalnym źródłem stworzenia i Jego ostatecznym spoczynkiem po unicestwieniu tego świata. Kṛṣṇa jest zatem wieczną przyczyną wszystkich przyczyn.

**TEKST 19** तपाम्यहमहं वर्षं निगृह्णाम्युत्सृजामि च ।
अमृतं चैव मृत्युश्च सदसच्चाहमर्जुन ॥१९॥

*tapāmy aham ahaṁ varṣaṁ nigṛhṇāmy utsṛjāmi ca*
*amṛtaṁ caiva mṛtyuś ca sad asac cāham arjuna*

*tapāmi*—dostarczać ciepła; *aham*—Ja; *aham*—Ja; *varṣam*—deszcz; *nigṛhṇāmi*—powstrzymuję; *utsṛjāmi*—wysyłam; *ca*—i; *amṛtam*—nieśmiertelność; *ca*—i; *eva*—z pewnością; *mṛtyuḥ*—śmierć; *ca*—i; *sat*—duch; *asat*—materia; *ca*—i; *aham*—Ja; *arjuna*—O Arjuno.

**Ja dostarczam ciepła, wysyłam i powstrzymuję deszcz, o Arjuno. Ja jestem nieśmiertelnością i Ja jestem uosobieniem śmierci. Zarówno duch, jak i materia są we Mnie.**

*ZNACZENIE:* Kṛṣṇa, poprzez Swoje różne energie, rozprzestrzenia ciepło i światło za pośrednictwem elektryczności i słońca. W czasie sezonu letniego Kṛṣṇa jest tym, który wstrzymuje deszcz, a następnie, podczas sezonu deszczowego, zsyła z nieba nieprzerwane strumienie deszczu. Kṛṣṇa jest energią, która utrzymuje nas—przedłużając nasze życie, i z Kṛṣṇą—w postaci śmierci, spotykamy się pod koniec życia. Przez analizowanie tych różnych energii Kṛṣṇy można upewnić się, że dla Kṛṣṇy nie ma różnicy pomiędzy duchem i materią, czyli innymi słowy, jest On zarówno duchem, jak i materią. Jeśli zatem ktoś jest zaawansowany w świadomości Kṛṣṇy, również nie czyni on takich rozróżnień. We wszystkim widzi on jedynie Kṛṣṇę.

Ponieważ Kṛṣṇa jest zarówno duchem, jak i materią, to potężna forma kosmiczna zawierająca wszystkie manifestacje materialne jest również Kṛṣṇą, a Jego rozrywki we Vṛndāvanie—jako dwurękiego Śyāmasundary grającego na flecie—są rozrywkami Najwyższej Osoby Boga.

**TEKST 20**

त्रैविद्या मां सोमपाः पूतपापा
यज्ञैरिष्ट्वा स्वर्गतिं प्रार्थयन्ते ।
ते पुण्यमासाद्य सुरेन्द्रलोकम्
अश्नन्ति दिव्यान् दिवि देवभोगान् ॥२०॥

*trai-vidyā māṁ soma-pāḥ pūta-pāpā*
*yajñair iṣṭvā svar-gatiṁ prārthayante*
*te puṇyam āsādya surendra-lokam*
*aśnanti divyān divi deva-bhogān*

*trai-vidyāḥ*—znawcy trzech *Ved; mām*—Mnie; *soma-pāḥ*—pijący napój *soma; pūta*—oczyszczenie; *pāpāḥ*—z grzechów; *yajñaiḥ*—ofiarami; *iṣṭvā*—oddając cześć; *svaḥ-gatim*—przejście do nieba; *prārthayante*—modlą się o; *te*—oni; *puṇyam*—pobożni; *āsādya*—osiągając; *sura-indra*—Indry; *lokam*—świat; *aśnanti*—radują się; *divyān*—niebiański; *divi*—w niebie; *deva-bhogān*—przyjemności półbogów.

**Ci, którzy pragnąc planet niebiańskich, studiują Vedy i piją napój soma, pośrednio oddają Mi cześć. Oczyszczeni z reakcji swoich grzechów, rodzą się na pobożnej, niebiańskiej planecie Indry, radując się tam boskim szczęściem.**

*ZNACZENIE:* Słowo *trai-vidyāḥ* odnosi się do trzech *Ved*: *Sāma, Yajur* i *Ṛg*. Bramin, który przestudiował te trzy *Vedy*, nazywany jest *tri-vedī*. Każdy, kto jest bardzo przywiązany do wiedzy uzyskanej ze studiowania tych *Ved*, cieszy się szacunkiem społecznym. Na nieszczęście, jest wielu wielkich naukowców studiujących *Vedy*, którzy nie znają ostatecznego celu tych studiów. Dlatego Kṛṣṇa oznajmia tutaj, że to właśnie On jest ostatecznym celem dla *tri-vedī*. Prawdziwy *tri-vedī* przyjmuje schronienie lotosowych stóp Pana i angażuje się w czystą służbę oddania dla zadowolenia Pana. Służba oddania zaczyna się wraz z intonowaniem Hare Kṛṣṇa i jednoczesnymi próbami prawdziwego poznania Kṛṣṇy. Na nieszczęście ci, którzy są jedynie formalnymi studentami *Ved*, interesują się bardziej pełnieniem ofiar dla różnych półbogów, takich jak Indra, Candra itd. Dzięki takim wysiłkom czciciele różnych półbogów na pewno uwalniają się od zanieczyszczeń niższymi cechami natury i uzyskują promocję na wyższe systemy planetarne, czyli planety niebiańskie, takie jak Maharloka, Janoloka, Tapoloka itd. Kto osiąga te wyższe systemy planetarne, ten może zadowalać tam swoje zmysły setki tysięcy razy lepiej niż na tej planecie.

TEKST 21

ते तं भुक्त्वा स्वर्गलोकं विशालं
क्षीणे पुण्ये मर्त्यलोकं विशन्ति ।
एवं त्रयीधर्ममनुप्रपन्ना
गतागतं कामकामा लभन्ते ॥२१॥

*te taṁ bhuktvā svarga-lokaṁ viśālaṁ*
*kṣīṇe puṇye martya-lokaṁ viśanti*
*evaṁ trayī-dharmam anuprapannā*
*gatāgataṁ kāma-kāmā labhante*

*te*—oni; *tam*—to; *bhuktvā*—radując się; *svarga-lokam*—niebo; *viśālam*—niezmierzone; *kṣīṇe*—wyczerpawszy się; *puṇye*—rezultaty ich pobożnych czynności; *martya-lokam*—na śmiertelną ziemię; *viśanti*—upadają; *evam*—w ten sposób; *trayī*—trzech *Ved; dharmam*—zasady; *anuprapannāḥ*—przestrzegając; *gata-āgatam*—śmierć i narodziny; *kāma-kāmāḥ*—pragnąc uciech zmysłowych; *labhante*—osiągają.

**Kiedy już doświadczą ogromu niebiańskich radości zmysłowych, a rezultaty ich pobożnych czynności zostaną wyczerpane, wówczas ponownie powracają na tę śmiertelną planetę. Tak więc ci, którzy poszukują radości zmysłowych przez przestrzeganie zasad trzech Ved, osiągają jedynie powtarzające się narodziny i śmierć.**

*ZNACZENIE:* Kto otrzymuje promocję na wyższe systemy planetarne, ten może cieszyć się dłuższym życiem i lepszymi udogodnieniami, jeśli chodzi o zadowalanie zmysłów, jednakże nie może on tam zostać na zawsze. Kiedy skończą się już rezultaty jego pobożnych czynów, z powrotem zostanie wysłany na tę ziemską planetę. Kto nie osiągnął doskonałej wiedzy, czyli innymi słowy, komu nie udało się poznać Kṛṣṇy, przyczyny wszystkich przyczyn, ten, jak to zostało oznajmione w *Vedānta-sūtrze* (*janmādy asya yataḥ*), nie odnosi sukcesu w osiągnięciu ostatecznego celu życia. Podlega powtarzającym się wędrówkom na planety niebiańskie i ponownym upadkom, tak jak gdyby obracał się na kole diabelskim—będąc raz na górze, raz na dole. Oznacza to, że zamiast wznieść się do świata duchowego, skąd nie ma już możliwości powrotu, podlega on cyklowi narodzin i śmierci na wyższych i niższych systemach planetarnych. Należy raczej powrócić do świata duchowego, aby cieszyć się wiecznym, pełnym szczęścia i wiedzy życiem, i nigdy nie powracać do tego pełnego nieszczęść życia materialnego.

**TEKST 22** अनन्याश्चिन्तयन्तो मां ये जनाः पर्युपासते
तेषां नित्याभियुक्तानां योगक्षेमं वहाम्यहम् ॥२२॥

*ananyāś cintayanto māṁ ye janāḥ paryupāsate*
*teṣāṁ nityābhiyuktānāṁ yoga-kṣemaṁ vahāmy aham*

*ananyāḥ*—nie mając innego celu; *cintayantaḥ*—koncentrując się; *mām*—na Mnie; *ye*—które; *janāḥ*—osoby; *paryupāsate*—właściwie czczą; *teṣām*—ich; *nitya*—zawsze; *abhiyuktānām*—niezachwiani w oddaniu; *yoga*—potrzeby; *kṣemam*—ochrona; *vahāmi*—dostarczam; *aham*—Ja.

**Ale tych, którzy zawsze czczą Mnie z wyłącznym oddaniem—medytując o Mojej transcendentalnej formie—obdarzam wszystkim, czego potrzebują, i chronię to, co posiadają.**

*ZNACZENIE:* Kto nie jest w stanie żyć nawet przez moment bez świadomości Kṛṣṇy, nie tylko może myśleć o Kṛṣṇie przez dwadzieścia cztery godziny na dobę, lecz angażuje się też w służbę oddania, przez słuchanie, pamiętanie, ofiarowywanie modlitw, oddawanie czci, służenie lotosowym stopom Pana, pełnienie innego rodzaju służb, kultywowanie przyjaźni i całkowite podporządkowanie się Panu. Wszystkie te czynności są korzystne i wszystkie pełne są duchowych mocy, czyniąc wielbiciela doskonałym w samorealizacji. Wtedy jedynym jego pragnieniem jest obcowanie z Najwyższą Osobą Boga. Taki bhakta niewątpliwie bez trudu osiąga Osobę Boga. To nazywane jest *yogą*. Dzięki łasce Pana, taki wielbiciel nie powraca już nigdy do tych materialnych warunków życia. *Kṣema* odnosi się do ochrony, jakiej Pan łaskawie udziela Swoim wielbicielom. Pan pomaga Swojemu wielbicielowi osiągnąć świadomość Kṛṣṇy poprzez *yogę*, i kiedy staje się on już całkowicie świadomym Kṛṣṇy, Pan chroni go od upadków w to pozbawione szczęścia, uwarunkowane życie.

**TEKST 23** येऽप्यन्यदेवताभक्ता यजन्ते श्रद्धयान्विताः ।
तेऽपि मामेव कौन्तेय यजन्त्यविधिपूर्वकम् ॥२३॥

*ye 'py anya-devatā-bhaktā yajante śraddhayānvitāḥ*
*te 'pi mām eva kaunteya yajanty avidhi-pūrvakam*

*ye*—ci, którzy; *api*—również; *anya*—innych; *devatā*—półbogów; *bhaktāḥ*—wielbiciele; *yajante*—czczą; *śraddhayā anvitāḥ*—z wiarą; *te*—

oni; *api*—również; *mām*—Mnie; *eva*—jedynie; *kaunteya*—O synu Kuntī; *yajanti*—wielbią; *avidhi-pūrvakam*—w niewłaściwy sposób.

**Wielbiciele innych bogów, z wiarą oddający im cześć, w rzeczywistości wielbią jedynie Mnie, o synu Kuntī, ale robią to w niewłaściwy sposób.**

*ZNACZENIE:* "Osoby wielbiące półbogów nie są bardzo inteligentne, mimo iż w ten sposób pośrednio oddają Mi cześć", mówi Kṛṣṇa. Jeśli ktoś leje wodę na liście i gałęzie drzewa, nie podlewając korzeni, robi tak z powodu braku dostatecznej wiedzy lub wbrew zasadom. Podobnie, proces pełnienia służby dla poszczególnych części ciała polega na dostarczaniu pożywienia do żołądka. Półbogowie są, można powiedzieć, różnymi urzędnikami i kierownikami w rządzie Najwyższego Pana. Należy przestrzegać prawa ustanowionego przez rząd, a nie przez poszczególnych urzędników i dyrektorów. Podobnie, należy czcić tylko i wyłącznie Najwyższego Pana. To automatycznie zadowoli różnych urzędników i kierowników będących w służbie Pana. Urzędnicy i kierownicy są reprezentantami rządu i przekupywanie tych urzędników i kierowników jest rzeczą nielegalną. Tutaj nazwane to zostało *avidhi-pūrvakam*. Innymi słowy, Kṛṣṇa nie pochwala niepotrzebnego oddawania czci półbogom.

**TEKST 24** अहं हि सर्वयज्ञानां भोक्ता च प्रभुरेव च ।
न तु मामभिजानन्ति तत्त्वेनातश्च्यवन्ति ते ॥२४॥

*ahaṁ hi sarva-yajñānāṁ bhoktā ca prabhur eva ca*
*na tu mām abhijānanti tattvenātaś cyavanti te*

*aham*—Ja; *hi*—z pewnością; *sarva*—ze wszystkich; *yajñānām*—ofiar; *bhoktā*—podmiot radości; *ca*—i; *prabhuḥ*—Pan; *eva*—również; *ca*—i; *na*—nie; *tu*—ale; *mām*—Mnie; *abhijānanti*—znają; *tattvena*—prawdziwie; *ataḥ*—dlatego; *cyavanti*—upadają; *te*—oni.

**Jedynie Ja jestem podmiotem radości i panem wszystkich ofiar. Ci, którzy nie rozpoznają Mojej prawdziwej, transcendentalnej natury, upadają.**

*ZNACZENIE:* Tak jak to zostało tutaj wyraźnie powiedziane, jest wiele różnych typów *yajñi* (ofiar) polecanych w literaturze wedyjskiej, lecz w rzeczywistości wszystkie one mają służyć zadowoleniu Najwyższego Pana. *Yajña* oznacza Viṣṇu. Drugi Rozdział *Bhagavad-gīty* mówi, że należy pracować jedynie dla zadowolenia Yajñi, czyli Viṣṇu. Szczególnym celem doskonałej formy ludzkiej cywilizacji, znanej jako *varṇāśrama-dharma*, jest zadowolenie Viṣṇu. Dlatego też Kṛṣṇa mówi w tym wersecie: "Ja przyjmuję wszystkie ofiary, ponieważ Ja jestem najwyższym panem." Nie znając tego faktu, mniej inteligentne osoby wielbią półbogów dla osiągnięcia natychmiastowej, przemijającej korzyści. Dlatego upadają w egzystencję materialną, nie osiągając pożądanego celu życia. Nawet jeśli ktoś pragnie czegoś materialnego, to powinien prosić o to raczej Najwyższego Pana (mimo iż nie jest to czyste oddanie), a w ten sposób osiągnie pożądany rezultat.

**TEKST 25** यान्ति देवव्रता देवान् पितॄन् यान्ति पितृव्रताः ।
भूतानि यान्ति भूतेज्या यान्ति मद्याजिनोऽपि माम् ॥२५॥

*yānti deva-vratā devān pitṝn yānti pitṛ-vratāḥ*
*bhūtāni yānti bhūtejyā yānti mad-yājino 'pi mām*

*yānti*—udają się; *deva-vratāḥ*—czciciele półbogów; *devān*—do półbogów; *pitṝn*—do przodków; *yānti*—udają się; *pitṛ-vratāḥ*—oddający cześć przodkom; *bhūtāni*—do duchów i upiorów; *yānti*—udają się; *bhūta-ijyāḥ*—czciciele duchów i upiorów; *yānti*—udają się; *mat*—Moi; *yājinaḥ*—wielbiciele; *api*—ale; *mām*—do Mnie.

**Kto czci półbogów, narodzi się pomiędzy półbogami; kto czci upiory i duchy, narodzi się pomiędzy takimi istotami; kto oddaje cześć przodkom, pójdzie do przodków; a ci, którzy Mnie wielbią, będą żyć ze Mną.**

*ZNACZENIE:* Jeśli ktoś pragnie udać się na księżyc, słońce albo na jakąś inną planetę, może osiągnąć pożądany cel poprzez przestrzeganie określonych zasad wedyjskich polecanych dla tego celu, takich jak proces fachowo znany jako *darśa-paurṇamāsī*. Zasady te zostały szeroko opisane w części *Ved* dotyczącej pracy dla osiągnięcia korzyści, która poleca specyficzny kult półbogów z różnych planet niebiańskich. Podobnie, przez pełnienie określonych *yajñi* można osiągnąć planety Pitā lub też różne planety duchów i zostać Yakṣą, Rakṣą czy Piśācą. Kult Piśāca nazywany jest "czarną sztuką" albo "czarną magią". Jest wielu ludzi praktykujących czarną magię i uważających to za spirytualizm, lecz czynności takie są czynnościami całkowicie materialistycznymi. Podobnie, czysty wielbiciel, który wielbi jedynie Najwyższą Osobę Boga, bez wątpienia osiąga planety Vaikuṇṭha i Kṛṣṇalokę. Dzięki temu wersetowi można bez trudu zrozumieć, że jeśli przez oddawanie czci półbogom można osiągnąć planety niebiańskie czy przez praktykowanie czarnej magii—planety duchów, a przez czczenie Pitā—planety Pitā, to dlaczego czysty wielbiciel nie miałby osiągnąć planety Kṛṣṇy albo Viṣṇu? Na nieszczęście wielu ludzi nie posiada żadnych informacji na temat tych wzniosłych planet, gdzie przebywa Kṛṣṇa i Viṣṇu, i to jest przyczyną ich upadku. Nawet impersonaliści upadają z *brahmajyoti*. Dlatego ten ruch świadomości Kṛṣṇy informuje całe społeczeństwo, że jedynie przez intonowanie *mantry* Hare Kṛṣṇa można uzyskać doskonałość w tym życiu i powrócić do domu—z powrotem do Boga.

**TEKST 26**

पत्रं पुष्पं फलं तोयं यो मे भक्त्या प्रयच्छति ।
तदहं भक्त्युपहृतमश्नामि प्रयतात्मनः ॥२६॥

*patraṁ puṣpaṁ phalaṁ toyaṁ yo me bhaktyā prayacchati*
*tad ahaṁ bhakty-upahṛtam aśnāmi prayatātmanaḥ*

*patram*—liść; *puṣpam*—kwiat; *phalam*—owoc; *toyam*—woda; *yaḥ*—ktokolwiek; *me*—Mnie; *bhaktyā*—z oddaniem; *prayacchati*—ofiarowuje; *tat*—to; *aham*—Ja; *bhakti-upahṛtam*—ofiarowane z oddaniem; *aśnāmi*—przyjmę; *prayata-ātmanaḥ*—od tego, kto posiada czystą świadomość.

**Jeśli ktoś z miłością i oddaniem złoży Mi liść, kwiat, owoc, czy trochę wody w ofierze—przyjmę to.**

*ZNACZENIE:* Dla osoby inteligentnej rzeczą zasadniczą jest posiadanie świadomości Kṛṣṇy i zaangażowanie w transcendentalną służbę miłości dla Pana, aby osiągnąć wieczne, pełne radości królestwo dla wiecznie szczęśliwego życia. Proces do osiągnięcia tego niezwykłego rezultatu jest bardzo prosty. Może go podjąć nawet osoba najuboższa, nie posiadająca żadnych kwalifikacji. Jedyną kwalifikacją wymaganą w związku z tym jest bycie czystym bhaktą Pana. Nie ma znaczenia kim ktoś jest, czy jak jest usytuowany. Proces ten jest tak prosty, że można ofiarować Panu nawet liść, odrobinę wody czy owoc, i jeśli ofiara będzie złożona ze szczerą miłością, sprawi Panu przyjemność. Zatem nikt nie jest wykluczony ze świadomości Kṛṣṇy, gdyż proces ten jest tak łatwy i uniwersalny. Któż byłby więc takim głupcem, aby nie zechcieć zostać świadomym Kṛṣṇy tą prostą metodą i w ten sposób osiągnąć najwyższą doskonałość wiecznego, pełnego szczęścia i wiedzy życia? Kṛṣṇa pragnie jedynie służby miłości i nic więcej. Od Swojego czystego bhakty Kṛṣṇa przyjmuje nawet mały kwiat. Nie pragnie natomiast żadnej ofiary od osoby nie będącej bhaktą. Nie potrzebuje On niczego od nikogo, ponieważ jest samowystarczalny, a jednak przyjmuje ofiarę Swojego bhakty, w wymianie miłości i uczucia. Rozwinięcie świadomości Kṛṣṇy jest najwyższą doskonałością życia. W wersecie tym dwukrotnie zostało powtórzone słowo *bhakti*, aby jeszcze mocniej podkreślić, że *bhakti*, czyli służba oddania, jest jedyną metodą zbliżenia się do Kṛṣṇy. Żadne inne okoliczności, takie jak zostanie braminem, uczonym, człowiekiem bogatym czy wielkim filozofem, nie mogą nakłonić Kṛṣṇy do przyjęcia ofiary. Bez tej podstawowej zasady *bhakti* nic nie może nakłonić Pana do przyjęcia czegokolwiek od kogokolwiek. *Bhakti* nigdy nie jest motywowana. Proces ten jest wieczny. Jest to bezpośrednie działanie w służbie dla absolutnej całości.

Tutaj Pan Kṛṣṇa—oznajmiwszy wcześniej, że jest jedynym podmiotem radości, pierwotnym Panem i prawdziwym obiektem wszelkich ofiar—wyjawia, jakiej ofiary pragnie. Jeśli ktoś pragnie zaangażować się w służbę oddania dla Najwyższego po to, aby się oczyścić i osiągnąć cel życia—transcendentalną służbę miłości dla Boga—wtedy powinien dowiedzieć się, czego Pan pragnie od niego. Kto kocha Kṛṣṇę, da Mu wszystko czego On zapragnie, i będzie unikał ofiarowania Mu czegokolwiek, czego nie pragnie albo o co nie prosił. Nie należy więc ofiarowywać Kṛṣṇie mięsa, ryb ani jajek. Gdyby pragnął takich rzeczy w ofierze, powiedziałby o tym. Zamiast tego wyraźnie prosi On o liść, owoc, kwiat i wodę, i o takiej ofierze mówi: ''Przyjmę ją.'' Zatem powinniśmy zrozumieć, że nie przyjmie On mięsa, ryb ani jajek. Odpowiednim dla ludzkich istot pożywieniem są warzywa, zboża, owoce, mleko i woda, i takie pożywienie poleca Sam Pan Kṛṣṇa. Jeśli spożywamy coś innego, wtedy nie możemy Mu tego ofiarowywać, gdyż nie przyjmie On takiej ofiary. Jeśli będziemy ofiarowywać takie pożywienie, nie będziemy działać na płaszczyźnie miłości i oddania.

W trzynastym wersecie Trzeciego Rozdziału Pan Kṛṣṇa tłumaczy, że czystym i nadającym się do spożycia pokarmem dla tych, którzy szukają postępu w życiu i wyzwolenia z sideł materialnej niewoli, są jedynie pozostałości pokarmu ofiarowanego. W tym samym wersecie mówi On, że ci, którzy nie ofiarowują swojego pokarmu, spożywają tylko grzech. Innymi słowy, każdy ich kęs jest jedynie coraz głębszym pogrążaniem się w komplikacje natury materialnej. Podczas gdy przygotowywanie smacznych i prostych dań wegetariańskich, ofiarowywanie ich w pokłonie przed wizerunkiem albo Bóstwem Pana Kṛṣṇy i modlenie się do Niego, aby przyjął taką pokorną ofiarę, umożliwia nam uczynienie trwałego postępu w życiu, oczyszczenie ciała i stworzenie subtelnych tkanek mózgowych, które umożliwią czyste myślenie. Ponadto ofiara powinna być składana z uczuciem miłości. Kṛṣṇa nie potrzebuje jedzenia, jako że jest On w posiadaniu wszystkiego, co istnieje; jednakże przyjmie On ofiarę od tego, kto w ten sposób pragnie

Go zadowolić. Ważnym czynnikiem przy przygotowaniu, podaniu i ofiarowaniu jest działanie z miłością dla Kṛṣṇy.

Filozofowie-impersonaliści, którzy pragną pozostać przy zdaniu, iż Prawda Absolutna nie posiada zmysłów, nie mogą ocenić tego wersetu z *Bhagavad-gīty*. Dla nich jest on tylko metaforą albo dowodem na pospolity charakter Kṛṣṇy, autora *Bhagavad-gīty*. W rzeczywistości jednak, Kṛṣṇa, Najwyższa Osoba Boga, ma zmysły i jest powiedziane, że zmysły Jego są wymienne. Innymi słowy, jeden Jego zmysł może spełniać funkcje każdego innego. To właśnie oznacza powiedzenie, że Kṛṣṇa jest absolutny. Gdyby nie posiadał zmysłów, nie mógłby być uważany za pełnego we wszystkich przymiotach. W Rozdziale Siódmym Kṛṣṇa wyjaśnił, iż to On zapładnia naturę materialną żywymi istotami, a robi to poprzez rzucenie spojrzenia na naturę materialną. Więc w tym przypadku słuchanie przez Kṛṣṇę słów wielbiciela, wypowiadanych z miłością podczas ofiarowania pożywienia, jest *całkowicie* tożsame z Jego jedzeniem i rzeczywistym smakowaniem. Ten punkt należy podkreślić: ponieważ zajmuje On pozycję absolutną, Jego słuchanie jest całkowicie tożsame z Jego jedzeniem i smakowaniem. Tylko ten wielbiciel, który przyjmuje Kṛṣṇę takim jakim On Sam Siebie opisuje, bez interpretacji, może zrozumieć, że Najwyższa Absolutna Prawda może przyjmować pokarm i radować się nim.

**TEKST 27**

यत्करोषि यदश्नासि यज्जुहोषि ददासि यत् ।
यत्तपस्यसि कौन्तेय तत्कुरुष्व मदर्पणम् ॥२७॥

*yat karoṣi yad aśnāsi yaj juhoṣi dadāsi yat*
*yat tapasyasi kaunteya tat kuruṣva mad-arpaṇam*

*yat*—cokolwiek; *karoṣi*—robisz; *yat*—cokolwiek; *aśnāsi*—spożywasz; *yat*—wszystko, co; *juhoṣi*—ofiarowujesz; *dadāsi*—oddajesz; *yat*—cokolwiek; *yat*—cokolwiek; *tapasyasi*—wyrzeczenia, które praktykujesz; *kaunteya*—O synu Kuntī; *tat*—to; *kuruṣva*—uczyń; *mat*—dla Mnie; *arpaṇam*—ofiarą.

**Cokolwiek czynisz, spożywasz, składasz w ofierze i dajesz w darze, jak również wszelkie wyrzeczenia, które praktykujesz, powinny być, o synu Kuntī, ofiarą dla Mnie.**

*ZNACZENIE:* Każdy ma obowiązek uformować swe życie w taki sposób, aby w żadnych okolicznościach nie zapomnieć o Kṛṣṇie. Każdy musi pracować, aby utrzymać swoje ciało i duszę razem, i Kṛṣṇa daje tutaj wyraźne polecenie, że praca ta ma być ofiarą dla Niego. Każdy musi coś jeść, aby żyć; lecz należy przyjmować pozostałości pokarmu ofiarowanego Kṛṣṇie. Każdy cywilizowany człowiek musi wykonywać pewne rytuały religijne i dlatego Kṛṣṇa poleca: "Czyń to dla Mnie". To nazywane jest *arcana*. Każdy ma skłonności do praktykowania dobroczynności; Kṛṣṇa mówi: "Daj to Mnie", a to oznacza, że wszelkie nagromadzone oszczędności powinny zostać użyte dla wspomożenia świadomości Kṛṣṇy. W dzisiejszych czasach ludzie są skłonni do praktykowania medytacji, która w tym wieku nie jest procesem praktycznym, ale jeśli ktoś praktykuje medytację o Kṛṣṇie, zawsze intonując Hare Kṛṣṇa na koralach medytacyjnych, ten jest z pewnością największym *yogīnem*, jak dowodzi tego Szósty Rozdział *Bhagavad-gīty*.

**TEKST 28** शुभाशुभफलैरेवं मोक्ष्यसे कर्मबन्धनैः ।
संन्यासयोगयुक्तात्मा विमुक्तो मामुपैष्यसि ॥२८॥

*śubhāśubha-phalair evaṁ mokṣyase karma-bandhanaiḥ*
*sannyāsa-yoga-yuktātmā vimukto mām upaiṣyasi*

*śubha*—od pomyślnych; *aśubha*—i niepomyślnych; *phalaiḥ*—rezultatów; *evam*—w ten sposób; *mokṣyase*—uwolnisz się; *karma*—działania; *bandhanaiḥ*—z niewoli; *sannyāsa*—wyrzeczenia; *yoga*—*yoga; yukta-ātmā*—o zdecydowanym umyśle; *vimuktaḥ*—wyzwolony; *mām*—Mnie; *upaiṣyasi*—osiągniesz.

**W ten sposób uwolnisz się od niewoli pracy, jej pomyślnych i niepomyślnych następstw. Z umysłem skupionym na Mnie w tej zasadzie wyrzeczenia, osiągniesz wyzwolenie i przyjdziesz do Mnie.**

*ZNACZENIE:* Kto działa w świadomości Kṛṣṇy pod wyższym przewodnictwem, ten nazywany jest *yukta*. Fachową nazwą jest *yukta-vairāgya*. Szerzej tłumaczy to w następujący sposób Rūpa Gosvāmī:

*anāsaktasya viṣayān yathārham upayuñjataḥ*
*nirbandhaḥ kṛṣṇa-sambandhe yuktaṁ vairāgyam ucyate*
(*Bhakti-rasāmṛta-sindhu* 2.255)

Rūpa Gosvāmī mówi, iż tak długo dopóki jesteśmy w tym świecie materialnym, dopóty musimy działać; nie możemy uniknąć działania. Jeśli owoce swojej działalności oddajemy Kṛṣṇie, to jest to nazywane *yukta-vairāgyą*. Postępowanie takie jest właściwe wyrzeczeniu i oczyszcza lustro umysłu tego, kto je praktykuje. Osoba taka, czyniąc stopniowy postęp w realizacji duchowej, całkowicie podporządkowuje się Najwyższej Osobie Boga. Dlatego w końcu osiąga wyzwolenie, a to wyzwolenie jest również określone. Przez takie wyzwolenie nie łączy się ona z *brahmajyoti*, lecz raczej udaje się na planety Najwyższego Pana. Werset ten mówi wyraźnie: *mām upaiṣyasi*, "przychodzi on do Mnie", z powrotem do domu, z powrotem do Boga. Jest pięć różnych stopni wyzwolenia, lecz werset ten informuje, że wielbiciel, który w swoim życiu kierował się zawsze wskazówkami Najwyższego Pana, osiąga ten stan, w którym—po opuszczeniu tego ciała—może powrócić do Boga i bezpośrednio obcować z Najwyższym Panem.

Kto nie pragnie niczego innego, jak tylko poświęcić swoje życie w służbie dla Pana, ten jest prawdziwym *sannyāsīnem*. Taka osoba zawsze myśli o sobie jako o wiecznym słudze Pana, całkowicie uzależnionym od Jego najwyższej woli. Dlatego wszystkie swoje czyny poświęca Panu, traktując je jako służbę dla Niego. Nie przywiązuje ona większej wagi do czynów przynoszących zyski czy obowiązków polecanych przez *Vedy*. Wypełnianie takich przepisanych przez *Vedy* powinności jest obowiązkiem dla zwykłych osób, lecz czysty wielbiciel, całkowicie zaangażowany w służbę dla Pana, może czasem zdawać się postępować niezgodnie z zaleceniami *Ved* dotyczącymi wypełniania obowiązków, mimo iż w rzeczywistości tak nie jest.

Dlatego Vaiṣṇavowie będący autorytetami w tych sprawach mówią, iż nawet najbardziej inteligentne osoby nie mogą zrozumieć planów i czynów czystego wielbiciela. Dokładnie brzmi to: *tāṅra vākya, kriyā, mudrā vijñeha nā bujhaya* (*Caitanya-caritāmṛta, Madhya* 23.39). Osoba, która w ten sposób zawsze zaangażowana jest w służbę dla Pana, i która zawsze myśli i planuje, w jaki sposób służyć Panu, może być uważana za całkowicie wyzwoloną już teraz, a w przyszłości, jej powrót do Boga jest pewny. Jest ona ponad wszelką materialistyczną krytyką, tak jak ponad wszelkim krytycyzmem jest Kṛṣṇa.

**TEKST 29** समोऽहं सर्वभूतेषु न मे द्वेष्योऽस्ति न प्रियः ।
ये भजन्ति तु मां भक्त्या मयि ते तेषु चाप्यहम् ॥२९॥

*samo 'haṁ sarva-bhūteṣu na me dveṣyo 'sti na priyaḥ*
*ye bhajanti tu māṁ bhaktyā mayi te teṣu cāpy aham*

*samaḥ*—jednakowo usposobiony; *aham*—Ja; *sarva-bhūteṣu*—do wszystkich żywych istot; *na*—nikt; *me*—Mnie; *dveṣyaḥ*—nienawistny; *asti*—jest; *na*—ani nie; *priyaḥ*—drogi; *ye*—ci, którzy; *bhajanti*—pełnią transcendentalną służbę; *tu*—ale; *mām*—dla Mnie; *bhaktyā*—w oddaniu; *mayi*—są we Mnie; *te*—takie osoby; *teṣu*—w nich; *ca*—również; *api*—z pewnością; *aham*—Ja.

**Nie ma we Mnie nienawiści do nikogo ani też nie jestem stronniczy w stosunku do nikogo. Wszystkich traktuję na równi. Lecz jeśli ktoś w oddaniu pełni służbę dla Mnie, ten jest Mi przyjacielem, jest we Mnie i Ja również jestem jego przyjacielem.**

*ZNACZENIE:* Ktoś może zadać pytanie, że jeśli Kṛṣṇa jest jednakowy dla wszystkich i nikt nie jest Jego szczególnym przyjacielem, dlaczego najwięcej uwagi poświęca Swoim wielbicielom, którzy zawsze zajęci są pełnieniem transcendentalnej służby dla Niego? Nie jest to jednak dyskryminacją, lecz czymś najbardziej naturalnym. Ktoś może być życzliwie ustosunkowanym do wszystkich ludzi w tym świecie, lecz szczególnie interesuje się swoimi dziećmi. Pan mówi, iż każda żywa istota—bez względu na to, w jakiej formie życia się znajduje—jest Jego synem; wobec tego jest On wspaniałomyślny wobec wszystkich w zaspokajaniu ich potrzeb życia. Jest On podobny chmurze, która wylewa deszcz wszędzie, na skały, glebę, do wody. Lecz szczególną uwagę poświęca Swoim wielbicielom. O takich wielbicielach mówi się tutaj, iż zawsze są oni w świadomości Kṛṣṇy, a zatem zawsze są transcendentalnie usytuowani w Kṛṣṇie. Samo wyrażenie "świadomość Kṛṣṇy" oznacza, że ci, którzy posiadają taką świadomość, są transcendentalistami usytuowanymi w Nim. Pan mówi wyraźnie *mayi te*: "Są oni we Mnie." Naturalnie, wskutek tego Pan jest również w nich. Jest to odwzajemnienie. To tłumaczą również słowa *ye yathā māṁ prapadyante tāṁs tathaiva bhajāmy aham*: "Każdego, kto podporządkowuje się Mnie, o tego odpowiednio się troszczę." To transcendentalne odwzajemnienie istnieje dzięki temu, ża zarówno Pan, jak i Jego wielbiciel są świadomi. Kiedy diament zostaje oprawiony w złoty pierścionek, wygląda wtedy wspaniale. Zyskuje na tym zarówno złoto, jak i diament. Pan i żywa istota lśnią wiecznie, i kiedy żywa istota skłoni się do służenia Panu, staje się podobna złotu. Pan jest diamentem, więc takie połączenie jest bardzo korzystne. Żywe istoty w czystym stanie swojej świadomości nazywane są wielbicielami. Najwyższy Pan natomiast staje się wielbicielem Swoich wielbicieli. Gdyby nie było tego związku wzajemności pomiędzy wielbicielem i Panem, wtedy nie można byłoby mówić o filozofii personalistycznej. W filozofii impersonalistycznej nie ma wzajemności pomiędzy Najwyższym a żywą istotą, istnieje ona tylko w filozofii personalistycznej.

Pana często porównuje się do "drzewa pragnień", jako że dostarcza On wszystkiego, czego ktoś zapragnie. Pełniej wyjaśniono to tutaj. Werset ten oznajmia, iż Pan jest stronniczy dla Swoich wielbicieli. Jest to manifestacja szczególnej łaski Pana dla wielbicieli. To odwzajemnianie się Pana nie powinno być wiązane z prawami *karmy*. Całkowicie przynależy ono sytuacji transcendentalnej, w której funkcjonuje Pan i Jego wielbiciele. Służba oddania dla Pana nie jest działaniem z tego świata materialnego; jest ona częścią świata duchowego—gdzie panuje wieczność, szczęście i wiedza.

**TEKST 30** अपि चेत्सुदुराचारो भजते मामनन्यभाक् ।
साधुरेव स मन्तव्यः सम्यग् व्यवसितो हि सः ॥३०॥

*api cet su-durācāro bhajate mām ananya-bhāk*
*sādhur eva sa mantavyaḥ samyag vyavasito hi saḥ*

*api*—nawet; *cet*—chociaż; *su-durācāraḥ*—kto dopuszcza się najohydniejszych czynów; *bhajate*—zaangażowany jest w służbę oddania; *mām*—dla Mnie; *ananya-bhāk*—niezachwianie; *sādhuḥ*—święty; *eva*—z pewnością; *saḥ*—on; *mantavyaḥ*—być uważanym; *samyak*—całkowicie; *vyavasitaḥ*—usytuowany w determinacji; *hi*—z pewnością; *saḥ*—on.

**Kto służbę oddania pełni, ten, nawet jeśli dopuszcza się najohydniejszych czynów, uważany ma być za osobę świętą, ponieważ jest on właściwie usytuowany w swojej determinacji.**

*ZNACZENIE:* Znaczące w tym wersecie jest słowo *su-durācāro* i powinniśmy je właściwie zrozumieć. Kiedy żywa istota znajduje się w uwarunkowanym stanie życia, ma ona dwa rodzaje zajęć: uwarunkowane i konstytucjonalne. Jeśli chodzi o ochronę ciała albo przestrzeganie różnych praw społecznych i państwowych, to istnieje wiele różnych zajęć, obowiązujących nawet wielbicieli, w związku z uwarunkowanym stanem życia, i takie zajęcia nazywane są uwarunkowanymi. Oprócz tych zajęć, żywa istota, która całkowicie jest świadoma swojej duchowej natury i zaangażowana jest w świadomość Kṛṣṇy, czyli służbę oddania dla Pana, posiada zajęcia nazywane transcendentalnymi. Takie zajęcia wykonywane są zgodnie z jej konstytucjonalną pozycją i fachowo nazywane są służbą oddania. Teraz, w stanie uwarunkowanym, czasami służba oddania i służba uwarunkowana, związana z zaspokajaniem potrzeb cielesnych, pełnione są równolegle. Czasami jednak czynności te pozostają ze sobą w niezgodzie. Wielbiciel w jak największym stopniu jest ostrożny, aby nie robić niczego, co mogłoby zaszkodzić jego zdrowemu stanowi. Zdaje on sobie sprawę z tego, iż doskonałość jego postępowania zależy od jego postępującej realizacji w świadomości Kṛṣṇy. Czasami jednakże można zauważyć, iż osoba w świadomości Kṛṣṇy popełnia pewne czyny, które mogą uchodzić za najbardziej wstrętne w sensie społecznym i politycznym. Jednak takie chwilowe upadki nie dyskwalifikują tej osoby. *Śrīmad-Bhāgavatam* oznajmia, iż jeśli ktoś upada, ale całym sercem zaangażowany jest w transcendentalną służbę miłości dla Pana, wtedy Pan, przebywający w jego sercu, oczyszcza go i przebacza mu jego ohydny czyn. Zanieczyszczenie materialne jest tak silne, że nawet *yogīn* całkowicie zaangażowany w służbę dla Pana czasami wpada w sidła. Lecz dzięki mocy świadomości Kṛṣṇy, taki przypadkowy upadek zostaje natychmiast naprawiony. Dlatego proces służby oddania jest zawsze sukcesem. Nikt nie powinien wyśmiewać wielbiciela z powodu jakiegokolwiek przypadkowego upadku ze ścieżki doskonałości, gdyż—jak to tłumaczy werset następny—takie sporadyczne upadki z czasem przestaną występować, kiedy tylko wielbiciel osiągnie pełną świadomość Kṛṣṇy.

Zatem osoba usytuowana w świadomości Kṛṣṇy i z determinacją zaangażowana w proces intonowania Hare Kṛṣṇa, Hare Kṛṣṇa, Kṛṣṇa Kṛṣṇa, Hare Hare; Hare Rāma, Hare Rāma, Rāma Rāma, Hare Hare, znajduje się w pozycji transcendentalnej, nawet jeśli przypadkiem zdarzy się, że upadnie. Słowa *sādhur eva*, "jest on osobą świętą", są bardzo wymowne. Jest to ostrzeżenie dla niewielbicieli, że nie powinni wyśmiewać wielbiciela z powodu jego sporadycznych upadków. Nawet jeśli zdarzyło mu się upaść, powinien być on nadal uważany za osobę świętą. Jeszcze bardziej znaczące jest słowo *mantavyaḥ*. Jeśli ktoś nie przestrzega tej zasady i wyśmiewa wielbiciela, któremu zdarzyło się upaść, wtedy nieposłuszny jest nakazowi Najwyższego Pana. Jedyną kwalifikacją wielbiciela jest jego niezachwiane i wyłączne zaangażowanie się w służbę oddania.

W *Nṛsiṁha Purāṇie* jest następujące oznajmienie:

*bhagavati ca harāv ananya-cetā*
*bhṛśa-malino 'pi virājate manuṣyaḥ*
*na hi śaśa-kaluṣa-cchabiḥ kadācit*
*timira-parābhavatām upaiti candraḥ*

Znaczenie jego jest takie, że nawet jeśli zdarzy się, że osoba w pełni zaangażowana w służbę oddania dla Pana popełnia jakieś ohydne czyny, to czyny te należy uważać za podobne plamom na księżycu, przypominającym ślad zająca. Takie plamy nie są przeszkodą dla światła księżycowego. Podobnie, sporadyczne upadki wielbiciela ze ścieżki świętości nie dyskwalifikują go.

Z drugiej strony nie należy błędnie rozumować, iż wielbiciel pełniący transcendentalną służbę może postępować w sposób odrażający. Werset ten mówi jedynie o wypadkach sporadycznych, których przyczyną jest potężna moc związków materialnych. Służba oddania jest w mniejszym lub większym stopniu wypowiedzeniem wojny energii iluzorycznej. Dopóki ktoś nie posiada wystarczającej siły, aby pokonać tę energię, dopóty mogą zdarzać mu się sporadyczne upadki. Lecz gdy tylko zdobędzie dostateczną siłę, nie podlega już więcej takim upadkom, o których była mowa wcześniej. Jednakowoż, nikt nie powinien robić użytku z tego wersetu i, oddając się różnego rodzaju nonsensom, dalej uważać się za wielbiciela. Jeśli poprzez służbę oddania nie poprawia on swojego charakteru, wtedy oznacza to, iż nie jest on bhaktą wysokiej klasy.

**TEKST 31** क्षिप्रं भवति धर्मात्मा शश्वच्छान्तिं निगच्छति ।
कौन्तेय प्रतिजानीहि न मे भक्तः प्रणश्यति ॥३१॥

*kṣipraṁ bhavati dharmātmā śaśvac-chāntiṁ nigacchati*
*kaunteya pratijānīhi na me bhaktaḥ praṇaśyati*

*kṣipram*—wkrótce; *bhavati*—staje się; *dharma-ātmā*—prawym; *śaśvat-śāntim*—trwały spokój; *nigacchati*—osiąga; *kaunteya*—O synu Kuntī; *pratijānīhi*—oznajmiam; *na*—nigdy; *me*—Mój; *bhaktaḥ*—wielbiciel; *praṇaśyati*—ginie.

**Szybko staje się on prawym i osiąga trwały pokój. O synu Kuntī, obwieść to światu, że Mój wielbiciel nigdy nie ginie.**

*ZNACZENIE:* Nie należy tego błędnie zrozumieć. W Rozdziale Siódmym Pan mówi, iż nie może być Jego wielbicielem osoba zajmująca się szkodliwą działalnością. Ponadto, kto nie jest wielbicielem Pana, ten nie posiada żadnych dobrych kwalifikacji. Wobec tego powstaje pytanie: w jaki sposób osoba oddająca się czynom godnym potępienia (czy to przypadkowo, czy intencjonalnie), może być czystym wielbicielem? I będzie to słuszne pytanie. Niegodziwcy, o których mowa w Rozdziale Siódmym, nigdy nie angażują się w służbę oddania i nie posiadają żadnych dobrych kwalifikacji. To samo oznajmia *Śrīmad-Bhāgavatam*. Na ogół wielbiciel, który zaangażowany jest w dziewięć rodzajów służby oddania, podlega procesowi uwalniania serca ze wszystkich zanieczyszczeń materialnych. Ponieważ umieszcza on w swoim sercu Najwyższą Osobę Boga, w ten naturalny sposób uwolniony zostaje od wszelkich zanieczyszczeń materialnych. Bezustanne myślenie o Najwyższym Panu czyni go czystym z natury. Jest taka zasada wedyjska, która mówi, że kto upadnie ze swojej wzniosłej pozycji, ten musi poddać się, w celu oczyszczenia, pewnemu rytuałowi. Tutaj jednak nie ma takiego warunku, ponieważ ten czynnik oczyszczający znajduje się już w sercu wielbiciela, dzięki temu, że bezustannie pamięta on o Najwyższej Osobie Boga. Należy zatem bezustannie intonować Hare Kṛṣṇa, Hare Kṛṣṇa, Kṛṣṇa Kṛṣṇa, Hare Hare; Hare Rāma, Hare Rāma, Rāma Rāma, Hare Hare. To uchroni wielbiciela Pana od wszelkich przypadkowych upadków. W ten sposób na zawsze uwolni się on od wszelkich zanieczyszczeń materialnych.

**TEKST 32** मां हि पार्थ व्यपाश्रित्य येऽपि स्युः पापयोनयः ।
स्त्रियो वैश्यास्तथा शूद्रास्तेऽपि यान्ति परां गतिम् ॥३२॥

*māṁ hi pārtha vyapāśritya ye 'pi syuḥ pāpa-yonayaḥ*
*striyo vaiśyās tathā śūdrās te 'pi yānti parāṁ gatim*

*mām*—Mnie; *hi*—z pewnością; *pārtha*—O synu Pṛthy; *vyapāśritya*—przyjmując schronienie; *ye*—ci, którzy; *api*—również; *syuḥ*—są; *pāpa-yonayaḥ*—nisko urodzony; *striyaḥ*—kobiety; *vaiśyāḥ*—społeczność kupiecka; *tathā*—również; *śūdrāḥ*—niższa klasa ludzi; *te api*—nawet oni; *yānti*—udają się; *parām*—do najwyższego; *gatim*—przeznaczenie.

**O synu Pṛthy, ci którzy we Mnie przyjmują schronienie, to nawet będąc niższego rodu—kobietami, vaiśyami (kupcami) i śūdrami (robotnikami)—najwyższego dostępują przeznaczenia.**

*ZNACZENIE:* Najwyższy Pan oznajmia tutaj wyraźnie, iż w służbie oddania nie ma różnicy pomiędzy niższymi i wyższymi klasami ludzi. Takie podziały występują w życiu materialnym, ale nie istnieją one dla osób zaangażowanych w transcendentalną służbę oddania dla Pana. Najwyższe przeznaczenie może osiągnąć każdy. *Śrīmad-Bhāgavatam* (2.4.18) oznajmia, że nawet najniżsi, nazywani *caṇḍāla* (zjadacze psów), mogą zostać oczyszczeni poprzez obcowanie z czystym wielbicielem. Służba oddania i przewodnictwo czystego wielbiciela mają taką moc, że nie ma tam różnicy pomiędzy niższymi i wyższymi klasami ludzi. Każdy może zacząć pełnić służbę oddania i nawet najprostszy człowiek, który przyjął schronienie czystego wielbiciela, może oczyścić się dzięki temu właściwemu przewodnictwu. Ludzi można podzielić na cztery grupy, odpowiednio do sił natury, pod wpływem których się znajdują. Do *guṇy* dobroci zaliczani są bramini, do *guṇy* pasji zalicza się *kṣatriyów*, czyli administratorów, *vaiśyowie*—czyli kupcy i rolnicy, znajdują się pod wpływem pasji i ignorancji, natomiast *śūdrowie*, czyli robotnicy, znajdują się pod wpływem ignorancji. Ci, którzy pochodzą z bardzo grzesznych rodzin, nazywani są *caṇḍāla* i zajmują jeszcze niższą pozycję. Członkowie grup wyższych na ogół nie obcują z takimi osobami. Ale proces służby oddania ma taką moc, iż czysty wielbiciel Najwyższego Pana może umożliwić osiągnięcie najwyższej doskonałości życia wszystkim niższym klasom ludzi. Możliwe jest to tylko wtedy, gdy za schronienie przyjmujemy Kṛṣṇę. Jak wskazuje na to tutaj słowo *vyapāśritya*, należy całkowicie przyjąć schronienie w Kṛṣṇie. W ten sposób można stać się większym, niż wielcy *jñānī* i *yogīni*.

**TEKST 33** किं पुनर्ब्राह्मणाः पुण्या भक्ता राजर्षयस्तथा ।
अनित्यमसुखं लोकमिमं प्राप्य भजस्व माम् ॥३३॥

*kiṁ punar brāhmaṇāḥ puṇyā bhaktā rājarṣayas tathā*
*anityam asukhaṁ lokam imaṁ prāpya bhajasva mām*

*kim*—jak bardzo; *punaḥ*—znowu; *brāhmaṇāḥ*—bramini; *puṇyāḥ*—prawy; *bhaktāḥ*—wielbiciele; *rāja-ṛṣayaḥ*—święci królowie; *tathā*—również; *anityam*—tymczasowy; *asukham*—pełna cierpień; *lokam*—planeta; *imam*—to; *prāpya*—osiągając; *bhajasva*—być zaangażowanym w służbę miłości; *mām*—dla Mnie.

**Jakże więc bardziej dotyczy to prawych braminów, wielbicieli i świętych królów. Zatem, przyszedłszy do tego przemijającego, pełnego nieszczęść świata, zaangażuj się w służbę miłości dla Mnie.**

*ZNACZENIE:* Są różne klasy ludzi w tym materialnym świecie, lecz dla nikogo świat ten nie jest miejscem szczęśliwym. Werset ten mówi wyraźnie, *anityam asukhaṁ lokam*: świat ten jest przemijający i pełen nieszczęść, nie jest zatem odpowiednim miejscem pobytu dla żadnego rozsądnego człowieka. Sam Pan mówi, iż ten tymczasowy świat pełen jest wszelakiego rodzaju nieszczęść. Niektórzy filozofowie, szczególnie filozofowie Māyāvādī, utrzymują, iż świat ten jest fałszywy. My jednak wiemy z *Bhagavad-gīty*, że nie jest on fałszywy, lecz tymczasowy. Jest różnica pomiędzy tymczasowym a fałszywym. Świat ten jest tymczasowy, ale istnieje również świat inny, który jest wieczny. Ten świat jest pełen nieszczęść, ale ten drugi świat jest wieczny i pełen szczęścia.

Arjuna urodził się w świętobliwej rodzinie królewskiej, i do niego Pan również mówi: "Zacznij pełnić służbę oddania dla Mnie i wróć szybko do Boga, z powrotem do domu." Nikt nie powinien pozostawać w tym przemijającym, pełnym niedoli świecie. Każdy powinien przywiązać się do serca Najwyższej Osoby Boga, i w ten sposób radować się wiecznym szczęściem. Służba oddania dla Najwyższego Pana jest jedynym procesem, przez który mogą zostać rozwiązane wszelkie problemy wszystkich klas ludzi. Zatem każdy powinien przyjąć świadomość Kṛṣṇy i w ten sposób uczynić swoje życie doskonałym.

TEKST 34 मन्मना भव मद्भक्तो मद्याजी मां नमस्कुरु ।
मामेवैष्यसि युक्त्वैवमात्मानं मत्परायणः ॥३४॥

*man-manā bhava mad-bhakto mad-yājī māṁ namaskuru*
*mām evaiṣyasi yuktvaivam ātmāmaṁ mat-parāyaṇaḥ*

*mat-manāḥ*—zawsze myśląc o Mnie; *bhava*—zostań; *mat*—Moim; *bhaktaḥ*—bhaktą; *mat*—Moim; *yājī*—wielbicielem; *mām*—Mnie; *namaskuru*—składaj pokłony; *mām*—Mnie; *eva*—całkowicie; *eṣyasi*—przyjdziesz; *yuktvā*—będąc zaabsorbowanym; *evam*—w ten sposób; *ātmānam*—twoja dusza; *mat-parāyaṇaḥ*—oddany Mnie.

**Zawsze myśl o Mnie, zostań Moim wielbicielem, składaj Mi pokłony i oddawaj cześć. Jeśli będziesz całkowicie pogrążony we Mnie, z pewnością przyjdziesz do Mnie.**

*ZNACZENIE:* Werset ten wyraźnie oznajmia, iż świadomość Kṛṣṇy jest jedynym środkiem wyzwolenia się z sideł tego nieczystego, materialnego świata. Czasami pozbawieni skrupułów komentatorzy *Gīty* zniekształcają znaczenie tych słów oznajmiających, że wszelka służba oddania powinna być dedykowana Najwyższej Osobie Boga, Kṛṣṇie. Starają się oni wpoić czytelnikom coś, co jest zupełnie nieprawdopodobne. Tacy komentatorzy nie wiedzą, iż nie ma różnicy pomiędzy umysłem Kṛṣṇy i Samym Kṛṣṇą. Kṛṣṇa nie jest zwykłą ludzką istotą—jest On Absolutną Prawdą. Jego ciało, umysł i On Sam są jednym i absolutnym. Oznajmienie to zawarte jest w *Kūrma Purāṇie* i cytuje je również Bhaktisiddhānta Sarasvatī Gosvāmī w swoim *Anubhāṣya*, komentarzu do *Caitanya-caritāmṛta* (Rozdział Piąty, *Ādi-līlā*, wersety 41-48), *deha-dehi-vibhedo 'yaṁ neśvare vidyate kvacit*, co oznacza, że nie ma różnicy pomiędzy ciałem Najwyższego Pana Kṛṣṇy a Nim Samym. Ale ponieważ komentatorzy nie znają tej nauki o Kṛṣṇie, skrywają oni Kṛṣṇę i oddzielają Jego osobowość od Jego umysłu, czy też od Jego ciała. Mimo iż jest to całkowitą ignorancją, jeśli chodzi o naukę o Kṛṣṇie, niektórzy robią na tym ładny interes, oszukując niewinnych ludzi.

Ci zaś, którzy posiadają naturę demonów, również myślą o Kṛṣṇie, ale z zazdrością, tak jak król Kaṁsa, wuj Kṛṣṇy. On również zawsze myślał o Kṛṣṇie, ale myślał o Nim jako o swoim wrogu. Zawsze był niespokojny, zastanawiając się, kiedy Kṛṣṇa przyjdzie go zabić. Jednak taki sposób myślenia nie może pomóc nikomu. O Kṛṣṇie należy myśleć z miłością i oddaniem. Na tym polega *bhakti*. Powinniśmy bezustannie doskonalić naszą wiedzę o Kṛṣṇie. A jak ma wyglądać to doskonalenie? Należy uczyć się od bona fide nauczyciela. Kṛṣṇa jest Najwyższą

Osobą Boga i już kilka razy wyjaśnialiśmy, iż ciało Jego nie jest materialne, ale jest wieczną i pełną szczęścia wiedzą. Taki sposób rozmawiania o Kṛṣṇie jest bardzo pomocny w zostaniu Jego wielbicielem. Natomiast przyjmowanie wiedzy o Kṛṣṇie z niewłaściwego źródła jest zawsze bezowocne.

Powinniśmy zatem zająć swój umysł wieczną i oryginalną formą Kṛṣṇy i wielbić Go z przekonaniem w sercu, iż jest On Najwyższym. W Indiach są setki i tysiące świątyń poświęconych Kṛṣṇie, gdzie praktykuje się służbę oddania. W takiej właśnie praktyce należy oddawać pokłony Kṛṣṇie. Należy chylić głowę przed Bóstwem i poświęcać Mu swoje myśli, ciało, czynności—wszystko. Dzięki temu można w pełni i trwale pogrążyć się w Nim i to pomoże nam przenieść się na Kṛṣṇalokę. Nie należy dać się zwieść pozbawionym skrupułów komentatorom, lecz zaangażować się w dziewięć procesów służby oddania, zaczynając od słuchania i intonowania o Kṛṣṇie. Czysta służba oddania jest największym osiągnięciem ludzkiego społeczeństwa.

W Siódmym i Ósmym Rozdziale *Bhagavad-gīty* wytłumaczona została czysta służba oddania dla Pana, która wolna jest od wiedzy spekulatywnej, *yogi* mistycznej i działania dla zysku. Ci, którzy nie są jeszcze całkowicie oczyszczeni, mogą być przyciągani przez różne aspekty Najwyższego Pana, jak bezosobowe *brahmajyoti* czy zlokalizowaną Paramātmę, ale czysty wielbiciel bezpośrednio przyjmuje służbę dla Najwyższego Pana.

Jest pewien poemat o Kṛṣṇie, który mówi wyraźnie, że osoby wielbiące półbogów są mało inteligentne i nigdy nie mogą osiągnąć najwyższej nagrody Kṛṣṇy. Mimo iż wielbiciel może na początku nie być w stanie utrzymać standardu, to jednak powinien być uważany za wyższego od wszystkich filozofów i *yogīnów*. Kto zawsze zaangażowany jest w świadomość Kṛṣṇy, ten jest osobą świętą i doskonałą. Jeśli sporadycznie zdarzy mu się popełnić czyn, który nie jest zgodny ze służbą oddania, to stopniowo oczyści się z tego i wkrótce osiągnie całkowitą doskonałość. Czystemu wielbicielowi nie grozi już żaden upadek, jako że osobiście opiekuje się nim Najwyższy Bóg. Więc każda inteligentna osoba powinna bezpośrednio zająć się praktykowaniem procesu świadomości Kṛṣṇy i żyć szczęśliwie w tym materialnym świecie. Ostatecznie z pewnością otrzyma najwyższą nagrodę Kṛṣṇy.

W ten sposób Bhaktivedanta kończy objaśnienia do Dziewiątego Rozdziału *Śrīmad Bhagavad-gīty*, traktującego o wiedzy najbardziej poufnej.

# ROZDZIAŁ X

# Bogactwo Absolutu

**TEKST 1**

श्रीभगवानुवाच
भूय एव महाबाहो शृणु मे परमं वचः ।
यत्तेऽहं प्रीयमाणाय वक्ष्यामि हितकाम्यया ॥१॥

*śrī-bhagavān uvāca*
*bhūya eva mahā-bāho śṛṇu me paramaṁ vacaḥ*
*yat te 'haṁ prīyamāṇāya vakṣyāmi hita-kāmyayā*

*śrī-bhagavān uvāca*—Najwyższa Osoba Boga rzekł; *bhūyaḥ*—znowu; *eva*—na pewno; *mahā-bāho*—O potężnie uzbrojony; *śṛṇu*—posłuchaj; *me*—Mnie; *paramam*—najwyższa; *vacaḥ*—instrukcja; *yat*—ta, która; *te*—tobie; *aham*—Ja; *prīyamāṇāya*—uważając cię za Swojego przyjaciela; *vakṣyāmi*—mówi; *hita-kāmyayā*—dla twojej korzyści.

**Najwyższa Osoba Boga rzekł: Posłuchaj jeszcze raz, o potężny Arjuno. Ponieważ jesteś drogim Mi przyjacielem, pouczę cię dalej. Wyjawię ci wiedzę, która lepsza jest od tej, którą do tej pory wyjaśniałem.**

*ZNACZENIE:* Parāśara Muṇi tłumaczy słowo Bhagavān w następujący sposób. Kto posiada w pełni sześć przymiotów: wszelką siłę, sławę, zamożność, wiedzę, piękno i wyrzeczenie, ten jest Bhagavānem, czyli Najwyższą Osobą Boga. Kiedy Kṛṣṇa był obecny na tej Ziemi, zamanifestował pełnię tych wszystkich bogactw. Dlatego wielcy mędrcy, chociażby tacy jak Parāśara Muni, wszyscy przyjęli Kṛṣṇę za Najwyższą

Osobę Boga. Teraz Kṛṣṇa zdradza Arjunie bardziej poufną wiedzę o Swoich bogactwach i czynach. Wcześniej, zaczynając od Rozdziału Siódmego, Pan wytłumaczył mu Swoje różne energie i ich działanie. Teraz, w tym rozdziale, tłumaczy Arjunie Swoje specyficzne bogactwa. W rozdziale poprzednim wyraźnie wytłumaczył Swoje różne energie, aby w sposób stanowczy i przekonywający ustanowić oddanie (*bhakti-yogę*). W tym rozdziale ponownie mówi o Swoich manifestacjach i różnych bogactwach.

Im więcej słuchamy o Najwyższym Bogu, tym bardziej umacniamy się w swojej służbie oddania dla Niego. Należy zawsze słuchać o Panu w towarzystwie wielbicieli; to spotęguje naszą służbę oddania. Rozmowy takie mogą toczyć się tylko między tymi, którzy naprawdę pragną być świadomymi Kṛṣṇy. Inni nie mogą brać udziału w takich rozmowach. Kṛṣṇa wyraźnie oznajmia Arjunie, że ponieważ jest on Mu bardzo drogi, rozmawia z nim w ten sposób dla jego korzyści.

**TEKST 2**

न मे विदुः सुरगणाः प्रभवं न महर्षयः ।
अहमादिर्हि देवानां महर्षीणां च सर्वशः ॥२॥

*na me viduḥ sura-gaṇāḥ prabhavaṁ na maharṣayaḥ*
*aham ādir hi devānāṁ maharṣīṇāṁ ca sarvaśaḥ*

*na*—nigdy; *me*—Mój; *viduḥ*—zna; *sura-gaṇāḥ*—półbogowie; *prabhavam*—źródło, bogactwa; *na*—nigdy; *mahā-ṛṣayaḥ*—wielcy mędrcy; *aham*—Ja jestem; *ādiḥ*—początkiem; *hi*—z pewnością; *devānām*—półbogów; *mahā-ṛṣīṇām*—wielkich mędrców; *ca*—również; *sarvaśaḥ*—pod każdym względem.

**Ani zastępy półbogów, ani wielcy mędrcy nie znają Mojego początku czy bogactw, gdyż pod każdym względem Ja jestem źródłem półbogów i mędrców.**

*ZNACZENIE:* Jak oznajmia *Brahma-saṁhitā*, Pan Kṛṣṇa jest Najwyższym Panem. Nikt Go nie przewyższa; On jest przyczyną wszystkich przyczyn. Tutaj Pan również osobiście mówi, że jest On źródłem wszystkich półbogów i mędrców. Nawet półbogowie i wielcy mędrcy nie są w stanie zrozumieć Kṛṣṇy; nie mogą zrozumieć ani Jego imienia, ani Jego osoby, więc jakaż jest pozycja tzw. naukowców na tej maleńkiej planecie? Nikt nie może zrozumieć dlaczego Najwyższy Bóg przychodzi na ziemię jak zwykła ludzka istota i spełnia takie niezwykłe i wspaniałe czynności. Należy wobec tego wiedzieć, iż uczoność nie jest konieczną kwalifikacją do zrozumienia Kṛṣṇy. Nawet półbogowie i wielcy mędrcy, którzy próbowali poznać Kṛṣṇę przez swoje umysłowe spekulacje, nie odnieśli sukcesu. *Śrīmad-Bhāgavatam* mówi wyraźnie, iż nawet wielcy półbogowie nie są w stanie zrozumieć Najwyższej Osoby Boga. Mogą spekulować do granic możliwości swoich niedoskonałych zmysłów i poprzez takie spekulacje dojść do impersonalizmu—konkluzji przeciwnej—czegoś nie zamanifestowanego przez materialną naturę. Albo mogą wyobrazić sobie coś w swoich umysłach. Jednakże Kṛṣṇy nie można poznać poprzez takie miemądre spekulacje.

Tutaj Pan oznajmia pośrednio tym, którzy chcieliby poznać Prawdę Absolutną: "Spójrz, jestem tutaj obecny jako Najwyższa Osoba Boga. Ja jestem Najwyższym." Należy o tym wiedzieć. Mimo iż nie można zrozumieć niepojętego Pana, który obecny jest osobiście, On niemniej jednak istnieje. W rzeczywistości Kṛṣṇę—który jest wieczny, pełen wiedzy i szczęścia—możemy poznać po prostu przez studiowanie Jego słów zawartych w *Bhagavad-gīcie* i *Śrīmad-Bhāgavatam*. Koncepcję Boga jako jakąś władczą siłę albo jako bezosobowego Brahmana mogą poznać nawet już te osoby, które znajdują się w niższej energii Pana, natomiast Osoby Boga nie można poznać tak długo, dopóki nie jest się w pozycji transcendentalnej.

Ponieważ większość ludzi nie potrafi zrozumieć Kṛṣṇy w Jego rzeczywistej sytuacji, z powodu Swojego bezprzyczynowego miłosierdzia przychodzi On osobiście, aby okazać łaskę takim spekulantom. Jednakże pomimo niezwykłych czynów Najwyższego Pana, spekulanci ci, z powodu zanieczyszczenia energią materialną, nadal myślą, że Najwyższym jest bezosobowy Brahman. Tylko wielbiciele całkowicie podporządkowani Najwyższemu Panu mogą zrozumieć, dzięki Jego łasce, iż jest On Kṛṣṇą. Wielbiciele Pana nie zajmują się Brahmanem, bezosobową koncepcją Boga. Ich wiara i oddanie doprowadza ich do natychmiastowego podporządkowania się Najwyższemu Panu i dzięki Jego bezprzyczynowej łasce mogą oni zrozumieć Kṛṣṇę. Poza nimi, nikt inny nie może Go zrozumieć. Więc nawet wielcy mędrcy zgodnie odpowiadają na pytanie: czym jest *ātmā*, czym jest Najwyższy? Jest to Ten, którego musimy wielbić.

**TEKST 3** यो मामजमनादिं च वेत्ति लोकमहेश्वरम् ।
असम्मूढः स मर्त्येषु सर्वपापैः प्रमुच्यते ॥३॥

*yo māṁ ajam anādiṁ ca vetti loka-maheśvaram*
*asammūḍhaḥ sa martyeṣu sarva-pāpaiḥ pramucyate*

*yaḥ*—każdy, kto; *mām*—Mnie; *ajam*—nienarodzony; *anādim*—bez początku; *ca*—również; *vetti*—wie; *loka*—planet; *mahā-īśvaram*—najwyższy pan; *asammūḍhaḥ*—wolna od ułudy; *saḥ*—on; *martyeṣu*—

pomiędzy tymi, którzy podlegają śmierci; *sarva-pāpaiḥ*—ze wszystkich następstw grzechów; *pramucyate*—jest wyzwolony.

**Kto zna Mnie jako nienarodzonego, nie mającego początku, jako Najwyższego Pana wszystkich światów, ten tylko—wolnym będąc od wszelkiej ułudy—wolnym jest i od wszelkiego grzechu.**

*ZNACZENIE:* Jak oznajmia Rozdział Siódmy (7.3), *manuṣyāṇāṁ sahasreṣu kaścid yatati siddhaye*: ci którzy próbują wznieść się do platformy realizacji duchowej, nie są zwykłymi ludźmi. Przewyższają oni miliony przeciętnych osób nie posiadających wiedzy o realizacji duchowej. Ale kto spośród tych rzeczywiście próbujących dociec swojej duchowej pozycji zrozumiał, że Kṛṣṇa jest Najwyższą Osobą Boga, właścicielem wszystkiego, nienarodzonym, ten odniósł największy sukces w realizacji duchowej. Tylko na tym etapie, kiedy w pełni rozumie się najwyższą pozycję Kṛṣṇy, można całkowicie uwolnić się od wszelkich następstw grzechów.

Słowo *aja*, użyte tutaj w odniesieniu do Pana, oznacza "nienarodzony". Ale Pan jest różny od żywych istot—opisanych jako *aja* w Rozdziale Drugim—które rodzą się i umierają z powodu swojego przywiązania do materii. Dusze uwarunkowane zmieniają swoje ciała, ale Jego ciało jest niezmienne. Nawet jeśli przychodzi On do tego świata materialnego, przychodzi On jako ten sam, nienarodzony. Dlatego Rozdział Czwarty mówi, że Pan, dzięki Swojej wewnętrznej mocy, nie jest uzależniony od energii materialnej, lecz zawsze usytuowany jest w energii wyższej.

Użyte w tym wersecie słowa *vetti loka-maheśvaram* oznaczają, iż należy wiedzieć, że Pan Kṛṣṇa jest najwyższym właścicielem systemów planetarnych wszechświata. Istniał On przed stworzeniem i jest różny od tego Swojego stworzenia. Wszyscy półbogowie zostali stworzeni wewnątrz tego świata materialnego, lecz jeśli chodzi o Kṛṣṇę, to powiedziane jest, iż On nie został stworzony. Zatem Kṛṣṇa różni się nawet od takich wielkich półbogów jak Brahmā czy Śiva. I ponieważ jest On stwórcą Brahmy i Śivy i wszystkich innych półbogów, jest On Najwyższą Osobą wszystkich planet.

Śrī Kṛṣṇa jest zatem różny od wszystkiego, co zostało stworzone, i każdy kto zna Go takim, natychmiast zostaje wyzwolony od wszystkich następstw swoich grzechów. Aby posiąść wiedzę o Najwyższym Panu, trzeba być wolnym od wszelkich grzesznych czynów. *Bhagavad-gītā* oznajmia, że można Go poznać jedynie przez służbę oddania i w żaden inny sposób.

Nie należy patrzeć na Kṛṣṇę jak na istotę ludzką. Jak zostało to powiedziane wcześniej, tylko niemądre osoby uważają Go za istotę ludzką. To samo, tylko w inny sposób, zostało powtórzone tutaj. Kto nie jest głupcem i posiada dostateczną inteligencję, aby zrozumieć konstytucjonalną pozycję Boga, ten zawsze wolny jest od następstw grzechów.

Jeśli jednak Kṛṣṇa znany jest jako syn Devakī, to jak może być On nienarodzony? To również zostało wytłumaczone w *Śrīmad-Bhāgavatam*: kiedy pojawił się On przed Devakī i Vasudevą, nie został urodzony jak zwykłe dziecko. Pojawił się On w Swojej oryginalnej formie, a następnie przemienił się w zwykłe dziecko.

Wszelkie czyny spełniane pod kierunkiem Kṛṣṇy są z natury transcendentalne i nie mogą być zanieczyszczone przez skutki materialne, czy to pomyślne czy niepomyślne. Koncepcja, że w tym materialnym świecie są rzeczy pomyślne i niepomyślne, jest w zasadzie wytworem umysłowym, jako że nie ma tu nic pomyślnego. Wszystko jest niepomyślne, ponieważ sama natura materialna nie jest pomyślna. My jedynie wyobrażamy sobie, że jest ona pomyślna. Prawdziwa pomyślność zależy od działania w świadomości Kṛṣṇy, w pełnym oddaniu i służbie. Zatem, jeśli w ogóle chcemy, aby nasza działalność była pomyślna, wtedy powinniśmy działać według wskazówek Najwyższego Pana. Takie wskazówki podane są w autorytatywnych pismach, takich jak *Śrīmad-Bhāgavatam* i *Bhagavad-gītā*, albo można je otrzymać od bona fide mistrza duchowego. Ponieważ mistrz duchowy jest reprezentantem Najwyższego Pana, jego wskazówki są bezpośrednio wskazówkami Najwyższego Pana. Mistrz duchowy, osoby święte i pisma święte nauczają w ten sam sposób. Nie ma sprzeczności pomiędzy tymi trzema źródłami. Wszelkie czyny spełniane pod takim kierunkiem wolne są od skutków pobożnego czy bezbożnego postępowania w tym świecie materialnym. Transcendentalną postawą wielbiciela w wypełnianiu jego czynności jest wyrzeczenie, i to nazywa się *sannyāsą*. Jak oznajmia pierwszy werset Szóstego Rozdziału *Bhagavad-gīty*: prawdziwym *sannyāsīnem* i *yogīnem* jest każdy, kto postępuje według wskazówek Najwyższego Pana i nie szuka schronienia w owocach swoich czynów (*anāśritaḥ karma-phalam*), nie zaś ten, kto przywdziewa szatę *sannyāsīna* czy pozuje na *yogīna*.

**TEKSTY 4-5** बुद्धिर्ज्ञानमसम्मोहः क्षमा सत्यं दमः शमः ।
सुखं दुःखं भवोऽभावो भयं चाभयमेव च ॥४॥
अहिंसा समता तुष्टिस्तपो दानं यशोऽयशः ।
भवन्ति भावा भूतानां मत्त एव पृथग्विधाः ॥५॥

*buddhir jñānam asammohaḥ kṣamā satyaṁ damaḥ śamaḥ*
*sukhaṁ duḥkhaṁ bhavo 'bhāvo bhayaṁ cābhayam eva ca*

*ahiṁsā samatā tuṣṭis tapo dānaṁ yaśo 'yaśaḥ*
*bhavanti bhāvā bhūtānāṁ matta eva pṛthag-vidhāḥ*

*buddhiḥ*—inteligencja; *jñānam*—wiedza; *asammohaḥ*—wolność od wątpliwości; *kṣamā*—przebaczanie; *satyam*—prawdomówność; *damaḥ*—kontrola zmysłów; *śamaḥ*—kontrola umysłu; *sukham*—szczęście; *duḥkham*—nieszczęście; *bhavaḥ*—narodziny; *abhāvaḥ*—śmierć; *bhayam*—strach; *ca*—również; *abhayam*—wolność od strachu; *eva*—również; *ca*—i; *ahiṁsā*—łagodność; *samatā*—równowaga; *tuṣṭiḥ*—zadowolenie; *tapaḥ*—pokuta; *dānam*—dobroczynność; *yaśaḥ*—sława; *ayaśaḥ*—niesława; *bhavanti*—stają się; *bhāvāḥ*—natury; *bhūtānām*—żywych istot; *mattaḥ*—ode Mnie; *eva*—z pewnością; *pṛthak-vidhāḥ*—rozmaicie zorganizowany.

**Inteligencja, wiedza, wolność od wątpliwości i złudzenia, dar przebaczania, prawdomówność, kontrola zmysłów i umysłu, szczęście i niedola, narodziny, śmierć, strach, odwaga, łagodność, spokój, zadowolenie, wyrzeczenie, dobroczynność, sława i niesława, wszystkie te różne cechy żywych istot przeze Mnie Samego zostały stworzone.**

*ZNACZENIE:* Różne cechy żywych istot, zarówno dobre, jak i złe, wszystkie zostały stworzone przez Kṛṣṇę i opisane są tutaj.

Inteligencja jest zdolnością analizowania rzeczy we właściwej perspektywie, a wiedza odnosi się do rozumienia, czym jest duch i czym jest materia. Zwykła wiedza nabyta przez wykształcenie uniwersyteckie odnosi się tylko do materii i tutaj nie jest przyjmowana jako wiedza. Wiedza oznacza poznanie różnicy pomiędzy duchem a materią. Współczesne wykształcenie nie obejmuje wiedzy o duchu; zajmuje się ono jedynie elementami materialnymi i potrzebami cielesnymi. Dlatego wiedza akademicka nie jest kompletna.

*Asammoha*, wolność od wątpliwości i ułudy może osiągnąć ten, kto rozumie filozofię transcendentalną i jest zdecydowany. Powoli, ale na pewno, uwalnia się on od ułudy. Niczego nie powinno się przyjmować ślepo; wszystko należy przyjmować z uwagą i ostrożnością. Należy praktykować *kṣamę*, czyli tolerancję i przebaczanie, i wybaczać innym drobne obrazy. *Satyam*, prawdomówność, oznacza, że należy przedstawiać fakty takimi, jakimi są, bez błędnej interpretacji, dla korzyści innych. Pewna konwencja społeczna mówi, że prawdę można mówić tylko wtedy, kiedy jest ona przyjemna dla innych. Ale to nie jest prawdomówność. Prawdę należy mówić otwarcie i śmiało, tak aby inni zrozumieli, jak fakty mają się naprawdę. Jeśli jakiś człowiek jest złodziejem i jeśli ludzie zostaną o tym powiadomieni, to jest to prawdą. Prawdy nigdy nie należy ukrywać, mimo iż czasami nie jest ona przyjemna. Prawdomówność wymaga, aby fakty były przedstawiane takimi jakimi są, dla korzyści innych. Taka jest definicja prawdy.

Kontrola zmysłów oznacza, iż zmysły nie powinny być angażowane w niepotrzebne uciechy osobiste. Nie ma zakazów, jeśli chodzi o zaspokojenie właściwych potrzeb zmysłowych, ale niepotrzebne oddawanie się uciechom zmysłowym jest szkodliwe, jeśli chodzi o postęp duchowy. Nie należy zatem folgować zmysłom. Również umysł nie powinien zajmować się niepotrzebnymi myślami; to nazywane jest *śama*. Nie należy też tracić czasu na rozważania, w jaki sposób zdobyć pieniądze. Jest to robienie złego użytku ze zdolności myślenia. Umysłu należy użyć do poznania pierwszej potrzeby ludzkiej istoty, która powinna być prezentowana w sposób autoryzowany. Zdolność myślenia należy rozwijać w towarzystwie osób świętych, mistrzów duchowych i ludzi o wysoko rozwiniętym umyśle, będących autorytetami w pismach świętych. *Sukham*, przyjemność albo szczęście, powinniśmy znajdować zawsze w tym, co jest korzystne dla kultywacji wiedzy duchowej w świadomości Kṛṣṇy. I podobnie, rzeczą bolesną albo przyczyną niedoli jest to, co nie jest korzystne dla kultywacji świadomości Kṛṣṇy. Należy przyjmować wszystko, co jest pomocne dla rozwoju świadomości Kṛṣṇy, i odrzucać wszystko, co dla takiego rozwoju nie jest korzystne.

Należy rozumieć, że *bhava*, narodziny, odnoszą się do ciała. Jeśli chodzi o duszę, to nie rodzi się ona ani nie umiera. O tym mówiliśmy już na początku *Bhagavad-gīty*. Narodziny i śmierć odnoszą się do ciała. Przyczyną strachu jest obawa przed przyszłością. Osoba w świadomości Kṛṣṇy jest wolna od strachu, ponieważ dzięki swoim czynom z pewnością powróci ona do nieba duchowego, z powrotem do domu, do Boga. Jej przyszłość jest zatem bardzo świetlana. Inni natomiast nie wiedzą, co przyniesie im przyszłość; nie znają swojego następnego życia. Dlatego są w bezustannym niepokoju. Jeśli chcemy uwolnić się od niepokoju, to najlepszym na to sposobem jest poznanie Kṛṣṇy i ciągłe pozostawanie w świadomości Kṛṣṇy. W ten sposób będziemy wolni od wszelkiego strachu. *Śrīmad-Bhāgavatam* (11.2.37) oznajmia, *bhayaṁ dvitīyābhiniveśataḥ syāt*: przyczyną wszelkiego strachu jest nasze pogrążenie się w złudnej energii. Więc kto nie znajduje się pod wpływem tej energii, kto ma pewność, iż nie jest tym ciałem materialnym, ale duchową cząstką Boga, i dlatego zaangażowany jest w transcendentalną służbę dla Najwyższej Osoby, ten nie ma się czego obawiać. Jego przyszłość jest bardzo promienna. Strach taki właściwy jest osobie, która nie jest świadoma Kṛṣṇy. *Abhayam*, wolność od strachu, możliwa jest tylko dla tego, kto jest w świadomości Kṛṣṇy.

*Ahiṁsā*, nieużywanie przemocy, łagodność, oznacza, iż nie należy robić niczego, co mogłoby innych przyprawić o nieszczęście albo niepokój. Działalność materialna obiecywana przez tak wielu polityków, socjologów, filantropów itd., nie przynosi spodziewanych rezultatów, jako że politycy i filantropi pozbawieni są transcendentalnej wizji; nie wiedzą, co jest naprawdę korzystne dla społeczeństwa ludzkiego. *Ahiṁsā* oznacza, iż ludzie powinni być szkoleni w taki sposób, aby zrobić pełen użytek ze swojego ciała. Ciało ludzkie przeznaczone jest do realizacji duchowej, więc każdy ruch czy rząd, który nie sprzyja temu celowi, popełnia gwałt na ludzkim ciele. Łagodnością, czyli nieużywaniem przemocy, jest tylko to, co sprzyja przyszłemu szczęściu duchowemu ludzi w ogólności.

*Samatā*, spokój umysłu, odnosi się do wolności od przywiązań i awersji. Nie jest dobrze być za bardzo przywiązanym ani bardzo niechętnym. Należy przyjmować ten świat materialny bez przywiązania i bez niechęci. Podobnie, należy przyjmować to, co jest korzystne dla praktykowania świadomości Kṛṣṇy i odrzucać to, co jest niekorzystne. To nazywane jest *samatā*, zrównoważeniem umysłowym. Osoba w świadomości Kṛṣṇy nie ma nic do odrzucenia ani do przyjmowania, poza przypadkami, gdy w grę wchodzi przydatność czegoś w praktykowaniu świadomości Kṛṣṇy.

*Tuṣṭi*, zadowolenie, oznacza, że nie należy podejmować zbędnego wysiłku, aby gromadzić coraz więcej dóbr. Powinno się być zadowolonym z tego, co otrzymało się dzięki łasce Pana; to nazywa się zadowoleniem. *Tapas* znaczy pokuta albo wyrzeczenie. Jest wiele przepisów i nakazów wedyjskich, które odnoszą się do tego: jak na przykład wczesne wstawanie i poranna kąpiel w zimnej wodzie. Czasami bardzo trudno jest wstać wcześnie rano, ale każde dobrowolne cierpienie w tym względzie nazywane jest pokutą. Są też pewne zalecenia dotyczące poszczenia w niektórych dniach w miesiącu. Ktoś może niechętnie praktykować takie posty, ale jeśli jest zdecydowany uczynić postęp w nauce o świadomości Kṛṣṇy, powinien je zaakceptować. Jednakże nie powinno się pościć niepotrzebnie albo niezgodnie z zaleceniami *Ved*. Nie należy pościć dla jakichś celów politycznych; według *Bhagavad-gīty*, takie poszczenie jest w *guṇie* ignorancji, a wszystko co robione jest pod wpływem ignorancji i pasji, nie prowadzi do rozwoju duchowego. Wszystko natomiast, co robione jest pod wpływem dobroci, prowadzi do rozwoju; a poszczenie zgodne z zaleceniami *Ved* wzbogaca w wiedzę duchową.

Jeśli chodzi o dobroczynność, to pięćdziesiąt procent swoich dochodów należy oddawać na jakieś dobre cele. A co jest tym dobrym celem? Jest nim działanie prowadzone w świadomości Kṛṣṇy. Nie tylko jest to dobry cel, ale jest to cel najlepszy. Ponieważ Kṛṣṇa jest dobry, dlatego dobre są też wszystkie Jego cele. Zatem należy wspomagać tę osobę, która zaangażowana jest w świadomość Kṛṣṇy. Według wskazówek literatury wedyjskiej, jałmużnę powinni otrzymywać bramini. Praktyki tej przestrzega się nadal, chociaż niezbyt ściśle. Jednakże jest takie zalecenie, aby dawać braminom jałmużnę. Dlaczego? Ponieważ zaangażowani są oni w kultywowanie wiedzy duchowej. Bramin powinien całe swoje życie poświęcić dla zrozumienia Brahmana. *Brahma jānātīti brāhmaṇaḥ*: ten kto zna Brahmana, nazywany jest braminem. Ponieważ cały swój czas poświęca wyższej służbie duchowej, nie ma kiedy zarabiać na własne utrzymanie—i dlatego powinien być wspomagany przez innych. Według literatury wedyjskiej, jałmużnę należy też dawać osobom w wyrzeczonym porządku życia, czyli *sannyāsīnom*. *Sannyāsīni* wędrują od drzwi do drzwi, nie po to, aby otrzymywać pieniądze, ale w celach misyjnych. System ten polega na tym, że chodzą oni od drzwi do drzwi, aby rozbudzić żyjących w małżeństwie ze snu ignorancji. Ponieważ zbyt pochłonięci są oni sprawami rodzinnymi i zapomnieli o prawdziwym celu życia—rozbudzeniu świadomości Kṛṣṇy—więc zadaniem *sannyāsīnów* jest odwiedzać ich i zachęcać do praktykowania świadomości Kṛṣṇy. Jak o tym mówią *Vedy*, należy przebudzić się ze snu ignorancji i dążyć do tego, co powinno się osiągnąć w ludzkiej formie życia. Tej wiedzy i metody nauczają *sannyāsīni*. Zatem należy wspomagać osoby w wyrzeczonym porządku życia i braminów. Pieniądze powinny być zawsze wydawane na dobre cele, a nie na jakieś kaprysy.

*Yaśas*, sławę, należy rozumieć tak jak Pan Caitanya, który powiedział, że człowiek jest sławny wtedy, kiedy jest znany jako wielki wielbiciel Pana. To jest prawdziwa sława. Jeśli ktoś został wielkim człowiekiem w świadomości Kṛṣṇy i jest o tym powszechnie wiadomo, wtedy jest naprawdę sławny. Kto nie jest sławny w ten sposób, ten ma złą sławę.

Wszystkie te cechy zamanifestowane są w całym wszechświecie, w społeczeństwie ludzkim i społeczeństwie półbogów. Jest wiele form ludzkich na innych planetach i te cechy istnieją tam również. Kṛṣṇa stwarza wszystkie te cechy dla tych, którzy pragną czynić postęp w świadomości Kṛṣṇy, ale osoby te muszą rozwinąć je same, od wewnątrz. Te wszystkie dobre cechy ustanowione przez Najwyższego Pana rozwija ten, kto angażuje się w służbę dla Najwyższej Osoby.

Cokolwiek mamy złego czy dobrego—źródłem wszystkiego jest Kṛṣṇa. Nic nie mogłoby się przejawić w tym świecie materialnym, jeśli nie byłoby tego w Kṛṣṇie. To jest wiedzą. Chociaż wiemy, że różne rzeczy zajmują różne pozycje, powinniśmy zdać sobie sprawę z tego, że wszystko wypływa z Kṛṣṇy.

TEKST 6 महर्षयः सप्त पूर्वे चत्वारो मनवस्तथा ।
मद्भावा मानसा जाता येषां लोक इमाः प्रजाः ॥६॥

*maharṣayaḥ sapta pūrve catvāro manavas tathā*
*mad-bhāvā mānasā jātā yeṣāṁ loka imāḥ prajāḥ*

*mahā-ṛṣayaḥ*—wielcy mędrcy; *sapta*—siedmiu; *pūrve*—przed; *catvāraḥ*—czterej; *manavaḥ*—Manu; *tathā*—również; *mat-bhāvāḥ*—zrodzeni ze Mnie; *mānasāḥ*—z umysłu; *jātāḥ*—zrodzeni; *yeṣām*—z nich; *loke*—w świecie; *imāḥ*—cała ta; *prajāḥ*—populacja.

**Siedmiu wielkich mędrców i czterech innych przed nimi, jak i wszyscy Manu (przodkowie ludzkości), z Mojego umysłu zostali zrodzeni i oni dali początek wszelkiemu stworzeniu na tych planetach.**

*ZNACZENIE:* Pan podaje tutaj w skrócie genealogię populacji wszechświata. Brahmā jest pierwszym stworzeniem zrodzonym z energii Najwyższego Pana, który znany jest jako Hiraṇyagarbha. Brahmā dał początek siedmiu wielkim mędrcom, a przed nimi jeszcze czterem innym, znanym jako: Sanaka, Sananda, Sanātana i Sanat-kumāra, i wszystkim Manu. Ci wielcy mędrcy, w liczbie dwudziestu pięciu, są patriarchami wszystkich żywych istot w całym wszechświecie. Jest niezliczona ilość wszechświatów, a w każdym wszechświecie niezliczona ilość planet, z których każda przepełniona jest różnorodnymi populacjami. Wszystkie te populacje zrodzone zostały z tych dwudziestu pięciu patriarchów. Brahmā przez tysiąc lat (według czasu półbogów) oddawał się pokutom, zanim, dzięki łasce Kṛṣṇy, dowiedział się w jaki sposób tworzyć. Wtedy dał początek Sanace, Sanandzie, Sanātanie i Sanat-kumārowi, następnie Rudrze, a następnie siedmiu mędrcom; i w ten sposób wszyscy bramini i *kṣatriyowie* zrodzili się z energii Najwyższej Osoby Boga. Brahmā znany jest jako Pitāmaha, dziadek, a Kṛṣṇa jako Prapitāmaha, ojciec dziadka. Mówi o tym Jedenasty Rozdział *Bhagavad-gīty* (11.39).

TEKST 7 एतां विभूतिं योगं च मम यो वेत्ति तत्त्वतः ।
सोऽविकल्पेन योगेन युज्यते नात्र संशयः ॥७॥

*etāṁ vibhūtiṁ yogaṁ ca mama yo vetti tattvataḥ*
*so 'vikalpena yogena yujyate nātra saṁśayaḥ*

*etām*—wszystkie te; *vibhūtim*—bogactwa; *yogam*—siły mistyczne; *ca*—również; *mama*—Moje; *yaḥ*—każdy; *vetti*—zna; *tattvataḥ*—rzeczywiście; *saḥ*—on; *avikalpena*—niepodzielnie; *yogena*—w służbę oddania; *yujyate*—zaangażowany; *na*—nigdy; *atra*—tutaj; *saṁśayaḥ*—wątpliwości.

**Kto prawdziwie zna Moje bogactwa i mistyczną siłę, ten bez reszty oddaje się Mi w służbie oddania—co do tego nie ma żadnych wątpliwości.**

*ZNACZENIE:* Najwyższym szczytem doskonałości duchowej jest wiedza o Najwyższej Osobie Boga. Nie będąc przekonanym o rozmaitych bogactwach Najwyższego Pana, nie można zaangażować się w służbę oddania. Na ogół ludzie wiedzą, iż Bóg jest wielki, nie wiedzą jednak dokładnie, w jaki sposób Bóg jest wielki. Tutaj jest to powiedziane dokładnie. Jeśli ktoś rzeczywiście wie, jak wielki jest Bóg, wtedy w naturalny sposób staje się duszą podporządkowaną i angażuje się w służbę oddania dla Niego. Jeśli ktoś rzeczywiście zna bogactwa Najwyższego, nie ma dla niego innej alternatywy, jak tylko podporządkować się Panu. Taką prawdziwą wiedzę można znaleźć w *Śrīmad-Bhāgavatam*, *Bhagavad-gīcie* i podobnej literaturze.

Administrowaniem tego wszechświata zajmuje się wielu półbogów rozmieszczonych w całym systemie planetarnym, a naczelnymi półbogami są Brahmā, Pan Śiva, czterej wielcy Kumārowie i inni patriarchowie. Jest wielu przodków populacji tego wszechświata i wszyscy oni zrodzili się z Najwyższego Pana Kṛṣṇy. Najwyższa Osoba Boga, Kṛṣṇa, jest oryginalnym przodkiem wszystkich przodków.

Są to niektóre z bogactw Najwyższego Pana. Ten, kto jest mocno przekonany o nich, przyjmuje Kṛṣṇę z wielką wiarą i bez żadnych wątpliwości, i angażuje się w służbę oddania. Cała ta wiedza konieczna jest w tym celu, abyśmy zwiększyli nasze zainteresowanie służbą miłości dla Pana. Nie należy zatem lekceważyć tej wiedzy, a raczej w pełni zrozumieć, jak wielki jest Pan. Znając wielkość Kṛṣṇy, można umocnić się w szczerej służbie dla Niego.

**TEKST 8** अहं सर्वस्य प्रभवो मत्तः सर्वं प्रवर्तते ।
इति मत्वा भजन्ते मां बुधा भावसमन्विताः ॥८॥

*ahaṁ sarvasya prabhavo mattaḥ sarvaṁ pravartate*
*iti matvā bhajante māṁ budhā bhāva-samanvitāḥ*

*aham*—Ja; *sarvasya*—wszystkich; *prabhavaḥ*—źródło pokoleń; *mattaḥ*—ode Mnie; *sarvam*—wszystko; *pravartate*—emanuje; *iti*—w ten sposób; *matvā*—wiedząc; *bhajante*—oddają się; *mām*—Mnie; *budhāḥ*—uczeni; *bhāva-samanvitāḥ*—z wielką uwagą.

**Ja jestem źródłem wszystkich światów duchowych i materialnych. Wszystko ze Mnie emanuje. Mędrcy—wiedząc o tym doskonale—angażują się w służbę oddania dla Mnie i czczą Mnie z całych serc swoich.**

*ZNACZENIE:* Uczony mędrzec, który dokładnie przestudiował *Vedy* i posiada wiedzę od takich autorytetów jak Pan Caitanya i wie, w jaki sposób zastosować te nauki, może zrozumieć, że Kṛṣṇa jest źródłem wszystkiego, zarówno w świecie materialnym, jak i duchowym. Dzięki takiej wiedzy umacnia się on w służbie oddania dla Najwyższego Pana. Taka osoba nigdy nie może zostać odwiedziona od służby oddania przez żadnych głupców ani bzdurne komentarze. Cała literatura wedyjska potwierdza to, że Kṛṣṇa jest źródłem Brahmy, Śivy i wszystkich innych półbogów. *Atharva Veda* (*Gopāla-tāpanī Upaniṣad* 1.24) mówi: *yo brahmāṇaṁ vidadhāti pūrvaṁ yo vai vedāṁś ca gāpayati sma kṛṣṇaḥ*. "To właśnie Kṛṣṇa na początku przekazał Brahmie wiedzę wedyjską, który następnie rozszerzył ją w przeszłości". W *Nārāyaṇa Upaniṣad* (1) powiedziane jest też: *atha puruṣo ha vai nārāyaṇo 'kāmayata prajāḥ sṛjeyeti*. "Wtedy Najwyższa Osoba Nārāyaṇa zapragnął stworzyć żywe istoty". W *Upaniṣadach* powiedziane jest również: *nārāyaṇād brahmā jāyate, nārāyaṇād prajāpatiḥ prajāyate, nārāyaṇād indro jāyate, nārāyaṇād aṣṭau vasavo jāyante, nārāyaṇād ekādaśa rudrā jāyante, nārāyaṇād dvādaśādityāḥ*: "Z Nārāyaṇa narodził się Brahmā i z Nārāyaṇa zrodzili się patriarchowie. Nārāyaṇa jest również źródłem Indry, ośmiu Vasu, jedenastu Rudrów i dwunastu Ādityów." Ten Nārāyaṇa jest ekspansją Kṛṣṇy.

W tym samych *Vedach* jest też powiedziane, *brahmaṇyo devakī-putraḥ*: "Syn Devakī, Kṛṣṇa, jest Najwyższą Osobą." (*Nārāyaṇa Upaniṣad* 4) Oraz dalej: *eko vai nārāyaṇa āsīn na brahmā na īśāno nāpo nāgni-samau neme dyāv-āpṛthivī na nakṣatrāṇi na sūryaḥ*: "Na początku stworzenia istniał jedynie On, Najwyższa Osoba, Nārāyaṇa. Nie było Brahmy ani Śivy, ognia ani księżyca, ani gwiazd na niebie, ani słońca." (*Mahā Upaniṣad* 1) W *Mahā Upaniṣad* jest też powiedziane, że Pan Śiva został zrodzony z czoła Najwyższego Pana. Tak więc *Vedy* oznajmiają, iż wielbić należy właśnie tego Najwyższego Pana, stworzyciela Brahmy i Śivy.

W *Mokṣa-dharma* Kṛṣṇa mówi również:

*prajāpatiṁ ca rudraṁ cāpy aham eva sṛjāmi vai*
*tau hi māṁ na vijānīto mama māyā-vimohitau*

"Patriarchowie, Śiva i inni, przeze Mnie zostali stworzeni, lecz ponieważ są pod wpływem Mojej złudnej energii, nie wiedzą, że to Ja jestem ich stwórcą." Również w *Varāha Purāṇie* jest powiedziane:

*nārāyaṇaḥ paro devas tasmāj jātaś caturmukhaḥ*
*tasmād rudro 'bhavad devaḥ sa ca sarva-jñatāṁ gataḥ*

"Nārāyaṇa jest Najwyższą Osobą Boga i z Niego narodził się Brahmā, który dał początek Panu Śivie."

Pan Kṛṣṇa jest źródłem wszystkich generacji i nazywany jest On oryginalną przyczyną wszystkiego. Mówi On, że ponieważ "wszystko zostało zrodzone ze Mnie, Ja jestem oryginalnym źródłem wszystkiego. Wszystko zależne jest ode Mnie; nie ma nikogo, kto by Mnie przewyższał." Nie ma kontrolera wyższego od Kṛṣṇy. Kto rozumie Kṛṣṇę w ten sposób, od bona fide mistrza duchowego i z literatury wedyjskiej, ten angażuje całą swoją energię w świadomość Kṛṣṇy, i staje się prawdziwie wykształconym człowiekiem. W porównaniu z nim, wszyscy inni, którzy nie znają Kṛṣṇy właściwie, są tylko głupcami. Tylko głupiec uważa Kṛṣṇę za zwykłego człowieka. Osoba świadoma Kṛṣṇy nie powinna dać się zwieść głupcom: powinna ona unikać wszystkich nieautoryzowanych komentarzy i interpretacji *Bhagavad-gīty*, i z determinacją i stanowczością kontynuować praktykowanie świadomości Kṛṣṇy.

**TEKST 9** मच्चित्ता मद्गतप्राणा बोधयन्तः परस्परम् ।
कथयन्तश्च मां नित्यं तुष्यन्ति च रमन्ति च ॥९॥

*mac-cittā mad-gata-prāṇā bodhayantaḥ parasparam*
*kathayantaś ca māṁ nityaṁ tuṣyanti ca ramanti ca*

*mat-cittāḥ*—umysły całkowicie pogrążone we Mnie; *mat-gata-prāṇāḥ*—ich życia oddane Mnie; *bodhayantaḥ*—nauczając; *parasparam*—pomiędzy sobą; *kathayantaḥ*—rozmawiając; *ca*—również; *mām*—o Mnie; *nityam*—ciągle; *tuṣyanti*—są zadowoleni; *ca*—również; *ramanti*—radują się transcendentalnym szczęściem; *ca*—również.

**Myśli Moich czystych wielbicieli zawsze pogrążone są we Mnie, życia ich są podporządkowane służbie dla Mnie, a rozmowy o Mnie—którymi oświecają się nawzajem—są dla nich źródłem ciągle wzbierającej radości i szczęścia.**

*ZNACZENIE:* Czyści wielbiciele, których cechy zostały wymienione tutaj, całkowicie angażują się w transcendentalną służbę miłości dla Pana. Nic nie jest w stanie odwieść ich myśli od lotosowych stóp Kṛṣṇy. Przedmiotem ich rozmów są jedynie tematy transcendentalne. Szczególnie ten werset opisuje symptomy właściwe dla czystych wielbicieli, którzy przez dwadzieścia cztery godziny na dobę zaangażowani są w gloryfikowanie cech i rozrywek Najwyższego Pana. Ich serca i dusze są całkowicie i cały czas pogrążone w Kṛṣṇie, a dyskutowanie o Nim z innymi wielbicielami jest dla nich źródłem przyjemności i szczęścia.

Na początkowym etapie służby oddania czerpią transcendentalną przyjemność z samej służby, a w dojrzałym stanie osiągają prawdziwą miłość do Boga. Raz osiągnąwszy tę transcendentalną pozycję, mogą rozkoszować się najwyższą doskonałością, którą Pan manifestuje w Swoim królestwie. Pan Caitanya porównuje transcendentalną służbę oddania do zasiewania ziarna w sercu żywej istoty. Jest niezliczona liczba żywych istot podróżujących po różnych planetach wszechświata, lecz spośród nich wszystkich zaledwie parę jest tak szczęśliwych, by spotkać czystego wielbiciela i otrzymać szansę zrozumienia służby oddania. Ta służba oddania jest jak ziarno. Jeżeli zostanie zasiana w sercu żywej istoty i jeśli ta osoba kontynuuje słuchanie i intonowanie Hare Kṛṣṇa, Hare Kṛṣṇa, Kṛṣṇa Kṛṣṇa, Hare Hare; Hare Rāma, Hare Rāma, Rāma Rāma, Hare Hare, ziarno to owocuje, tak jak owocuje nasienie drzewa, jeśli jest regularnie podlewane. Duchowa roślinka służby oddania stopniowo rośnie, aż zaczyna penetrować pokrycie tego wszechświata materialnego i wchodzi w promienie *brahmajyoti* w niebie duchowym. Rosnąc dalej w niebie duchowym, osiąga ona najwyższą planetę, która nazywana jest Goloką Vṛndāvaną, najwyższą planetą Kṛṣṇy. Ostatecznie roślinka ta przyjmuje schronienie u lotosowych stóp Kṛṣṇy, i tam spoczywa. Stopniowo, tak jak zwykła roślina, kwitnie ona i owocuje, a proces podlewania w postaci intonowania i słuchania jest kontynuowany. Ta roślinka służby oddania została dokładnie opisana w *Caitanya caritāmṛta* (*Madhyā-līlā*, Rozdział Dziewiętnasty), gdzie jest powiedziane, że kiedy przyjmuje ona schronienie lotosowych stóp Kṛṣṇy, następuje wtedy całkowite pogrążenie się w miłości do Boga i osoba taka nawet przez moment nie może żyć w rozłączeniu z Panem—tak jak ryba nie może żyć bez wody. Na takim etapie, w kontakcie z Najwyższym Panem, wielbiciel rzeczywiście osiąga cechy transcendentalne.

*Śrīmad-Bhāgavatam* jest również przepełnione opisami związków pomiędzy Najwyższym Panem i Jego wielbicielami; dlatego też—jak mówi o tym samo *Bhāgavatam* (12.13.18): *Śrīmad-bhāgavataṁ purāṇam amalaṁ yad vaiṣṇavānāṁ priyam*—jest ono bardzo drogie wszystkim wielbicielom Pana. Opisy te nie mają nic wspólnego z czynami materialnymi, zadowalaniem zmysłów czy wyzwoleniem. *Śrīmad-Bhāgavatam* jest jedyną narracją, która w pełni opisuje transcendentalną naturę Najwyższego Pana i Jego wielbicieli. Dlatego też dusza zaangażowana w świadomości Kṛṣṇy czerpie niekończącą się przyjemność ze słuchania takiej literatury transcendentalnej, tak jak młody chłopiec i dziewczyna czerpią przyjemność z obcowania ze sobą.

**TEKST 10** तेषां सततयुक्तानां भजतां प्रीतिपूर्वकम् ।
ददामि बुद्धियोगं तं येन मामुपयान्ति ते ॥१०॥

*teṣāṁ satata-yuktānāṁ bhajatāṁ prīti-pūrvakam*
*dadāmi buddhi-yogaṁ taṁ yena mām upayānti te*

*teṣām*—im; *satata-yuktānām*—zawsze zaangażowani; *bhajatām*—w służbie oddania; *prīti-pūrvakam*—w miłosnym uniesieniu; *dadāmi*—daję; *buddhi-yogam*—prawdziwą inteligencję; *tam*—ta; *yena*—przez którą; *mām*—do Mnie; *upayānti*—przyjdą; *te*—oni.

**Tym, którzy zawsze są Mi oddani i z miłością Mi służą, Ja daję inteligencję, która do Mnie ich prowadzi.**

*ZNACZENIE:* Bardzo znaczące w tym wersecie jest słowo *buddhi-yogam*. Możemy sobie przypomnieć, że w Rozdziale Drugim Pan—instruując Arjunę—powiedział, iż przekazał mu wiele rzeczy, i że naucza go sposobem *buddhi-yogi*. Teraz wytłumaczono, co to jest *buddhi-yoga*. Sama *buddhi-yoga* jest działaniem w świadomości Kṛṣṇy i to jest najwyższą inteligencją. *Buddhi* oznacza inteligencję, a *yogam* oznacza czynności mistyczne albo rozwój mistyczny. Kiedy ktoś próbuje powrócić do domu, z powrotem do Boga, i w pełnej świadomości Kṛṣṇy zaczyna pełnić służbę oddania, wtedy jego działanie nazywane jest *buddhi-yogą*. Innymi słowy, *buddhi-yoga* jest procesem, dzięki któremu można wydostać się z sideł tego materialnego świata. Ostatecznym celem postępu jest Kṛṣṇa. Ludzie nie wiedzą o tym; dlatego tak ważne jest obcowanie z wielbicielami i bona fide mistrzem duchowym. Należy wiedzieć, iż celem jest Kṛṣṇa, i kiedy cel ten zostaje wyznaczony, wtedy ścieżka powoli, ale progresywnie, jest pokonywana i ostateczny cel zostaje osiągnięty.

Kto zna cel życia, ale przywiązany jest do owoców swoich czynów, ten działa w *karma-yodze*. Kiedy wie, iż celem jest Kṛṣṇa, ale znajduje przyjemność w spekulacjach umysłowych, zamierzając w ten sposób poznać Kṛṣṇę, działa w *jñāna-yodze*. A jeśli zna cel i szuka Kṛṣṇy całkowicie w świadomości Kṛṣṇy, poprzez służbę oddania, działa wtedy w *bhakti-yodze*, czyli *buddhi-yodze*, która jest *yogą* kompletną. Ta kompletną *yoga* jest najwyższą doskonałością życia.

Ktoś może mieć bona fide mistrza duchowego i może być związany z organizacją duchową, lecz jeśli nie jest wystarczająco inteligentny, aby uczynić postęp, wtedy Kṛṣṇa udziela mu instrukcji od wewnątrz, tak aby ostatecznie mógł on bez trudu Go osiągnąć. Wymaganą kwalifikacją jest ciągłe zaangażowanie w świadomość Kṛṣṇy i pełnienie z miłością i oddaniem wszelkiego rodzaju służb. Osoba taka powinna wykonywać pewien rodzaj pracy dla Kṛṣṇy i praca ta powinna być wykonywana z miłością. Jeśli wielbiciel nie jest wystarczająco inteligentny, aby uczynić postęp na ścieżce samorealizacji, ale jest szczery i oddany czynnościom służby oddania, Pan daje mu szansę uczynienia postępu i ostatecznego osiągnięcia Go.

**TEKST 11** तेषामेवानुकम्पार्थमहमज्ञानजं तमः ।
नाशयाम्यात्मभावस्थो ज्ञानदीपेन भास्वता ॥११॥

*teṣām evānukampārtham aham ajñāna-jaṁ tamaḥ*
*nāśayāmy ātma-bhāva-stho jñāna-dīpena bhāsvatā*

*teṣām*—dla nich; *eva*—z pewnością; *anukampā-artham*—by okazać szczególną łaskę; *aham*—Ja; *ajñāna-jam*—z powodu ignorancji; *tamaḥ*—ciemność; *nāśayāmi*—rozpraszam; *ātma-bhāva*—wewnątrz ich serca; *sthaḥ*—usytuowany; *jñāna*—wiedzy; *dīpena*—lampą; *bhāsvatā*—błyszczącą.

**Aby okazać im szczególną łaskę, Ja—który przebywam w ich sercach—rozpraszam świetlistą lampą wiedzy ciemność zrodzoną z ignorancji.**

*ZNACZENIE:* Kiedy Pan Caitanya rozpowszechniał w Benares intonowanie Hare Kṛṣṇa, Hare Kṛṣṇa, Kṛṣṇa Kṛṣṇa, Hare Hare; Hare Rāma, Hare Rāma, Rāma Rāma, Hare Hare, tysiące ludzi podążało za Nim. Prakāśānanda Sarasvatī, bardzo wpływowy w tym czasie uczony w Benares, wyśmiewał Pana Caitanyę, nazywając Go sentymentalistą. Zdarza się, że filozofowie krytykują wielbicieli; sądzą bowiem, że większość wielbicieli Pana znajduje się w ciemnościach ignorancji i, jeśli chodzi o filozofię, są oni naiwnymi sentymentalistami. W rzeczywistości jednak nie jest to prawdą. Są wielce kształceni naukowcy, którzy przedkładają filozofię oddania ponad wszelkie inne, ale nawet jeśli wielbiciel nie korzysta z ich literatury czy z pomocy swojego mistrza duchowego, to jeśli jest on szczery w służbie oddania, otrzymuje pomoc od Kṛṣṇy z wewnątrz swego serca. Więc szczery wielbiciel, zaangażowany w służbę oddania, nie może być pozbawiony wiedzy. Jedyną kwalifikacją jest to, aby pełnił służbę oddania w pełnej świadomości Kṛṣṇy.

Współcześni filozofowie uważają, iż bez rozróżniania nie można posiadać czystej wiedzy. Dla nich Najwyższy Pan daje tę odpowiedź: ci, którzy zaangażowani są w czystą służbę oddania, mimo iż mogą nie posiadać dostatecznego wykształcenia i dostatecznej wiedzy o zasadach wedyjskich, otrzymują pomoc od Najwyższego Pana. To właśnie oznajmia ten werset.

Pan mówi Arjunie, że zasadniczo nie można zrozumieć Najwyższej Prawdy, Prawdy Absolutnej, Najwyższej Osoby Boga, jedynie przez spekulacje. Najwyższa Prawda jest tak ogromna, że niemożliwością jest zrozumienie czy osiągnięcie Go jedynie przez wysiłek umysłowy. Człowiek może spekulować miliony lat, lecz jeśli nie ma w nim oddania, jeśli nie jest on miłośnikiem Najwyższej Prawdy, nigdy nie zrozumie Kṛṣṇy, czyli tej Prawdy Najwyższej. Jedynie przez służbę oddania można zadowolić Najwyższą Prawdę, Kṛṣṇę, który poprzez Swoją niepojętą energię objawia się sercu Swojego czystego wielbiciela. Czysty wielbiciel zawsze ma Kṛṣṇę w swoim sercu; a dzięki obecności Kṛṣṇy, który jest jak słońce, natychmiast zostaje rozproszona ciemność ignorancji. Jest to szczególna łaska, którą Kṛṣṇa obdarza Swojego czystego wielbiciela.

Z powodu zanieczyszczeń nagromadzonych w obcowaniu z materią przez wiele, wiele milionów żywotów, nasze serce przykryte jest prochem materializmu. Ale kiedy zaangażujemy się w służbę oddania i będziemy bezustannie intonować Hare Kṛṣṇa, brud ten szybko zostanie usunięty i wzniesiemy się do platformy czystej wiedzy. Ostateczny cel, Viṣṇu, można osiągnąć jedynie przez to intonowanie i przez pełnienie służby oddania, a nie przez umysłowe spekulacje czy jałowe dysputy. Czysty wielbiciel nie musi martwić się o materialne potrzeby życia. Nie musi być niespokojny, ponieważ gdy usunie on ciemność ze swojego serca, automatycznie otrzyma wszystko od Najwyższego Pana, który zadowolony jest z jego pełnej miłości służby. W tym zawiera się istota nauk *Bhagavad-gīty*. Przez studiowanie *Bhagavad-gīty* można zostać duszą całkowicie podporządkowaną Panu i zaangażować się w czystą służbę oddania. Pod opieką Pana, wielbiciel całkowicie uwalnia się od wszelkiego materialistycznego wysiłku.

## TEKSTY 12-13 अर्जुन उवाच

परं ब्रह्म परं धाम पवित्रं परमं भवान् ।
पुरुषं शाश्वतं दिव्यमादिदेवमजं विभुम् ॥१२॥
आहुस्त्वामृषयः सर्वे देवर्षिर्नारदस्तथा ।
असितो देवलो व्यासः स्वयं चैव ब्रवीषि मे ॥१३॥

*arjuna uvāca*
*paraṁ brahma paraṁ dhāma pavitraṁ paramaṁ bhavān*

*puruṣaṁ śāśvataṁ divyam ādi-devam ajaṁ vibhum*

*āhus tvām ṛṣayaḥ sarve devarṣir nāradas tathā*
*asito devalo vyāsaḥ svayaṁ caiva bravīṣi me*

*arjunaḥ uvāca*—Arjuna rzekł; *param*—najwyższa; *brahma*—prawda; *param*—najwyższy; *dhāma*—środki egzystencji; *pavitram*—czysty; *paramam*—najwyższy; *bhavān*—Ty; *puruṣam*—osoba; *śāśvatam*—oryginalna; *divyam*—transcendentalna; *ādi-devam*—pierwotny Pan; *ajam*—nienarodzony; *vibhum*—największy; *āhuḥ*—mówią; *tvām*—o Tobie; *ṛṣayaḥ*—mędrcy; *sarve*—wszyscy; *deva-ṛṣiḥ*—mędrzec pomiędzy półbogami; *nāradaḥ*—Nārada; *tathā*—również; *asitaḥ*—Asita; *devalaḥ*—Devala; *vyāsaḥ*—Vyāsa; *svayam*—osobiście; *ca*—również; *eva*—z pewnością; *bravīṣī*—tłumaczysz; *me*—mnie.

**Arjuna rzekł: Ty jesteś Najwyższą Osobą Boga, ostateczną siedzibą i najwyższą czystością, Absolutną Prawdą. Ty jesteś wieczną, transcendentalną i oryginalną osobą, i Ty jesteś nienarodzonym i najwyższym. Wszyscy wielcy mędrcy, tacy jak Nārada, Asita, Devala i Vyāsa, potwierdzają tę prawdę o Tobie, a teraz Ty Sam mi to oznajmiasz.**

*ZNACZENIE:* W tych dwóch wersetach Najwyższy Pan daje szansę współczesnym filozofom, gdyż z wersetów tych wyraźnie wynika, że Najwyższy różni się od duszy indywidualnej. Arjuna, wysłuchawszy czterech zasadniczych wersetów *Bhagavad-gīty* w tym rozdziale, całkowicie uwolnił się od wszelkich wątpliwości i zaakceptował Kṛṣṇę jako Najwyższą Osobę Boga. Natychmiast śmiało oznajmia: "Ty jesteś *paraṁ brahma*, Najwyższą Osobą Boga." Wcześniej Kṛṣṇa powiedział, iż On jest stwórcą wszystkiego i każdego. Każdy półbóg i każda istota ludzka zależna jest od Niego, chociaż z powodu ignorancji uważają się za absolutnych i niezależnych od Najwyższego Pana Kṛṣṇy. Ignorancja taka może zostać całkowicie usunięta poprzez pełnienie służby oddania. Pan wyjaśnił to już w wersecie poprzednim. Teraz, dzięki Jego łasce i zgodnie ze wskazówkami wedyjskimi, Arjuna akceptuje Go jako Najwyższą Prawdę. Kiedy nazywa Kṛṣṇę Najwyższą Osobą Boga, Prawdą Absolutną, nie jest to jedynie pochlebstwo dla bliskiego przyjaciela. Wszystko co Arjuna mówi w tych dwóch wersetach, potwierdzone jest przez prawdę wedyjską. Wedyjskie przekazy potwierdzają, że Najwyższego Pana może poznać jedynie ten, kto pełni dla Niego służbę oddania, podczas gdy dla innych jest to niemożliwe. W pismach wedyjskich znajdziemy potwierdzenie każdego poszczególnego słowa z tych dwóch wypowiedzianych przez Arjunę wersetów.

*Kena Upaniṣad* oznajmia, iż spoczynkiem dla wszystkiego jest Najwyższy Brahman, a Kṛṣṇa już wcześniej wytłumaczył, że wszystko spoczywa w Nim. *Muṇḍaka Upaniṣad* potwierdza, że Najwyższego Pana, w którym wszystko spoczywa, mogą zrealizować jedynie ci, którzy bezustannie myślą o Nim. To bezustanne myślenie o Kṛṣṇie nazywa się *smaraṇam* i jest jednym z procesów służby oddania. Tylko poprzez służbę oddania dla Kṛṣṇy można zrozumieć swoją pozycję i uwolnić się od tego materialnego ciała.

*Vedy* mówią o Najwyższym Panu jako o najczystszym z czystych. Kto rozumie, że Kṛṣṇa jest najwyższą czystością, ten może zostać oczyszczony z wszelkich grzechów. Lecz nie może uwolnić się od grzechów ten, kto nie podporządkował się Najwyższemu Panu. Tak więc uznanie Kṛṣṇy przez Arjunę za najwyższą czystość zgodne jest z literaturą wedyjską. Potwierdzają to również wielkie osobistości, z których największą jest Nārada.

Kṛṣṇa jest Najwyższą Osobą Boga i dlatego powinniśmy zawsze medytować o Nim, czerpiąc radość ze swojego transcendentalnego z Nim związku. Jest On najwyższym bytem i jest wolny od potrzeb cielesnych, narodzin i śmierci. Potwierdza to nie tylko Arjuna, ale cała literatura wedyjska, *Purāṇy* i przekazy historyczne. Cała literatura wedyjska opisuje Kṛṣṇę w ten sposób i On Sam mówi o Sobie w Rozdziale Czwartym: "Chociaż jestem nienarodzonym, pojawiam się na tej Ziemi, aby ustanowić zasady religijne." Jest On również najwyższym początkiem. Sam nie mając źródła, jest przyczyną wszystkich przyczyn i wszystko emanuje z Niego. Tę doskonałą wiedzę o Nim można otrzymać dzięki Jego łasce.

Arjuna mógł przemówić w ten sposób dzięki łasce Kṛṣṇy. Jeśli chcemy zrozumieć *Bhagavad-gītę*, powinniśmy przyjąć oznajmienia tych wersetów. Nazywane jest to systemem *paramparā*, zaakceptowaniem sukcesji uczniów. Nie można zrozumieć *Bhagavad-gīty* nie będąc w sukcesji uczniów. Nie jest to możliwe na drodze tzw. wykształcenia akademickiego. Na nieszczęście, osoby dumne z takiego wykształcenia, nie zważając na tak wiele dowodów literatury wedyjskiej, uparcie utrzymują, iż Kṛṣṇa jest tylko zwykłą osobą.

**TEKST 14** सर्वमेतद् ऋतं मन्ये यन्मां वदसि केशव ।
न हि ते भगवन् व्यक्तिं विदुर्देवा न दानवाः ॥१४॥

*sarvam etad ṛtaṁ manye yan māṁ vadasi keśava*
*na hi te bhagavan vyaktiṁ vidur devā na dānavāḥ*

*sarvam*—wszystko; *etat*—to; *ṛtam*—prawda; *manye*—przyjmuję; *yat*—które; *mām*—mnie; *vadasi*—Ty przekazujesz; *keśava*—O Kṛṣṇo; *na*—nigdy; *hi*—z pewnością; *te*—Twoje; *bhagavan*—O Osobo Boga; *vyaktim*—objawienie; *viduḥ*—mogą wiedzieć; *devāḥ*—półbogowie; *na*—ani; *dānavāḥ*—demony.

**O Kṛṣṇo, całkowicie przyjmuję za prawdę wszystko to, co usłyszałem od Ciebie. Ani półbogowie, ani demony, o Panie, nie znają Twojej osoby.**

*ZNACZENIE:* Arjuna zapewnia tutaj, że niewierzące, demoniczne z natury osoby nie mogą poznać Kṛṣṇy. Nie znają Go nawet półbogowie, a cóż dopiero mówić o tzw. naukowcach tego współczesnego świata? Dzięki łasce Najwyższego Pana Arjuna zrozumiał, że Najwyższą Prawdą jest Kṛṣṇa, i że jest On doskonały. Dlatego należy pójść w ślady Arjuny. Został on upełnomocniony dzięki temu, że przyjął przekaz *Bhagavad-gīty*. Jak wiemy z Rozdziału Czwartego, system *paramparā* (sukcesji uczniów) dla zrozumienia nauk *Bhagavad-gīty* został przerwany i dlatego Kṛṣṇa, poprzez Arjunę (którego uważał za Swojego bliskiego przyjaciela i wielkiego wielbiciela), odnowił sukcesję uczniów. Dlatego, jak zostało to przedstawione w naszym Wprowadzeniu do *Gītopaniṣad*, *Bhagavad-gītę* należy poznawać w systemie *paramparā*. Kiedy system *paramparā* został przerwany, Arjuna został wybrany tym, który miał go odnowić. Przyjęcie przez Arjunę wszystkiego, co Kṛṣṇa powiedział, powinno być gorliwie naśladowane. Albowiem tylko wtedy będziemy mogli zrozumieć istotę *Bhagavad-gīty* i tylko wtedy będziemy mogli zrozumieć, że Kṛṣṇa jest Najwyższą Osobą Boga.

**TEKST 15**

स्वयमेवात्मनात्मानं वेत्थ त्वं पुरुषोत्तम ।
भूतभावन भूतेश देवदेव जगत्पते ॥१५॥

*svayam evātmanātmānaṁ vettha tvaṁ puruṣottama*
*bhūta-bhāvana bhūteśa deva-deva jagat-pate*

*svayam*—osobiście; *eva*—z pewnością; *ātmanā*—przez Siebie; *ātmānam*—Siebie; *vettha*—znasz; *tvam*—Ty; *puruṣa-uttama*—O największy spośród wszystkich osób; *bhūta-bhāvana*—O początku wszystkiego; *bhūta-īśa*—O Panie wszystkiego; *deva-deva*—O Panie wszystkich półbogów; *jagat-pate*—O Panie całego wszechświata.

**Zaprawdę, tylko Ty Sam znasz Siebie poprzez Swoją wewnętrzną moc, o początku wszystkiego, Panie wszystkich istot, Panie wszystkich półbogów, o Najwyższa Osobo, Panie wszechświata!**

*ZNACZENIE:* Najwyższego Pana Kṛṣṇę mogą poznać tylko osoby, które są w związku z Nim poprzez pełnienie służby oddania, tak jak Arjuna i jego następcy. Osoby o naturze demonicznej czy o mentalności ateistów nie mogą poznać Kṛṣṇy. Spekulacja umysłowa, która oddala od Najwyższego Pana, jest poważnym grzechem, a kto nie zna Kṛṣṇy, ten nie powinien pisać komentarzy do *Bhagavad-gīty*. Jest ona przekazem Kṛṣṇy, i ponieważ jest nauką Kṛṣṇy, należy poznawać ją od Kṛṣṇy, tak jak poznawał ją Arjuna. Nie należy przyjmować tej nauki od ateistów.

Jak oznajmia *Śrīmad-Bhāgavatam* (1.2.11)

*vadanti tat tattva-vidas tattvaṁ yaj jñānam advayam*
*brahmeti paramātmeti bhagavān iti śabdyate*

Najwyższa Prawda realizowana jest w trzech aspektach: jako bezosobowy Brahman, jako zlokalizowana Paramātmā i ostatecznie—jako Najwyższa Osoba Boga. Więc na ostatnim etapie poznawania Prawdy Absolutnej dochodzi się do Najwyższej Osoby Boga. Zwykły człowiek, a nawet człowiek wyzwolony, który zrealizował bezosobowego Brahmana albo zlokalizowaną Paramātmę, może nie rozumieć osoby Boga. Takie osoby mogą zatem starać się zrozumieć Najwyższą Osobę z wersetów *Bhagavad-gīty*, które mówione są przez tę osobę, Kṛṣṇę. Czasami impersonaliści akceptują Kṛṣṇę jako Bhagavāna albo uznają Jego autorytet. Jednakże wiele wyzwolonych osób nie może zrozumieć Kṛṣṇy jako Puruṣottamy, Najwyższej Osoby. Dlatego Arjuna zwraca się do Niego jako do Puruṣottamy. Jednakże ktoś nadal może nie być w stanie zrozumieć, że Kṛṣṇa jest ojcem wszystkich żywych istot. Dlatego Arjuna nazywa Go tutaj Bhūta-bhāvana. A nawet jeśli ktoś dojdzie do rozumienia, że On jest ojcem wszystkich żywych istot, to jednak nadal może on nie znać Go jako najwyższego kontrolera. Dlatego został On tutaj nazwany Bhūteśa, najwyższym kontrolerem każdego. Nawet jeśli ktoś zna Kṛṣṇę jako najwyższego kontrolera wszystkich żywych istot, to ciągle może nie wiedzieć, że jest On źródłem wszystkich półbogów. Dlatego został tutaj nazwany Devadeva, Bogiem czczonym przez wszystkich półbogów. I jeśli nawet ktoś zna Go jako Boga wszystkich półbogów, może nie wiedzieć, iż jest On właścicielem wszystkiego. Dlatego Arjuna nazwał Go tutaj Jagatpati. W ten sposób została przedstawiona tutaj prawda o Kṛṣṇie, którą zrealizował Arjuna, i my powinniśmy pójść w jego ślady, aby zrozumieć Kṛṣṇę, jakim On jest.

**TEKST 16** वक्तुमर्हस्यशेषेण दिव्या ह्यात्मविभूतयः ।
याभिर्विभूतिभिर्लोकानिमांस्त्वं व्याप्य तिष्ठसि ॥१६॥

*vaktum arhasy aśeṣeṇa divyā hy ātma-vibhūtayaḥ*
*yābhir vibhūtibhir lokān imāṁs tvaṁ vyāpya tiṣṭhasi*

*vaktum*—powiedzieć; *arhasi*—zasługujesz; *aśeṣeṇa*—dokładnie; *divyāḥ*—boskie; *hi*—z pewnością; *ātma*—Swoje własne; *vibhūtayaḥ*—bogactwa; *yābhiḥ*—przez które; *vibhūtibhiḥ*—bogactwa; *lokān*—wszystkie planety; *imān*—te; *tvam*—Ty; *vyāpya*—przenikający; *tiṣṭhasi*—pozostajesz.

**Opowiedz mi, proszę, dokładnie o Swoich boskich bogactwach, poprzez które przenikasz wszystkie te światy.**

*ZNACZENIE:* Z wersetu tego wynika, iż Arjuna jest już usatysfakcjonowany swoim zrozumieniem Najwyższego Pana Kṛṣṇy. Dzięki łasce Kṛṣṇy Arjuna ma osobiste doświadczenie, inteligencję i wiedzę, i wszystko cokolwiek można zdobyć za ich pośrednictwem. I zrozumiał on Kṛṣṇę jako Najwyższą Osobę Boga. Mimo iż on sam nie ma żadnych wątpliwości, to jednak prosi Kṛṣṇę, aby wytłumaczył mu Swoją wszechprzenikającą naturę. Ludzie na ogół, a szczególnie impersonaliści, zainteresowani są głównie wszechprzenikającą naturą Najwyższego. Więc Arjuna pyta Kṛṣṇę, w jaki sposób istnieje On w Swoim wszechprzenikającym aspekcie poprzez Swoje różne energie. Należy wiedzieć, że Arjuna zadaje to pytanie w imieniu zwykłych ludzi.

## TEKST 17

कथं विद्यामहं योगिंस्त्वां सदा परिचिन्तयन् ।
केषु केषु च भावेषु चिन्त्योऽसि भगवन्मया ॥१७॥

*kathaṁ vidyām ahaṁ yogiṁs tvāṁ sadā paricintayan*
*keṣu keṣu ca bhāveṣu cintyo 'si bhagavan mayā*

*katham*—w jaki sposób; *vidyām aham*—powinienem wiedzieć; *yogin*—O najwyższy mistyku; *tvām*—Ty; *sadā*—zawsze; *paricintayan*—myśląc o; *keṣu*—w których; *keṣu*—w których; *ca*—również; *bhāveṣu*—natury; *cintyaḥ asi*—należy o Tobie pamiętać; *bhagavan*—O Najwyższy; *mayā*—przeze mnie.

**O Kṛṣṇo, najwyższy mistyku, w jaki sposób powinienem bezustannie myśleć o Tobie i jak mam Cię poznać? O której z Twych rozlicznych form mam rozmyślać, Najwyższa Osobo Boga?**

*ZNACZENIE:* Jak o tym była mowa w rozdziale poprzednim, Najwyższa Osoba Boga pozostaje pod przykryciem Swojej *yoga-māyi* i zobaczyć Go mogą tylko dusze podporządkowane Jemu i wielbiciele. Teraz Arjuna przekonany jest, że jego przyjaciel, Kṛṣṇa, jest Najwyższym Bogiem, ale chce on poznać główny proces, poprzez który zwykły człowiek może zrozumieć wszechprzenikającego Pana. Żaden zwykły człowiek, włączając w to demonów i ateistów, nie może znać Kṛṣṇy, ponieważ strzeżony jest On przez Swoją energię *yoga-māyę*. Więc znowu Arjuna zadaje pytania dla ich korzyści. Zaawansowany wielbiciel Najwyższego Pana zainteresowany jest nie tylko swoim własnym zrozumieniem, ale i tym, w jaki sposób cały rodzaj ludzki może zostać oświecony wiedzą. Powodowany miłosierdziem, jako że jest on Vaiṣṇavą, wielbicielem, Arjuna pragnie tę wiedzę o wszechprzenikalności Najwyższego Pana udostępnić zwykłemu człowiekowi. Nazywa tu Kṛṣṇę *yoginem*, ponieważ Śrī Kṛṣṇa jest panem energii *yoga-māyā*, której może używać do zasłaniania się lub odsłaniania przed zwykłym człowiekiem. Zwykły człowiek, który nie ma miłości do Kṛṣṇy, nie może zawsze myśleć o Kṛṣṇie; dlatego musi on myśleć materialnie. Arjuna bierze tutaj pod uwagę materialistyczny sposób myślenia ludzi w tym świecie. Słowa *keṣu keṣu ca bhāveṣu* odnoszą się do materialnej natury (słowo *bhāva* znaczy "rzeczy materialne"). Ponieważ materialiści nie mogą zrozumieć Kṛṣṇy w sposób duchowy, otrzymują oni radę, aby skoncentrowali swój umysł na rzeczach fizycznych i zobaczyli, w jaki sposób Kṛṣṇa manifestuje się poprzez reprezentacje fizyczne.

**TEKST 18** विस्तरेणात्मनो योगं विभूतिं च जनार्दन ।
भूयः कथय तृप्तिर्हि शृण्वतो नास्ति मेऽमृतम् ॥१८॥

*vistareṇātmano yogaṁ vibhūtiṁ ca janārdana*
*bhūyaḥ kathaya tṛptir hi śṛṇvato nāsti me 'mṛtam*

*vistareṇa*—w szczegółach; *ātmanaḥ*—Twoje; *yogam*—moc mistyczna; *vibhūtim*—bogactwa; *ca*—również; *jana-ardana*—O zabójco ateistów; *bhūyaḥ*—ponownie; *kathaya*—opisz; *tṛptiḥ*—zadowolenie; *hi*—z pewnością; *śṛṇvataḥ*—słuchając; *na asti*—nie ma; *me*—mój; *amṛtam*—nektar.

**O Janārdano, opowiedz mi raz jeszcze, dokładnie, o mistycznej mocy Swoich bogactw. Mogę niestrudzenie słuchać o Tobie, gdyż im więcej słucham, tym bardziej jestem spragniony—ambrozji podobnych—słów Twoich.**

*ZNACZENIE:* Podobne zdania zostały wypowiedziane do Sūty Gosvāmīego przez *ṛṣich* z Naimiṣāraṇya, którym przewodził Śaunaka. Oto te zdania:

*vayaṁ tu na vitṛpyāma uttama-śloka-vikrame*
*yac chṛṇvatāṁ rasa-jñānāṁ svādu svādu pade pade*

"Nawet bezustannie słuchając o transcendentalnych rozrywkach Kṛṣṇy, wysławianego przez wyborne modlitwy, nigdy nie można nasycić się nimi. Ci, którzy weszli w transcendentalny związek z Kṛṣṇą, na każdym kroku rozkoszują się opisami rozrywek Pana." (*Śrīmad-Bhāgavatam* 1.1.19) Dlatego Arjuna pragnie słuchać o Kṛṣṇie, szczególnie o tym, w jaki sposób jest On wszechprzenikającym Najwyższym Panem.

Każde opowiadanie czy zdanie dotyczące Kṛṣṇy podobne jest nektarowi, *amṛtam*. Nektaru tego można skosztować przez praktyczne doświadczenie. Współczesne opowiadania, wymysły i historyjki, różne są od opisów transcendentalnych rozrywek Pana. Różnica polega na tym, że słuchanie takich opowiadań prowadzi do zmęczenia i przesytu, ale nigdy nie można się zmęczyć słuchaniem o Kṛṣṇie. Jest tak dlatego, że historia całego wszechświata pełna jest odnośników do rozrywek inkarnacji Boga. Na przykład *Purāṇy* są opowiadaniami z wieków przeszłych, które relacjonują rozrywki różnych inkarnacji Pana. W ten sposób tematy te pozostają zawsze świeże, mimo wielokrotnego czytania.

## TEKST 19

श्रीभगवानुवाच
हन्त ते कथयिष्यामि दिव्या ह्यात्मविभूतयः ।
प्राधान्यतः कुरुश्रेष्ठ नास्त्यन्तो विस्तरस्य मे ॥१९॥

*śrī-bhagavān uvāca*
*hanta te kathayiṣyāmi divyā hy ātma-vibhūtayaḥ*
*prādhānyataḥ kuru-śreṣṭha nāsty anto vistarasya me*

*śrī-bhagavān uvāca*—Najwyższa Osoba Boga rzekł; *hanta*—tak; *te*—tobie; *kathayiṣyāmi*—powiem; *divyāḥ*—boskie; *hi*—z pewnością; *ātma-vibhūtayaḥ*—własne bogactwa; *prādhānyataḥ*—które są zasadniczymi; *kuru-śreṣṭha*—O najlepszy spośród Kauravów; *na asti*—nie ma; *antaḥ*—granicy; *vistarasya*—do rozmiarów; *me*—Moje.

**Najwyższa Osoba Boga rzekł: Tak, opowiem ci o przepychu Moich manifestacji, tych najświetniejszych, Arjuno, bogactwa Moje są bowiem bezgraniczne.**

*ZNACZENIE:* Nie można wyobrazić sobie wielkości Kṛṣṇy i Jego bogactw. Ograniczoność zmysłów duszy indywidualnej nie pozwala jej zrozumieć ogółu przedsięwzięć Kṛṣṇy. Jednakże wielbiciele próbują zrozumieć Kṛṣṇę, lecz nie na tej zasadzie, iż będą mogli—w jakimkolwiek czasie czy na jakimkolwiek etapie życia—zrozumieć Go całkowicie. Raczej, same tematy o Kṛṣṇie są tak odświeżające, że zdają się one być nektarem. Więc radują się nimi. Czyści wielbiciele czerpią transcendentalną przyjemność z dyskutowania o bogactwach Kṛṣṇy i Jego różnych energiach. Dlatego pragną słuchać i rozmawiać o nich. Kṛṣṇa wie, iż żywe istoty nie są w stanie ogarnąć rozmiarów Jego bogactw; dlatego zgadza się opowiedzieć tylko o zasadniczych manifestacjach Swoich różnych energii. Słowo *prādhānyataḥ* ("zasadnicze") jest bardzo ważne, jako że my możemy zrozumieć tylko niewiele zasadniczych szczegółów dotyczących Najwyższego Pana, którego cechy są nieograniczone. Zrozumienie ich wszystkich nie jest rzeczą możliwą. Słowo *vibhūti*, użyte w tym wersecie, odnosi się do mocy, przez które kontroluje On całą manifestację. Według słownika *Amara-kośa*, *vibhūti* wskazuje na moce wyjątkowe.

Tych wyjątkowych mocy Najwyższego Pana ani manifestacji Jego boskiej energii nie mogą zrozumieć impersonaliści ani zwolennicy panteizmu. Jego energie rozdzielone są w różnych manifestacjach, zarówno w świecie materialnym, jak i duchowym. Teraz Kṛṣṇa opisuje to, co zwykły człowiek może postrzegać bezpośrednio. W ten sposób zostanie opisana część Jego zróżnicowanej energii.

**TEKST 20** अहमात्मा गुडाकेश सर्वभूताशयस्थितः ।
अहमादिश्च मध्यं च भूतानामन्त एव च ॥२०॥

*aham ātmā guḍākeśa sarva-bhūtāśaya-sthitaḥ*
*aham ādiś ca madhyaṁ ca bhūtānām anta eva ca*

*aham*—Ja; *ātmā*—dusza; *guḍākeśa*—O Arjuno; *sarva-bhūta*—wszystkich żywych istot; *āśaya-sthitaḥ*—usytuowane w sercu; *aham*—Ja jestem; *ādiḥ*—początkiem; *ca*—również; *madhyam*—środkiem; *ca*—również; *bhūtānām*—wszystkich żywych istot; *antaḥ*—koniec; *eva*—z pewnością; *ca*—i.

**Ja jestem Duszą Najwyższą przebywającą w sercach wszystkich stworzeń. Ja jestem, o Arjuno, początkiem, środkiem i końcem wszystkich istot.**

*ZNACZENIE:* W tym wersecie Arjuna został nazwany Guḍākeśą, to znaczy "tym, który zwalczył ciemności snu". Ci, którzy pozostają w uśpieniu w ciemnościach ignorancji, nie mogą zrozumieć, w jaki sposób Najwyższy Bóg przejawia się w świecie duchowym i materialnym. Więc takie zwrócenie się Kṛṣṇy do Arjuny jest bardzo znaczące. Ponieważ Arjuna znajduje się ponad taką ciemnością, Osoba Boga zgadza się opisać mu Swoje różne bogactwa.

Kṛṣṇa wpierw informuje Arjunę, że poprzez Swoją pierwotną ekspansję jest duszą całej manifestacji kosmicznej. Przed stworzeniem tego świata materialnego, Najwyższy Pan, poprzez Swoją kompletną ekspansję, przyjmuje inkarnację *puruṣa* i z Niego wszystko bierze początek. Zatem On jest *ātmą*, duszą *mahat-tattvy*, elementów wszechświata. To nie totalna energia materialna jest przyczyną stworzenia, ale Mahā-Viṣṇu, który wchodzi w *mahat-tattvę*, całość energii materialnej. On jest duszą. Kiedy Mahā-Viṣṇu wchodzi w zamanifestowane wszechświaty, ponownie manifestuje się On jako Dusza Najwyższa w każdej istocie. Mamy doświadczenie, że określone ciało żywej istoty istnieje dzięki obecności w nim iskry duchowej. Bez obecności tej iskry duchowej ciało nie może się rozwijać. Podobnie, ta manifestacja materialna nie może się rozwijać, jeśli nie wkroczy w nią Dusza Najwyższa, Kṛṣṇa. Jak oznajmia *Subala Upaniṣad, prakṛty-ādi-sarva-bhūtāntar-yāmī sarva-śeṣī ca nārāyaṇaḥ*: "Najwyższa Osoba Boga istnieje jako Dusza Najwyższa we wszystkich zamanifestowanych wszechświatach."

Opis trzech *puruṣa-avatārów* podany jest w *Śrīmad-Bhāgavatam*. Są Oni opisani również w *Sātvata-tantra*. *Viṣṇos tu trīṇi rūpāṇi puruṣākhyāny atho viduḥ*: Najwyższa Osoba Boga przejawia trzy postaci w manifestacji materialnej: Kāraṇodakaśāyi Viṣṇu, Garbhodakaśāyi Viṣṇu i Kṣīrodakaśāyi Viṣṇu. Mahā-Viṣṇu, czyli Kāraṇodakaśāyi Viṣṇu, jest opisany w *Brahma-saṁhicie* (5.47). *Yaḥ kāraṇārṇava-jale bhajati sma yoga-nidrām*: Najwyższy Pan, Kṛṣṇa, przyczyna wszystkich przyczyn, spoczywa w oceanie kosmicznym jako Mahā-Viṣṇu. A zatem Kṛṣṇa jest początkiem tego wszechświata, utrzymuje tę manifestację i jest końcem całej tej energii.

## TEKST 21

आदित्यानामहं विष्णुर्ज्योतिषां रविरंशुमान् ।
मरीचिर्मरुतामस्मि नक्षत्राणामहं शशी ॥२१॥

*ādityānām ahaṁ viṣṇur jyotiṣāṁ ravir aṁśumān*
*marīcir marutām asmi nakṣatrāṇām ahaṁ śaśī*

*ādityānām*—pośród Ādityów; *aham*—Ja jestem; *viṣṇuḥ*—Najwyższy Pan; *jyotiṣām*—spośród wszystkich ciał niebieskich; *raviḥ*—słońce; *aṁśu-mān*—promieniujące; *marīciḥ*—Marīci; *marutām*—spośród Marutów; *asmi*—Ja jestem; *nakṣatrāṇām*—z gwiazd; *aham*—Ja jestem; *śaśī*—księżycem.

**Spośród Ādityów, Ja jestem Viṣṇu. Spośród świateł jestem świecącym słońcem. Pomiędzy Marutāmi jestem Marīcim, a pośród gwiazd—księżycem.**

*ZNACZENIE:* Jest dwunastu Ādityów, z których Kṛṣṇa jest głównym. A pomiędzy wszystkimi ciałami niebieskimi migoczącymi na niebie, najważniejszym jest słońce, które w *Brahma-saṁhicie* przyjmowane jest za jedno z Jego błyszczących oczu. Jest pięćdziesiąt rodzajów wiatrów wiejących w przestrzeni, a kontrolujące bóstwo tych wiatrów, Marīci, reprezentuje Kṛṣṇę.

Między gwiazdami, księżyc najbardziej wyróżnia się w nocy i w ten sposób reprezentuje on Kṛṣṇę. Z wersetu tego wynika, że księżyc jest jedną z gwiazd. Zatem gwiazdy, które migoczą na niebie, również odbijają światło słońca. Literatura wedyjska nie akceptuje teorii mówiącej, że jest wiele słońc we wszechświecie. Słońce jest jedno, i tak księżyc, jak i gwiazdy świecą dzięki odbiciu słonecznemu. Ponieważ *Bhagavad-gītā* nadmienia tutaj, że księżyc jest jedną z gwiazd, świecące gwiazdy nie są słońcami, lecz podobne są do księżyca.

TEKST 22 वेदानां सामवेदोऽस्मि देवानामस्मि वासवः ।
इन्द्रियाणां मनश्चास्मि भूतानामस्मि चेतना ॥२२॥

*vedānāṁ sāma-vedo 'smi devānām asmi vāsavaḥ*
*indriyāṇāṁ manaś cāsmi bhūtānām asmi cetanā*

*vedānām*—spośród wszystkich *Ved; sāma-vedaḥ*—*Sāma-Veda; asmi*—Ja jestem; *devānām*—pomiędzy wszystkimi półbogami; *asmi*—Ja jestem; *vāsavaḥ*—królem niebios; *indriyāṇām*—spośród wszystkich zmysłów; *manaḥ*—umysłem; *ca*—również; *asmi*—Ja jestem; *bhūtānām*—pomiędzy wszystkimi żywymi istotami; *asmi*—Ja jestem; *cetanā*—siłą życia.

**Spośród wszystkich Ved, Ja jestem Sāma Vedą; pomiędzy półbogami—Indrą, królem niebios; spośród wszystkich zmysłów Ja jestem umysłem, a w żywych istotach—jestem siłą życia (świadomością).**

*ZNACZENIE:* Różnica pomiędzy materią a duchem jest taka, że materia nie ma świadomości, która właściwa jest tylko istotom żywym. Dlatego ta świadomość jest czymś najwyższym i wiecznym. Nie można stworzyć świadomości poprzez kombinację elementów materialnych.

TEKST 23 रुद्राणां शंकरश्चास्मि वित्तेशो यक्षरक्षसाम् ।
वसूनां पावकश्चास्मि मेरुः शिखरिणामहम् ॥२३॥

*rudrāṇāṁ śaṅkaraś cāsmi vitteśo yakṣa-rakṣasām*
*vasūnāṁ pāvakaś cāsmi meruḥ śikhariṇām aham*

*rudrāṇām*—spośród wszystkich Rudrów; *śaṅkaraḥ*—Pan Śiva; *ca*—również; *asmi*—Ja jestem; *vitta-īśaḥ*—panem skarbów półbogów;

*yakṣa-rakṣasām*—spośród Yakṣów i Rākṣasów; *vasūnām*—pomiędzy Vasu; *pāvakaḥ*—ogień; *ca*—również; *asmi*—Ja jestem; *meruḥ*—Meru; *śikhariṇām*—spośród wszystkich gór; *aham*—Ja jestem.

**Pomiędzy Rudrami jestem Panem Śivą; pomiędzy Yakṣami i Rākṣasami—Panem bogactw (Kuverą); spośród Vasów jestem ogniem (Agni); a spośród gór—Meru.**

*ZNACZENIE:* Jest jedenastu Rudrów, wśród których Śaṅkara (Pan Śiva) jest najważniejszym. Jest on inkarnacją Najwyższego Pana kierującą w tym świecie *guṇą* ignorancji. Głównym pomiędzy Yakṣami i Rākṣasami jest Kuvera, skarbnik półbogów, i jest on reprezentacją Najwyższego Pana. Meru jet górą słynną z bogatych zasobów naturalnych.

**TEKST 24** पुरोधसां च मुख्यं मां विद्धि पार्थ बृहस्पतिम् ।
सेनानीनामहं स्कन्दः सरसामस्मि सागरः ॥२४॥

*purodhasāṁ ca mukhyaṁ māṁ viddhi pārtha bṛhaspatim*
*senānīnām ahaṁ skandaḥ sarasām asmi sāgaraḥ*

*purodhasām*—spośród wszystkich kapłanów; *ca*—również; *mukhyam*—wódz; *mām*—Mnie; *viddhi*—zrozum; *pārtha*—O synu Pṛthy; *bṛhaspatim*—Bṛhaspati; *senānīnām*—spośród wszystkich wodzów; *aham*—Ja jestem; *skandaḥ*—Kārtikeya; *sarasām*—spośród wszystkich zbiorników wodnych; *asmi*—Ja jestem; *sāgaraḥ*—oceanem.

**Wiedz, o Arjuno, że wśród kapłanów Ja jestem głównym, Bṛhaspatim. Pomiędzy wodzami Ja jestem Kārtikeyą, a ze zbiorników wodnych—jestem oceanem.**

*ZNACZENIE:* Indra jest półbogiem przewodzącym na planetach niebiańskich i znany jest jako król niebios. Planeta, na której panuje, nazywa się Indraloką. Bṛhaspati jest kapłanem Indry, i ponieważ Indra jest głównym królem, Bṛhaspati jest głównym kapłanem. I tak jak Indra jest wodzem wszystkich królów, podobnie Skanda, czyli Kārtikeya, syn Pārvatī i Pana Śivy, jest wodzem wszystkich przywódców wojskowych. Zaś, spośród wszystkich zbiorników wodnych największym jest ocean. Wszystkie te reprezentacje Kṛṣṇy są jedynie śladem Jego wielkości.

**TEKST 25** महर्षीणां भृगुरहं गिरामस्म्येकमक्षरम् ।
यज्ञानां जपयज्ञोऽस्मि स्थावराणां हिमालयः ॥२५॥

*maharṣīṇāṁ bhṛgur ahaṁ girām asmy ekam akṣaram*
*yajñānāṁ japa-yajño 'smi sthāvarāṇāṁ himālayaḥ*

*mahā-ṛṣīṇām*—pomiędzy wielkimi mędrcami; *bhṛguḥ*—Bhṛgu; *aham*—Ja jestem; *girām*—z wibracji; *asmi*—Ja jestem; *ekam akṣaram*—*praṇava; yajñānām*—z ofiar; *japa-yajñaḥ*—intonowanie; *asmi*—Ja jestem; *sthāvarāṇām*—spośród rzeczy nieruchomych; *himālayaḥ*—góry Himalaje.

**Spośród wielkich mędrców, Ja jestem Bhṛgu; spośród wibracji—transcendentalnym oṁ. Z ofiar, jestem intonowaniem świętych imion (japa), a wśród rzeczy nieruchomych—Himalajami jestem.**

*ZNACZENIE:* Brahmā, pierwsza żywa istota w tym wszechświecie, stworzył kilkų synów w celu rozmnożenia różnego rodzaju gatunków. Spośród jego synów, Bhṛgu jest najpotężniejszym mędrcem. Spośród wszystkich wibracji transcendentalnych, *oṁ* (*oṁkāra*) reprezentuje Kṛṣṇę, a spośród wszystkich ofiar, intonowanie Hare Kṛṣṇa, Hare Kṛṣṇa, Kṛṣṇa Kṛṣṇa, Hare Hare; Hare Rāma, Hare Rāma, Rāma Rāma, Hare Hare jest najczystszą reprezentacją Kṛṣṇy. Czasami polecane są ofiary ze zwierząt, ale w ofierze Hare Kṛṣṇa, Hare Kṛṣṇa—nie ma mowy o przemocy. Jest to ofiara najprostsza i najbardziej czysta. Cokolwiek jest wzniosłego w tym świecie, to jest to reprezentacją Kṛṣṇy. Dlatego Himalaje, najwyższe w świecie góry, również reprezentują Kṛṣṇę. W poprzednim wersecie wspomniana została góra Meru, ale Meru jest czasami ruchoma, podczas gdy Himalaje są zawsze nieruchome. A więc Himalaje są większe od Meru.

TEKST 26 अश्वत्थः सर्ववृक्षाणां देवर्षीणां च नारदः ।
गन्धर्वाणां चित्ररथः सिद्धानां कपिलो मुनिः ॥२६॥

*aśvatthaḥ sarva-vṛkṣāṇāṁ devarṣīṇāṁ ca nāradaḥ*
*gandharvāṇāṁ citrarathaḥ siddhānāṁ kapilo muniḥ*

*aśvatthaḥ*—drzewo figowe; *sarva-vṛkṣāṇām*—spośród wszystkich drzew; *deva-ṛṣīṇām*—ze wszystkich mędrców pomiędzy półbogami; *ca*—i; *nāradaḥ*—Nārada; *gandharvāṇām*—mieszkańców planety Gandharva; *citrarathaḥ*—Citraratha; *siddhānām*—spośród wszystkich doskonałych; *kapilaḥ muniḥ*—Kapila Muni.

**Spośród wszystkich drzew, jestem drzewem figowym. A spośród mędrców pomiędzy półbogami—Nāradą. Pomiędzy Gandharvami jestem Citrarathą, a pomiędzy doskonałymi istotami—mędrcem Kapilą.**

*ZNACZENIE:* Drzewo figowe (*aśvattha*) jest jednym z najpiękniejszych i najwyższych drzew i ludzie w Indiach często czczą je, traktując to jako jeden ze swoich codziennych, porannych rytuałów. Spośród półbogów czczą również Nāradę, który jest uważany za największego wielbiciela w tym wszechświecie. Jest on reprezentacją Kṛṣṇy jako wielbiciel (bhakta). Planetę Gandharva zamieszkują pięknie śpiewające istoty, a pomiędzy nimi najlepszym śpiewakiem jest Citraratha. Spośród doskonałych żywych istot, Kapila, syn Devahūti, jest reprezentantem Kṛṣṇy. Jest On uważany za inkarnację Kṛṣṇy, a o Jego filozofii jest wzmianka w *Śrīmad-Bhāgavatam*. Później sławę zdobył inny Kapila, ale jego filozofia jest ateistyczna. A więc jest pomiędzy nimi przepastna różnica.

**TEKST 27** उच्चैःश्रवसमश्वानां विद्धि माममृतोद्भवम् ।
ऐरावतं गजेन्द्राणां नराणां च नराधिपम् ॥२७॥

*uccaiḥśravasam aśvānāṁ viddhi mām amṛtodbhavam*
*airāvataṁ gajendrāṇāṁ narāṇāṁ ca narādhipam*

*uccaiḥśravasam*—Uccaiḥśravā; *aśvānām*—pomiędzy końmi; *viddhi*—wiedz; *mām*—Mnie; *amṛta-udbhavam*—zrodzony z ubijania oceanu; *airāvatam*—Airāvata; *gaja-indrāṇām*—pomiędzy dostojnymi słoniami; *narāṇām*—pomiędzy ludzkimi istotami; *ca*—i; *nara-adhipam*—król.

**Wiedz, że pomiędzy końmi Ja jestem Uccaiḥśravą, który wyłonił się z oceanu, kiedy ten ubijany był dla otrzymania nektaru. Ja jestem Airāvatą pomiędzy dostojnymi słoniami. A pomiędzy ludźmi—Ja jestem monarchą.**

*ZNACZENIE:* Pewnego razu, półbogowie, będący wielbicielami Pana, i demony (*asury*) wzięli udział w ubijaniu oceanu, z którego powstał nektar i trucizna, i Pan Śiva wypił truciznę. Z nektaru zaś powstało wiele istot, pomiędzy którymi był koń zwany Uccaiḥśravą i słoń Airāvata. Dlatego zwierzęta te mają szczególne znaczenie i są reprezentantami Kṛṣṇy.

Reprezentantem Kṛṣṇy pomiędzy istotami ludzkimi jest król, ponieważ Kṛṣṇa utrzymuje wszechświat, a królowie, którzy wybierani są na podstawie pobożnych kwalifikacji, utrzymują swoje królestwa. Królowie tacy jak Mahārāja Yudhiṣṭhira, Mahārāja Parīkṣit i Pan Rāma, wszyscy byli doskonałymi monarchami, zawsze myślącymi o dobrobycie swoich poddanych. W literaturze wedyjskiej król uważany jest za reprezentanta Boga. W tym wieku jednakże, monarchia uległa rozkładowi—wraz z zanikiem zasad religijnych—i w końcu została zniesiona. Należy jednak wiedzieć, iż w przeszłości, pod panowaniem prawych królów, ludzie byli bardziej szczęśliwi.

TEKST 28 आयुधानामहं वज्रं धेनूनामस्मि कामधुक् ।
प्रजनश्चास्मि कन्दर्पः सर्पाणामस्मि वासुकिः ॥२८॥

*āyudhānām ahaṁ vajraṁ dhenūnām asmi kāmadhuk*
*prajanaś cāsmi kandarpaḥ sarpāṇām asmi vāsukiḥ*

*āyudhānām*—ze wszystkich broni; *aham*—Ja jestem; *vajram*—błyskawicą; *dhenūnām*—wśród krów; *asmi*—Ja jestem; *kāma-dhuk*—krową *surabhi; prajanaḥ*—przyczyną wydawania na świat dzieci; *ca*—i; *asmi*—Ja jestem; *kandarpaḥ*—Kupidynem; *sarpāṇām*—spośród wszystkich węży; *asmi*—Ja jestem; *vāsukiḥ*—Vāsuki.

**Pomiędzy wszelkiego rodzaju bronią jestem błyskawicą; pomiędzy krowami Ja jestem surabhi. Wśród przyczyn prokreacji—jestem Kandarpą, bogiem miłości; a pomiędzy wężami jestem Vāsuki.**

*ZNACZENIE:* Piorun, jako potężna broń, reprezentuje moc Kṛṣṇy. Na Kṛṣṇaloce zaś, w niebie duchowym, są krowy, które można doić o każdej porze i zawsze dadzą tyle mleka, ile się tylko zapragnie. Oczywiście krowy takie nie istnieją w świecie materialnym, ale tutaj mowa jest o krowach z Kṛṣṇaloki. Pan utrzymuje wiele takich krów, nazywanych *surabhi*, zajmując się również ich pasieniem. Kandarpa jest seksualnym pragnieniem dawania narodzin dobrym synom; zatem Kandarpa jest reprezentantem Kṛṣṇy. Czasami seks traktuje się jedynie jako przyjemność zmysłową, lecz taki seks nie reprezentuje Kṛṣṇy. Ale seks, którego celem jest dawanie życia dobrym dzieciom, nazywany jest Kandarpą i reprezentuje Kṛṣṇę.

TEKST 29 अनन्तश्चास्मि नागानां वरुणो यादसामहम् ।
पितॄणामर्यमा चास्मि यमः संयमतामहम् ॥२९॥

*anantaś cāsmi nāgānāṁ varuṇo yādasām aham*
*pitṝṇām aryamā cāsmi yamaḥ saṁyamatām aham*

*anantaḥ*—Ananta; *ca*—również; *asmi*—Ja jestem; *nāgānām*—spośród wielokapturowych węży; *varuṇaḥ*—półbóg kontrolujący wodę; *yādasām*—spośród wszystkich istot wodnych; *aham*—Ja jestem; *pitṝṇām*—pomiędzy przodkami; *aryamā*—Aryamą; *ca*—również; *asmi*—Ja jestem; *yamaḥ*—kontrolerem śmierci; *saṁyamatām*—spośród wszystkich wykonawców praw; *aham*—Ja jestem.

**Między wielokapturowymi wężami Nāga, Ja jestem Anantą; pomiędzy zwierzętami wodnymi jestem półbogiem Varuṇą. Spośród**

**przodków, którzy odeszli, Ja jestem Aryamą; a pomiędzy wymierzającymi sprawiedliwość, jestem Yamą, panem śmierci.**

*ZNACZENIE:* Pomiędzy wielokapturowymi wężami Nāga, Ananta jest największym. Tak jak półbóg Varuṇa jest najpotężniejszym pomiędzy istotami wodnymi. Obaj oni reprezentują Kṛṣṇę. Aryamā, który również reprezentuje Kṛṣṇę, zarządza planetą Pitów, czyli przodków. Jest wiele żywych istot, które zajmują się wymierzaniem kary złoczyńcom, i wodzem ich jest Yama. Yama przebywa na planecie znajdującej się w pobliżu tej ziemskiej planety. Ci, którzy wiodą grzeszne życie, po śmierci zabierani są do tego miejsca, gdzie Yama karze ich w przeróżny sposób.

**TEKST 30** प्रह्लादश्चास्मि दैत्यानां कालः कलयतामहम् ।
मृगाणां च मृगेन्द्रो हं वैनतेयश्च पक्षिणाम् ॥३०॥

*prahlādaś cāsmi daityānāṁ kālaḥ kalayatām aham*
*mṛgāṇāṁ ca mṛgendro 'haṁ vainateyaś ca pakṣiṇām*

*prahlādaḥ*—Prahlāda; *ca*—również; *asmi*—Ja jestem; *daityānām*—spośród demonów; *kālaḥ*—czas; *kalayatām*—pomiędzy pogromcami; *aham*—Ja jestem; *mṛgāṇām*—pomiędzy zwierzętami; *ca*—i; *mṛga-indraḥ*—lew; *aham*—Ja jestem; *vainateyaḥ*—Garuḍa; *ca*—również; *pakṣiṇām*—spośród ptaków.

**Pomiędzy demonami Daitya—jestem wielbicielem Prahlādą; pomiędzy pogromcami—jestem czasem; lwem jestem pomiędzy dzikimi zwierzętami, a wśród ptaków—Garuḍą.**

*ZNACZENIE:* Diti i Aditi są dwiema siostrami. Synowie Aditi nazywani są Ādityami i wszyscy są oddani Panu, podczas gdy synowie Diti, nazywani Daityami, są ateistami. Mimo iż Prahlāda narodził się w rodzinie Daityów, już od najmłodszych lat był on wielkim wielbicielem Pana. Dzięki swojej służbie oddania i pobożnej naturze, uważany jest on za reprezentanta Kṛṣṇy.

Jest wiele zwycięskich czynników, ale czas jest tym, który niszczy wszystko w tym materialnym świecie—dlatego reprezentuje Kṛṣṇę. Lew jest najpotężniejszym i najbardziej okrutnym spośród zwierząt; a wśród milionów gatunków ptaków, Garuḍa, nosiciel Pana Viṣṇu, jest największym.

**TEKST 31** पवनः पवतामस्मि रामः शस्त्रभृतामहम् ।
झषाणां मकरश्चास्मि स्रोतसामस्मि जाह्नवी ॥३१॥

*pavanaḥ pavatām asmi rāmaḥ śastra-bhṛtām aham*
*jhaṣāṇāṁ makaraś cāsmi srotasām asmi jāhnavī*

*pavanaḥ*—wiatr; *pavatām*—ze wszystkiego, co oczyszcza; *asmi*—Ja jestem; *rāmaḥ*—Rāma; *śastra-bhṛtām*—spośród tych, którzy noszą broń; *aham*—Ja jestem; *jhaṣāṇām*—spośród wszystkich ryb; *makaraḥ*—rekin; *ca*—również; *asmi*—Ja jestem; *srotasām*—spośród płynących rzek; *asmi*—Ja jestem; *jāhnavī*—rzeka Ganges.

**Spośród wszystkiego, co oczyszcza—jestem wiatrem; spośród władających bronią—jestem Rāmą; pomiędzy rybami jestem rekinem, a z płynących rzek—Gangesem.**

*ZNACZENIE:* Spośród wszystkich stworzeń wodnych, jednym z największych i najbardziej niebezpiecznych dla człowieka jest rekin. Dlatego reprezentuje on Kṛṣṇę.

TEKST 32 सर्गाणामादिरन्तश्च मध्यं चैवाहमर्जुन ।
अध्यात्मविद्या विद्यानां वादः प्रवदतामहम् ॥३२॥

*sargāṇām ādir antaś ca madhyaṁ caivāham arjuna*
*adhyātma-vidyā vidyānāṁ vādaḥ pravadatām aham*

*sargāṇām*—wszystkiego, co zostało stworzone; *ādiḥ*—początek; *antaḥ*—koniec; *ca*—i; *madhyam*—środek; *ca*—również; *eva*—z pewnością; *aham*—Ja jestem; *arjuna*—O Arjuno; *adhyātma-vidyā*—wiedza duchowa; *vidyānām*—z całej wiedzy; *vādaḥ*—naturalny wniosek; *pravadatām*—z dyskusji; *aham*—Ja jestem.

**Ja jestem początkiem, końcem i środkiem wszelkiego stworzenia, Arjuno. Spośród wszystkich nauk—jestem wiedzą duchową o jaźni, a między logikami—ostateczną prawdą.**

*ZNACZENIE:* Pomiędzy wszelkimi stworzonymi manifestacjami, pierwszą jest stworzenie sumy elementów materialnych. Jak wyjaśniono wcześniej kosmiczną manifestację tworzy i kieruje nią Mahā-Viṣṇu, Garbhodakaśāyī Viṣṇu i Kṣīrodakaśāyī Viṣṇu, a następnie jest ona kontrolowana przez Pana Śivę. Brahmā jest stwórcą wtórnym. Wszyscy ci kontrolerzy stworzenia, utrzymywania i zniszczenia są różnymi inkarnacjami materialnych jakości Najwyższego Pana. Dlatego On jest początkiem, środkiem i końcem wszelkiego stworzenia.

Dla zaawansowanych studiów są różne księgi wiedzy, takie jak cztery *Vedy*, sześć dzieł uzupełniających je, *Vedānta-sūtra*, księgi logiki, księgi religijne i *Purāṇy*. Więc w sumie jest czternaście grup ksiąg wiedzy. Spośród tych ksiąg, Kṛṣṇę reprezentuje szczególnie *Vedānta-sūtra*, która przedstawia *adhyātma-vidyę*, wiedzę duchową.

Logicy posługują się różnego rodzaju argumentami. Potwierdzenie własnego argumentu dowodem, który również popiera argumenty strony przeciwnej, jest zwane *jalpa*. Zwykłe usiłowanie pokonania przeciwnika zwie się *vitaṇḍā*. Ale rzeczywista konkluzja jest zwana *vāda*. Ta ostateczna prawda jest reprezentacją Kṛṣṇy.

**TEKST 33** अक्षराणामकारोऽस्मि द्वन्द्वः सामासिकस्य च ।
अहमेवाक्षयः कालो धाताहं विश्वतोमुखः ॥३३॥

*akṣarāṇāṁ a-kāro 'smi dvandvaḥ sāmāsikasya ca*
*aham evākṣayaḥ kālo dhātāhaṁ viśvato-mukhaḥ*

*akṣarāṇām*—wśród liter; *a-kāraḥ*—pierwsza litera; *asmi*—Ja jestem; *dvandvaḥ*—dwoisty; *sāmāsikasya*—wyrazów złożonych; *ca*—i; *aham*—Ja jestem; *eva*—na pewno; *akṣayaḥ*—wieczny; *kālaḥ*—czas; *dhātā*—stworzyciel; *aham*—Ja jestem; *viśvataḥ-mukhaḥ*—Brahmā.

**Wśród liter jestem literą A, a wśród wyrazów złożonych—słowem podwójnym. Ja również jestem niewyczerpanym czasem, a pomiędzy stwórcami—Brahmą.**

*ZNACZENIE:* *A-kāra*, pierwsza litera w alfabecie sanskryckim, jest początkiem literatury wedyjskiej. Ponieważ bez *a-kāra* nie można nic wymówić, jest ona początkiem dźwięku. W sanskrycie jest również wiele słów złożonych, z których słowo podwójne, jak *rāma-kṛṣṇa*, nazywane jest *dvandva*. Na przykład *rāma* i *kṛṣṇa* mają tę samą formę, i dlatego złożenie tych dwóch wyrazów nazywane jest słowem podwójnym.

Pomiędzy wszystkimi zabójcami, ostatecznym jest czas, gdyż zabija on wszystko. Czas jest reprezentantem Kṛṣṇy, ponieważ w odpowiednim czasie wszystko zostanie unicestwione w wielkim ogniu.

Pomiędzy żywymi istotami, które są stwórcami, głównym jest czterogłowy Brahmā. Dlatego reprezentuje on Najwyższego Pana, Kṛṣṇę.

**TEKST 34** मृत्युः सर्वहरश्चाहमुद्भवश्च भविष्यताम् ।
कीर्तिः श्रीर्वाक् च नारीणां स्मृतिर्मेधा धृतिः क्षमा ॥३४॥

*mṛtyuḥ sarva-haraś cāham udbhavaś ca bhaviṣyatām*
*kīrtiḥ śrīr vāk ca nārīṇāṁ smṛtir medhā dhṛtiḥ kṣamā*

*mṛtyuḥ*—śmierć; *sarva-haraḥ*—wszechpochłaniająca; *ca*—również; *aham*—Ja jestem; *udbhavaḥ*—wytwarzanie; *ca*—również; *bhaviṣya-tām*—przyszłych manifestacji; *kīrtiḥ*—sława; *śrīḥ*—bogactwo albo piękno; *vāk*—piękna mowa; *ca*—również; *nārīṇām*—z kobiet; *smṛtiḥ*—pamięć; *medhā*—inteligencja; *dhṛtiḥ*—wierność, stałość; *kṣamā*—cierpliwość.

**Ja jestem wszystko-pochłaniającą śmiercią i Ja jestem sprawczą zasadą wszystkiego, co nadejdzie. Pomiędzy kobietami Ja jestem sławą, szczęściem, piękną mową, pamięcią, inteligencją, stałością i cierpliwością.**

*ZNACZENIE:* Człowiek umiera od momentu, w którym przychodzi na świat. Więc śmierć niszczy żywe istoty w każdej chwili, zaś ostatni jej cios nazywany jest samą śmiercią. Tą śmiercią jest Kṛṣṇa. Wszystkie gatunki życia podlegają sześciu podstawowym zmianom. Rodzą się, rosną, trwają przez pewien czas, rozmnażają się, słabną i ostatecznie giną. Pierwszą tą zmianą jest uwolnienie się z łona, i to jest również Kṛṣṇą. Narodziny są początkiem wszelkich dalszych czynności.

Siedem wymienionych bogactw: sława, szczęście, piękna mowa, pamięć, inteligencja, stałość i cierpliwość, uważane są za żeńskie. Jeśli ktoś posiada wszystkie albo niektóre z nich, staje się sławny. Jeśli człowiek słynie jako prawy, to czyni go to chwalebnym. Sanskryt zaś jest językiem doskonałym i dlatego jest bardzo sławny. Jeśli ktoś studiuje coś i może zapamiętać istotę, to znaczy, że został obdarzony dobrą pamięcią, czyli *smṛti*. A zdolność nie tylko czytania wielu książek na różne tematy, ale również możliwość zrozumienia ich i zastosowania w razie potrzeby jest inteligencją (*medhā*), która jest innym przymiotem. Zdolność pokonania niestałości jest zwana niewzruszonością czy stałością (*dhṛti*). A gdy ktoś jest w pełni kwalifikowany, a mimo to jest pokorny i łagodny, i gdy jest w stanie utrzymać równowagę zarówno w niedoli, jak i w radosnej ekstazie, posiada on bogactwo zwane cierpliwością (*kṣamā*).

## TEKST 35

बृहत्साम तथा साम्नां गायत्री छन्दसामहम् ।
मासानां मार्गशीर्षोऽहमृतूनां कुसुमाकरः ॥३५॥

*bṛhat-sāma tathā sāmnāṁ gāyatrī chandasām aham*
*māsānāṁ mārga-śīrṣo 'ham ṛtūnāṁ kusumākaraḥ*

*bṛhat-sāma*—*Bṛhat-sāma; tathā*—również; *sāmnām*—spośród hymnów *Sāma Vedy; gāyatrī*—hymny Gāyatrī; *chandasām*—z całej poezji; *aham*—Ja jestem; *māsānām*—spośród miesięcy; *mārga-śīrṣaḥ*—listopad i grudzień; *aham*—Ja jestem; *ṛtūnām*—spośród wszystkich pór roku; *kusuma-ākaraḥ*—wiosna.

**Wśród hymnów Sāma Vedy—Ja jestem Bṛhat-sāmą; a z poezji—Gāyatrī. Spośród miesięcy jestem Mārgaśīrṣa (listopadem i grudniem), a z pór roku—kwitnącą wiosną.**

*ZNACZENIE:* Jak to już Pan oznajmił wcześniej, pomiędzy wszystkimi *Vedami* jest On *Sāma Vedą*. *Sāma Veda* jest bogata w piękne pieśni grane i śpiewane przez różnych półbogów. Jedną z tych pieśni jest *Bṛhat-sāma*, która ma wyśmienitą melodię i śpiewana jest o północy.

W sanskrycie są określone reguły, jeśli chodzi o układanie poezji. Rytm i ilość zgłosek nie są dowolne, tak jak we współczesnej poezji. Pomiędzy taką poezją najważniejszą jest *mantra* Gāyatrī, intonowana przez odpowiednio kwalifikowanych braminów. O *mantrze* Gāyatrī jest wzmianka w *Śrīmad-Bhāgavatam*. Ponieważ *mantra* ta ma służyć szczególnie realizacji Boga, reprezentuje ona Najwyższego Pana. Przeznaczona jest ona dla ludzi zaawansowanych duchowo. I kiedy ktoś osiąga sukces w intonowaniu jej, może on przeniknąć transcendentalną pozycję Pana. Aby intonować Gāyatrī, trzeba być usytuowanym w *guṇie* dobroci, czyli posiadać wszystkie kwalifikacje właściwe dla tej siły natury materialnej. *Mantra* Gāyatrī ma bardzo duże znaczenie w cywilizacji wedyjskiej i uważana jest za dźwiękową inkarnację Brahmana. Zapoczątkował ją Brahmā, i od niego *mantra* ta jest przekazywana poprzez sukcesję uczniów.

Za najlepsze miesiące w Indiach uważany jest listopad i grudzień, ponieważ w tym czasie zbiera się tam plony z pól i ludzie są wówczas bardzo szczęśliwi. Oczywiście powszechnie najbardziej ulubioną porą roku jest wiosna, kiedy nie jest ani zbyt zimno, ani zbyt gorąco, a zaczynają kwitnąć drzewa i kwiaty. Wiosną odbywa się również wiele uroczystości związanych z rozrywkami Kṛṣṇy. Dlatego pora ta uważana jest za najbardziej radosną ze wszystkich i jest ona reprezentantką Najwyższego Pana, Kṛṣṇy.

## TEKST 36

द्यूतं छलयतामस्मि तेजस्तेजस्विनामहम् ।
जयोऽस्मि व्यवसायोऽस्मि सत्त्वं सत्त्ववतामहम् ॥३६॥

*dyūtaṁ chalayatām asmi tejas tejasvinām aham*
*jayo 'smi vyavasāyo 'smi sattvaṁ sattvavatām aham*

*dyūtam*—hazard; *chalayatām*—ze wszystkich oszustw; *asmi*—Ja jestem; *tejaḥ*—splendor; *tejasvinām*—ze wszystkich wspaniałości; *aham*—Ja jestem; *jayaḥ*—zwycięstwo; *asmi*—Ja jestem; *vyavasāyaḥ*—przygoda; *asmi*—Ja jestem; *sattvam*—siła; *sattva-vatām*—mocnych; *aham*—Ja jestem.

**Ja jestem również hazardem oszustów; pomiędzy wspaniałościami—jestem przepychem. Ja jestem zwycięstwem, przygodą i siłą mocnych.**

*ZNACZENIE:* Jest wielu różnych oszustów w całym świecie. Pomiędzy wszystkimi oszustwami, hazard zajmuje przednie miejsce i dlatego reprezentuje Kṛṣṇę. Jako Najwyższy, Kṛṣṇa może być większym oszustem niż jakikolwiek człowiek. Jeśli Kṛṣṇa decyduje się kogoś podejść, nikt nie może prześcignąć Go w Jego podstępie. Jego wielkość nie jest jednostronna. Jest On wielki pod każdym względem.

On jest zwycięstwem zwycięzców i On jest przepychem wśród wszelkich wspaniałości. Pomiędzy przedsiębiorczymi i pracowitymi, On jest najbardziej przedsiębiorczy i pracowity. Pomiędzy poszukiwaczami przygód, On doświadcza ich najwięcej, a pomiędzy mocnymi, On jest najmocniejszy. Kiedy Kṛṣṇa obecny był na Ziemi, nikt nie był w stanie przewyższyć Go w sile. Już w dzieciństwie podniósł On Górę Govardhana. Nikt nie może prześcignąć Go w Jego podstępach; nikt nie może przewyższyć Go w przepychu; nikt nie może prześcignąć Go w zwycięstwie; nikt nie może prześcignąć Go w przedsiębiorczości ani pokonać Jego siły.

TEKST 37 वृष्णीनां वासुदेवोऽस्मि पाण्डवानां धनञ्जयः ।
मुनीनामप्यहं व्यासः कवीनामुशना कविः ॥३७॥

*vṛṣṇīnāṁ vāsudevo 'smi pāṇḍavānāṁ dhanañjayaḥ*
*munīnām apy ahaṁ vyāsaḥ kavīnām uśanā kaviḥ*

*vṛṣṇīnām*—pomiędzy potomkami Vṛṣṇi; *vāsudevaḥ*—Kṛṣṇa w Dvārace; *asmi*—Ja jestem; *pāṇḍavānām*—spośród Pāṇḍavów; *dhanañjayaḥ*—Arjuna; *munīnām*—pomiędzy mędrcami; *api*—również; *aham*—Ja jestem; *vyāsaḥ*—Vyāsa, kompilator całej literatury wedyjskiej; *kavīnām*—pomiędzy wszystkimi wielkimi myślicielami; *uśanā*—Uśanā; *kaviḥ*—myśliciel.

**Spośród potomków Vṛṣṇi—Ja jestem Vāsudevą, a spośród Pāṇḍavów—Arjuną. Ja jestem Vyāsą pomiędzy mędrcami, a wśród wielkich myślicieli, Uśaną.**

*ZNACZENIE:* Kṛṣṇa jest oryginalną Najwyższą Osobą Boga, a Baladeva jest bezpośrednią ekspansją Kṛṣṇy. Zarówno Pan Kṛṣṇa, jak i Baladeva pojawili się jako synowie Vasudevy, więc obaj mogą zostać nazwani Vāsudevą. Z innego punktu widzenia: ponieważ Kṛṣṇa nigdy nie opuszcza Vṛndāvany, wszystkie formy Kṛṣṇy, które pojawiają się w innych miejscach, są Jego ekspansjami. Vāsudeva jest bezpośrednią ekspansją Kṛṣṇy, więc nie jest On różny od Kṛṣṇy. Należy wiedzieć, że Vāsudevą, o którym mówi ten werset *Bhagavad-gīty*, jest Baladeva, czyli Balarāma, ponieważ jest On oryginalnym źródłem wszystkich inkarnacji, więc jest jedynym źródłem Vāsudevy. Bezpośrednie ekspansje Pana są zwane *svāṁśa* (ekspansje osobiste), a są również ekspansje zwane *vibhinnāṁśa* (ekspansje oddzielne).

Pomiędzy synami Pāṇḍu, Arjuna słynie jako Dhanañjaya. W rzeczywistości jest on najlepszym z ludzi i dlatego reprezentuje Kṛṣṇę. Pomiędzy mędrcami *muni*, czyli ludźmi wykształconymi w wiedzy wedyjskiej, największym jest Vyāsa, gdyż on wytłumaczył wiedzę wedyjską na wiele różnych sposobów, tak aby mogły ją zrozumieć szerokie rzesze ludzi w tym wieku Kali. Vyāsa znany jest również jako inkarnacja Kṛṣṇy; dlatego również reprezentuje on Kṛṣṇę. *Kavi*—to ci, którzy są w stanie rozważyć gruntownie każdy temat. Pomiędzy *kavitami*, Uśanā, Śukrācārya, był mistrzem duchowym demonów. Był on niezwykle inteligentny i był przewidującym i doskonałym politykiem. Zatem Śukrācārya jest jeszcze jednym reprezentantem mocy Kṛṣṇy.

**TEKST 38**

दण्डो दमयतामस्मि नीतिरस्मि जिगीषताम् ।
मौनं चैवास्मि गुह्यानां ज्ञानं ज्ञानवतामहम् ॥३८॥

*daṇḍo damayatām asmi nītir asmi jigīṣatām*
*maunaṁ caivāsmi guhyānāṁ jñānaṁ jñānavatām aham*

*daṇḍaḥ*—kara; *damayatām*—ze wszystkich karcących metod; *asmi*—Ja jestem; *nītiḥ*—moralność; *asmi*—Ja jestem; *jigīṣatām*—pragnących zwycięstwa; *maunam*—cisza; *ca*—i; *eva*—również; *asmi*—Ja jestem; *guhyānām*—sekretów; *jñānam*—wiedzą; *jñāna-vatām*—mędrców; *aham*—Ja jestem.

**Pomiędzy wszelkimi środkami tłumiącymi bezprawie—Ja jestem karą; Ja jestem moralnością wśród tych, którzy pragną zwycięstwa. Ja jestem ciszą wśród sekretów i mądrością mędrców.**

*ZNACZENIE:* Jest wiele czynników karzących, z których najważniejszymi są te, które wymierzają karę przestępcom. Kiedy karani są złoczyńcy, to rózga karząca reprezentuje wtedy Kṛṣṇę. Pomiędzy tymi, którzy próbują odnieść zwycięstwo na jakimś polu działania, najbardziej zwycięskim elementem jest moralność. Pomiędzy czynnościami słuchania, myślenia i medytacji, najważniejszą jest cisza, gdyż poprzez ciszę można zrobić szybki postęp. Mędrcem jest ten, kto potrafi rozróżnić ducha od materii, wyższą naturę Boga od niższej. Taka wiedza jest Samym Kṛṣṇą.

TEKST 39 यच्चापि सर्वभूतानां बीजं तदहमर्जुन ।
न तदस्ति विना यत्स्यान्मया भूतं चराचरम् ॥३९॥

*yac cāpi sarva-bhūtānāṁ bījaṁ tad aham arjuna*
*na tad asti vinā yat syān mayā bhūtaṁ carācaram*

*yat*—cokolwiek; *ca*—również; *api*—może istnieć; *sarva-bhūtānām*—pomiędzy wszelkim stworzeniem; *bījam*—ziarno; *tat*—to; *aham*—Ja jestem; *arjuna*—O Arjuno; *na*—nie; *tat*—to; *asti*—jest; *vinā*—bez; *yat*—która; *syāt*—istnieje; *mayā*—Mnie; *bhūtam*—stworzona istota; *carācaram*—poruszająca się i nieruchoma.

**Co więcej, o Arjuno, Ja jestem nasieniem dającym początek wszelkiemu życiu. Nie ma żadnej istoty, poruszającej się czy nieruchomej, która mogłaby istnieć beze Mnie.**

*ZNACZENIE:* Wszystko ma swoją przyczynę i tą przyczyną albo nasieniem manifestacji jest Kṛṣṇa. Nic nie może istnieć bez energii Kṛṣṇy, dlatego jest On nazywany wszechmocnym. Bez Jego mocy nie mogą istnieć ani przedmioty ruchome, ani nieruchome. Każda więc egzystencja, której podstawą nie jest energia Kṛṣṇy, nazywana jest *māyą*, to znaczy, "czymś czego nie ma".

TEKST 40 नान्तोऽस्ति मम दिव्यानां विभूतीनां परन्तप ।
एष तूद्देशतः प्रोक्तो विभूतेर्विस्तरो मया ॥४०॥

*nānto 'sti mama divyānāṁ vibhūtīnāṁ parantapa*
*eṣa tūddeśataḥ prokto vibhūter vistaro mayā*

*na*—nie; *antaḥ*—granica; *asti*—jest; *mama*—Moich; *divyānām*—boskich; *vibhūtīnām*—bogactw; *parantapa*—O pogromco wroga; *eṣaḥ*—wszystko to; *tu*—ale; *uddeśataḥ*—jako przykłady; *proktaḥ*—opowiedziane; *vibhūteḥ*—bogactw; *vistaraḥ*—rozwinięcie; *mayā*—przeze Mnie.

**O potężny pogromco nieprzyjaciół, nie ma końca Moim boskim manifestacjom. To, o czym ci mówiłem, jest jedynie śladem Moich nieograniczonych bogactw.**

*ZNACZENIE:* Jak oznajmia literatura wedyjska, mimo iż bogactwa i energie Najwyższego można poznawać na różne sposoby, to bogactwom tym i mocom nie ma końca. Dlatego nie wszystkie z nich można wytłumaczyć. Tych parę przykładów Kṛṣṇa podał Arjunie dla zaspokojenia jego ciekawości.

TEKST 41

यद्यद्विभूतिमत् सत्त्वं श्रीमदूर्जितमेव वा ।
तत्तदेवावगच्छ त्वं मम तेजोंऽशसम्भवम् ॥४१॥

*yad yad vibhūtimat sattvaṁ śrīmad ūrjitam eva vā*
*tat tad evāvagaccha tvaṁ mama tejo-'ṁśa-sambhavam*

*yat yat*—jakiekolwiek; *vibūti*—bogactwa; *mat*—posiadając; *sattvam*—istnienie; *śrī-mat*—piękne; *ūrjitam*—chwalebne; *eva*—z pewnością; *vā*—albo; *tat tat*—wszystkie te; *eva*—na pewno; *avagaccha*—musisz wiedzieć; *tvam*—ty; *mama*—Mojego; *tejaḥ*—przepychu; *aṁśa*—część; *sambhavam*—zrodzony z.

**Wiedz, że wszystkie te manifestacje, pełne przepychu, piękna i chwały—wypływają zaledwie z iskry Mojego splendoru.**

*ZNACZENIE:* Należy wiedzieć, że cokolwiek jest pięknego i chwalebnego w świecie duchowym i materialnym—jest to tylko cząstkową manifestacją bogactw Kṛṣṇy. Wszystko, co jest niezwykle okazałe, reprezentuje bogactwo Kṛṣṇy.

TEKST 42

अथवा बहुनैतेन किं ज्ञातेन तवार्जुन ।
विष्टभ्याहमिदं कृत्स्नमेकांशेन स्थितो जगत् ॥४२॥

*atha vā bahunaitena kiṁ jñātena tavārjuna*
*viṣṭabhyāham idaṁ kṛtsnam ekāṁśena sthito jagat*

*atha vā*—albo; *bahunā*—wiele; *etena*—przez ten rodzaj; *kim*—co; *jñātena*—wiedząc; *tava*—twoje; *arjuna*—O Arjuno; *viṣṭabhya*—przenikając; *aham*—Ja; *idam*—to; *kṛtsnam*—całe; *eka*—przez jedną; *aṁśena*—część; *sthitaḥ*—jestem usytuowany; *jagat*—wszechświat.

**Ale jakiż jest pożytek, Arjuno, z całej tej drobiazgowej wiedzy? Jedną cząstką Siebie przenikam i utrzymuję cały ten wszechświat.**

*ZNACZENIE:* Najwyższy Pan reprezentowany jest w całym wszechświecie materialnym przez przenikającą wszystko Duszę Najwyższą. Pan mówi tutaj Arjunie, że nie ma sensu rozmyślać, w jaki sposób rzeczy istnieją w swoich niezależnych wielkościach i mocach. Powinien on wiedzieć, iż wszystko istnieje dzięki temu, że Kṛṣṇa przenika to jako Dusza Najwyższa. Wszystko, począwszy od Brahmy, najpotężniejszej istoty, aż do najmniejszej mrówki, istnieje dzięki temu, że Pan przenika to wszystko i utrzymuje.

Istnieje pewna Misja, która głosi, że kult półbogów wiedzie do Najwyższej Osoby Boga, czyli najwyższego celu. Jednakże Pan absolutnie nie pochwala kultu półbogów, gdyż nawet najwięksi z nich, tacy jak Brahmā i Śiva, reprezentują jedynie cząstkę mocy Najwyższego Pana. On jest źródłem wszystkiego co istnieje i nikt nie może Go przewyższyć. Jest On *asamaurdhva*, co oznacza, iż nikt nie jest wyższy od Niego ani Jemu równy. *Padma Purāṇa* mówi, iż ten, kto uważa Najwyższego Pana Kṛṣṇę za równego półbogom—nawet jeśli są to Brahmā i Śiva—od razu staje się ateistą. Jeśli jednak ktoś dokładnie studiuje różne opisy bogactw i ekspansji energii Kṛṣṇy, wtedy niewątpliwie może zrozumieć pozycję Najwyższego Pana i zostać Jego niewzruszonym wielbicielem. Pan jest wszechprzenikający poprzez ekspansję Swojej cząstkowej reprezentacji, Duszy Najwyższej, która przenika wszystko co istnieje. Dlatego czyści wielbiciele koncentrują swoje umysły w świadomości Kṛṣṇy, pełniąc zawsze służbę oddania. W ten sposób zawsze znajdują się w pozycji transcendentalnej. Rozdział ten, w wersetach od ósmego do jedenastego, bardzo wyraźnie poleca służbę oddania i wielbienie Kṛṣṇy. Jest to droga czystej służby oddania. Rozdział ten także dokładnie wyjaśnia, w jaki sposób można osiągnąć najwyższą doskonałość, którą jest obcowanie z Najwyższą Osobą Boga. Śrīla Baladeva Vidyābhūṣaṇa, wielki *ācārya* w sukcesji uczniów pochodzącej od Kṛṣṇy, kończy swój komentarz do tego rozdziału, mówiąc:

*yac-chakti-leśāt suryādyā bhavanty aty-ugra-tejasaḥ*
*yad-aṁśena dhṛtaṁ viśvaṁ sa kṛṣṇo daśame 'rcyate*

Nawet potężne słońce otrzymuje moc z potężnej energii Pana Kṛṣṇy, a cały świat utrzymywany jest przez częściową ekspansję Kṛṣṇy. Dlatego należy czcić Pana Kṛṣṇę.

W ten sposób Bhaktivedanta kończy objaśnienia do Dziesiątego Rozdziału *Śrīmad Bhagavad-gīty*, traktującego o Bogactwie Absolutu.

## ROZDZIAŁ XI

# Forma Kosmiczna

**TEKST 1** अर्जुन उवाच

मदनुग्रहाय परमं गुह्यमध्यात्मसंज्ञितम् ।
यत्त्वयोक्तं वचस्तेन मोहोऽयं विगतो मम ॥१॥

*arjuna uvāca*
*mad-anugrahāya paramaṁ guhyam adhyātma-saṁjñitam*
*yat tvayoktaṁ vacas tena moho 'yaṁ vigato mama*

*arjunaḥ uvāca*—Arjuna rzekł; mat-anugrahāya—po to, aby ukazać mi łaskę; *paramam*—najwyższy; *guhyam*—poufny temat; *adhyātma*—duchowy; *saṁjñitam*—jeśli chodzi o; *yat*—co; *tvayā*—przez Ciebie; *uktam*—powiedziane; *vacaḥ*—słowa; *tena*—przez to; *mohaḥ*—złudzenie; *ayam*—to; *vigataḥ*—jest usunięte; *mama*—moje.

**Arjuna rzekł: Wysłuchałem Twoich nauk o tych najbardziej poufnych tematach duchowych, których tak łaskawie mi udzieliłeś—i teraz moje złudzenia zostały rozwiane.**

*ZNACZENIE:* Rozdział ten objawia nam Kṛṣṇę jako przyczynę wszystkich przyczyn. Jest On nawet źródłem Mahā-Viṣṇu, z którego emanują materialne wszechświaty. Kṛṣṇa nie jest inkarnacją; jest On źródłem wszystkich inkarnacji. Zostało to doskonale wytłumaczone w rozdziale ostatnim.

Teraz Arjuna stwierdził, że uwolnił się od złudzenia. To znaczy, że nie uważa on już dłużej Kṛṣṇy za zwykłą ludzką istotę, swojego przyjaciela, ale za źródło wszystkiego. Arjuna stał się osobą wielce oświeconą i jest szczęśliwy, że ma tak wielkiego przyjaciela, Kṛṣṇę. Jednocześnie wziął on pod uwagę to, że chociaż on sam przyjął Kṛṣṇę jako źródło wszystkiego, to inni mogą tego nie zrobić. Po to więc, aby udowodnić wszystkim boskość Kṛṣṇy, poprosi Go w tym rozdziale, aby ukazał mu Swoją postać kosmiczną. Faktem jest, że widok kosmicznej formy Kṛṣṇy napawa strachem każdego, komu dane jest ją ujrzeć. Tak też było w przypadku Arjuny. Ale Kṛṣṇa jest tak łaskawy, że po ukazaniu tej formy ponownie przyjmuje Swą oryginalną postać. Arjuna tutaj zgadza się z tym, co Kṛṣṇa powiedział kilkakrotnie: Kṛṣṇa przemawia do niego mając na względzie jego korzyść. Arjuna przyznaje, że dzieje się to tylko dzięki wielkiej łasce Pana. Jest on teraz przekonany o tym, że Kṛṣṇa jest przyczyną wszystkich przyczyn, i że obecny jest w sercu każdej istoty jako Dusza Najwyższa.

**TEKST 2** भवाप्ययौ हि भूतानां श्रुतौ विस्तरशो मया ।
त्वत्तः कमलपत्राक्ष माहात्म्यमपि चाव्ययम् ॥२॥

*bhavāpyayau hi bhūtānāṁ śrutau vistaraśo mayā*
*tvattaḥ kamala-patrākṣa māhātmyam api cāvyayam*

*bhava*—pojawienie się; *apyayau*—zanikanie; *hi*—z pewnością; *bhūtānām*—wszystkich żywych istot; *śrutau*—usłyszałem; *vistaraśaḥ*—szczegółowo; *mayā*—przeze mnie; *tvattaḥ*—od Ciebie; *kamala-patra-akṣa*—O Lotosooki; *māhātmyam*—chwały; *api*—również; *ca*—i; *avyayam*—niewyczerpane.

**O Lotosooki, usłyszałem od Ciebie w szczegółach o pojawianiu się i odchodzeniu każdej żywej istoty i uświadomiłem sobie Twoje niewyczerpujące się chwały.**

*ZNACZENIE:* W wielkiej radości Arjuna nazywa tutaj Kṛṣṇę "lotosookim" (oczy Kṛṣṇy przypominają bowiem płatki kwiatu lotosu). W ostatnim wersecie poprzedniego rozdziału Kṛṣṇa zapewnił go, *ahaṁ kṛtsnasya jagataḥ prabhavaḥ pralayas tathā*: "Ja jestem źródłem pojawiania się i znikania całej tej manifestacji materialnej." Arjuna dowiedział się o tym szczegółowo od Samego Pana. Arjuna wie, iż Pan, będąc źródłem wszelkich przejawień i unicestwień, Sam nie ma z nimi nic wspólnego. Jak Pan stwierdził w Rozdziale Dziewiątym, jest On wszechprzenikający, a jednak nie jest wszędzie obecny osobiście. Jest to niepojęta moc Kṛṣṇy, którą całkowicie zrozumiał Arjuna, tak jak nas o tym zapewnił.

TEKST 3 एवमेतद्‌ यथात्थ त्वमात्मानं परमेश्वर ।
द्रष्टुमिच्छामि ते रूपमैश्वरं पुरुषोत्तम ॥३॥

*evam etad yathāttha tvam ātmānaṁ parameśvara*
*draṣṭum icchāmi te rūpam aiśvaraṁ puruṣottama*

*evam*—tak; *etat*—ta; *yathā*—taka, jaką jest; *āttha*—powiedział; *tvam*—Ty; *ātmānam*—Ty Sam; *parama-īśvara*—O Najwyższy Panie; *draṣṭum*—zobaczyć; *icchāmi*—pragnę; *te*—Ciebie; *rūpam*—formę; *aiśvaram*—boską; *puruṣa-uttama*—O najlepszy spośród wszystkich osób.

**O najpotężniejszy spośród wszystkich osób, o najwyższa postaci, chociaż widzę oto przed sobą Twoją prawdziwą pozycję, tak jak ją Sam opisałeś, to jednak pragnę zobaczyć, w jaki sposób przenikasz tę kosmiczną manifestację. Pragnę Cię ujrzeć w tej Twojej formie.**

*ZNACZENIE:* Pan oznajmił, że ta manifestacja kosmiczna mogła powstać i istnieje dzięki temu, że On przenika ją poprzez Swoją osobową reprezentację. Jeśli chodzi o Arjunę, to przekonały go już stwierdzenia Kṛṣṇy, ale po to, aby przekonać również wszystkich tych w przyszłości, którzy mogą myśleć, że Kṛṣṇa jest zwykłą osobą, pragnie on zobaczyć Pana w Jego postaci kosmicznej. W ten sposób pragnie zobaczyć, jak Pan działa z wewnątrz tego wszechświata, będąc jednocześnie poza nim. Znaczące jest tutaj słowo *puruṣottama*, którego Arjuna użył zwracając się do Pana. Pan, jako Najwyższa Osoba Boga, jest obecny w sercu Arjuny i zna jego pragnienia, i wie, że Arjuna nie ma szczególnego pragnienia, aby ujrzeć Go w Jego kosmicznej formie. Jest on całkowicie zadowolony z oglądania Go w Jego oryginalnej postaci, jako Kṛṣṇy. Pan wie, że Arjuna chce zobaczyć Jego formę kosmiczną po to, aby móc przekonać innych. On sam nie potrzebuje już żadnego potwierdzenia. Kṛṣṇa wie również, że Arjuna chce zobaczyć tę Jego formę kosmiczną po to, aby już zawczasu ustalić pewne kryterium, jako że w przyszłości pojawi się wielu oszustów pozujących na inkarnacje Boga. Ludzie powinni być zatem ostrożni; ktoś, kto twierdzi, że jest Kṛṣṇą, powinien być przygotowany na to, aby ukazać swoją formę kosmiczną, i w ten sposób udowodnić ludziom prawdziwość swojego twierdzenia.

TEKST 4 मन्यसे यदि तच्छक्यं मया द्रष्टुमिति प्रभो ।
योगेश्वर ततो मे त्वं दर्शयात्मानमव्ययम्‌ ॥४॥

*manyase yadi tac chakyaṁ mayā draṣṭum iti prabho*
*yogeśvara tato me tvaṁ darśayātmānam avyayam*

*manyase*—sądzisz; *yadi*—jeśli; *tat*—ta; *śakyam*—mogę; *mayā*—przeze mnie; *draṣṭum*—zobaczyć; *iti*—w ten sposób; *prabho*—O Panie; *yoga-īśvara*—Pan wszelkich sił mistycznych; *tataḥ*—wobec tego; *me*—mnie; *tvam*—Ty; *darśaya*—ukaż; *ātmānam*—Siebie; *avyayam*—wieczny.

**Jeśli sądzisz, że będę w stanie zobaczyć Twoją formę kosmiczną, o mój Panie, mistrzu wszelkich mocy mistycznych, to proszę, ukaż mi łaskawie tę nieograniczoną kosmiczną Jaźń.**

*ZNACZENIE:* Jest powiedziane, że nikt nie może zobaczyć, usłyszeć, zrozumieć ani odczuć Najwyższego Pana Kṛṣṇę zmysłami materialnymi. Ale Pan może objawić się temu, kto od początku zaangażowany jest w transcendentalną służbę miłości dla Niego. Każda żywa istota jest jedynie iskrą duchową; dlatego niemożliwe jest dla niej zrozumienie lub zobaczenie Najwyższego Pana. Arjuna, jako wielbiciel Pana, nie polega na swoich zdolnościach spekulacyjnych; raczej zdaje on sobie sprawę z ograniczeń właściwych każdej żywej istocie i uznaje najwyższą pozycję Kṛṣṇy. Arjuna rozumie, że żywa istota nie może pojąć tego, co jest nieskończone i nieograniczone. Jeśli jednak nieskończony objawia się Sam, to wtedy można zrozumieć naturę nieskończonego, dzięki łasce nieskończonego. Bardzo ważne jest tutaj również słowo *yogeśvara*, ponieważ moc Pana jest niepojęta. Jeśli chce, to może objawić się dzięki Swojej łasce, chociaż jest On nieograniczony. Dlatego Arjuna błaga Kṛṣṇę o Jego niepojętą łaskę. Nie rozkazuje on Kṛṣṇie. Kṛṣṇa nie musi objawiać się nikomu, kto nie podporządkował Mu się całkowicie i kto nie pełni służby oddania. Zatem nie mogą zobaczyć Kṛṣṇy osoby, które zdają się na moc spekulacji umysłowych.

## TEKST 5

श्रीभगवानुवाच
पश्य मे पार्थ रूपाणि शतशोऽथ सहस्रशः ।
नानाविधानि दिव्यानि नानावर्णाकृतीनि च ॥५॥

*śrī-bhagavān uvāca*
*paśya me pārtha rūpāṇi śataśo 'tha sahasraśaḥ*
*nānā-vidhāni divyāni nānā-varṇākṛtīni ca*

*śrī-bhagavān uvāca*—Najwyższa Osoba Boga rzekł; *paśya*—spójrz; *me*—Moje; *pārtha*—O synu Pṛthy; *rūpāṇi*—formy; *śataśaḥ*—setki; *atha*—również; *sahasraśaḥ*—tysiące; *nānā-vidhāni*—różnorodne; *divyāni*—boskie; *nānā*—różne; *varṇa*—kolory; *ākṛtīni*—formy; *ca*—również.

**Najwyższa Osoba Boga rzekł: Mój drogi Arjuno, synu Pṛthy, spójrz zatem na Moje bogactwa, setki i tysiące różnorodnych boskich i wielokolorowych form.**

*ZNACZENIE:* Arjuna chciał zobaczyć Kṛṣṇę w Jego postaci kosmicznej, która chociaż będąc formą transcendentalną, przejawia się specjalnie w tej manifestacji kosmicznej i w związku z tym zależna jest od czasu trwania natury materialnej. Tak jak natura materialna jest zamanifestowana i niezamanifestowana, tak też zamanifestowana i niezamanifestowana jest ta kosmiczna forma Kṛṣṇy. Kosmiczna forma Kṛṣṇy nie jest wiecznie usytuowana w niebie duchowym, tak jak inne formy Kṛṣṇy. Jeśli chodzi o wielbiciela Pana, to nie pragnie on oglądać formy kosmicznej, ale ponieważ Arjuna chciał zobaczyć Kṛṣṇę w takiej formie, Kṛṣṇa objawił mu ją. Formy tej nie może zobaczyć zwykły człowiek. Musi on najpierw otrzymać od Kṛṣṇy odpowiednią moc.

TEKST 6 पश्यादित्यान् वसून् रुद्रानश्विनौ मरुतस्तथा ।
बहून्यदृष्टपूर्वाणि पश्याश्चर्याणि भारत ॥६॥

*paśyādityān vasūn rudrān aśvinau marutas tathā*
*bahūny adṛṣṭa-pūrvāṇi paśyāścaryāṇi bhārata*

*paśya*—zobacz; *ādityān*—dwunastu synów Aditi; *vasūn*—ośmiu Vasu; *rudrān*—jedenaście form Rudry; *aśvinau*—dwóch Aśvinów; *marutaḥ*—czterdziestu dziewięciu Marutów (półbogów wiatru); *tathā*—również; *bahūni*—wielu; *adṛṣṭa*—których nie widziałeś; *pūrvāṇi*—przedtem; *paśya*—zobacz; *āścaryāṇi*—wszystkie dziwy; *bhārata*—O najlepszy z Bhāratów.

**O najlepszy z Bhāratów, spójrz na różne przejawienia Ādityów, Vasów, Rudrów, Aśvinī-kumārów, i wszystkich innych półbogów. Spójrz na te wszystkie rzeczy, o których nikt wcześniej nie słyszał, ani których nikt wcześniej nie oglądał.**

*ZNACZENIE:* Chociaż Arjuna był osobistym przyjacielem Kṛṣṇy i najbardziej oświeconym spośród wszystkich uczonych ludzi, to jednak nie mógł on posiadać pełnej wiedzy o Kṛṣṇie. Pan oznajmia tutaj, że nigdy w przeszłości ludzie nie słyszeli o tych Jego wspaniałych formach i manifestacjach, ani też nie znali ch. Teraz Kṛṣṇa odsłania je.

TEKST 7 इहैकस्थं जगत् कृत्स्नं पश्याद्य सचराचरम् ।
मम देहे गुडाकेश यच्चान्यद् द्रष्टुमिच्छसि ॥७॥

*ihaika-sthaṁ jagat kṛtsnaṁ paśyādya sa-carācaram*
*mama dehe guḍākeśa yac cānyad draṣṭum icchasi*

*iha*—w tym; *eka-stham*—w jednym miejscu; *jagat*—wszechświat; *kṛtsnam*—całkowicie; *paśya*—zobacz; *adya*—natychmiast; *sa*—z; *cara*—ruchome; *acaram*—i nieruchome; *mama*—Moje; *dehe*—w tym ciele; *guḍākeśa*—O Arjuno; *yat*—to, które; *ca*—również; *anyat*—inne; *draṣṭum*—zobaczyć; *icchasi*—chcesz.

**O Arjuno, w tym Moim ciele możesz ujrzeć wszystko, cokolwiek tylko zapragniesz zobaczyć! Ta postać kosmiczna może pokazać ci wszystko, co pragniesz ujrzeć teraz, jak również to co możesz zapragnąć ujrzeć w przyszłości. Wszystko—ruchome i nieruchome—zawiera się w niej w sposób doskonały, w jednym miejscu.**

*ZNACZENIE:* Nikt nie może zobaczyć całego wszechświata przebywając w jednym miejscu. Nawet najbardziej światły naukowiec nie może zobaczyć tego, co dzieje się w innej części wszechświata. Ale bhakta taki jak Arjuna może zobaczyć wszystko, co istnieje w jakiejkolwiek części wszechświata. Kṛṣṇa daje mu moc ujrzenia wszystkiego, co pragnie on zobaczyć—z przeszłości, teraźniejszości i przyszłości. Tak więc dzięki łasce Kṛṣṇy Arjuna może ujrzeć wszystko.

TEKST 8 न तु मां शक्यसे द्रष्टुमनेनैव स्वचक्षुषा ।
दिव्यं ददामि ते चक्षुः पश्य मे योगमैश्वरम् ॥८॥

*na tu māṁ śakyase draṣṭum anenaiva sva-cakṣuṣā*
*divyaṁ dadāmi te cakṣuḥ paśya me yogam aiśvaram*

*na*—nigdy; *tu*—ale; *mām*—Mnie; *śakyase*—są w stanie; *draṣṭum*—zobaczyć; *anena*—tymi; *eva*—na pewno; *sva-cakṣuṣā*—swoimi oczyma; *divyam*—boskie; *dadāmi*—daję; *te*—tobie; *cakṣuḥ*—oczy; *paśya*—zobacz; *me*—Moje; *yogam aiśvaram*—niepojęte siły mistyczne.

**Ale nie możesz Mnie ujrzeć swoimi obecnymi oczyma, Arjuno. Dlatego daję ci oczy boskie. Spójrz na Moje mistyczne bogactwa!**

*ZNACZENIE:* Czysty wielbiciel nie pragnie oglądać Kṛṣṇy w żadnej innej formie poza Jego postacią dwuręką; dzięki Jego łasce wielbiciel może również ujrzeć Jego postać kosmiczną—nie swoim umysłem, ale oczami duchowymi. Kṛṣṇa powiedział Arjunie, że jeśli chce zobaczyć tę Jego formę, musi przemienić nie umysł, ale wzrok. Kosmiczna forma nie jest jednak bardzo ważna; to zostanie wytłumaczone w wersetach następnych. Ale ponieważ Arjuna chciał ją zobaczyć, otrzymał od Pana odpowiednią moc widzenia.

Wielbicieli pozostających we właściwym transcendentalnym związku z Panem pociąga ku Niemu jedynie aspekt miłości, a nie bezbożny przepych. Współtowarzysze zabaw Kṛṣṇy, Jego przyjaciele i rodzice nigdy nie pragną, aby Kṛṣṇa objawiał im Swoje moce. Są tak pogrążeni w czystej miłości, iż nawet nie wiedzą, że Kṛṣṇa jest Najwyższą Osobą Boga. We wzajemnej wymianie miłości zapomnieli bowiem o tym, że Kṛṣṇa jest Najwyższym Panem. *Śrīmad-Bhāgavatam* oznajmia, że chłopcy bawiący się z Kṛṣṇą są wszyscy wielce pobożnymi duszami i mogą dostąpić zaszczytu uczestnictwa w Jego zabawach dopiero po wielu, wielu narodzinach. Tacy chłopcy nie wiedzą, że Kṛṣṇa jest Najwyższą Osobą Boga. Traktują Go jak swojego przyjaciela. Dlatego Śukadeva Gosvāmī recytuje ten werset:

*itthaṁ satāṁ brahma-sukhānubhūtyā*
*dāsyaṁ gatānāṁ para-daivatena*
*māyāśritānāṁ nara-dārakeṇa*
*sākaṁ vijahruḥ kṛta-puṇya-puñjāḥ*

"Oto Najwyższa Osoba, którą wielcy mędrcy uważają za bezosobowego Brahmana, wiebiciele za Najwyższą Osobę Boga, a zwykli ludzie za produkt tej natury materialnej. A teraz z tą Najwyższą Osobą Boga bawią się ci chłopcy, którzy spełnili wiele, wiele pobożnych czynów w swoich poprzednich żywotach." (*Śrīmad-Bhāgavatam* 10.12.11)

Faktem jest to, że wielbicieli nie interesuje oglądanie *viśva-rūpy*, czyli formy kosmicznej. Ale Arjuna zapragnął ujrzeć ją po to, aby udowodnić słowa Kṛṣṇy—tak, aby w przyszłości ludzie mogli wiedzieć, że Kṛṣṇa nie tylko teoretycznie czy w sposób filozoficzny podawał się za Najwyższego, ale w rzeczywistości takim objawił się Arjunie. Arjuna musi to potwierdzić, gdyż on rozpoczyna system *paramparā*. Ci, którzy są naprawdę zainteresowani poznaniem Najwyższej Osoby Boga, Kṛṣṇy, i którzy biorą przykład z Arjuny, powinni zrozumieć, że Kṛṣṇa nie tylko teoretycznie podawał się za Najwyższego, ale rzeczywiście objawił się jako Najwyższy.

Pan obdarzył Arjunę mocą konieczną do oglądania Jego formy kosmicznej, ponieważ wiedział, że Arjuna nieszczególnie pragnął ją zobaczyć, tak jak to już wcześniej wytłumaczyliśmy.

## TEKST 9

सञ्जय उवाच
एवमुक्त्वा ततो राजन् महायोगेश्वरो हरिः ।
दर्शयामास पार्थाय परमं रूपमैश्वरम् ॥९॥

*sañjaya uvāca*
*evam uktvā tato rājan mahā-yogeśvaro hariḥ*
*darśayām āsa pārthāya paramaṁ rūpam aiśvaram*

*sañjayaḥ uvāca*—Sañjaya rzekł; *evam*—w ten sposób; *uktvā*—mówiąc; *tataḥ*—następnie; *rājan*—O królu; *mahā-yoga-īśvaraḥ*—najpotężniejszy mistyk; *hariḥ*—Najwyższa Osoba Boga, Kṛṣṇa; *darśayām āsa*—ukazał; *pārthāya*—Arjunie; *paramam*—boską; *rūpam aiśvaram*—formę kosmiczną.

**Sañjaya rzekł: O królu, mówiąc w ten sposób, Najwyższy Pan wszelkich sił mistycznych, Osoba Boga, ukazał Arjunie Swoją kosmiczną postać.**

## TEKSTY 10-11

अनेकवक्त्रनयनमनेकाद्भुतदर्शनम् ।
अनेकदिव्याभरणं दिव्यानेकोद्यतायुधम् ॥१०॥
दिव्यमाल्याम्बरधरं दिव्यगन्धानुलेपनम् ।
सर्वाश्चर्यमयं देवमनन्तं विश्वतोमुखम् ॥११॥

*aneka-vaktra-nayanam anekādbhuta-darśanam*
*aneka-divyābharaṇaṁ divyānekodyatāyudham*

*divya-mālyāmbara-dharaṁ divya-gandhānulepanam*
*sarvāścarya-mayaṁ devam anantaṁ viśvato-mukham*

*aneka*—różne; *vaktra*—usta; *nayanam*—oczy; *aneka*—różne; *adbhuta*—wspaniałe; *darśanam*—widoki; *aneka*—wiele; *divya*—boskie; *ābharaṇam*—ornamenty; *divya*—boskie; *aneka*—różne; *udyata*—podniesione; *āyudham*—bronie; *divya*—boskie; *mālya*—girlandy; *ambara*—szaty; *dharam*—nosząc; *divya*—boskie; *gandha*—wonności; *anulepanam*—namaszczone; *sarva*—wszystkich; *āścarya-mayam*—wspaniałe; *devam*—błyszczące; *anantam*—nieograniczone; *viśvataḥ-mukham*—wszechprzenikające.

**I oto zobaczył Arjuna w tej kosmicznej postaci nieskończenie wiele ust i nieskończenie wiele oczu, nieskończone wspaniałe widoki. Postać ta była udekorowana niebiańskimi ozdobami i dzierżyła wiele boskich, podniesionych broni. Przystrojona była boskimi szatami i girlandami, a ciało Jego namaszczone było boskimi wonnościami. Wszystko to było cudowne, pełne blasku, nieograniczone i wypełniało sobą bezkresną przestrzeń.**

*ZNACZENIE:* Kilkakrotne użycie słowa *wiele* w tych dwóch wersetach wskazuje na to, że Pan posiada nieograniczoną ilość rąk, ust, nóg i innych manifestacji, które ujrzał Arjuna. Manifestacje te były rozprzestrzenione w całym wszechświecie, lecz dzięki łasce Pana i Jego niepojętej mocy, Arjuna mógł zobaczyć je wszystkie z jednego miejsca.

TEKST 12 दिवि सूर्यसहस्रस्य भवेद्युगपदुत्थिता ।
यदि भाः सदृशी सा स्याद् भासस्तस्य महात्मनः ॥१२॥

*divi sūrya-sahasrasya bhaved yugapad utthitā*
*yadi bhāḥ sadṛśī sā syād bhāsas tasya mahātmanaḥ*

*divi*—na niebie; *sūrya*—słońc; *sahasrasya*—wiele tysięcy; *bhavet*—było; *yugapat*—jednocześnie; *utthitā*—obecna; *yadi*—jeśli; *bhāḥ*—światło; *sadṛśī*—jak to; *sā*—to; *syāt*—może być; *bhāsaḥ*—blask; *tasya*—Jego; *mahā-ātmanaḥ*—wielkiego Pana.

**I gdyby setki tysięcy słońc nagle rozbłysło na niebie, może dałyby one blask podobny światłości Najwyższej Osoby w tej kosmicznej formie.**

*ZNACZENIE:* To, co zobaczył Arjuna, jest nie do opisania, jednakże Sañjaya próbuje dać Dhṛtarāṣṭrze wyobrażenie wielkiego objawienia. Ani Sañjaya, ani Dhṛtarāṣṭra nie byli tam obecni, ale Sañjaya, dzięki łasce Vyāsy, mógł zobaczyć wszystko to, co się zdarzyło. Porównuje więc tę sytuację (tak, aby można ją było jak najlepiej zrozumieć) do zjawiska wyobrażeniowego (to jest do tysięcy słońc).

TEKST 13 तत्रैकस्थं जगत् कृत्स्नं प्रविभक्तमनेकधा ।
अपश्यद्देवदेवस्य शरीरे पाण्डवस्तदा ॥१३॥

*tatraika-sthaṁ jagat kṛtsnaṁ pravibhaktam anekadhā*
*apaśyad deva-devasya śarīre pāṇḍavas tadā*

*tatra*—tam; *eka-stham*—w jednym miejscu; *jagat*—wszechświat; *kṛtsnam*—całkowity; *pravibhaktam*—podzielony; *anekadhā*—na wiele; *apaśyat*—mógł zobaczyć; *deva-devasya*—Najwyższej Osoby Boga; *śarīre*—w formie kosmicznej; *pāṇḍavaḥ*—Arjuna; *tadā*—w tym czasie.

**I zobaczył Arjuna w kosmicznej formie Pana niezliczone ekspansje tego wszechświata, usytuowane w jednym miejscu—chociaż podzielone na wiele, wiele tysięcy.**

*ZNACZENIE:* Znaczące jest tutaj słowo *tatra* ("tam"). Wskazuje ono na to, że zarówno Kṛṣṇa, jak i Arjuna siedzieli w powozie, kiedy Arjuna oglądał kosmiczną formę Pana. Inni, będący na polu walki, nie mogli jej zobaczyć, gdyż Kṛṣṇa udostępnił ten widok jedynie Arjunie. Arjuna mógł zobaczyć w ciele Kṛṣṇy wiele tysięcy planet. Z literatury wedyjskiej wiemy, że istnieje wiele wszechświatów i wiele planet. Niektóre z nich zrobione z ziemi, niektóre ze złota, a niektóre z klejnotów; niektóre są bardzo dużych rozmiarów, inne zaś mniejszych itd. Tak więc Arjuna mógł zobaczyć to wszystko ze swojego powozu. Ale nikt inny nie był w stanie zrozumieć tego, co zaszło pomiędzy Kṛṣṇą i Arjuną.

**TEKST 14** ततः स विस्मयाविष्टो हृष्टरोमा धनञ्जयः ।
प्रणम्य शिरसा देवं कृताञ्जलिरभाषत ॥१४॥

*tataḥ sa vismayāviṣṭo hṛṣṭa-romā dhanañjayaḥ*
*praṇamya śirasā devaṁ kṛtāñjalir abhāṣata*

*tataḥ*—następnie; *saḥ*—on; *vismaya-āviṣṭaḥ*—przepełniony zdumieniem; *hṛṣṭa-romā*—z włosami na ciele zjeżonymi na skutek wielkiej ekstazy; *dhanañjayaḥ*—Arjuna; *praṇamya*—ofiarowując pokłony; *śirasā*—z głową; *devam*—do Najwyższej Osoby Boga; *kṛta-añjaliḥ*—ze złożonymi rękoma; *abhāṣata*—zaczął mówić.

**Wtedy, oszołomiony i zdumiony, z włosami zjeżonymi na ciele, Arjuna skłonił głowę i zaczął modlić się ze złożonymi rękoma, ofiarowując Najwyższemu Panu wyrazy szacunku.**

*ZNACZENIE:* Po objawieniu boskiej wizji, natychmiast zmienił się związek pomiędzy Kṛṣṇą i Arjuną. Wcześniej związek pomiędzy nimi oparty był na przyjaźni, ale teraz—po objawieniu—Arjuna ofiarowuje Kṛṣṇie z wielkim szacunkiem swoje pokłony i ze złożonymi rękoma modli się do Niego. Chwali on kosmiczną formę. Teraz podstawą związku Arjuny z Kṛṣṇą staje się raczej głęboki podziw niż przyjaźń. Wielcy wielbiciele widzą Kṛṣṇę jako ocean wszelkich związków. Pisma święte wspominają o dwunastu rodzajach związków i wszystkie one obecne są w Kṛṣṇie. Jest powiedziane, że jest On oceanem wszelkich wzajemnych związków istniejących pomiędzy dwoma żywymi istotami, pomiędzy półbogami, czy między Najwyższym i Jego wielbicielami.

Arjuna, z natury bardzo spokojny i cichy, teraz zainspirowany związkiem podziwu, pogrążył się w ekstazie, od której zjeżyły mu się włosy, i ze złożonymi rękoma zaczął składać Najwyższemu Panu swoje pokłony. Nie był oczywiście przestraszony. Był pod wpływem wspaniałości Najwyższego Pana. Rezultatem tego było zdumienie; jego naturalna, pełna miłości przyjaźń została przesycona podziwem i dlatego zareagował w ten sposób.

## TEKST 15

अर्जुन उवाच
पश्यामि देवांस्तव देव देहे
सर्वांस्तथा भूतविशेषसङ्घान् ।
ब्रह्माणमीशं कमलासनस्थम्
ऋषींश्च सर्वानुरगांश्च दिव्यान् ॥१५॥

*arjuna uvāca*
*paśyāmi devāṁs tava deva dehe*
*sarvāṁs tathā bhūta-viśeṣa-saṅghān*
*brahmāṇam īśaṁ kamalāsana-stham*
*ṛṣīṁś ca sarvān uragāṁś ca divyān*

*arjunaḥ uvāca*—Arjuna rzekł; *paśyāmi*—widzę; *devān*—wszystkich półbogów; *tava*—Twoje; *deva*—O Panie; *dehe*—w ciele; *sarvān*—wszystkie; *tathā*—również; *bhūta*—żywe istoty; *viśeṣa-saṅghān*—specjalnie zgromadzeni; *brahmāṇam*—Pan Brahmā; *īśam*—Pan Śiva; *kamala-āsana-stham*—siedzący na kwiecie lotosu; *ṛṣīn*—wielcy mędrcy; *ca*—również; *sarvān*—wszystkie; *uragān*—węże; *ca*—również; *divyān*—boskie.

**Arjuna rzekł: Mój drogi Panie Kṛṣṇo, widzę wszystkich półbogów zgromadzonych w Twym ciele i mnogość innych żywych istot. Widzę Pana Brahmę spoczywającego na lotosowym kwiecie, jak również Pana Śivę, wszystkich mędrców i boskie węże.**

*ZNACZENIE:* Arjuna widzi cały wszechświat; widzi zatem Brahmę, który jest pierwszą żywą istotą w tym wszechświecie, i boskiego węża, na którym w niższych rejonach wszechświata spoczywa Garbhodakaśāyī Viṣṇu. To utworzone z wężów łoże nazywa się Vāsuki. Są również inne węże znane jako Vāsuki. Arjuna widzi wszystko, od usytuowanego w niższych rejonach wszechświata Garbhodakaśāyī Viṣṇu aż do najwyższej części wszechświata, gdzie na lotosowej planecie rezyduje Pan Brahmā, pierwsza żywa istota tego wszechświata. To znaczy, że Arjuna mógł zobaczyć wszystko, od początku do końca, siedząc w jednym miejscu—w swoim powozie. Było to możliwe dzięki łasce Kṛṣṇy, Najwyższego Pana.

TEKST 16

अनेकबाहूदरवक्त्रनेत्रं
पश्यामि त्वां सर्वतोऽनन्तरूपम् ।
नान्तं न मध्यं न पुनस्तवादिं
पश्यामि विश्वेश्वर विश्वरूप ॥१६॥

*aneka-bāhūdara-vaktra-netraṁ*
*paśyāmi tvāṁ sarvato 'nanta-rūpam*
*nāntaṁ na madhyaṁ na punas tavādiṁ*
*paśyāmi viśveśvara viśva-rūpa*

*aneka*—wiele; *bāhu*—ramiona; *udara*—brzuchy; *vaktra*—usta; *netram*—oczy; *paśyāmi*—widzę; *tvām*—Ty; *sarvataḥ*—ze wszystkich stron; *ananta-rūpam*—nieograniczona forma; *na antam*—nie ma końca; *na madhyam*—nie ma środka; *na punaḥ*—ani też; *tava*—Twoja; *ādim*—początek; *paśyāmi*—widzę; *viśva-īśvara*—O Panie wszechświata; *viśva-rūpa*—w formie wszechświata.

**O Panie wszechświata, o formo kosmiczna, widzę w Twym ciele nieskończenie wiele, wiele ramion, brzuchów, ust i oczu rozprzestrzenionych wszędzie. I nie widzę w Tobie końca, środka ani początku.**

*ZNACZENIE:* Kṛṣṇa jest Najwyższą Osobą Boga i jest nieograniczony—więc przez Niego można zobaczyć wszystko.

TEKST 17

किरीटिनं गदिनं चक्रिणं च
तेजोराशिं सर्वतो दीप्तिमन्तम् ।
पश्यामि त्वां दुर्निरीक्ष्यं समन्ताद्
दीप्तानलार्कद्युतिमप्रमेयम् ॥१७॥

*kirīṭinaṁ gadinaṁ cakriṇaṁ ca*
*tejo-rāśiṁ sarvato dīptimantam*
*paśyāmi tvāṁ durnirīkṣyaṁ samantād*
*dīptānalārka-dyutim aprameyam*

*kirīṭinam*—z hełmami; *gadinam*—z buławami; *cakriṇam*—z tarczami; *ca*—i; *tejaḥ-rāśim*—blask; *sarvataḥ*—ze wszystkich stron; *dīpti-mantam*—błyszczące; *paśyāmi*—widzę; *tvām*—Ty; *durnirīkṣyam*—trudno dostrzegalny; *samantāt*—wszędzie; *dīpta-anala*—płonący ogień; *arka*—słońca; *dyutim*—blask słoneczny; *aprameyam*—bezmierny.

**Niełatwo jest patrzeć na tę Twoją formę, albowiem blask bijący z niej na wszystkie strony jest ognisty i potężny jak słońce. Jednakże widzę ją wszędzie—błyszczącą i przystrojoną w rozmaitość koron, buław i tarcz.**

TEKST 18

त्वमक्षरं परमं वेदितव्यं
त्वमस्य विश्वस्य परं निधानम् ।
त्वमव्ययः शाश्वतधर्मगोप्ता
सनातनस्त्वं पुरुषो मतो मे ॥१८॥

*tvam akṣaraṁ paramaṁ veditavyaṁ*
*tvam asya viśvasya paraṁ nidhānam*
*tvam avyayaḥ śāśvata-dharma-goptā*
*sanātanas tvaṁ puruṣo mato me*

*tvam*—Ty; *akṣaram*—nieomylny; *paramam*—najwyższy; *veditavyam*—być rozumianym; *tvam*—Ty; *asya*—tego; *viśvasya*—wszechświata; *param*—najwyższy; *nidhānam*—podstawa; *tvam*—Ty; *avyayaḥ*—niewyczerpany; *śāśvata-dharma-goptā*—ostoja wiecznej religii; *sanātanaḥ*—wieczny; *tvam*—Ty; *puruṣaḥ*—Najwyższa Osoba; *mataḥ me*—taki jest mój sąd.

**Ty jesteś celem pierwotnym i najwyższym; Ty jesteś ostatecznym miejscem spoczynku tego całego wszechświata; Ty jesteś najstarszy i niewyczerpany; Ty jesteś ostoją wiecznej religii, Osobą Boga. Takie jest moje zdanie.**

TEKST 19

अनादिमध्यान्तमनन्तवीर्यम्
अनन्तबाहुं शशिसूर्यनेत्रम् ।
पश्यामि त्वां दीप्तहुताशवक्त्रं
स्वतेजसा विश्वमिदं तपन्तम् ॥१९॥

*anādi-madhyāntam ananta-vīryam*
*ananta-bāhuṁ śaśi-sūrya-netram*
*paśyāmi tvāṁ dīpta-hutāśa-vaktraṁ*
*sva-tejasā viśvam idaṁ tapantam*

*anādi*—bez początku; *madhya*—środka; *antam*—czy końca; *ananta*—nieograniczony; *vīryam*—chwały; *ananta*—nieograniczony; *bāhum*—ramiona; *śaśi*—księżyc; *sūrya*—i słońce; *netram*—oczy; *paśyāmi*—widzę; *tvām*—Ty; *dīpta*—płonący; *hutāśa-vaktram*—ogień wychodzący z Twoich ust; *sva-tejasā*—przez Twój blask; *viśvam*—wszechświat; *idam*—ten; *tapantam*—ogrzewasz.

**Jesteś bez początku, środka i końca. Chwałom Twoim nie ma granic. Ramiona Twe niezliczone, a Twymi oczyma—słońce i księżyc. Widzę jak z ust Twoich bucha przerażający ogień—Swym blaskiem palisz cały wszechświat.**

*ZNACZENIE:* Nie ma granic rozmiarowi sześciu bogactw Najwyższej Osoby Boga. Zdanie to powtarza się ciągle, ale według pism świętych, powtarzanie chwał Kṛṣṇy nie jest literacką słabością. Jest oznajmione, że to samo zdanie powtarza się kilka razy w chwili oszołomienia, zdumienia czy wielkiej ekstazy. Nie jest to zatem wadą.

## TEKST 20

द्यावापृथिव्योरिदमन्तरं हि
व्याप्तं त्वयैकेन दिशश्च सर्वाः ।
दृष्ट्वाद्भुतं रूपमुग्रं तवेदं
लोकत्रयं प्रव्यथितं महात्मन् ॥२०॥

*dyāv ā-pṛthivyor idam antaraṁ hi*
*vyāptaṁ tvayaikena diśaś ca sarvāḥ*
*dṛṣṭvādbhutaṁ rūpam ugraṁ tavedaṁ*
*loka-trayaṁ pravyathitaṁ mahātman*

*dyau*—z zewnętrznej przestrzeni; *ā-pṛthivyoḥ*—na ziemię; *idam*—to; *antaram*—pomiędzy; *hi*—z pewnością; *vyāptam*—rozprzestrzeniony; *tvayā*—przez Ciebie; *ekena*—jeden; *diśaḥ*—kierunki; *ca*—i; *sarvāḥ*—wszystkie; *dṛṣṭva*—widząc; *adbhutam*—piękna; *rūpam*—forma; *ugram*—straszna; *tava*—Twoja; *idam*—ta; *loka*—systemy planetarne; *trayam*—trzy; *pravyathitam*—zatrwożony; *mahā-ātman*—O potężny.

**Chociaż jeden jesteś, przenikasz całe niebo, wszystkie planety i przestrzeń pomiędzy nimi. O potężny, widok tej zadziwiającej, przerażającej formy zaniepokoił wszystkie systemy planetarne.**

*ZNACZENIE:* Znaczącymi słowami w tym wersecie są *dyāv ā-pṛthivyoḥ* ("przestrzeń pomiędzy ziemią i niebem.") i *loka-trayam* ("trzy światy"), gdyż wskazują na to, że nie tylko Arjuna, ale również inni, na innych systemach planetarnych, zobaczyli kosmiczną formę Pana. Wizja ta nie była snem Arjuny. Zobaczyli ją wszyscy na polu bitewnym, których Pan obdarzył boskim wzrokiem.

TEKST 21

अमी हि त्वां सुरसङ्घा विशन्ति
केचिद् भीताः प्राञ्जलयो गृणन्ति ।
स्वस्तीत्युक्त्वा महर्षिसिद्धसङ्घाः
स्तुवन्ति त्वां स्तुतिभिः पुष्कलाभिः ॥२१॥

*amī hi tvāṁ sura-saṅghā viśanti*
*kecid bhītāḥ prāñjalayo gṛṇanti*
*svastīty uktvā maharṣi-siddha-saṅghāḥ*
*stuvanti tvāṁ stutibhiḥ puṣkalābhiḥ*

*amī*—wszyscy ci; *hi*—z pewnością; *tvām*—Ty; *sura-saṅghāḥ*—grupy półbogów; *viśanti*—wchodzą; *kecit*—niektórzy z nich; *bhītāḥ*—z powodu strachu; *prāñjalayaḥ*—ze złożonymi rękoma; *gṛṇanti*—ofiarowują modlitwy; *svasti*—wszelki pokój; *iti*—w ten sposób; *uktvā*—mówiąc; *mahā-ṛṣi*—wielcy mędrcy; *siddha-saṅghāḥ*—doskonałe istoty; *stuvanti*—śpiewają hymny; *tvām*—do Ciebie; *stutibhiḥ*—z modlitwami; *puṣkalābhiḥ*—hymny wedyjskie.

**Całe zastępy półbogów poddają się Tobie i wchodzą w Ciebie. Niektórzy z nich, wielce zatrwożeni, ze złożonymi rękoma ofiarowują modlitwy. Gromady wielkich mędrców i doskonałych istot krzyczą "Wszelki pokój", i modlą się do Ciebie, śpiewając hymny wedyjskie.**

*ZNACZENIE:* Półbogowie we wszystkich systemach planetarnych zatrwożyli się straszliwą wizją kosmicznej formy i bijącym z niej blaskiem, dlatego modlą się o ochronę.

TEKST 22

रुद्रादित्या वसवो ये च साध्या
विश्वेऽश्विनौ मरुतश्चोष्मपाश्च ।
गन्धर्वयक्षासुरसिद्धसङ्घा
वीक्षन्ते त्वां विस्मिताश्चैव सर्वे ॥२२॥

*rudrādityā vasavo ye ca sādhyā*
*viśve 'śvinau marutaś coṣmapāś ca*
*gandharva-yakṣāsura-siddha-saṅghā*
*vīkṣante tvāṁ vismitāś caiva sarve*

*rudra*—przejawienia Pana Śivy; *ādityāḥ*—Ādityowie; *vasavaḥ*—Vasowie; *ye*—wszyscy ci; *ca*—i; *sādhyāḥ*—Sādhyowie; *viśve*—Viśvedevowie; *aśvinau*—Aśvinī-kumārowie; *marutaḥ*—Marutowie; *ca*—i; *uṣma-pāḥ*—przodkowie; *ca*—i; *gandharva*—Gandharvowie; *yakṣa*—Yakṣowie; *asura*—demony; *siddha*—i doskonali półbogowie; *saṅghāḥ*—gromady;

*vīkṣante*—widzą; *tvām*—Ciebie; *vismitāḥ*—w zdumieniu; *ca*—również; *eva*—z pewnością; *sarve*—wszyscy.

**Różne przejawienia Pana Śivy, Ādityowie, Vasowie, Sādhyowie, Viśvedevowie, dwaj Aśvīni, Marutowie, przodkowie i Gandharvowie, Yakṣowie, Asurowie i doskonali półbogowie spoglądają na Ciebie w zdumieniu.**

TEKST 23

रूपं महत्ते बहुवक्त्रनेत्रं
महाबाहो बहुबाहूरुपादम् ।
बहूदरं बहुदंष्ट्राकरालं
दृष्ट्वा लोकाः प्रव्यथितास्तथाहम् ॥२३॥

*rūpaṁ mahat te bahu-vaktra-netraṁ*
*mahā-bāho bahu-bāhūru-pādam*
*bahūdaraṁ bahu-daṁṣṭrā-karālaṁ*
*dṛṣṭvā lokāḥ pravyathitās tathāham*

*rūpam*—forma; *mahat*—ogromna; *te*—Ciebie; *bahu*—wiele; *vaktra*—twarze; *netram*—i oczy; *mahā-bāho*—O potężny; *bahu*—wiele; *bāhu*—ramiona; *ūru*—uda; *pādam*—i nogi; *bahu-udaram*—wiele brzuchów; *bahu-daṁṣṭrā*—wiele zębów; *karālam*—straszliwe; *dṛṣṭvā*—widząc; *lokāḥ*—wszystkie planety; *pravyathitāḥ*—zatrwożony; *tathā*—podobnie; *aham*—ja.

**O potężny, wszystkie planety i wszyscy półbogowie, podobnie jak ja, zatrwożeni są widokiem Twojej olbrzymiej formy z jej niezliczonymi twarzami, oczyma, ramionami, udami, brzuchami, nogami i straszliwymi zębami.**

TEKST 24

नभःस्पृशं दीप्तमनेकवर्णं
व्यात्ताननं दीप्तविशालनेत्रम् ।
दृष्ट्वा हि त्वां प्रव्यथितान्तरात्मा
धृतिं न विन्दामि शमं च विष्णो ॥२४॥

*nabhaḥ-spṛśaṁ dīptam aneka-varṇaṁ*
*vyāttānanaṁ dīpta-viśāla-netram*
*dṛṣṭvā hi tvāṁ pravyathitāntar-ātmā*
*dhṛtiṁ na vindāmi śamaṁ ca viṣṇo*

*nabhaḥ-spṛśam*—dotykając nieba; *dīptam*—błyszcząc; *aneka*—wiele; *varṇam*—kolory; *vyātta*—otwarte; *ānanam*—usta; *dīpta*—świecąc;

*viśāla*—ogromne; *netram*—oczy; *dṛṣṭvā*—widząc; *hi*—z pewnością; *tvām*—Ty; *pravyathita*—zaniepokojony; *antaḥ*—wewnątrz; *ātmā*—dusza; *dhṛtim*—stałość; *na*—nie; *vindāmi*—mam; *śamam*—spokój umysłu; *ca*—również; *viṣṇo*—O Panie Viṣṇu.

**O wszechprzenikający Viṣṇu, nie mogę już dłużej zachować spokoju umysłu. Widok promieniujących potoków barw, którymi wypełniłeś aż po brzegi otchłanie nieba, widok Twoich ogromnych błyszczących oczu i rozwartych ust napełnia mnie lękiem.**

TEKST 25

दंष्ट्राकरालानि च ते मुखानि
दृष्ट्वैव कालानलसन्निभानि ।
दिशो न जाने न लभे च शर्म
प्रसीद देवेश जगन्निवास ॥२५॥

*daṁṣṭrā-karālāni ca te mukhāni*
*dṛṣṭvaiva kālānala-sannibhāni*
*diśo na jāne na labhe ca śarma*
*prasīda deveśa jagan-nivāsa*

*daṁṣṭrā*—zęby; *karālāni*—okropne; *ca*—również; *te*—Twoje; *mukhāni*—twarze; *dṛṣṭvā*—widząc; *eva*—w ten sposób; *kāla-anala*—ogień śmierci; *sannibhāni*—jakby; *diśaḥ*—kierunki; *na*—nie; *jāne*—wiem; *na*—nie; *labhe*—otrzymuję; *ca*—i; *śarma*—łaska; *prasīda*—bądź łaskaw; *deva-īśa*—O Panie nad panami; *jagat-nivāsa*—O schronienie światów.

**O Panie nad panami, o schronienie światów, proszę bądź łaskawy dla mnie. Nie mogę już dłużej utrzymać równowagi widząc Twoje płonące, śmierci podobne twarze o straszliwych zębach. Wszystko to oszołamia mnie.**

TEKSTY 26-27

अमी च त्वां धृतराष्ट्रस्य पुत्राः
सर्वे सहैवावनिपालसङ्घैः ।
भीष्मो द्रोणः सूतपुत्रस्तथासौ
सहास्मदीयैरपि योधमुख्यैः ॥२६॥
वक्त्राणि ते त्वरमाणा विशन्ति
दंष्ट्राकरालानि भयानकानि ।
केचिद् विलग्ना दशनान्तरेषु
सन्दृश्यन्ते चूर्णितैरुत्तमाङ्गैः ॥२७॥

*amī ca tvāṁ dhṛtarāṣṭrasya putrāḥ*
*sarve sahaivāvani-pāla-saṅghaiḥ*
*bhīṣmo droṇaḥ sūta-putras tathāsau*
*sahāsmadīyair api yodha-mukhyaiḥ*

*vaktrāṇi te tvaramāṇā viśanti*
*daṁṣṭrā-karālāni bhayānakāni*
*kecid vilagnā daśanāntareṣu*
*sandṛśyante cūrṇitair uttamāṅgaiḥ*

*amī*—te; *ca*—również; *tvām*—Ty; *dhṛtarāṣṭrasya*—Dhṛtarāṣṭry; *putrāḥ*—synowie; *sarve*—wszyscy; *saha*—z; *eva*—zaprawdę; *avani-pāla*—walecznych królów; *saṅghaiḥ*—grupy; *bhīṣmaḥ*—Bhīṣmadeva; *droṇaḥ*—Droṇācārya; *sūta-putraḥ*—Karṇa; *tathā*—również; *asau*—to; *saha*—z; *asmadīyaiḥ*—nasz; *api*—również; *yodha-mukhyaiḥ*—pierwsi pomiędzy walecznymi; *vaktrāṇi*—usta; *te*—Twoje; *tvaramāṇāḥ*—pospiesznie; *viśanti*—wchodzą; *daṁṣṭrā*—zęby; *karālāni*—okropne; *bhayānakāni*—przerażające; *kecit*—niektórzy z nich; *vilagnāḥ*—pochwyceni; *daśana-antareṣu*—pomiędzy zębami; *sandṛśyante*—widoczne; *cūrṇitaiḥ*—ze zniszczonymi; *uttama-aṅgaiḥ*—głowami.

**Wszyscy synowie Dhṛtarāṣṭry, razem ze sprzymierzonymi królami, jak również Bhīṣma, Droṇa, Karṇa—oraz nasi czołowi żołnierze—szybko znikają w Twych straszliwych ustach. I widzę jak głowy niektórych z nich miażdżone są w Twoich zębach.**

*ZNACZENIE:* Już we wcześniejszym wersecie Pan obiecywał Arjunie, że pokaże mu rzeczy bardzo dla niego interesujące. Teraz oto Arjuna widzi, że przywódcy strony przeciwnej (Bhīṣma, Droṇa, Karṇa i wszyscy synowie Dhṛtarāṣṭry) i ich żołnierze, jak również żołnierze Arjuny, zostają zniszczeni. Jest to oznaką tego, że Arjuna wyjdzie zwycięsko z bitwy, mimo iż polegną prawie wszyscy, którzy zgromadzeni są na polu Kurukṣetra. Jest też wzmianka o tym, że zginie również, uważany za niepokonanego, Bhīṣma. Zginie też Karṇa. Polegną nie tylko wielcy wojownicy strony przeciwnej, tacy jak Bhīṣma, ale również niektórzy z wielkich wojowników Arjuny.

**TEKST 28**

यथा नदीनां बहवोऽम्बुवेगाः
समुद्रमेवाभिमुखा द्रवन्ति ।
तथा तवामी नरलोकवीरा
विशन्ति वक्त्राण्यभिविज्वलन्ति ॥२८॥

*yathā nadīnāṁ bahavo 'mbu-vegāḥ*
*samudram evābhimukhā dravanti*
*tathā tavāmī nara-loka-vīrā*
*viśanti vaktrāṇy abhivijvalanti*

*yathā*—jak; *nadīnām*—rzek; *bahavaḥ*—wiele; *ambu-vegāḥ*—fale rzek; *samudram*—ocean; *eva*—z pewnością; *abhimukhāḥ*—w kierunku; *dravanti*—płyną; *tathā*—podobnie; *tava*—Twoje; *amī*—wszyscy ci; *nara-loka-vīrāḥ*—królowie ludzkiego społeczeństwa; *viśanti*—wchodzą; *vaktrāṇi*—usta; *abhivijvalanti*—i płoną.

**Tak jak niezliczone fale rzek wpływają do oceanu, tak wszyscy ci wielcy wojownicy—płonąc—znikają w Twych ustach.**

TEKST 29

यथा प्रदीप्तं ज्वलनं पतंगा
विशन्ति नाशाय समृद्धवेगाः ।
तथैव नाशाय विशन्ति लोकास्
तवापि वक्त्राणि समृद्धवेगाः ॥२९॥

*yathā pradīptaṁ jvalanaṁ pataṅgā*
*viśanti nāśāya samṛddha-vegāḥ*
*tathaiva nāśāya viśanti lokās*
*tavāpi vaktrāṇi samṛddha-vegāḥ*

*yathā*—jak; *pradīptam*—płonący; *jvalanam*—ogień; *pataṅgāḥ*—ćmy; *viśanti*—wchodzą; *nāśāya*—dla zniszczenia; *samṛddha*—z pełną; *vegāḥ*—prędkością; *tathā eva*—podobnie; *nāśāya*—by ulec zagładzie; *viśanti*—wchodzą; *lokāḥ*—wszyscy ludzie; *tava*—Twoje; *api*—również; *vaktrāṇi*—usta; *samṛddha-vegāḥ*—z pełną prędkością.

**Widzę, jak wszyscy ci ludzie pospiesznie wdzierają się do Twych ust, niczym ćmy cisnące się ku zagładzie do płonącego ognia.**

TEKST 30

लेलिह्यसे ग्रसमानः समन्ताल्
लोकान् समग्रान् वदनैर्ज्वलद्भिः ।
तेजोभिरापूर्य जगत्समग्रं
भासस्तवोग्राः प्रतपन्ति विष्णो ॥३०॥

*lelihyase grasamānaḥ samantāl*
*lokān samagrān vadanair jvaladbhiḥ*

*tejobhir āpūrya jagat samagraṁ*
*bhāsas tavogrāḥ pratapanti viṣṇo*

*lelihyase*—pełzając; *grasamānaḥ*—trawiąc; *samantāt*—ze wszystkich kierunków; *lokān*—ludzie; *samagrān*—wszyscy; *vadanaiḥ*—ustami; *jvaladbhiḥ*—płonącymi; *tejobhiḥ*—blaskiem; *āpūrya*—przykrywając; *jagat*—wszechświat; *samagram*—cały; *bhāsaḥ*—promienie; *tava*—Twoje; *ugrāḥ*—okropne; *pratapanti*—palą; *viṣṇo*—O wszechprzenikający Panie.

**O Viṣṇu, widzę jak Swoimi płonącymi ustami pochłaniasz wszystkich ludzi i cały wszechświat zaćmiewasz Swym bezgranicznym blaskiem, manifestując się pośród straszliwych, płonących promieni.**

TEKST 31

आख्याहि मे को भवानुग्ररूपो
नमोऽस्तु ते देववर प्रसीद ।
विज्ञातुमिच्छामि भवन्तमाद्यं
न हि प्रजानामि तव प्रवृत्तिम् ॥३१॥

*ākhyāhi me ko bhavān ugra-rūpo*
*namo 'stu te deva-vara prasīda*
*vijñātum icchāmi bhavantam ādyaṁ*
*na hi prajānāmi tava pravṛttim*

*ākhyāhi*—proszę wytłumacz; *me*—mi; *kaḥ*—kto; *bhavān*—Ty; *ugra-rūpaḥ*—groźna postać; *namaḥ astu*—pokłony; *te*—Tobie; *deva-vara*—O potężny pomiędzy półbogami; *prasīda*—bądź łaskawy; *vijñātum*—wiedzieć; *icchāmi*—pragnę; *bhavantam*—Ty; *ādyam*—oryginalny; *na*—nie; *hi*—z pewnością; *prajānāmi*—wiem; *tava*—Twoja; *pravṛttim*—misja.

**O Panie nad panami, w pełnej groźby formie, proszę wyjaw mi, kim jesteś. Ofiarowuję Ci moje głębokie pokłony, proszę, bądź łaskawy dla mnie. Ty jesteś pierwotnym Panem. Nie wiem jaka jest Twoja misja i pragnę o niej usłyszeć.**

TEKST 32

श्रीभगवानुवाच
कालोऽस्मि लोकक्षयकृत् प्रवृद्धो
लोकान् समाहर्तुमिह प्रवृत्तः ।
ऋतेऽपि त्वां न भविष्यन्ति सर्वे
येऽवस्थिताः प्रत्यनीकेषु योधाः ॥३२॥

*śrī-bhagavān uvāca*
*kālo 'smi loka-kṣaya-kṛt pravṛddho*
*lokān samāhartum iha pravṛttaḥ*
*ṛte 'pi tvāṁ na bhaviṣyanti sarve*
*ye 'vasthitāḥ pratyanīkeṣu yodhāḥ*

*śrī-bhagavān uvāca*—Osoba Boga rzekł; *kālaḥ*—czas; *asmi*—Ja jestem; *loka*—światów; *kṣaya-kṛt*—niszczyciel; *pravṛddhaḥ*—wielki; *lokān*—wszystkich ludzi; *samāhartum*—w niszczenie; *iha*—w tym świecie; *pravṛttaḥ*—zaangażowany; *ṛte*—bez, pominąwszy; *api*—nawet; *tvām*—ty; *na*—nigdy; *bhaviṣyanti*—będą; *sarve*—wszystko; *ye*—kto; *avasthitāḥ*—usytuowani; *prati-anīkeṣu*—po przeciwnych stronach; *yodhāḥ*—żołnierze.

**Najwyższa Osoba Boga rzekł: Ja jestem czasem—wielkim niszczycielem światów. Przyszedłem tutaj, aby unicestwić wszystkich ludzi. I za wyjątkiem was (Pāṇḍavów), wszyscy wojownicy po obu stronach zostaną zabici.**

*ZNACZENIE:* Arjuna świadom tego, że Pan jest jego przyjacielem i Najwyższą Osobą Boga zarazem, zaintrygowany różnorodnością form zamanifestowanych przez Kṛṣṇę, pyta Go o prawdziwą misję tej niszczącej siły. Jest powiedziane w *Vedach*, że Najwyższa Prawda niszczy wszystko, nawet braminów. Jak oznajmia *Kaṭha Upaniṣad* (1.2.25),

*yasya brahma ca kṣatraṁ ca ubhe bhavata odanaḥ*
*mṛtyur yasyopasecanaṁ ka itthā veda yatra saḥ*

Ostatecznie wszyscy bramini, *kṣatriyowie* i wszyscy inni pochłaniani są przez niszczący aspekt Najwyższego, niczym posiłek. Ta postać Najwyższego Pana jest wszechpochłaniającym olbrzymem i tutaj Kṛṣṇa przejawia się w tej formie wszechprzenikającego czasu. Oprócz kilku Pāṇḍavów, unicestwił On każdego, kto znalazł się na polu bitwy.

Arjunie nie podobała się idea tej walki; myślał, że lepiej byłoby jej zaniechać i w ten sposób uniknąć zawodu. W odpowiedzi Najwyższy Pan powiedział mu w odpowiedzi, że nawet gdyby zaniechał tej walki, wszyscy oni i tak zostaliby unicestwieni, gdyż taki był Jego plan. Gdyby Arjuna wycofał się z pola bitwy, odeszliby oni z tego świata w inny sposób. Nikt i nic nie mogło zapobiec ich śmierci, albowiem w rzeczywistości wszyscy oni już znaleźli się po stronie śmierci. Czas jest zniszczeniem i wszystkie manifestacje muszą ulec unicestwieniu, zgodnie z pragnieniem Najwyższego Pana. Takie jest prawo natury.

TEKST 33

तस्मात्त्वमुत्तिष्ठ यशो लभस्व
जित्वा शत्रून् भुङ्क्ष्व राज्यं समृद्धम् ।
मयैवैते निहताः पूर्वमेव
निमित्तमात्रं भव सव्यसाचिन् ॥३३॥

*tasmāt tvam uttiṣṭha yaśo labhasva*
*jitvā śatrūn bhuṅkṣva rājyaṁ samṛddham*
*mayaivaite nihatāḥ pūrvam eva*
*nimitta-mātraṁ bhava savya-sācin*

*tasmāt*—zatem; *tvam*—ty; *uttiṣṭha*—powstań; *yaśaḥ*—sława; *labhasva*—zysk; *jitvā*—pokonując; *śatrūn*—wrogów; *bhuṅkṣva*—radując się; *rājyam*—królestwo; *samṛddham*—kwitnące; *mayā*—przeze Mnie; *eva*—z pewnością; *ete*—wszyscy ci; *nihatāḥ*—już zabici; *pūrvam eva*—przez wcześniejsze aranżacje; *nimitta-mātram*—po prostu przyczyną; *bhava*—stań się; *savya-sācin*—O Savyasācīnie.

**Zatem powstań i przygotuj się do walki, by odnieść zwycięstwo. Pokonaj wszystkich wrogów i ciesz się kwitnącym królestwem. Oni już zostali przeznaczeni przeze Mnie na śmierć, a ty, o Savyasācīnie, stań się jedynie narzędziem w tej walce.**

*ZNACZENIE:* Słowo *savya-sācin* odnosi się do tego, kto jest doskonałym łucznikiem na polu walki; a więc Arjuna został nazwany doświadczonym wojownikiem, zdolnym do zabicia swoich wrogów za pomocą strzał. ”Stań się jedynie narzędziem”: *nimitta-mātram*. To słowo jest również bardzo znaczące. Cały świat porusza się zgodnie z planem Najwyższej Osoby Boga. Niemądre, nie posiadające dostatecznej wiedzy osoby myślą, że natura działa bez żadnego planu i że wszystkie manifestacje są jedynie przypadkowymi formacjami. Jest wielu tzw. naukowców, którzy snują przypuszczenia, że prawdopodobnie stało się to w ten sposób albo może w inny—ale tu nie ma mowy o ”prawdopodobnie” i ”może”. Cały ten świat materialny działa według określonego planu. Jaki jest ten plan? Ta manifestacja kosmiczna jest dla uwarunkowanych dusz szansą powrotu do Boga, do domu. Tak długo pozostaną one w stanie uwarunkowanym, dopóki nie zmienią swojej władczej mentalności, która sprawia, że próbują panować nad naturą materialną. Natomiast każdy, kto może zrozumieć plan Najwyższego Pana i kultywuje świadomość Kṛṣṇy, jest osobą najbardziej inteligentną. Bóg kieruje zarówno stworzeniem, jak i unicestwieniem tej manifestacji kosmicznej. Zatem bitwa na polu Kurukṣetra została stoczona zgodnie z planem Boga. Arjuna odmawiał udziału w tej walce, ale otrzymał instrukcje, że powinien walczyć zgodnie z pragnieniem

Najwyższego Pana. Wtedy będzie szczęśliwy. Osobą doskonałą jest bowiem ta, która jest całkowicie świadoma Kṛṣṇy i poświęca swoje życie transcendentalnej służbie dla Pana.

**TEKST 34**

द्रोणं च भीष्मं च जयद्रथं च
कर्णं तथान्यानपि योधवीरान् ।
मया हतांस्त्वं जहि मा व्यथिष्ठा
युध्यस्व जेतासि रणे सपत्नान् ॥३४॥

*droṇaṁ ca bhīṣmaṁ ca jayadrathaṁ ca*
*karṇaṁ tathānyān api yodha-vīrān*
*mayā hatāṁs tvaṁ jahi mā vyathiṣṭhā*
*yudhyasva jetāsi raṇe sapatnān*

*droṇam ca*—również Droṇa; *bhīṣmam ca*—również Bhīṣma; *jayadratham ca*—również Jayadratha; *karṇam*—Karṇa; *tathā*—również; *anyān*—inni; *api*—z pewnością; *yodha-vīrān*—wielcy wojownicy; *mayā*—przeze Mnie; *hatān*—już zabici; *tvam*—ty; *jahi*—zniszcz; *mā*—nie; *vyathiṣṭhāḥ*—bądź zaniepokojony; *yudhyasva*—po prostu walcz; *jetā asi*—pokonasz; *raṇe*—w walce; *sapatnān*—wrogów.

**Ja unicestwiłem już Droṇę, Bhīṣmę, Jayadrathę, Karṇę i wszystkich innych wielkich wojowników. Zabij ich zatem i nie martw się. Po prostu walcz, a pokonasz swoich wrogów w walce.**

*ZNACZENIE:* Każdy plan jest sporządzany przez Najwyższą Osobę Boga, ale Pan jest tak dobry i łaskawy dla Swoich wielbicieli, że chce, aby zaszczyt przypadł tym, którzy realizują Jego plan odpowiednio do Jego pragnień. Życie powinno zatem przebiegać w taki sposób, aby każdy działał w świadomości Kṛṣṇy i rozumiał Najwyższą Osobę Boga poprzez mistrza duchowego. Plany Najwyższej Osoby Boga można poznać dzięki Jego łasce, a plany wielbicieli są tak dobre jak Jego plany. Należy więc realizować takie plany i wyjść zwycięsko z walki o egzystencję.

**TEKST 35**

सञ्जय उवाच
एतच्छ्रुत्वा वचनं केशवस्य
कृताञ्जलिर्वेपमानः किरीटी ।
नमस्कृत्वा भूय एवाह कृष्णं
सगद्गदं भीतभीतः प्रणम्य ॥३५॥

*sañjaya uvāca*
*etac chrutvā vacanaṁ keśavasya*
*kṛtāñjalir vepamānaḥ kirītī*
*namaskṛtvā bhūya evāha kṛṣṇaṁ*
*sa-gadgadaṁ bhīta-bhītaḥ praṇamya*

*sañjayaḥ uvāca*—Sañjaya rzekł; *etat*—w ten sposób; *śrutvā*—wysłuchawszy; *vacanam*—mowę; *keśavasya*—Kṛṣṇy; *kṛta-añjaliḥ*—ze złożonymi rękoma; *vepamānaḥ*—drżąc; *kirītī*—Arjuna; *namaskṛtvā*—ofiarowując pokłony; *bhūyaḥ*—ponownie; *eva*—również; *āha*—powiedział; *kṛṣṇam*—do Kṛṣṇy; *sa-gadgadam*—jąkając się; *bhīta-bhītaḥ*—zatrwożony; *praṇamya*—ofiarowując pokłony.

**Sañjaya rzekł do Dhṛtarāṣṭry: O królu, wysłuchawszy słów Najwyższej Osoby Boga, Arjuna, drżący, wielokrotnie, ze złożonymi rękoma, ofiarował Panu głębokie pokłony i—napełniony strachem—drżącym głosem przemówił do Kṛṣṇy w ten sposób.**

*ZNACZENIE:* Jak to już wyjaśnialiśmy wcześniej, sytuacja stworzona przez kosmiczną formę Najwyższej Osoby Boga wprawiła Arjunę w zdziwienie; wskutek tego zaczął raz po raz ofiarowywać Panu wyrazy swojego najgłębszego szacunku i modlić się do Niego drżącym głosem, już nie tyle jako przyjaciel, ale jako przepełniony podziwem wielbiciel.

**TEKST 36**

अर्जुन उवाच
स्थाने हृषीकेश तव प्रकीर्त्या
जगत् प्रहृष्यत्यनुरज्यते च ।
रक्षांसि भीतानि दिशो द्रवन्ति
सर्वे नमस्यन्ति च सिद्धसङ्घाः ॥३६॥

*arjuna uvāca*
*sthāne hṛṣīkeśa tava prakīrtyā*
*jagat prahṛṣyaty anurajyate ca*
*rakṣāṁsi bhītāni diśo dravanti*
*sarve namasyanti ca siddha-saṅghāḥ*

*arjunaḥ uvāca*—Arjuna rzekł; *sthāne*—sprawiedliwie; *hṛṣīka-īśa*—O panie wszystkich zmysłów; *tava*—Twoje; *prakīrtyā*—przez chwały; *jagat*—cały świat; *prahṛṣyati*—raduje się; *anurajyate*—będąc przyciąganym; *ca*—i; *rakṣāṁsi*—demony; *bhītāni*—z powodu strachu; *diśaḥ*—na wszystkie strony; *dravanti*—pierzchają; *sarve*—wszyscy; *nama-*

*syanti*—ofiarowują hołd; *ca*—również; *siddha-saṅghāḥ*—doskonałe ludzkie istoty.

**Arjuna powiedział: O panie zmysłów, cały świat raduje się słysząc Twoje imię i tak przyciągasz wszystkich. I chociaż doskonałe istoty składają Ci hołd, demony napełniają się trwogą i pierzchają na wszystkie strony. Ale wszystko to jest sprawiedliwe.**

*ZNACZENIE:* Arjuna, poinformowany przez Kṛṣṇę o wyniku bitwy na polu Kurukṣetra, stał się oświecony i jako wielki wielbiciel i przyjaciel Najwyższej Osoby Boga przyznał, że wszystko co czyni Kṛṣṇa jest słuszne i sprawiedliwe. Arjuna potwierdził, że Kṛṣṇa jest obrońcą i obiektem czci dla wielbicieli i niszczycielem elementu niepożądanego. Jego czyny są jednakowo dobre dla wszystkich. Arjuna wiedział, że kiedy bitwa na polu Kurukṣetra miała się ku końcowi, w przestrzeni obecni byli półbogowie, *siddhowie* oraz inteligencja z wyższych planet, którzy obserwowali walkę tylko dlatego, że był tam obecny Kṛṣṇa. Kiedy Arjuna oglądał kosmiczną formę Pana, półbogowie czerpali z tego przyjemność, ale inni—demony i ateiści—nie mogli znieść pochwał kierowanych do Pana. Z powodu swego naturalnego strachu przed niszczącą postacią Najwyższej Osoby Boga, rozbiegli się. Arjuna chwali sposób postępowania Kṛṣṇy z wielbicielami i ateistami. Wielbiciel wysławia Pana w każdej sytuacji, gdyż wie, że wszystko cokolwiek On czyni jest dobre dla wszystkich.

**TEKST 37**

कस्माच्च ते न नमेरन्महात्मन्
गरीयसे ब्रह्मणोऽप्यादिकर्त्रे ।
अनन्त देवेश जगन्निवास
त्वमक्षरं सदसत्तत्परं यत् ॥३७॥

*kasmāc ca te na nameran mahātman*
*garīyase brahmaṇo 'py ādi-kartre*
*ananta deveśa jagan-nivāsa*
*tvam akṣaraṁ sad-asat tat paraṁ yat*

*kasmāt*—dlaczego; *ca*—również; *te*—Tobie; *na*—nie; *nameran*—powinni ofiarować należne wyrazy szacunku; *mahā-ātman*—O potężny; *garīyase*—który jesteś lepszy; *brahmaṇaḥ*—od Brahmy; *api*—chociaż; *ādi-kartre*—najwyższy stwórca; *ananta*—O nieograniczony; *deva-īśa*—O Bogu bogów; *jagat-nivāsa*—O schronienie wszechświata; *tvam*—Ty jesteś; *akṣaram*—niezniszczalny; *sat-asat*—wobec przyczyny i skutku; *tat param*—transcendentalny; *yat*—ponieważ.

**O potężny, który przewyższasz nawet Brahmę, Ty jesteś pierwotnym oryginalnym stwórcą. Dlaczego więc oni wszyscy nie mieliby składać Ci hołdu? O bezkresny, o Bogu bogów, schronienie wszechświata, Ty jesteś niezwyciężonym źródłem, przyczyną wszystkich przyczyn—transcendentalny w stosunku do tej materialnej manifestacji.**

*ZNACZENIE:* Ofiarowując Panu swoje hołdy, Arjuna daje do zrozumienia, że Kṛṣṇa jest obiektem uwielbienia dla każdego. Jest wszechprzenikający i jest Duszą każdej duszy. Arjuna nazywa Kṛṣṇę *mahātmą*, co oznacza, że jest On nieograniczony i najbardziej wspaniałomyślny. Słowo *ananta* wskazuje na to, że nie ma niczego, co nie byłoby pod wpływem energii Najwyższego Pana, a *deveśa* oznacza, że On jest kontrolerem wszystkich półbogów i przewyższa ich wszystkich. On jest schronieniem całego wszechświata. Arjuna był również zdania, że Panu należą się pokłony od wszystkich doskonałych żywych istot i wszystkich potężnych półbogów, gdyż nikt nie jest większy od Niego. Wskazuje szczególnie na to, że Kṛṣṇa jest potężniejszy od Brahmy, ponieważ Brahmā został stworzony przez Niego. Brahmā rodzi się z szypułki kwiatu lotosu wyrastającego z pępka Garbhodakaśāyī Viṣṇu, który jest pełną ekspansją Kṛṣṇy. Zatem, zarówno Brahmā, jak i Pan Śiva (który został zrodzony z Brahmy), i wszyscy inni półbogowie, muszą ofiarować swoje pełne szacunku pokłony Kṛṣṇie. *Śrīmad-Bhāgavatam* oznajmia, że Pan wielbiony jest przez Pana Śivę, Brahmę i innych półbogów. Bardzo znaczące jest słowo *akṣaram*, gdyż to przejawienie materialne ulegnie zniszczeniu, ale Pan jest ponad tym stworzeniem materialnym. On jest przyczyną wszystkich przyczyn, i jako taki przewyższa On wszystkie uwarunkowane dusze wewnątrz tego przejawienia materialnego, jak również samą tę kosmiczną manifestację materialną. Jest On zatem wszechpotężnym Najwyższym.

**TEKST 38**

त्वमादिदेवः पुरुषः पुराणस्
त्वमस्य विश्वस्य परं निधानम् ।
वेत्तासि वेद्यं च परं च धाम
त्वया ततं विश्वमनन्तरूप ॥३८॥

*tvam ādi-devaḥ puruṣaḥ purāṇas*
*tvam asya viśvasya paraṁ nidhānam*
*vettāsi vedyaṁ ca paraṁ ca dhāma*
*tvayā tataṁ viśvam ananta-rūpa*

*tvam*—Ty; *ādi-devaḥ*—pierwotny Najwyższy Bóg; *puruṣaḥ*—osoba; *purāṇaḥ*—stary; *tvam*—Ty; *asya*—tego; *viśvasya*—wszechświat; *param*—transcendentalny; *nidhānam*—schronienie; *vettā*—znawca; *asi*—Ty jesteś; *vedyam*—tym, co jest do poznania; *ca*—i; *param*—transcendentalny; *ca*—i; *dhāma*—schronienie; *tvayā*—przez Ciebie; *tatam*—rozprzestrzeniony; *viśvam*—wszechświat; *ananta-rūpa*—O nieograniczona formo.

**Ty jesteś pierwotną Osobą Boga. Ty jesteś najstarszym, ostatecznym sanktuarium tego przejawionego, kosmicznego świata. Posiadasz wszelką wiedzę, albowiem Ty Sam jesteś wszystkim, co jest do poznania. Jesteś najwyższym schronieniem, będącym ponad siłami tej natury materialnej. O bezgraniczna postaci! Ty przenikasz całą tę kosmiczną manifestację!**

*ZNACZENIE:* Wszystko spoczywa w Najwyższej Osobie Boga. Jest On zatem ostatecznym schronieniem wszystkiego. *Nidhānam* oznacza, że wszystko, nawet blask Brahmana, spoczywa na Najwyższej Osobie Boga, Kṛṣṇie. On jest znawcą wszystkiego, co ma miejsce w tym świecie. I jeśli wiedza ma jakiś kres, to On jest kresem wszelkiej wiedzy. Zatem On jest tym, co jest znane i tym, co jest do poznania. Jest On przedmiotem wszelkiej wiedzy, gdyż jest wszechprzenikający. Ponieważ On jest przyczyną w świecie duchowym, jest On transcendentalny. Jest On również pierwszą i najważniejszą osobą w transcendentalnym świecie.

**TEKST 39**

वायुर्यमोऽग्निर्वरुणः शशांकः
प्रजापतिस्त्वं प्रपितामहश्च ।
नमो नमस्तेऽस्तु सहस्रकृत्वः
पुनश्च भूयोऽपि नमो नमस्ते ॥३९॥

*vāyur yamo 'gnir varuṇaḥ śaśāṅkaḥ*
*prajāpatis tvaṁ prapitāmahaś ca*
*namo namas te 'stu sahasra-kṛtvaḥ*
*punaś ca bhūyo 'pi namo namas te*

*vāyuḥ*—powietrze; *yamaḥ*—kontroler; *agniḥ*—ogień; *varuṇaḥ*—woda; *śaśa-aṅkaḥ*—księżyc; *prajāpatiḥ*—Brahmā; *tvam*—Ty; *prapitāmahaḥ*—pradziadek; *ca*—również; *namaḥ*—moje wyrazy szacunku; *namaḥ*—ponownie składam hołd; *te*—Tobie; *astu*—niech będą; *sahasra-kṛtvaḥ*—tysiąckroć; *punaḥ ca*—i znowu; *bhūyaḥ*—ponownie; *api*—

również; *namaḥ*—ofiarowuję pokłony; *namaḥ te*—składając Tobie pokłony.

**Ty jesteś powietrzem, ogniem, wodą i księżycem! Ty jesteś najwyższym kontrolerem i pradziadkiem, i Ty jesteś Brahmą, pierwszą żywą istotą. Zatem Tobie ofiarowuję tysiąckrotne głębokie wyrazy szacunku i przed Tobą się kłonię ciągle i od nowa.**

*ZNACZENIE:* Pan został nazwany tutaj powietrzem, gdyż powietrze, będąc wszechprzenikające, jest najważniejszym reprezentantem wszystkich półbogów. Arjuna nazywa tu Kṛṣṇę również pradziadkiem, gdyż jest On ojcem Brahmy, pierwszej żywej istoty w tym wszechświecie.

## TEKST 40

नमः पुरस्तादथ पृष्ठतस्ते
नमोऽस्तु ते सर्वत एव सर्व ।
अनन्तवीर्यामितविक्रमस्त्वं
सर्वं समाप्नोषि ततोऽसि सर्वः ॥४०॥

*namaḥ purastād atha pṛṣṭhatas te*
*namo 'stu te sarvata eva sarva*
*ananta-vīryāmita-vikramas tvaṁ*
*sarvaṁ samāpnoṣi tato 'si sarvaḥ*

*namaḥ*—ofiarowując pokłony; *purastāt*—z przodu; *atha*—również; *pṛṣṭhataḥ*—od tyłu; *te*—Tobie; *namaḥ astu*—ofiaruję moje wyrazy szacunku; *te*—Tobie; *sarvataḥ*—ze wszystkich stron; *eva*—zaprawdę; *sarva*—ponieważ Ty jesteś wszystkim; *ananta-vīrya*—niograniczona moc; *amita-vikramaḥ*—i nieograniczona siła; *tvam*—Ty; *sarvam*—wszystko; *samāpnoṣi*—przykrywasz; *tataḥ*—zatem; *asi*—jesteś; *sarvaḥ*—wszystkim.

**Pokłony z przodu, z tyłu i ze wszystkich stron! O nieskończona mocy, Ty jesteś panem bezgranicznych potęg! Jesteś wszechprzenikający, a zatem jesteś wszystkim.**

*ZNACZENIE:* Powodowany miłosną ekstazą dla Kṛṣṇy, swojego przyjaciela, Arjuna ofiarowuje Mu pokłony ze wszystkich stron. Akceptuje to, że jest On panem wszystkich mocy i potęg, i że o wiele przewyższa wszystkich wielkich wojowników zgromadzonych na polu bitwy. W *Viṣṇu Purāṇie* (1.9.69) jest powiedziane:

*yo 'yaṁ tavāgato deva samīpaṁ devatā-gaṇaḥ*
*sa tvam eva jagat-sraṣṭā yataḥ sarva-gato bhavān*

"Bez względu na to, kto pojawia się przed Tobą, nawet jeśli jest to półbóg, to Ty jesteś jego stwórcą, o Najwyższa Osobo Boga."

TEKSTY 41-42

सखेति मत्वा प्रसभं यदुक्तं
हे कृष्ण हे यादव हे सखेति ।
अजानता महिमानं तवेदं
मया प्रमादात् प्रणयेन वापि ॥४१॥
यच्चावहासार्थमसत्कृतोऽसि
विहारशय्यासनभोजनेषु ।
एकोऽथवाप्यच्युत तत्समक्षं
तत् क्षामये त्वामहमप्रमेयम् ॥४२॥

*sakheti matvā prasabhaṁ yad uktaṁ*
*he kṛṣṇa he yādava he sakheti*
*ajānatā mahimānaṁ tavedaṁ*
*mayā pramādāt praṇayena vāpi*

*yac cāvahāsārtham asat-kṛto 'si*
*vihāra-śayyāsana-bhojaneṣu*
*eko 'tha vāpy acyuta tat-samakṣaṁ*
*tat kṣāmaye tvām aham aprameyam*

*sakhā*—przyjaciel; *iti*—w ten sposób; *matvā*—myśląc; *prasabham*—zarozumiale; *yat*—cokolwiek; *uktam*—powiedział; *he kṛṣṇa*—O Kṛṣṇo; *he yādava*—O Yādavo; *he sakhe*—O mój drogi przyjacielu; *iti*—w ten sposób; *ajānatā*—nie znając; *mahimānam*—chwał; *tava*—Twoich; *idam*—to; *mayā*—przeze mnie; *pramādāt*—z powodu głupoty; *praṇayena*—powodowany miłością; *vā api*—albo; *yat*—cokolwiek; *ca*—również; *avahāsa-artham*—dla żartów; *asat-kṛtaḥ*—obrażony; *asi*—byłeś; *vihāra*—odpoczywając; *śayyā*—leżąc; *āsana*—siedząc; *bhojaneṣu*—albo jedząc razem; *ekaḥ*—sam; *atha vā*—albo; *api*—również; *acyuta*—O nieomylny; *tat-samakṣam*—pomiędzy przyjaciółmi; *tat*—wszystkie te; *kṣāmaye*—proszę o przebaczenie; *tvām*—Twoje; *aham*—ja; *aprameyam*—niezliczone.

**Nie znając Twoich chwał i uważając Cię za przyjaciela, w przeszłości zwracałem się do Ciebie: "Kṛṣṇo", "Yādavo", "O mój przyjacielu". Proszę, wybacz mi wszystko, co mogłem zrobić z głupoty albo z miłości do Ciebie. Obrażałem Cię wiele razy, czy to żartując z Tobą podczas odpoczynku, czy to dzieląc z Tobą posłanie, czy**

**jedząc z Tobą razem, czasami sam, czasami w obecności wielu przyjaciół. O nieomylny, proszę, wybacz mi te wszystkie obrazy, których się wobec Ciebie dopuściłem.**

*ZNACZENIE:* Chociaż Kṛṣṇa objawia się Arjunie w Swojej formie kosmicznej, to Arjuna nie zapomina o Swoim przyjacielskim związku z Kṛṣṇą—dlatego przeprasza Go i prosi o wybaczenie wielu swoich bezceremonialnych gestów, przyczyną których było uczucie przyjaźni. Arjuna tłumaczy się, że—nie znając niesłychanych mocy swojego przyjaciela—nie przypuszczał, że Kṛṣṇa może przyjąć taką kosmiczną formę, mimo iż Kṛṣṇa wytłumaczył mu to jako jego bliski przyjaciel. Nie wie nawet, ile razy mógł Go obrazić, nazywając Go "Kṛṣṇą", "swoim przyjacielem" albo "Yādavą" itd. Lecz Kṛṣṇa jest tak dobry i łaskawy, że pomimo tylu bogactw i mocy był przyjacielem i towarzyszem zabaw Arjuny. Na tym polega wymiana transcendentalnej miłości pomiędzy Panem i Jego wielbicielem. Związek Kṛṣṇy z żywą istotą jest wieczny. Nie można o Nim zapomnieć, jak możemy to obserwować w zachowaniu Arjuny. Chociaż Arjuna oglądał potęgę formy kosmicznej, to jednak nie mógł zapomnieć o swojej przyjaźni z Kṛṣṇą.

**TEKST 43**

पितासि लोकस्य चराचरस्य
त्वमस्य पूज्यश्च गुरुर्गरीयान् ।
न त्वत्समोऽस्त्यभ्यधिकः कुतोऽन्यो
लोकत्रयेऽप्यप्रतिमप्रभाव ॥४३॥

*pitāsi lokasya carācarasya*
*tvam asya pūjyaś ca gurur garīyān*
*na tvat-samo 'sty abhyadhikaḥ kuto 'nyo*
*loka-traye 'py apratima-prabhāva*

*pitā*—ojciec; *asi*—Ty jesteś; *lokasya*—całego świata; *cara*—ruchome; *acarasya*—i nieruchome; *tvam*—Ty jesteś; *asya*—tego; *pūjyaḥ*—wielbiony; *ca*—również; *guruḥ*—mistrz; *garīyān*—chwalebny; *na*—nigdy; *tvat-samaḥ*—równy Tobie; *asti*—jest; *abhyadhikaḥ*—większy; *kutaḥ*—jak to jest możliwe; *anyaḥ*—inny; *loka-traye*—w trzech systemach planetarnych; *api*—również; *apratima-prabhāva*—O niezmierzona siło.

**Ty jesteś ojcem tej doskonałej manifestacji kosmicznej, wszystkiego co ruchome i nieruchome, i wielbionym wodzem, najwyższym mistrzem duchowym. Nikt nie jest Ci równy ani nikt nie może być**

**z Tobą jednym. Ty jesteś Panem o niezmierzonej mocy, więc któż mógłby być większy od Ciebie we wszystkich trzech światach.**

*ZNACZENIE:* Najwyższa Osoba Boga, Pan Kṛṣṇa jest tak godny czci, jak ojciec zasługuje na cześć syna. Jest On mistrzem duchowym, gdyż to On pierwotnie przekazał nauki wedyjskie Brahmie. A teraz przekazuje Arjunie *Bhagavad-gītę*. Jest On zatem pierwszym mistrzem duchowym i każdy bona fide mistrz duchowy w czasach obecnych musi pochodzić z sukcesji wywodzącej się od Kṛṣṇy. Jeśli nie jest się reprezentantem Kṛṣṇy, nie można być mistrzem duchowym czy też nauczycielem tematów transcendentalnych.

Pan wielbiony jest pod każdym względem. Jego wielkość jest niezmierzona. Nikt nie może być większy od Najwyższej Osoby Boga, Kṛṣṇy, ponieważ nikt nie jest równy Jemu ani wyższy od Niego w żadnej manifestacji, czy to duchowej czy materialnej. Każdy zajmuje niższą pozycję. Nikt nie może przewyższać Kṛṣṇy. Oznajmia to *Śvetāśvatara Upaniṣad* (6.8):

*na tasya kāryaṁ karaṇaṁ ca vidyate*
*na tat-samaś cābhyadhikaś ca dṛśyate*

Najwyższy Pan Kṛṣṇa, tak jak zwykły człowiek, posiada ciało i zmysły, ale dla Niego nie ma różnicy pomiędzy Jego zmysłami, ciałem, umysłem i Nim Samym. Niemądre, nie znające Go doskonale osoby mówią, że Kṛṣṇa różnym jest od Swojej duszy, Swojego umysłu, serca i wszystkiego innego. Kṛṣṇa jest absolutem; zatem Jego czyny i moce są doskonałe. Jest powiedziane również, że chociaż Jego zmysły są odmienne od naszych, może On spełniać wszelkie czynności zmysłowe; zatem Jego zmysły nie są ani niedoskonałe, ani ograniczone. Nikt nie może być większy od Niego, nikt nie może być Jemu równy i każdy jest niższy od Niego.

Wiedza, moc i czyny Najwyższej Osoby są wszystkie transcendentalne. Jak oznajmia *Bhagavad-gītā* (4.9):

*janma karma ca me divyam evaṁ yo vetti tattvataḥ*
*tyaktvā dehaṁ punar janma naiti mām eti so 'rjuna*

Każdy, kto zna Jego transcendentalne ciało, czyny i doskonałość, po opuszczeniu tego ciała powraca do Niego i nie przychodzi ponownie do tego pełnego nieszczęścia świata. Należy zatem wiedzieć, że czyny Kṛṣṇy różnią się od czynów innych osób. Najlepszym sposobem postępowania jest przestrzeganie zasad ustalonych przez Kṛṣṇę—prowadzi to bowiem do doskonałości. Jest powiedziane również, że nie ma nikogo, kto byłby panem Kṛṣṇy—wszyscy są Jego sługami. *Caitanya-*

*caritāmṛta* (*Ādi* 5.142) stwierdza, *ekale īśvara kṛṣṇa, āra saba bhṛtya*: tylko Kṛṣṇa jest Bogiem, a wszyscy inni są Jego sługami. Wszyscy spełniają Jego rozkazy. Nie ma nikogo, kto mógłby się temu sprzeciwić. Każdy działa według Jego wskazówek i wszyscy są kontrolowani przez Niego. Jak oznajmia *Brahma-saṁhitā*, On jest przyczyną wszystkich przyczyn.

TEKST 44

तस्मात् प्रणम्य प्रणिधाय कायं
प्रसादये त्वामहमीशमीड्यम् ।
पितेव पुत्रस्य सखेव सख्युः
प्रियः प्रियायार्हसि देव सोढुम् ॥४४॥

*tasmāt praṇamya praṇidhāya kāyaṁ*
*prasādaye tvām aham īśam īḍyam*
*piteva putrasya sakheva sakhyuḥ*
*priyaḥ priyāyārhasi deva soḍhum*

*tasmāt*—dlatego; *praṇamya*—ofiarowując pokłony; *praṇidhāya*—kładąc się; *kāyam*—ciało; *prasādaye*—aby błagać o miłosierdzie; *tvām*—Ciebie; *aham*—ja; *īśam*—Najwyższemu Panu; *īḍyam*—wielbiony; *pitā iva*—jak ojciec; *putrasya*—syna; *sakhā iva*—jak przyjaciel; *sakhyuḥ*—przyjaciela; *priyaḥ*—kochanek; *priyāyāḥ*—ukochaną; *arhasi*—powinieneś; *deva*—mój Panie; *soḍhum*—tolerować.

**Ty jesteś Najwyższym Panem, którego wielbić powinna każda żywa istota. Więc padam przed Tobą, aby złożyć Ci hołd i błagać o miłosierdzie. Proszę toleruj wszelkie zło, którego mogłem się dopuścić w stosunku do Ciebie, tak jak ojciec toleruje zuchwalstwo syna, jak przyjaciel toleruje impertynencje swojego przyjaciela, i jak żona toleruje poufałość swojego partnera.**

*ZNACZENIE:* Wielbiciele Kṛṣṇy pozostają z Nim w różnych związkach; ktoś może traktować Kṛṣṇę jak syna, ktoś inny jak męża, przyjaciela, czy pana. Kṛṣṇa i Arjuna związani są przyjaźnią. Tak jak wyrozumiały jest ojciec, mąż czy pan, tak również wyrozumiałym jest Kṛṣṇa.

TEKST 45

अदृष्टपूर्वं हृषितोऽस्मि दृष्ट्वा
भयेन च प्रव्यथितं मनो मे ।
तदेव मे दर्शय देव रूपं
प्रसीद देवेश जगन्निवास ॥४५॥

*adṛṣṭa-pūrvaṁ hṛṣito 'smi dṛṣṭvā*
*bhayena ca pravyathitaṁ mano me*
*tad eva me darśaya deva rūpaṁ*
*prasīda deveśa jagan-nivāsa*

*adṛṣṭa-pūrvam*—nie widziany nigdy wcześniej; *hṛṣitaḥ*—uradowany; *asmi*—jestem; *dṛṣṭvā*—widząc; *bhayena*—z powodu strachu; *ca*—również; *pravyathitam*—zaniepokojony; *manaḥ*—umysł; *me*—mój; *tat*—tego; *eva*—z pewnością; *me*—mnie; *darśaya*—pokaż; *deva*—O Panie; *rūpam*—forma; *prasīda*—bądź łaskawy; *deva-īśa*—O Panie nad panami; *jagat-nivāsa*—O schronienie wszechświata.

**Radością napełnił mnie widok Twojej formy kosmicznej, której nigdy wcześniej nie oglądałem, ale jednocześnie umysł mój zaniepokoił się i zatrwożył. Dlatego proszę, bądź miłosierny dla mnie i ukaż mi ponownie Swoją postać Najwyższej Osoby Boga, o Panie nad panami, schronienie wszechświata.**

*ZNACZENIE:* Arjuna jest zawsze śmiały w stosunku do Kṛṣṇy, ponieważ jest Jego bardzo drogim przyjacielem. Tak jak ktoś raduje się bogactwem swojego przyjaciela, tak Arjuna szczęśliwy jest, iż przekonał się, że jego przyjaciel Kṛṣṇa jest Najwyższą Osobą Boga i może objawić tak wspaniałą formę kosmiczną. Ale jednocześnie, po zobaczeniu tej formy kosmicznej, przestraszył się wspomnieniem przeszłości, kiedy to powodowany czystym uczuciem przyjaźni, popełnił zbyt wiele obraz w stosunku do Kṛṣṇy. Więc umysł jego niespokojny jest z powodu tego lęku, chociaż, prawdę mówiąc, nie miał on żadnych powodów do obaw. Dlatego Arjuna prosi Kṛṣṇę, aby ukazał mu Swoją formę Nārāyaṇa, jako że Pan może przyjąć każdą formę. Forma kosmiczna jest materialna i okresowa, tak jak tymczasowy jest ten świat materialny. Ale na planetach Vaikuṇṭha Pan występuje w Swojej transcendentalnej czterorękiej formie jako Nārāyaṇa. Jest nieskończona ilość planet w niebie duchowym i na każdej z nich Kṛṣṇa obecny jest poprzez Swoje pełne, noszące różne imiona ekspansje. Zatem Arjuna pragnie ujrzeć jedną z takich form zamanifestowanych na planetach Vaikuṇṭha. Na każdej planecie Vaikuṇṭha rezyduje czteroręki Nārāyaṇa i w każdej z tych rąk trzyma różne symbole: muszlę, buławę, kwiat lotosu i tarczę. Imię Nārāyaṇa zależy od układu tych czterech przedmiotów w Jego rękach. Wszystkie te formy są tożsame z Kṛṣṇą. Dlatego Arjuna pragnie zobaczyć Jego czteroręką postać.

**TEKST 46**

किरीटिनं गदिनं चक्रहस्तम्
इच्छामि त्वां द्रष्टुमहं तथैव ।

तेनैव रूपेण चतुर्भुजेन
सहस्रबाहो भव विश्वमूर्ते ॥४६॥

*kirīṭinaṁ gadinaṁ cakra-hastam*
*icchāmi tvāṁ draṣṭum ahaṁ tathaiva*
*tenaiva rūpeṇa catur-bhujena*
*sahasra-bāho bhava viśva-mūrte*

*kirīṭinam*—w koronie; *gadinam*—z buławą; *cakra-hastam*—z tarczą w ręku; *icchāmi*—pragnę; *tvām*—Ciebie; *draṣṭum*—ujrzeć; *aham*—ja; *tathā eva*—w tej pozycji; *tena eva*—w tej; *rūpeṇa*—postaci; *catuḥ-bhujena*—czterorękiej; *sahasra-bāho*—O tysiącręki; *bhava*—stań się; *viśva-mūrte*—O postaci kosmiczna.

**O kosmiczna formo, o Panie o tysiącach rąk, chcę ujrzeć Twoją czteroramienną postać z ukoronowaną głową, buławą, tarczą, muszlą i kwiatem lotosu w Twoich dłoniach. Pragnę zobaczyć Cię w tej postaci.**

*ZNACZENIE: Brahma-saṁhitā* (5.39) oznajmia, *rāmādi-mūrtiṣu kalāniyamena tiṣṭhan*: Pan posiada setki i tysiące wiecznych form, z których głównymi są takie, jak: Rāma, Nṛsiṁha, Nārāyaṇa itd. Ilość tych form jest niezliczona. Ale Arjuna wiedział, że Najwyższą Osobą Boga jest Kṛṣṇa, który czasowo tylko przyjmuje formę kosmiczną. Teraz pragnie ujrzeć postać Nārāyaṇa, duchową formę Pana. Werset ten jest bez wątpienia potwierdzeniem zdania ze *Śrīmad-Bhāgavatam*, stwierdzającego, że Kṛṣṇa jest oryginalną Osobą Boga, a wszystkie inne formy wywodzą się z Niego. Nie jest On różny od Swoich kompletnych ekspansji i jest On Bogiem w każdej ze Swoich niezliczonych form. W każdej z tych form jest On świeżą młodością. Jest to nieodłączna cecha Najwyższej Osoby Boga. Ten, kto poznaje Kṛṣṇę, od razu uwalnia się od wszelkich zanieczyszczeń tego materialnego świata.

**TEKST 47**

श्रीभगवानुवाच
मया प्रसन्नेन तवार्जुनेदं
रूपं परं दर्शितमात्मयोगात् ।
तेजोमयं विश्वमनन्तमाद्यं
यन्मे त्वदन्येन न दृष्टपूर्वम् ॥४७॥

*śrī-bhagavān uvāca*
*mayā prasannena tavārjunedaṁ*
*rūpaṁ paraṁ darśitam ātma-yogāt*

*tejo-mayaṁ viśvam anantam ādyaṁ*
*yan me tvad anyena na dṛṣṭa-pūrvam*

*śrī-bhagavān uvāca*—Najwyższa Osoba Boga rzekł; *mayā*—przeze Mnie; *prasannena*—szczęśliwie; *tava*—tobie; *arjuna*—O Arjuno; *idam*—to; *rūpam*—forma; *param*—transcendentalna; *darśitam*—ukazana; *ātma-yogāt*—przez Moją wewnętrzną moc; *tejaḥ-mayam*—pełen blasku; *viśvam*—cały wszechświat; *anantam*—nieograniczony; *ādyam*—oryginalny; *yat*—ten, który; *me*—Mój; *tvat anyena*—oprócz ciebie; *na dṛṣṭa-pūrvam*—nikt wcześniej nie widział.

**Najwyższa Osoba Boga rzekł: Mój drogi Arjuno, z radością objawiłem ci—poprzez Swoją wewnętrzną moc—tę przejawioną wewnątrz świata materialnego kosmiczną postać. Nikt jeszcze przed tobą nigdy nie oglądał tej pierwotnej, nieograniczonej i oślepiającej swym blaskiem postaci.**

*ZNACZENIE:* Arjuna chciał zobaczyć kosmiczną postać Najwyższego Pana, więc okazując łaskę Swojemu wielbicielowi, Pan Kṛṣṇa ukazał mu tę Swoją pełną blasku i przepychu formę. Forma ta błyszczała jak słońce, a jej niezliczone twarze zmieniały się bezustannie. Kṛṣṇa zamanifestował ją, aby zaspokoić pragnienie Swojego przyjaciela Arjuny. Postać ta została zamanifestowana poprzez wewnętrzną moc Kṛṣṇy, której człowiek nie jest w stanie zrozumieć poprzez spekulacje. Nikt przed Arjuną nie oglądał tej formy, ale ponieważ została ona ukazana jemu, mogli zobaczyć ją wtedy również inni wielbiciele z wyższych systemów planetarnych i innych planet. Nie widzieli jej wcześniej, ale mogli zobaczyć ją teraz, kiedy oglądał ją Arjuna. Innymi słowy, wszyscy wielbiciele będący uczniami Pana mogli, dzięki Jego łasce, ujrzeć formę ukazaną Arjunie. Ktoś zauważył, że forma ta została również ukazana Duryodhanie, kiedy Kṛṣṇa udał się do niego, aby pertraktować w sprawie pokoju. Na nieszczęście Duryodhana nie przyjął propozycji pokoju i w tym czasie Kṛṣṇa zamanifestował niektóre ze Swoich form kosmicznych. Nie były to jednak te same formy, które zobaczył Arjuna, gdyż wyraźnie zostało to powiedziane tutaj, że nikt wcześniej nie oglądał formy objawionej Arjunie.

**TEKST 48**

न वेदयज्ञाध्ययनैर्न दानैर्
न च क्रियाभिर्न तपोभिरुग्रैः ।
एवंरूपः शक्य अहं नृलोके
द्रष्टुं त्वदन्येन कुरुप्रवीर ॥४८॥

*na veda-yajñādhyayanair na dānair*
*na ca kriyābhir na tapobhir ugraiḥ*
*evaṁ-rūpaḥ śakya ahaṁ nṛ-loke*
*draṣṭuṁ tvad anyena kuru-pravīra*

*na*—nigdy; *veda-yajña*—poprzez ofiary; *adhyayanaiḥ*—albo studia nad *Vedami*; *na*—nigdy; *dānaiḥ*—przez dobroczynność; *na*—nigdy; *ca*—również; *kriyābhiḥ*—przez pobożne czyny; *na*—nigdy; *tapobhiḥ*—poważne pokuty; *ugraiḥ*—surowe; *evam-rūpaḥ*—w tej formie; *śakyaḥ*—może; *aham*—Ja; *nṛ-loke*—w tym świecie materialnym; *draṣṭum*—zostać ujrzaną; *tvat*—niż ty; *anyena*—przez kogoś innego; *kuru-pravīra*—O najlepszy pomiędzy wojownikami dynastii Kuru.

**O najlepszy spośród wojowników dynastii Kuru, nikt przed tobą nigdy nie oglądał tej Mojej kosmicznej postaci. Nie można jej bowiem zobaczyć w tym materialnym świecie ani przez studiowanie Ved, ani przez spełnianie ofiar, dobroczynność, pobożne czynności ani też przez srogie pokuty.**

*ZNACZENIE:* Należy właściwie w tym związku zrozumieć określenie "boski wzrok". Kto może mieć boski wzrok? Boski znaczy święty. Dopóki ktoś nie osiągnie statusu boskości jako półbóg, nie może mieć boskiego wzroku. A kim jest półbóg? Pisma wedyjskie oznajmiają, że półbogami są wielbiciele Pana Viṣṇu (*viṣṇu-bhaktāḥ smṛtā devāḥ*). Zatem boskiego wzroku nie mogą mieć ateiści, to znaczy ci, którzy nie wierzą w Viṣṇu, albo ci, którzy za Najwyższego uważają jedynie bezosobowy aspekt Kṛṣṇy. Nie można oczerniać Kṛṣṇy i jednocześnie posiadać boski wzrok. Nie można mieć boskiego wzroku, dopóki samemu nie osiągnie się cech boskości. Innymi słowy, tylko ci mogą widzieć w taki sposób jak Arjuna, którzy mają boski wzrok.

*Bhagavad-gītā* daje opis formy kosmicznej. Chociaż opis ten nie był znany nikomu przed Arjuną, po tym wydarzeniu możemy mieć jakieś pojęcie o *viśva-rūpie*. Formę kosmiczną Pana mogą zobaczyć jedynie ci, którzy są naprawdę w posiadaniu boskich cech. A nie można ich posiadać, jeśli nie jest się czystym wielbicielem Kṛṣṇy. Wielbiciele jednakże, którzy naprawdę posiadają boski charakter i takiż wzrok, nie są zbyt zainteresowani oglądaniem kosmicznej formy Pana. Jak opisuje wcześniejszy werset, Arjuna zapragnął zobaczyć czteroręką postać Pana Kṛṣṇy jako Viṣṇu, był bowiem naprawdę zatrwożony widokiem formy kosmicznej.

W wersecie tym są pewne znaczące słowa, takie jak *veda-yajñādhyayanaiḥ*, odnoszące się do studiowania literatury wedyjskiej i zasad składania ofiar. *Veda* odnosi się do wszelkiego rodzaju literatury wedyjskiej, mianowicie: czterech *Ved* (*Ṛg, Yajur, Sāma* i *Atharva*), osiemnastu *Purāṇ*, *Upaniṣadów* i *Vedānta-sūtry*. Można studiować je w domu albo gdzie indziej. Są też *sūtry—Kalpa-sūtry* i *Mīmāṁsā-sūtry*, traktujące o metodach składania ofiar. *Dānaiḥ* odnosi się do dobroczynności, czyli jałmużny oddawanej pewnej grupie ludzi, takim na przykład, którzy zaangażowani są w transcendentalną służbę miłości dla Pana, czyli braminom i Vaiṣṇavom. "Pobożne czyny" odnoszą się tak do *agni-hotry*, jak i przypisanych obowiązków różnych kast. A dobrowolne zaakceptowanie pewnych cierpień cielesnych nazywa się *tapasyą*. Więc ktoś może praktykować to wszystko; może czynić jakieś pokuty cielesne, rozdawać jałmużnę, studiować *Vedy*, ale jeśli nie jest wielbicielem Pana (jak Arjuna), to nie może on zobaczyć kosmicznej formy Pana. Impersonaliści również wyobrażają sobie, że oglądają formę kosmiczną Pana, ale z *Bhagavad-gīty* dowiadujemy się, że impersonaliści nie są wielbicielami. Zatem nie mogą oni zobaczyć kosmicznej formy Pana.

Jest wiele osób, które tworzą inkarnacje, błędnie uważając za wcielenie Boga jakąś zwykłą istotę, ale jest to przejaw głupoty. Powinniśmy przestrzegać zasad *Bhagavad-gīty*, gdyż nie ma innej możliwości osiągnięcia doskonałej wiedzy duchowej. Chociaż *Bhagavad-gītā* jest uważana za wstępne studium nauki o Bogu, to jednak jest tak doskonała, że daje nam możliwość właściwego widzenia i rozumienia rzeczy. Zwolennicy pseudo-inkarnacji mogą twierdzić, że również widzieli transcendentalne wcielenie Boga, formę kosmiczną, ale jest to nie do przyjęcia, gdyż, jak to zostało tutaj wyraźnie powiedziane, dopóki ktoś nie zostanie wielbicielem Pana, nie może on zobaczyć Jego kosmicznej formy. Tak więc trzeba przede wszystkim zostać czystym wielbicielem Kṛṣṇy, a wtedy dopiero można twierdzić, że jest się w stanie pokazać kosmiczną formę tego, co się widziało. Wielbiciel Kṛṣṇy nie może zaakceptować ani fałszywych inkarnacji, ani też zwolenników takich inkarnacji.

**TEKST 49**

मा ते व्यथा मा च विमूढभावो
दृष्ट्वा रूपं घोरमीदृङ् ममेदम् ।
व्यपेतभीः प्रीतमनाः पुनस्त्वं
तदेव मे रूपमिदं प्रपश्य ॥४९॥

*mā te vyathā mā ca vimūḍha-bhāvo*
*dṛṣṭvā rūpaṁ ghoram īdṛṅ mamedam*
*vyapeta-bhīḥ prīta-manāḥ punas tvaṁ*
*tad eva me rūpam idaṁ prapaśya*

*mā*—niech nie będzie; *te*—tobie; *vyathā*—kłopot; *mā*—niech nie będzie; *ca*—również; *vimūḍha-bhāvaḥ*—oszołomienie; *dṛṣṭvā*—przez oglądanie; *rūpam*—forma; *ghoram*—straszliwa; *īdṛk*—taka jaką jest; *mama*—Moja; *idam*—ta; *vyapeta-bhīḥ*—wolny od wszelkiego strachu; *prīta-manāḥ*—zadowolony w umyśle; *punaḥ*—ponownie; *tvam*—ty; *tat*—to; *eva*—w ten sposób; *me*—Moja; *rūpam*—forma; *idam*—ta; *prapaśya*—zobacz.

**Widok Mojej straszliwej postaci oszołomił cię i zatrwożył. Połóżmy więc już temu kres. Uwolnij się od wszelkiego niepokoju, mój bhakto. Uspokoiwszy swój umysł, możesz zobaczyć tę postać, którą pragniesz ujrzeć.**

*ZNACZENIE:* Na początku *Bhagavad-gīty* Arjuna niepokoił się, że w walce mogą zostać zabici Bhīṣma i Droṇa, wielbieni przez niego dziadek i mistrz. Ale Kṛṣṇa powiedział mu, że nie powinien martwić się z tego powodu. Kiedy na zgromadzeniu wojowników próbowano obnażyć Draupadī, żonę Arjuny, Bhīṣma i Droṇa zachowali spokój, a za takie lekceważenie swoich powinności powinni zostać zabici. Kṛṣṇa objawił Arjunie Swoją kosmiczną formę, aby pokazać mu, że ludzie ci już zostali zabici za swoje bezprawne postępowanie. Kṛṣṇa ukazał mu tę scenę unicestwienia wojowników. Wielbiciele są zawsze spokojni i nie są w stanie dokonywać takich straszliwych czynów. Tak więc cel ukazania tej formy kosmicznej został wyjawiony i teraz Arjuna zapragnął zobaczyć czteroręką postać Pana, i Kṛṣṇa objawił mu ją. Wielbiciel nie jest zbyt zainteresowany kosmiczną formą Pana, gdyż nie pozwala ona na wymianę uczuć miłości. Wielbiciel albo pragnie okazać Panu swoje pełne szacunku i uwielbienia uczucia, albo pragnie on oglądać dwuręką postać Kṛṣṇy, tak aby w swej służbie miłości mieć możliwość wymiany uczuć z Najwyższą Osobą Boga.

**TEKST 50**

सञ्जय उवाच
इत्यर्जुनं वासुदेवस्तथोक्त्वा
स्वकं रूपं दर्शयामास भूयः ।
आश्वासयामास च भीतमेनं
भूत्वा पुनः सौम्यवपुर्महात्मा ॥५०॥

*sañjaya uvāca*
*ity arjunaṁ vāsudevas tathoktvā*
*svakaṁ rūpaṁ darśayām āsa bhūyaḥ*

*āśvāsayām āsa ca bhītam enaṁ*
*bhūtvā punaḥ saumya-vapur mahātmā*

*sañjayaḥ uvāca*—Sañjaya rzekł; *iti*—w ten sposób; *arjunam*—do Arjuny; *vāsudevaḥ*—Kṛṣṇa; *tathā*—w ten sposób; *uktvā*—mówiąc; *svakam*—Swoją własną; *rūpam*—forma; *darśayām āsa*—ukazał; *bhūyaḥ*—ponownie; *āśvāsayām āsa*—zachęcił; *ca*—również; *bhītam*—przepełniony bojaźnią; *enam*—jemu; *bhūtvā*—stając się; *punaḥ*—ponownie; *saumya-vapuḥ*—piękną postać; *mahā-ātmā*—potężny.

**Sañjaya rzekł do Dhṛtarāṣṭry: Mówiąc w ten sposób do Arjuny, Najwyższa Osoba Boga, Kṛṣṇa, ukazał mu Swoją prawdziwą czteroręką postać. A w końcu przybrał postać dwuręką, uspokajając w ten sposób przepełnionego bojaźnią Arjunę.**

*ZNACZENIE:* Przychodząc na świat jako syn Vasudevy i Devakī, Kṛṣṇa najpierw pojawił się przed Swoimi rodzicami w postaci czterorękiej, jako Nārāyaṇa, ale na ich prośbę przemienił się w zwykłe dziecko. Podobnie, Kṛṣṇa zauważył, że Arjuna nie jest zbyt zainteresowany oglądaniem Jego czterorękiej postaci, ale na jego prośbę ukazał mu się w takiej formie. Następnie zaś przyjął Swoją formę dwuręką. Ważne jest tutaj słowo *saumya-vapuḥ*. *Saumya-vapuḥ* jest bardzo piękną formą; znana jest ona jako forma najpiękniejsza. Kṛṣṇa, będąc obecnym na tej Ziemi, już samą Swoją postacią przyciągał wszystkich ku Sobie. A ponieważ Kṛṣṇa jest kontrolerem wszechświata, rozproszył On bojaźń Arjuny, Swojego wielbiciela, ponownie ukazując mu Swoją przepiękną formę Kṛṣṇy. Zaś *Brahma-saṁhitā* (5.38) oznajmia, *premāñjana-cchurita-bhakti-vilocanena*: jedynie ta osoba może zobaczyć tę wspaniałą postać Śrī Kṛṣṇy, której oczy przesłonięte są mgłą miłości do Niego.

**TEKST 51** अर्जुन उवाच

दृष्ट्वेदं मानुषं रूपं तव सौम्यं जनार्दन ।
इदानीमस्मि संवृत्तः सचेताः प्रकृतिं गतः ॥५१॥

*arjuna uvāca*
*dṛṣṭvedaṁ mānuṣaṁ rūpaṁ tava saumyaṁ janārdana*
*idānīm asmi saṁvṛttaḥ sa-cetāḥ prakṛtiṁ gataḥ*

*arjunaḥ uvāca*—Arjuna rzekł; *dṛṣṭvā*—widząc; *idam*—tę; *mānuṣam*—ludzką; *rūpam*—postać; *tava*—Twoja; *saumyam*—niezwykle piękna; *janārdana*—O pogromco wrogów; *idānīm*—teraz; *asmi*—jestem; *saṁ-*

*vṛttaḥ*—uspokojony; *sa-cetāḥ*—w mojej świadomości; *prakṛtim*—do swojej własnej natury; *gataḥ*—powróciłem.

**Ujrzawszy Kṛṣṇę w Jego oryginalnej postaci, Arjuna rzekł: O Janārdano kiedy widzę tę, podobną do ludzkiej postać, tak niezwykle piękną, umysł mój uspokaja się i powracam do pierwotnego stanu.**

*ZNACZENIE:* Użyte tutaj słowa *mānuṣaṁ rūpam* wyraźnie wskazują na to, że Najwyższa Osoba Boga jest oryginalnie dwuręki. Wersety te są dowodem na to, iż osoby, które utrzymują, że Kṛṣṇa jest zwykłą osobą i wyśmiewają się z Niego, nie posiadają wiedzy o Jego boskiej naturze. Czy Kṛṣṇa—będąc zwykłą osobą—mógłby ukazać Swoją formę kosmiczną, a następnie czteroręką formę Nārāyaṇa? *Bhagavad-gītā* wyraźnie oznajmia, że ten, kto uważa Kṛṣṇę za zwykłą osobę i wprowadza w błąd czytelnika twierdząc, że to bezosobowy Brahman przemawia przez Kṛṣṇę, dopuszcza się największej niesprawiedliwości. Kṛṣṇa rzeczywiście ukazał Swoją formę kosmiczną i czteroręką postać Viṣṇu. Więc jak może być On zwykłą ludzką istotą? Czysty wielbiciel nie zostaje wprowadzony w błąd przez fałszywe komentarze do *Bhagavad-gīty*, ponieważ zna on prawdę. Oryginalne wersety *Bhagavad-gīty* są jasne jak słońce i nie muszą być oświetlane światłem lampy niemądrych komentatorów.

## TEKST 52

श्रीभगवानुवाच
सुदुर्दर्शमिदं रूपं दृष्टवानसि यन्मम ।
देवा अप्यस्य रूपस्य नित्यं दर्शनकाङ्क्षिणः ॥५२॥

*śrī-bhagavān uvāca*
*su-durdaśam idaṁ rūpaṁ dṛṣṭavān asi yan mama*
*devā apy asya rūpasya nityaṁ darśana-kāṅkṣiṇaḥ*

*śrī-bhagavān uvāca*—Najwyższa Osoba Boga rzekł; *su-durdarśam*—bardzo trudna do ujrzenia; *idam*—ta; *rūpam*—forma; *dṛṣṭavān asi*—jak widziałeś; *yat*—która; *mama*—Moja; *devāḥ*—półbogowie; *api*—także; *asya*—tę; *rūpasya*—forma; *nityam*—wiecznie; *darśana-kāṅkṣiṇaḥ*—pragnąc oglądać.

**Najwyższa Osoba Boga rzekł: Mój drogi Arjuno, niezwykle trudno jest ujrzeć tę formę, którą teraz widzisz. Nawet półbogowie ciągle poszukują okazji, aby oglądać tę tak bardzo im drogą postać.**

*ZNACZENIE:* W czterdziestym ósmym wersecie tego rozdziału Pan

Kṛṣṇa ukrył Swoją kosmiczną formę i poinformował Arjunę, że formy tej nie mogą oglądać nawet osoby pełniące ofiary, pokuty itd. Teraz zostało użyte słowo *su-durdarśam*, wskazujące na to, że dwuręka postać Kṛṣṇy jest jeszcze bardziej tajemnicza. Formę kosmiczną można zobaczyć dzięki zabarwieniu swoich czynów pokutnych, studiów nad *Vedami* i filozoficznych spekulacji jedynie odrobiną służby oddania. Niekiedy może to być możliwe, ale koniecznym do tego warunkiem jest odrobina *bhakti*; zostało to już wcześniej wytłumaczone. Jednakże dwuręką postać Kṛṣṇy jest jeszcze trudniej zobaczyć niż Jego formę kosmiczną. Nie jest to łatwe nawet dla takich półbogów, jak Brahmā i Pan Śiva, mimo iż pragną ją oglądać. Mamy dowód w *Śrīmad-Bhāgavatam*, że kiedy był On w łonie Swojej matki Devakī, wszyscy półbogowie z planet niebiańskich przybyli, aby podziwiać cudowną postać Kṛṣṇy i ofiarowywali wspaniałe modlitwy Panu, mimo iż w tym czasie nie był jeszcze dla nich widoczny. Czekali nawet na to, aby Go zobaczyć. Głupcy mogą wyśmiewać Go, myśląc, że jest On tylko zwykłą osobą i zamiast ofiarować szacunek Jemu, mogą ofiarować go bezosobowemu "czemuś" wewnątrz Niego, ale wszystko to jest nonsensem. W rzeczywistości wszyscy półbogowie, nawet tak potężni jak Brahmā i Śiva, pragną oglądać Kṛṣṇę w Jego dwurękiej formie.

*Bhagavad-gītā* (9.11) potwierdza również, *avajānanti māṁ mūḍhā mānuṣīṁ tanum āśritaḥ*: nie mogą Go zobaczyć osoby niemądre, które Go wyśmiewają. Ciało Kṛṣṇy, jak zapewnia *Brahma-saṁhitā* i Sam Kṛṣṇa w *Bhagavad-gīcie*, jest całkowicie duchowe, pełne szczęścia i wieczne. Jego ciało nigdy nie jest podobne ciału materialnemu. Dla niektórych studiujących Kṛṣṇę przez lekturę *Bhagavad-gīty* czy podobnych pism wedyjskich, pozostaje On nadal zagadką. Ci, którzy stosują metodę materialistyczną, uważają Kṛṣṇę za wielką osobowość historyczną i wielce uczonego filozofa, ale sądzą, że jest On zwykłym człowiekiem i pomimo całej Swojej potęgi zmuszony był przyjąć ciało materialne. Uważają oni, że Prawda Absolutna jest bezosobowa i sądzą, że od Swojej bezosobowej cechy przyjął On osobowość związaną z tą naturą materialną. Jest to materialistyczny pogląd na Najwyższego Pana. Inne usiłowania zrozumienia Go są spekulacyjne. Ci, którzy poszukują wiedzy, również spekulują na temat Kṛṣṇy i uważają, że jest On zasadniczo mniej ważny od kosmicznej formy Najwyższego. Niektórzy zatem myślą, że forma kosmiczna ukazana Arjunie ważniejsza jest od Jego formy osobowej. Według nich osobowa forma Najwyższego jest tylko wyobrażeniem. Wierzą oni, że ostatecznie Prawda Absolutna nie jest osobą. Ale proces transcendentalny został opisany w Czwartym Rozdziale *Bhagavad-gīty*—należy słuchać o Kṛṣṇie od autorytetów. Taka jest prawdziwa metoda wedyjska i ci, którzy rzeczywiście stosują się do zasad wedyjskich, słuchają o Kṛṣṇie od autorytetów i przez powtarzanie usłyszanych wieści o Nim, Kṛṣṇa staje się im drogi. Jak mówiliśmy już o tym kilkakrotnie, Kṛṣṇa okryty jest Swoją energią *yoga-māyą*. Nie każdy może Go ujrzeć i nie każdemu może On zostać objawiony. Oglądać Go mogą tylko ci, którym On Sam się objawia. Potwierdza to literatura wedyjska: naprawdę zrozumieć Prawdę Absolutną mogą jedynie dusze podporządkowane Panu. Transcendentaliści, dzięki świadomości Kṛṣṇy i pełnieniu służby oddania, mogą otworzyć swoje oczy duchowe i zobaczyć Kṛṣṇę przez objawienie. Takiego objawienia nie mogą dostąpić nawet półbogowie. Zatem nawet półbogom jest bardzo trudno zrozumieć Kṛṣṇę i zaawansowani półbogowie zawsze z nadzieją oczekują chwili, kiedy będą mogli oglądać Go w Jego dwurękiej postaci. Wniosek jest więc taki: niewątpliwie bardzo trudno jest zobaczyć kosmiczną formę Kṛṣṇy i nie jest to możliwe dla każdego, ale jeszcze trudniej jest poznać Jego osobową postać jako Śyāmasundarę.

## TEKST 53

नाहं वेदैर्न तपसा न दानेन न चेज्यया ।
शक्य एवंविधो द्रष्टुं दृष्टवानसि मां यथा ॥५३॥

*nāhaṁ vedair na tapasā na dānena na cejyayā*
*śakya evaṁ-vidho draṣṭuṁ dṛṣṭavān asi māṁ yathā*

*na*—nigdy; *aham*—Ja; *vedaiḥ*—przez studiowanie *Ved; na*—nigdy; *tapasā*—przez srogie pokuty; *na*—nigdy; *dānena*—przez dobroczynność; *na*—nigdy; *ca*—również; *ijyayā*—przez czczenie; *śakyaḥ*—jest możliwe; *evam-vidhaḥ*—jak to; *draṣṭum*—zobaczyć; *dṛṣṭavān*—widząc; *asi*—jesteś; *mām*—Mnie; *yathā*—jak.

**Postaci tej, którą teraz oglądasz swoimi transcendentalnymi oczyma, nie można poznać ani przez studiowanie Ved, ani przez odprawianie srogich pokut, ani przez dobroczynność, ani przez praktykowanie kultu. Nie są to środki, poprzez które można zobaczyć Mnie takim, jakim jestem naprawdę.**

*ZNACZENIE:* Kṛṣṇa najpierw pojawił się przed Swoimi rodzicami, Devakī i Vasudevą, w postaci czterorękiej, a następnie przyjął formę dwuręką. Tajemnicy tej nie mogą zrozumieć ateiści i osoby nie pełniące służby oddania. Nie mogą zrozumieć Kṛṣny naukowcy, którzy studiowali literaturę wedyjską drogą spekulacji albo tylko ze zwykłego, akademickiego zainteresowania. Nie może zostać On zrozumiany przez tych, którzy uczęszczają do świątyni i czczą Pana tylko na pokaz. Odwiedzają świątynię, jednakże nie mogą poznać Kṛṣṇy takim, jakim On jest naprawdę. Kṛṣṇę można zrozumieć i poznać jedynie poprzez ścieżkę służby oddania, tak jak Sam Kṛṣṇa informuje nas o tym w następnym wersecie.

**TEKST 54** भक्त्या त्वनन्यया शक्य अहमेवंविधोऽर्जुन ।
ज्ञातुं द्रष्टुं च तत्त्वेन प्रवेष्टुं च परन्तप ॥५४॥

*bhaktyā tv ananyayā śakya aham evaṁ-vidho 'rjuna*
*jñātuṁ draṣṭuṁ ca tattvena praveṣṭuṁ ca parantapa*

*bhaktyā*—przez służbę oddania; *tu*—ale; *ananyayā*—nie będąc zmieszaną z pracą dla zysku, ani wiedzą spekulacyjną; *śakyaḥ*—możliwy; *aham*—Ja; *evam-vidhaḥ*—w ten sposób; *arjuna*—O Arjuno; *jñātum*—wiedzieć; *draṣṭum*—zobaczyć; *ca*—i; *tattvena*—prawdziwie; *praveṣṭum*—przeniknąć; *ca*—również; *parantapa*—O potężny.

**Mój drogi Arjuno, tylko poprzez niepodzielną służbę oddania można Mnie zrozumieć takim, jakim jestem, i zobaczyć bezpośrednio, tak jak teraz ty Mnie oglądasz, stojącego oto przed tobą. Tylko tym sposobem można przeniknąć tajemnicę Mojego poznania.**

*ZNACZENIE:* Kṛṣṇę poznać można jedynie poprzez proces niepodzielnej służby oddania. Najwyższy Pan dobitnie tłumaczy to w tym wersecie, tak aby nie było żadnych wątpliwości—aby nieautoryzowani komentatorzy próbujący zrozumieć *Bhagavad-gītę* drogą spekulacji uświadomili sobie, że w ten sposób jedynie tracą swój czas. Nikt nie może zrozumieć Kṛṣṇy ani tego, w jaki sposób pojawił się przed Swoimi rodzicami w postaci czterorękiej i natychmiast potem przyjął postać dwuręką. Bardzo trudno jest zrozumieć te rzeczy poprzez studiowanie *Ved* czy filozoficzne spekulacje. Dlatego wyraźnie zostało powiedziane tutaj, że nikt nie może Go zobaczyć ani zrozumieć. Doświadczeni studenci literatury wedyjskiej mogą jednak uczyć się o Nim z tej literatury na wiele różnych sposobów. Jest tam wiele różnych zasad i przepisów, i jeśli ktoś w ogóle chce zrozumieć Kṛṣṇę, musi stosować się do tych zasad. Można zgodnie z tymi zasadami praktykować pokuty. Na przykład taką poważną pokutą jest przestrzeganie postu w Janmāṣṭamī (dzień pojawienia się Kṛṣṇy) i podczas dwóch dni Ekādaśī (przypadających na jedenasty dzień po nowiu i jedenasty dzień po pełni). Jeśli chodzi o dobroczynność, to jest rzeczą oczywistą, że wspomagać należy wielbicieli Kṛṣṇy, którzy zaangażowani są w służbę oddania dla Niego i szerzą świadomość i filozofię Kṛṣṇy na całym świecie. Świadomość Kṛṣṇy jest bowiem dobrodziejstwem dla całej ludzkości. Rūpa Gosvāmī uważał Pana Caitanyę za najbardziej hojnego w dobroczynności, gdyż za darmo rozdzielał on miłość Kṛṣṇy, którą tak niezwykle trudno osiągniąć. Więc jeśli ktoś daje pewną sumę pieniędzy osobom zaangażowanym w propagowanie świadomości Kṛṣṇy, to taka dobroczynność jest najwyższą w świecie. Jeśli ktoś praktykuje kult świątynny czcząc Najwyższą Osobę Boga (w świątyniach w Indiach zawsze znajduje się jakiś posąg, najczęściej Viṣṇu albo Kṛṣṇy), to jest to szansa na zrobienie postępu. Kult świątynny jest bardzo istotny dla początkujących w służbie oddania dla Pana, i potwierdza to literatura wedyjska (*Śvetāśvatara Upaniṣad* 6.23):

*yasya deve parā bhaktir yathā deve tathā gurau*
*tasyaite kathitā hy arthāḥ prakāśante mahātmanaḥ*

Zobaczyć Najwyższą Osobę Boga drogą objawienia może ten, kto posiada niezachwiane oddanie dla Najwyższego Pana i kierowany jest przez mistrza duchowego, w którego również niezachwianie wierzy. Nie można zrozumieć Kṛṣṇy poprzez spekulacje umysłowe. Dla tego, kto nie jest szkolony pod kierunkiem bona fide mistrza duchowego, niemożliwością jest nawet niewielkie zrozumienie Kṛṣṇy. Słowo *tu* zostało użyte w tym wersecie celowo, aby podkreślić, że żaden inny sposób nie jest praktyczny czy polecany i nie może skończyć się sukcesem, jeśli chodzi o zrozumienie Kṛṣṇy.

Osobowe formy Kṛṣṇy, postać dwuręka i czteroręka, są całkowicie różne od tymczasowej formy kosmicznej ukazanej Arjunie. Formą czteroręką jest Nārāyaṇa, a dwuręką Kṛṣṇa. Są to formy wieczne i transcendentalne, podczas gdy forma kosmiczna, która została objawiona Arjunie, jest przemijająca. Samo słowo *su-durdarśam* ("trudna do zobaczenia"), wskazuje na to, że nikt nie widział tej formy kosmicznej, jak również daje do zrozumienia, że nie było potrzeby ukazywania jej wielbicielom. Formę tę objawił Kṛṣṇa na prośbę Arjuny i teraz wiadomo, że gdy ktoś w przyszłości będzie podawał się za inkarnację Boga, ludzie będą mogli poprosić go o ukazanie im formy kosmicznej.

Słowo *na* używane wielokrotnie w poprzednim wersecie wskazuje na to, że nie należy być dumnym z takich przymiotów, jak akademickie wykształcenie w literaturze wedyjskiej. Należy podjąć służbę oddania dla Kṛṣṇy i dopiero wówczas można usiłować pisać komentarze do *Bhagavad-gīty*.

Kṛṣṇa zmienia postać kosmiczną na czteroręką postać Nārāyaṇa, a następnie na Swoją właściwą postać dwuręką. Jest to dowodem na to, że czteroręki formy, jak również inne opisane w literaturze wedyjskiej, wszystkie są emanacjami oryginalnego dwurękiego Kṛṣṇy. On jest źródłem wszelkich emanacji. Kṛṣṇa jest różny nawet od tych form, nie mówiąc już o koncepcji impersonalistycznej. Jeśli chodzi o czterorękie formy Kṛṣṇy, to jest wyraźnie powiedziane, że nawet najbardziej podobna do formy oryginalnej, czteroręka postać Kṛṣṇy (znany jako Mahā-Viṣṇu spoczywający w oceanie kosmicznym, którego wydech daje początek, a wdech stanowi kres niezliczonej ilości wszechświatów) również jest ekspansją Najwyższego Pana. Jak oznajmia *Brahma-saṁhitā* (5.48),

*yasyaika-niśvasita-kālam athāvalambya*
*jīvanti loma-vila-jā jagad-aṇḍa-nāthāḥ*
*viṣṇur mahān sa iha yasya kalā-viśeṣo*
*govindam ādi-puruṣaṁ tam ahaṁ bhajāmi*

"Mahā-Viṣṇu, z którym łączą się niezliczone wszechświaty, i z którego ponownie się wyłaniają—po prostu w czasie Jego procesu oddychania—jest pełną ekspansją Kṛṣṇy. Dlatego wielbię Govindę, Kṛṣṇę, przyczynę wszystkich przyczyn." Należy zatem bezwzględnie czcić osobową formę Kṛṣṇy jako Najwyższą Osobę Boga, który jest pełen wiecznego szczęścia i wiedzy. Jest On źródłem wszystkich form Viṣṇu oraz wszystkich inkarnacji. I On jest oryginalną Najwyższą Osobą, jak potwierdza to *Bhagavad-gītā*.

W literaturze wedyjskiej (*Gopāla-tāpanī Upaniṣad* 1.1) pojawia się następujące stwierdzenie:

*sac-cid-ānanda-rūpāya kṛṣṇāyākliṣṭa-kāriṇe*
*namo vedānta-vedyāya gurave buddhi-sākṣiṇe*

"Ofiarowuję moje pokorne pokłony Kṛṣṇie, który ma transcendentalną formę szczęścia, wieczności i wiedzy. Ofiarowuję mu swoje wyrazy szacunku, ponieważ zrozumienie Go oznacza zrozumienie *Ved*, a zatem On jest najwyższym mistrzem duchowym." Następnie jest powiedziane: *kṛṣṇo vai paramaṁ daivatam:* "Kṛṣṇa jest Najwyższą Osobą Boga." (*Gopāla-tāpanī* 1.3) *Eko vaśī sarva-gaḥ kṛṣṇa īḍyaḥ*: "Właśnie ten Kṛṣṇa jest Najwyższą Osobą Boga i jest On godny czci." *Eko 'pi san bahudhā yo 'vabhāti*: "Kṛṣṇa jest jeden, ale manifestuje się w nieograniczonych formach i inkarnacjach." (*Gopāla-tāpanī* 1.21)

*Brahma-saṁhitā* (5.1) mówi:

*īśvaraḥ paramaḥ kṛṣṇaḥ sac-cid-ānanda-vigrahaḥ*
*anādir ādir govindaḥ sarva-kāraṇa-kāraṇam*

"Najwyższą Osobą Boga jest Kṛṣṇa, którego ciało jest wiecznością, wiedzą i szczęściem. Nie ma On początku, gdyż Sam jest początkiem wszystkiego. Jest On przyczyną wszystkich przyczyn."

Gdzie indziej jest powiedziane, *yatrāvatīrṇaṁ kṛṣṇākhyaṁ paraṁ brahma narākṛti*: "Najwyższa Prawda Absolutna jest osobą. Jego imię jest Kṛṣṇa, i czasami zdarza się, że schodzi On na tę Ziemię." *Śrīmad-Bhāgavatam* daje opis wielu różnych inkarnacji Najwyższej Osoby Boga i na tej liście pojawia się również imię Kṛṣṇa, ale zarazem jest tam powiedziane, że Kṛṣṇa nie jest inkarnacją Boga, ale jest Samą oryginalną Najwyższą Osobą Boga (*ete cāṁśa-kalāḥ puṁsaḥ kṛṣṇas tu bhagavān svayam*).

Pan mówi również w *Bhagavad-gīcie*, *mattaḥ parataraṁ nānyat*: "Nie ma nic wyższego od Mojej formy Osoby Boga, Kṛṣṇy." Gdzie indziej w *Bhagavad-gīcie* mówi On też, *aham ādir hi devānām*: "Ja jestem źródłem wszystkich półbogów." A po wysłuchaniu *Bhagavad-gīty* od Kṛṣṇy, Arjuna również potwierdza to następującymi słowami: *paraṁ brahma paraṁ dhāma pavitraṁ paramaṁ bhavān*, "Teraz całkowicie rozumiem, że Ty jesteś Najwyższą Osobą Boga, Absolutną Prawdą, i że jesteś schronieniem wszystkiego." Zatem forma kosmiczna, którą Kṛṣṇa ukazał Arjunie, nie jest oryginalną formą Boga. Oryginalną formą jest postać Kṛṣṇy. Forma kosmiczna z tysiącami głów i rąk jest manifestowana po to, aby przyciągnąć uwagę tych, którzy nie mają miłości do Boga. Nie jest ona jednak oryginalną formą Boga.

Forma kosmiczna nie jest atrakcyjna dla czystych wielbicieli, którzy mają różne transcendentalne związki miłości z Panem. Najwyższy Pan odwzajemnia miłość transcendentalną w Swojej oryginalnej formie Kṛṣṇy. Dlatego dla Arjuny, który był tak blisko związany z Kṛṣṇą uczuciem przyjaźni, forma manifestacji kosmicznej nie była zadowalająca; była to raczej postać przerażająca. Arjuna, który jest nieodłącznym towarzyszem Kṛṣṇy, musiał mieć wzrok transcendentalny; nie był on zwykłym człowiekiem. Dlatego nie zachwycił się formą kosmiczną. Forma ta może wydawać się wspaniałą dla osób, które poprzez czyny przynoszące owoce dążą do zdobycia wyższej pozycji. Ale dla osób, które zaangażowane są w służbę oddania, najdroższą jest dwuręka postać Kṛṣṇy.

## TEKST 55

मत्कर्मकृन्मत्परमो मद्भक्तः संगवर्जितः ।
निर्वैरः सर्वभूतेषु यः स मामेति पाण्डव ॥५५॥

*mat-karma-kṛn mat-paramo mad-bhaktaḥ saṅga-varjitaḥ*
*nirvairaḥ sarva-bhūteṣu yaḥ sa mām eti pāṇḍava*

*mat-karma-kṛt*—zaangażowany w wykonywanie Mojej pracy; *mat-paramaḥ*—uważając Mnie za Najwyższego; *mat-bhaktaḥ*—zaangażowany w służbę oddania dla Mnie; *saṅga-varjitaḥ*—wolny od zanieczyszczeń pracy karmicznej i spekulacji umysłowej; *nirvairaḥ*—nie mający wroga; *sarva-bhūteṣu*—pomiędzy wszystkimi żywymi istotami; *yaḥ*—ten, kto; *saḥ*—on; *mām*—do Mnie; *eti*—przychodzi; *pāṇḍava*—O synu Pāṇḍu.

**Mój drogi Arjuno, kto zaangażowany jest w służbę oddania dla Mnie, wolnej od zanieczyszczeń pracą karmiczną i od spekulacji umysłowych, i kto pracuje dla Mnie i Mnie czyni najwyższym celem swego życia, i kto jest przyjacielem każdej żywej istoty, ten z pewnością przyjdzie do Mnie.**

*ZNACZENIE:* Każdy, kto chce się zbliżyć do najwyższego spośród wszystkich Osób Boga, zamieszkującego na planecie Kṛṣṇaloka w niebie duchowym, i być w bliskim związku z Najwyższą Osobą, Kṛṣṇą, musi przyjąć tę formułę wypowiedzianą przez Samego Najwyższego. Dlatego werset ten uważany jest za esencję całej *Bhagavad-gīty*. *Bhagavad-gītā* jest książką przeznaczoną dla dusz uwarunkowanych, które trudzą się w tym materialnym świacie, powodowane pragnieniem panowania nad naturą materialną, i nie posiadają wiedzy o prawdziwym duchowym życiu. Celem *Bhagavad-gīty* jest poinformowanie ludzi, w jaki sposób mogą zrozumieć oni swoje życie duchowe i swój związek z najwyższą osobą duchową. *Bhagavad-gītā* pragnie pouczyć ich, w jaki sposób mogą powrócić do domu, do Boga. Werset ten wyraźnie informuje, że procesem, poprzez który można osiągnąć sukces w swoich czynnościach duchowych, jest służba oddania.

Jeśli chodzi o pracę, to całą swoją energię należy zaangażować w czynności w świadomości Kṛṣṇy. Jak oznajmia *Bhakti-rasāmṛta-sindhu* (2.255),

*anāsaktasya viṣayān yathārham upayuñjataḥ*
*nirbandhaḥ kṛṣṇa-sambandhe yuktaṁ vairāgyam ucyate*

Nikt nie powinien wykonywać żadnej pracy nie mającej związku z Kṛṣṇą. Nazywa się to *kṛṣṇa-karmą*. Można być zaangażowanym w różne czynności, ale nie należy przywiązywać się do rezultatów swojej pracy. Efekty powinny być poświęcane Jemu. Na przykład, jeśli ktoś prowadzi jakiś interes i chce zmienić swoje zajęcia na zajęcia w świadomości Kṛṣṇy, to musi on zajmować się interesami dla Kṛṣṇy. Bo skoro Kṛṣṇa jest właścicielem tego interesu, to ma On prawo korzystać z zysków, które interes ten przynosi. Jeśli jakiś człowiek interesu jest w posiadaniu tysięcy dolarów i jeśli chce to wszystko ofiarować Kṛṣṇie, może to zrobić. Będzie to praca dla Kṛṣṇy. Zamiast budować ogromny budynek dla zadowalania własnych zmysłów, może skonstruować świątynię dla Kṛṣṇy, zainstalować w niej Bóstwo Kṛṣṇy i zapewnić odpowiednią dla Niego służbę, tak jak polecają to autoryzowane książki o służbie oddania. Wszystko to jest *kṛṣṇa-karmą*. Nie należy przywiązywać się do rezultatów swojej pracy, ale trzeba ofiarowywać je Kṛṣṇie. Należy również przyjmować jako *prasādam* pozostałości pokarmu ofiarowanego Panu. Jeśli ktoś wznosi ogromny budynek dla Kṛṣṇy i instaluje tam Bóstwo Kṛṣṇy, sam może w nim również zamieszkać, ale za właściciela tego budynku uważany jest Kṛṣṇa. To zwie się świadomością Kṛṣṇy. Jeśli ktoś nie jest w stanie skonstruować świątyni dla Kṛṣṇy, może zaangażować się w sprzątanie takiej świątyni; to również jest *kṛṣṇa-karmą*. Ktoś może uprawiać ogród. Każdy, kto ma ziemię (w Indiach każdy biedny człowiek ma jakiś skrawek ziemi) może uprawiać ją dla Kṛṣṇy, hodując na niej kwiaty, by potem ofiarować je Panu. Można zasiać roślinę *tulasī*, gdyż liście *tulasī* mają bardzo duże znaczenie i Kṛṣṇa poleca to w *Bhagavad-gīcie*. *Patraṁ puṣpaṁ phalaṁ toyam*. Kṛṣṇa pragnie, aby ofiarować Mu liść albo kwiat, czy trochę wody—i zadowala się tym. Gdy mowa o liściu, chodzi tu szczególnie o liść *tulasī*. Więc ktoś może zasiać i podlewać roślinę *tulasī*. W służbę dla Kṛṣṇy może zaangażować się nawet najbiedniejszy człowiek. Podaliśmy więc parę przykładów tego, w jaki sposób można zaangażować się w służbę dla Kṛṣṇy.

Słowo *mat-paramaḥ* odnosi się do tego, kto uważa obcowanie z Kṛṣṇą w Jego najwyższej duchowej siedzibie za najwyższą doskonałość życia. Taka osoba nie pragnie dostać się na wyższe planety, takie jak księżyc, słońce czy planety niebiańskie, czy nawet na najwyższą planetę tego wszechświata, Brahmalokę—nie jest ona tym zainteresowana. Przyciąga ją tylko niebo duchowe. A nawet w niebie duchowym nie zadowala jej połączenie się z blaskiem *brahmajyoti*, gdyż pragnie dostać się na najwyższą planetę duchową, mianowicie na Kṛṣṇalokę, Golokę Vṛndāvanę. Mając pełną wiedzę o tej planecie, nie jest zainteresowana żadną inną. Jak wskazuje na to słowo *mad-bhaktaḥ*, jest ona całkowicie zaangażowana w służbę oddania, szczególnie w dziewięć procesów służby oddania: słuchanie, intonowanie, pamiętanie, wielbienie, służenie lotosowym stopom Pana, ofiarowywanie modlitw, wypełnianie rozkazów Pana, bycie przyjacielem Pana i poświęcanie wszystkiego Panu. Można zaangażować się we wszystkie dziewięć procesów służby oddania, w osiem, siedem albo przynajmniej jeden—i w ten sposób osiągnąć doskonałość.

Bardzo znaczące jest wyrażenie *saṅga-varjitaḥ*. Nie należy obcować z osobami, które są przeciwne Kṛṣṇie. A takimi są nie tylko ateiści, ale również ci, którzy przywiązani są do czynności przynoszących zyski, i spekulanci umysłowi. Dlatego czysta służba oddania opisana jest w *Bhakti-rasāmṛta-sindhu* (1.1.11) jak następuje:

*anyābhilāṣitā-śūnyaṁ jñāna-karmādy-anāvṛtam*
*ānukūlyena kṛṣṇānu- śīlanaṁ bhaktir uttamā*

W wersecie tym Śrīla Rūpa Gosvāmī wyraźnie oznajmia, że jeśli ktoś chce pełnić czystą służbę oddania, musi być on wolny od wszelkiego rodzaju zanieczyszczeń materialnych. Musi uwolnić się od towarzystwa osób, które przywiązane są do pracy dla zysków czy do spekulacji umysłowych. Kiedy ktoś, uwolniwszy się od takich niepożądanych związków i od zanieczyszczeń pragnieniami materialnymi, pomyślnie kultywuje wiedzę o Kṛṣṇie, to nazywane jest to czystą służbą oddania. *Ānukūlyasya saṅkalpaḥ prātikūlyasya varjanam* (*Hari-bhakti-vilāsa* 11.676). Należy myśleć o Kṛṣṇie i robić wszystko dla Niego w sposób życzliwy, bez niechęci. Kaṁsa był wrogiem Kṛṣṇy. Już od momentu Jego narodzin wielokrotnie usiłował Go zabić, uciekając się do różnych sposobów. A ponieważ nigdy to mu się nie udawało, zawsze myślał o Kṛṣṇie. Więc podczas pracy, jedzenia i snu zawsze był świadomy Kṛṣṇy, pod każdym względem. Ale taka świadomość Kṛṣṇy nie była pomyślna. Cóż z tego, że myślał o Kṛṣṇie przez dwadzieścia cztery godziny na dobę? Był uważany za demona i Kṛṣṇa w końcu go zabił. Oczywiście każdy, kto zostaje zabity przez Kṛṣṇę, natychmiast osiąga zbawienie, ale nie jest to celem czystego wielbiciela. Czysty wielbiciel nie pragnie nawet zbawienia. Nie pragnie on nawet przenieść się na najwyższą planetę, Golokę Vṛndāvanę. Jedynym jego celem jest bezustanne pełnienie służby dla Kṛṣṇy, bez względu na to, gdzie się znajduje.

Wielbiciel Kṛṣṇy żywi uczucie przyjaźni do każdego. Dlatego powiedziane jest tutaj, że nie ma on wrogów (*nirvairaḥ*). Dlaczego tak jest? Wielbiciel świadomy Kṛṣṇy wie, że jedynie służba oddania dla Pana może uwolnić każdego od wszystkich problemów życia. Doświadcza on tego osobiście i dlatego pragnie zaprowadzić ten system świadomości Kṛṣṇy w całym społeczeństwie ludzkim. W historii jest wiele przykładów wielbicieli Pana, którzy ryzykowali życiem, szerząc świadomość Boga. Doskonałym przykładem jest Jezus Chrystus. Został on ukrzyżowany przez grzeszników, ale poświęcił swoje życie dla głoszenia świadomości Boga. Oczywiście powierzchownym byłoby rozumienie, że został on zabity. Również w Indiach jest wiele przykładów takich osób, jak Ṭhākura Haridāsa i Prahlāda Mahārāja. Dlaczego podejmowali oni tak wielkie ryzyko? Ponieważ chcieli szerzyć świadomość Kṛṣṇy, a to nie jest łatwe. Osoba świadoma Kṛṣṇy wie, że jeśli jakiś człowiek cierpi, to dlatego, że zapomniał o swoim wiecznym związku z Kṛṣṇą. Zatem największym dobrodziejstwem, którym można obdarzyć ludzkie społeczeństwo, jest wyzwalanie swoich bliźnich ze wszystkich problemów materialnych. W taki oto sposób czysty wielbiciel jest zaangażowany w służbę dla Pana. Możemy sobie wyobrazić, jak bardzo łaskawy jest Kṛṣṇa dla zaangażowanych w Jego służbę, ryzykujących dla Niego wszystkim. Dlatego jest rzeczą pewną, że takie osoby, po opuszczeniu tego ciała, muszą osiągnąć najwyższą planetę.

Podsumowując: Kṛṣṇa ukazał Swoją kosmiczną formę (która jest manifestacją tymczasową), formę wszech-pochłaniającego czasu i formę czteroramiennego Viṣṇu. Zatem Kṛṣṇa jest źródłem wszystkich tych manifestacji. Kṛṣṇa nie jest manifestacją *viśva-rūpy*, czy Viṣṇu. Kṛṣṇa jest źródłem wszystkich tych form. Są setki i tysiące form Viṣṇu, ale dla wielbiciela Pana żadna z tych form, poza dwuręką oryginalną formą Śyāmasundary, nie ma znaczenia. *Brahma-saṁhitā* oznajmia, że ci, którzy z oddaniem i miłością przywiązani są do Kṛṣṇy w postaci Śyāmasundary, zawsze mogą oglądać Go w swoim sercu i nie widzą niczego poza Nim. Należy zatem zrozumieć, iż celem tego Jedenastego Rozdziału jest wyjaśnienie, iż oryginalna postać Kṛṣṇy jest zasadniczą i najwyższą.

W ten sposób Bhaktivedanta kończy objaśnienia do Jedenastego Rozdziału *Śrīmad Bhagavad-gīty*, traktującego o Formie kosmicznej.

# ROZDZIAŁ XII

# Służba Oddania

**TEKST 1**

अर्जुन उवाच
एवं सततयुक्ता ये भक्तास्त्वां पर्युपासते ।
ये चाप्यक्षरमव्यक्तं तेषां के योगवित्तमाः ॥१॥

*arjuna uvāca*
*evaṁ satata-yuktā ye bhaktās tvāṁ paryupāsate*
*ye cāpy akṣaram avyaktaṁ teṣāṁ ke yoga-vittamāḥ*

*arjunaḥ uvāca*—Arjuna rzekł; *evam*—zatem; *satata*—zawsze; *yuktāḥ*—zaangażowani; *ye*—ci, którzy; *bhaktāḥ*—wielbiciele; *tvām*—Ciebie; *paryupāsate*—właściwie wielbią; *ye*—ci, którzy; *ca*—również; *api*—ponownie; *akṣaram*—poza zmysłami; *avyaktam*—niezamanifestowany; *teṣām*—z nich; *ke*—którzy; *yoga-vit-tamāḥ*—najbardziej doskonali w wiedzy o *yodze.*

**Arjuna zapytał: Kto jest bardziej doskonały, ci, którzy są właściwie zaangażowani w służbę oddania dla Ciebie, czy też ci, którzy wielbią niezamanifestowanego, bezosobowego Brahmana?**

*ZNACZENIE:* Do tej pory Kṛṣṇa wytłumaczył aspekt osobowy i bezosobowy Boga oraz formę kosmiczną i opisał wszystkie typy bhaktów (wielbicieli) i *yogīnów*. Ogólnie rzecz biorąc, transcendentalistów można podzielić na dwie grupy: impersonalistów i wielbicieli Boga osobowego. Wielbiciele Boga osobowego angażują całą swoją energię w służbę dla Najwyższego Pana. Impersonaliści nie angażują się bezpośrednio w służbę dla Kṛṣṇy, ale oddają się medytacji o niezamanifestowanym, bezosobowym Brahmanie.

Dowiemy się z tego rozdziału, że spośród różnych procesów realizacji Prawdy Absolutnej najdoskonalszym jest *bhakti-yoga*, czyli służba oddania. Jeśli ktoś w ogóle pragnie obcować z Najwyższą Osobą Boga, musi przyjąć służbę oddania.

Ci, którzy bezpośrednio wielbią Najwyższego Pana, pełniąc służbę oddania, nazywani są wyznawcami Osoby Boga. Natomiast impersonalistami nazywani są ci, którzy oddają się medytacji o bezosobowym Brahmanie. Arjuna pyta teraz, która z tych dwóch pozycji jest lepsza. Są różne sposoby realizowania Prawdy Absolutnej, ale w tym rozdziale Kṛṣṇa zapewnia, że *bhakti-yoga*, czyli służba oddania dla Niego—jest najwyższą ze wszystkich dróg. Jest to najszybszy i najłatwiejszy środek do osiągnięcia towarzystwa Boga.

W Rozdziale Drugim Pan tłumaczył, że żywa istota nie jest tym materialnym ciałem, ale jest iskrą duchową. A Absolutna Prawda jest duchową całością. W Rozdziale Siódmym mówi też, że żywa istota jest integralną cząstką najwyższej całości i poleca, aby zwróciła ona całą swoją uwagę w kierunku owej całości. Rozdział Ósmy oznajmia, że każdy kto myśli o Kṛṣṇie w momencie śmierci, zostaje natychmiast przeniesiony do świata duchowego, siedziby Kṛṣṇy. A w końcu Szóstego Rozdziału Pan mówi, że spośród wszystkich *yogīnów*, ten, który myśli o Kṛṣṇie w głębi siebie, uważany jest za najbardziej doskonałego. Więc cała *Gītā* poleca oddanie dla osobowej formy Kṛṣṇy jako najwyższą formę realizacji duchowej.

Są jednak i tacy, którzy nie są przyciągani do osobowej formy Kṛṣṇy. Są jej tak bardzo niechętni, że nawet przygotowując komentarze do *Bhagavad-gīty*, chcą również innych odciągnąć od Kṛṣṇy i skierować całe ich oddanie do bezosobowego *brahmajyoti*. Wolą medytować o bezosobowej formie Absolutnej Prawdy, która jest niezamanifestowana i poza percepcją zmysłową.

Zatem są dwa typy transcendentalistów. Arjuna pragnie dowiedzieć się, który z tych procesów jest łatwiejszy, i który z tych dwóch typów transcendentalistów jest bardziej doskonały. Innymi słowy, wyjaśnia swoją pozycję, gdyż on przywiązany jest do osobowej formy Kṛṣṇy. Nie jest zainteresowany bezosobowym Brahmanem. Chce wiedzieć, czy jego pozycja jest bezpieczna. Medytacja o manifestacji bezosobowej, czy to w świecie materialnym, czy duchowym, jest kłopotliwa. W rzeczywistości nie można doskonale pojąć bezosobowej cechy Prawdy Absolutnej. Dlatego Arjuna chce powiedzieć, "Jaki jest pożytek z takiej straty czasu?" Arjuna doświadczył w Rozdziale Jedenastym, że najlepiej być przywiązanym do osobowej formy Kṛṣṇy, gdyż tym samym mógł on poznać wszystkie inne formy. I jednocześnie nie została zakłócona jego miłość do Kṛṣṇy. To ważne pytanie, które Arjuna zadał Kṛṣṇie, wyjaśnia różnicę pomiędzy osobową i bezosobową koncepcją Prawdy Absolutnej.

**TEKST 2** श्रीभगवानुवाच
मय्यावेश्य मनो ये मां नित्ययुक्ता उपासते ।
श्रद्धया परयोपेतास्ते मे युक्ततमा मताः ॥२॥

*śrī-bhagavān uvāca*
*mayy āveśya mano ye māṁ nitya-yuktā upāsate*
*śraddhayā parayopetās te me yuktatamā matāḥ*

*śrī-bhagavān uvāca*—Najwyższa Osoba Boga rzekł; *mayi*—na Mnie; *āveśya*—skupiając; *manaḥ*—umysł; *ye*—ten, kto; *mām*—Mnie; *nitya*—zawsze; *yuktāḥ*—zaangażowany; *upāsate*—wielbi; *śraddhayā*—z wiarą; *parayā*—transcendentalna; *upetāḥ*—wyposażony; *te*—oni; *me*—przeze Mnie; *yukta-tamāḥ*—najbardziej doskonały w *yodze; matāḥ*—są uważani.

**Najwyższa Osoba Boga rzekł: Kto wielbi Mnie zawsze z wielką i transcendentalną wiarą, którego umysł skupiony jest na Mojej osobowej formie, tego uważam za najbardziej doskonałego.**

*ZNACZENIE:* W odpowiedzi na pytanie Arjuny, Kṛṣṇa wyraźnie mówi, że kto koncentruje się na Jego osobowej formie i kto wielbi Go z wiarą i oddaniem, ten ma być uważany za najbardziej doskonałego w *yodze*. Jeśli ktoś posiada taką świadomość Kṛṣṇy, to żadne jego czyny nie mogą uchodzić za materialne, albowiem wszystko robi on dla Kṛṣṇy. Czysty wielbiciel jest bezustannie zajęty: czasami intonuje; czasami słucha albo czyta książki o Kṛṣṇie; czasami gotuje *prasādam* albo idzie na targ, by kupić coś dla Kṛṣṇy; czasami sprząta świątynię albo zmywa naczynia. Cokolwiek robi, wszystko poświęca Kṛṣṇie, nie dopuszczając do tego, by nawet pojedyncza chwila minęła, w której nie zrobiłby czegoś dla Kṛṣṇy. Takie działanie jest działaniem w pełnym *samādhi*.

**TEKSTY 3-4** ये त्वक्षरमनिर्देश्यमव्यक्तं पर्युपासते ।
सर्वत्रगमचिन्त्यं च कूटस्थमचलं ध्रुवम् ॥३॥
सन्नियम्येन्द्रियग्रामं सर्वत्र समबुद्धयः ।
ते प्राप्नुवन्ति मामेव सर्वभूतहिते रताः ॥४॥

*ye tv akṣaram anirdeśyam avyaktaṁ paryupāsate*
*sarvatra-gam acintyaṁ ca kūṭa-stham acalaṁ dhruvam*

*sanniyamyendriya-grāmaṁ sarvatra sama-buddhayaḥ*
*te prāpnuvanti mām eva sarva-bhūta-hite ratāḥ*

*ye*—ci, którzy; *tu*—ale; *akṣaram*—to, co jest poza postrzeganiem zmysłowym; *anirdeśyam*—nieokreślony; *avyaktam*—niezamanifestowany; *paryupāsate*—całkowicie angażuje się w wielbienie; *sarvatra-gam*—wszechprzenikający; *acintyam*—niepojęty; *ca*—również; *kūṭa-stham*—niezmienny; *acalam*—nieruchomy; *dhruvam*—stały; *sanniyamya*—kontrolując; *indriya-grāmam*—wszystkie zmysły; *sarvatra*—wszędzie; *sama-buddhayaḥ*—jednakowo ustosunkowany; *te*—oni; *prāpnuvanti*—osiągają; *mām*—Mnie; *eva*—na pewno; *sarva-bhūta-hite*—dla dobra wszystkich żywych istot; *ratāḥ*—zaangażowany.

**Ale ci, którzy całkowicie oddali się wielbieniu niezamanifestowanego, niepoznawalnego przez zmysły, wszechprzenikającego, niepojętego, niezmiennego, trwałego i niewzruszonego (bezosobowej koncepcji Prawdy Absolutnej), kontrolując wszystkie zmysły i będąc jednakowo ustosunkowanymi do wszystkich—i takie osoby, mające na względzie dobro wszystkich, w końcu Mnie osiągają.**

*ZNACZENIE:* Ci, którzy wielbią Najwyższego Boga, Kṛṣṇę, nie bezpośrednio, ale próbują osiągnąć Go przez proces pośredni, ostatecznie również osiągają najwyższy cel, Śrī Kṛṣṇę, gdyż zostało powiedziane: "Po wielu narodzinach człowiek wiedzy szuka schronienia we Mnie, wiedząc, że Vāsudeva jest wszystkim." Kiedy jakaś osoba po wielu narodzinach dochodzi do pełnej wiedzy, podporządkowuje się wtedy Panu Kṛṣṇie. Jeśli ktoś zbliża się do Boga metodą wspomnianą w tym wersecie, musi kontrolować zmysły, pełnić służbę dla każdego i zaangażować się w zajęcia pomyślne dla wszystkich żywych istot. W końcu osoba taka musi zbliżyć się do Pana Kṛṣny, gdyż w przeciwnym wypadku realizacja jej nie będzie doskonała. Często całkowite podporządkowanie się Kṛṣṇie poprzedzone jest wieloma pokutami.

Aby dostrzec Duszę Najwyższą wewnątrz duszy indywidualnej, trzeba wyrzec się wszelkich zmysłowych czynności, takich jak patrzenie, słuchanie, smakowanie, praca itd. Wtedy osiąga się zrozumienie, że Dusza Najwyższa obecna jest wszędzie. Osoba, która to zrealizowała, nie zazdrości żadnej żywej istocie—nie widzi różnicy pomiędzy człowiekiem i zwierzęciem, ponieważ widzi jedynie duszę, a nie jej zewnętrzne okrycie. Ale ta metoda impersonalistycznej realizacji duchowej jest drogą bardzo trudną dla zwykłego człowieka.

TEKST 5 क्लेशोऽधिकतरस्तेषामव्यक्तासक्तचेतसाम् ।
अव्यक्ता हि गतिर्दुःखं देहवद्भिरवाप्यते ॥५॥

*kleśo 'dhikataras teṣām avyaktāsakta-cetasām*
*avyaktā hi gatir duḥkhaṁ dehavadbhir avāpyate*

*kleśaḥ*—kłopoty; *adhika-taraḥ*—bardzo; *teṣām*—z nich; *avyakta*—do niezamanifestowanego; *āsakta*—są przywiązane; *cetasām*—tych, których umysły; *avyaktā*—ku niezamanifestowanemu; *hi*—z pewnością; *gatiḥ*—postęp; *duḥkham*—kłopotliwy; *deha-vadbhiḥ*—przez wcielonych; *avāpyate*—osiągany.

**Jednakowoż bardzo trudno jest zrobić postęp tym, których umysły przywiązane są do niezamanifestowanej, bezosobowej cechy Najwyższego Pana, gdyż podążanie tą ścieżką zawsze sprawia wiele kłopotów istotom wcielonym.**

*ZNACZENIE:* Transcendentaliści znajdujący się na ścieżce realizacji niepojętej, niezamanifestowanej cechy Najwyższego Pana nazywani są *jñāna-yogīnami*. A osoby posiadające pełną świadomość Kṛṣṇy, zaangażowane w służbę oddania dla Pana, nazywa się *bhakti-yogīnami*. Została tutaj wyraźnie zaznaczona różnica pomiędzy *jñāna-yogą* i *bhakti-yogą*. Proces *jñāna-yogi*, chociaż ostatecznie prowadzący do tego samego celu, jest bardzo kłopotliwy; podczas gdy ścieżka *bhakti-yogi*, proces bezpośredniej służby oddania dla Najwyższej Osoby Boga, jest naturalny i łatwiejszy dla wcielonej duszy. Dusza indywidualna przyjmuje wcielenia od czasów niepamiętnych, dlatego niełatwo przychodzi jej zrozumieć jedynie teoretycznie, że nie jest ciałem. W *bhakti-yodze* praktykuje się wielbienie Bóstwa Kṛṣṇy, dlatego, że w naszych umysłach utrwalona jest pewna koncepcja cielesna, którą można tutaj wykorzystać. Oczywiście wielbienie Najwyższej Osoby Boga w Jego formie w świątyni nie jest bałwochwalstwem. Literatura wedyjska informuje, że istnieje kult *saguṇa* i *nirguṇa*: kult Najwyższego posiadającego atrybuty lub nieposiadającego ich. Wielbienie Bóstwa w świątyni jest kultem *saguṇa*, gdzie Pan reprezentowany jest przez jakości materialne. Ale forma Pana, chociaż reprezentowana przez jakości materialne, takie jak kamień, drewno albo farba olejna, nie jest w rzeczywistości materialna. Taka jest absolutna natura Najwyższego Pana.

Można podać tutaj wulgarny przykład. Jeśli wrzucimy listy do jakiejś skrzynki pocztowej napotkanej gdzieś na jakiejś ulicy, to naturalnie dotrą one do miejsca przeznaczenia bez trudu. Ale jeśli wrzucimy te listy do jakiejkolwiek starej skrzynki albo imitacji skrzynki pocztowej nie zatwierdzonej przez urząd pocztowy, to nie możemy spodziewać się takiego samego efektu. Podobnie, Bóg ma autoryzowaną reprezentację w postaci Bóstwa, która nazywa się *arcā-vigraha*. Ta *arcā-vigraha* jest inkarnacją Najwyższego Pana. Bóg przyjmuje służbę poprzez tę formę. Pan jest wszechmocny i wszechpotężny, zatem poprzez Swoją inkarnację *arcā-vigraha* może On przyjąć służbę od wielbiciela, aby w ten sposób ułatwić mu pełnienie jej w uwarunkowanym stanie życia.

Wielbiciel nie ma więc trudności w szybkim i bezpośrednim zbliżeniu się do Najwyższego. Natomiast ścieżka tych, którzy przyjęli bezosobowy sposób realizacji duchowej, jest bardzo trudna. Muszą oni zrozumieć niezamanifestowaną reprezentację Najwyższego, studiując taką literaturę wedyjską jak *Upaniṣady*; muszą nauczyć się sanskrytu; zrozumieć niepostrzegalne uczucia i muszą zrealizować wszystkie te procesy. Nie jest to łatwe dla zwykłego człowieka. Natomiast osoba w świadomości Kṛṣṇy, zaangażowana w służbę oddania, jedynie poprzez poddanie się przewodnictwu bona fide mistrza duchowego, składanie pokłonów przed Bóstwem, słuchanie o chwalebnych czynach Pana i jedzenie pozostałości pokarmu ofiarowanego Panu—bez trudu realizuje Najwyższą Osobę Boga. Nie ma wątpliwości co do tego, że impersonaliści niepotrzebnie przyjmują trudniejszą drogę, ryzykując tym, że ostatecznie mogą nie zrealizować Prawdy Absolutnej. Natomiast wielbiący Boga osobowego, bez żadnego ryzyka, kłopotu czy trudności, bezpośrednio zbliżają się do Najwyższej Osoby. Podobne stwierdzenie znajduje się w *Śrīmad-Bhāgavatam*. Powiedziane jest tam, że jeśli ktoś ostatecznie ma się podporządkować Najwyższej Osobie Boga (ten proces podporządkowania nazywany jest *bhakti*), a zamiast tego usiłuje zrozumieć co jest Brahmanem, a co nim nie jest—tracąc na to całe swoje życie—to rezultat takich poczynań bywa wysoce kłopotliwy. Dlatego *Bhagavad-gītā* radzi tutaj, aby nie podejmować tej kłopotliwej ścieżki samorealizacji, gdyż ostateczny rezultat jest niepewny.

Żywa istota jest wiecznie indywidualną duszą. Jeżeli pragnie połączyć się z duchową całością, może wtedy zrealizować aspekt wieczności i wiedzy swojej oryginalnej natury, ale nie realizuje w ten sposób aspektu szczęścia. Taki wysoce kształcony w procesie *jñāna-yogi* transcendentalista może, dzięki łasce jakiegoś bhakty, dojść do momentu *bhakti-yogi*, czyli służby oddania. Ale również wtedy długa praktyka impersonalizmu staje się dla niego źródłem kłopotów, gdyż nie jest mu tak łatwo porzucić koncepcję bezosobową. Zatem wcielona dusza zawsze jest w kłopocie, jeśli chce zrealizować niezamanifestowanego, zarówno w czasie praktyki, jak i w momencie realizacji. Każda żywa istota posiada częściową niezależność, ale należy wiedzieć na pewno, że realizacja niezamanifestowanego nie jest zgodna z naturą jej pełnej szczęścia duszy. Nie należy zatem podejmować tego procesu. Najlepszą drogą dla każdej indywidualnej istoty jest proces świadomości Kṛṣṇy, który polega na całkowitym zaangażowaniu się w służbę oddania. Jeśli ktoś lekceważy służbę oddania, to zawsze istnieje niebezpieczeństwo zwrócenia się w kierunku ateizmu. Zatem proces skupiania uwagi na niezamanifestowanym, niepojętym, niepoznawalnym przez zmysły, tak jak zostało to wyrażone w tym wersecie, nie powinien być nigdy polecany. A szczególnie nie powinien być polecany w tej epoce. Pan Kṛṣṇa również nie zachęca do podejmowania tej ścieżki.

**TEKSTY 6-7** ये तु सर्वाणि कर्माणि मयि संन्यस्य मत्पराः ।
अनन्येनैव योगेन मां ध्यायन्त उपासते ॥६॥
तेषामहं समुद्धर्ता मृत्युसंसारसागरात् ।
भवामि न चिरात् पार्थ मय्यावेशितचेतसाम् ॥७॥

*ye tu sarvāṇi karmāṇi mayi sannyasya mat-parāḥ*
*ananyenaiva yogena māṁ dhyāyanta upāsate*

*teṣām ahaṁ samuddhartā mṛtyu-saṁsāra-sāgarāt*
*bhavāmi na cirāt pārtha mayy āveśita-cetasām*

*ye*—ci, którzy; *tu*—ale; *sarvāṇi*—wszystkie; *karmāṇi*—czynności; *mayi*—dla Mnie; *sannyasya*—porzucając; *mat-parāḥ*—będąc przywiązanym do Mnie; *ananyena*—niepodzielnie; *eva*—na pewno; *yogena*—przez praktykę takiej *bhakti-yogi; mām*—Mnie; *dhyāyantaḥ*—medytując; *upāsate*—wielbić; *teṣām*—ich; *aham*—Ja; *samuddhartā*—wybawiciel; *mṛtyu*—śmierci; *saṁsāra*—w egzystencji materialnej; *sāgarāt*—z oceanu; *bhavāmi*—staję się; *na*—nie; *cirāt*—po długim okresie czasu; *pārtha*—O synu Pṛthy; *mayi*—na Mnie; *āveśita*—skupiony; *cetasām*—tych, których umysły.

**A kto Mnie wielbi, oddając Mi wszystkie swoje czyny, i w pełnym oddaniu Mnie się powierza, pełniąc służbę oddania i zawsze medytując o Mnie, pogrążywszy swój umysł we Mnie—tego, o synu Pṛthy, szybko wyzwalam z oceanu narodzin i śmierci.**

*ZNACZENIE:* Werset ten wyraźnie oznajmia, że bhaktowie są bardzo szczęśliwi, gdyż Pan wkrótce uwolni ich z materialnej egzystencji. Pełniąc czystą służbę oddania, wielbiciel szybko pojmuje, że Bóg jest wielki, a dusza indywidualna jest od Niego zależna. Pełnienie służby dla Pana jest jej obowiązkiem, gdyż w przeciwnym wypadku uwikłana zostanie w służbę *māyi*.

Jak to stwierdzono wcześniej, Najwyższego Pana można docenić jedynie poprzez służbę oddania. Należy zatem być całkowicie oddanym Panu. By osiągnąć Kṛṣṇę, należy całkowicie skupić na Nim swój umysł i pracować tylko dla Niego. Nie ma znaczenia jaki rodzaj pracy ktoś wykonuje, ale praca ta powinna być wykonywana tylko dla Kṛṣṇy. Jest to wzorem służby oddania. Wielbiciel nie pragnie żadnych osiągnięć poza zadowoleniem Najwyższej Osoby Boga. Jego misją życiową jest zadowolenie Kṛṣṇy i może poświęcić wszystko, aby osiągnąć ów cel. Tak postąpił właśnie Arjuna w bitwie na polu Kurukṣetra. Proces jest bardzo prosty: można poświęcić się całkowicie swojemu zajęciu i jednocześnie intonować Hare Kṛṣṇa, Hare Kṛṣṇa, Kṛṣṇa Kṛṣṇa, Hare Hare; Hare Rāma, Hare Rāma, Rāma Rāma, Hare Hare. Takie transcendentalne intonowanie przyciąga wielbiciela do Osoby Boga.

Najwyższy Pan obiecuje tutaj, że prędko wyzwoli z oceanu materialnej egzystencji czystego wielbiciela, zaangażowanego w ten sposób w służbę oddania. Ci, którzy są zaawansowani w praktyce *yogi*, mogą według własnej woli przenieść swoją duszę na jakąkolwiek planetę, odpowiednio do swojego pragnienia. Inni korzystają z tej okazji na różne sposoby, ale jeśli chodzi o wielbiciela, to jak zostało tutaj wyraźnie powiedziane, zabiera go Sam Pan. Nie musi on czekać, aby zdobyć doświadczenie, które pozwoliłoby mu się przenieść do nieba duchowego.

Werset z *Varāha Purāṇy* mówi:

*nayāmi paramaṁ sthānam arcir-ādi-gatiṁ vinā*
*garuḍa-skandham āropya yatheccham anivāritaḥ*

Znaczenie tego wersetu jest takie, że wielbiciel nie musi praktykować *aṣṭāṅga-yogi* po to, aby przenieść swoją duszę na planety duchowe. Odpowiedzialność za to bierze na Siebie Sam Najwyższy Pan. Wyraźnie oznajmia On tutaj, że Sam jest wyzwolicielem Swojego wielbiciela. Małe dziecko znajduje się całkowicie pod opieką rodziców, a zatem jego pozycja jest bezpieczna. Podobnie, wielbiciel Pana nie musi czynić wysiłku, aby poprzez praktykę *yogi* przenieść się na inne planety. Sam Najwyższy Pan, dzięki Swojemu wielkiemu miłosierdziu, przybywa natychmiast, unoszony przez Swojego ptaka Garuḍę, i natychmiast wyzwala Swojego wielbiciela z tej egzystencji materialnej. Chociaż człowiek, który wpadł do oceanu, może być doskonałym pływakiem i może wytrwale zmagać się z falami, to jednak nie jest w stanie sam siebie ocalić. Ale może się zdarzyć, że przybędzie ktoś inny, kto bez trudu wydostanie go z wody. Podobnie, Pan wyciąga Swojego wielbiciela z tej egzystencji materialnej. Musi on tylko praktykować łatwy proces świadomości Kṛṣṇy i całkowicie zaangażować się w służbę oddania. Każdy inteligentny człowiek powinien zawsze preferować proces służby oddania ponad wszystkie inne ścieżki. *Nārāyaṇīya* potwierdza to w następujący sposób:

*yā vai sādhana-sampattiḥ puruṣārtha-catuṣṭaye*
*tayā vinā tad āpnoti naro nārāyaṇāśrayaḥ*

Znaczenie tego wersetu jest takie, że nie należy angażować się w różnego rodzaju procesy czynności karmicznych czy też kultywowanie wiedzy poprzez spekulacje umysłowe. Ten, kto oddany jest Najwyższej Osobie, może osiągnąć wszystkie korzyści czerpane z innych procesów *yogi*, spekulacji umysłowych, rytuałów, ofiar, dobroczynności itd. Jest to szczególnym dobrodziejstwem służby oddania.

Jedynie przez intonowanie świętego imienia Kṛṣṇy—Hare Kṛṣṇa, Hare Kṛṣṇa, Kṛṣṇa Kṛṣṇa, Hare Hare; Hare Rāma, Hare Rāma, Rāma Rāma, Hare Hare—wielbiciel Pana może bez trudu i szczęśliwie osiągnąć najwyższe przeznaczenie. Celu tego nie można osiągnąć przez żaden inny proces religii.

Konkluzja *Bhagavad-gīty* została przedstawiona w Rozdziale Osiemnastym:

*sarva-dharmān parityajya mām ekaṁ śaraṇaṁ vraja*
*ahaṁ tvāṁ sarva-pāpebhyo mokṣayiṣyāmi mā śucaḥ*

Należy porzucić wszystkie inne procesy samorealizacji i po prostu pełnić służbę oddania w świadomości Kṛṣṇy. To umożliwi osiągnięcie najwyższej doskonałości życia. Nie trzeba rozpamiętywać grzesznych czynów swojego przeszłego życia, gdyż Najwyższy Pan całkowicie przejmuje opiekę nad taką osobą. Zatem nie należy daremnie usiłować wyzwolić się poprzez realizację duchową. Niechaj każdy przyjmie schronienie najwyższego, wszechmocnego Boga, Kṛṣṇy, gdyż to jest najwyższą doskonałością życia.

**TEKST 8** मय्येव मन आधत्स्व मयि बुद्धिं निवेशय ।
निवसिष्यसि मय्येव अत ऊर्ध्वं न संशयः ॥८॥

*mayy eva mana ādhatsva mayi buddhiṁ niveśaya*
*nivasiṣyasi mayy eva ata ūrdhvaṁ na saṁśayaḥ*

*mayi*—na Mnie; *eva*—z pewnością; *manaḥ*—umysł; *ādhatsva*—skoncentruj; *mayi*—na Mnie; *buddhim*—inteligencja; *niveśaya*—zwróć; *nivasiṣyasi*—będziesz żył; *mayi*—we Mnie; *eva*—na pewno; *ataḥ ūrdhvam*—następnie; *na*—nigdy; *saṁśayaḥ*—wątpliwości.

**Skoncentruj swój umysł na Mnie, Najwyższej Osobie Boga, i całą swoją inteligencję pogrąż we Mnie. W ten sposób bez wątpienia zawsze będziesz żył we Mnie.**

*ZNACZENIE:* Ten, kto zawsze zaangażowany jest w służbę oddania dla Pana Kṛṣṇy, żyje zawsze w bezpośrednim związku z Najwyższym Panem. Nie ma więc wątpliwości co do tego, że jego pozycja jest od samego początku transcendentalna. Wielbiciel nie żyje na planie materialnym—żyje on w Kṛṣṇie. Święte imię Pana i Pan nie są czymś różnym; zatem kiedy wielbiciel intonuje Hare Kṛṣṇa, Kṛṣṇa i Jego wewnętrzna energia tańczą na jego języku. Kiedy ofiarowuje Kṛṣṇie pożywienie, Kṛṣṇa bezpośrednio przyjmuje ten pokarm. A spożywając pozostałości tego pokarmu—bhakta zostaje uświęcony. Kto nie angażuje się w służbę oddania, nie jest w stanie zrozumieć w jaki sposób się to dzieje, chociaż proces ten polecany jest w *Gīcie* i w innej literaturze wedyjskiej.

**TEKST 9** अथ चित्तं समाधातुं न शक्नोषि मयि स्थिरम् ।
अभ्यासयोगेन ततो मामिच्छाप्तुं धनञ्जय ॥९॥

*atha cittaṁ samādhātuṁ na śaknoṣi mayi sthiram*
*abhyāsa-yogena tato mām icchāptuṁ dhanañjaya*

*atha*—jeśli, zatem; *cittam*—umysł; *samādhātum*—skupić; *na*—nie; *śaknoṣi*—jesteś w stanie; *mayi*—na Mnie; *sthiram*—trwale; *abhyāsa-yogena*—przez praktykę służby oddania; *tataḥ*—zatem; *mām*—Mnie; *icchā*—pragnie; *āptum*—osiągnąć; *dhanam-jaya*—O Arjuno, zdobywco bogactw.

**Mój drogi Arjuno, zdobywco bogactw, jeśli nie jesteś w stanie skoncentrować się na Mnie bez przeszkód, przestrzegaj wobec tego regulujących zasad bhakti-yogi. W ten sposób rozwiniesz pragnienie, by Mnie osiągnąć.**

*ZNACZENIE:* Werset ten wspomina o dwóch procesach *bhakti-yogi*. Pierwszy odnosi się do tych, którzy faktycznie rozwinęli przywiązanie do Kṛṣṇy, Najwyższej Osoby Boga, poprzez miłość transcendentalną. Drugi proces jest dla tych, którzy jeszcze nie rozwinęli takiego przywiązania do Najwyższej Osoby Boga poprzez miłość transcendentalną. Dla tej drugiej klasy istnieje wiele zasad i przepisów, których należy przestrzegać, aby ostatecznie osiągnąć stan przywiązania do Kṛṣṇy.

*Bhakti-yoga* jest oczyszczaniem zmysłów. W obecnym momencie, w życiu materialnym, zmysły są zawsze bardzo nieczyste, gdyż zajęte są samozadowalaniem. Mogą one zostać oczyszczone poprzez praktykę *bhakti-yogi*. A w stanie oczyszczonym wchodzą one w bezpośredni kontakt z Najwyższym Panem. W tym życiu materialnym mogę służyć jakiemuś panu, ale nie służę mu z prawdziwą miłością. Moim celem jest zdobycie pieniędzy. Również ów pan nie kieruje się miłością; po prostu przyjmuje ode mnie służbę i płaci mi. Więc nie ma tu mowy o miłości. Ale w życiu duchowym należy wznieść się do czystego stanu miłości. Taki stan miłości można osiągnąć przez praktykę służby oddania pełnionej obecnymi zmysłami.

Teraz ta miłość Boga istnieje w każdym sercu w stanie uśpionym i manifestuje się ona na różne sposoby, ale jest zanieczyszczona przez obcowanie z materią. Aby obudzić tę drzemiącą w nas naturalną miłość do Kṛṣṇy, musimy oczyścić nasze serca z wszelkich związków materialnych. Na tym polega cały proces.

Aby praktykować *bhakti-yogę*, należy, pod kierunkiem doświadczonego mistrza duchowego, przestrzegać pewnych zasad: należy wstawać wcześnie rano, brać kąpiel, odwiedzać świątynię, modlić się tam i intonować Hare Kṛṣṇa, zbierać kwiaty i ofiarowywać je Bóstwu, gotować pokarm również po to, aby ofiarować go Bóstwu, spożywać *prasādam* itd. Istnieją różne przepisy i zasady, których należy przestrzegać. Należy również ciągle słuchać od czystych wielbicieli *Bhagavad-gīty* i *Śrīmad-Bhāgavatam*. Ta praktyka może pomóc każdemu wznieść się do poziomu miłości Boga. A wtedy można być pewnym zbliżenia się do duchowego królestwa Boga. Praktykowanie *bhakti-yogi*, z przestrzeganiem zasad i stosowaniem się do wskazówek mistrza duchowego, niewątpliwie doprowadzi do miłości Boga.

**TEKST 10** अभ्यासेऽप्यसमर्थोऽसि मत्कर्मपरमो भव ।
मदर्थमपि कर्माणि कुर्वन् सिद्धिमवाप्स्यसि ॥१०॥

*abhyāse 'py asamartho 'si mat-karma-paramo bhava*
*mad-artham api karmāṇi kurvan siddhim avāpsyasi*

*abhyāse*—w praktyce; *api*—nawet jeśli; *asamarthaḥ*—niezdolny; *asi*—jesteś; *mat-karma*—Moja praca; *paramaḥ*—dedykowana; *bhava*—stań się; *mat-artham*—dla Mnie; *api*—nawet; *karmāṇi*—praca; *kurvan*—wykonując; *siddhim*—doskonałość; *avāpsyasi*—osiągniesz.

**Jeśli nie możesz praktykować zasad bhakti-yogi, wtedy spróbuj po prostu pracować dla Mnie, gdyż przez pracę taką osiągniesz stan doskonałości.**

*ZNACZENIE:* Ten, kto nie jest nawet w stanie praktykować zasad *bhakti-yogi* pod kierunkiem mistrza duchowego, może też, poprzez pracę dla Najwyższego Pana, zostać doprowadzony do stanu doskonałości. To, jak należy wykonywać taką pracę, wytłumaczył już pięćdziesiąty piąty werset Rozdziału Jedenastego. Należy być sympatykiem szerzenia ruchu świadomości Kṛṣṇy. Jest wielu wielbicieli, którzy zajęci są szerzeniem świadomości Kṛṣṇy i potrzebna jest im pomoc. Jeśli więc ktoś nawet nie może bezpośrednio praktykować zasad *bhakti-yogi*, to może pomóc w takiej pracy. Każde przedsięwzięcie wymaga jakiegoś kawałka ziemi, kapitału, organizacji i nakładu pracy. Tak jak do interesu potrzebne jest jakieś miejsce, kapitał, praca i jakaś zorganizowana działalność, tak i te same rzeczy potrzebne są w służbie dla Kṛṣṇy. Różnica jest jedynie taka, że materialista pracuje dla zadowolenia zmysłów. Tę samą pracę można jednakże wykonywać dla zadowolenia Kṛṣṇy i będzie to działalność duchowa. Jeśli ktoś ma pod dostatkiem pieniędzy, to może pomóc przy budowie świątyni czy budynku potrzebnego do głoszenia świadomości Kṛṣṇy albo może pomóc w publikowaniu książek. Są różne pola działalności i należy być zainteresowanym taką działalnością. Jeśli ktoś nie może poświęcić rezultatów całej swojej pracy w propagowanie świadomości Kṛṣṇy, to może oddawać na ten cel pewien procent swoich dochodów. Taka dobrowolna służba na korzyść świadomości Kṛṣṇy pomoże danej osobie osiągnąć wyższy stopień miłości Boga i następnie doprowadzi ją do doskonałości.

**TEKST 11** अथैतदप्यशक्तोऽसि कर्तुं मद्योगमाश्रितः ।
सर्वकर्मफलत्यागं ततः कुरु यतात्मवान् ॥११॥

*athaitad apy aśakto 'si kartuṁ mad-yogam āśritaḥ*
*sarva-karma-phala-tyāgaṁ tataḥ kuru yatātmavān*

*atha*—nawet chociaż; *etat*—to; *api*—również; *aśaktaḥ*—niezdolny; *asi*—jesteś; *kartum*—pełnić; *mat*—dla Mnie; *yogam*—w służbie oddania; *āśritaḥ*—przyjmując schronienie; *sarva-karma*—wszystkich czynów; *phala*—rezultatów; *tyāgam*—wyrzeczenie się; *tataḥ*—zatem; *kuru*—czyń; *yata-ātma-vān*—w sobie usytuowany.

**Jeśli jednakże nie jesteś w stanie pracować w takiej świadomości o Mnie, wtedy spróbuj działać wyrzekając się wszystkich owoców swojej pracy i tym sposobem spróbuj umocnić się w sobie.**

*ZNACZENIE:* Może się tak zdarzyć, że ktoś nie może sympatyzować z działalnością w świadomości Kṛṣṇy ze względów społecznych, rodzinnych czy religijnych, czy też z powodu jakichś innych przeszkód. Na przykład, jeśli ktoś bezpośrednio angażuje się w czynności świadomości Kṛṣṇy, może spotkać się ze sprzeciwami członków rodziny czy z wieloma innymi kłopotami. Ci, którzy mają takie problemy, otrzymują radę, aby nagromadzone owoce swojej pracy przeznaczyli na jakiś dobry cel. Taki sposób postępowania polecają *Vedy*. Znajduje się tam wiele opisów ofiar i specjalnych funkcji *puṇya*, czyli szczególnych działań, na które można poświęcić rezultaty swoich wcześniejszych prac. W ten sposób można stopniowo wznieść się do poziomu wiedzy. Wiadomo również, że jeśli osoba nie będąca nawet zainteresowana świadomością Kṛṣṇy wspomaga jakiś szpital czy inną instytucję społeczną, to wyrzeka się w ten sposób ciężko zapracowanych owoców swojego działania. Taki sposób postępowania jest również polecony tutaj, ponieważ przez praktykowanie wyrzekania się owoców swojej pracy, osoba taka z pewnością stopniowo oczyści swój umysł. A jeśli umysł jest oczyszczony, to jest on w stanie zrozumieć świadomość Kṛṣṇy. Oczywiście świadomość Kṛṣṇy nie jest zależna od żadnych innych doświadczeń, gdyż sama taka świadomość jest w stanie oczyścić umysł, ale jeśli są jakieś przeszkody w praktykowaniu jej, wtedy można po prostu wyrzekać się owoców swojego działania. W takiej sytuacji można pełnić służbę społeczną, środowiskową, narodową, można poświęcić się dla kraju itp., tak aż pewnego dnia osoba taka będzie mogła dojść do etapu czystej służby oddania dla Najwyższego Pana. *Bhagavad-gītā* (18.46) oznajmia: *yaiaḥ pravṛttir bhūtānām*: jeśli ktoś decyduje poświęcić się dla wyższego celu, to nawet jeśli nie wie, że najwyższym celem jest Kṛṣṇa, stopniowo, poprzez proces ofiary, dojdzie do takiego zrozumienia.

## TEKST 12 श्रेयो हि ज्ञानमभ्यासाज्ज्ञानाद्ध्यानं विशिष्यते ।
ध्यानात्कर्मफलत्यागस्त्यागाच्छान्तिरनन्तरम् ॥१२॥

*śreyo hi jñānam abhyāsāj jñānād dhyānaṁ viśiṣyate*
*dhyānāt karma-phala-tyāgas tyāgāc chāntir anantaram*

*śreyaḥ*—lepiej; *hi*—na pewno; *jñānam*—wiedza; *abhyāsāt*—niż praktyka; *jñānāt*—niż wiedza; *dhyānam*—medytacja; *viśiṣyate*—jest uważana za lepszą; *dhyānāt*—niż medytacja; *karma-phala-tyāgaḥ*—wyrzeczenie się owoców czynów; *tyāgāt*—przez takie wyrzeczenie; *śāntiḥ*—pokój; *anantaram*—następnie.

**Jeśli i do tego nie możesz się zastosować, wtedy zajmij się kultywacją wiedzy. Lepszą od wiedzy jednakże jest medytacja. A lepszym od medytacji jest wyrzeczenie się owoców swojego**

**działania, gdyż przez takie wyrzeczenie można osiągnąć spokój umysłu.**

*ZNACZENIE:* Jak wspomniano w poprzednich wersetach, są dwa rodzaje służby oddania: służba oddania poprzez przestrzeganie zasad i służba oddania w pełnym przywiązaniu i miłości do Kṛṣṇy, Najwyższej Osoby Boga. Ci, którzy rzeczywiście nie są w stanie przestrzegać zasad świadomości Kṛṣṇy, powinni kultywować wiedzę, gdyż poprzez tę wiedzę będą mogli zrozumieć swoją rzeczywistą pozycję. Stopniowo wiedza rozwinie się w medytację. Poprzez medytację można, w procesie stopniowym, zrozumieć Najwyższą Osobę Boga. Są procesy, w których medytujący utożsamiają się z Najwyższym i ten rodzaj medytacji jest preferowany w przypadku, gdy ktoś jest niezdolny do zaangażowania się w służbę oddania. Jeśli ktoś nie jest w stanie medytować w ten sposób, to istnieją określone obowiązki, polecane przez *Vedy* dla braminów, *kṣatriyów, vaiśyów* i *śūdrów*, o których informacje znajdziemy w ostatnim rozdziale *Bhagavad-gīty*. Ale we wszystkich przypadkach należy wyrzekać się rezultatów czy owoców swojej pracy—to znaczy, że rezultaty *karmy* należy przeznaczać na jakiś dobry cel.

Podsumowując: aby osiągnąć Najwyższą Osobę Boga, najwyższy cel, można praktykować jeden z dwu procesów—jeden proces polega na stopniowym rozwoju. a drugi proces jest bezpośredni. Metodą bezpośrednią jest służba oddania w świadomości Kṛṣṇy, a druga metoda polega na wyrzekaniu się owoców swojego działania. W ten sposób można dojść do etapu wiedzy, następnie do etapu medytacji, potem do etapu zrozumienia Duszy Najwyższej, i w końcu Najwyższej Osoby Boga. Można przyjąć proces stopniowy lub bezpośredni. Nie każdy może praktykować proces bezpośredni, dlatego proces pośredni jest również dobry. Należy jednak wiedzieć, że proces pośredni nie został polecony Arjunie, gdyż on znajduje się już na etapie służby oddania w miłości do Najwyższego Pana. Proces pośredni jest dla tych, którzy tego stanu jeszcze nie osiągnęli. Takie osoby powinny przyjąć stopniowy proces wyrzeczenia, wiedzy, medytacji i realizacji Duszy Najwyższej i Brahmana, ale jeśli chodzi o *Bhagavad-gītę*, to kładzie ona nacisk na proces bezpośredni. Każdemu radzi ona przyjąć proces bezpośredni, czyli podporządkować się Najwyższej Osobie Boga, Kṛṣṇie.

**TEKSTY 13-14**

अद्वेष्टा सर्वभूतानां मैत्रः करुण एव च ।
निर्ममो निरहंकारः समदुःखसुखः क्षमी ॥१३॥
सन्तुष्टः सततं योगी यतात्मा दृढनिश्चयः ।
मय्यर्पितमनोबुद्धिर्यो मद्भक्तः स मे प्रियः ॥१४॥

*adveṣṭā sarva-bhūtānāṁ maitraḥ karuṇa eva ca*
*nirmamo nirahaṅkāraḥ sama-duḥkha-sukhaḥ kṣamī*
*santuṣṭaḥ satataṁ yogī yatātmā dṛḍha-niścayaḥ*
*mayy arpita-mano-buddhir yo mad-bhaktaḥ sa me priyaḥ*

*adveṣṭā*—nie zazdrosny; *sarva-bhūtānām*—wobec wszystkich żywych istot; *maitraḥ*—przyjacielski; *karuṇaḥ*—dobry; *eva*—na pewno; *ca*—również; *nirmamaḥ*—pozbawiony poczucia własności; *nirahaṅkāraḥ*—pozbawiony fałszywego ego; *sama*—jednakowy; *duḥkha*—w niedoli; *sukhaḥ*—i szczęściu; *kṣamī*—przebaczający; *santuṣṭaḥ*—zadowolony; *satatam*—zawsze; *yogī*—zaangażowany w służbę oddania; *yata-ātmā*—opanowany; *dṛḍha-niścayaḥ*—z determinacją; *mayi*—do Mnie; *arpita*—zaangażowany; *manaḥ*—umysł; *buddhiḥ*—inteligencja; *yaḥ*—ten, kto; *mat-bhaktaḥ*—Mój wielbiciel; *saḥ*—on; *me*—Mnie; *priyaḥ*—drogi.

**Kto nie zazdrości nikomu i jest przyjacielem wszystkich żywych istot, kto nie uważa się za właściciela niczego i wolny jest od fałszywego ego, jednakim będąc wobec niedoli i szczęścia, kto jest tolerancyjny, zawsze zadowolony, opanowany i z determinacją pełni służbę oddania—z umysłem i inteligencją skupioną na Mnie—ten jest Mi bardzo drogi.**

*ZNACZENIE:* Wracając znowu do istoty czystej służby oddania, Pan opisuje w tych dwóch wersetach transcendentalne cechy czystego wielbiciela. Czysty wielbiciel nigdy i w żadnych okolicznościach nie ulega uczuciu niepokoju i nigdy nie zazdrości nikomu. Nie jest też wrogiem swojego wroga. Myśli, że powodem tego, że ktoś występuje jako jego wróg, są jego własne złe czyny z przeszłości. Uważa więc, że lepiej cierpieć niż protestować. *Śrīmad-Bhāgavatam* (10.14.8) oznajmia: *tat te 'nukampāṁ susamīkṣamāṇo bhuñjāna evātma-kṛtaṁ vipākam*. Kiedykolwiek wielbiciel jest w niedoli albo popada w jakieś kłopoty, zawsze przyjmuje to jako łaskę Pana. Myśli on: ”Z powodu moich przeszłych grzechów powinienem cierpieć o wiele bardziej niż cierpię obecnie. Tylko dzięki miłosierdziu Najwyższego Pana nie otrzymuję całej kary, na którą zasłużyłem. Dzięki łasce Najwyższej Osoby Boga została ona zmniejszona do minimum.” Dlatego, pomimo wielu niepomyślnych okoliczności, jest on zawsze spokojny, cichy i cierpliwy. Wielbiciel jest zawsze dobry i uprzejmy dla wszystkich, nawet dla swoich wrogów. *Nirmama* oznacza, że wielbiciel nie przywiązuje wielkiej wagi do bólów i kłopotów związanych z ciałem, gdyż doskonale wie, że nie jest tym ciałem materialnym. Nie utożsamia się z ciałem, zatem wolny jest od fałszywego ego i jest zrównoważony zarówno w szczęściu, jak i niedoli. Jest tolerancyjny i zadowolony ze wszystkiego cokolwiek Najwyższy Pan przeznaczy dla niego. Nie ubiega się o rzeczy trudne do osiągnięcia. Dlatego jest zawsze radosny. Jest on w pełni doskonałym mistykiem, gdyż ściśle przestrzega instrukcji swojego mistrza duchowego, ponieważ jest zdeterminowany i kontroluje zmysły. Nie wpływają na niego fałszywe argumenty, gdyż nikt nie może odwieść go od służby oddania, którą pełni z wielką determinacją. Jest on w pełni świadomy tego, że Kṛṣṇa jest wiecznym Panem, więc nikt nie może go zaniepokoić. Wszystkie te cechy umożliwiają mu całkowite skupienie umysłu i inteligencji na Najwyższym Panu. Taki poziom służby oddania jest niewątpliwie czymś bardzo rzadkim, ale wielbiciel osiąga ten stan przez przestrzeganie zasad służby oddania. Najwyższy Pan mówi ponadto, że taki wielbiciel jest Mu bardzo drogi, gdyż Pan zawsze jest zadowolony ze wszystkich jego czynów spełnionych w pełnej świadomości Kṛṣṇy.

**TEKST 15** यस्मान्नोद्विजते लोको लोकान्नोद्विजते च यः ।
हर्षामर्षभयोद्वेगैर्मुक्तो यः स च मे प्रियः ॥१५॥

*yasmān nodvijate loko lokān nodvijate ca yaḥ*
*harṣāmarṣa-bhayodvegair mukto yaḥ sa ca me priyaḥ*

*yasmāt*—od którego; *na*—nigdy; *udvijate*—zaniepokojony; *lokaḥ*—ludzie; *lokāt*—od ludzi; *na*—nigdy; *udvijate*—zaniepokojony; *ca*—również; *yaḥ*—każdy, kto; *harṣa*—od szczęścia; *amarṣa*—niedoli; *bhaya*—bojaźliwości; *udvegaiḥ*—i niepokoju; *muktaḥ*—uwolniony; *yaḥ*—kto; *saḥ*—każdy; *ca*—również; *me*—Mnie; *priyaḥ*—bardzo drogi.

**Ten, kto nie stawia innych w trudnym położeniu, i dla którego inni nie są przyczyną niepokoju, kto zrównoważony jest tak w obliczu szczęścia, jak i nieszczęścia, bojaźni i trosk, ten jest Mi bardzo drogi.**

*ZNACZENIE:* Opisano tutaj kilka następnych cech doskonałego wielbiciela. Bhakta taki nie jest dla nikogo przyczyną kłopotów, trosk, obawy czy niezadowolenia. Ponieważ jest on dobry dla każdego, postępuje w taki sposób, aby nie być przyczyną niepokoju dla innych i jest zrównoważony, gdy inni próbują go niepokoić. To dzięki łasce Pana jest on tak wyćwiczony, że żadne zakłócenia zewnętrzne nie są w stanie naruszyć jego spokoju. Wszelkie takie okoliczności materialne nie mogą mieć na niego żadnego wpływu, albowiem zawsze jest zaabsorbowany świadomością Kṛṣṇy i zaangażowany w służbę oddania. Na ogół materialista jest bardzo szczęśliwy, gdy nadarzy mu się okazja do zadowalania zmysłów i ciała, ale kiedy widzi, że inni mają coś dla zadowalania zmysłów, a on nie, jest wtedy smutny i zazdrosny. Kiedy spodziewa się zemsty ze strony swojego wroga, jest przestraszony. A kiedy nie odnosi sukcesu w jakimś przedsięwzięciu, jest przygnębiony i zniechęcony. Wielbiciel Pana natomiast, jest zawsze transcendentalny wobec wszystkich takich przeciwności—dlatego jest on bardzo drogi Kṛṣṇie.

**TEKST 16** अनपेक्षः शुचिर्दक्ष उदासीनो गतव्यथः ।
सर्वारम्भपरित्यागी यो मद्भक्तः स मे प्रियः ॥१६॥

*anapekṣaḥ śucir dakṣa udāsīno gata-vyathaḥ*
*sarvārambha-parityāgī yo mad-bhaktaḥ sa me priyaḥ*

*anapekṣaḥ*—neutralny; *śuciḥ*—czysty; *dakṣaḥ*—doświadczony; *udāsīnaḥ*—wolny od trosk; *gata-vyathaḥ*—wolny od strapień; *sarva-ārambha*—wszelkich wysiłków; *parityāgī*—wyrzeczony; *yaḥ*—każdy, kto; *mat-bhaktaḥ*—Mój wielbiciel; *saḥ*—on; *me*—Mnie; *priyaḥ*—bardzo drogi.

**Mój wielbiciel, który nie jest zależny od zwykłego biegu zdarzeń, który jest czysty, doświadczony, wolny od bólów i trosk, i który nie ubiega się o żaden zysk—taki wielbiciel jest Mi bardzo drogi.**

*ZNACZENIE:* Można ofiarować pieniądze wielbicielowi, ale on sam nie powinien o nie walczyć. Jeśli pieniądze przychodzą do niego dzięki łasce Pana, nie jest on tym podniecony. Wielbiciel kąpie się przynajmniej dwa razy dziennie i wstaje wcześnie rano, aby pełnić swoją służbę oddania. W ten sposób jest naturalnie czysty zarówno wewnątrz, jak i na zewnątrz. Wielbiciel jest zawsze człowiekiem doświadczonym, gdyż zna istotę wszelkiej działalności w życiu i jest całkowicie przekonany o autorytecie pism świętych. Wielbiciel nigdy nie bierze strony jakiejś określonej partii, dlatego jest on wolny od trosk i niepokoju. Nigdy nie poddaje się żadnym cierpieniom, gdyż wolny jest od wszelkich desygnatów. Wie, że jego ciało jest desygnatem, więc jeśli spotyka go cierpienie, jest wobec niego obojętny. Czysty wielbiciel nigdy nie ubiega się o nic, co byłoby w niezgodzie z zasadami służby oddania. Na przykład skonstruowanie wielkiego budynku wymaga dużego nakładu energii, więc nie angażuje się w taką rzecz, jeśli nie jest to korzystne dla jego postępu w służbie oddania. Może podjąć wszelkiego rodzaju trudy, aby skonstruować świątynię dla Pana, ale nie buduje wielkiego domu dla swoich krewnych.

TEKST 17 यो न हृष्यति न द्वेष्टि न शोचति न काङ्क्षति ।
शुभाशुभपरित्यागी भक्तिमान् यः स मे प्रियः ॥१७॥

*yo na hṛṣyati na dveṣṭi na śocati na kāṅkṣati*
*śubhāśubha-parityāgī bhaktimān yaḥ sa me priyaḥ*

*yaḥ*—ten, kto; *na*—nigdy; *hṛṣyati*—znajduje przyjemność; *na*—nigdy; *dveṣṭi*—martwi; *na*—nigdy; *śocati*—rozpacza; *na*—nigdy; *kāṅkṣati*—pragnie; *śubha*—pomyślnego; *aśubha*—i niepomyślnego; *parityāgī*—wyrzeczony; *bhakti-mān*—bhakta; *yaḥ*—ten, kto; *saḥ*—jest on; *me*—Mnie; *priyaḥ*—drogi.

**Kto nigdy nie unosi się radością ani nie ulega zmartwieniom, nigdy nie rozpacza i wolny jest od pragnień, kto wyrzeka się zarówno pomyślnych, jak i niepomyślnych rzeczy—taki wielbiciel jest Mi bardzo drogi.**

*ZNACZENIE:* Czysty wielbiciel nigdy nie jest szczęśliwy ani zmartwiony z powodu materialnego zysku czy straty. Nie zależy mu specjalnie na tym, by mieć syna czy ucznia, ani nie martwi się, gdy ich nie ma. Nie rozpacza kiedy traci coś sobie bardzo drogiego, jak również nie jest niezadowolony, gdy nie otrzymuje tego, czego pragnie. Jest on transcendentalny wobec wszelkiego rodzaju pomyślnych czy niepomyślnych, grzesznych czynów. Jest on gotów podjąć wszelkie ryzyko dla zadowolenia Najwyższego Pana i nic nie jest dla niego przeszkodą w pełnieniu służby oddania. Taki wielbiciel jest bardzo drogi Kṛṣṇie.

TEKSTY 18-19 समः शत्रौ च मित्रे च तथा मानापमानयोः ।
शीतोष्णसुखदुःखेषु समः सङ्गविवर्जितः ॥१८॥
तुल्यनिन्दास्तुतिर्मौनी सन्तुष्टो येन केनचित् ।
अनिकेतः स्थिरमतिर्भक्तिमान्मे प्रियो नरः ॥१९॥

*samaḥ śatrau ca mitre ca tathā mānāpamānayoḥ*
*śītoṣṇa-sukha-duḥkheṣu samaḥ saṅga-vivarjitaḥ*

*tulya-nindā-stutir maunī santuṣṭo yena kenacit*
*aniketaḥ sthira-matir bhaktimān me priyo naraḥ*

*samaḥ*—jednakowy; *śatrau*—dla wroga; *ca*—również; *mitre*—dla przyjaciół; *ca*—również; *tathā*—tak; *māna*—wobec honoru; *apamānayoḥ*—i hańby; *śīta*—wobec zimna; *uṣṇa*—upał; *sukha*—szczęście; *duḥkheṣu*—i niedola; *samaḥ*—zrównoważony; *saṅga-vivarjitaḥ*—wolny od wszelkich związków; *tulya*—jednakowy; *nindā*—wobec niesławy; *stutiḥ*—i sławy; *maunī*—cichy; *santuṣṭaḥ*—zadowolony; *yena kenacit*—czymkolwiek; *aniketaḥ*—nie mając stałego miejsca pobytu; *sthira*—niewzruszony; *matiḥ*—determinacja; *bhakti-mān*—zaangażowany w służbę oddania; *me*—dla Mnie; *priyaḥ*—drogi; *naraḥ*—człowiek.

**Kto jednakowy ma stosunek tak do przyjaciół, jak i do wrogów, kto pozostaje niewzruszony wobec sławy i niesławy, upału i zimna, szczęścia i nieszczęścia, kto zawsze wolnym od zanieczyszczeń będąc, zawsze cichy jest i zadowala się czymkolwiek, kto o stałe miejsce pobytu nie dba, niewzruszony jest w wiedzy i zawsze zaangażowany w służbę oddania—ten jest Mi bardzo drogi.**

*ZNACZENIE:* Wielbiciel jest zawsze wolny od wszelkich złych związków. Czasami bywa się chwalonym, czasami ganionym—taka jest natura ludzkiego społeczeństwa. Ale wielbiciel jest zawsze transcendentalny wobec fałszywej sławy czy niesławy, szczęścia czy nieszczęścia. Jest on bardzo cierpliwy. Nie rozmawia o niczym, co nie ma związku z Kṛṣṇą; dlatego nazywany jest cichym. Cichość nie oznacza, że nie powinno się mówić; cichość oznacza, że nie należy rozmawiać o nonsensach. Należy mówić tylko o sprawach istotnych, a najbardziej istotnymi tematami rozmów dla wielbiciela są tematy związane z Najwyższym Panem. Wielbiciel jest szczęśliwy w każdych warunkach. Czasami może dostawać bardzo smaczne pożywienie, czasami nie, ale jest zadowolony. Nie dba też o wygody, jeśli chodzi o miejsce spoczynku czy zamieszkania. Czasami może zamieszkać pod drzewem, a czasami w luksusowym budynku. Nie jest przywiązany ani do jednego, ani do drugiego. Jest on nazywany niewzruszonym, gdyż jest niewzruszony w swojej determinacji i wiedzy. W tych opisach wielbiciela możemy spotkać się z pewnymi powtórzeniami, ale chodzi tu o podkreślenie faktu, że musi on posiadać wszystkie te cechy. Bez dobrych kwalifikacji nie można być czystym wielbicielem. *Harāv abhaktasya kuto mahad-guṇāḥ*: ten, kto nie jest wielbicielem, nie ma żadnych dobrych kwalifikacji. Jeśli ktoś chce uchodzić za wielbiciela, musi rozwinąć dobre cechy. Oczywiście, nie czyni on specjalnego wysiłku, by je zdobyć, ale zaangażowanie w świadomość Kṛṣṇy i służba oddania automatycznie pomagają mu je rozwinąć.

**TEKST 20** ये तु धर्मामृतमिदं यथोक्तं पर्युपासते ।
श्रद्दधाना मत्परमा भक्तास्तेऽतीव मे प्रियाः ॥२०॥

*ye tu dharmāmṛtam idaṁ yathoktaṁ paryupāsate*
*śraddadhānā mat-paramā bhaktās te 'tīva me priyāḥ*

*ye*—ci, którzy; *tu*—ale; *dharma*—religii; *amṛtam*—nektar; *idam*—to; *yathā*—jak; *uktam*—powiedziane; *paryupāsate*—całkowicie angażując się; *śraddadhānāḥ*—z wiarą; *mat-paramāḥ*—uważając Mnie, Najwyższego Pana, za wszystko; *bhaktāḥ*—bhaktowie; *te*—oni; *atīva*—bardzo, bardzo; *me*—Mnie; *priyāḥ*—drodzy.

**Kto podąża tą niezniszczalną ścieżką służby oddania i całkowicie i z wiarą angażuje się w nią, czyniąc Mnie najwyższym celem—ten jest Mi bardzo, bardzo drogi.**

*ZNACZENIE:* W tym rozdziale, od wersetu drugiego do ostatniego—od *mayy āveśya mano ye mām* ("koncentrując umysł na Mnie"), do *ye tu dharmāmṛtam idam* ("ta religia wiecznego zaangażowania")—Najwyższy Pan opisuje proces transcendentalnej służby, poprzez który można Go osiągnąć. Procesy te są bardzo drogie Panu i z wielką troską przyjmuje On osobę, która w takie procesy się zaangażowała. Arjuna zadał Panu pytanie, kto jest lepszy: ten, kto realizuje bezosobowego Brahmana, czy ten, kto zaangażowany jest w bezpośrednią służbę dla Najwyższej Osoby Boga. I otrzymał bardzo wyraźną odpowiedź, co do której nie może być żadnej wątpliwości—służba oddania dla Osoby Boga jest najlepszym ze wszystkich procesów realizacji duchowej. Rozdział ten oznajmia, że przywiązanie do czystej służby oddania można rozwinąć poprzez obcowanie z właściwymi osobami. Następnie zaś można przyjąć bona fide mistrza duchowego, pobierać od niego nauki, intonować święte imiona, przestrzegać zasady służby odddania z wiarą, uczuciem i oddaniem, i w ten sposób zaangażować się w służbę dla Pana. Ścieżka ta polecona została w tym rozdziale—zatem nie ma żadnej wątpliwości, że służba oddania jest jedynym doskonałym procesem samorealizacji prowadzącym do osiągnięcia Najwyższej Osoby Boga. Bezosobowa koncepcja Prawdy Absolutnej, jak to opisuje ten rozdział, polecana jest tylko do momentu poddania się procesowi samorealizacji. Innymi słowy, dopóki ktoś nie ma okazji obcowania z czystym wielbicielem, tak długo bezosobowa koncepcja może być dla niego korzystna. Osoba realizująca bezosobową koncepcję Prawdy Absolutnej pracuje wyrzekając się owoców swojej pracy, medytuje i kultywuje wiedzę po to, aby zrozumieć ducha i materię. Jest to potrzebne tak długo, dopóki nie spotka ona czystego wielbiciela. Jeśli jednak ktoś rozwinie pragnienie zaangażowania się w czystą służbę oddania w świadomości Kṛṣṇy, nie musi wtedy stopniowo, krok po kroku, przechodzić etapów doskonalenia się w realizacji duchowej. Służba oddania, jak opisują to środkowe rozdziały *Bhagavad-gīty*, jest procesem bardziej odpowiednim. Osoba zaangażowana w nią nie musi martwić się o środki materialne potrzebne do utrzymania ciała i duszy razem, gdyż problem ten automatycznie zostaje rozwiązany dzięki łasce Pana.

W ten sposób Bhaktivedanta kończy objaśnienia do Dwunastego Rozdziału *Śrīmad Bhagavad-gīty*, traktującego o służbie oddania.

## ROZDZIAŁ XIII

# Natura, Podmiot Radości i Świadomość

**TEKSTY 1-2** अर्जुन उवाच

प्रकृतिं पुरुषं चैव क्षेत्रं क्षेत्रज्ञमेव च ।
एतद् वेदितुमिच्छामि ज्ञानं ज्ञेयं च केशव ॥१॥

श्रीभगवानुवाच
इदं शरीरं कौन्तेय क्षेत्रमित्यभिधीयते ।
एतद् यो वेत्ति तं प्राहुः क्षेत्रज्ञ इति तद्विदः ॥२॥

*arjuna uvāca*
*prakṛtiṁ puruṣaṁ caiva   kṣetraṁ kṣetra-jñam eva ca*
*etad veditum icchāmi   jñānaṁ jñeyaṁ ca keśava*

*śrī-bhagavān uvāca*
*idaṁ śarīraṁ kaunteya   kṣetram ity abhidhīyate*
*etad yo vetti taṁ prāhuḥ   kṣetra-jña iti tad-vidaḥ*

*arjunaḥ uvāca*—Arjuna rzekł; *prakṛtim*—natura; *puruṣam*—podmiot radości; *ca*—również; *eva*—na pewno; *kṣetram*—pole; *kṣetra-jñam*—znawca ciała; *eva*—na pewno; *ca*—również; *etat*—wszystko to; *veditum*—zrozumieć; *icchāmi*—pragnę; *jñānam*—wiedza; *jñeyam*—przedmiot wiedzy; *ca*—również; *keśava*—O Kṛṣṇo; *śrī-bhagavān uvāca*—Najwyższa Osoba Boga rzekł; *idam*—to; *śarīram*—ciało; *kaunteya*—O synu Kuntī; *kṣetram*—pole; *iti*—w ten sposób; *abhidhīyate*—jest nazywany; *etat*—to; *yaḥ*—kto; *vetti*—wie; *tam*—on; *prāhuḥ*—jest nazywany; *kṣetra-jñaḥ*—znawca pola; *iti*—w ten sposób; *tat-vidaḥ*—przez tych, którzy wiedzą.

**Arjuna rzekł: Mój drogi Kṛṣṇo, chciałbym wiedzieć, co to jest prakṛti (natura), puruṣa (podmiot radości), pole i znawca tego pola. Chciałbym wiedzieć również, czym jest wiedza i co jest jej przedmiotem.**

**Najwyższa Osoba Boga rzekł: To ciało, o synu Kuntī, jest nazywane polem. A ten, kto zna to ciało, nazywany jest znawcą pola.**

*ZNACZENIE:* Arjuna pragnie dowiedzieć się, co to jest *prakṛti*, czyli natura; *puruṣa*—podmiot radości; *kṣetra*—pole; *kṣetra-jña*—jego znawca. Pyta również, czym jest wiedza i co jest przedmiotem wiedzy. Kṛṣṇa odpowiedział, że polem nazywane jest to ciało. A ten kto je zna, nazywany jest znawcą pola. Ciało to jest dla uwarunkowanej duszy polem działalności. Uwarunkowana dusza uwikłana jest w materialną egzystencję i usiłuje panować nad naturą materialną. Wobec tego, odpowiednio do swojej możliwości dominowania nad tą materialną naturą, otrzymuje ona jakieś pole działalności. Tym polem działalności jest ciało. A czym jest ciało? Ciało utworzone jest ze zmysłów. Uwarunkowana dusza pragnie czerpać przyjemność z zadowalania zmysłów i stosownie do swoich możliwości w tym względzie otrzymuje ona odpowiednie ciało, czyli pole działalności. Dlatego ciało nazywane jest *kṣetra*—polem działania dla uwarunkowanej duszy. Osoba, która utożsamia się z ciałem, nazywana jest *kṣetra-jña*—znawcą pola. Zrozumienie różnicy pomiędzy polem i jego znawcą, czyli ciałem i znawcą tego ciała, nie jest niczym trudnym. Każdy może zauważyć, iż od dzieciństwa do starości ciało jego podlega wielu zmianom. A jednak jest on ciągle tą samą osobą. Jest więc różnica pomiędzy znawcą pola działania i właściwym polem działania. Żywa, uwarunkowana dusza może zatem bez trudu zrozumieć, iż jest czymś różnym od ciała. Na początku zostało powiedziane—*dehino 'smin*—że żywa istota przebywa wewnątrz ciała. I ciało to zmienia się z ciała niemowlęcia na ciało dziecka, z ciała dziecka na ciało młodzieńca, z ciała młodzieńca na ciało starca—i osoba będąca jego właścicielem zdaje sobie sprawę z tych przemian. Właściciel jest więc wyraźnie *kṣetra-jña*. Czasami ktoś stwierdza: "Jestem szczęśliwy", "Jestem mężczyzną", "Jestem kobietą", "Jestem psem", "Jestem kotem" itd. Są to cielesne desygnaty znawców pola. Ale znawca różny jest od ciała. Mimo iż używamy tak wielu różnych przedmiotów: naszych ubrań itd., wiemy, że jesteśmy czymś oddzielnym od rzeczy, których używamy. Podobnie, po niewielkich rozważaniach zrozumiemy również, iż jesteśmy czymś różnym od tego ciała. Ja, ty czy ktokolwiek inny, kto posiada ciało, jest zwany *kṣetra-jña*, znawcą pola działania, a ciało jest nazywane *kṣetra*, polem samych czynności.

Pierwsze sześć rozdziałów *Bhagavad-gīty* opisuje znawcę ciała (żywą istotę) i pozycję, w której będąc usytuowanym, można zrozumieć Najwyższego Pana. Środkowe rozdziały *Gīty* opisują Najwyższą Osobę Boga oraz związek pomiędzy duszą indywidualną i Duszą Najwyższą w służbie oddania. Rozdziały te wyraźnie podkreślają wyższą pozycję Najwyższej Osoby Boga i zależność duszy indywidualnej. Żywe istoty są zależne w każdych warunkach, ale zapominając o tym, cierpią. Kiedy, dzięki pobożnym czynom, zostaną oświecone, wtedy zbliżają się do Najwyższego Pana w różnym charakterze: jako dotknięte nieszczęściem, potrzebujące pieniędzy, nękane ciekawością, poszukujące wiedzy. To również zostało opisane. Teraz, zaczynając od Rozdziału Trzynastego, dowiemy się, w jaki sposób żywa isota wchodzi w kontakt z naturą materialną i w jaki sposób zostaje wyzwolona przez Najwyższego Pana poprzez różnego rodzaju procesy: działanie dla rezultatów, kultywowanie wiedzy i pełnienie służby oddania. Mimo iż żywa istota jest całkowicie różna od ciała materialnego, w jakiś sposób wiąże się z nim. To zostanie również wytłumaczone.

## TEKST 3

क्षेत्रज्ञं चापि मां विद्धि सर्वक्षेत्रेषु भारत ।
क्षेत्रक्षेत्रज्ञयोर्ज्ञानं यत्तज्ज्ञानं मतं मम ॥३॥

*kṣetra-jñaṁ cāpi māṁ viddhi sarva-kṣetreṣu bhārata*
*kṣetra-kṣetrajñayor jñānaṁ yat taj jñānaṁ mataṁ mama*

*kṣetra-jñam*—znawca pola; *ca*—również; *api*—na pewno; *mām*—Mnie; *viddhi*—zna; *sarva*—wszystko; *kṣetreṣu*—na polach ciał; *bhārata*—O synu Bharaty; *kṣetra*—pole działania (ciało); *kṣetra-jñayoḥ*—i znawca pola; *jñānam*—wiedza o; *yat*—ta, która; *tat*—ta; *jñānam*—wiedza; *matam*—opinia; *mama*—Moja.

**O potomku Bharaty, powinieneś wiedzieć, że Ja jestem również znawcą przebywającym we wszystkich ciałach. Zaś poznanie ciała materialnego i jego właściciela nazywane jest wiedzą. Takie jest Moje zdanie.**

*ZNACZENIE:* Kiedy dyskutujemy o ciele materialnym, jego właścicielu, duszy i Duszy Najwyższej, to znajdujemy trzy różne tematy do rozważania: Pana, żywą istotę i materię. Na każdym polu działania, w każdym ciele, znajdują się dwie dusze: dusza indywidualna i Dusza Najwyższa. Ponieważ Dusza Najwyższa jest kompletną ekspansją

Najwyższej Osoby Boga, Kṛṣṇy, Kṛṣṇa mówi: "Ja jestem również znawcą, ale nie indywidualnym znawcą ciała. Ja jestem znawcą najwyższym. Obecny jestem w każdym ciele jako Paramātmā, czyli Dusza Najwyższa."

Kto dokładnie studiuje pole działania i znawcę tego pola, ten—według tej *Bhagavad-gīty*—może dojść do wiedzy.

Pan mówi: "Ja jestem znawcą pola działania w każdym indywidualnym ciele. " Indywidualna dusza może być znawcą swojego własnego ciała, ale nie posiada ona wiedzy o innych ciałach. Najwyższa Osoba Boga, który obecny jest we wszystkich ciałach jako Dusza Najwyższa, posiada pełną wiedzę o tych ciałach. Zna On wszystkie ciała w różnych gatunkach życia. Jakiś obywatel może wiedzieć wszystko o swoim skrawku ziemi, ale król zna nie tylko swój pałac, ale i wszelką własność swoich poszczególnych poddanych. Podobnie, ktoś może być indywidualnym właścicielem swego ciała, ale Najwyższy Pan jest właścicielem wszystkich ciał. Król jest pierwszym właścicielem królestwa, natomiast poddany jest właścicielem wtórnym. W podobny sposób Najwyższy Pan jest najwyższym właścicielem wszystkich ciał.

Ciało złożone jest ze zmysłów. Najwyższy Pan jest Hṛṣīkeśą, to znaczy "kontrolerem wszystkich zmysłów", tak jak król jest pierwszym kontrolerem wszelkiej działalności państwa, a obywatele są wtórnymi kontrolerami. Pan mówi też: "Ja jestem również znawcą." To znaczy, że jest On znawcą najwyższym; natomiast dusza indywidualna zna jedynie swoje określone ciało. Literatura wedyjska oznajmia:

*kṣetrāṇi hi śarīrāṇi bījaṁ cāpi śubhāśubhe*
*tāni vetti sa yogātmā tataḥ kṣetra-jña ucyate*

To ciało nazywane jest *kṣetra*, a wewnątrz niego mieszka właściciel tego ciała i Najwyższy Pan, który zna zarówno ciało, jak i jego właściciela. Dlatego nazywany jest On znawcą wszystkich pól. Różnica pomiędzy polem działania, znawcą działania i najwyższym znawcą działania została opisana w sposób następujący. Doskonała wiedza o konstytucji ciała, konstytucji duszy indywidualnej i konstytucji Duszy Najwyższej nazywana jest w literaturze wedyjskiej *jñāna*. Takie jest zdanie Kṛṣṇy. Zrozumienie jednoczesnej tożsamości i odmienności duszy i Duszy Najwyższej jest wiedzą. Kto nie rozumie pola działania i znawcy tego pola działania, ten nie posiada doskonałej wiedzy. Należy zrozumieć pozycję *prakṛti* (natury) i *puruṣy*—tego, kto raduje się tą naturą, oraz *īśvary*—czyli znawcy, który kontroluje zarówno naturę, jak i duszę indywidualną, i panuje nad nimi. Nie należy mylić tych trzech kategorii, różnych pod względem możliwości. Nie należy mylić malarza z obrazem czy sztalugą. Ten materialny świat, który jest polem działania, jest naturą; korzystającą z tej natury (radującą się nią) jest żywa istota, a ponad nimi dwiema jest najwyższy kontroler, Osoba Boga. Mówi się w języku wedyjskim (*Śvetāśvatara Upaniṣad* 1.12): *bhoktā bhogyaṁ preritāraṁ ca matvā; sarvaṁ proktaṁ tri-vidhaṁ brahmam etat.* Są trzy koncepcje Brahmana: *prakṛti* jest Brahmanem jako pole działania, Brahmanem jest też *jīva* (dusza indywidualna), która próbuje kontrolować naturę materialną, i Brahmanem jest również kontroler ich obu, który jest rzeczywistym kontrolerem.

W rozdziale tym zostanie też wytłumaczone, że spośród dwóch znawców jeden jest omylny, podczas gdy drugi jest nieomylny. Jeden jest najwyższym, a drugi jest zależny. Ten, kto uważa, że ci dwaj znawcy pola są jednym i tym samym, zaprzecza Najwyższej Osobie Boga, który bardzo wyraźnie oznajmia tutaj: "Ja jestem również znawcą pola działania." Kto myli sznur z wężem, ten nie posiada wiedzy. Są różne ciała i różni właściciele tych ciał. Ta różnorodność ciał istnieje dlatego, ponieważ każda indywidualna dusza ma indywidualną skłonność do panowania nad naturą materialną. Jednak w nich wszystkich Najwyższy obecny jest jako kontroler. Znaczące jest słowo *ca*, które wskazuje na ogólną liczbę ciał. Takie jest zdanie Śrīla Baladevy Vidyābhūṣaṇy. Kṛṣṇa jest Duszą Najwyższą, obecną w każdym ciele obok duszy indywidualnej. Kṛṣṇa mówi tutaj wyraźnie, że Dusza Najwyższa jest kontrolerem zarówno pola działania, jak i ograniczonego podmiotu radości.

**TEKST 4** तत् क्षेत्रं यच्च यादृक् च यद्विकारि यतश्च यत् ।
स च यो यत्प्रभावश्च तत् समासेन मे शृणु ॥४॥

*tat kṣetraṁ yac ca yādṛk ca yad-vikāri yataś ca yat*
*sa ca yo yat-prabhāvaś ca tat samāsena me śṛṇu*

*tat*—to; *kṣetram*—pole działania; *yat*—co; *ca*—również; *yādṛk*—jakie jest; *ca*—również; *yat*—co mają; *vikāri*—zmiany; *yataḥ*—z których; *ca*—również; *yat*—co; *saḥ*—on; *ca*—również; *yaḥ*—kto; *yat*—co mając; *prabhāvaḥ*—oddziaływanie; *ca*—również; *tat*—to; *samāsena*—pokrótce; *me*—ode Mnie; *śṛṇu*—dowiedz się.

**Teraz proszę posłuchaj Mojego krótkiego opisu tego pola działania: jego konstytucji, zmian, którym ono podlega, tego, gdzie jest wytwarzane; kim jest jego znawca i jakie jest jego oddziaływanie.**

*ZNACZENIE:* Pan opisuje pole działania i jego znawcę w ich konstytucjonalnych pozycjach. Należy wiedzieć, w jaki sposób zbudowane jest to ciało, z jakich elementów się składa, pod czyją kontrolą działa, jakim zmianom podlega, jaka jest przyczyna i powód tych zmian, jaki jest ostateczny cel indywidualnej duszy i jaka jest jej prawdziwa forma. Należy również wiedzieć, jakie są różnice pomiędzy duszą indywidualną a Duszą Najwyższą, znać ich różnorodne oddziaływania, ich moce itd. *Bhagavad-gītę* powinno się poznawać bezpośrednio z opisów danych przez Najwyższą Osobę Boga—a wtedy wszystko będzie jasne. Należy jednak być ostrożnym, by nie uznać Najwyższej Osoby Boga, przebywającego w każdym ciele, za tożsamego z indywidualną duszą, czyli *jīvą*. Byłoby to podobne zrównaniu wszechmocnego z bezsilnym.

**TEKST 5** ऋषिभिर्बहुधा गीतं छन्दोभिर्विविधैः पृथक् ।
ब्रह्मसूत्रपदैश्चैव हेतुमद्भिर्विनिश्चितैः ॥५॥

*ṛṣibhir bahudhā gītaṁ chandobhir vividhaiḥ pṛthak*
*brahma-sūtra-padaiś caiva hetumadbhir viniścitaiḥ*

*ṛṣibhiḥ*—przez mędrców; *bahudhā*—na wiele sposobów; *gītam*—opisany; *chandobhiḥ*—przez hymny wedyjskie; *vividhaiḥ*—różne; *pṛthak*—różnie; *brahma-sūtra*—*Vedānty; padaiḥ*—przez aforyzmy; *ca*—również; *eva*—na pewno; *hetu-madbhiḥ*—z przyczyną i skutkiem; *viniścitaiḥ*—pewny

**Tę wiedzę o polu działania i znawcy działania opisało wielu mędrców w różnych pismach wedyjskich—szczególnie w Vedānta-sūtrze—z wszelkim uzasadnieniem przyczyny i skutku.**

*ZNACZENIE:* Najwyższym autorytetem w tłumaczeniu tej wiedzy jest Najwyższa Osoba Boga, Kṛṣṇa. Jednakże jest rzeczą naturalną, iż uczeni naukowcy i wysokie autorytety zawsze powołują się na autorytety wcześniejsze. Kṛṣṇa tłumaczy najbardziej kontrowersyjny punkt, mianowicie dualizm i niedualizm duszy i Duszy Najwyższej, odwołując się do świętego pisma *Vedānty*, które przyjmowane jest za autorytet. Najpierw stwierdza, iż to co On mówi zgodne jest z tym, co mówią mędrcy. Jeśli chodzi o mędrców, to oprócz Niego Samego wielkim mędrcem jest Vyāsadeva, autor *Vedānta-sūtry*, która w doskonały sposób tłumaczy dualizm. Ojciec Vyāsadevy, Parāśara, który również był wielkim mędrcem, pisze w swoich religijnych księgach: *ahaṁ tvaṁ ca tathānye...* "My—ty, ja i różne żywe istoty—wszyscy jesteśmy transcendentalni, mimo iż przebywamy w ciałach materialnych. Teraz jesteśmy istotami upadłymi i zależnymi od trzech sił natury materialnej, odpowiednio do naszej różnej *karmy*. Wskutek tego niektóre z żywych istot znajdują się na wyższym poziomie, inne natomiast posiadają naturę niższą. Przyczyną istnienia natury wyższej i niższej jest ignorancja. Natury te manifestują się w nieograniczonej liczbie żywych istot. Ale Dusza Najwyższa, który jest nieomylny, nie jest skażony tymi trzema cechami natury materialnej i jest transcendentalny." W podobny sposób tę różnicę pomiędzy duszą, Duszą Najwyższą a ciałem przedstawiają oryginalne *Vedy*, a szczególnie *Kaṭha Upaniṣad*. Przedmiot ten wytłumaczyło wielu mędrców, pomiędzy którymi głównym jest Parāśara.

Słowo *chandobhiḥ* odnosi się do różnej literatury wedyjskiej. *Taittirīya Upaniṣad*, na przykład, która jest działem *Yajur Vedy*, opisuje naturę, żywą istotę i Najwyższą Osobę Boga.

Jak oznajmiono wcześniej, *kṣetra* jest polem działania i są dwa rodzaje *kṣetra-jña*: indywidualna żywa istota i najwyższa żywa istota. Jak oznajmia *Taittirīya Upaniṣad* (2.9), *brahma puccham pratiṣṭhā*. Istnieje manifestacja energii Najwyższego Pana, znana jako *anna-maya*, w której dana istota zależna jest tylko od pożywienia, pozwalającego jej przetrwać. Jest to materialistyczna realizacja Najwyższego. Następnie jest *prāṇa-maya*; to znaczy, że po zrealizowaniu Najwyższej Absolutnej Prawdy w pożywieniu, istota ta może zrealizować Prawdę Absolutną w symptomach życia, czyli formach życia. W manifestacji *jñāna-maya* realizacja przekracza symptomy życia i wznosi się do punktu myślenia, odczuwania i woli. Następnym etapem realizacji jest realizacja Brahmana, zwana *vijñāna-maya*, poprzez którą odróżnia się symptomy życia i myślenia od samej żywej istoty. Ostatnim i najwyższym etapem jest *ānanda-maya*, realizacja wszechradosnej natury. Tak więc istnieje pięć stopni realizacji Brahmana, które nazywa się *brahma puccham*. Trzy pierwsze spośród nich—*anna-maya, prāṇa-maya* i *jñāna-maya*—związane są z polem działania żywej istoty. Transcendentalnym do wszystkich tych pól działania jest Najwyższy Pan, który nazywany jest *ānanda-maya*. W *Vedānta-sūtrze* Najwyższy nazywany jest również *ānanda-mayo 'bhyāsāt*: Najwyższa Osoba Boga jest z natury pełen szczęścia, i aby radować się tym transcendentalnym szczęściem, rozwija się On w manifestacje: *vijñāna-maya, prāṇa-maya, jñāna-maya* i *anna-maya*. Na polu działania żywa istota uważana jest za podmiot radości, a czymś różnym od niej jest *ānanda-maya*. Oznacza to, że jeśli żywa istota decyduje się czerpać radość w połączeniu z *ānanda-mayą*, wtedy osiąga doskonałość. Taki jest prawdziwy obraz Najwyższego Pana jako najwyższego znawcy pola, żywej istoty, będącej znawcą uzależnionym, i natury pola działania. Prawdy tej należy poszukiwać w *Vedānta-sūtrze*, czyli *Brahma-sūtrze*.

Zostało tutaj wspomniane, że kody *Brahma-sūtry* zostały ułożone odpowiednio do przyczyny i efektu. Do *sūtr* tych, czy aforyzmów, zaliczają się: *na viyad aśruteḥ* (2.3.2), *nātmā śruteḥ* (2.3.18) i *parāt tu tac-chruteḥ* (2.3.40). Pierwszy aforyzm wskazuje na pole działania, drugi na żywą istotę, a trzeci na Najwyższego Pana, *summum bonum* pomiędzy wszystkimi manifestacjami różnych żywych istot.

**TEKSTY 6-7** महाभूतान्यहंकारो बुद्धिरव्यक्तमेव च ।
इन्द्रियाणि दशैकं च पञ्च चेन्द्रियगोचराः ॥६॥
इच्छा द्वेषः सुखं दुःखं सङ्घातश्चेतना धृतिः ।
एतत् क्षेत्रं समासेन सविकारमुदाहृतम् ॥७॥

*mahā-bhūtāny ahaṅkāro buddhir avyaktam eva ca*
*indriyāṇi daśaikaṁ ca pañca cendriya-gocarāḥ*

*icchā dveṣaḥ sukhaṁ duḥkhaṁ saṅghātaś cetanā dhṛtiḥ*
*etat kṣetraṁ samāsena sa-vikāram udāhṛtam*

*mahā-bhūtāni*—wielkie elementy; *ahaṅkāraḥ*—fałszywe ego; *buddhiḥ*—inteligencja; *avyaktam*—niezamanifestowany; *eva*—na pewno; *ca*—również; *indriyāṇi*—zmysły; *daśa-ekam*—jedenaście; *ca*—również; *pañca*—pięć; *ca*—również; *indriya-go-carāḥ*—przedmioty zmysłów; *icchā*—pragnienie; *dveṣaḥ*—nienawiść; *sukham*—szczęście; *duḥkham*—nieszczęście; *saṅghātaḥ*—połączenie; *cetanā*—symptomy życia; *dhṛtiḥ*—przekonanie; *etat*—wszystko to; *kṣetram*—pole działania; *samāsena*—ogółem; *sa-vikāram*—z interakcjami; *udāhṛtam*—zilustrowane.

**Pięć wielkich elementów, fałszywe ego, inteligencja, niezamanifestowane, dziesięć zmysłów i umysł, pięć przedmiotów zmysłów, pragnienie, nienawiść, szczęście, nieszczęście, suma, symptomy życia i przekonania—wszystko to razem uważane jest za pole działania i jego interakcje.**

*ZNACZENIE:* Według wszystkich autorytatywnych stwierdzeń wielkich mędrców, hymnów wedyjskich i aforyzmów z *Vedānta-sūtry*, komponenty tego świata można rozumieć w ten sposób. Najpierw są: ziemia, woda, ogień, powietrze i eter. Jest to pięć wielkich elementów (*mahā-bhūta*). Następnie jest fałszywe ego, inteligencja i niezamanifestowany stan trzech sił natury materialnej. Potem jest pięć zmysłów służących zdobywaniu wiedzy: oczy, uszy, nos, język i skóra. Następnie pięć zmysłów czynnych: głos, nogi, ręce, odbyt i narządy płciowe.

Ponad zmysłami jest umysł, który znajduje się wewnątrz i może być nazywany zmysłem wewnętrznym. Więc razem z umysłem jest jedenaście zmysłów. Następnie jest pięć przedmiotów zmysłów: zapach, smak, forma, dotyk i dźwięk. Suma tych dwudziestu czterech elementów nazywana jest polem działania. Jeśli ktoś przestudiuje analitycznie te dwadzieścia cztery elementy, będzie mógł wtedy bardzo dobrze zrozumieć pole działania. Następnie jest pożądanie, nienawiść, przyjemność, i ból, które są interakcjami reprezentującymi pięć wielkich elementów w ciele "wulgarnym". Symptomy życia, reprezentowane przez świadomość i przekonania, są manifestacją ciała subtelnego—umysłu, ego i inteligencji. Te subtelne elementy wchodzą w zakres pola działania.

Pięć wielkich elementów jest wulgarną reprezentacją fałszywego ego, które z kolei reprezentuje pierwotny stan fałszywego ego fachowo zwany koncepcją materialistyczną, czyli *tāmasa-buddhi*, inteligencją w ignorancji. Ta z kolei reprezentuje niezamanifestowany stan trzech sił materialnej natury. Te niezamanifestowane siły natury materialnej nazywane są *pradhāna*.

Kto pragnie dokładnie poznać te dwadzieścia cztery elementy i ich wzajemne oddziaływania, powinien bardziej dokładnie przestudiować tę filozofię. *Bhagavad-gītā* daje tylko wiadomości sumaryczne.

Ciało jest reprezentantem wszystkich tych czynników i podlega ono sześciu zmianom, mianowicie: rodzi się, rośnie, trwa przez pewien czas, wytwarza produkty uboczne, następnie zaczyna słabnąć i w ostatnim stadium ginie. Zatem pole jest nietrwałą, materialną rzeczą. Jednakże *kṣetra-jña*, znawca tego pola, jego właściciel, jest czymś odmiennym.

**TEKSTY 8-12**

अमानित्वमदम्भित्वमहिंसा क्षान्तिरार्जवम् ।
आचार्योपासनं शौचं स्थैर्यमात्मविनिग्रहः ॥८॥
इन्द्रियार्थेषु वैराग्यमनहंकार एव च ।
जन्ममृत्युजराव्याधिदुःखदोषानुदर्शनम् ॥९॥
असक्तिरनभिष्वंगः पुत्रदारगृहादिषु ।
नित्यं च समचित्तत्वमिष्टानिष्टोपपत्तिषु ॥१०॥
मयि चानन्ययोगेन भक्तिरव्यभिचारिणी ।
विविक्तदेशसेवित्वमरतिर्जनसंसदि ॥११॥
अध्यात्मज्ञाननित्यत्वं तत्त्वज्ञानार्थदर्शनम् ।
एतज्ज्ञानमिति प्रोक्तमज्ञानं यदतोऽन्यथा ॥१२॥

*amānitvam adambhitvam ahiṁsā kṣāntir ārjavam*
*ācāryopāsanaṁ śaucaṁ sthairyam ātma-vinigrahaḥ*

*indriyārtheṣu vairāgyam anahaṅkāra eva ca*
*janma-mṛtyu-jarā-vyādhi- duḥkha-doṣānudarśanam*

*asaktir anabhiṣvaṅgaḥ putra-dāra-gṛhādiṣu*
*nityaṁ ca sama-cittatvam iṣṭāniṣṭopapattiṣu*

*mayi cānanya-yogena bhaktir avyabhicāriṇī*
*vivikta-deśa-sevitvam aratir jana-saṁsadi*

*adhyātma-jñāna-nityatvaṁ tattva-jñānārtha-darśanam*
*etaj jñānam iti proktam ajñānaṁ yad ato 'nyathā*

*amānitvam*—pokora; *adambhitvam*—wolność od dumy; *ahiṁsā*—łagodność; *kṣāntiḥ*—tolerancja; *ārjavam*—prostota; *ācārya-upāsanam*—przyjęcie bona fide mistrza duchowego; *śaucam*—czystość; *sthairyam*—nieugiętość; *ātma-vinigrahaḥ*—samokontrola; *indriya-artheṣu*—zmysłów; *vairāgyam*—wyrzeczenie; *anahaṅkāraḥ* —wolność od fałszywego egoizmu; *eva*—na pewno; *ca*—również; *janma*—narodziny; *mṛtyu*—śmierć; *jarā*—starość; *vyādhi*—i choroba; *duḥkha*—niedola; *doṣa*—błąd; *anudarśanam*—przestrzeganie; *asaktiḥ*—bez przywiązania; *anabhiṣvaṅgaḥ*—wolny od związków; *putra*—do syna; *dāra*—żony; *gṛha-ādiṣu*—domu itd.; *nityam*—bezustanny; *ca*—również; *sama-cittatvam*—równowaga; *iṣṭa*—pożądany; *aniṣṭa*—niepożądany; *upapattiṣu*—osiągnąwszy; *mayi*—Mnie; *ca*—również; *ananya-yogena*—przez czystą służbę oddania; *bhaktiḥ*—oddanie; *avyabhicāriṇī*—bezustanna; *vivikta*—w ustronne; *deśa*—miejsca; *sevitvam*—dążąc; *aratiḥ*—bez przywiązania; *jana-saṁsadi*—dla ogółu ludzi; *adhyātma*—właściwy dla duszy; *jñāna*—w wiedzy; *nityatvam*—wieczność; *tattva-jñāna*—wiedza o prawdzie; *artha*—dla przedmiotu; *darśanam*—filozofia; *etat*—wszystko to; *jñānam*—wiedza; *iti*—w ten sposób; *proktam*—oznajmiłem; *ajñānam*—niewiedza; *yat*—to, które; *ataḥ*—od tego; *anyathā*—inny.

**Pokora; wolność od dumy; łagodność; tolerancja; prostota; przyjęcie bona fide mistrza duchowego; czystość; wytrwałość; samokontrola; wyrzeczenie się przedmiotów zadowalania zmysłów, wolność od fałszywego ego; świadomość zła płynącego z narodzin i śmierci, starości i choroby; brak przywiązania; wolność od uwikłania się sprawami dzieci, żony, domu i innych rzeczy; równowaga wobec zdarzeń przyjemnych i nieprzyjemnych; niezachwiane i czyste oddanie dla Mnie; dążenie do zamieszkania w ustronnym miejscu; brak przywiązania do rzesz ludzkich; uznanie znaczenia samorealizacji i filozoficzne poszukiwanie Absolutnej Prawdy—wszystko to uważam za wiedzę, a wszystko poza tym—za ignorancję.**

*ZNACZENIE:* Niektórzy mniej inteligentni ludzie błędnie uważają taki proces wiedzy za interakcje pola działania. W rzeczywistości jednak jest to prawdziwy proces wiedzy. Kto przyjmuje ten proces, ten ma możliwość zbliżenia się do Prawdy Absolutnej. Nie jest to wzajemne oddziaływanie dwudziestu czterech elementów opisanych wcześniej, a raczej środek do uniezależnienia się od nich. Wcielona dusza jest uwięziona w ciele, które jest powłoką zbudowaną z dwudziestu czterech elementów, a środkiem do wydostania się z niej jest proces wiedzy opisany tutaj. Ze wszystkich opisów tego procesu wiedzy, najistotniejsza jest pierwsza linijka jedenastego wersetu: *mayi cānanya-yogena bhaktir avyabhicāriṇī*: proces wiedzy kończy się czystą służbą oddania dla Pana. Jeśli ktoś nie przyjmie albo nie jest w stanie przyjąć transcendentalnej służby oddania, to pozostałe dziewiętnaście elementów nie ma praktycznie żadnej wartości. A kto pełni służbę oddania w pełnej świadomości Kṛṣṇy, ten automatycznie rozwija w sobie dziewiętnaście pozostałych cech. Jak oznajmia *Śrīmad-Bhāgavatam* (5.18.12), *yasyāsti bhaktir bhagavaty akiñcanā sarvair guṇais tatra samāsate surāḥ*. Wszystkie dobre cechy wiedzy rozwijają się w tym, kto osiągnął stan służby oddania. Istotną rzeczą, tak jak mówi o tym werset ósmy, jest przyjęcie mistrza duchowego. Jest to rzeczą najważniejszą, nawet dla tego, kto pełni służbę oddania. Życie transcendentalne zaczyna się od momentu przyjęcia bona fide mistrza duchowego. Najwyższa Osoba Boga, Śrī Kṛṣṇa, wyraźnie tutaj mówi, iż ten proces wiedzy jest rzeczywistą drogą. Wszelkie spekulacje poza nim są nonsensem.

Jeśli chodzi o wiedzę przedstawioną tutaj, to jej elementy mogą być analizowane w sposób następujący: pokora oznacza, iż nie powinniśmy ubiegać się o szacunek innych. Materialna koncepcja życia czyni nas bardzo spragnionymi otrzymywania honorów, ale z punktu widzenia człowieka posiadającego wiedzę—który wie, że nie jest tym ciałem—jakikolwiek honor czy dyshonor w stosunku do ciała nie ma żadnego znaczenia. Nie należy zatem ubiegać się o takie złudne, materialne wartości. Ludzie pragną być sławni z powodu wyznawanej religii i dlatego czasami zdarza się, że nie rozumiejąc zasad religijnych wchodzą do jakiejś grupy, która w rzeczywistości nie przestrzega zasad religijnych, i następnie chcą uchodzić za mentorów religijnych. Jeśli komuś rzeczywiście zależy na prawdziwym postępie duchowym, to powinien mieć możliwość sprawdzenia swojego postępu, a można to zrobić przyjmując za kryterium cechy wymienione w wersetach od ósmego do dwunastego.

Łagodność na ogół rozumie się jako niezabijanie i nieszkodzenie ciału, lecz w rzeczywistości łagodność oznacza nieprzysparzanie innym trosk. Ludzie na ogół usidleni są przez ignorancję, tkwiąc bardzo mocno w materialnej koncepcji życia, i bezustannie cierpią z powodu różnych materialnych bolączek. Jeśli więc ktoś nie prowadzi ich do wiedzy duchowej, praktykuje przemoc. Należy zatem czynić wszystko w celu dostarczenia ludziom prawdziwej wiedy, tak aby będąc oświeconymi, mogli uwolnić się z materialnych sideł. To właśnie nazywa się łagodnością.

Tolerancja oznacza, że trzeba umieć znosić zniewagi i obrazy ze strony innych. Kto zaangażowany jest w kultywację wiedzy duchowej, ten będzie spotykał się z wieloma zniewagami i brakiem szacunku ze strony innych. Można się tego spodziewać, gdyż taka jest konstytucja natury materialnej. Nawet taki chłopiec jak Prahlāda, który już w wieku pięciu lat był zaangażowany w kultywację wiedzy duchowej, narażony był ciągle na niebezpieczeństwo, albowiem ojciec zaczął sprzeciwiać się jego oddaniu. Wielokrotnie usiłował go zabić, ale Prahlāda tolerował go. Może więc być wiele przeszkód na naszej drodze do postępu duchowego, lecz powinniśmy być tolerancyjni i wytrwale kontynuować nasz wysiłek.

Prostota oznacza, że należy być tak prostolinijnym i bezpośrednim, aby móc bez dyplomacji mówić prawdę, nawet wrogowi. Jeśli chodzi o przyjęcie mistrza duchowego, to jest to rzeczą zasadniczą, gdyż bez instrukcji bona fide mistrza duchowego nie można zrobić postępu w wiedzy duchowej. Do mistrza duchowego należy zbliżyć się z całą pokorą i służyć mu z oddaniem, tak aby go zadowolić i uzyskać jego błogosławieństwo. Jako że bona fide mistrz duchowy jest reprezentantem Kṛṣṇy, to pobłogosławiony przez niego uczeń zrobi natychmiastowy postęp, nawet jeśli nie postępuje on według regulujących zasad. Również przestrzeganie zasad będzie łatwiejsze dla tego, kto służy mistrzowi duchowemu bez zastrzeżeń.

Czystość jest istotna dla postępu w życiu duchowym. Są dwa rodzaje czystości: zewnętrzna i wewnętrzna. Czystość zewnętrzna polega na kąpaniu się, ale dla czystości wewnętrznej należy zawsze myśleć o Kṛṣṇie i intonować Hare Kṛṣṇa, Hare Kṛṣṇa, Kṛṣṇa Kṛṣṇa, Hare Hare; Hare Rāma, Hare Rāma, Rāma Rāma, Hare Hare. Proces ten oczyszcza umysł z nagromadzonego brudu przeszłej *karmy*.

Wytrwałość oznacza determinację w czynieniu postępu w życiu duchowym. Bez takiej determinacji nie można zrobić wyraźnego postępu. Samokontrola oznacza, iż nie należy przyjmować niczego, co jest szkodliwe na ścieżce postępu duchowego. Należy przyzwyczaić się do tego, i odrzucać wszystko, co nie idzie w parze z takim postępem. Jest to prawdziwym wyrzeczeniem. Zmysły są tak mocne, iż zawsze nakłaniają nas do tego, co sprawia im przyjemność. Nie należy jednak spełniać tych zmysłowych pragnień, które nie są konieczne. Powinno się zaspokajać tylko te potrzeby zmysłów, które pomogą utrzymać ciało w gotowości do wypełniania jego obowiązków koniecznych do postępu w życiu duchowym. Najważniejszym i najbardziej trudnym do kontrolowania zmysłem jest język. Jeśli ktoś jest w stanie kontrolować język, wtedy bez trudu może kontrolować też i inne zmysły. Funkcją języka jest smakowanie i wibrowanie. Dlatego należy angażować go w smakowanie pozostałości pożywienia ofiarowanego Kṛṣṇie oraz intonowanie Hare Kṛṣṇa. Jeśli chodzi o oczy, to powinny one oglądać jedynie piękną postać Kṛṣṇy. Będzie to kontrolowaniem oczu. Podobnie, uszy należy angażować w słuchanie o Kṛṣṇie, a nos w wąchanie kwiatów ofiarowanych Kṛṣṇie. Jest to proces służby oddania, a zatem *Bhagavad-gītā* po prostu tłumaczy tutaj naukę służby oddania, ona bowiem jest głównym i jedynym celem. Nieinteligentni komentatorzy *Gīty* starają się skierować umysł czytelnika na inne tematy, ale nie ma innego tematu w *Bhagavad-gīcie* poza służbą oddania.

Fałszywe ego oznacza utożsamianie się z własnym ciałem. Kiedy ktoś rozumie, że nie jest tym ciałem, ale czystą duszą, jest to prawdziwym ego. Ego istnieje. Potępiane jest fałszywe ego, ale nie ego prawdziwe. Literatura wedyjska (*Bṛhad-āraṇyaka Upaniṣad* 1.4.10) mówi: *ahaṁ brahmāsmi*. Ja jestem Brahmanem, jestem duchem. To "Ja jestem", świadomość jaźni, istnieje również w wyzwolonym stanie samorealizacji. Tym poczuciem, że "jestem" jest ego, ale kiedy to "jestem" odnoszone jest do tego fałszywego ciała—jest to ego fałszywe. Natomiast kiedy istota jaźni odnosi się do rzeczywistości, to jest to ego prawdziwe. Są filozofowie, którzy mówią, iż powinniśmy pozbyć się naszego ego, co jest zupełnie niemożliwe, jako że ego oznacza tożsamość. Nie powinniśmy natomiast błędnie utożsamiać się z ciałem.

Należy spróbować zrozumieć niedolę narodzin, śmierci, starości i choroby. Opisy narodzin możemy znaleźć w różnorodnej literaturze wedyjskiej. Świat nienarodzonego, pobyt dziecka w łonie matki, jego cierpienia itd., bardzo obrazowo opisuje *Śrīmad-Bhāgavatam*. Należy w pełni zrozumieć, iż narodziny są bardzo bolesne. Ponieważ zapomnieliśmy o tym, jak bardzo cierpieliśmy w łonie matki, nie próbujemy rozwiązać problemu narodzin i śmierci. Podobnie i śmierć łączy się z wieloma różnego rodzaju cierpieniami, o których również jest mowa w autorytatywnych pismach. Należy o tym dyskutować. Jeśli chodzi o starość i choroby, to każdy doświadcza tego praktycznie. Nikt nie chce chorować i nikt nie pragnie starości, ale nie można tego uniknąć. Dopóki nie będziemy mieć pesymistycznego poglądu na życie materialne—rozważając niedole narodzin, śmierci, starości i choroby—dopóty nie będzie w nas również zapału do zrobienia postępu w życiu duchowym.

Jeśli chodzi o nieprzywiązywanie się do dzieci, żony i domu—to nie oznacza to, iż powinniśmy wyzbyć się dla nich uczuć. Są to naturalne przedmioty uczucia, ale kiedy nie sprzyjają one postępowi duchowemu, wtedy nie należy być do nich przywiązanym. Najlepszą metodą uczynienia domu przyjemnym jest świadomość Kṛṣṇy. Jeśli ktoś jest w pełni świadomy Kṛṣṇy, może uczynić swój dom bardzo szczęśliwym, gdyż ten proces świadomości Kṛṣṇy jest rzeczą bardzo łatwą. Należy jedynie intonować Hare Kṛṣṇa, Hare Kṛṣṇa, Kṛṣṇa Kṛṣṇa, Hare Hare; Hare Rāma, Hare Rāma, Rāma Rāma, Hare Hare, przyjmować pozostałości pokarmu ofiarowanego Kṛṣṇie, prowadzić dyskusje na tematy takich ksiąg, jak *Bhagavad-gītā* i *Śrīmad-Bhāgavatam* i zaangażować się w wielbienie Bóstw. Te cztery rzeczy uczynią dom szczęśliwym. Należy nauczyć członków rodziny żyć w ten sposób. Cała rodzina może rano i wieczorem razem intonować: Hare Kṛṣṇa, Hare Kṛṣṇa, Kṛṣṇa Kṛṣṇa, Hare Hare; Hare Rāma, Hare Rāma, Rāma Rāma, Hare Hare. Jeśli ktoś ukształtuje życie rodzinne w ten sposób, korzystny dla rozwijania świadomości Kṛṣṇy, z przestrzeganiem tych czterech zasad, wtedy nie będzie potrzeby porzucania życia rodzinnego i przyjmowania wyrzeczonego porządku życia. Życie rodzinne należy jednak porzucić wtedy, kiedy nie sprzyja ono postępowi duchowemu. Dla realizacji Kṛṣṇy i dla Jego służby należy poświęcić wszystko, tak jak to zrobił Arjuna. Arjuna nie chciał zabijać członków swojej rodziny, ale kiedy zrozumiał, iż są oni przeszkodą w jego realizacji Kṛṣṇy, zaakceptował instrukcje Pana, walczył i zabił ich. Ale w żadnym wypadku nie należy przywiązywać się do szczęścia czy nieszczęścia życia rodzinnego, gdyż w tym świecie nie można nigdy być w pełni szczęśliwym czy całkowicie nieszczęśliwym.

Szczęście i nieszczęście są w życiu materialnym czynnikami współistniejącymi. Należy nauczyć się je tolerować, tak jak to radzi *Bhagavad-gītā*. Nie jesteśmy w stanie powstrzymać przychodzącego i odchodzącego szczęścia i nieszczęścia, więc nie należy być przywiązanym do materialistycznego sposobu życia. Należy pozostawać zrównoważonym w obu wypadkach. Na ogół, kiedy otrzymujemy jakieś pożądane rzeczy, jesteśmy bardzo szczęśliwi. A kiedy spotyka nas coś niepożądanego, jesteśmy przygnębieni. Lecz kiedy będziemy na platformie duchowej, rzeczy te nie będą nas już wzruszać. Aby osiągnąć ten stan, musimy bezustannie pełnić służbę oddania. Niewzruszona służba oddania polega na zaangażowaniu się w dziewięć procesów: intonowanie, słuchanie, wielbienie, ofiarowywanie pokłonów itd., opisanych w ostatnim wersecie Rozdziału Dziewiątego. Należy praktykować ten proces.

Gdy ktoś pogrążony jest w życiu duchowym, w naturalny sposób nie chce on przebywać z materialistami. Byłoby to niezgodne z jego naturą.

Można sprawdzić siebie samego, poprzez zamieszkanie w odludnym miejscu, bez niepożądanego towarzystwa, i przekonać się w ten sposób, jak bardzo jest się skłonnym do życia w samotności. Oczywiście wielbiciela Pana nie pociągają niepotrzebne sporty, chodzenie do kina czy pełnienie jakichś funkcji społecznych, gdyż rozumie on, że jest to jedynie stratą czasu. Jest wielu badaczy, naukowców i filozofów, którzy zajmują się studiowaniem życia seksualnego, czy jakimiś innymi tematami, ale według *Bhagavad-gīty* takie prace badawcze i spekulacje filozoficzne nie mają żadnej wartości. W mniejszym lub większym stopniu jest to pozbawione sensu. Według *Bhagavad-gīty*, rozum filozoficzny ma służyć zgłębianiu natury duszy. Również badania powinny służyć temu celowi. To właśnie polecane jest tutaj.

Jeśli chodzi o samorealizację, to wyraźnie zostało tutaj powiedziane, iż szczególnie praktyczna jest *bhakti-yoga*. A jeśli chodzi o oddanie, to należy rozważyć związek pomiędzy Duszą Najwyższą i duszą indywidualną. Dusza indywidualna i Dusza Najwyższa nie mogą być jednym, przynajmniej w koncepcji *bhakti*, koncepcji życia w służbie oddania. Jak to zostało wyraźnie oznajmione, ta służba duszy indywidualnej dla Duszy Najwyższej jest wieczna, *nityam*. Więc *bhakti*, czyli służba oddania, jest wieczna. Należy być mocnym w tym filozoficznym przekonaniu.

*Śrīmad-Bhāgavatam* (1.2.11) tłumaczy: *vadanti tat tattva-vidas tattvaṁ yaj jñānam advayam* "Ci, którzy są rzeczywistymi znawcami Prawdy Absolutnej, wiedzą, że Najwyższa Jaźń realizowana jest w trzech różnych fazach: jako Brahman, Paramātmā i Bhagavān." Bhagavān jest ostatnim słowem w realizacji Prawdy Absolutnej. Zatem należy wznieść się do platformy rozumienia Najwyższej Osoby Boga i następnie zaangażować się w służbę oddania dla Pana. To właśnie jest doskonałością wiedzy.

Zaczynając od praktykowania pokory aż do punktu realizacji Najwyższej Prawdy, Absolutnej Osoby Boga, proces ten podobny jest do klatki schodowej wiodącej od parteru aż do ostatniego piętra. Na klatce tej znajduje się wiele osób, niektóre z nich dotarły do pierwszego piętra, inne do drugiego, trzeciego itd. Lecz dopóki ktoś nie dotrze do piętra ostatniego, którym jest poznanie Kṛṣṇy, to znajduje się na niższym etapie wiedzy. Jeśli ktoś chce współzawodniczyć z Bogiem i jednocześnie zrobić postęp w wiedzy duchowej, na pewno będzie sfrustrowany. Wyraźnie zostało powiedziane, iż bez pokory niemożliwe jest osiągnięcie wiedzy. A już uważanie siebie za Boga jest najbardziej niebezpiecznym rodzajem pychy. Mimo iż żywa istota jest bezustannie kopana przez nieugięte prawa natury materialnej, to jednak nadal z powodu ignorancji, myśli: "Jestem Bogiem". Zatem pokora, *amānitva*, jest początkiem wiedzy. Należy więc być pokornym i wiedzieć, iż jest się poddanym Najwyższego Pana. Kto buntuje się przeciwko Najwyższemu Bogu, ten staje się zależny od natury materialnej. Należy uświadomić sobie tę prawdę i być o niej święcie przekonanym.

## TEKST 13

ज्ञेयं यत्तत्प्रवक्ष्यामि यज्ज्ञात्वामृतमश्नुते ।
अनादि मत्परं ब्रह्म न सत्तन्नासदुच्यते ॥१३॥

*jñeyaṁ yat tat pravakṣyāmi yaj jñātvāmṛtam aśnute*
*anādi mat-paraṁ brahma na sat tan nāsad ucyate*

*jñeyam*—przedmiot poznania; *yat*—który; *tat*—ten; *pravakṣyāmi*—wytłumaczę; *yat*—który; *jñātvā*—znając; *amṛtam*—nektar; *aśnute*—smakuje; *anādi*—bez początku; *mat-param*—podporządkowany Mnie; *brahma*—duch; *na*—ani nie; *sat*—przyczyna; *tat*—to; *na*—ani nie; *asat*—skutek; *ucyate*—jest nazywany.

**Wytłumaczę ci teraz przedmiot wiedzy, przez poznanie którego skosztujesz wieczności. Nie ma on początku i Mnie jest podległy. Nazywany jest Brahmanem—duchem. I leży on ponad przyczyną i skutkiem tego materialnego świata.**

*ZNACZENIE:* Pan wytłumaczył pole działania i znawcę tego pola. Wytłumaczył również proces poznania znawcy pola działania. Teraz objaśni On przedmiot wiedzy—najpierw duszę, a potem Duszę Najwyższą. Przez poznanie znawcy, zarówno duszy, jak i Duszy Najwyższej, można spróbować nektaru życia. Jak zostało to wytłumaczone w Rozdziale Drugim, żywa istota jest wieczna. Potwierdzono to również tutaj. Nie ma żadnego określonego momentu narodzin *jīvy*. Nikt też nie może prześledzić historii manifestacji *jīvātmy* z Najwyższego Pana. Zatem nie posiada ona początku. Potwierdza to literatura wedyjska: *na jāyate mriyate vā vipaścit* (*Kaṭha Upaniṣad* 1.2.18). Znawca ciała nigdy nie rodzi się ani nie umiera, i jest pełen wiedzy.

Najwyższy Pan, jako Dusza Najwyższa, również został określony w literaturze wedyjskiej (*Śvetāśvatara Upaniṣad* 6.16) jako *pradhāna-kṣetrajña-patir guṇeśaḥ*, główny znawca ciała i Pan trzech sił natury materialnej. W *smṛti* jest powiedziane: *dāsa-bhūto harer eva nānyasvaiva kadācana*. Żywe istoty są wiecznymi sługami Najwyższego Pana. Potwierdził to również w Swoich naukach Pan Caitanya. Zatem opis Brahmana w tym wersecie odnosi się do duszy indywidualnej, i kiedy słowo Brahman stosuje się do żywej istoty, należy rozumieć, że jest ona *vijñāna-brahma*, przeciwieństwem *ānanda-brahmy*. *Ānanda-brahma* jest Najwyższym Brahmanem, Osobą Boga.

TEKST 14 सर्वतः पाणिपादं तत् सर्वतोऽक्षिशिरोमुखम् ।
सर्वतः श्रुतिमल्लोके सर्वमावृत्य तिष्ठति ॥१४॥

*sarvataḥ pāṇi-pādaṁ tat sarvato 'kṣi-śiro-mukham*
*sarvataḥ śrutimal loke sarvam āvṛtya tiṣṭhati*

*sarvataḥ*—wszędzie; *pāṇi*—ręce; *pādam*—nogi; *tat*—to; *sarvataḥ*—wszędzie; *akṣi*—oczy; *śiraḥ*—głowy; *mukham*—twarze; *sarvataḥ*—wszędzie; *śruti-mat*—mając uszy; *loke*—w świecie; *sarvam*—wszystko; *āvṛtya*—przykrywając; *tiṣṭhati*—istnieje.

**Wszędzie są Jego ręce, nogi, oczy, Jego głowy i twarze, wszędzie są Jego uszy. W taki oto sposób istnieje Dusza Najwyższa, przenikając wszystko.**

*ZNACZENIE:* Tak jak słońce rozprzestrzenia swoje nieograniczone promienie, w podobny sposób przejawia się Dusza Najwyższa, czyli Najwyższa Osoba Boga. Istnieje On w ten sposób w Swojej wszechprzenikającej formie i w Nim spoczywają wszystkie żywe istoty, począwszy od pierwszego wielkiego nauczyciela, Brahmy, a skończywszy na maleńkich mrówkach. Jest nieograniczona ilość głów, nóg, rąk, oczu i nieograniczona ilość żywych istot. Wszystkie one spoczywają w i na Duszy Najwyższej. Zatem Dusza Najwyższa jest wszechprzenikająca. Indywidualna dusza nie może powiedzieć, że wszędzie są jej ręce, nogi i oczy. Nie jest to możliwe. Zaś mniemanie, że to tylko z powodu tymczasowej ignorancji nie jest ona świadoma wszechobecności swoich członków, i że stan ten uświadomi sobie z chwilą osiągnięcia właściwej wiedzy—jest sprzeczne. Skoro bowiem została uwarunkowana przez naturę materialną, to oznacza to, że nie jest ona najwyższą. Najwyższy różny jest od duszy indywidualnej. Najwyższy Pan może rozprzestrzenić Swoje ręce bez ograniczenia, czego dusza indywidualna nie jest w stanie zrobić. W *Bhagavad-gīcie* Pan mówi, że jeśli ktoś ofiaruje Mu kwiat, owoc albo trochę wody, On przyjmie to. Jeśli jednak Pan znajduje się daleko, to jak może przyjmować te rzeczy? Na tym polega wszechmoc Pana. Nawet chociaż przebywa On w Swojej własnej siedzibie—bardzo, bardzo daleko od Ziemi—może wyciągnąć rękę i przyjąć wszystko cokolwiek zostało Mu ofiarowane. Taka jest Jego moc. W *Brahma-saṁhicie* (5.37) jest powiedziane, *goloka eva nivasaty akhilātma-bhūtaḥ*: mimo iż zawsze zajęty rozrywkami na Swojej transcendentalnej planecie, jest On wszechprzenikający. Indywidualna dusza nie może twierdzić, że jest wszechprzenikająca. Zatem werset ten opisuje Duszę Najwyższą, Osobę Boga, nie zaś duszę indywidualną.

TEKST 15 सर्वेन्द्रियगुणाभासं सर्वेन्द्रियविवर्जितम् ।
असक्तं सर्वभृच्चैव निर्गुणं गुणभोक्तृ च ॥१५॥

*sarvendriya-guṇābhāsaṁ sarvendriya-vivarjitam*
*asaktaṁ sarva-bhṛc caiva nirguṇaṁ guṇa-bhoktṛ ca*

*sarva*—wszystkich; *indriya*—zmysłów; *guṇa*—jakości; *ābhāsam*—pierwotne źródło; *sarva*—wszystkie; *indriya*—zmysły; *vivarjitam*—będące bez; *asaktam*—bez przywiązania; *sarva-bhṛt*—utrzymujący każdego; *ca*—również; *eva*—na pewno; *nirguṇam*—bez cech materialnych; *guṇa-bhoktṛ*—pan *guṇ; ca*—również.

**Będąc oryginalnym źródłem wszystkich zmysłów, Sam (Dusza Najwyższa) nie posiada zmysłów. Utrzymuje wszystkie żywe istoty, a mimo to wolny jest od przywiązania. Będąc ponad siłami natury materialnej, jest jednocześnie panem ich wszystkich (guṇ natury materialnej).**

*ZNACZENIE:* Najwyższy Pan, mimo iż jest źródłem wszystkich zmysłów żywych istot, Sam nie posiada zmysłów materialnych, takich jakie posiadają żywe istoty. W rzeczywistości dusze indywidualne mają zmysły duchowe, które w uwarunkowanym stanie życia przykryte są elementami materialnymi i dlatego czynności zmysłowe przejawiają się poprzez materię. Natomiast zmysły Najwyższego Pana nie są przykryte w ten sposób. Jego zmysły są transcendentalne i dlatego nazywane są *nirguṇa*. *Guṇa* oznacza siły natury materialnej, ale Jego zmysły nie są przykryte przez materię. Należy zrozumieć to, iż Jego zmysły nie są podobne do naszych. Chociaż On jest źródłem wszelkich naszych czynności zmysłowych, Jego zmysły są transcendentalne i nie są skażone materialnie. Wspaniale zostało to wytłumaczone w *Śvetāśvatara Upaniṣad* (3.19) w wersecie: *apāṇi-pādo javano grahītā*. Najwyższa Osoba Boga nie ma rąk skażonych materialnie, ale ma Swoje ręce, którymi przyjmuje wszystko cokolwiek jest Mu ofiarowane. Taka jest różnica pomiędzy duszą uwarunkowaną a Duszą Najwyższą. Nie ma On oczu materialnych, ale oczy posiada—w przeciwnym wypadku jak mógłby widzieć? Widzi On wszystko: przeszłość, teraźniejszość i przyszłość. Obecny jest On w sercu żywej istoty i wie, co zrobiliśmy w przeszłości co robimy teraz i co oczekuje nas w przyszłości. Potwierdza to również *Bhagavad-gītā*: On zna wszystko, ale nikt nie zna Jego. Jest powiedziane, iż Najwyższy Pan nie ma nóg takich, jakie my posiadamy, ale może On podróżować w przestrzeni, gdyż posiada nogi duchowe. Innymi słowy, Pan nie jest bezosobowy. Posiada On oczy, nogi, ręce i wszystko inne; a ponieważ my jesteśmy integralnymi cząstkami Najwyższego Pana, również to mamy. Ale Jego ręce, nogi, oczy i zmysły nie są zanieczyszczone przez naturę materialną.

*Bhagavad-gītā* również zapewnia, że kiedy Pan pojawia się, pojawia się takim, jakim jest naprawdę, dzięki Swojej wewnętrznej mocy. Nie jest On zanieczyszczony przez energię materialną, ponieważ jest Panem energii materialnej. Literatura wedyjska informuje, iż całe Jego ciało jest duchowe. Ma On Swoją wieczną formę nazywaną *sac-cid-ānanda-vigraha* i pełen jest wszelkich bogactw i mocy. Jest właścicielem wszelkich bogactw i wszelkich energii. Jest On najbardziej inteligentny i posiada wszelką wiedzę. Są to niektóre z cech Najwyższej Osoby Boga. On utrzymuje wszystkie żywe istoty i jest świadkiem wszystkich ich czynów. Z literatury wedyjskiej możemy dowiedzieć się, że Najwyższy Pan jest zawsze transcendentalny. Mimo iż nie widzimy Jego głowy, twarzy, rąk, nóg—On je posiada. Postać Pana będziemy mogli zobaczyć wtedy, kiedy wzniesiemy się do platformy transcendentalnej. Lecz teraz, kiedy nasze zmysły są zanieczyszczone materialnie, jest to niemożliwe. Dlatego impersonaliści, którzy nadal są zanieczyszczeni materialnie, nie mogą zrozumieć Osoby Boga.

**TEKST 16** बहिरन्तश्च भूतानामचरं चरमेव च ।
सूक्ष्मत्वात्तदविज्ञेयं दूरस्थं चान्तिके च तत् ॥१६॥

*bahir antaś ca bhūtānām acaraṁ caram eva ca*
*sūkṣmatvāt tad avijñeyaṁ dūra-sthaṁ cāntike ca tat*

*bahiḥ*—na zewnątrz; *antaḥ*—wewnątrz; *ca*—również; *bhūtānām*—wszystkich żywych istot; *acaram*—nieruchome; *caram*—poruszające się; *eva*—również; *ca*—i; *sūkṣmatvāt*—będąc subtelnym; *tat*—to; *avijñeyam*—niepoznawalny; *dūra-stham*—z dala; *ca*—również; *antike*—blisko; *ca*—i; *tat*—to.

**Najwyższa Prawda istnieje wewnątrz i na zewnątrz wszystkich żywych istot, ruchomych i nieruchomych. Ponieważ jest subtelny, nie można poznać Go ani zobaczyć mocą zmysłów materialnych. Mimo iż jest bardzo daleko, jest również blisko wszystkiego.**

*ZNACZENIE:* Z literatury wedyjskiej dowiadujemy się, że Nārāyaṇa, Najwyższa Osoba, przebywa zarówno na zewnątrz, jak i wewnątrz każdej żywej istoty. Jest On obecny zarówno w świecie duchowym, jak i materialnym. Mimo iż jest bardzo daleko, to jednak jest w pobliżu nas. Oznajmia to literatura wedyjska. *Āsīno dūraṁ vrajati śayāno yāti sarvataḥ* (*Kaṭha Upaniṣad* 1.2.21). Ponieważ zawsze pogrążony jest On w szczęściu transcendentalnym, nie możemy zrozumieć, w jaki sposób cieszy się On Swoimi pełnymi bogactwami. Nie możemy zobaczyć ani zrozumieć tego za pomocą materialnych zmysłów. Dlatego w języku wedyjskim mówi się, że aby Go zrozumieć, nasz umysł i zmysły materialne muszą przestać działać. Kto jednak oczyścił swój umysł i zmysły poprzez praktykowanie świadomości Kṛṣṇy w służbie oddania, ten może oglądać Go bez przerwy. *Brahma-saṁhitā* oznajmia, że wielbiciel, który rozwinął miłość do Najwyższego Boga, może oglądać Go zawsze. Również *Bhagavad-gītā* potwierdza (11.54), że zobaczyć i zrozumieć Go można jedynie poprzez służbę oddania. *Bhaktyā tv ananyayā śakyaḥ*.

**TEKST 17**

अविभक्तं च भूतेषु विभक्तमिव च स्थितम् ।
भूतभर्तृ च तज्ज्ञेयं ग्रसिष्णु प्रभविष्णु च ॥१७॥

*avibhaktaṁ ca bhūteṣu vibhaktam iva ca sthitam*
*bhūta-bhartṛ ca taj jñeyaṁ grasiṣṇu prabhaviṣṇu ca*

*avibhaktam*—bez podziału; *ca*—również; *bhūteṣu*—w każdej żywej istocie; *vibhaktam*—podzielony; *iva*—jak gdyby; *ca*—również; *sthitam*—usytuowany; *bhūta-bhartṛ*—utrzymujący wszystkie żywe istoty; *ca*—również; *tat*—to; *jñeyam*—należy zrozumieć; *grasiṣṇu*—pochłaniając; *prabhaviṣṇu*—rozwijając; *ca*—również.

**Mimo iż zdaje się On być (Dusza Najwyższa) podzielonym pomiędzy wszystkie istoty, nigdy nie ulega podziałowi, zawsze jednym będąc. Chociaż utrzymuje każdą żywą istotę, to wiedz, że On wytwarza wszystko i wszystko pochłania.**

*ZNACZENIE:* Pan usytuowany jest w każdym sercu jako Dusza Najwyższa. Czy to znaczy, że rozdzielił się On na części? Nie. W rzeczywistości jest On jednym. Często podawany jest przykład słońca: słońce w południe usytuowane jest w swoim miejscu. Jeśli jednak udamy się pięć tysięcy mil w każdym kierunku i zapytamy: "Gdzie jest słońce?", każdy odpowie, iż świeci ono nad jego głową. Literatura wedyjska podaje ten przykład, aby wykazać, że chociaż jest On niepodzielny, to zdaje się być rozdzielonym. Również powiedziane jest w literaturze wedyjskiej, że Viṣṇu, mimo iż jeden, dzięki Swojej wszechmocy obecny jest wszędzie. Tak jak słońce, które dla różnych osób zdaje się być w różnych miejscach. I chociaż Najwyższy Pan jest żywicielem i obrońcą każdej żywej istoty, to w czasie unicestwienia pochłania On wszystko. Potwierdza to Rozdział Jedenasty, kiedy Pan mówi, że przyszedł, aby zniszczyć wszystkich wojowników zgromadzonych na polu Kurukṣetra. Wspomina też o tym, że pochłania również wszystko jako czas. Jest On tym, który unicestwia i zabija wszystko. W czasie stworzenia rozwija wszystko od stanu początkowego, a w czasie unicestwienia wszystko pochłania. Fakt ten potwierdzają hymny wedyjskie, że jest On źródłem wszystkich żywych istot i spoczynkiem wszystkiego. Po stworzeniu wszystko utrzymywane jest dzięki Jego wszechmocy, a po unicestwieniu wszystko z powrotem wraca do Niego, by w Nim znaleźć spoczynek. A oto potwierdzenie hymnów wedyjskich. *Yato vā imāni bhūtāni jāyante yena jātāni jīvanti yat prayanty abhisaṁviśanti tad brahma tad vijijñāsasva* (*Taittirīya Upaniṣad* 3.1).

**TEKST 18** ज्योतिषामपि तज्ज्योतिस्तमसः परमुच्यते ।
ज्ञानं ज्ञेयं ज्ञानगम्यं हृदि सर्वस्य विष्ठितम् ॥१८॥

*jyotiṣām api taj jyotis tamasaḥ param ucyate*
*jñānaṁ jñeyaṁ jñāna-gamyaṁ hṛdi sarvasya viṣṭhitam*

*jyotiṣām*—we wszystkich obiektach świetlnych; *api*—również; *tat*—to; *jyotiḥ*—źródło światła; *tamasaḥ*—ciemność; *param*—poza; *ucyate*—jest powiedziane; *jñānam*—wiedza; *jñeyam*—do poznania; *jñāna-gamyam*—osiągany przez wiedzę; *hṛdi*—w sercu; *sarvasya*—każdego; *viṣṭhitam*—usytuowany.

**Niezamanifestowany i poza ciemnością materii, On jest źródłem światła we wszystkich obiektach świetlnych. On jest wiedzą, jej przedmiotem i celem. To On przebywa w sercu każdej żywej istoty.**

*ZNACZENIE:* Dusza Najwyższa, Najwyższa Osoba Boga, jest źródłem światła we wszystkich obiektach świetlnych, takich jak słońce, księżyc, gwiazdy itd. Z literatury wedyjskiej wiemy, iż w królestwie duchowym zbędne jest słońce czy księżyc, albowiem świat ten jest pełen blasku emanującego z Najwyższego Pana. W świecie materialnym to *brahmajyoti* (duchowe promienie Najwyższego Pana) przykryte jest przez *mahat-tattvę*, elementy materialne. Dlatego świat ten musi być oświetlany przez słońce, księżyc, elektryczność itd. Obiekty takie nie są jednak potrzebne w świecie duchowym. Literatura wedyjska wyraźnie oznajmia, że wszystko tam oświetlone jest Jego światłością. Jest zatem jasne, że Jego siedziba nie znajduje się w świecie materialnym. Przebywa On w świecie duchowym, znajdującym się daleko w niebie duchowym. Potwierdza to również literatura wedyjska. *Āditya-varṇaṁ tamasaḥ parastāt* (*Śvetāśvatara Upaniṣad* 3.8). Jest On jak słońce, zawsze pełen blasku, ale znajduje się On daleko poza ciemnością tego materialnego świata.

Jego wiedza jest transcendentalna. Literatura wedyjska potwierdza, że Brahman jest skoncentrowaną wiedzą transcendentalną. Kto pragnie przenieść się do świata duchowego, ten otrzymuje wiedzę od Najwyższego Pana, przebywającego w każdym sercu. Jedna z wedyjskich *mantr* (*Śvetāśvatara Upaniṣad* 6.18) mówi: *taṁ ha devam ātma-buddhi-prakāśaṁ mumukṣur vai śaraṇam ahaṁ prapadye*. Kto w ogóle pragnie wyzwolenia, ten musi podporządkować się Najwyższej Osobie Boga. Jeśli chodzi o ostateczny cel wiedzy, to literatura wedyjska oznajmia: *tam eva viditvāti mṛtyum eti*. "Jedynie znając Jego można wyzwolić się z cyklu narodzin i śmierci." (*Śvetāśvatara Upaniṣad* 3.8)

Obecny jest On w każdym sercu jako najwyższy kontroler. Najwyższy ma nogi i ręce, które rozprzestrzenione są wszędzie, a tego nie można powiedzieć o duszy indywidualnej. Dlatego należy uznać, że jest dwóch znawców pola działania: dusza indywidualna i Dusza Najwyższa. Ręce i nogi jednej istoty znajdują się w jednym określonym miejscu, ale ręce i nogi Kṛṣṇy znajdują się wszędzie. Potwierdzone jest to w *Śvetāśvatara Upaniṣad* (3.17): *sarvasya prabhum īśānaṁ sarvasya śaraṇaṁ bṛhat*. Ta Najwyższa Osoba Boga, Dusza Najwyższa, jest *prabhu*, czyli panem, wszystkich istot. Dlatego jest też ich ostatecznym schronieniem. Nie można więc zaprzeczyć, że Dusza Najwyższa i dusza indywidualna są zawsze różne.

## TEKST 19

इति क्षेत्रं तथा ज्ञानं ज्ञेयं चोक्तं समासतः ।
मद्भक्त एतद्विज्ञाय मद्भावायोपपद्यते ॥१९॥

*iti kṣetraṁ tathā jñānaṁ jñeyaṁ coktaṁ samāsataḥ*
*mad-bhakta etad vijñāya mad-bhāvāyopapadyate*

*iti*—zatem; *kṣetram*—pole działania (ciało); *tathā*—również; *jñānam*—wiedza; *jñeyam*—przedmiot poznania; *ca*—również; *uktam*—opisałem; *samāsataḥ*—pokrótce; *mat-bhaktaḥ*—Mój wielbiciel; *etat*—wszystko to; *vijñāya*—po zrozumieniu; *mat-bhāvāya*—Moją naturę; *upapadyate*—osiąga.

**Opisałem ci zatem pokrótce pole działania (ciało), wiedzę i to, co jest jej przedmiotem. Jedynie Moi wielbiciele mogą zrozumieć to dokładnie i w ten sposób osiągnąć Moją naturę.**

*ZNACZENIE:* Pan opisał pokrótce ciało, wiedzę i przedmiot wiedzy. Jest to wiedza o trzech rzeczach: znawcy, przedmiocie poznania i procesie poznania. Wszystko to razem nazywane jest *vijñāna*, czyli nauką o wiedzy. Doskonałą wiedzę mogą zrozumieć bezpośrednio czyści wielbiciele Pana. Inni nie są w stanie jej zrozumieć. Moniści twierdzą, że na ostatnim etapie te trzy składniki stają się jednym, ale wielbiciele nie akceptują takiego stwierdzenia. Wiedza i rozwój wiedzy oznacza zrozumienie siebie w świadomości Kṛṣṇy. Teraz jesteśmy kierowani przez świadomość materialną, ale kiedy tylko zwrócimy całą naszą świadomość ku czynnościom Kṛṣṇy i zdamy sobie sprawę z tego, iż On jest wszystkim, wtedy osiągniemy prawdziwą wiedzę. Innymi słowy, wiedza nie jest niczym innym, jak początkowym etapem doskonałego rozumienia służby oddania. Dokładniej zostanie to wytłumaczone w Rozdziale Piętnastym.

Podsumowując: można zrozumieć, że wersety 6 i 7, począwszy od *mahā-bhūtāni* i kontynuując poprzez *cetanā dhṛtiḥ*, analizują materialne elementy i pełne manifestacje symptomów życia, które formują ciało, czyli pole działania. A wersety od 8-12, od *amānitvam* do *tattva-jñānārtha-darśanam*, opisują proces wiedzy dla zrozumienia dwóch typów znawcy pola działania, mianowicie duszy i Duszy Najwyższej. Następnie wersety 13-18, począwszy od *anādi mat-param* i kontynuując poprzez *hṛdi sarvasya viṣṭhitam*, opisują duszę i Najwyższego Pana, Duszę Najwyższą.

Zatem zostały opisane trzy czynniki: pole działania (ciało), proces zrozumienia, oraz dusza i Dusza Najwyższa. Szczególnie zostało tu zaznaczone, że dokładnie zrozumieć to mogą jedynie czyści bhaktowie Pana. Więc dla takich bhaktów *Bhagavad-gītā* jest w pełni użyteczna, gdyż oni to mogą osiągnąć najwyższy cel, naturę Najwyższego Pana, Kṛṣṇy. Innymi słowy, jedynie bhaktowie, i nikt inny, mogą zrozumieć *Bhagavad-gītę* i osiągnąć upragniony rezultat.

**TEKST 20** प्रकृतिं पुरुषं चैव विद्ध्यनादी उभावपि ।
विकारांश्च गुणांश्चैव विद्धि प्रकृतिसम्भवान् ॥२०॥

*prakṛtiṁ puruṣaṁ caiva viddhy anādī ubhāv api*
*vikārāṁś ca guṇāṁś caiva viddhi prakṛti-sambhavān*

*prakṛtim*—natura materialna; *puruṣam*—żywe istoty; *ca*—również; *eva*—na pewno; *viddhi*—musisz wiedzieć; *anādī*—bez początku; *ubhau*—oba; *api*—również; *vikārān*—przemiany; *ca*—również; *guṇān*—trzy siły natury materialnej; *ca*—również; *eva*—na pewno; *viddhi*—wiedz; *prakṛti*—natura materialna; *sambhavān*—wyprodukowane z.

**Musisz wiedzieć, że natura materialna i żywe istoty nie mają początku. Ich przemiany i guṇy materialne są produktami materialnej natury.**

*ZNACZENIE:* Poprzez wiedzę podaną w tym rozdziale można poznać ciało (pole działania) i znawców tego ciała (duszę indywidualną i Duszę Najwyższą). Ciało jest polem działania i skomponowane jest z natury materialnej. Ciało zamieszkuje dusza indywidualna, czyli żywa istota (*puruṣa*), która czerpie przyjemność z działalności tego ciała. Jest ona jednym znawcą, drugim zaś jest Dusza Najwyższa. Oczywiście należy wiedzieć, że zarówno Dusza Najwyższa, jak i indywidualna żywa istota są różnymi manifestacjami Najwyższej Osoby Boga. Żywa istota jest w kategorii Jego energii, natomiast Dusza Najwyższa jest w kategorii Jego osobistej ekspansji.

Zarówno materialna natura, jak i żywa istota są wieczne. To znaczy, że istniały one przed stworzeniem. Materialna manifestacja jest energią Najwyższego Pana. Podobnie i żywe istoty, z tym, że one są energią wyższą. Obie one istniały przed zamanifestowaniem się tego kosmosu. Natura materialna była pogrążona w Najwyższej Osobie Boga, Mahā-Viṣṇu, i w odpowiedniej chwili została zamanifestowana za pośrednictwem *mahat-tattvy*. Podobnie pogrążone są w Nim żywe istoty, lecz ponieważ są one uwarunkowane, sprzeciwiają się służbie dla Najwyższego Pana. Wskutek tego nie mogą wejść do nieba duchowego. Po zamanifestowaniu się natury materialnej, te żywe istoty otrzymują powtórną szansę działania w tym świecie materialnym i przygotowania się do wejścia w niebo duchowe. W tym oto zawiera się tajemnica tego materialnego stworzenia. W rzeczywistości żywa istota jest oryginalnie duchową integralną cząstką Najwyższego Pana, ale z powodu swojej buntowniczej natury jest ona uwarunkowana wewnątrz materialnej natury. Właściwie nie ma znaczenia to, w jaki sposób te żywe istoty, czyli wyższe istoty Najwyższego Pana, weszły w kontakt z naturą materialną. Jednakże Najwyższa Osoba Boga wie, jak i dlaczego to się zdarzyło. W pismach objawionych Pan mówi, że ci, którzy znajdują się pod urokiem natury materialnej, muszą prowadzić ciężką walkę o egzystencję. Ale my powinniśmy wiedzieć, z opisu tych paru wersetów, że wszelkie przemiany i oddziaływania natury materialnej poprzez trzy *guṇy* są również produktami natury materialnej. Przyczyną wszystkich przemian i odmienności żywych istot jest ciało. Jeśli chodzi o duszę, to wszystkie żywe istoty są takie same.

**TEKST 21**

कार्यकारणकर्तृत्वे हेतुः प्रकृतिरुच्यते ।
पुरुषः सुखदुःखानां भोक्तृत्वे हेतुरुच्यते ॥२१॥

*kārya-kāraṇa-kartṛtve hetuḥ prakṛtir ucyate*
*puruṣaḥ sukha-duḥkhānāṁ bhoktṛtve hetur ucyate*

*kārya*—skutku; *kāraṇa*—i przyczyny; *kartṛtve*—jeśli chodzi o stworzenie; *hetuḥ*—instrument; *prakṛtiḥ*—materialna natura; *ucyate*—jest powiedziane, że; *puruṣaḥ*—żywa istota; *sukha*—szczęścia; *duḥkhānām*—i niedoli; *bhoktṛtve*—w radościach; *hetuḥ*—instrument; *ucyate*—mówi się, że jest.

**Natura uważana jest za przyczynę wszelkiego materialnego działania i skutków, podczas gdy żywa istota jest przyczyną rozmaitego cierpienia i radości w tym świecie.**

*ZNACZENIE:* Przyczyną różnych przejawień ciał i zmysłów pośród żywego stworzenia jest natura materialna. Jest 8 400 000 różnych gatunków życia i te rozmaite formy są tworem natury materialnej. Są one wynikiem różnych przyjemności zmysłowych żywej istoty, która wskutek tego pragnie otrzymać odpowiednie ciało. Wędrując przez różnego rodzaju ciała, doświadcza rozmaitych przyjemności i cierpień. Przyczyną jej materialnego szczęścia i niedoli jest jej ciało, a nie ona sama. Naprawdę szczęśliwa jest jednak w swoim oryginalnym stanie; jest to bowiem jej prawdziwy stan. Ale z powodu pragnienia panowania nad naturą materialną, znajduje się w tym świecie materialnym. Inna sytuacja istnieje w świecie duchowym, który jest miejscem czystym. Natomiast w świecie materialnym musi ona ciężko walczyć i trudzić się, aby dostarczyć różnych przyjemności ciału. Może należałoby wyraźniej stwierdzić, że ciało to jest rezultatem zmysłów. Zmysły są instrumentami zaspokajania pragnień. Całość—ciało i zmysły—są darem natury materialnej i, jak to zostanie wyjaśnione w następnym wersecie, żywa istota jest nagradzana i karana różnymi warunkami życia, odpowiednio do jej przeszłych pragnień i czynów. Odpowiednio do przeszłych pragnień i czynów żywej istoty, materialna natura umieszcza ją w różnych "rezydencjach". Tak więc, sama żywa istota jest przyczyną osiągnięcia takiej czy innej pozycji, takich czy owakich przyjemności i cierpień. Kiedy zostanie umieszczona w określonym typie ciała, podlega kontroli natury, ponieważ ciało—będąc materią—musi działać zgodnie z prawami natury. Wówczas żywa istota nie ma mocy, aby zmienić to prawo. Przypuśćmy, że dostanie ona ciało psa. Skoro tylko osiągnie to ciało, musi postępować zgodnie z psim zwyczajem. Nie ma innego wyboru. Kiedy dostanie ciało świni, wtedy zmuszona będzie jeść odchody i zachowywać się tak jak świnia. Podobnie, jeśli żywa istota osiągnie ciało półboga, musi postępować odpowiednio do tego ciała. Takie jest prawo natury. Lecz w każdych warunkach Dusza Najwyższa towarzyszy duszy indywidualnej. Zostało to wytłumaczone w *Vedach* (*Muṇḍaka Upaniṣad* 3.1.1.) w sposób następujący: *dvā suparṇā sayujā sakhāyaḥ*. Najwyższy Pan jest tak dobry dla żywej istoty, że zawsze towarzyszy duszy indywidualnej i w każdych okolicznościach obecny jest przy niej jako Dusza Najwyższa, czyli Paramātmā.

TEKST 22 पुरुषः प्रकृतिस्थो हि भुंक्ते प्रकृतिजान् गुणान् ।
कारणं गुणसंगोऽस्य सदसद्योनिजन्मसु ॥२२॥

*puruṣaḥ prakṛti-stho hi bhuṅkte prakṛti-jān guṇān*
*kāraṇaṁ guṇa-saṅgo 'sya sad-asad-yoni-janmasu*

*puruṣaḥ*—żywa istota; *prakṛti-sthaḥ*—usytuowana w energii materialnej; *hi*—na pewno; *bhuṅkte*—raduje się; *prakṛti-jān*—wyprodukowany przez naturę materialną; *guṇān*—siły natury materialnej; *kāraṇam*—przyczyna; *guṇa-saṅgaḥ*—obcowanie z siłami natury materialnej; *asya*—żywej istoty; *sat-asat*—wobec dobra i zła; *yoni*—gatunki życia; *janmasu*—wobec narodzin.

**W taki oto sposób podąża żywa istota ścieżkami życia w tym materialnym świecie, ciesząc się trzema siłami natury. Tak oto doświadcza dobra i zła pośród różnych gatunków, a przyczyną tego jest jej obcowanie z naturą materialną.**

*ZNACZENIE:* Werset ten ma duże znaczenie dla zrozumienia, w jaki sposób żywa istota przechodzi z jednego ciała do innego. Rozdział Drugi tłumaczy, iż zmienia ona ciała, tak jak człowiek zmienia ubrania. Przyczyną tej zmiany okrycia jest jej przywiązanie do życia materialnego. Tak długo jak żywa istota jest przyciągana przez tę fałszywą manifestację, tak długo musi transmigrować z jednego ciała do innego. Przyczyną tego, iż raz po raz jest ona umieszczana w takich niepożądanych warunkach, jest jej pragnienie panowania nad naturą materialną. Pod wpływem pragnienia materialnego żywa istota rodzi się czasami jako półbóg, czasami jako człowiek, czasami jako zwierzę, ptak, robak, istota wodna, człowiek święty, czy też pluskwa. I dzieje się tak ciągle. We wszystkich przypadkach, mimo iż żywa istota znajduje się pod wpływem natury materialnej, ciągle uważa się ona za pana swojej sytuacji.

Werset ten tłumaczy, w jaki sposób dostaje się ona do różnych ciał. Przyczyną tego jest obcowanie z różnymi siłami natury materialnej. Należy zatem wznieść się ponad te trzy wiążące siły natury materialnej i osiągnąć pozycję transcendentalną. To nazywane jest świadomością Kṛṣṇy. Dopóki więc żywa istota nie osiągnie świadomości Kṛṣṇy, dopóty jej materialna świadomość będzie zmuszać ją do ciągłej zmiany ciał, gdyż od czasów niepamiętnych posiada ona pragnienia materialne. Ale taką świadomość należy zmienić. Zmianę tę spowodować może tylko słuchanie z autorytatywnych źródeł. Najlepszy przykład został podany tutaj: Arjuna słucha nauki o Bogu od Kṛṣṇy. Jeśli żywa istota podda się temu procesowi słuchania, straci w ten sposób swoje długo pielęgnowane pragnienia dominowania nad naturą materialną. I stopniowo i współmiernie do tego, jak będzie redukowała to swoje długotrwałe, władcze pragnienie panowania, będzie cieszyła się szczęściem duchowym. Wedyjska *mantra* mówi: smak wiecznego i pełnego szczęścia życia rośnie proporcjonalnie do wiedzy, którą osiąga się obcując z Najwyższą Osobą Boga.

**TEKST 23** उपद्रष्टानुमन्ता च भर्ता भोक्ता महेश्वरः ।
परमात्मेति चाप्युक्तो देहेऽस्मिन् पुरुषः परः ॥२३॥

*upadraṣṭānumantā ca bhartā bhoktā maheśvaraḥ*
*paramātmeti cāpy ukto dehe 'smin puruṣaḥ paraḥ*

*upadraṣṭā*—obserwujący; *anumantā*—przyzwalający; *ca*—również; *bhartā*—pan; *bhoktā*—najwyższy podmiot radości; *mahā-īśvaraḥ*—Najwyższy Pan; *parama-ātmā*—Dusza Najwyższa; *iti*—również; *ca*—i; *api*—naprawdę; *uktaḥ*—jest powiedziane; *dehe*—w tym ciele; *asmin*—to; *puruṣaḥ*—podmiot radości; *paraḥ*—transcendentalny.

**W ciele tym jest jednak jeszcze inny podmiot radości, który jest transcendentalny. Jest nim Pan, najwyższy właściciel, który jest obserwatorem i przyzwalającym, i który znany jest jako Dusza Najwyższa.**

*ZNACZENIE:* Werset ten oznajmia, że Dusza Najwyższa, która przebywa zawsze obok duszy indywidualnej, jest reprezentacją Najwyższego Pana. Nie jest On zwykłą żywą istotą. Ponieważ moniści przyjmują, iż jest tylko jeden znawca ciała—myślą, że nie ma różnicy pomiędzy Duszą Najwyższą i duszą indywidualną. Aby to wyjaśnić, Pan mówi, że On jest reprezentacją Paramātmy w każdym ciele. Jest On różny od duszy indywidualnej. Jest On *para*, transcendentalny. Indywidualna dusza cieszy się czynnościami określonego pola, ale Dusza Najwyższa obecna jest tam nie jako ograniczony podmiot radości i uczestnik czynności cielesnych, lecz jako ich świadek, obserwator, zezwalający na nie i najwyższy podmiot radości. Jego imię jest Paramātmā, nie zaś *ātmā*, i jest On transcendentalny. Jest więc całkowicie zrozumiałe, że *ātmā* i Paramātmā są czymś różnym. Dusza

Najwyższa (Paramātmā) ma wszędzie Swoje ręce i nogi, ale dusza indywidualna nie. I ponieważ Paramātmā jest Najwyższym Panem, jest On obecny wewnątrz, aby sankcjonować pragnienia duszy indywidualnej względem uciech materialnych. Bez pozwolenia Duszy Najwyższej, dusza indywidualna nie jest w stanie nic uczynić. Indywidualna dusza jest *bhukta*, czyli utrzymywana, podczas gdy On jest *bhoktā*, czyli utrzymującym. Jest niezliczona liczba żywych istot i On przebywa w nich wszystkich jako przyjaciel.

W rzeczywistości indywidualna żywa istota jest wiecznie cząstką Najwyższego Pana i istnieje między nimi bliski związek przyjaźni. Jednak żywa istota posiada tendencję do odrzucania sankcji Najwyższego Pana i niezależnego działania w próbie dominowania nad naturą. I właśnie z powodu posiadania tej tendencji, nazywana jest ona marginalną energią Najwyższego Pana. Żywa istota może być usytuowana w energii materialnej albo duchowej. Dopóki jest ona uwarunkowana przez energię materialną, tak długo Najwyższy Pan, Dusza Najwyższa, towarzyszy jej zawsze jako jej przyjaciel, aby nakłonić ją do powrotu do energii duchowej. Pan zawsze pragnie zabrać ją z powrotem do energii duchowej, ale z powodu swojej niewielkiej niezależności, indywidualna żywa istota bezustannie odrzuca towarzystwo duchowego światła. Niewłaściwe korzystanie z tej niezależności jest przyczyną jej walki materialnej w uwarunkowanej naturze. Pan zawsze udziela jej instrukcji od wewnątrz i z zewnątrz. Taką Jego zewnętrzną instrukcją są nauki *Bhagavad-gīty*, a od środka usiłuje On przekonać żywą istotę, że jej działanie na polu materialnym nie prowadzi do prawdziwego szczęścia. "Po prostu porzuć je i skieruj swoją wiarę ku Mnie. Wtedy będziesz szczęśliwy,"—mówi On. Więc ta inteligentna osoba, która pokłada swoją wiarę w Paramātmie, Najwyższej Osobie Boga, zaczyna robić postęp w kierunku wiecznego życia, pełnego szczęścia i wiedzy.

**TEKST 24** य एवं वेत्ति पुरुषं प्रकृतिं च गुणैः सह ।
सर्वथा वर्तमानोऽपि न स भूयोऽभिजायते ॥२४॥

*ya evaṁ vetti puruṣaṁ prakṛtiṁ ca guṇaiḥ saha*
*sarvathā vartamāno 'pi na sa bhūyo 'bhijāyate*

*yaḥ*—każdy, kto; *evam*—zatem; *vetti*—rozumie; *puruṣam*—żywa istota; *prakṛtim*—natura materialna; *ca*—i; *guṇaiḥ*—siły natury materialnej; *saha*—z; *sarvathā*—wszelkimi środkami; *vartamānaḥ*—usytuowany; *api*—pomimo; *na*—nigdy; *saḥ*—on; *bhūyaḥ*—ponownie; *abhijāyate*—rodzi się.

**Kto rozumie tę naukę o żywej istocie, materialnej naturze i działaniu jej sił, ten niewątpliwie osiąga wyzwolenie. Osoba taka nie rodzi się tu więcej, bez względu na jej obecną pozycję.**

*ZNACZENIE:* Osoba, która dokładnie rozumie naturę materialną, Duszę Najwyższą i duszę indywidualną, i ich wzajemny związek, może osiągnąć wyzwolenie i przenieść się do atmosfery duchowej. Nie musi ona rodzić się ponownie w tym świecie materialnym. Taki jest rezultat wiedzy. Celem wiedzy jest zrozumienie, iż żywa istota przypadkiem upadła w ten materialny świat. Poprzez osobisty wysiłek w towarzystwie autorytetów, osób świętych i mistrza duchowego, musi ona zrozumieć swoją pozycję i następnie przemienić swoją świadomość na świadomość duchową, czyli świadomość Kṛṣṇy. Powinna to zrobić przez zrozumienie *Bhagavad-gīty* w taki sposób, jak została ona wytłumaczona przez Osobę Boga. Wtedy z pewnością nie będzie musiała nigdy powracać do tego świata materialnego, lecz zostanie przeniesiona do świata duchowego, gdzie życie jest wieczne, pełne szczęścia i wiedzy.

**TEKST 25** ध्यानेनात्मनि पश्यन्ति केचिदात्मानमात्मना ।
अन्ये सांख्येन योगेन कर्मयोगेन चापरे ॥२५॥

*dhyānenātmani paśyanti kecid ātmānam ātmanā*
*anye sāṅkhyena yogena karma-yogena cāpare*

*dhyānena*—przez medytację; *ātmani*—w duszy; *paśyanti*—widzą; *kecit*—jedni; *ātmānam*—Dusza Najwyższa; *ātmanā*—przez umysł; *anye*—inni; *sāṅkhyena*—przez dyskusje filozoficzne; *yogena*—przez system *yogi; karma-yogena*—przez czyn wolny od pragnienia zysku; *ca*—również; *apare*—inni.

**Niektórzy postrzegają w sobie Duszę Najwyższą przez medytację, inni przez kultywację wiedzy. A jeszcze inni poprzez czyn wolny od pragnienia zysku.**

*ZNACZENIE:* Pan informuje Arjunę, że dusze uwarunkowane mogą zostać podzielone na dwie klasy, jeśli weźmiemy pod uwagę dążenie do samorealizacji. Ateiści, agnostycy i sceptycy nie posiadają zdolności rozumienia duchowego. Ale są inni, którzy są pełni wiary w swoim poznawaniu życia duchowego. Są to introspektywni bhaktowie, filozofowie i osoby, które wyrzekły się owoców swego czynu. Ci, którzy usiłują ustanowić doktrynę monizmu, również zaliczani są do ateistów i agnostyków. Innymi słowy, tylko wielbiciele Najwyższej Osoby Boga zajmują najlepszą pozycję, jeśli chodzi o poznanie duchowe, ponieważ rozumieją, iż poza tą manifestacją materialną istnieje świat duchowy i Najwyższa Osoba Boga, który przenika wszystko jako Paramātmā, Dusza Najwyższa znajdująca się w każdej istocie, wszechprzenikający Bóg. Oczywiście są też i tacy, którzy próbują poznać Najwyższą Absolutną Prawdę przez kultywację wiedzy, i oni mogą zostać zaliczeni do klasy wiernych. Filozofowie Sāṅkhya analizują ten świat poprzez jego dwadzieścia cztery elementy, a duszę indywidualną uważają za jego dwudziesty piąty składnik. Kiedy zaczynają rozumieć, że natura duszy indywidualnej jest transcendentalna w stosunku do elementów materialnych, są również w stanie zrozumieć, że ponad indywidualną duszą znajduje się Najwyższa Osoba Boga. Jest On dwudziestym szóstym elementem. W ten sposób stopniowo również dochodzą oni do poziomu służby oddania w świadomości Kṛṣṇy. Ci, którzy wyrzekają się owoców swojej pracy, również są doskonali w swojej postawie i mają szansę awansu do platformy służby oddania w świadomości Kṛṣṇy. Werset ten mówi również o ludziach, którzy są czyści w swojej świadomości, i którzy próbują odkryć Duszę Najwyższą poprzez medytację, i kiedy odnoszą sukces, również osiągają pozycję transcendentalną. Są też i tacy, którzy usiłują zrozumieć Duszę Najwyższą przez rozwijanie wiedzy, oraz inni, którzy kultywują system *haṭha-yogi* i próbują zadowolić Najwyższą Osobę Boga dziecinnymi igraszkami.

**TEKST 26** अन्ये त्वेवमजानन्तः श्रुत्वान्येभ्य उपासते ।
तेऽपि चातितरन्त्येव मृत्युं श्रुतिपरायणाः ॥२६॥

*anye tv evam ajānantaḥ śrutvānyebhya upāsate*
*te 'pi cātitaranty eva mṛtyuṁ śruti-parāyaṇāḥ*

*anye*—inni; *tu*—ale; *evam*—w ten sposób; *ajānantaḥ*—bez wiedzy duchowej; *śrutvā*—przez słuchanie; *anyebhyaḥ*—od innych; *upāsate*—zaczynają wielbić; *te*—oni; *api*—również; *ca*—i; *atitaranti*—pokonują; *eva*—na pewno; *mṛtyum*—ścieżkę śmierci; *śruti-parāyaṇāḥ*—skłaniający się do procesu słuchania.

**Są również tacy, którzy chociaż nie są bogaci w wiedzę duchową, zaczynają wielbić Najwyższą Osobę, usłyszawszy o Nim od innych. Dzięki skłonności do słuchania od autorytetów, również przekraczają ścieżkę narodzin i śmierci.**

*ZNACZENIE:* Werset ten szczególnie odnosi się do współczesnego społeczeństwa, które praktycznie nie posiada żadnej wiedzy, jeśli chodzi o sprawy duchowe. Niektórzy mogą zdawać się być ateistami, agnostykami czy filozofami—ale w rzeczywistości nie posiadają żadnej wiedzy o filozofii. Jeśli zaś chodzi o zwykłego człowieka, to jeśli on jest dobrą duszą, ma on szansę uczynienia postępu przez słuchanie. Ten proces słuchania jest bardzo ważny. Pan Caitanya, który głosił świadomość Kṛṣṇy we współczesnym społeczeństwie, kładł ogromny nacisk na słuchanie. Przez słuchanie ze źródeł autorytatywnych nawet zwykły człowiek może uczynić postęp, szczególnie, według Pana Caitanyi, jeśli słucha transcendentalnych wibracji Hare Kṛṣṇa, Hare Kṛṣṇa, Kṛṣṇa Kṛṣṇa, Hare Hare; Hare Rāma, Hare Rāma, Rāma Rāma, Hare Hare. Dlatego wszyscy powinni skorzystać z tej okazji i słuchać od dusz zrealizowanych, a stopniowo będą w stanie zrozumieć wszystko. Wtedy niewątpliwie zaczną wielbić Najwyższego Pana. Pan Caitanya powiedział, że w tym wieku nikt nie musi zmieniać swojej pozycji, ale powinno się jedynie zrezygnować z wysiłku poznawania Najwyższej Prawdy poprzez rozumowanie spekulacyjne. Należy nauczyć się służyć tym, którzy posiadają wiedzę o Najwyższym Panu. Jeśli ktoś jest na tyle szczęśliwy, że przyjmuje schronienie u czystego wielbiciela, słucha od niego o samorealizacji, podąża w jego ślady, stopniowo sam wzniesie się do pozycji czystego wielbiciela. Werset ten szczególnie mocno poleca proces słuchania, i jest to całkowicie słuszne. Pomimo iż zwykły człowiek często nie jest tak zdolny, jak tzw. filozofowie, to jednak jego pełne wiary słuchanie od osób autorytatywnych pomoże mu wydostać się z tego świata materialnego i powrócić do Boga, do domu.

## TEKST 27

यावत् सञ्जायते किञ्चित् सत्त्वं स्थावरजंगमम् ।
क्षेत्रक्षेत्रज्ञसंयोगात् तद्विद्धि भरतर्षभ ॥२७॥

*yāvat sañjāyate kiñcit sattvaṁ sthāvara-jaṅgamam*
*kṣetra-kṣetrajña-saṁyogāt tad viddhi bharatarṣabha*

*yāvat*—cokolwiek; *sañjāyate*—zdarza się; *kiñcit*—wszystko; *sattvam*—egzystencja; *sthāvara*—nieruchome; *jaṅgamam*—ruchome; *kṣetra*—ciała; *kṣetra-jña*—znawca ciała; *saṁyogāt*—przez związek pomiędzy; *tat viddhi*—musisz to wiedzieć; *bharata-ṛṣabha*—O wodzu Bhāratów.

**O wodzu Bhāratów, cokolwiek widzisz w życiu, zarówno ruchome, jak i nieruchome, to jest to jedynie kombinacją pola działania ze znawcą tego pola.**

*ZNACZENIE:* Werset ten tłumaczy zarówno naturę materialną, jak i żywą istotę, które istniały przed stworzeniem tego kosmosu. Cokolwiek zostało stworzone, jest kombinacją żywej istoty z naturą materialną. Jest wiele manifestacji, takich jak drzewa, góry, wzgórza, które się nie poruszają, i jest wiele istnień poruszających się, a wszystkie z nich są jedynie kombinacjami natury materialnej z naturą wyższą, żywą istotą. Bez działania natury wyższej, żywej istoty, nic nie może wzrastać. Zatem związek pomiędzy naturą i materią trwa wiecznie, i kombinację tę tworzy Najwyższy Pan. Dlatego też jest On kontrolerem zarówno natury wyższej, jak i niższej. Tworzy naturę materialną i zsyła w nią naturę wyższą, wskutek czego powstaje wszelkie działanie i manifestacja.

**TEKST 28** समं सर्वेषु भूतेषु तिष्ठन्तं परमेश्वरम् ।
विनश्यत्स्वविनश्यन्तं यः पश्यति स पश्यति ॥२८॥

*samaṁ sarveṣu bhūteṣu tiṣṭhantaṁ parameśvaram*
*vinaśyatsv avinaśyantaṁ yaḥ paśyati sa paśyati*

*samam*—jednakowo; *sarveṣu*—we wszystkich; *bhūteṣu*—żywych istotach; *tiṣṭhantam*—przebywający; *parama-īśvaram*—Dusza Najwyższa; *vinaśyatsu*—w zniszczalnym; *avinaśyantam*—niezniszczalna; *yaḥ*—każdy, kto; *paśyati*—widzi; *saḥ*—on; *paśyati*—widzi prawdziwie.

**Kto widzi Duszę Najwyższą towarzyszącą indywidualnej duszy we wszystkich ciałach i kto wie, że ani dusza, ani Dusza Najwyższa nigdy nie ulegają zniszczeniu—ten widzi prawdziwie.**

*ZNACZENIE:* Każdy kto—dzięki dobremu towarzystwu—może zrozumieć trzy rzeczy: ciało, właściciela tego ciała, czyli duszę indywidualną, i przyjaciela tej indywidualnej duszy we wzajemnym związku, ten posiada prawdziwą wiedzę. Tych trzech rzeczy nie można zrozumieć, jeśli nie posiada się towarzystwa prawdziwego znawcy tematów duchowych. Ci, którzy nie mają takiego towarzystwa, znajdują się w ignorancji. Widzą jedynie ciało i kiedy to ciało ulega zniszczeniu, myślą iż wszystko się kończy. Jednak w rzeczywistości tak nie jest. Po zniszczeniu ciała pozostaje zarówno dusza, jak i Dusza Najwyższa, które wiecznie wędrują poprzez wiele ruchomych i nieruchomych form. Słowo sanskryckie *parameśvara* tłumaczy się czasami jako "dusza indywidualna", jako że dusza jest panem ciała, a po zniszczeniu ciała przechodzi w inną formę. W ten sposób jest ona panem. Niektórzy natomiast tłumaczą to *parameśvara* jako Dusza Najwyższa. W każdym przypadku, zarówno Dusza Najwyższa, jak i dusza indywidualna nie przestają istnieć. Nie ulegają one zniszczeniu. Kto może widzieć w ten sposób, ten widzi prawdziwie.

**TEKST 29** समं पश्यन् हि सर्वत्र समवस्थितमीश्वरम् ।
न हिनस्त्यात्मनात्मानं ततो याति परां गतिम् ॥२९॥

*samaṁ paśyan hi sarvatra samavasthitam īśvaram*
*na hinasty ātmanātmānaṁ tato yāti parāṁ gatim*

*samam*—jednakowo; *paśyan*—widząc; *hi*—na pewno; *sarvatra*—wszędzie; *samavasthitam*—jednakowo usytuowany; *īśvaram*—Dusza Najwyższa; *na*—nie; *hinasti*—degraduje; *ātmanā*—przez umysł; *ātmānam*—dusza; *tataḥ*—wtedy; *yāti*—osiąga; *parām*—transcendentalne; *gatim*—przeznaczenie.

**Kto widzi Duszę Najwyższą w każdej żywej istocie, wszędzie taką samą, dla tego jego własny umysł nie będzie przyczyną degradacji. A zatem osiąga on transcendentalne przeznaczenie.**

*ZNACZENIE:* Zaakceptowawszy życie materialne, żywa istota znalazła się w sytuacji odmiennej od tej, jaka właściwa jest istnieniu duchowemu. Jeżeli jednak rozumie, że Najwyższy przenika wszystko poprzez Swoją manifestację jako Paramātmā, to znaczy, jeśli może ona dostrzec obecność Najwyższej Osoby Boga w każdej żywej istocie, nie ulega wówczas degradacji poprzez zgubną mentalność, ale stopniowo wznosi się do świata duchowego. Na ogół umysł lubi oddawać się procesom zadowalania zmysłów, ale kiedy zwróci się do Duszy Najwyższej, wtedy jego właściciel czyni postęp w wiedzy duchowej.

**TEKST 30** प्रकृत्यैव च कर्माणि क्रियमाणानि सर्वशः ।
यः पश्यति तथात्मानमकर्तारं स पश्यति ॥३०॥

*prakṛtyaiva ca karmāṇi kriyamāṇāni sarvaśaḥ*
*yaḥ paśyati tathātmānam akartāraṁ sa paśyati*

*prakṛtyā*—przez naturę materialną; *eva*—na pewno; *ca*—również; *karmāṇi*—czynności; *kriyamāṇāni*—spełniane; *sarvaśaḥ*—pod każdym względem; *yaḥ*—każdy, kto; *paśyati*—widzi; *tathā*—również; *ātmānam*—siebie; *akartāram*—nic nie robiący; *saḥ*—on; *paśyati*—widzi doskonale.

**Kto widzi, że wszelkie czynności spełniane są przez ciało będące tworem natury materialnej, i widzi, że dusza nie czyni nic—ten widzi prawdziwie.**

*ZNACZENIE:* Ciało to zostało stworzone przez naturę materialną pod kierunkiem Duszy Najwyższej i wszelkie działanie mające związek z tym ciałem nie jest działaniem duszy znajdującej się w jego wnętrzu. Cokolwiek ktoś robi, bez względu na to, czy są to czyny prowadzące do szczęścia czy do nieszczęścia, jest on zmuszony do tego działania przez swoją konstytucję cielesną. Dusza jednakże znajduje się poza tymi wszystkimi czynnościami cielesnymi. Ciało to odpowiada naszym przeszłym pragnieniom. Aby spełnić te pragnienia, otrzymujemy odpowiednie ciało, w którym możemy działać odpowiednio do tych pragnień. Praktycznie mówiąc, ciało to jest mechanizmem zaprojektowanym przez Najwyższego Pana, mającym spełnić nasze pragnienia. To właśnie z powodu pragnień wrzuceni zostaliśmy w te ciężkie warunki, gdzie przychodzi nam albo cierpieć, albo używać życia. Kiedy jednak żywa istota rozwija to transcendentalne rozumienie, wtedy odseparowuje się od tych czynności cielesnych. Ten, kto widzi w ten sposób, ten widzi prawdziwie.

**TEKST 31** यदा भूतपृथग्भावमेकस्थमनुपश्यति ।
तत एव च विस्तारं ब्रह्म सम्पद्यते तदा ॥३१॥

*yadā bhūta-pṛthag-bhāvam eka-stham anupaśyati*
*tata eva ca vistāraṁ brahma sampadyate tadā*

*yadā*—kiedy; *bhūta*—żywych istot; *pṛthak-bhāvam*—oddzielne tożsamości; *eka-stham*—usytuowane w jednym; *anupaśyati*—próbuje patrzeć poprzez autorytety; *tataḥ eva*—następnie; *ca*—również; *vistāram*—ekspansja; *brahma*—Absolut; *sampadyate*—osiąga; *tadā*—wówczas.

**Kiedy mędrzec nie patrzy już dłużej na żywe istoty jako różne tożsamości, gdyż tylko z powodu ciał swoich zdają się być takimi, widzi, że istoty te rozprzestrzenione są wszędzie, i wtedy realizuje on koncepcję Brahmana.**

*ZNACZENIE:* Kto widzi, że przyczyną różnych ciał żywych istot są różne pragnienia duszy indywidualnej, i że ciała te nie należą właściwie do samej duszy, ten widzi prawdziwie. W życiu materialnym widzimy, że ktoś jest półbogiem, istotą ludzką, psem, kotem itd. Jest to wizja materialna, wizja nieprawdziwa. Przyczyną takiego materialnego zróżnicowania jest materialna koncepcja życia. Po opuszczeniu ciał materialnych wszystkie dusze są takie same, ale w kontakcie z naturą materialną otrzymują one ciała różnego typu. Kiedy ktoś to zrozumie, osiąga wtedy widzenie duchowe. W ten sposób uwolniwszy się od takiego rozróżniania jak: człowiek, zwierzę, duży, niski itd., oczyszcza on swoją świadomość i jest zdolny do rozwinięcia świadomości Kṛṣṇy w swojej tożsamości duchowej. W jaki sposób widzi on wtedy wszystko, tłumaczy werset następny.

TEKST 32 अनादित्वान्निर्गुणत्वात् परमात्मायमव्ययः ।
शरीरस्थोऽपि कौन्तेय न करोति न लिप्यते ॥३२॥

*anāditvān nirguṇatvāt paramātmāyam avyayaḥ*
*śarīra-stho 'pi kaunteya na karoti na lipyate*

*anāditvāt*—dzięki wieczności; *nirguṇatvāt*—dzięki temu, że jest transcendentalna; *parama*—poza naturą materialną; *ātmā*—dusza; *ayam*—ta; *avyayaḥ*—niewyczerpana; *śarīra-sthaḥ*—przebywając w ciele; *api*—chociaż; *kaunteya*—O synu Kuntī; *na karoti*—nigdy nie robi niczego; *na lipyate*—ani nie jest uwikłana.

**Posiadając taką wizję wieczności może on dostrzec, iż niezniszczalna dusza jest transcendentalna, wieczna i poza siłami natury materialnej. Pomimo kontaktu z ciałem materialnym, o Arjuno, dusza nigdy nie wykonuje żadnej pracy ani nie zostaje uwikłana.**

*ZNACZENIE:* Żywa istota zdaje się rodzić, ponieważ rodzi się jej ciało materialne, ale w rzeczywistości jest ona wieczna. Nie rodzi się ona i pomimo tego, że przebywa w ciele materialnym, jest transcendentalna i wieczna. Nie może więc ulec zniszczeniu. Z natury jest ona pełna szczęścia. Nie angażuje się w żadne czynności materialne. Zatem nie wiążą jej czynności spełniane na skutek kontaktu z ciałem materialnym.

TEKST 33 यथा सर्वगतं सौक्ष्म्यादाकाशं नोपलिप्यते ।
सर्वत्रावस्थितो देहे तथात्मा नोपलिप्यते ॥३३॥

*yathā sarva-gataṁ saukṣmyād ākāśaṁ nopalipyate*
*sarvatrāvasthito dehe tathātmā nopalipyate*

*yathā*—jak; *sarva-gatam*—wszechprzenikająca; *saukṣmyāt*—dzięki swojej subtelności; *ākāśam*—niebo; *na*—nigdy; *upalipyate*—miesza się; *sarvatra*—wszędzie; *avasthitaḥ*—usytuowany; *dehe*—w ciele; *tathā*—tak; *ātmā*—dusza; *na*—nigdy; *upalipyate*—miesza się.

**Niebo, dzięki swojej subtelnej naturze, nie miesza się z niczym, mimo iż przenika wszystko. Podobnie, dusza usytuowana w wizji Brahmana nie wiąże się z ciałem, chociaż przebywa wewnątrz tego ciała.**

*ZNACZENIE:* Powietrze przenika wodę, błoto, łajno i wszystko inne, jednakże nie miesza się z niczym. Podobnie, żywa istota, mimo iż przebywa w różnych ciałach, to dzięki swojej subtelnej naturze nigdy nie wiąże się z nimi. Dlatego nie można zobaczyć oczami materialnymi, w jaki sposób żywa istota przebywa w ciele i w jaki sposób opuszcza to ciało po jego unicestwieniu. Żaden naukowiec nie jest w stanie tego stwierdzić.

TEKST 34 यथा प्रकाशयत्येकः कृत्स्नं लोकमिमं रविः ।
क्षेत्रं क्षेत्री तथा कृत्स्नं प्रकाशयति भारत ॥३४॥

*yathā prakāśayaty ekaḥ kṛtsnaṁ lokam imaṁ raviḥ*
*kṣetraṁ kṣetrī tathā kṛtsnaṁ prakāśayati bhārata*

*yathā*—tak jak; *prakāśayati*—oświetla; *ekaḥ*—jedno; *kṛtsnam*—cały; *lokam*—wszechświat; *imam*—to; *raviḥ*—słońce; *kṣetram*—to ciało; *kṣetrī*—dusza; *tathā*—podobnie; *kṛtsnam*—wszystko; *prakāśayati*—oświetla; *bhārata*—O synu Bharaty.

**O synu Bharaty, tak jak słońce samo oświetla cały ten wszechświat, tak żywa istota, jedna wewnątrz ciała, oświetla je całe świadomością.**

*ZNACZENIE:* Są różne teorie o świadomości. *Bhagavad-gītā* podaje przykład słońca i światła słonecznego. Tak jak słońce, usytuowane w jednym miejscu, oświetla cały wszechświat, tak i maleńka cząstka duszy, mimo iż usytuowana w sercu tego ciała, oświetla je całe świadomością. A więc świadomość jest dowodem na obecność duszy, tak jak blask słoneczny czy światło wskazuje na obecność słońca. Kiedy dusza obecna jest w ciele, całe ciało przenika świadomość, a skoro tylko je opuszcza, zostaje ono pozbawione świadomości. Każdy inteligentny człowiek może to zrozumieć bez trudu. Zatem świadomość nie jest produktem kombinacji elementów materialnych. Jest ona symptomem żywej istoty. Świadomość żywej istoty, mimo iż jakościowo taka sama jak świadomość najwyższa, nie jest jednak najwyższą świadomością—ponieważ świadomość określonego ciała nie jest obecna w innym ciele. Natomiast Dusza Najwyższa, znajdująca się w każdym ciele jako przyjaciel duszy indywidualnej, jest świadoma wszystkich ciał. Na tym polega różnica pomiędzy świadomością najwyższą i świadomością indywidualną.

TEKST 35 क्षेत्रक्षेत्रज्ञयोरेवमन्तरं ज्ञानचक्षुषा ।
भूतप्रकृतिमोक्षं च ये विदुर्यान्ति ते परम् ॥३५॥

*kṣetra-kṣetrajñayor evam antaraṁ jñāna-cakṣuṣā*
*bhūta-prakṛti-mokṣaṁ ca ye vidur yānti te param*

*kṣetra*—ciała; *kṣetra-jñayoḥ*—właściciela ciała; *evam*—w ten sposób; *antaram*—różnica; *jñāna-cakṣuṣā*—wzrokiem wiedzy; *bhūta*—żywej istoty; *prakṛti*—z natury materialnej; *mokṣam*—wyzwolenie; *ca*—również; *ye*—ci którzy; *viduḥ*—wie; *yānti*—osiąga; *te*—oni; *param*—Najwyższy.

**Kto oczyma wiedzy widzi różnicę pomiędzy ciałem i właścicielem tego ciała i jest w stanie zrozumieć proces wyzwolenia się z tej niewoli w naturze materialnej, ten osiąga najwyższy cel.**

*ZNACZENIE:* Znaczenie tego Trzynastego Rozdziału jest takie, że należy poznać różnicę pomiędzy ciałem, właścicielem tego ciała i Duszą Najwyższą. Należy poznać proces wyzwolenia, jak został on opisany w wersetach od ósmego do dwunastego. Wówczas będzie można osiągnąć najwyższe przeznaczenie.

Osoba wierząca powinna najpierw w dobrym towarzystwie słuchać o Bogu, aby w ten sposób stopniowo osiągnąć oświecenie. Jeśli ktoś przyjmuje mistrza duchowego, może on nauczyć się rozróżniać ducha od materii, co jest odskocznią do dalszej realizacji duchowej. Mistrz duchowy, poprzez różne instrukcje, uczy swoich studentów, jak uwolnić się od materialnej koncepcji życia, jak Kṛṣṇa nauczając Arjunę, poprzez przekazanie mu *Bhagavad-gīty*, stara się uwolnić go od materialistycznych rozważań.

Można więc zrozumieć, że to ciało jest materią; można przeanalizować jego dwadzieścia cztery elementy. Jest ono manifestacją wulgarną. Manifestacją subtelną jest umysł i efekty psychologiczne. A symptomem życia jest wzajemne oddziaływanie tych cech. Ponad tym wszystkim jest jeszcze dusza i Dusza Najwyższa, które nie są tym samym. Świat materialny działa poprzez połączenie duszy i dwudziestu czterech elementów materialnych. Kto jest w stanie zrozumieć konstytucję całej tej manifestacji materialnej i to połączenie duszy z elementami materialnymi, jak również pozycję Duszy Najwyższej, ten staje się zdolnym do przeniesienia się w świat duchowy. Należy w pełni zrozumieć ten rozdział, korzystając z pomocy mistrza duchowego, a jego tematy rozważyć i zrealizować.

W ten sposób Bhaktivedanta kończy objaśnienia do Trzynastego Rozdziału *Śrīmad Bhagavad-gīty*, zatytułowanego "Natura, podmiot radości i świadomość."

# ROZDZIAŁ XIV

# Trzy Siły Natury Materialnej

**TEKST 1** श्रीभगवानुवाच
परं भूयः प्रवक्ष्यामि ज्ञानानां ज्ञानमुत्तमम् ।
यज्ज्ञात्वा मुनयः सर्वे परां सिद्धिमितो गताः ॥१॥

*śrī-bhagavān uvāca*
*paraṁ bhūyaḥ pravakṣyāmi jñānānāṁ jñānam uttamam*
*yaj jñātvā munayaḥ sarve parāṁ siddhim ito gatāḥ*

*śrī-bhagavān uvāca*—Najwyższa Osoba Boga rzekł; *param*—transcendentalny; *bhūyaḥ*—znowu; *pravakṣyāmi*—będę mówił; *jñānānām*—o całej wiedzy; *jñānam*—wiedza; *uttamam*—najwyższa; *yat*—która; *jñātvā*—znając; *munayaḥ*—mędrcy; *sarve*—wszyscy; *parām*—transcendentalna; *siddhim*—doskonałość; *itaḥ*—z tego świata; *gatāḥ*—osiągnęli.

**Najwyższa Osoba Boga rzekł: Jeszcze raz wyjawię ci tę mądrość najwyższą, wiedzę najprzedniejszą spośród wszelkiej wiedzy, albowiem poznawszy ją, wszyscy mędrcy osiągnęli najwyższą doskonałość.**

*ZNACZENIE:* Od Rozdziału Siódmego do końca Rozdziału Dwunastego Śrī Kṛṣṇa szczegółowo objawia Absolutną Prawdę, Najwyższą Osobę Boga. W tym rozdziale Najwyższy Pan kontynuuje proces oświecania Arjuny. Jeśli ktoś zrozumie ten rozdział przez filozoficzne spekulacje, to dojdzie on do zrozumienia służby oddania. Rozdział Trzynasty wyraźnie tłumaczy, iż przez pokorne rozwijanie wiedzy można uwolnić się z sideł tego materialnego świata. Wyjaśnia on również, że przyczyną niewoli żywej istoty w tym świecie materialnym jest jej związek z siłami natury materialnej. Teraz zaś Najwyższa Osoba tłumaczy, czym są siły natury materialnej, na czym polega ich działanie, w jaki sposób związują one żywą istotę i w jaki sposób wyzwalają. Według orzeczenia Najwyższego Pana, wiedza wyjaśniona w tym rozdziale jest wyższa od tej, która podana została dotychczas w rozdziałach wcześniejszych. To właśnie dzięki zrozumieniu tej wiedzy, różni wielcy mędrcy osiągnęli doskonałość i przenieśli się do świata duchowego. Teraz Pan tłumaczy tę samą wiedzę dokładniej. Jest to wiedza o wiele wyższa od wszystkich innych procesów wiedzy wytłumaczonych do tej pory. Poznawszy ją, wielu osiągnęło doskonałość. Należy więc oczekiwać, że każdy, kto zrozumie ten Rozdział Czternasty, osiągnie doskonałość.

**TEKST 2** इदं ज्ञानमुपाश्रित्य मम साधर्म्यमागताः ।
सर्गेऽपि नोपजायन्ते प्रलये न व्यथन्ति च ॥२॥

*idaṁ jñānam upāśritya mama sādharmyam āgatāḥ*
*sarge 'pi nopajāyante pralaye na vyathanti ca*

*idam*—ta; *jñānam*—wiedza; *upāśritya*—przyjąwszy schronienie; *mama*—Moja; *sādharmyam*—sama natura; *āgatāḥ*—osiągnąwszy; *sarge api*—nawet w czasie stworzenia; *na*—nigdy; *upajāyante*—rodzą się; *pralaye*—podczas unicestwienia; *na*—ani nie; *vyathanti*—są niepokojeni; *ca*—również.

**Przez umocnienie się w tej wiedzy można osiągnąć transcendentalną naturę, podobną Mojej własnej. Osoba utwierdzona w ten sposób nie rodzi się już więcej, kiedy światy powstają, nie będąc też niepokojoną w czasie ich zaniku.**

*ZNACZENIE:* Osoba, która zdobyła doskonałą wiedzę transcendentalną, wyzwoliwszy się tym samym z koła narodzin i śmierci, osiąga jakościową równość z Najwyższą Osobą Boga. Nie traci jednakże swojej tożsamości jako dusza indywidualna. Literatura wedyjska informuje, że dusze wyzwolone, które osiągnęły transcendentalne planety w niebie duchowym, zawsze oglądają lotosowe stopy Najwyższego Pana, pełniąc transcendentalną służbę miłości dla Niego. Więc nawet po wyzwoleniu wielbiciele Pana nie tracą swojej indywidualnej tożsamości.

Na ogół każda wiedza, którą otrzymujemy w tym materialnym świecie, jest zanieczyszczona przez trzy siły natury materialnej. Lecz istnieje też wiedza inna, wolna od tego skażenia, która nazywana jest wiedzą transcendentalną. Kto utwierdzony jest w tej wiedzy, ten znajduje się na tej samej platformie co Najwyższa Osoba. Osoby nie mające żadnej wiedzy o niebie duchowym utrzymują, że po uwolnieniu się od materialnych czynności tej materialnej formy, duchowa tożsamość jest pozbawiona formy i różnorodności. Jednakże, tak jak w tym świecie istnieje materialna różnorodność, podobnie różnorodność istnieje też w świecie duchowym. Osoby nie mające wiedzy o tym uważają, że egzystencja duchowa jest przeciwieństwem różnorodności materialnej. W rzeczywistości jednak, w świecie duchowym otrzymujemy formę duchową. Są tam również duchowe zajęcia, i ta duchowa sytuacja jest zwana życiem w oddaniu. Istnieje tam nieskażona atmosfera i wszyscy są równi jakościowo z Najwyższym Panem. Aby zdobyć taką wiedzę, należy rozwinąć w sobie wszystkie cechy duchowe. Kto zatem rozwija te cechy duchowe, nie jest poruszany przez stworzenie czy zniszczenie tego świata materialnego.

**TEKST 3** मम योनिर्महद् ब्रह्म तस्मिन् गर्भं दधाम्यहम् ।
सम्भवः सर्वभूतानां ततो भवति भारत ॥३॥

*mama yonir mahad brahma tasmin garbhaṁ dadhāmy aham*
*sambhavaḥ sarva-bhūtānāṁ tato bhavati bhārata*

*mama*—Mój; *yoniḥ*—źródło narodzin; *mahat*—cały byt materialny; *brahma*—najwyższy; *tasmin*—w tym; *garbham*—płodność; *dadhāmi*—stwarzam; *aham*—Ja; *sambhavaḥ*—możliwość; *sarva-bhūtānām*—spośród wszystkich żywych istot; *tataḥ*—następnie; *bhavati*—staje się; *bhārata*—O synu Bharaty.

**Cała manifestacja materialna, nazywana Brahmanem, jest źródłem narodzin. I jest to ten Brahman, którego Ja zapładniam, umożliwiając tym samym narodziny wszystkim żywym istotom, o synu Bharaty.**

*ZNACZENIE:* Jest to wytłumaczenie tego świata: przyczyną wszystkiego, co ma tutaj miejsce, jest kombinacja *kṣetra* i *kṣetra-jña*, ciała i duszy. To połączenie materialnej natury i żywej istoty jest możliwe dzięki Samemu Najwyższemu Panu. *Mahat-tattva* jest główną przyczyną całej manifestacji kosmicznej, a cała substancja tej materialnej przyczyny, w której są trzy siły natury materialnej, jest czasami nazywana Brahmanem. Najwyższa Osoba zapładnia tę całą substancję i w ten sposób powstaje niezliczona ilość wszechświatów. Ten ogół substancji materialnej, *mahat-tattva*, opisany jest w literaturze wedyjskiej jako Brahman: *tasmād etad brahma nāma-rūpam annaṁ ca jāyate* (*Muṇ-*

*ḍaka Upaniṣad* 1.1.9). Najwyższa Osoba impregnuje tego Brahmana nasieniem żywych istot. Dwadzieścia cztery elementy, zaczynając od ziemi, wody, ognia i powietrza, wszystkie są energią materialną i stanowią to, co jest nazywane *mahad brahma*, czyli wielkim Brahmanem, naturą materialną. Jak zostało to wyjaśnione w Rozdziale Siódmym, poza tą naturą jest jeszcze inna, wyższa natura—żywa istota. Z woli Najwyższej Osoby Boga natura materialna została połączona z naturą wyższą. I od tego czasu z tej natury materialnej rodzą się wszystkie żywe istoty.

Skorpion składa swoje jajka w ryżu, dlatego czasami mówi się, iż skorpion rodzi się z ryżu. Lecz to nie ryż jest przyczyną narodzin skorpiona. W rzeczywistości jaja zostały złożone przez matkę. Podobnie też i natura materialna nie jest przyczyną narodzin żywych istot. Nasienia dostarcza Najwyższa Osoba Boga, a istoty te tylko wydają się być produktami natury materialnej. Wszystkie one otrzymują różnorodne ciała stworzone przez naturę materialną, odpowiadające ich przeszłym czynom. W zależności od swojego przeszłego postępowania mogą one doznawać radości lub cierpienia. Tak więc to Pan jest przyczyną wszystkich przejawień żywych istot w tym świecie materialnym.

**TEKST 4** सर्वयोनिषु कौन्तेय मूर्तयः सम्भवन्ति याः ।
तासां ब्रह्म महद्योनिरहं बीजप्रदः पिता ॥४॥

*sarva-yoniṣu kaunteya mūrtayaḥ sambhavanti yāḥ*
*tāsāṁ brahma mahad yonir ahaṁ bīja-pradaḥ pitā*

*sarva-yoniṣu*—we wszystkich gatunkach życia; *kaunteya*—O synu Kuntī; *mūrtayaḥ*—formy; *sambhavanti*—pojawiają się; *yāḥ*—które; *tāsām*—ich wszystkich; *brahma*—najwyższy; *mahat yoniḥ*—źródło narodzin w substancji materialnej; *aham*—Ja; *bīja-pradaḥ*—dostarczający nasienia; *pitā*—ojciec.

**Należy wiedzieć, o synu Kuntī, że wszystkie gatunki mogą zaistnieć przez narodziny w tej materialnej naturze, i że Ja jestem ojcem dostarczającym nasienia.**

*ZNACZENIE:* Werset ten mówi wyraźnie, iż Najwyższa Osoba Boga, Kṛṣṇa, jest pierwotnym ojcem wszystkich żywych istot. Żywe istoty są połączeniem natury materialnej z naturą duchową. Takie istoty przebywają nie tylko na tej planecie, ale i na każdej innej, nawet na najwyższej, gdzie mieszka Brahmā. Żywe istoty znajdują się wszędzie, wewnątrz ziemi, w wodzie, a nawet w ogniu. Przyczyną tych wszystkich przejawień jest matka, natura materialna, i proces dostarczania nasienia przez Kṛṣṇę. Wyjaśnienie tego jest takie, że żywe istoty, zaszczepione w naturę materialną, wyłaniają się i kształtują w czasie stworzenia odpowiednio do swoich przeszłych czynów.

TEKST 5

सत्त्वं रजस्तम इति गुणाः प्रकृतिसम्भवाः ।
निबध्नन्ति महाबाहो देहे देहिनमव्ययम् ॥५॥

*sattvaṁ rajas tama iti guṇāḥ prakṛti-sambhavāḥ*
*nibadhnanti mahā-bāho dehe dehinam avyayam*

*sattvam*—*guṇa* dobroci; *rajaḥ*—*guṇa* pasji; *tamaḥ*—*guṇa* ignorancji; *iti*—w ten sposób; *guṇāḥ*—cechy; *prakṛti*—natura materialna; *sambhavāḥ*—wyprodukowana z; *nibadhnanti*—uwarunkowują; *mahā-bāho*—O potężny; *dehe*—w tym ciele; *dehinam*—żywa istota; *avyayam*—wieczna.

**Trzy siły składają się na naturę materialną: dobroć, pasja i ignorancja. To przez te siły, o potężny Arjuno—wchodząc w kontakt z naturą—zostaje uwarunkowana żywa istota.**

*ZNACZENIE:* Żywa istota, jako że jest transcendentalna, nie ma nic wspólnego z tą materialną naturą. Jednakże, będąc uwarunkowaną przez ten świat materialny, działa pod wpływem trzech sił natury. Żywe istoty—mające różne rodzaje ciał, znajdujące się pod wpływem różnych cech natury materialnej—skłonne są do działania zgodnie z tą naturą. I to właśnie jest przyczyną różnych odmian doświadczanego przez nie szczęścia i nieszczęścia.

TEKST 6

तत्र सत्त्वं निर्मलत्वात् प्रकाशकमनामयम् ।
सुखसंगेन बध्नाति ज्ञानसंगेन चानघ ॥६॥

*tatra sattvaṁ nirmalatvāt prakāśakam anāmayam*
*sukha-saṅgena badhnāti jñāna-saṅgena cānagha*

*tatra*—tam; *sattvam*—*guṇa* dobroci; *nirmalatvāt*—będąc najczystszą w tym świecie materialnym; *prakāśakam*—oświecająca; *anāmayam*—wolny od jakichkolwiek skutków grzechów; *sukha*—przez szczęście; *saṅgena*—przez związek; *badhnāti*—uwarunkowuje; *jñāna*—przez wiedzę; *saṅgena*—przez związek; *ca*—również; *anagha*—O bezgrzeszny.

**O bezgrzeszny, guṇa dobroci—będąc czystszą od innych—oświeca i uwalnia od grzesznych reakcji. Ci, którzy znajdują się pod jej wpływem, zostają uwarunkowani przez koncepcję szczęścia i wiedzy.**

*ZNACZENIE:* Są różne typy żywych istot uwarunkowanych przez naturę materialną. Ktoś jest szczęśliwy, ktoś inny jest bardzo aktywny, a jeszcze ktoś bezradny. Te wszystkie typy objawów psychologicznych są podstawą uwarunkowanej pozycji żywej istoty w przyrodzie. Ten dział *Bhagavad-gīty* tłumaczy różne rodzaje uwarunkowań. Najpierw rozważana jest *guṇa* dobroci. Efektem rozwijania cechy dobroci w tym świecie materialnym jest osiągnięcie mądrości większej niż ta, którą posiadają osoby uwarunkowane w inny sposób. Na człowieka w *guṇie* dobroci nie oddziaływują tak bardzo nieszczęścia materialne i ma on świadomość postępu w wiedzy materialnej. Typowym przykładem takiego człowieka jest bramin, który powinien być usytuowany w *guṇie* dobroci. Uczucie szczęścia odczuwane przez tego rodzaju ludzi jest wynikiem zrozumienia, że w *guṇie* dobroci jest się bardziej lub mniej wolnym od następstw grzechów. Literatura wedyjska mówi, że *guṇa* dobroci oznacza większą wiedzę i większe odczucie szczęścia.

Ale zła strona tego jest taka, że kiedy żywa istota jest pod wpływem tej *guṇy*, to ma ona skłonność do uważania się za zaawansowaną w wiedzy i lepszą od innych. I w ten sposób jest ona uwarunkowana. Najlepszym przykładem są naukowcy i filozofowie: każdy dumny jest ze swojej wiedzy, i ponieważ na ogół polepszają oni swoje warunki bytowe, odczuwają pewien rodzaj materialnego szczęścia. Przez to odczucie wyższego szczęścia w życiu uwarunkowanym zostają oni związani *guṇą* dobroci. Wskutek tego pociąga ich działanie w tej *guṇie*. I tak długo jak znajdują się pod urokiem tego rodzaju pracy, tak długo muszą przyjmować pewne typy ciał odpowiadające tej sile natury. W takiej sytuacji nie mają szansy na wyzwolenie, czyli przeniesienie się do świata duchowego. Ktoś może wielokrotnie być filozofem, naukowcem albo poetą i wciąż na nowo być uwikłanym w ten sam, pełen niedoli proces narodzin i śmierci. Ale z powodu złudzenia pod wpływem energii materialnej ten rodzaj życia uważany jest za przyjemny.

## TEKST 7

रजो रागात्मकं विद्धि तृष्णासंगसमुद्भवम् ।
तन्निबध्नाति कौन्तेय कर्मसंगेन देहिनम् ॥७॥

*rajo rāgātmakaṁ viddhi tṛṣṇā-saṅga-samudbhavam*
*tan nibadhnāti kaunteya karma-saṅgena dehinam*

*rajaḥ*—*guṇa* pasji; *rāga-ātmakam*—zrodzona z pragnienia, czyli żądzy; *viddhi*—znać; *tṛṣṇā*—pragnieniem; *saṅga*—towarzystwo; *samudbhavam*—powstałe z; *tat*—to; *nibadhnāti*—związuje; *kaunteya*—O synu Kuntī; *karma-saṅgena*—przez związek z czynem przynoszącym owoce; *dehinam*—wcielonego.

**Guṇa pasji rodzi się z nieograniczonych pożądań i pragnień, o synu Kuntī, i z tego powodu wcielona dusza przywiązuje się do materialnych czynności przynoszących zyski.**

*ZNACZENIE:* *Guṇa* pasji charakteryzuje się wzajemnym pociągiem kobiety i mężczyzny. Kobieta przyciągana jest przez mężczyznę, mężczyzna przyciągany jest przez kobietę. To nazywa się *guṇą* pasji. I kiedy *guṇa* ta wzrasta, rozwija się żądza przyjemności materialnych, czyli pragnienie zadowalania zmysłów. Dla takiego zadowalania zmysłów, człowiek będący pod wpływem *guṇy* pasji pragnie szacunku społecznego czy narodowego, chce mieć szczęśliwą rodzinę, dzieci, żonę i dom itd. Są to rezultaty *guṇy* pasji. Dopóki człowiek ubiega się o te rzeczy, dopóty musi ciężko pracować. Dlatego przywiązuje się do owoców swojej pracy i w ten sposób praca ta wiąże go. Musi pracować po to, aby zadowolić żonę, dzieci i społeczeństwo, i utrzymać swój prestiż. Zatem cały materialny świat znajduje się mniej lub bardziej pod wpływem *guṇy* pasji. Według kryteriów tej *guṇy*, współczesna cywilizacja jest uważana za bardzo zaawansowaną. W przeszłości zaś cywilizację uważano za bardzo zaawansowaną, jeśli była w *guṇie* dobroci. Jeśli nie ma wyzwolenia dla tych, którzy są w *guṇie* dobroci, to cóż dopiero mówić o tych uwikłanych w *guṇę* pasji?

**TEKST 8** तमस्त्वज्ञानजं विद्धि मोहनं सर्वदेहिनाम् ।
प्रमादालस्यनिद्राभिस्तन्निबध्नाति भारत ॥८॥

*tamas tv ajñāna-jaṁ viddhi mohanaṁ sarva-dehinām*
*pramādālasya-nidrābhis tan nibadhnāti bhārata*

*tamaḥ*—*guṇa* ignorancji; *tu*—ale; *ajñāna-jam*—rezultat ignorancji; *viddhi*—wiedz; *mohanam*—złudzenie; *sarva-dehinām*—wszystkich wcielonych istot; *pramāda*—szaleństwem; *ālasya*—lenistwo; *nidrābhiḥ*—senność; *tat*—to; *nibadhnāti*—wiąże; *bhārata*—O synu Bharaty.

**O synu Bharaty, przyczyną złudzenia wszystkich żywych istot jest guṇa ciemności zrodzona z ignorancji. A rezultatem jej jest szaleństwo, lenistwo i ospałość, które związują uwarunkowaną duszę.**

*ZNACZENIE:* W wersecie tym duże znaczenie ma specyficzne zastosowanie słowa *tu*. Oznacza to, że *guṇa* ignorancji jest cechą właściwą dla wcielonej duszy. *Guṇa* ignorancji jest przeciwieństwem *guṇy* dobroci. W *guṇie* dobroci, przez kultywowanie wiedzy, można zrozumieć prawdziwą postać rzeczy, lecz *guṇa* ignorancji jest jej całkowitym zaprzeczeniem. Każdy zauroczony *guṇą* ignorancji jest szaleńcem, a szaleniec nie jest w stanie zrozumieć, co jest czym. Zamiast robić postęp, ulega degradacji. Definicja *guṇy* ignorancji podana została w literaturze wedyjskiej. *Vastu-yāthātmya-jñānāvarakaṁ viparyaya-jñāna-janakaṁ tamaḥ*: pod wpływem ignorancji nie można zrozumieć rzeczy takimi, jakimi są naprawdę. Na przykład każdy wie, że jego dziadek zmarł, zatem on też umrze—człowiek bowiem jest śmiertelny. Umrą również jego dzieci. Więc śmierć jest czymś pewnym. Jednakowoż ludzie w szaleńczy sposób gromadzą pieniądze i pracują bardzo ciężko dniami i nocami, nie dbając o wieczną duszę. Jest to oczywisty przejaw szaleństwa. W tym swoim obłędzie ociągają się ze zrobieniem jakiegokolwiek postępu w duchowym rozumieniu. Tacy ludzie są bardzo leniwi. Kiedy zapraszani są tam, gdzie mogą zdobyć jakąś wiedzę duchową, nie są bardzo zainteresowani. Nie są nawet tak aktywni, jak ludzie kontrolowani przez *guṇę* pasji. Więc innym symptomem człowieka osadzonego w *guṇie* ignorancji jest to, że śpi on więcej, niż jest to konieczne. Sześć godzin snu jest wystarczającą ilością, ale człowiek w *guṇie* ignorancji śpi przynajmniej dziesięć albo dwanaście godzin dziennie. Człowiek taki zdaje się być zawsze przygnębiony i ma skłonności do toksykowania się i snu. Są to objawy osoby uwarunkowanej przez *guṇę* ignorancji.

**TEKST 9**

सत्त्वं सुखे सञ्जयति रजः कर्मणि भारत ।
ज्ञानमावृत्य तु तमः प्रमादे सञ्जयत्युत ॥९॥

*sattvaṁ sukhe sañjayati rajaḥ karmaṇi bhārata*
*jñānam āvṛtya tu tamaḥ pramāde sañjayaty uta*

*sattvam*—*guṇa* dobroci; *sukhe*—w szczęściu; *sañjayati*—związuje; *rajaḥ*—*guṇa* pasji; *karmaṇi*—w czynie dla korzyści; *bhārata*—O synu Bharaty; *jñānam*—wiedza; *āvṛtya*—przykrywając; *tu*—ale; *tamaḥ*—*guṇa* ignorancji; *pramāde*—w szaleństwie; *sañjayati*—związuje; *uta*—jest powiedziane.

**O synu Bharaty, guṇa dobroci przywiązuje do szczęścia, pasja do gromadzenia owocu czynu, ignorancja zaś, przykrywając wiedzę—do szaleństwa i głupoty.**

*ZNACZENIE:* Osoba kontrolowana przez *guṇę* dobroci jest zadowolona ze swojej pracy czy też zajęcia intelektualnego; przykładem może być filozof czy naukowiec zajmujący się określoną dziedziną wiedzy i czerpiący z tego przyjemność. Człowiek w *guṇie* pasji może być zaangażowany w jakąś działalność przynoszącą korzyści; posiada tyle ile może i wydaje to na dobre cele. Czasami próbuje otwierać szpitale, wspomaga jakieś instytucje dobroczynne itd. Takie są oznaki osoby będącej pod wpływem *guṇy* pasji. Natomiast *guṇa* ignorancji zakrywa wiedzę. Wszystko cokolwiek robi osoba w *guṇie* ignorancji, nie jest dobre ani dla niej samej, ani dla innych.

**TEKST 10** रजस्तमश्चाभिभूय सत्त्वं भवति भारत ।
रजः सत्त्वं तमश्चैव तमः सत्त्वं रजस्तथा ॥१०॥

*rajas tamaś cābhibhūya sattvaṁ bhavati bhārata*
*rajaḥ sattvaṁ tamaś caiva tamaḥ sattvaṁ rajas tathā*

*rajaḥ—guṇa* pasji; *tamaḥ—guṇa* ignorancji; *ca*—również; *abhibhūya*—przewyższając; *sattvam—guṇa* dobroci; *bhavati*—nabierając znaczenia; *bhārata*—O synu Bharaty; *rajaḥ—guṇa* pasji; *sattvam—guṇa* dobroci; *tamaḥ—guṇa* ignorancji; *ca*—również; *eva*—podobnie; *tamaḥ—guṇa* ignorancji; *sattvam—guṇa* dobroci; *rajaḥ—guṇa* pasji; *tathā*—w ten sposób.

**Czasami znaczenia nabiera guṇa dobroci, pokonując gunę pasji i ignorancji. Czasami siła pasji pokonuje dobroć i ignorancję. A innym razem, o synu Bharaty, guṇa ignorancji pokonuje i dobroć i pasję. W ten sposób zawsze istnieje między nimi współzawodnictwo o przewagę.**

*ZNACZENIE:* Kiedy zaczyna dominować *guṇa* pasji, wtedy pokonane zostają *guṇy* dobroci i ignorancji. Kiedy wybija się *guṇa* dobroci, pokonuje wtedy pasję i ignorancję. A kiedy wzrasta *guṇa* ignorancji, pokonuje ona dobroć i pasję. To współzawodnictwo między nimi trwa nieprzerwanie. Zatem ten, kto jest rzeczywiście zdecydowany zrobić postęp w świadomości Kṛṣṇy, musi zapanować nad tymi trzema *guṇami*. Przewaga którejś z *guṇ* natury przejawia się w naszym postępowaniu, czynnościach, jedzeniu itd. Wszystko to zostanie wytłumaczone w następnych rozdziałach. Ale jeśli ktoś chce, może przez praktykę rozwinąć *guṇę* dobroci i w ten sposób pokonać *guṇę* ignorancji i pasji. Podobnie można rozwinąć *guṇę* pasji i pokonać dobroć i ignorancję, czy też rozwinąć *guṇę* ignorancji, pokonując pasję i dobroć. Mimo iż istnieją te trzy wiążące siły natury materialnej, to jeśli ktoś jest zdeterminowany, może zostać pobłogosławiony *guṇą* dobroci. A przekraczając ją może dojść do czystej dobroci, która nazywana jest stanem *vasudeva*, stanem, w którym można zrozumieć naukę Boga. To, pod wpływem jakiej *guṇy* natury znajduje się dana osoba, można rozpoznać po manifestowanych przez nią czynnościach.

TEKST 11 सर्वद्वारेषु देहेऽस्मिन् प्रकाश उपजायते ।
ज्ञानं यदा तदा विद्याद् विवृद्धं सत्त्वमित्युत ॥११॥

*sarva-dvāreṣu dehe 'smin prakāśa upajāyate*
*jñānaṁ yadā tadā vidyād vivṛddhaṁ sattvam ity uta*

*sarva-dvāreṣu*—we wszystkich bramach; *dehe asmin*—w tym ciele; *prakāśaḥ*—cecha oświecenia; *upajāyate*—rozwija; *jñānam*—wiedza; *yadā*—kiedy; *tadā*—wówczas; *vidyāt*—wie; *vivṛddham*—zwiększona; *sattvam*—*guṇa* dobroci; *iti uta*—jest powiedziane w ten sposób.

**Guṇa dobroci przejawia się i doświadczyć jej można, kiedy wszystkie bramy ciała prześwietlone są wiedzą.**

*ZNACZENIE:* Jest dziewięć bram w ciele: dwoje oczu, dwoje uszu, dwa nozdrza, usta, narządy rozrodcze i odbytnica. Kiedy symptomy dobroci przejawiają się w każdej "bramie" ciała, jest to oznaką, że rozwinięta została *guṇa* dobroci. W *guṇie* dobroci można widzieć rzeczy właściwie, można słuchać właściwie i jeść właściwie. Osiąga się wówczas czystość zewnętrzną i wewnętrzną. W każdej bramie rozwijają się symptomy szczęścia—i jest to stan dobroci.

TEKST 12 लोभः प्रवृत्तिरारम्भः कर्मणामशमः स्पृहा ।
रजस्येतानि जायन्ते विवृद्धे भरतर्षभ ॥१२॥

*lobhaḥ pravṛttir ārambhaḥ karmaṇām aśamaḥ spṛhā*
*rajasy etāni jāyante vivṛddhe bharatarṣabha*

*lobhaḥ*—chciwość; *pravṛttiḥ*—czynność; *ārambhaḥ*—wysiłek; *karmaṇām*—w czynach; *aśamaḥ*—niekontrolowane; *spṛhā*—pragnienie; *rajasi*—*guṇy* pasji; *etāni*—wszystko to; *jāyante*—rozwija; *vivṛddhe*—w przypadku nadmiaru; *bharata-ṛṣabha*—O wodzu potomków Bharaty.

**Kiedy wzrastają siły pasji, wtedy, o najlepszy z Bhāratów, rozwijają się symptomy wielkiego przywiązania, pracy dla korzyści, niekontrolowanych pragnień, żądzy i intensywnego wysiłku.**

*ZNACZENIE:* Kto kontrolowany jest przez *gunę* pasji, ten nigdy nie jest zadowolony z pozycji, którą już osiągnął; zawsze pragnie zdobyć więcej. Pragnie zbudować willę i robi wszystko, by była podobna do pałacu, tak jak gdyby mógł w niej mieszkać wiecznie. I rozwija wielkie pragnienie zadowalania zmysłów, bez ograniczeń. Na zawsze chciałby pozostać w swoim domu, ze swoją rodziną, i bez końca oddawać się uciechom zmysłowym. Wszystkie te symptomy charakterystyczne są dla *guṇy* pasji.

TEKST 13 अप्रकाशोऽप्रवृत्तिश्च प्रमादो मोह एव च ।
तमस्येतानि जायन्ते विवृद्धे कुरुनन्दन ॥१३॥

*aprakāśo 'pravṛttiś ca pramādo moha eva ca*
*tamasy etāni jāyante vivṛddhe kuru-nandana*

*aprakāśaḥ*—ciemność; *apravṛttiḥ*—bierność; *ca*—i; *pramādaḥ*—szaleństwo; *mohaḥ*—ułuda; *eva*—na pewno; *ca*—również; *tamasi*—*guṇa* ignorancji; *etāni*—te; *jāyante*—przejawiają się; *vivṛddhe*—kiedy jest rozwinięta; *kuru-nandana*—O synu Kuru.

**A kiedy guṇa ignorancji wzrasta, wtedy, o synu Kuru, przejawia się szaleństwo, ułuda, bierność i ciemnota.**

*ZNACZENIE:* Gdzie nie ma światłości, tam nie ma też wiedzy. Osoba w *guṇie* ignorancji nie postępuje według żadnych określonych zasad. Pragnie ona działać dowolnie, bez żadnego celu. Nawet jeśli jest zdolna do pracy, nie czyni żadnego wysiłku. To nazywane jest ułudą. Chociaż świadomość jest obecna, życie jest bierne. Takie są oznaki osoby pogrążonej w *guṇie* ignorancji.

TEKST 14 यदा सत्त्वे प्रवृद्धे तु प्रलयं याति देहभृत् ।
तदोत्तमविदां लोकानमलान् प्रतिपद्यते ॥१४॥

*yadā sattve pravṛddhe tu pralayaṁ yāti deha-bhṛt*
*tadottama-vidāṁ lokān amalān pratipadyate*

*yadā*—kiedy; *sattve*—*guṇa* dobroci; *pravṛddhe*—rozwinięta; *tu*—ale; *pralayam*—śmierć; *yāti*—udaje się; *deha-bhṛt*—wcielony; *tadā*—wówczas; *uttama-vidām*—wielkich mędrców; *lokān*—planety; *amalān*—czyste; *pratipadyate*—osiąga.

**Kto umiera w guṇie dobroci, ten osiąga czyste, wyższe planety wielkich mędrców.**

*ZNACZENIE:* Osoba będąca w *guṇie* dobroci osiąga po śmierci wyższe systemy planetarne, jak Brahmaloka czy Janoloka, i tam raduje się szczęściem pobożnych, wyższych istot. Ważne tutaj jest słowo *amalān*, które oznacza "wolny od pasji i ignorancji." Ten świat materialny pełen jest różnego rodzaju nieczystości, ale *guṇa* dobroci jest najczystszą formą bytu w tym świecie. Dla różnego rodzaju żywych istot istnieją różnego typu planety. Ci, którzy umierają w *guṇie* dobroci, osiągają te planety, gdzie żyją wielcy mędrcy i wielcy wielbiciele.

**TEKST 15**    रजसि प्रलयं गत्वा कर्मसंगिषु जायते ।
तथा प्रलीनस्तमसि मूढयोनिषु जायते ॥१५॥

*rajasi pralayaṁ gatvā   karma-saṅgiṣu jāyate*
*tathā pralīnas tamasi   mūḍha-yoniṣu jāyate*

*rajasi*—w pasji; *pralayam*—śmierć; *gatvā*—osiągając; *karma-saṅgiṣu*—pomiędzy tymi, którzy zaangażowani są w pracę dla zysku; *jāyate*—rodzi się; *tathā*—podobnie; *pralīnaḥ*—umierając; *tamasi*—w ignorancji; *mūḍha-yoniṣu*—w gatunkach zwierzęcych; *jāyate*—rodzi się.

**Kiedy ktoś w guṇie pasji opuszcza swe ciało, rodzi się pomiędzy zaangażowanymi w pracę dla zysku. Umierający zaś w ignorancji, musi przyjąć narodziny w królestwie zwierząt.**

*ZNACZENIE:* Niektórzy ludzie są przekonani, że raz osiągnąwszy ludzką formę życia, dusza nigdy nie cofa się już do gatunków niższych. Nie jest to jednak prawdą. Według tego wersetu, osoby rozwijające *guṇę* ignorancji zostają po śmierci zdegradowane do zwierzęcej formy życia i ponownie muszą wznosić się poprzez proces ewolucyjny, by kiedyś powtórnie osiągnąć formę ludzką. Zatem ci, którym poważnie zależy na ludzkim życiu, powinni rozwijać *guṇę* dobroci i z pomocą właściwych osób przekroczyć nawet i tę *guṇę* i osiągnąć świadomość Kṛṣṇy. Taki jest cel ludzkiego życia. W przeciwnym wypadku nie ma gwarancji, że ludzka istota osiągnie ponownie ludzką formę.

**TEKST 16** कर्मणः सुकृतस्याहुः सात्त्विकं निर्मलं फलम् ।
रजसस्तु फलं दुःखमज्ञानं तमसः फलम् ॥१६॥

*karmaṇaḥ sukṛtasyāhuḥ   sāttvikaṁ nirmalaṁ phalam*
*rajasas tu phalaṁ duḥkham   ajñānaṁ tamasaḥ phalam*

*karmaṇaḥ*—pracy; *su-kṛtasya*—pobożne; *āhuḥ*—powiedziano; *sātt-vikam*—w *guṇie* dobroci; *nirmalam*—oczyszczony; *phalam*—rezultat; *rajasaḥ*—*guṇy* pasji; *tu*—ale; *phalam*—rezultat; *duḥkham*—nieszczęście; *ajñānam*—głupota; *tamasaḥ*—*guṇy* ignorancji; *phalam*—rezultat.

**Rezultat pobożnego działania jest czysty i jest w guṇie dobroci. Działanie w guṇie pasji kończy się niedolą, natomiast głupota jest rezultatem czynu spełnionego w ignorancji.**

*ZNACZENIE:* Rezultat pobożnych czynów w *guṇie* dobroci jest czysty. Dlatego mędrcy, którzy uwolnili się od wszelkiego złudzenia, osiągają stan szczęścia. Natomiast wszystkie czynności spełniane pod wpływem *guṇy* pasji są po prostu pełne niedoli. Każde działanie mające na celu szczęście materialne musi skończyć się porażką. Na przykład ileż ludzkiego cierpienia wymaga wybudowanie drapacza chmur. Finansujący to przedsięwzięcie musi włożyć wiele trudu w to, aby zgromadzić tak potężną sumę pieniędzy, a ci którzy pracują przy budowie, muszą służyć za narzędzia fizyczne, pracując jak niewolnicy. Cały proces jest bardzo kłopotliwy. *Bhagavad-gītā* mówi, że każda czynność wykonywana pod wpływem pasji jest ostatecznie wielką udręką. Może być w tym odrobina tak zwanego mentalnego szczęścia—"Ja mam ten dom, albo tyle pieniędzy"—ale nie jest to szczęście prawdziwe.

Jeśli chodzi o *guṇę* ignorancji, to osoba działająca w niej nie posiada wiedzy i dlatego wszystkie jej czyny już teraz kończą się cierpieniem, a po śmierci czeka ją życie wśród gatunków zwierzęcych. Życie zwierząt jest zawsze nieszczęśliwe, chociaż pod wpływem złudnej energii, *māyi*, zwierzęta tego nie rozumieją. Przyczyną zabijania biednych zwierząt jest również *guṇa* ignorancji. Zabójcy zwierząt nie wiedzą, że w przyszłości zwierzęta te będą miały ciała odpowiednie do tego, aby zabić ich. Takie jest prawo natury. W społeczeństwie ludzkim zabójca człowieka karany jest przez powieszenie. Jest to prawo państwowe. Z powodu ignorancji ludzie nie dostrzegają tego, że istnieje również doskonałe państwo zarządzane przez Najwyższego Pana. Każda żywa istota jest synem Najwyższego Pana i nie toleruje On nawet zabicia mrówki. Trzeba za to zapłacić. Więc oddawanie się zabijaniu zwierząt dla zadowalania swego podniebienia jest najgorszym rodzajem ignorancji. Ludzka istota nie ma potrzeby zabijania zwierząt, gdyż Bóg dostarczył tak wielu wspaniałych rzeczy. Jeśli jednak ktoś znajduje przyjemność w jedzeniu mięsa, to działa on w ignorancji i gotuje sobie bardzo ciemną przyszłość. Ze wszystkich rodzajów zabijania zwierząt, najbardziej karygodnym jest zabijanie krów, których mleko jest tak wielkim dobrodziejstwem dla człowieka. Zabijanie krów jest czynem ignorancji najgorszego rodzaju. Słowa literatury wedyjskiej (*Ṛg Veda* 9.4.64): *gobhiḥ prīṇita-matsaram* oznajmiają, że osoba, która mogąc całkowicie zaspokoić swoje potrzeby mlekiem, pragnie zabić krowę, znajduje się w najciemniejszej ignorancji. Znajdujemy również w literaturze wedyjskiej modlitwę, która mówi:

*namo brahmaṇya-devāya go-brāhmaṇa-hitāya ca*
*jagad-dhitāya kṛṣṇāya govindāya namo namaḥ*

"Mój Panie, Ty jesteś zawsze życzliwy dla krów i braminów oraz całego społeczeństwa ludzkiego i świata." (*Viṣṇu Purāṇa* 1.19.65) Modlitwa ta kładzie szczególny nacisk na ochronę krów i braminów. Bramini są symbolem wykształcenia duchowego, a krowy są symbolem najbardziej wartościowego pożywienia. Dlatego obie te żywe istoty powinny być otaczane szczególną ochroną—i to jest prawdziwym postępem cywilizacji. Jednak współczesne społeczeństwo ludzkie lekceważy wiedzę duchową i popiera zabijanie krów. Oznacza to, że postęp społeczeństwa ludzkiego idzie w złym kierunku, i że przygotowuje ono ścieżkę do swojej własnej zguby. Cywilizacja, która w ten sposób kieruje swoimi obywatelami, iż w przyszłym życiu otrzymują oni ciała zwierząt—z pewnością nie jest ludzką cywilizacją. Obecna cywilizacja ludzka jest błędnie prowadzona przez *guny* pasji i ignorancji. Jest to bardzo niebezpieczny wiek i wszystkie narody powinny zadbać o to, aby ocalić ludzkość od największego niebezpieczeństwa—a uczynić to mogą poprzez przyjęcie łatwego procesu świadomości Kṛṣṇy.

**TEKST 17** सत्त्वात्सञ्जायते ज्ञानं रजसो लोभ एव च ।
प्रमादमोहौ तमसो भवतोऽज्ञानमेव च ॥१७॥

*sattvāt sañjāyate jñānaṁ rajaso lobha eva ca*
*pramāda-mohau tamaso bhavato 'jñānam eva ca*

*sattvāt*—z *guṇy* dobroci; *sañjāyate*—rozwija się; *jñānam*—wiedza; *rajasaḥ*—z *guṇy* pasji; *lobhaḥ*—chciwość; *eva*—na pewno; *ca*—również; *pramāda*—szaleństwo; *mohau*—złudzenie; *tamasaḥ*—z *guṇy* ignorancji; *bhavataḥ*—rozwijają się; *ajñānam*—głupota; *eva*—na pewno; *ca*—również.

**Z guṇy dobroci rozwija się prawdziwa wiedza, guṇa pasji rozwija chciwość. Guṇa ignorancji natomiast prowadzi do głupoty, szaleństwa i ułudy.**

*ZNACZENIE:* Ponieważ współczesna cywilizacja nie jest korzystna dla żywych istot, polecana jest świadomość Kṛṣṇy. Poprzez świadomość Kṛṣṇy społeczeństwo rozwinie *guṇę* dobroci. Kiedy rozwinięta zostanie *guṇa* dobroci, ludzie będą w stanie widzieć rzeczy takimi, jakimi one są naprawdę. Ludzie w *guṇie* ignorancji podobni są do zwierząt i nie mogą widzieć wyraźnie. Będąc pod wpływem tej *guṇy* nie wiedzą, że przez zabicie jednego zwierzęcia ryzykują tym, iż w przyszłym życiu sami mogą zostać zabici przez to samo zwierzę. Ponieważ nie mają pojęcia o prawdziwej wiedzy, są nieodpowiedzialni. Aby położyć kres tej nieodpowiedzialności, konieczne jest wykształcenie rozwijające w ludziach *guṇę* dobroci. Kiedy zostaną prawdziwie wykształceni w *guṇie* dobroci, staną się ludźmi poważnie myślącymi i będą posiadali pełną wiedzę o rzeczywistości. Wtedy dopiero będą mogli żyć szczęśliwie i pomyślnie. Nawet jeśli tego szczęścia i pomyślności nie osiągnie większość ludzi, to jeśli pewien procent społeczeństwa rozwinie świadomość Kṛṣṇy i będzie usytuowany w *guṇie* dobroci, wtedy możliwy będzie pokój i pomyślność na całym świecie. Jeśli natomiast cały świat pozostanie pod wpływem pasji i ignorancji, nie będzie ani pokoju, ani pomyślności. Pod wpływem *guṇy* pasji ludzie stają się bardzo chciwi, a ich żądza uciech zmysłowych nie zna granic. Można się przekonać, że jeśli nawet ktoś ma dosyć pieniędzy i odpowiednie warunki dla zadowalania zmysłów, nie posiada on ani szczęścia, ani spokoju umysłu. Nie jest to możliwe, ponieważ usytuowany jest w *guṇie* pasji. Jeśli ktoś w ogóle pragnie szczęścia, to nie w pieniądzach go znajdzie. Musi wznieść się do poziomu *guṇy* dobroci, przez praktykowanie świadomości Kṛṣṇy. Kto znajduje się pod wpływem *guṇy* pasji, to nie tylko nie jest szczęśliwy w swoim umyśle, ale również jego zajęcia i zawód są bardzo kłopotliwe. Musi on obmyślać wiele planów, aby zdobyć dosyć pieniędzy do utrzymania swego status quo. Wszystko to zaś jest żałosne. Natomiast *guṇa* ignorancji doprowadza ludzi do szaleństwa. Przygnębieni swoimi warunkami, szukają schronienia w środkach toksycznych i w ten sposób jeszcze bardziej toną w ignorancji. Przyszłość, która ich czeka, jest bardzo mroczna.

## TEKST 18

ऊर्ध्वं गच्छन्ति सत्त्वस्था मध्ये तिष्ठन्ति राजसाः ।
जघन्यगुणवृत्तिस्था अधो गच्छन्ति तामसाः ॥१८॥

*ūrdhvaṁ gacchanti sattva-sthā madhye tiṣṭhanti rājasāḥ*
*jaghanya-guṇa-vṛtti-sthā adho gacchanti tāmasāḥ*

*ūrdhvam*—w górę; *gacchanti*—idą; *sattva-sthāḥ*—ci, którzy są w *guṇie* dobroci; *madhye*—w środku; *tiṣṭhanti*—zamieszkują; *rājasāḥ*—ci, którzy znajdują się pod wpływem *guṇy* pasji; *jaghanya*—okropnej; *guṇa*—cecha; *vṛtti-sthāḥ*—którego zajęcie; *adhaḥ*—w dół; *gacchanti*—schodzą; *tāmasāḥ*—osoby w *guṇie* ignorancji.

**Będąc w guṇie dobroci, stopniowo wznieść się można na planety niebiańskie; guṇa pasji zatrzymuje na tych ziemskich planetach.**

**A ci, którzy pogrążeni są w obrzydliwej ignorancji, schodzą do światów piekielnych.**

*ZNACZENIE:* Werset ten dokładniej przedstawia skutki działania w trzech *guṇach* natury materialnej. Istnieje wyższy system planetarny, w skład którego wchodzą planety niebiańskie, gdzie każdy jest w wysokim stopniu oświecony. Żywa istota może osiągnąć różne planety w tym systemie, odpowiednio do stopnia rozwoju *guṇy* dobroci. Planetą najwyższą jest Satyaloka, czyli Brahmaloka, gdzie przebywa pierwsza osoba tego wszechświata, Pan Brahmā. Wiemy już, że nie jesteśmy nawet w stanie wyobrazić sobie wspaniałych warunków życia na Brahmaloce, ale najwyższy stan życia, *guṇa* dobroci, może nas tam doprowadzić.

*Guṇa* pasji jest czymś pośrednim. Znajduje się ona pomiędzy *guṇą* dobroci i ignorancji. Na ogół nikt nie znajduje się całkowicie pod wpływem jakiejś określonej *guṇy*, ale nawet gdyby ktoś był całkowicie w pasji, to po prostu zostanie on na tej Ziemi jako król albo bogaty człowiek. Ale ponieważ oddziaływują na nas mieszaniny różnych *guṇ*—można również zdegradować się. Teraz ludzie z tej Ziemi, będący w pasji i ignorancji, chcą na gwałt, przy użyciu maszyn, dostać się na wyższe planety, ale nie jest to możliwe. Osoba w *guṇie* pasji może również w przyszłym życiu dostać obłędu.

Najniższa cecha, *guṇa* ignorancji, opisana została tutaj jako odrażająca. Rozwijanie ignorancji jest wielkim ryzykiem. Jest to najniższa cecha natury materialnej. Poza formą ludzką jest jeszcze osiem milionów gatunków życia: ptaki, zwierzęta, gady, drzewa itd. I odpowiednio do rozwoju *guṇy* ignorancji, ludzie degradowani są do tych odrażających form. Znaczące jest tutaj słowo *tāmasāḥ*. Określa ono tych, którzy ciągle pozostają w *guṇie* ignorancji, nie wznosząc się do wyższych *guṇ*. Przyszłość ich jest bardzo mroczna.

Jednak ludzie w *guṇie* pasji i ignorancji mają szansę wznieść się do *guṇy* dobroci, a możliwe jest to poprzez proces świadomości Kṛṣṇy. Ci, którzy nie skorzystają z tej szansy, z pewnością pozostaną w tych niższych *guṇach*.

**TEKST 19** नान्यं गुणेभ्यः कर्तारं यदा द्रष्टानुपश्यति ।
गुणेभ्यश्च परं वेत्ति मद्भावं सोऽधिगच्छति ॥१९॥

*nānyaṁ guṇebhyaḥ kartāraṁ yadā draṣṭānupaśyati*
*guṇebhyaś ca paraṁ vetti mad-bhāvaṁ so 'dhigacchati*

*na*—żaden; *anyam*—inny; *guṇebhyaḥ*—niż cechy; *kartāram*—wykonawca; *yadā*—kiedy; *draṣṭā*—obserwator; *anupaśyati*—widzi właściwie; *guṇebhyaḥ*—do *guṇ* natury; *ca*—i; *param*—transcendentalny; *vetti*—zna; *mat-bhāvam*—do Mojej natury duchowej; *saḥ*—on; *adhigacchati*—jest promowany.

**Kto rozumie, że sprawcą wszystkich czynów nie jest nikt inny jak tylko te guny natury i kto zna Najwyższego Pana, który jest transcendentalny wobec nich wszystkich, ten osiąga Moją duchową naturę.**

*ZNACZENIE:* Ponad wszelkie działania sił natury materialnej można wznieść się jedynie poprzez właściwe zrozumienie ich przy pomocy odpowiednich osób. Prawdziwym mistrzem duchowym jest Kṛṣṇa i On udziela tej duchowej wiedzy Arjunie. Zatem tę wiedzę o działaniu odpowiednim do *guṇ* natury można zdobyć od tych, którzy są w pełni świadomi Kṛṣṇy, i my właśnie w ten sposób powinniśmy ją otrzymać. W przeciwnym wypadku nasze życie potoczy się niewłaściwą drogą. Dzięki naukom bona fide mistrza duchowego żywa istota może poznać swoją duchową pozycję, swoje materialne ciało, zmysły. Może dowiedzieć się, w jaki sposób została schwytana w pułapkę i pod wpływem jakich sił natury materialnej się znajduje. Jest ona bezradna będąc w matni tych sił, lecz kiedy zrozumie swoją właściwą pozycję, wtedy będzie mogła osiągnąć płaszczyznę transcendentalną, znajdując cel w życiu duchowym. Właściwie to nie żywa istota jest wykonawcą różnych czynności. Jest ona zmuszona do działania, ponieważ jest usytuowana w określonym typie ciała kontrolowanym przez określoną *guṇę* natury materialnej. I dopóki nie otrzyma pomocy od jakiegoś autorytetu duchowego, nie może zrozumieć w jakiej pozycji właściwie się znajduje. Swoją prawdziwą pozycję może ona zrozumieć poprzez obcowanie z bona fide mistrzem duchowym, i dzięki tej wiedzy może osiągnąć pełną świadomość Kṛṣṇy. A człowiek świadomy Kṛṣṇy nie jest już dłużej kontrolowany przez siły natury. Z Rozdziału Siódmego wiemy, że osoba, która podporządkowała się Kṛṣṇie—wolna jest od działania w *guṇach* natury materialnej. Zatem ten, kto jest w stanie widzieć rzeczy takimi, jakimi są, powoli uwalnia się spod wpływu natury materialnej.

**TEKST 20** गुणानेतानतीत्य त्रीन् देही देहसमुद्भवान् ।
जन्ममृत्युजरादुःखैर्विमुक्तोऽमृतमश्नुते ॥२०॥

*guṇān etān atītya trīn dehī deha-samudbhavān*
*janma-mṛtyu-jarā-duḥkhair vimukto 'mṛtam aśnute*

*guṇān*—cechy; *etān*—wszystkie te; *atītya*—przekraczając; *trīn*—trzy; *dehī*—wcielony; *deha*—ciało; *samudbhavān*—będąc produktem; *janma*—narodzin; *mṛtyu*—śmierć; *jarā*—starość; *duḥkhaiḥ*—niedola; *vimuktaḥ*—uwolniwszy się od; *amṛtam*—nektar; *aśnute*—cieszy się.

**Kiedy wcielona istota jest w stanie pokonać te trzy guṇy związane z materialnym ciałem, wtedy może uwolnić się od narodzin, śmierci, starości i niedoli, które się z nimi wiążą. I jeszcze w tym życiu może rozkoszować się nektarem.**

*ZNACZENIE:* Werset ten tłumaczy w jaki sposób można—nawet w tym ciele—pozostać w pozycji transcendentalnej, w pełnej świadomości Kṛṣṇy. Sanskryckie słowo *dehī* oznacza "wcielony". Nawet jeszcze będąc w tym materialnym ciele można, przez postęp w wiedzy duchowej, uwolnić się od wpływu *guṇ* natury. Osoba, która tego dokonała, może cieszyć się szczęściem duchowym już teraz, gdyż po opuszczeniu tego ciała z pewnością pójdzie do nieba duchowego. Ale jeszcze w tym ciele może radować się szczęściem duchowym. Innymi słowy, służba oddania w świadomości Kṛṣṇy jest (jak to zostanie wytłumaczone w Rozdziale Osiemnastym) oznaką wyzwolenia z matni materialnej. Kiedy ktoś uwolni się od wpływu *guṇ* natury materialnej, wtedy zaczyna pełnić służbę oddania.

**TEKST 21** अर्जुन उवाच

कैर्लिंगैस्त्रीन् गुणानेतानतीतो भवति प्रभो ।
किमाचारः कथं चैतांस्त्रीन् गुणानतिवर्तते ॥२१॥

*arjuna uvāca*
*kair liṅgais trīn guṇān etān atīto bhavati prabho*
*kim ācāraḥ kathaṁ caitāṁs trīn guṇān ativartate*

*arjunaḥ uvāca*—Arjuna rzekł; *kaiḥ*—przez które; *liṅgaiḥ*—symptomy; *trīn*—trzy; *guṇān*—cechy; *etān*—wszystkie te; *atītaḥ*—pokonawszy; *bhavati*—jest; *prabho*—O mój Panie; *kim*—co; *ācāraḥ*—zachowanie; *katham*—jak; *ca*—również; *etān*—te; *trīn*—trzy; *guṇān*—cechy; *ativartate*—pokonuje.

**Arjuna zapytał: Mój drogi Panie, po jakich oznakach można poznać osobę, która jest transcendentalna w stosunku do tych guṇ?**

**Jakie jest jej zachowanie i w jaki sposób pokonuje ona te trzy siły natury?**

*ZNACZENIE:* W wersecie tym Arjuna zadaje bardzo istotne pytania. Chce on wiedzieć, jakie symptomy wykazuje osoba, która już pokonała siły natury materialnej. Najpierw zapytuje o cechy właściwe dla takiej transcendentalnej osoby. W jaki sposób ktoś może dowiedzieć się, czy pokonał już wpływ *guṇ* natury? Drugie pytanie, to: jaki jest sposób życia takiej osoby i jakie są jej zajęcia. Czy kieruje się w swoim postępowaniu zasadami, czy też jej działanie jest nieuregulowane? Następnie Arjuna zapytuje o środki, za pomocą których można osiągnąć naturę transcendentalną. Jest to bardzo ważne. Jeśli ktoś nie zna środków, przez które można na zawsze osiągnąć transcendentalną pozycję, to nie może on wykazywać takich symptomów. Więc wszystkie te pytania Arjuny są bardzo ważne i Pan odpowiada na nie.

**TEKSTY 22-25** श्रीभगवानुवाच

प्रकाशं च प्रवृत्तिं च मोहमेव च पाण्डव ।
न द्वेष्टि सम्प्रवृत्तानि न निवृत्तानि काङ्क्षति ॥२२॥
उदासीनवदासीनो गुणैर्यो न विचाल्यते ।
गुणा वर्तन्त इत्येवं योऽवतिष्ठति नेङ्गते ॥२३॥
समदुःखसुखः स्वस्थः समलोष्टाश्मकाञ्चनः ।
तुल्यप्रियाप्रियो धीरस्तुल्यनिन्दात्मसंस्तुतिः ॥२४॥
मानापमानयोस्तुल्यस्तुल्यो मित्रारिपक्षयोः ।
सर्वारम्भपरित्यागी गुणातीतः स उच्यते ॥२५॥

*śrī-bhagavān uvāca*
*prakāśaṁ ca pravṛttiṁ ca moham eva ca pāṇḍava*
*na dveṣṭi sampravṛttāni na nivṛttāni kāṅkṣati*

*udāsīna-vad āsīno guṇair yo na vicālyate*
*guṇā vartanta ity evaṁ yo 'vatiṣṭhati neṅgate*

*sama-duḥkha-sukhaḥ sva-sthaḥ sama-loṣṭāśma-kāñcanaḥ*
*tulya-priyāpriyo dhīras tulya-nindātma-saṁstutiḥ*

*mānāpamānayos tulyas tulyo mitrāri-pakṣayoḥ*
*sarvārambha-parityāgī guṇātītaḥ sa ucyate*

*śrī-bhagavān uvāca*—Najwyższa Osoba Boga rzekł; *prakāśam*—oświecenie; *ca*—i; *pravṛttim*—przywiązanie; *ca*—oraz; *moham*—złudzenie; *eva ca*—również; *pāṇḍava*—O synu Pāṇḍu; *na dveṣṭi*—nie żywi nienawiści; *sampravṛttāni*—mimo iż rozwinięte; *na nivṛttāni*—ani nie zatrzymuje rozwoju; *kāṅkṣati*—pragnie; *udāsīnavat*—jak gdyby obojętny; *āsīnaḥ*—usytuowany; *guṇaiḥ*—przez cechy; *yaḥ*—ten, kto; *na*—nigdy; *vicālyate*—zostaje poruszony; *guṇāḥ*—cechy; *vartante*—działają; *iti evam*—wiedząc to; *yaḥ*—ten, kto; *avatiṣṭhati*—pozostaje; *na*—nigdy; *iṅgate*—chwiejny; *sama*—jednakowy; *duḥkha*—w niedoli; *sukhaḥ*—w szczęściu; *sva-sthaḥ*—będąc usytuowanym w sobie; *sama*—jednakowo; *loṣṭa*—grudka ziemi; *aśma*—kamień; *kāñcanaḥ*—złoto; *tulya*—jednakowo ustosunkowany; *priya*—drogiemu; *apriyaḥ*—i niepożądany; *dhīraḥ*—spokojny; *tulya*—jednakowy; *nindā*—wobec zniesławienia; *ātma-saṁstutiḥ*—i wobec pochwał; *māna*—wobec honoru; *apamānayoḥ*—i dyshonoru; *tulyaḥ*—jednakowy; *tulyaḥ*—jednakowy; *mitra*—przyjaciół; *ari*—i wrogów; *pakṣayoḥ*—wobec stron; *sarva*—wszystkich; *ārambha*—czyni wysiłek; *parityāgi*—wyrzeczony; *guṇa-atītaḥ*—transcendentalny do materialnych *guṇ* natury; *saḥ*—on; *ucyate*—mówi się, że jest.

**Najwyższa Osoba Boga rzekł: O synu Pāṇḍu, kto nie żywi nienawiści do oświecenia, przywiązania i ułudy, kiedy są obecne, ani nie tęskni za nimi, kiedy znikną; kto pozostając neutralnym, transcendentalnym i niewzruszonym wobec wszelkich tych reakcji materialnych cech, wiedząc, że jedynie guṇy są aktywne; kto jest utwierdzony w jaźni i tak samo traktuje szczęście i niedolę; jednakowym okiem patrzy na grudkę ziemi, kamień i kawałek złota; kto jest jednakowy wobec rzeczy pożądanych, jak i niepożądanych; kto jest zrównoważony i jednakowo odnosi się do pochwał, jak i do oskarżeń; kto pozostaje niezmienny wobec honoru i dyshonoru; kto traktuje wrogów na równi z przyjaciółmi; kto porzucił wszelkie przedsięwzięcia materialne—taki człowiek pokonał guṇy natury materialnej.**

*ZNACZENIE:* Arjuna postawił trzy różne pytania i Pan odpowiada na nie po kolei. W wersetach tych Kṛṣṇa najpierw podkreśla, że osoba usytuowana transcendentalnie nigdy nie żywi do nikogo nienawiści i nie ubiega się o nic. Kiedy żywa istota przebywa w tym materialnym świecie, wcielona w jakimś materialnym ciele, znajduje się pod kontrolą jednej z trzech *guṇ* natury i wyzwala się spod tego wpływu, kiedy opuszcza to ciało. Ale dopóki przebywa w tym ciele materialnym, powinna zachowywać obojętność. Powinna zaangażować się w służbę oddania dla Pana, tak aby mogła natychmiast zapomnieć o swoim utożsamianiu się z ciałem materialnym. Kiedy ktoś jest świadomy tylko swego ciała materialnego, działa jedynie dla zadowalania zmysłów. Kiedy jednak skieruje swoją świadomość ku Kṛṣṇie, wtedy natychmiast zarzuca zadowalanie zmysłów. Nie potrzebuje on już tego ciała materialnego i nie musi działać pod jego dyktando. Siły *guṇ* materialnych w ciele będą działały, ale jaźń, dusza, będzie wolna od takiego działania. W jaki sposób staje się ona wolna? Nie pragnie czerpać radości z tego ciała ani nie pragnie wydostać się z niego. Więc usytuowany transcendentalnie wielbiciel automatycznie staje się wolnym. Nie musi wcale starać się o wyzwolenie spod wpływu natury materialnej.

Następne pytanie dotyczyło postępowania osoby usytuowanej transcendentalnie. Osoba materialistyczna nie jest obojętna wobec tzw. honoru czy dyshonoru okazywanego jej ciału. Taki fałszywy honor czy dyshonor nie wzrusza jednak osoby usytuowanej transcendentalnie. Wykonuje ona swoje obowiązki w świadomości Kṛṣṇy i nie dba o to, czy ludzie darzą ją szacunkiem czy też nie. Przyjmuje rzeczy, które korzystne są do wypełniania obowiązków w świadomości Kṛṣṇy, a poza tym nie potrzebuje niczego materialnego—ani kamienia, ani złota. Traktuje jako drogiego przyjaciela każdego, kto pomaga jej w świadomości Kṛṣṇy. Nie żywi nienawiści do swoich tzw. wrogów. Ma jednakowy stosunek do wszystkiego i widzi wszystko na jednym poziomie, gdyż wie doskonale, że nie ma nic wspólnego z tym światem materialnym. Nie wzruszają jej spory społeczne i polityczne, gdyż zna sytuację okresowych zakłóceń i wstrząsów. Nie ubiega się o nic dla siebie. Może podjąć się wszelkiego trudu dla zadowolenia Kṛṣṇy, ale dla samej siebie nie próbuje niczego zdobywać. Przez takie zachowanie zdobywa ona pozycję transcendentalną.

**TEKST 26** मां च योऽव्यभिचारेण भक्तियोगेन सेवते ।
स गुणान् समतीत्यैतान् ब्रह्मभूयाय कल्पते ॥२६॥

*māṁ ca yo 'vyabhicāreṇa bhakti-yogena sevate*
*sa guṇān samatītyaitān brahma-bhūyāya kalpate*

*mām*—Mnie; *ca*—również; *yaḥ*—osoba, która; *avyabhicāreṇa*—niezawodnie; *bhakti-yogena*—przez służbę oddania; *sevate*—pełni służbę; *saḥ*—on; *guṇān*—*guṇy* natury materialnej; *samatītya*—przekraczając; *etān*—wszystkie te; *brahma-bhūyāya*—promowana na płaszczyznę Brahmana; *kalpate*—staje się.

**Kto całkowicie angażuje się w służbę oddania, kto nie upada w żadnych okolicznościach, ten od razu przekracza guṇy natury i wznosi się na płaszczyznę Brahmana.**

*ZNACZENIE:* Werset ten jest odpowiedzią na trzecie pytanie Arjuny: Jakie są sposoby osiągnięcia pozycji transcendentalnej? Jak to już wytłumaczono wcześniej, ten materialny świat działa pod wpływem sił natury materialnej. Nie należy jednak niepokoić się działaniem tych sił. Zamiast absorbować swoją świadomość takimi sprawami, lepiej zaangażować ją w działanie w świadomości Kṛṣṇy. Działanie takie nazywane jest *bhakti-yogą* i polega na poświęcaniu wszystkich swoich czynów Kṛṣṇie. Obejmuje to nie tylko Kṛṣṇę, ale również Jego różne ekspansje, takie jak Rāma i Nārāyaṇa. Ekspansje te są niezliczone. Każdy kto pełni służbę dla którejś z form Kṛṣṇy czy dla jakiejś Jego ekspansji, jest usytuowany transcendentalnie. Należy również zauważyć, że wszystkie formy Kṛṣṇy są całkowicie transcendentalne, wieczne, pełne szczęścia i wiedzy. Takie osoby Boga są wszechmocne, wszystkowiedzące oraz posiadają wszelkie cechy transcendentalne. Więc jeśli ktoś z niezachwianą determinacją angażuje się w służbę dla Kṛṣṇy lub dla którejś z Jego pełnych ekspansji, to z łatwością pokonuje on *guṇy* natury materialnej, mimo iż są one bardzo trudne do przezwyciężenia. Zostało to już wytłumaczone w Rozdziale Siódmym. Kto podporządkowuje się Kṛṣṇie, ten od razu przezwycięża wpływ sił natury materialnej. Być w świadomości Kṛṣṇy albo pełnić służbę oddania znaczy—osiągnąć równość z Kṛṣṇą. Pan mówi, że Jego natura jest wieczna, pełna szczęścia i wiedzy, a żywe istoty są integralnymi cząstkami Najwyższego, tak samo jak grudki złota są cząstkami kopalni złota. Więc duchowa pozycja żywej istoty jest tak dobra jak złoto, pod względem jakości równa Kṛṣṇie. Różnica indywidualności istnieje nadal, w przeciwnym wypadku nie mogło by być mowy o *bhakti-yodze*. *Bhakti-yoga* oznacza, że jest Pan, wielbiciel Pana i wzajemna wymiana miłości pomiędzy nimi. Zatem zarówno Najwyższa Osoba Boga, jak i żywa istota są osobami i są indywidualnościami, w przeciwnym razie *bhakti-yoga* nie miałaby żadnego znaczenia. Jeśli ktoś nie znajduje się w tej samej transcendentalnej pozycji co Pan, nie może on służyć Najwyższemu Panu. Aby być osobistym towarzyszem króla, trzeba zdobyć odpowiednie kwalifikacje. Kwalifikacją tą, jeśli chodzi o służbę oddania, jest zostanie Brahmanem, czyli uwolnienie się od wszelkich zanieczyszczeń materialnych. Literatura wedyjska oznajmia: *brahmaiva san brahmāpy eti*. Najwyższego Brahmana można osiągnąć przez zostanie Brahmanem. Oznacza to, że należy zostać jakościowo jednym z Brahmanem. Przez osiągnięcie Brahmana nie traci się swojej—jako indywidualnej duszy—wiecznej tożsamości Brahmana.

**TEKST 27** ब्रह्मणो हि प्रतिष्ठाहममृतस्याव्ययस्य च ।
शाश्वतस्य च धर्मस्य सुखस्यैकान्तिकस्य च ॥२७॥

*brahmaṇo hi pratiṣṭhāham amṛtasyāvyayasya ca*
*śāśvatasya ca dharmasya sukhasyaikāntikasya ca*

*brahmaṇaḥ*—bezosobowego *brahmajyoti*; *hi*—na pewno; *pratiṣṭhā*—spoczynek; *aham*—Ja jestem; *amṛtasya*—nieśmiertelnego; *avyayasya*—niezniszczalnego; *ca*—również; *śāśvatasya*—wiecznego; *ca*—i; *dharmasya*—konstytucjonalnej pozycji; *sukhasya*—szczęścia; *aikāntikasya*—ostatecznego; *ca*—również.

**A podstawą bezosobowego Brahmana, który jest konstytucyjną pozycją ostatecznego szczęścia, i który jest nieśmiertelny, niezniszczalny i wieczny—Ja jestem.**

*ZNACZENIE:* Konstytucją Brahmana jest nieśmiertelność, niezniszczalność, wieczność i szczęście. Brahman jest początkiem realizacji transcendentalnej. Etapem drugim, środkowym, w transcendentalnej realizacji jest Dusza Najwyższa, Paramātmā. A ostateczną realizacją Prawdy Absolutnej jest Najwyższa Osoba Boga. Dlatego też zarówno bezosobowy Brahman, jak i Paramātmā zawarte są w Najwyższej Osobie. Rozdział Siódmy tłumaczy, że materialna natura jest manifestacją niższej energii Najwyższego Pana. Pan zapładnia tę niższą naturę cząstkami natury wyższej i jest to działanie elementu duchowego na naturę materialną. Kiedy żywa istota, uwarunkowana przez naturę materialną, zaczyna kultywować wiedzę duchową, czyni ona postęp, z pozycji materialnej stopniowo wznosząc się do koncepcji Najwyższego jako Brahmana. Pierwszym etapem w samorealizacji jest osiągnięcie realizacji Brahmana. Na tym etapie osoba, która zrealizowała Brahmana, jest transcendentalna w stosunku do pozycji materialnej, ale nie jest ona prawdziwie doskonała w swojej realizacji. Jeśli chce, może pozostać w tej pozycji, a następnie stopniowo wznieść się do realizacji Paramātmy—i w końcu do realizacji Najwyższej Osoby Boga. Jest wiele takich przykładów w literaturze wedyjskiej. Czterej Kumārowie najpierw byli usytuowani w koncepcji bezosobowego Brahmana, lecz następnie stopniowo wznieśli się do płaszczyzny służby oddania. Kto jednak nie jest w stanie wznieść się ponad bezosobową koncepcję Brahmana, ten zawsze narażony jest na ryzyko upadku. *Śrīmad-Bhāgavatam* informuje, że chociaż nawet jakaś osoba może wznieść się do etapu bezosobowego Brahmana, to jeśli nie idzie dalej w swojej realizacji i nie posiada informacji o Najwyższej Osobie Boga, jej inteligencja nie jest doskonale czysta. Dlatego, pomimo osiągnięcia platformy Brahmana, jeśli nie jest zaangażowana w służbę oddania dla Pana, jest narażona na ryzyko upadku. W języku wedyjskim mówi się również, *raso vai saḥ, rasaṁ hy evāyaṁ labdhvānandī bhavati*: "Kiedy ktoś poznaje Osobę Boga, ocean wszelkich przyjemności, Kṛṣṇę, wtedy osiąga prawdziwe szczęście transcendentalne." (*Taittirīya Upaniṣad* 2.7.1) Najwyższy Pan posiada w pełni sześć bogactw i kiedy wielbiciel zbliża się do Niego, następuje wymiana tych sześciu bogactw. Sługa króla używa życia prawie na równi z królem. A więc służbie oddania towarzyszy wieczne, niezniszczalne szczęście i wieczne życie. Zatem realizacja Brahmana, czyli wieczności i niezniszczalności, zawarta jest w służbie oddania. Posiada ją osoba, która zaangażowana jest w pełnienie takiej służby.

Żywa istota, pomimo iż jest Brahmanem z natury, posiada pragnienie panowania nad światem materialnym, i to pragnienie jest przyczyną jej upadku. W swojej konstytucjonalnej pozycji żywa istota znajduje się ponad trzema siłami natury materialnej, ale obcowanie z tą naturą jest przyczyną jej uwikłania w różne *guṇy*: dobroć, pasję i ignorancję. To pragnienie dominowania nad światem materialnym istnieje w niej właśnie z powodu obcowania z tymi trzema *guṇami*. Jednak przez zaangażowanie się—w pełnej świadomości Kṛṣṇy—w służbę oddania, natychmiast osiąga ona pozycję transcendentalną, i w ten sposób zanika jej bezprawne pragnienie kontrolowania natury materialnej. Należy zatem praktykować proces służby oddania w towarzystwie wielbicieli, zaczynając od słuchania, intonowania, pamiętania itd., czyli dziewięciu przepisanych metod dla realizacji służby oddania. Stopniowo, dzięki obcowaniu z wielbicielami i oddziaływaniu mistrza duchowego, znika materialne pragnienie dominowania i utrwala się pozycja takiej osoby w transcendentalnej służbie dla Pana. Metoda ta jest polecana od dwudziestego drugiego do ostatniego wersetu tego rozdziału. Służba oddania dla Pana jest bardzo prosta: należy służyć Panu, spożywać pozostałości pokarmu ofiarowanego Bóstwom, wąchać kwiaty ofiarowane lotosowym stopom Pana, odwiedzać miejsca, gdzie Pan odbywał Swoje transcendentalne rozrywki, czytać o różnych Jego czynach i wymianie miłości z wielbicielami, intonować zawsze transcendentalne wibracje Hare Kṛṣṇa, Hare Kṛṣṇa, Kṛṣṇa Kṛṣṇa, Hare Hare; Hare Rāma, Hare Rāma, Rāma Rāma, Hare Hare oraz przestrzegać postów w niektóre dni, na pamiątkę pojawiania się i odchodzenia Pana i Jego wielbicieli. Przez przestrzeganie tego procesu można całkowicie uwolnić się od przywiązania do wszelkich czynności materialnych. Kto może w ten sposób osiągnąć *brahmajyoti* czy różnorodność koncepcji Brahmana, ten staje się jakościowo równym Najwyższej Osobie Boga.

W ten sposób Bhaktivedanta kończy objaśnienia do Czternastego Rozdziału *Śrīmad Bhagavad-gīty*, traktującego o trzech siłach natury materialnej.

## ROZDZIAŁ XV

# Yoga Najwyższej Osoby

**TEKST 1** श्रीभगवानुवाच

ऊर्ध्वमूलमधःशाखमश्वत्थं प्राहुरव्ययम् ।
छन्दांसि यस्य पर्णानि यस्तं वेद स वेदवित् ॥१॥

*śrī-bhagavān uvāca*
*ūrdhva-mūlam adhaḥ-śākham aśvatthaṁ prāhur avyayam*
*chandāṁsi yasya parṇāni yas taṁ veda sa veda-vit*

*śrī bhagavān uvāca*—Najwyższa Osoba Boga rzekł; *ūrdhva-mūlam*—korzeniami w górę; *adhaḥ*—w dół; *śākham*—gałęzie; *aśvattham*—drzewo figowe; *prāhuḥ*—jest powiedziane; *avyayam*—wieczne; *chandāṁsi*—hymny wedyjskie; *yasya*—którego; *parṇāni*—liście; *yaḥ*—każdy, kto; *tam*—to; *veda*—wie; *saḥ*—on; *veda-vit*—znawca *Ved*.

**Najwyższa Osoba Boga rzekł: Istnieje niezniszczalne drzewo figowe rosnące korzeniami w górę, gałęzie zaś mające w dole, a liśćmi jego są hymny wedyjskie. Kto zna to drzewo, ten jest znawcą Ved.**

*ZNACZENIE:* Po przedyskutowaniu znaczenia *bhakti-yogi*, ktoś może zapytać: "A co, jeśli chodzi o *Vedy*?" Właśnie ten rozdział tłumaczy, iż celem studiowania *Ved* jest poznanie Kṛṣṇy. Zatem ten, kto jest świadomy Kṛṣṇy i zaangażowany w służbę oddania, ten już właściwie poznał *Vedy*.

Matnia tego świata materialnego porównana została tutaj do drzewa figowego. Dla tego, kto zaangażowany jest w pracę dla zysków, to drzewo figowe nie ma końca. Wędruje on z jednej gałęzi na drugą, trzecią, czwartą... Drzewo tego świata materialnego nie ma końca. I dla tego, kto przywiązany jest do tego drzewa, nie ma nadziei na wyzwolenie. Hymny wedyjskie, mające służyć naszemu oświeceniu, nazywane są liśćmi tego drzewa. Korzenie tego drzewa rosną w górę, ponieważ zaczynają się od siedziby Brahmy, najwyższej planety tego wszechświata. Z tego niezniszczalnego drzewa złudzenia wydostać się może tylko ten, kto poznał je dokładnie.

Należy poznać ten proces wyzwolenia. Już poprzednie rozdziały wspominały o wielu procesach, za pomocą których można wydostać się z materialnej matni. Czytając pierwsze trzynaście rozdziałów mogliśmy przekonać się, iż służba oddania jest najlepszą drogą prowadzącą do tego wyzwolenia. Podstawową zasadą służby oddania jest uwolnienie się od przywiązania do czynności materialnych i przywiązanie się do transcendentalnej służby dla Pana. Proces zrywania więzów z tym światem materialnym omówiony został na początku tego rozdziału. Korzenie tego życia materialnego rosną w górę. To znaczy, że zaczynają się one od totalnej substancji materialnej, od najwyższej planety tego wszechświata. Z tego miejsca rozprzestrzenia się cały wszechświat, z wieloma gałęziami reprezentującymi różne systemy planetarne. Owoce zaś reprezentują skutki działalności żywych istot, mianowicie: religię, rozwój ekonomiczny, zadowalanie zmysłów i wyzwolenie.

W tym świecie nie ma bezpośredniego doświadczenia z takim drzewem, którego korzenie rosłyby w górę a gałęzie w dół, ale to nie znaczy, że taka rzecz nie istnieje. Drzewem takim jest odbicie jakiegokolwiek drzewa w zbiorniku wodnym. Możemy zobaczyć, że drzewo rosnące na brzegu takiego zbiornika i odbijające się w nim, ma w tym odbiciu gałęzie skierowane w dół, a korzenie w górę. Innymi słowy, drzewo tego świata materialnego jest jedynie odbiciem prawdziwego drzewa świata duchowego. To odzwierciedlenie świata duchowego opiera się na pragnieniu, tak jak odzwierciedlenie drzewa spoczywa na tafli wodnej. To właśnie pożądanie jest przyczyną usytuowania rzeczy w tym odbitym świetle materialnym. Kto chce wydostać się z tego świata materialnego, ten musi dokładnie poznać to drzewo poprzez studia analityczne. Wtedy będzie mógł przeciąć więzy łączące go z nim.

Drzewo to, będąc odzwierciedleniem drzewa prawdziwego, jest dokładną jego kopią. Wszystko istnieje w świecie duchowym. Za korzeń tego drzewa materialnego impersonaliści uważają Brahmana. I z tego korzenia, według filozofii Sāṅkhya, pochodzi *prakṛti, puruṣa*, następnie trzy *guṇy*, pięć wielkich elementów materialnych (*pañca-mahā-bhūta*), dziesięć zmysłów (*daśendriya*), umysł itd. W ten sposób dzielą oni cały świat materialny na dwadzieścia cztery elementy. Jeżeli Brahman jest centrum wszystkich manifestacji, wobec tego ten świat materialny jest manifestacją 180 stopni, a następne 180 stopni tworzy świat duchowy. Świat materialny jest odzwierciedleniem wypaczonym, więc świat duchowy musi mieć tę samą różnorodność, ale rzeczywistą. *Prakṛti* jest zewnętrzną energią Najwyższego Pana, a *puruṣa* jest to Sam Najwyższy Pan. Wszystko to wytłumaczone jest w *Bhagavad-gīcie*. Ponieważ manifestacja ta jest materialna, jest ona tymczasowa. Odzwierciedlenie to jest okresowe, ponieważ czasami jest widoczne, a czasami niewidoczne. Ale źródło tego odzwierciedlonego obrazu jest wieczne. To materialne odbicie prawdziwego drzewa musi zostać odcięte. Kiedy mówi się, że jakaś osoba zna *Vedy*, to znaczy, iż wie ona, w jaki sposób przeciąć więzy łączące ją z tym światem materialnym. Kto zna ten proces, ten prawdziwie zna *Vedy*. A kto oczarowany jest rytualistycznymi formułami *Ved*, ten oczarowany jest pięknymi i zielonymi liśćmi tego drzewa; nie zna on dokładnie celu *Ved*. Tym celem *Ved*, jak zostało to wyjawione przez Samego Najwyższą Osobę Boga—jest ścięcie drzewa odzwierciedlonego i osiągnięcie prawdziwego drzewa świata duchowego.

**TEKST 2**

अधश्चोर्ध्वं प्रसृतास्तस्य शाखा
गुणप्रवृद्धा विषयप्रवालाः ।
अधश्च मूलान्यनुसन्ततानि
कर्मानुबन्धीनि मनुष्यलोके ॥२॥

*adhaś cordhvaṁ prasṛtās tasya śākhā*
*guṇa-pravṛddhā viṣaya-pravālāḥ*
*adhaś ca mūlāny anusantatāni*
*karmānubandhīni manuṣya-loke*

*adhaḥ*—w dół; *ca*—i; *ūrdhvam*—w górę; *prasṛtāḥ*—rozprzestrzenione; *tasya*—jego; *śākhāḥ*—gałęzie; *guṇa*—przez siły natury materialnej; *pravṛddhāḥ*—rozwinięte; *viṣaya*—przedmioty zmysłów; *pravālāḥ*—gałązki; *adhaḥ*—w dół; *ca*—i; *mūlāni*—korzenie; *anusantatāni*—rozprzestrzenione; *karma*—do pracy; *anubandhīni*—przywiązany; *manuṣya-loke*—w świecie społeczeństwa ludzkiego.

**Gałęzie tego drzewa rozprzestrzeniają się w górę i w dół, odżywiane przez trzy siły natury materialnej. Gałązki zaś reprezentują przedmioty zmysłów. Drzewo to ma również korzenie idące w dół i te związane są z pracą społeczeństwa ludzkiego, której celem jest osiągnięcie korzyści.**

*ZNACZENIE:* Werset ten dalej tłumaczy opis drzewa figowego. Gałęzie jego rozprzestrzeniają się we wszystkich kierunkach. W niższych jego częściach znajdują się różnorodne przejawienia żywych istot, takie jak ludzie, zwierzęta, konie, krowy, psy, koty itd. Usytuowane są one na niższych partiach gałęzi, podczas gdy wyższe jego partie zamieszkiwane są przez wyższe formy żywych istot: półbogów, Gandharvy, i wiele innych wyższych gatunków życia. I tak jak drzewo odżywiane jest przez wodę, tak to drzewo odżywiane jest przez trzy siły natury materialnej. Czasami widzimy, że jakiś obszar jest jałowy z braku dostatecznej ilości wody, a czasami tonie w zieleni. Podobnie, w zależności od dominacji określonych *guṇ*, manifestują się odpowiednie gatunki życia, w odpowiedniej proporcji.

Gałązki drzewa uważane są za przedmioty zmysłów. Przez rozwój różnych sił natury rozwijamy różne zmysły, i za pomocą tych zmysłów cieszymy się różnymi rodzajami przedmiotów zmysłowych. Czubki gałęzi uważane są za zmysły—oczy, nos, uszy itd., które przywiązane są do cieszenia się różnymi przedmiotami zmysłów. Gałązki są głosem, formą, dotykiem itd.—czyli przedmiotami zmysłów. Dodatkowe korzenie są przywiązaniami i awersjami, będącymi ubocznymi produktami różnego rodzaju cierpień i uciech zmysłowych. Tendencje do pobożności i niepobożności rozwinęły się z korzeni bocznych, rozprzestrzeniających się we wszystkich kierunkach. Główny korzeń wychodzi z Brahmaloki, a inne znajdują się w ludzkich systemach planetarnych. Osoba, która wyczerpie efekty swoich pobożnych czynów na wyższych systemach planetarnych, schodzi z powrotem na tę Ziemię, by odnowić swoją *karmę*, czyli poprzez czyny przynoszące owoce znowu być promowaną na wyższe systemy. Ta planeta ludzkich istot uważana jest za pole działania.

**TEKSTY 3-4**

न रूपमस्येह तथोपलभ्यते
नान्तो न चादिर्न च सम्प्रतिष्ठा ।
अश्वत्थमेनं सुविरूढमूलम्
असंगशस्त्रेण दृढेन छित्त्वा ॥३॥
ततः पदं तत्परिमार्गितव्यं
यस्मिन् गता न निवर्तन्ति भूयः ।
तमेव चाद्यं पुरुषं प्रपद्ये
यतः प्रवृत्तिः प्रसृता पुराणी ॥४॥

*na rūpam asyeha tathopalabhyate*
*nānto na cādir na ca sampratiṣṭhā*
*aśvattham enaṁ su-virūḍha-mūlam*
*asaṅga-śastreṇa dṛḍhena chittvā*

*tataḥ padaṁ tat parimārgitavyaṁ*
*yasmin gatā na nivartanti bhūyaḥ*
*tam eva cādyaṁ puruṣaṁ prapadye*
*yataḥ pravṛttiḥ prasṛtā purāṇī*

*na*—nie; *rūpam*—forma; *asya*—tego drzewa; *iha*—w tym świecie; *tathā*—również; *upalabhyate*—może zostać dostrzeżony; *na*—nigdy; *antaḥ*—koniec; *na*—nigdy; *ca*—również; *ādiḥ*—początek; *na*—nigdy; *ca*—również; *sampratiṣṭhā*—podstawa; *aśvattham*—drzewo figowe; *enam*—to; *su-virūḍha*—mocno; *mūlam*—zakorzenione; *asaṅga-śastreṇa*—bronią jaką jest wolność od przywiązania; *dṛḍhena*—mocny; *chittvā*—przecięcie; *tataḥ*—następnie; *padam*—sytuacja; *tat*—to; *parimārgitavyam*—musi zostać odszukane; *yasmin*—gdzie; *gatāḥ*—idąc; *na*—nigdy; *nivartanti*—powracają; *bhūyaḥ*—ponownie; *tam*—do Niego; *eva*—na pewno; *ca*—również; *ādyam*—pierwotny; *puruṣam*—Osoba Boga; *prapadye*—podporządkowuje się; *yataḥ*—od którego; *pravṛttiḥ*—początek; *prasṛtā*—rozprzestrzeniony; *purāṇī*—bardzo stary.

**Prawdziwej formy tego drzewa nie można dostrzec w tym świecie. Nikt nie może zrozumieć, gdzie się ono kończy i gdzie zaczyna, czy też gdzie jest jego podstawa. Ale z całą determinacją należy ściąć to mocno zakorzenione drzewo narzędziem, którym jest brak przywiązania. Następnie zaś należy odszukać to miejsce, z którego—raz tam dotarłszy—nigdy już się nie powraca, i tam podporządkować się Najwyższej Osobie Boga, od którego wszystko się zaczęło, i z którego wszystko emanuje od niepamiętnego czasu.**

*ZNACZENIE:* Werset ten wyraźnie oznajmia, iż prawdziwego kształtu tego drzewa nie można poznać w świecie materialnym. Skoro korzenie tego drzewa znajdują się w górze, prawdziwe drzewo rozprzestrzenia się w drugim kierunku. Nikt jednak, kto uwikłany jest w materialne ekspansje tego drzewa, nie może zobaczyć, jak daleko się ono rozprzestrzenia ani nie może poznać jego początku. Jednak należy znaleźć przyczynę. "Ja jestem synem mojego ojca, mój ojciec jest synem takiej, a takiej osoby itd." Szukając w ten sposób dojdziemy do Brahmy, który stworzony został przez Garbhodakaśāyī Viṣṇu. Kiedy ostatecznie w ten sposób dotrzemy do Najwyższej Osoby Boga, będzie to koniec naszych poszukiwań. Przyczynę tego drzewa, Osobę Boga, należy odnaleźć przez obcowanie z osobami, które posiadają wiedzę o Najwyższej Osobie Boga. Wtedy, dzięki zrozumieniu, stopniowo uwolnimy się od przywiązania do tego fałszywego odbicia rzeczywistości i za pomocą wiedzy będziemy mogli przeciąć więzy łączące nas z nim i osiągnąć drzewo prawdziwe.

Słowo *asaṅga* jest bardzo ważne w tym związku, jako że przywiązanie do uciech zmysłowych i panowania nad naturą materialną jest bardzo mocne. Dlatego należy nauczyć się—poprzez dyskusje na tematy duchowe oparte na pismach autorytatywnych i przez słuchanie od osób, które posiadają prawdziwą wiedzę—w jaki sposób uwolnić się od tego przywiązania. Rezultatem takich dyskusji w towarzystwie wielbicieli jest dojście do Najwyższej Osoby Boga, a wówczas przede wszystkim należy się Mu podporządkować. Podany został tutaj opis miejsca, które gdy ktoś osiągnie, nie musi już wracać do tego fałszywego drzewa, będącego jedynie odbiciem rzeczywistości. Najwyższa Osoba Boga, Kṛṣṇa, jest tym pierwotnym korzeniem, z którego wzięły początek wszystkie emanacje. Aby osiągnąć łaskę tej Osoby Boga, należy jedynie podporządkować się Jemu, a to jest rezultatem pełnienia służby oddania przez słuchanie, intonowanie itd. On jest przyczyną powstania tego świata materialnego. Zostało to już wytłumaczone przez Samego Pana. *Ahaṁ sarvasya prabhavaḥ.* "Ja jestem źródłem wszystkiego." Aby zatem wydostać się z matni tego potężnego drzewa figowego, materialnego życia, należy podporządkować się Kṛṣṇie. Osoba, która to czyni, natychmiast uwalnia się od przywiązania do tego materialnego rozwinięcia.

**TEKST 5**

निर्मानमोहा जितसंगदोषा
अध्यात्मनित्या विनिवृत्तकामाः ।
द्वन्द्वैर्विमुक्ताः सुखदुःखसंज्ञैर्
गच्छन्त्यमूढाः पदमव्ययं तत् ॥५॥

*nirmāna-mohā jita-saṅga-doṣā*
*adhyātma-nityā vinivṛtta-kāmāḥ*
*dvandvair vimuktāḥ sukha-duḥkha-saṁjñair*
*gacchanty amūḍhāḥ padam avyayaṁ tat*

*niḥ*—bez; *māna*—fałszywy prestiż; *mohāḥ*—i złudzenie; *jita*—pokonawszy; *saṅga*—towarzystwa; *doṣāḥ*—błędy; *adhyātma*—w wiedzy duchowej; *nityāḥ*—w wieczności; *vinivṛtta*—uwolniony; *kāmāḥ*—od żądzy; *dvandvaiḥ*—od dualizmów; *vimuktāḥ*—wyzwolony; *sukha-*

*duḥkha*—szczęście i niedola; *saṁjñaiḥ*—nazywany; *gacchanti*—osiągają; *amūḍhāḥ*—niezwiedziony; *padam*—sytuacja; *avyayam*—wieczna; *tat*—ta.

**Kto wolny jest od złudzenia, fałszywego prestiżu i niewłaściwych związków, kto rozumie wieczne, uwolniwszy się od materialnej żądzy oraz dualizmu szczęścia i nieszczęścia, i kto—niezwiedziony—wie w jaki sposób podporządkować się Najwyższej Osobie, ten osiąga wieczne królestwo.**

*ZNACZENIE:* Wspaniale został opisany tutaj proces podporządkowania się. Pierwszą kwalifikacją jest to, że nie powinno się ulegać dumie. Ponieważ uwarunkowana dusza przepełniona jest dumą, uważając się za pana natury materialnej, dlatego bardzo trudno jest się jej podporządkować Najwyższej Osobie Boga. Powinniśmy wiedzieć, dzięki kultywacji prawdziwej wiedzy, iż nie jesteśmy panami natury materialnej. Panem jest Najwyższa Osoba Boga. Kiedy ktoś uwolni się od złudzenia, przyczyną którego jest właśnie duma, wtedy może rozpocząć proces podporządkowania się. Nie może podporządkować się Najwyższej Osobie ten, kto zawsze oczekuje jakiegoś honoru w tym świecie materialnym. Przyczyną dumy jest złudzenie, albowiem chociaż ktoś przychodzi tutaj, pozostaje przez krótki czas i następnie odchodzi, to zawsze ma on fałszywe przekonanie, że jest panem tego świata. W ten sposób tylko komplikuje wszystko i zawsze znajduje się w kłopocie. Cały świat pozostaje pod tym wrażeniem. Ludzie uważają, że ta ziemia należy do społeczeństwa ludzkiego i podzielili ją, ulegając fałszywemu wrażeniu, iż to oni są jej właścicielami. Należy uwolnić się od tego fałszywego przekonania, że ludzkie społeczeństwo jest właścicielem tego świata. Będąc wolnym od takiego fałszywego przekonania, można uwolnić się od fałszywych związków, których przyczyną jest uczucie rodzinne, społeczne i narodowe. Te fałszywe związki przywiązują nas do tego świata materialnego. Po przejściu tego etapu należy rozwijać wiedzę duchową. Należy kultywować wiedzę o tym, co jest naprawdę naszą własnością, a co nią nie jest. A kiedy ktoś posiada prawdziwą wiedzę, uwalnia się od wszelkich dualizmów, takich jak szczęście i nieszczęście, przyjemność i ból. Osiągnąwszy pełną wiedzę, jest on zdolny do podporządkowania się Najwyższej Osobie Boga.

**TEKST 6** न तद् भासयते सूर्यो न शशांको न पावकः ।
यद् गत्वा न निवर्तन्ते तद्धाम परमं मम ॥६॥

*na tad bhāsayate sūryo na śaśāṅko na pāvakaḥ*
*yad gatvā na nivartante tad dhāma paramaṁ mama*

*na*—nie; *tat*—to; *bhāsayate*—oświetla; *sūryaḥ*—słońce; *na*—nie; *śaśāṅkaḥ*—księżyc; *na*—ani nie; *pāvakaḥ*—ogień, elektryczność; *yat*—gdzie; *gatvā*—idąc; *na*—nigdy; *nivartante*—powracają; *tat dhāma*—ta siedziba; *paramam*—najwyższa; *mama*—Moja.

**Tej Mojej najwyższej siedziby nie oświetla słońce, księżyc, ogień ani elektryczność. Kto osiąga ją, nie powraca już nigdy do tego materialnego świata.**

*ZNACZENIE:* Opisany został tutaj świat duchowy, siedziba Najwyższej Osoby Boga, Kṛṣṇy, który znany jest jako Kṛṣṇaloka, Goloka Vṛndāvana. W niebie duchowym nie jest potrzebne światło słoneczne, światło księżyca, ogień czy elektryczność, jako że tam wszystkie planety oświetlane są swoim własnym światłem. W tym wszechświecie mamy tylko jedną planetę, która sama wysyła światło—słońce, lecz w niebie duchowym wszystkie planety są samoświetlne. Świecące promienie wszystkich tych planet (nazywanych Vaikuṇṭhami) tworzą błyszczące niebo znane jako *brahmajyoti*. W rzeczywistości blask ten emanuje z planety Kṛṣṇy, Goloki Vṛndāvany. Część tego promiennego blasku przykryta jest przez *mahat-tattvę*, świat materialny. Pozostała, większa część tego świecącego nieba, pełna jest planet duchowych, nazywanych Vaikuṇṭhami, z których główną jest Goloka Vṛndāvana.

Tak długo jak żywa istota znajduje się w tym ciemnym święcie materialnym, jej egzystencja jest uwarunkowana, ale skoro tylko osiąga niebo duchowe—odcinając się od tego fałszywego, wykrzywionego drzewa świata materialnego—zostaje wyzwolona. Wtedy nie ma ryzyka, że powróci tutaj. W swoim uwarunkowanym stanie życia żywa istota uważa siebie za pana tego materialnego świata, ale w stanie wyzwolonym wchodzi ona w królestwo duchowe i staje się towarzyszem Najwyższego Pana. Tam cieszy się wiecznym życiem, wiecznym szczęściem i pełnią wiedzy.

Powinniśmy być urzeczeni tą informacją. Powinniśmy pragnąć przenieść się do wiecznego świata i wyzwolić się z tego fałszywego odbicia rzeczywistości. Mimo iż bardzo trudno przeciąć te więzy osobie zbyt przywiązanej do tego materialnego świata, to jeśli przyjmie ona świadomość Kṛṣṇy, wtedy ma szansę stopniowo wyzwolić się od tego przywiązania. Musi związać się z wielbicielami świadomymi Kṛṣṇy. Powinien odnaleźć społeczność oddaną świadomości Kṛṣṇy i nauczyć się w jaki sposób pełnić służbę oddania. W ten sposób będzie mógł zerwać więzy łączące go z tym światem materialnym. Nie można bowiem uwolnić się od tego przywiązania jedynie poprzez noszenie szafranowych szat. Trzeba przywiązać się do służby oddania dla Pana. Należy bardzo poważnie potraktować to, co oznajmia Rozdział Dwunasty, że służba oddania jest jedynym sposobem uwolnienia się z tej fałszywej reprezentacji prawdziwego drzewa. Rozdział Czternasty opisuje skażenie wszelkich procesów przez naturę materialną. Tylko służba oddania opisana została jako czysto transcendentalna.

Bardzo ważne są tutaj słowa *paramaṁ mama*. Właściwie każdy kąt i zakątek jest własnością Najwyższego Pana, ale świat duchowy jest *paramam*, pełen sześciu bogactw. *Kaṭha Upaniṣad* (2.2.15) również stwierdza, iż w świecie duchowym niepotrzebne jest światło słońca, księżyca, czy gwiazd (*na tatra sūryo bhāti na candra-tārakam*), gdyż całe niebo duchowe prześwietlone jest wewnętrzną mocą Najwyższego Pana. Tę najwyższą siedzibę osiągnąć można jedynie przez podporządkowanie się Najwyższemu Panu—i w żaden inny sposób.

## TEKST 7

ममैवांशो जीवलोके जीवभूत: सनातन: ।
मन:षष्ठानीन्द्रियाणि प्रकृतिस्थानि कर्षति ॥७॥

*mamaivāṁśo jīva-loke jīva-bhūtaḥ sanātanaḥ*
*manaḥ-ṣaṣṭhānīndriyāṇi prakṛti-sthāni karṣati*

*mama*—Moja; *eva*—na pewno; *aṁśaḥ*—fragmentaryczna cząstka; *jīva-loke*—w świecie uwarunkowanego życia; *jīva-bhūtaḥ*—uwarunkowana żywa istota; *sanātanaḥ*—wieczna; *manaḥ*—umysłem; *ṣaṣṭhāni*—sześć; *idriyāṇi*—zmysły; *prakṛti*—w naturze materialnej; *sthāni*—usytuowany; *karṣati*—zmaga się ciężko.

**Żywe istoty w tym uwarunkowanym świecie są Moimi wiecznymi, fragmentarycznymi cząstkami. I właśnie to uwarunkowane życie jest przyczyną ich ciężkiej walki z sześcioma zmysłami, łącznie z umysłem.**

*ZNACZENIE:* Werset ten wyraźnie mówi o tożsamości żywej istoty. Żywa istota jest fragmentaryczną, integralną cząstką Najwyższego Pana—i jest taką wiecznie. Nie jest prawdą, iż przyjmuje ona indywidualność w swoim uwarunkowanym życiu, a po wyzwoleniu staje się jednym z Najwyższym Panem. Jest ona wiecznie Jego fragmentaryczną, integralną cząstką, gdyż jest wyraźnie powiedziane—*sanātanaḥ*. Według wersji wedyjskiej, Najwyższy Pan przejawia się i rozprzestrzenia w niezliczonych ekspansjach, z których pierwsze nazywane są *viṣṇu-tattva*, a wtórne—żywymi istotami. Innymi słowy, *viṣṇu-tattva* jest osobistą ekspansją Kṛṣṇy, podczas gdy żywe istoty są Jego oddzielonymi ekspansjami. Poprzez Swoją osobistą ekspansję manifestuje się On w różnych formach, takich jak Pan Rāma, Nṛsiṁhadeva, Viṣṇumūrti, i wszystkie Bóstwa przewodzące na Vaikuṇṭhach, planetach nieba duchowego. Jego oddzielone ekspansje, żywe istoty, są wiecznymi sługami. Osobowe ekspansje Najwyższej Osoby Boga istnieją zawsze jako oddzielne indywidualności, tożsame z Osobą Boga. Podobnie, swoją indywidualność mają również i oddzielone ekspansje żywych istot. Jako fragmentaryczne, integralne cząstki Najwyższego Boga, żywe istoty mają również we fragmentarycznej ilości Jego cechy, z których jedną jest niezależność. Każda żywa istota—jako indywidualna dusza—ma swoją osobistą indywidualność i niewielką niezależność. Przez niewłaściwe skorzystanie z tej niezależności staje się ona duszą uwarunkowaną, lecz kiedy używa jej właściwie—jest zawsze wyzwolona. W każdym przypadku jest ona jakościowo wieczna, tak jak Najwyższy Pan. W swoim wyzwolonym stanie jest ona wolna od tego materialnego uwarunkowania i zaangażowana jest w transcendentalną służbę miłości dla Pana. Natomiast w uwarunkowanym stanie życia kontrolowana jest przez trzy siły natury materialnej i zapomina o transcendentalnej służbie miłości dla Pana. Wskutek tego musi bardzo ciężko walczyć, aby utrzymać się przy życiu w tym świecie materialnym.

Żywe istoty, nie tylko istoty ludzkie oraz psy i koty, ale nawet więksi kontrolerzy świata materialnego: Brahmā, Pan Śiva a nawet Viṣṇu—wszyscy są integralnymi cząstkami Najwyższego Pana. Wszyscy oni są manifestacjami wiecznymi, nie okresowymi. Ważne jest słowo *karṣati* ("walczyć", albo "zmagać się"). Uwarunkowana dusza jest związana, jak gdyby skrępowana żelaznym łańcuchem. Jest ona związana przez fałszywe ego, a umysł jest głównym czynnikiem kierującym nią w tym życiu materialnym. Gdy umysł kontrolowany jest przez *gunę* dobroci, jej czynności są dobre. Kiedy znajduje się on pod wpływem pasji, jej czynności są wówczas niespokojne i pełne fatygi; a kiedy umysł jest w *gunie* ignorancji, schodzi ona do niższych gatunków życia. Z wersetu tego wyraźnie wynika, że uwarunkowana dusza przykryta jest materialnym ciałem, umysłem i zmysłami, a kiedy osiąga wyzwolenie, to materialne pokrycie znika i manifestuje się jej ciało duchowe o indywidualnym charakterze. W *Mādhyandināyana-śruti* zamieszczona jest następująca informacja: *sa vā eṣa brahma-niṣṭha idaṁ śarīraṁ martyam atisṛjya brahmābhisampadya brahmaṇā paśyati brahmaṇā śṛṇoti brahmaṇaivedaṁ sarvam anubhavati*. Oznajmia ona, że kiedy żywa istota porzuca to materialne ciało i wchodzi do świata duchowego, odzyskuje ona swoje ciało duchowe, w którym to ciele może oglądać Najwyższą Osobę Boga, twarzą w twarz. Może słuchać Go i mówić do Niego oraz poznać Go takim, jakim jest. Można również dowiedzieć się ze *smṛti*, *vasanti yatra puruṣāḥ sarve vaikuṇṭha-mūrtayaḥ*: na planetach duchowych każdy żyje w ciele podobnym pod względem cech do ciała Najwyższej Osoby Boga. Jeśli chodzi o konstytucję cielesną, to nie ma różnicy pomiędzy cząstkowymi żywymi istotami a ekspansjami *viṣṇu-mūrti*. Innymi słowy, z chwilą wyzwolenia żywa istota, dzięki łasce Najwyższej Osoby Boga, otrzymuje ciało duchowe.

Bardzo znaczące jest również słowo *mamaivāṁśaḥ* ("fragmentaryczne, integralne cząstki Najwyższego Pana"). Fragmentaryczna cząstka Najwyższego Pana nie jest czymś takim jak część jakiegoś rozbitego przedmiotu materialnego. Wiemy już z Rozdziału Drugiego, że duch nie może zostać podzielony na kawałki. Cząstka ta jest materialnie niewyobrażalna. Duch nie jest podobny materii, która może zostać pocięta na kawałki, a następnie ponownie złączona razem. Ta koncepcja nie znajduje zastosowania tutaj, ponieważ użyte zostało sanskryckie słowo *sanātana* ("wieczny"). Fragmentaryczna cząstka jest wieczna. Wiemy również z początku Rozdziału Drugiego (*dehino 'smin yathā dehe*), że fragmentaryczna cząstka Najwyższego Pana obecna jest w każdym indywidualnym ciele. Ta fragmentaryczna cząstka, kiedy zostaje wyzwolona z ciała materialnego, odnawia swoje prawdziwe ciało duchowe w niebie duchowym, na planecie duchowej, i tam raduje się towarzystwem Najwyższego Pana. Należy wiedzieć, że żywa istota, będąc fragmentaryczną, integralną cząstką Najwyższego Pana, jest Mu jakościowo równa, tak jak cząstka złota jest również złotem.

## TEKST 8

शरीरं यदवाप्नोति यच्चाप्युत्क्रामतीश्वरः ।
गृहीत्वैतानि संयाति वायुर्गन्धानिवाशयात् ॥८॥

*śarīraṁ yad avāpnoti yac cāpy utkrāmatīśvaraḥ*
*gṛhītvaitāni saṁyāti vāyur gandhān ivāśayāt*

*śarīram*—ciało; *yat*—jak; *avāpnoti*—otrzymuje; *yat*—jak; *ca api*—również; *utkrāmati*—porzuca; *īśvaraḥ*—pan ciała; *gṛhītvā*—zabierając; *etāni*—wszystkie te; *saṁyāti*—odchodzi; *vāyuḥ*—powietrze; *gandhān*—zapachy; *iva*—jak; *āśayāt*—z ich źródła.

**Będąc w tym materialnym świecie, żywa istota przenosi swoje różne koncepcje życia z jednego ciała do drugiego, tak jak powietrze przenosi zapachy. Wskutek tego przyjmuje jeden rodzaj ciała, aby ponownie porzucić je i przyjąć następne.**

*ZNACZENIE:* Żywa istota opisana została tutaj jako *īśvara*, kontroler swego własnego ciała. Jeśli chce, może ona zmienić swoje ciało na ciało wyższego rzędu albo też cofnąć się w niższe gatunki. Ma tutaj niewielką niezależność. Zmiany, jakim podlega jej ciało, zależą od niej. Świadomość, którą wytworzyła w tym życiu, przeniesie w chwili śmierci do innego ciała. Jeśli uczyniła swoją świadomość podobną świadomości psów i kotów, z pewnością otrzyma ciało psa albo kota. Jeśli skupiła swoją świadomość na cechach boskich, przyjmie ciało półboga. A jeśli jest świadoma Kṛṣṇy, zostanie przeniesiona do świata duchowego, na Kṛṣṇalokę, gdzie będzie obcowała z Kṛṣṇą. Fałszywym jest twierdzenie, że po unicestwieniu ciała wszystko się kończy. Indywidualna dusza wędruje poprzez różne typy ciał, a jej obecne ciało i obecne czyny są podstawą jej ciała następnego. Otrzymujemy różne ciała odpowiednio do naszej *karmy* i musimy opuścić te ciała we właściwym czasie. Jest powiedziane tutaj, że ciało subtelne, które przenosi koncepcję ciała następnego, rozwija to inne ciało w przyszłym życiu. Ten proces wędrówki z jednego ciała do innego i walka podczas przebywania w danym ciele jest nazywana *karṣati*, czyli walką o egzystencję.

**TEKST 9** श्रोत्रं चक्षुः स्पर्शनं च रसनं घ्राणमेव च ।
अधिष्ठाय मनश्चायं विषयानुपसेवते ॥९॥

*śrotraṁ cakṣuḥ sparśanaṁ ca rasanaṁ ghrāṇam eva ca*
*adhiṣṭhāya manaś cāyaṁ viṣayān upasevate*

*śrotram*—uszy; *cakṣuḥ*—oczy; *sparśanam*—dotyk; *ca*—również; *rasanam*—język; *ghrāṇam*—zmysł węchu; *eva*—również; *ca*—i; *adhiṣṭhāya*—będąc usytuowanym w; *manaḥ*—umysł; *ca*—również; *ayam*—on; *viṣayān*—przedmioty zmysłów; *upasevate*—cieszy się.

**Przyjąwszy inne "wulgarne" ciało, otrzymuje ona (żywa istota) pewien typ zmysłu słuchu, wzroku, smaku, powonienia i dotyku, które grupują się wokół umysłu. Wskutek tego zadowala ją określony zespół przedmiotów zmysłów.**

*ZNACZENIE:* Innymi słowy, jeżeli żywa istota zdegeneruje swoją świadomość do świadomości psów i kotów, wtedy w następnym życiu otrzymuje ciało psa albo kota i używa życia. Świadomość w swoim stanie pierwotnym jest czysta, jak woda. Kiedy jednak zmieszamy wodę z jakimś barwnikiem, to straci ona tę swoją czystość. Podobnie świadomość jest czysta, ponieważ czysta jest dusza. Ale ta czysta świadomość zmienia się w zależności od obcowania z jakościami materialnymi. Prawdziwa świadomość jest świadomością Kṛṣṇy. Jeśli więc ktoś jest świadomy Kṛṣṇy, to jego życie jest czyste. Jeżeli jednak jego świadomość zostanie zanieczyszczona pewnym typem mentalności materialnej, to w przyszłym życiu otrzymuje on ciało odpowiadające tej świadomości. Niekoniecznie musi to być ciało ludzkie. Można otrzymać ciało kota, psa, świni, półboga albo jednej z wielu innych form spośród 8 400 000 gatunków życia.

TEKST 10 उत्क्रामन्तं स्थितं वापि भुञ्जानं वा गुणान्वितम् ।
विमूढा नानुपश्यन्ति पश्यन्ति ज्ञानचक्षुषः ॥१०॥

*utkrāmantaṁ sthitaṁ vāpi bhuñjānaṁ vā guṇānvitam*
*vimūḍhā nānupaśyanti paśyanti jñāna-cakṣuṣaḥ*

*utkrāmantam*—opuszczając ciało; *sthitam*—usytuowany w ciele; *vā api*—albo; *bhuñjānam*—radując się; *vā*—albo; *guṇa-anvitam*—pod urokiem sił natury materialnej; *vimūḍhāḥ*—niemądre osoby; *na*—nigdy; *anupaśyanti*—mogą zobaczyć; *paśyanti*—mogą zobaczyć; *jñāna-cakṣuṣaḥ*—którzy posiadają oczy wiedzy.

**Głupcy nie mogą zrozumieć, w jaki sposób żywa istota może opuścić swoje ciało. Nie mogą też zrozumieć w jakim ciele doznaje przyjemności pod wpływem sił natury. Lecz wszystko to zobaczyć może ten, kto posiada oczy wiedzy.**

*ZNACZENIE:* Znaczące jest tutaj słowo *jñāna-cakṣuṣaḥ*. Kto nie posiada wiedzy, ten nie może zrozumieć, w jaki sposób żywa istota opuszcza swoje obecne ciało, ani nie wie, jaki typ ciała przyjmie ona w życiu następnym; nie wiedząc też dlaczego teraz ma taki a nie inny rodzaj ciała. Wymaga to ogromnego zasobu wiedzy z *Bhagavad-gīty* i podobnej literatury, przyswojonej poprzez słuchanie od bona fide mistrza duchowego. Szczęśliwy jest ten, kto wyszkolony jest w postrzeganiu tych rzeczy. Pod wpływem materialnej natury każda żywa istota opuszcza swoje ciało w pewnych określonych warunkach, żyje w określonych warunkach i znajduje upodobanie w określonych warunkach. W efekcie cierpi ona różnego rodzaju szczęście i nieszczęście, ulegając złudzeniu radości zmysłowych. Osoby, które bezustannie ogłupiane są przez pragnienie i pożądanie, tracą wszelką moc rozumienia zmian swojego ciała i swojego pobytu w określonym ciele. Nie są w stanie ogarnąć tego rozumem. Jednakże ci, którzy rozwinęli wiedzę duchową, mogą zrozumieć, że duch jest różny od ciała, że zmienia on swoje ciało i raduje się w rozmaity sposób. Osoba, która posiada taką wiedzę, może zrozumieć, w jaki sposób uwarunkowana żywa istota cierpi w tym życiu materialnym. Dlatego ci, którzy w wysokim stopniu rozwinęli swoją świadomość Kṛṣṇy, robią wszystko, aby dostarczyć tej wiedzy ogółowi ludzkości, gdyż uwarunkowane życie pełne jest problemów. Ludzie powinni uwolnić się od takiego życia, powinni stać się świadomymi

Kṛṣṇy i wyzwolić się, aby móc następnie przenieść się do świata duchowego.

TEKST 11 यतन्तो योगिनश्चैनं पश्यन्त्यात्मन्यवस्थितम् ।
यतन्तोऽप्यकृतात्मानो नैनं पश्यन्त्यचेतसः ॥११॥

*yatanto yoginaś cainaṁ paśyanty ātmany avasthitam*
*yatanto 'py akṛtātmāno nainaṁ paśyanty acetasaḥ*

*yatantaḥ*—dążąc; *yoginaḥ*—transcendentaliści; *ca*—również; *enam*—to; *paśyanti*—mogą zobaczyć; *ātmani*—w duszy; *avasthitam*—usytuowany; *yatantaḥ*—czyniący wysiłek; *api*—chociaż; *akṛta-ātmānaḥ*—osoby nieusytuowane w samorealizacji; *na*—nie; *enam*—to; *paśyanti*—zobaczyć; *acetasaḥ*—nie mając rozwiniętego umysłu.

**Czyniący wysiłek transcendentalista, który osiągnął samorealizację, widzi to wszystko bardzo wyraźnie. Lecz osoba niezrealizowana, o nierozwiniętym umyśle, pomimo starań nie jest w stanie pojąć tego, co się dzieje.**

*ZNACZENIE:* Jest wielu transcendentalistów na ścieżce duchowej samorealizacji, ale kto nie jest zrealizowany, ten nie może zrozumieć, w jaki sposób zachodzą zmiany w ciele żywej istoty. Ważne w tym związku jest słowo *yoginaḥ*. W dzisiejszych czasach jest wielu tzw. *yogīnów* i jest wiele tzw. stowarzyszeń *yogīnów*, ale w rzeczywistości są oni ślepcami, jeśli chodzi o realizację duchową. Zajmują się jedynie pewnym rodzajem ćwiczeń gimnastycznych i zadowalają się dobrze zbudowanym i zdrowym ciałem. Nie posiadają innej wiedzy. Nazywani są oni *yatanto 'py akṛtātmānaḥ*. Pomimo iż czynią wysiłki w tzw. systemie *yogi*, nie są samozrealizowani. Ludzie tacy nie mogą zrozumieć procesu transmigracji duszy. Tylko ci, którzy rzeczywiście praktykują *yogę* i zrealizowali duszę, świat i Najwyższego Pana, innymi słowy—*bhakti-yogīni*, ci którzy zaangażowani są w czystą służbę oddania w świadomości Kṛṣṇy, tylko oni mogą zrozumieć, w jaki sposób wszystko to się odbywa.

TEKST 12 यदादित्यगतं तेजो जगद् भासयतेऽखिलम् ।
यच्चन्द्रमसि यच्चाग्नौ तत्तेजो विद्धि मामकम् ॥१२॥

*yad āditya-gataṁ tejo jagad bhāsayate 'khilam*
*yac candramasi yac cāgnau tat tejo viddhi māmakam*

*yat*—to, co; *āditya-gatam*—w blasku słonecznym; *tejaḥ*—blask; *jagat*—cały świat; *bhāsayate*—oświetla; *akhilam*—całkowicie; *yat*—to, co;

*candramasi*—w księżycu; *yat*—to, co; *ca*—również; *agnau*—w ogniu; *tat*—to; *tejaḥ*—światło; *viddhi*—zrozumieć; *māmakam*—ode Mnie.

**We Mnie ma swoje źródło światłość słoneczna, która rozprasza ciemność całego świata. Ode Mnie jest również blask ognia i czar księżycowego światła.**

*ZNACZENIE:* Nieinteligentni nie mogą zrozumieć, w jaki sposób dzieją się różne rzeczy. Wiedza zaczyna się w momencie, kiedy zrozumie się to, co Pan tutaj tłumaczy. Każdy widzi słońce, księżyc, ogień i światło elektryczne. Należy jedynie próbować zrozumieć, że światłość słońca, księżyca, światło elektryczne czy ogień, wszystko to pochodzi od Najwyższej Osoby Boga. Takie pojmowanie życia jest już wielkim krokiem naprzód dla uwarunkowanej duszy w tym świecie materialnym i jest ono początkiem świadomości Kṛṣṇy. Żywe istoty są integralnymi cząstkami Najwyższego Pana i tutaj otrzymują one od Niego wskazówkę, w jaki sposób mogą powrócić do Boga, do domu.

Z wersetu tego dowiadujemy się, że słońce oświetla cały system słoneczny. Istnieją różne wszechświaty i systemy słoneczne, w których są różne słońca, księżyce i planety, ale w każdym wszechświecie jest tylko jedno słońce. A księżyc—jak oznajmia *Bhagavad-gītā* (10.21)—jest jedną z gwiazd (*nakṣatrāṇām ahaṁ śaśī*). Źródłem blasku słonecznego jest światłość duchowa pochodząca z nieba duchowego Najwyższego Pana. Wraz ze wschodem słońca zaczyna się aktywność ludzkich istot. Zapalają one ogień, aby przygotować pożywienie, aby uruchomić fabryki itd. Tak wiele rzeczy robi się z pomocą ognia. Zatem wschód słońca, ogień i światło księżyca są wielkim dobrodziejstwem dla ludzkich istot. Żadna istota nie może żyć bez nich. Więc jeśli ktoś jest w stanie zrozumieć, że światło i blask słońca, księżyca i ognia emanują z Najwyższej Osoby Boga, Kṛṣṇy, wtedy zaczyna się jego świadomość Kṛṣṇy. Światło księżyca odżywia wszystkie warzywa. Światło księżyca jest tak przyjemne, że ludzie mogą bez trudu zrozumieć, iż żyją dzięki łasce Najwyższej Osoby Boga, Kṛṣṇy. Gdyby nie Jego miłosierdzie, nie byłoby słońca, księżyca i ognia, bez których trudno byłoby sobie wyobrazić życie. Są to pewne refleksje, które mogą rozbudzić świadomość Kṛṣṇy w uwarunkowanej duszy.

**TEKST 13** गामाविश्य च भूतानि धारयाम्यहमोजसा ।
पुष्णामि चौषधीः सर्वाः सोमो भूत्वा रसात्मकः ॥१३॥

*gām āviśya ca bhūtāni dhārayāmy aham ojasā*
*puṣṇāmi cauṣadhīḥ sarvāḥ somo bhūtvā rasātmakaḥ*

*gām*—planety; *āviśya*—przenikają; *ca*—również; *bhūtāni*—żywe istoty; *dhārayāmi*—utrzymuję; *aham*—Ja; *ojasā*—Swoją energią; *puṣṇāmi*—odżywiam; *ca*—i; *auṣadhīḥ*—warzywa; *sarvāḥ*—wszystkie; *somaḥ*—księżyc; *bhūtvā*—stając się; *rasa-ātmakaḥ*—dostarczając soku.

**Ja przenikam każdą planetę i dzięki Mojej energii pozostają one w swoich orbitach. Ja staję się księżycem i w ten sposób dostarczam soków życia wszystkim warzywom.**

*ZNACZENIE:* Wszystkie planety unoszą się w przestrzeni jedynie dzięki energii Pana. Pan przenika każdy atom, każdą planetę i każdą żywą istotę. Zostało to omówione w *Brahma-saṁhicie*. Jest tam powiedziane, że jedna pełna część Najwyższej Osoby Boga, Paramātmā, przenika każdą planetę, wszechświat, żywą istotę, a nawet atom. Więc wszystko manifestuje się we właściwy sposób dzięki temu, iż On przenika to wszystko. Kiedy dusza znajduje się wewnątrz ciała, ciało to może unosić się na wodzie, ale kiedy ta żyjąca iskra opuszcza ciało i jest ono martwe, wtedy tonie. Oczywiście kiedy uległo ono rozkładowi, unosi się wtedy jak słoma, ale w momencie kiedy człowiek umiera, jego ciało od razu tonie. Podobnie, wszystkie planety unoszą się w przestrzeni dzięki temu, że przenika je najwyższa energia Najwyższej Osoby Boga. Jego energia utrzymuje każdą planetę, tak jak by to była garstka kurzu. Jeśli ktoś trzyma w dłoni piasek, to piasek ten nie może spaść w dół, ale skoro tylko rzuci się go w powietrze, opadnie natychmiast. Podobnie, wszystkie te unoszące się w przestrzeni planety w rzeczywistości znajdują się w dłoni kosmicznej formy Najwyższego Pana. Dzięki Jego mocy i energii wszystkie ruchome i nieruchome przedmioty pozostają w swoim miejscu. Jest powiedziane, że to właśnie dzięki Najwyższej Osobie Boga świeci słońce i wszystkie planety pozostają w ciągłym ruchu. Gdyby nie On, wszystkie planety rozproszyłyby się niczym kurz w powietrzu i przestałyby istnieć. Również dzięki Niemu księżyc odżywia wszystkie warzywa. To właśnie dzięki oddziaływaniu księżyca stają się one smaczne. Bez światła księżycowego warzywa nie mogłyby ani rosnąć, ani być soczyste. Ludzkie społeczeństwo pracuje, żyje wygodnie i je smacznie tylko dzięki temu, iż Pan dostarcza wszystkich potrzebnych rzeczy. W przeciwnym wypadku ludzkość nie mogłaby żyć. Bardzo ważne jest słowo *rasātmakaḥ*. Wszystko nabiera smaku dzięki oddziaływaniu Najwyższego Pana, poprzez wpływ księżyca.

**TEKST 14** अहं वैश्वानरो भूत्वा प्राणिनां देहमाश्रितः ।
प्राणापानसमायुक्तः पचाम्यन्नं चतुर्विधम् ॥१४॥

*ahaṁ vaiśvānaro bhūtvā prāṇināṁ deham āśritaḥ*
*prāṇāpāna-samāyuktaḥ pacāmy annaṁ catur-vidham*

*aham*—Ja; *vaiśvānaraḥ*—Moja kompletna cząstka w postaci trawiącego ognia; *bhūtvā*—stając się; *prāṇinām*—wszystkich żywych istot; *deham*—w ciałach; *āśritaḥ*—usytuowany; *prāṇa*—powietrze wydychane; *apāna*—powietrze wdychane; *samāyuktaḥ*—utrzymywać równowagę; *pacāmi*—trawię; *annam*—pożywienie; *catuḥ-vidham*—cztery rodzaje.

**Ja jestem ogniem trawiącym w ciałach wszystkich żywych istot i Ja łączę się z powietrzem życia, wdychanym i wydychanym, aby trawił cztery rodzaje pokarmów.**

*ZNACZENIE:* Z *Āyur-vedy* dowiadujemy się o znajdującym się w żołądku ogniu, który trawi wszelki pokarm dostarczany żołądkowi. Kiedy ogień ten nie płonie, nie odczuwamy głodu, a stajemy się głodni, kiedy zaczyna działać. Czasami, gdy nie działa prawidłowo, konieczne jest leczenie. W każdym przypadku ogień jest reprezentantem Najwyższej Osoby Boga. Wedyjskie *mantry* (*Bṛhad-āraṇyaka Upaniṣad* 5.9.1) również potwierdzają, że Najwyższy Pan, czyli Brahman, obecny jest w żołądku w postaci ognia i trawi wszelkiego rodzaju pokarmy (*ayam agnir vaiśvānaro yo 'yam antaḥ puruṣe yenedam annaṁ pacyate*). Skoro zatem pomaga On w trawieniu wszelkiego rodzaju pokarmu, żywa istota nie jest niezależna w swoim procesie jedzenia. Nie może nawet jeść, jeśli Pan nie pomoże jej w trawieniu. Tak więc to On wytwarza i trawi pożywienie i to dzięki Jego łasce cieszymy się życiem. Potwierdza to również *Vedānta-sūtra* (1.2.27). *Śabdādibhyo 'ntaḥ pratiṣṭhānāc ca:* Pan obecny jest w dźwięku, w ciele, w powietrzu, a nawet jako siła trawiąca w żołądku. Są cztery rodzaje pożywienia: połykane, żute, lizane i ssane. To właśnie On jest siłą, która trawi wszystkie te rodzaje pokarmów.

**TEKST 15**

सर्वस्य चाहं हृदि सन्निविष्टो
मत्तः स्मृतिर्ज्ञानमपोहनं च ।
वेदैश्च सर्वैरहमेव वेद्यो
वेदान्तकृद् वेदविदेव चाहम् ॥१५॥

*sarvasya cāhaṁ hṛdi sanniviṣṭo*
*mattaḥ smṛtir jñānam apohanaṁ ca*
*vedaiś ca sarvair aham eva vedyo*
*vedānta-kṛd veda-vid eva cāham*

*sarvasya*—wszystkich żywych istot; *ca*—i; *aham*—Ja; *hṛdi*—w sercu; *sanniviṣṭaḥ*—przebywający; *mattaḥ*—ode Mnie; *smṛtiḥ*—pamięć; *jñānam*—wiedza; *apohanam*—zapominanie; *ca*—i; *vedaiḥ*—przez *Vedy; ca*—również; *sarvaiḥ*—wszystkie; *aham*—Ja jestem; *eva*—na pewno; *vedyaḥ*—poznawany; *vedānta-kṛt*—kompilator *Vedānty*; *veda-vit*—znawca *Ved; eva*—na pewno; *ca*—i; *aham*—Ja.

**Ode Mnie, który przebywam w każdym sercu, pochodzi pamięć, wiedza i zapomnienie. Ja jestem przedmiotem poznania wszystkich Ved. W istocie, to Ja jestem kompilatorem Vedānty i Ja jestem znawcą Ved.**

*ZNACZENIE:* Najwyższy Pan przebywa w każdym sercu jako Paramātmā i to On właściwie jest inicjatorem wszelkich czynów. Żywa istota zapomina wszystko o swoim przeszłym życiu i musi działać zgodnie ze wskazówkami Najwyższego Pana, który jest świadkiem wszelkich jej poczynań. Kontynuuje ona pracę rozpoczętą w swoim przeszłym życiu, otrzymując od Pana potrzebną do tego wiedzę i pamięć. Pan również sprawia to, iż zapomina ona o swoim życiu przeszłym. Więc Pan jest nie tylko wszechprzenikający; jest On również zlokalizowany w każdym indywidualnym sercu i odpowiednio nagradza On różne czyny żywej istoty. Jest On wielbiony nie tylko jako bezosobowy Brahman, Najwyższa Osoba Boga i zlokalizowana Paramātmā, ale również pod postacią *Ved*, które uważane są za Jego literacką inkarnację. *Vedy* są zbiorem wskazówek dla ludzi, poprzez przyjęcie których mogą oni odpowiednio ukształtować swoje życie i powrócić do Boga, z powrotem do domu. *Vedy* ofiarowują wiedzę Najwyższej Osoby Boga, Kṛṣṇy—i Kṛṣṇa w Swojej inkarnacji jako Vyāsadeva jest kompilatorem *Vedānta-sūtry*. Zaś komentarz Vyāsadevy do *Vedānta-sūtry* (w postaci *Śrīmad-Bhāgavatam*) daje prawdziwe zrozumienie *Vedānta-sūtry*. Najwyższy Pan jest tak kompletny, że dla wyzwolenia uwarunkowanej duszy dostarcza jej pożywienia i trawi je, i jest świadkiem jej czynów, daje jej wiedzę w postaci *Ved* i jako Najwyższa Osoba Boga, Śrī Kṛṣṇa, jest nauczycielem *Bhagavad-gīty*. Dla uwarunkowanej duszy jest On przedmiotem uwielbienia. Jest On wszechdobry i wszechmiłosierny.

*Antaḥ-praviṣṭaḥ śāstā janānām*. W momencie opuszczania swojego obecnego ciała, żywa istota zapomina o wszystkim, ale zainspirowana przez Najwyższego Pana i otrzymawszy od Niego odpowiednią inteligencję, podejmuje ona swoją pracę tam, gdzie zakończyła ją w swoim życiu przeszłym. Nie tylko raduje się ona albo cierpi w tym świecie według woli Najwyższego Pana przebywającego w jej sercu, ale również otrzymuje od Niego szansę poznania *Ved*. Jeśli ktoś ma poważny stosunek do poznania wiedzy wedyjskiej, wtedy Kṛṣṇa daje mu konieczną do tego inteligencję. Dlaczego przekazał On tę wiedzę? Ponieważ poznanie Kṛṣṇy jest indywidualną potrzebą żywej istoty. Potwierdza to literatura wedyjska: *yo 'sau sarvair vedair gīyate*. W całej literaturze wedyjskiej, zaczynając od czterech *Ved*, *Vedānta-sūtry, Upaniṣadów* i *Purāṇ*, opiewane są chwały Najwyższego Pana. Osiągany jest On przez spełnianie rytuałów wedyjskich, dyskutowanie filozofii wedyjskiej i wielbienie poprzez służbę oddania. Zatem celem *Ved* jest poznanie Kṛṣṇy. *Vedy* dają nam wskazówki, dzięki którym można zrozumieć Kṛṣṇę i proponują proces zrealizowania Go. Ostatecznym celem jest Najwyższa Osoba Boga. *Vedānta-sūtra* (1.1.4) potwierdza to następującymi słowami: *tat tu samanvayāt*. Doskonałość można osiągnąć w trzech etapach. Przez zrozumienie literatury wedyjskiej można poznać swój związek z Najwyższą Osobą Boga. Poprzez praktykowanie różnych procesów można się do Niego zbliżyć, a w końcu osiągnąć najwyższy cel, którym jest jedynie Najwyższa Osoba Boga. Werset ten wyraźnie określa przeznaczenie, poznawanie i cel *Ved*.

**TEKST 16** द्वाविमौ पुरुषौ लोके क्षरश्चाक्षर एव च ।
क्षरः सर्वाणि भूतानि कूटस्थोऽक्षर उच्यते ॥१६॥

*dvāv imau puruṣau loke kṣaraś cākṣara eva ca*
*kṣaraḥ sarvāṇi bhūtāni kūṭa-stho 'kṣara ucyate*

*dvau*—dwa; *imau*—te; *puruṣau*—żywe istoty; *loke*—w świecie; *kṣaraḥ*—omylne; *ca*—i; *akṣaraḥ*—nieomylne; *eva*—na pewno; *ca*—i; *kṣaraḥ*—omylne; *sarvāṇi*—wszystkie; *bhūtāni*—żywe istoty; *kūṭa-sthaḥ*—w jedności; *akṣaraḥ*—nieomylne; *ucyate*—jest powiedziane.

**Są dwie klasy istot: omylne i nieomylne. W materialnym świecie każda istota jest omylna, natomiast każda w świecie duchowym nazywana jest nieomylną.**

*ZNACZENIE:* Jak zostało to już wyjaśnione, Pan w Swojej inkarnacji jako Vyāsadeva skompilował *Vedānta-sūtrę*. Tutaj Pan podaje w skrócie treść *Vedānta-sūtry*: mówi On, że żywe istoty, których liczba jest nieograniczona, można podzielić na dwie klasy—istoty omylne i nieomylne. Żywe istoty są wiecznie oddzielnymi cząstkami Najwyższej Osoby Boga. Kiedy są w kontakcie z tym światem materialnym, nazywane są *jīva-bhūta*; a sanskryckie słowa użyte tutaj: *kṣaraḥ sarvāṇi bhūtāni*, oznaczają, iż są one omylne. Te jednakże, które są w jedności z Najwyższą Osobą Boga, nazywane są nieomylnymi. To że są w jedności z Bogiem nie oznacza, że nie posiadają one indywidualności, ale że nie ma między nimi niezgody. Wszystkie one zgodne są co do celu stworzenia. Oczywiście w świecie duchowym nie ma takiej rzeczy jak stworzenie, ale skoro Najwyższa Osoba Boga—jak oznajmia *Vedānta-sūtra*—jest źródłem wszystkich emanacji, pojęcie to jest wyjaśnione.

Według oznajmienia Najwyższej Osoby Boga, Pana Kṛṣṇy, są dwie klasy istot. *Vedy* dają tego dowody, więc nie ma co do tego wątpliwości. Żywe istoty, które walczą w tym materialnym świecie z umysłem i pięcioma zmysłami, posiadają ciała materialne, które zmieniają się tak długo, dopóki żywa istota jest uwarunkowana. Przyczyną zmiany ciała jest kontakt z materią; materia zmienia się, więc również żywa istota zdaje się zmieniać. Ale ciała w świecie duchowym nie są zbudowane z materii, dlatego nie podlegają żadnym zmianom. W świecie materialnym żywa istota przechodzi sześć zmian—rodzi się, rośnie, trwa przez pewien czas, daje narodziny potomstwu, następnie słabnie i w końcu ginie. Na tym polegają zmiany ciała materialnego. Lecz w świecie duchowym ciało nie podlega żadnym zmianom. Nie ma tam narodzin, starości ani śmierci. Wszyscy istnieją tam w jedności. *Kṣaraḥ sarvāṇi bhūtāni*: każda żywa istota, która weszła w kontakt z materią, począwszy od pierwszej stworzonej żywej istoty, Brahmy, aż do maleńkiej mrówki, zmienia swoje ciało. Zatem wszystkie one są omylne. W świecie duchowym jednakże są one wyzwolone w jedności.

## TEKST 17

उत्तमः पुरुषस्त्वन्यः परमात्मेत्युदाहृतः ।
यो लोकत्रयमाविश्य बिभर्त्यव्यय ईश्वरः ॥१७॥

*uttamaḥ puruṣas tv anyaḥ paramātmety udāhṛtaḥ*
*yo loka-trayam āviśya bibharty avyaya īśvaraḥ*

*uttamaḥ*—najlepsza; *puruṣaḥ*—osoba; *tu*—ale; *anyaḥ*—inna; *parama*—najwyższa; *ātmā*—jaźń; *iti*—w ten sposób; *udāhṛtaḥ*—powiedziano; *yaḥ*—ten, kto; *loka*—wszechświata; *trayam*—trzy podziały; *āviśya*—przenikając; *bibharti*—utrzymuje; *avyayaḥ*—nieograniczony; *īśvaraḥ*—Pan.

**Oprócz tych dwu, jest jeszcze najwyższa żywa osoba—Dusza Najwyższa, Sam niezniszczalny Najwyższy Pan, który przeniknął te światy i utrzymuje je.**

*ZNACZENIE:* Treść tego wersetu została wspaniale wyrażona w *Kaṭha Upaniṣad* (2.2.13) i *Śvetāśvatara Upaniṣad* (6.13). Jest tam wyraźnie powiedziane, że ponad niezliczoną ilością żywych istot—z których jedne są uwarunkowane, a inne wyzwolone—jest Najwyższa Osoba Boga, który jest Paramātmą. Werset z *Upaniṣadów* brzmi jak następuje: *nityo nityānāṁ cetanaś cetanānām*. Znaczenie jego jest takie, że pomiędzy wszystkimi żywymi istotami, zarówno uwarunkowanymi jak i wyzwolonymi, jest jedna najwyższa żywa osoba, Najwyższa Osoba Boga, który utrzymuje je wszystkie i umożliwia im korzystanie z różnych radości, odpowiednio do ich czynów. Ten Najwyższa Osoba Boga przebywa w każdym sercu jako Paramātmā. Nikt inny, tylko mędrzec, który jest w stanie Go zrozumieć, zdolny jest do osiągnięcia doskonałego spokoju.

**TEKST 18** यस्मात्क्षरमतीतोऽहमक्षरादपि चोत्तमः ।
अतोऽस्मि लोके वेदे च प्रथितः पुरुषोत्तमः ॥१८॥

*yasmāt kṣaram atīto 'ham akṣarād api cottamaḥ*
*ato 'smi loke vede ca prathitaḥ puruṣottamaḥ*

*yasmāt*—ponieważ; *kṣaram*—omylnemu; *atītaḥ*—transcendentalny; *aham*—Ja jestem; *akṣarāt*—poza nieomylnym; *api*—również; *ca*—i; *uttamaḥ*—najlepszy; *ataḥ*—dlatego; *asmi*—Ja jestem; *loke*—w świecie; *vede*—w literaturze wedyjskiej; *ca*—i; *prathitaḥ*—sławiony; *puruṣa-uttamaḥ*—jako Najwyższa Osoba.

**Transcendentalnym i największym będąc, poza omylnym i nieomylnym, sławiony jestem zarówno w świecie, jak i w Vedach—jako ta właśnie Najwyższa Osoba.**

*ZNACZENIE:* Nikt nie może przewyższyć Najwyższej Osoby Boga, Kṛṣṇy—ani dusza uwarunkowana, ani wyzwolona. Jest On zatem najpotężniejszym spośród wszystkich osób. Z wersetu tego wyraźnie wynika więc, że zarówno żywe istoty, jak i Najwyższa Osoba, są istotami indywidualnymi. Różnica pomiędzy nimi jest taka, że żywe istoty, czy to w uwarunkowanym stanie życia, czy wyzwolone, nie mogą przewyższyć ilościowo ogromu niepojętych mocy Najwyższej Osoby Boga. Błędne jest mniemanie, że Najwyższy Pan i żywe istoty znajdują się na tym samym poziomie, albo że są równi pod każdym względem. Zawsze należy brać pod uwagę różnicę w ich pozycji. Znaczące jest słowo *uttama*. Nikt nie może przewyższyć Najwyższej Osoby Boga.

Słowo *loke* oznacza "w *pauruṣa āgama* (pismach *smṛti*)". Jak potwierdza to słownik *Nirukti*, *lokyate vedārtho 'nena*: "Cel *Ved* został wytłumaczony przez pisma *smṛti*."

Najwyższy Pan w Swoim zlokalizowanym aspekcie jako Paramātmā jest również opisany w samych *Vedach*. Następujący werset również pojawia się w *Vedach* (*Chāndogya Upaniṣad* 8.12.3): *tāvad eṣa samprasādo 'smāc charīrāt samutthāya paraṁ jyoti-rūpaṁ sampadya svena rūpeṇābhiniṣpadyate sa uttamaḥ puruṣaḥ*. "Dusza Najwyższa opuszczając ciało wchodzi w bezosobowe *brahmajyoti*, gdzie w Swojej formie pozostaje On w Swojej duchowej tożsamości. Ten Najwyższy nazywany jest Najwyższą Osobą." Znaczy to, że Najwyższa Osoba emanuje i rozprzestrzenia Swój blask duchowy, który jest najwyższą światłością. Ta Najwyższa Osoba ma również zlokalizowany aspekt, Paramātmę. A inkarnując jako syn Satyavatī i Parāśary, tłumaczy On wiedzę wedyjską, jako Vyāsadeva.

**TEKST 19** यो मामेवमसम्मूढो जानाति पुरुषोत्तमम् ।
स सर्वविद् भजति मां सर्वभावेन भारत ॥१९॥

*yo mām evam asammūḍho jānāti puruṣottamam*
*sa sarva-vid bhajati māṁ sarva-bhāvena bhārata*

*yaḥ*—każdy, kto; *mām*—Mnie; *evam*—w ten sposób; *asammūḍhaḥ*—bez wątpienia; *jānāti*—wie; *puruṣa-uttamam*—Najwyższa Osoba Boga; *saḥ*—on; *sarva-vit*—znawca wszystkiego; *bhajati*—pełni służbę oddania; *mām*—dla Mnie; *sarva-bhāvena*—pod każdym względem; *bhārata*—O synu Bharaty.

**I kto wolnym będąc od cienia wątpliwości zna Mnie takim—jako Najwyższą Osobę Boga—ten jest znawcą wszystkiego. Osoba taka, o synu Bharaty, całkowicie angażuje się w służbę oddania dla Mnie.**

*ZNACZENIE:* Istnieje wiele filozoficznych spekulacji na temat konstytucjonalnej pozycji żywych istot i Najwyższej Absolutnej Prawdy. Teraz w tym wersecie Najwyższa Osoba Boga wyraźnie tłumaczy, że każdy kto zna Pana Kṛṣṇę jako Najwyższą Osobę, ten jest właściwie znawcą wszystkiego. Posiadający niedoskonałą wiedzę jedynie spekulują na temat Prawdy Absolutnej, ale ci którzy znają Go doskonale, nie tracą cennego czasu, ale bezpośrednio angażują się w świadomość Kṛṣṇy, w służbę oddania dla Najwyższego Pana. W całej *Bhagavad-gīcie* fakt ten jest podkreślany na każdym kroku. Lecz pomimo to nadal jest tak wielu upartych komentatorów *Gīty*, którzy uważają Najwyższą Absolutną Prawdę i żywe istoty za jedno i to samo.

Wiedza wedyjska nazywana jest *śruti*—uczenie się przez recepcję słuchową. Przekazu wedyjskiego należy słuchać od autorytetów, takich jak Kṛṣṇa i Jego reprezentanci. Kṛṣṇa przedstawia tutaj wszystko bardzo jasno i należy słuchać z tego źródła. Nie wystarczy słuchać tak, jak słuchają świnie. Należy starać się zrozumieć wszystko to, co przekazują autorytety i nie oddawać się bezpłodnym, akademickim spekulacjom. Należy pokornie uczyć się z *Bhagavad-gīty*, iż żywe istoty są zawsze podległe Najwyższej Osobie Boga. Każdy kto jest w stanie zrozumieć to zgodnie z naukami Najwyższej Osoby Boga, Śrī Kṛṣṇy, ten tylko i nikt inny, zna cel *Ved*.

Bardzo ważne jest tutaj słowo *bhajati*. W wielu miejscach słowo to używane jest w związku ze służbą dla Najwyższego Pana. Jeśli jakaś osoba zaangażowana jest w pełnej świadomości Kṛṣṇy w służbę oddania dla Pana, oznacza to, iż zrozumiała ona całą wiedzę wedyjską. W Vaiṣṇava *paramparā* mówi się, że jeśli ktoś zaangażowany jest w służbę oddania dla Kṛṣṇy, to nie musi on praktykować żadnego procesu, aby zrozumieć Najwyższą Prawdę Absolutną. Osoba taka, ponieważ zaangażowana jest w służbę oddania dla Pana, już dotarła do celu. Zakończyła ona wszystkie wstępne procesy poznawania. Jeśli natomiast ktoś, spekulując przez setki i tysiące swoich żywotów, nie dojdzie do wniosku, że Kṛṣṇa jest Najwyższą Osobą Boga, i że należy Mu się podporządkować, wtedy wszystkie Jego spekulacje poczynione w ciągu tak wielu lat i żywotów są jedynie bezużyteczną stratą czasu.

**TEKST 20** इति गुह्यतमं शास्त्रमिदमुक्तं मयानघ ।
एतद् बुद्ध्वा बुद्धिमान् स्यात्कृतकृत्यश्च भारत ॥२०॥

*iti guhyatamaṁ śāstram idam uktaṁ mayānagha*
*etad buddhvā buddhimān syāt kṛta-kṛtyaś ca bhārata*

*iti*—w ten sposób; *guhya-tamam*—najbardziej poufna; *śāstram*—pisma objawione; *idam*—to; *uktam*—wyjawione; *mayā*—przeze Mnie; *anagha*—O bezgrzeszny; *etat*—to; *buddhvā*—rozumienie; *buddhi-mān*—inteligentny; *syāt*—staje się; *kṛta-kṛtyaḥ*—najbardziej doskonały w swoich wysiłkach; *ca*—i; *bhārata*—O synu Bharaty.

**Wiedza, którą wyjawiłem ci teraz, o bezgrzeszny, jest najbardziej poufną częścią pism wedyjskich, a przez zrozumienie jej mądrość i doskonałość osiągnąć można.**

*ZNACZENIE:* Pan wyraźnie tłumaczy tutaj, iż wiedza ta jest esencją wszystkich pism objawionych. I należy zrozumieć ją w taki sposób, jak podaje ją Najwyższa Osoba Boga. Wtedy można stać się inteligentnym i doskonałym w wiedzy transcendentalnej. Innymi słowy, przez zrozumienie tej filozofii Najwyższej Osoby Boga i zaangażowanie się w Jego transcendentalną służbę, każdy może uwolnić się od wszelkiego skażenia siłami natury materialnej. Służba oddania jest procesem duchowego rozumienia. Gdziekolwiek istnieje służba oddania, tam nie może współistnieć materialne zanieczyszczenie. Służba oddania dla Pana (będąc duchowej natury) i Sam Pan są jednym i tym samym;

służba oddania odbywa się w wewnętrznej energii Najwyższego Pana. Pan nazywany jest słońcem, a ignorancja ciemnością. Gdzie obecne jest słońce, tam nie ma ciemności. Zatem, gdzie ma miejsce służba oddania pod właściwym kierownictwem bona fide mistrza duchowego, tam nie może być mowy o ignorancji.

Każdy musi przyjąć świadomość Kṛṣṇy i zaangażować się w służbę oddania, aby stać się inteligentnym i czystym. Dopóki ktoś nie osiągnie zrozumienia Kṛṣṇy i nie zaangażuje się w służbę oddania, to bez względu na to, jak bardzo inteligentnym by on nie był według oceny jakiegoś zwykłego człowieka, nie jest on doskonale inteligentnym.

Ważne tutaj jest słowo *anagha*, którym został nazwany Arjuna. *Anagha*, "O bezgrzeszny", oznacza, że bardzo trudno jest zrozumieć Kṛṣṇę, jeśli nie jest się wolnym od wszystkich skutków grzechu. Należy uwolnić się od wszelkiego zanieczyszczenia, od wszystkich grzesznych czynów; wtedy możliwe będzie zrozumienie. Służba oddania jest tak czysta i potężna, że jeśli ktoś się raz w nią zaangażuje, automatycznie dochodzi do stanu wolności od grzechu.

Kiedy pełnimy służbę oddania w towarzystwie czystych wielbicieli, w pełnej świadomości Kṛṣṇy, musimy całkowicie pozbyć się pewnych rzeczy. Najważniejszą rzeczą, którą należy przezwyciężyć, jest słabość serca. Pierwszy upadek spowodowany jest pragnieniem panowania nad naturą materialną. W ten sposób ktoś porzuca transcendentalną służbę oddania dla Pana. Drugą słabością serca jest to, że kiedy ktoś zwiększa swoją skłonność do panowania nad naturą materialną, przywiązuje się wtedy do materii i posiadłości materialnych. Tak więc problemy materialnego życia wynikają ze słabości serca. Pięć pierwszych wersetów tego rozdziału opisuje proces pozbycia się tych słabości serca, a pozostała część rozdziału, od wersetu szóstego do ostatniego, opisuje *puruṣottama-yogę*.

W ten sposób Bhaktivedanta kończy objaśnienia do Piętnastego Rozdziału *Śrīmad Bhagavad-gīty*, traktującego o yodze Najwyższej Osoby (*Puruṣottama-yoga*).

## ROZDZIAŁ XVI

# Natury Boskie i Demoniczne

**TEKSTY 1-3** श्रीभगवानुवाच

अभयं सत्त्वसंशुद्धिर्ज्ञानयोगव्यवस्थितिः ।
दानं दमश्च यज्ञश्च स्वाध्यायस्तप आर्जवम् ॥१॥
अहिंसा सत्यमक्रोधस्त्यागः शान्तिरपैशुनम् ।
दया भूतेष्वलोलुप्त्वं मार्दवं ह्रीरचापलम् ॥२॥
तेजः क्षमा धृतिः शौचमद्रोहो नातिमानिता ।
भवन्ति सम्पदं दैवीमभिजातस्य भारत ॥३॥

*śrī-bhagavān uvāca*
*abhayaṁ sattva-saṁśuddhir jñāna-yoga-vyavasthitiḥ*
*dānaṁ damaś ca yajñaś ca svādhyāyas tapa ārjavam*

*ahiṁsā satyam akrodhas tyāgaḥ śāntir apaiśunam*
*dayā bhūteṣv aloluptvaṁ mārdavaṁ hrīr acāpalam*

*tejaḥ kṣamā dhṛtiḥ śaucam adroho nāti-mānitā*
*bhavanti sampadaṁ daivīm abhijātasya bhārata*

*śrī-bhagavān uvāca*—Najwyższa Osoba Boga rzekł; *abhayam*—wolność od strachu; *sattva-saṁśuddhiḥ*—oczyszczenie życia; *jñāna*—w wiedzy; *yoga*—połączenia się; *vyavasthitiḥ*—sytuacja; *dānam*—dobroczynność; *damaḥ*—kontrolowanie umysłu; *ca*—i; *yajñaḥ*—spełnianie ofiary; *ca*—oraz; *svādhyāyaḥ*—studiowanie literatury wedyjskiej; *tapaḥ*—pokuty; *ārjavam*—prostota; *ahiṁsā*—łagodność; *satyam*—prawdomówność; *akrodhaḥ*—wolność od złości; *tyāgaḥ*—wyrzeczenie; *śāntiḥ*—pokój; *apaiśunam*—niechęć do krytykowania; *dayā*—miłosierdzie; *bhūteṣu*—dla wszystkich żywych istot; *aloluptvam*—wolność od chciwości; *mārdavam*—delikatność; *hrīḥ*—skromność; *acāpalam*—determinacja; *tejaḥ*—siła; *kṣamā*—wybaczanie; *dhṛtiḥ*—hart ducha; *śaucam*—czystość; *adrohaḥ*—wolność od zazdrości; *na*—nie; *ati-mānitā*—oczekiwanie honorów; *bhavanti*—są; *sampadam*—cechy; *daivīm*—natura transcendentalna; *abhijātasya*—ten, kto zrodzony jest z; *bhārata*—O synu Bharaty.

**Najwyższa Osoba Boga rzekł: Wolność od strachu, oczyszczenie życia, kultywowanie wiedzy duchowej, dobroczynność, samokontrola, spełnianie ofiar, studiowanie Ved, pokuty i prostota, łagodność, prawdomówność, wolność od złości, wyrzeczenie, spokój, niechęć do krytykowania, współczucie dla wszystkich żywych istot, wolność od żądzy, delikatność, skromność i mocna determinacja; wigor, zdolność przebaczania innym, hart ducha, czystość, wolność od zazdrości i pragnienia honorów—te transcendentalne cechy, o synu Bharaty, przynależą ludziom pobożnym o boskiej naturze.**

*ZNACZENIE:* Na początku Rozdziału Piętnastego zostało opisane drzewo figowe tego materialnego świata. Wyrastające z niego korzenie boczne zostały porównane do działalności żywych istot, pomyślnej i niepomyślnej. Rozdział Dziewiąty opisuje natomiast osoby pobożne (*deva*) i niepobożne, czyli demony (*asura*). Według porządku wedyjskiego czynności wykonywane w *guṇie* dobroci uważane są za pomyślne dla postępu na ścieżce wyzwolenia i czynności takie nazywane są *daivī prakṛti*, transcendentalne z natury. Zatem ci, którzy posiadają naturę transcendentalną, czynią postęp na ścieżce wyzwolenia. Wyzwolenia tego nie mogą natomiast uzyskać te osoby, które działają w *guṇie* pasji i ignorancji. Albo będą one musiały pozostać w tym świecie materialnym jako istoty ludzkie, albo zejdą pomiędzy gatunki zwierzęce, czy nawet jeszcze niższe formy życia. W Rozdziale Szesnastym Pan tłumaczy zarówno naturę transcendentalną i odpowiadające jej cechy, jak i naturę demoniczną z cechami jej właściwymi. Wyjaśnia również zalety i wady tych cech.

Znaczące jest słowo *abhijātasya*, odnoszące się do tego, kto urodził się z cechami transcendentalnymi, czyli pobożnymi skłonnościami. Poczęcie dziecka w pobożnej atmosferze znane jest w pismach wedyjskich jako Garbhādhāna-saṁskāra. Jeżeli rodzice chcą mieć dziecko o pobożnych cechach, to powinni przestrzegać dziesięciu zasad obowiązujących w życiu społecznym istot ludzkich. Z wcześniejszego ustępu z *Bhagavad-*

*gīty* wiemy również, że życie seksualne dla zrodzenia dobrego dziecka jest Samym Kṛṣṇą. Życie seksualne nie jest potępione pod warunkiem, że proces ten zgodny będzie ze świadomością Kṛṣṇy. Przynajmniej ci, którzy są świadomi Kṛṣṇy, nie powinni rodzić dzieci jak psy i koty, ale powinni płodzić je w taki sposób, aby po narodzeniu mogły stać się one świadomymi Kṛṣṇy. Taki powinien być pożytek z dzieci zrodzonych z ojca i matki zaabsorbowanych świadomością Kṛṣṇy.

Społeczna instytucja znana jako *varṇāśrama-dharma*—instytucja dzieląca społeczeństwo na cztery grupy życia społecznego i cztery grupy zawodowe, czyli kasty—nie istnieje po to, by dzielić ludzkie społeczeństwo według narodzin. Podział taki ma odpowiadać kwalifikacjom nabytym dzięki wykształceniu i ma on utrzymać społeczeństwo w stanie spokoju i zapewnić mu dobrobyt. Cechy wymienione w tym wersecie nazwane zostały transcendentalnymi. I dzięki tym cechom osoby posiadające je mogą zrobić postęp w poznaniu duchowym i wyzwolić się z tego materialnego świata.

Za głowę albo mistrza duchowego wszystkich statusów i porządków społecznych w instytucji *varṇāśrama* uważany jest *sannyāsīn*, czyli osoba w wyrzeczonym porządku życia. Bramin uważany jest za mistrza duchowego pozostałych trzech grup społecznych, mianowicie *kṣatriyów, vaiśyów* i *śūdrów*, ale *sannyāsīn*, który znajduje się na szczycie tej instytucji, uważany jest za mistrza duchowego również braminów. Pierwszą cechą *sannyāsīna* powinna być nieustraszoność. Ponieważ *sannyāsīn* musi być zawsze sam, bez żadnego wsparcia czy gwarancji wsparcia, ma on polegać jedynie na łasce Najwyższej Osoby Boga. Jeżeli myśli: ''Kto będzie mnie chronił po tym, jak zerwę wszelkie związki?'', to nie powinien przyjmować wyrzeczonego porządku życia. Trzeba być całkowicie przekonanym, że Kṛṣṇa, czyli Najwyższa Osoba Boga w Swoim zlokalizowanym aspekcie jako Paramātmā, jest zawsze w sercu, widzi wszystko i zawsze wie, co ktoś zamierza zrobić. Należy być święcie przekonanym o tym, iż Kṛṣṇa jako Paramātmā będzie troszczył się o duszę podporządkowaną Sobie. Należy myśleć: ''Nigdy nie będę sam. Nawet gdybym żył w najciemniejszych rejonach lasu, Kṛṣṇa będzie mi towarzyszył i zawsze będzie mnie chronił.'' Przekonanie takie nazywane jest *abhayam*, czyli wolnością od strachu. Taki stan umysłu jest konieczny dla osoby w wyrzeczonym porządku życia.

Wtedy powinna oczyścić swoje życie. Jest wiele zasad i reguł, których należy przestrzegać w wyrzeczonym porządku życia. Najważniejszym jest to, że *sannyāsīn* nie może mieć żadnego bliskiego związku z kobietą. Nie może nawet rozmawiać z kobietą w odosobnionym miejscu. Wzorowym *sannyāsīnem* był Pan Caitanya. Kiedy przebywał On w Purī, kobiety będące Jego wielbicielkami nie mogły nawet zbliżyć się do Niego, aby ofiarować Mu swoje wyrazy szacunku. Musiały składać pokłon z oddalonego miejsca. Nie jest to oznaką niechęci do kobiet jako klasy, ale jest to ścisły nakaz obowiązujący *sannyāsīnów*, mówiący o tym, że nie mogą oni utrzymywać żadnych bliskich związków z kobietami. Aby oczyścić swoje życie, należy przestrzegać zasad i reguł własnego stanu. Dla *sannyāsīna* surowo wzbronione są bliskie związki z kobietami i posiadanie bogactw dla zadowalania zmysłów. Wzorowym *sannyāsīnem* był Sam Pan Caitanya. Możemy dowiedzieć się z opisów Jego życia, iż był On bardzo ścisły, jeśli chodzi o przestrzeganie zasad obowiązujących *sannyāsīna*. Chociaż jest On uważany za najbardziej liberalną inkarnację Boga, przyjmującym najbardziej upadłe uwarunkowane dusze, to ściśle przestrzegał On zasad i reguł wyrzeczonego porządku życia (*sannyāsa*), jeśli chodzi o związek z kobietami. Kiedyś zdarzyło się, że jeden z Jego osobistych towarzyszy, mianowicie Choṭa Haridāsa, będąc razem z Panem Caitanyą i innymi Jego bliskimi towarzyszami, spojrzał pożądliwie na młodą kobietę. Pan Caitanya był tak surowy, że natychmiast wykluczył go z grupy Swoich osobistych towarzyszy. Powiedział On: "Dla *sannyāsīna* czy kogokolwiek, kto aspiruje do tego, aby uwolnić się ze szponów natury materialnej i próbuje wznieść się do świata duchowego, powrócić do domu, do Boga, dla takiej osoby spoglądanie na posiadłości materialne i kobiety z myślą o zadowalaniu zmysłów—nawet nie cieszenie się nimi, ale jedynie patrzenie na nie z takim zamiarem—jest tak karygodne, że lepiej, aby popełniła ona samobójstwo, zanim zacznie realizować takie niedozwolone pragnienia." Więc na tym polegają procesy oczyszczenia.

Następną cechą jest *jñāna-yoga-vyavasthiti*: kultywacja wiedzy. *Sannyāsīn* ma poświęcić swoje życie oświecaniu żyjących w małżeństwie i innych, którzy zapomnieli o swoim prawdziwym życiu duchowego postępu. *Sannyāsīn* ma wędrować od drzwi do drzwi i prosić o środki do życia, ale nie znaczy to, że jest on żebrakiem. Pokora jest również jedną z kwalifikacji osoby usytuowanej transcendentalnie. To właśnie z powodu czystej pokory *sannyāsīn* chodzi od drzwi do drzwi, nie po to, by prosić o wsparcie, ale po to, aby odwiedzać różne rodziny i budzić ich członków do świadomości Kṛṣṇy. Jest to obowiązkiem *sannyāsīna*. Jeśli jest on rzeczywiście zaawansowany i otrzymał takie polecenie od swojego mistrza duchowego, powinien głosić świadomość Kṛṣṇy z logiką i zrozumieniem. Jeśli jednak nie jest na tyle zaawansowany, to nie powinien przyjmować wyrzeczonego porządku życia. A jeżeli już przyjął *sannyāsę*, nawet bez dostatecznej wiedzy, to powinien całkowicie zaangażować się w słuchanie od bona fide mistrza duchowego, aby tę wiedzę rozwinąć. *Sannyāsīn*, czyli osoba w wyrzeczonym porządku życia, musi być wolny od strachu, musi charakteryzować się czystością (*sattva-saṁśuddhi*) i wiedzą (*jñāna-yoga*).

Następną kwalifikacją jest dobroczynność. Dobroczynność powinni praktykować żyjący w małżeństwie. Osoby takie powinny utrzymywać się z uczciwych dochodów i pięćdziesiąt procent tych dochodów przeznaczać na szerzenie świadomości Kṛṣṇy na całym świecie. A więc powinni oni wspomagać takie instytucje, które się tym zajmują. Jałmużna powinna być dawana właściwym osobom. Jest dobroczynność różnego rodzaju, jak to zostanie wytłumaczone później, dobroczynność w *guṇie* dobroci, pasji i ignorancji. Pisma święte polecają dobroczynność w *guṇie* dobroci. Nie pochwalana jest natomiast dobroczynność w *guṇie* pasji i ignorancji, gdyż w tym wypadku jest to tylko stratą pieniędzy. Powinna być praktykowana dobroczynność, której celem jest szerzenie na całym świecie świadomości Kṛṣṇy. Na tym bowiem polega dobroczynność w *guṇie* dobroci.

Jeśli chodzi o samokontrolę (*dama*), to nie tylko dotyczy ona innych porządków życia w społeczeństwie religijnym, lecz szczególnie odnosi się ona do żyjących w małżeństwie. Nawet w małżeństwie nie powinno się niepotrzebnie angażować zmysłów w życie seksualne. Nawet małżeństwa obowiązują ograniczenia w życiu seksualnym, którego celem powinno być jedynie płodzenie potomstwa. Jeśli ktoś nie pragnie dzieci, to nie powinien utrzymywać ze swoją żoną stosunków seksualnych. Współczesne społeczeństwo nadużywa życia seksualnego, korzystając ze środków antykoncepcyjnych czy stosując jeszcze okropniejsze metody, aby uniknąć odpowiedzialności za dzieci. Nie jest to zgodne z cechami transcendentalnymi, ale jest wręcz demoniczne. Jeśli ktoś, nawet mając żonę, chce zrobić postęp w życiu duchowym, musi kontrolować swoje życie seksualne i nie powinien płodzić dzieci, jeżeli celem tego nie jest służenie Kṛṣṇie. Jeśli jest zdolnym do płodzenia dzieci, które będą świadome Kṛṣṇy, to może mieć nawet setki dzieci, ale bez tej zdolności nie powinien angażować się w seks jedynie dla przyjemności zmysłowej.

Również spełnianie ofiar odnosi się szczególnie do żyjących w małżeństwie, jako że ofiary wymagają dużych nakładów pieniężnych. Osoby będące w innych porządkach życia, mianowicie *brahmacarya, vānaprastha* i *sannyāsa*, nie mają pieniędzy i utrzymują się z datków. Więc spełnianie różnego typu ofiar jest zadaniem żyjących w małżeństwie. Według zaleceń literatury wedyjskiej, powinni oni spełniać ofiary *agnihotra*, ale ofiary takie są w obecnych czasach bardzo kosztowne, tak że właściwie spełnianie ich nie leży teraz w możliwościach żadnej rodziny. Najlepsza ofiara polecana dla tego wieku nazwana jest *saṅkīrtana-yajñą* i polega ona na intonowaniu Hare Kṛṣṇa, Hare Kṛṣṇa, Kṛṣṇa

Kṛṣṇa, Hare Hare; Hare Rāma, Hare Rāma, Rāma Rāma, Hare Hare. Jest to najlepsza i najmniej kosztowna ofiara. Każdy może spełniać ją i czerpać korzyści. A więc te trzy rzeczy—mianowicie dobroczynność, kontrola zmysłów i spełnianie ofiar—obowiązują żyjących w małżeństwie.

Zaś *svādhyāya*, studiowanie *Ved*, obowiązkowe jest dla *brahmacaryi*, czyli dla studentów. *Brahmacārīni* nie powinni mieć żadnych związków z kobietami: powinni żyć w celibacie i zająć umysł studiowaniem literatury wedyjskiej, aby tym sposobem rozwinąć wiedzę duchową. Nazywa się to *svādhyāya*.

*Tapas*, czyli prostota życia i wyrzeczenie, obowiązuje szczególnie osoby, które wycofały się z życia rodzinnego. Nie należy spędzać całego życia w rodzinie. Trzeba zawsze pamiętać, że są cztery porządki życia: *brahmacarya, gṛhastha, vānaprastha* i *sannyāsa*. Więc po okresie *gṛhastha*, życia w małżeństwie, należy porzucić życie rodzinne. Jeśli ktoś żyje sto lat, to powinien dwadzieścia pięć lat poświęcić studiom, dwadzieścia pięć lat spędzić w życiu rodzinnym, dwadzieścia pięć lat jako *vānaprastha* po wycofaniu się z życia rodzinnego, i dwadzieścia pięć lat jako *sannyāsīn*, w wyrzeczonym porządku życia. Takie są zasady wedyjskiej dyscypliny religijnej. Osoba, która wycofała się z życia rodzinnego, musi praktykować prostotę i wyrzeczenie, jeśli chodzi o ciało, umysł i język. Jest to *tapasya*. *Tapasya* jest przeznaczeniem całego społeczeństwa *varṇāśrama-dharma*. Bez *tapasyi*, czyli wyrzeczenia i prostoty życia, żadna ludzka istota nie może osiągnąć wyzwolenia. Teoria mówiąca, że nie ma takiej potrzeby jak praktykowanie wyrzeczenia w życiu i że można swobodnie spekulować i wszystko będzie dobrze, nie jest polecana ani w literaturze wedyjskiej, ani w *Bhagavad-gīcie*. Teorie takie wytwarzane są przez tzw. spirytualistów, którym chodzi jedynie o zyskanie dużej liczby zwolenników. Ograniczenia, nakazy i zasady nie przyciągają ludzi. Dlatego ci, którzy w imię religii starają się zyskać zwolenników jedynie tylko na pokaz, nie stawiają żadnych ograniczeń w życiu swoich studentów, ani też nie praktykują ich sami. Jednak *Vedy* nie pochwalają takich metod.

Jeśli chodzi o prostotę, cechę bramińską, to zasady tej powinien przestrzegać każdy członek społeczeństwa, bez względu na status społeczny, czy to osoba należąca do *aśramu brahmacarya, gṛhastha, vānaprastha* czy *sannyāsa*. Należy być prostym i szczerym.

*Ahiṁsā* oznacza, że nie wolno wstrzymać progresywnego życia żadnej żywej istoty. Nie należy myśleć, że skoro iskra duchowa nie jest nigdy zabijana (nawet po zabiciu ciała), więc nie ma żadnej szkody w zabijaniu zwierząt dla zadowalania zmysłów. Ludzie teraz masowo zjadają zwierzęta, mimo iż mają pod dostatkiem zbóż, owoców i mleka—i naprawdę nie ma potrzeby zabijania zwierząt. Nakaz ten obowiązuje wszystkich. Zwierzę można zabić w przypadku, kiedy nie ma innej alternatywy, ale powinno być ono złożone w ofierze. W każdym razie, tam gdzie jest pod dostatkiem pokarmu przeznaczonego dla ludzi, osoby, które pragną zrobić postęp w realizacji duchowej, nie powinny zabijać zwierząt. Prawdziwa *ahiṁsā* oznacza niezakłócanie postępu życiowego żadnej istoty. Zwierzęta również robią postęp poprzez ewolucję, transmigrując z jednego gatunku życia zwierzęcego do innego. Kiedy jakieś zwierzę zostanie zabite, wtedy zahamowany jest jego rozwój. Jeśli zwierzę przebywa w jakimś określonym ciele przez pewną liczbę dni czy lat i ostatecznie zostanie zabite, musi jeszcze raz przyjąć tę samą formę życia i uzupełnić pozostałą liczbę dni, aby następnie być promowanym do kolejnych gatunków życia. Więc ten ich postęp nie powinien być wstrzymywany jedynie po to, aby zadowolić własne podniebienie. To właśnie jest nazywane *ahiṁsą*.

*Satyam*. Słowo to oznacza, że nie należy zniekształcać prawdy dla jakiegoś osobistego interesu. W literaturze wedyjskiej są niewątpliwie pewne trudne ustępy, ale znaczenia i sensu ich należy dowiedzieć się od bona fide mistrza duchowego. Taki jest proces poznawania *Ved*. *Śruti* oznacza, że należy słuchać od autorytetu. Nie należy stwarzać interpretacji, mając na celu własny interes. Jest tak wiele komentarzy do *Bhagavad-gīty*, które błędnie interpretują teksty oryginalne. Powinno się przedstawiać właściwe znaczenie słów, a tego należy nauczyć się od bona fide mistrza duchowego.

*Akrodha* oznacza powstrzymywanie złości. Należy być zawsze tolerancyjnym, nawet jeśli jest się prowokowanym, gdyż poprzez uleganie złości zanieczyszczone zostaje całe ciało. Gniew jest produktem *guṇy* pasji i pożądania, więc osoba usytuowana transcendentalnie powinna powstrzymywać się od takiego uczucia. *Apaiśunam* oznacza, że nie należy szukać błędów u innych i korygować ich niepotrzebnie. Oczywiście nazwanie złodzieja złodziejem nie jest krytyką, lecz jeśli osoba robiąca postęp w życiu duchowym nazwie złodziejem osobę uczciwą, jest to wielką obrazą. *Hrī* oznacza, że należy być bardzo skromnym i nie należy popełniać żadnych ohydnych czynów. *Acāpalam*, determinacja, oznacza, że w naszych wysiłkach nie powinniśmy ulegać ani uczuciu podniecenia, ani zawodu. Pewne nasze próby mogą skończyć się niepowodzeniem, ale nie powinniśmy rozpaczać z tego powodu. Należy cierpliwie i z determinacją robić postęp.

Słowo *tejas* użyte tutaj, odnosi się do *kṣatriyów*. *Kṣatriyowie* powinni być zawsze bardzo silni, aby tym sposobem móc chronić słabych. Nie powinni nigdy pozować na łagodnych. Jeśli zachodzi potrzeba użycia siły, powinni jej użyć. Ale osoba, która jest w stanie poskromić swego wroga, może w pewnych okolicznościach okazać przebaczenie. Może wybaczyć mniejsze obrazy.

*Śaucam* oznacza czystość, nie tylko ciała i umysłu, ale również postępowania. Szczególnie odnosi się to do ludzi zajmujących się handlem, którzy nie powinni uczestniczyć w czarnym rynku. *Nātimānitā*, nie oczekiwanie honorów od innych, odnosi się do *śūdrów*, grupy pracującej, która według pism wedyjskich uważana jest za najniższą z czterech grup. Nie powinni być oni niepotrzebnie napełnieni dumą i honorem, i powinni pozostać w swoim własnym statusie. Obowiązkiem *śūdrów*, dla zachowania porządku społecznego, jest okazywanie szacunku klasom wyższym.

Wszystkie te kwalifikacje, w liczbie dwudziestu sześciu, są cechami transcendentalnymi. Powinny być one kultywowane zgodnie z różnymi statusami porządku społecznego i zawodowego. Jeśli cechy te rozwijane są poprzez praktykę, przez wszystkie klasy ludzi, nawet jeśli warunki materialne są trudne, możliwy jest stopniowy postęp i osiągnięcie najwyższej platformy realizacji transcendentalnej.

**TEKST 4** दम्भो दर्पोऽभिमानश्च क्रोधः पारुष्यमेव च ।
अज्ञानं चाभिजातस्य पार्थ सम्पदमासुरीम् ॥४॥

*dambho darpo 'bhimānaś ca krodhaḥ pāruṣyam eva ca*
*ajñānaṁ cābhijātasya pārtha sampadam āsurīm*

*dambhaḥ*—duma; *darpaḥ*—arogancja; *abhimānaḥ*—próżność, zarozumiałość; *ca*—i; *krodhaḥ*—złość; *pāruṣyam*—opryskliwość; *eva*—na pewno; *ca*—i; *ajñānam*—ignorancja; *ca*—i; *abhijātasya*—ten, kto rodzi się; *pārtha*—O synu Pṛthy; *sampadam*—cechy; *āsurīm*—natura demoniczna.

**Wyniosłość, pycha, złość, zarozumiałość, opryskliwość i ignorancja—te cechy, o synu Pṛthy, właściwe są demonicznej naturze.**

*ZNACZENIE:* Werset ten opisuje królewską drogę do piekła. Demony pragną popisywać się swoją religią i postępem w nauce duchowej, mimo iż nie przestrzegają żadnych zasad. Zawsze są wyniośli i pyszni z posiadania jakiegoś wykształcenia czy też bogactw. Chcą być czczeni przez innych i pragną powszechnego poważania i szacunku, mimo iż na niego nie zasługują. Denerwują się błahostkami i są wtedy bardzo opryskliwi. Nie wiedzą co wypada, a co nie wypada. Robią wszystko własnowolnie, kierując się własnym kaprysem, i nie uznają żadnych autorytetów. Te demoniczne cechy posiadają już od zarania swoich ciał, w łonach swoich matek, i manifestują je wszystkie, kiedy wzrastają.

**TEKST 5**

दैवी सम्पद् विमोक्षाय निबन्धायासुरी मता ।
मा शुचः सम्पदं दैवीमभिजातोऽसि पाण्डव ॥५॥

*daivī sampad vimokṣāya nibandhāyāsurī matā*
*mā śucaḥ sampadaṁ daivīm abhijāto 'si pāṇḍava*

*daivī*—transcendentalne; *sampat*—cechy; *vimokṣāya*—prowadzące do wyzwolenia; *nibandhāya*—do niewoli; *āsurī*—cechy demoniczne; *matā*—są uważane; *mā*—nie; *śucaḥ*—martw się; *sampadam*—cechy; *daivīm*—transcendentalne; *abhijātaḥ*—zrodzony; *asi*—jesteś; *pāṇḍava*—O synu Pāṇḍu.

**Cechy transcendentalne wiodą do wyzwolenia, podczas gdy demoniczne są przyczyną niewoli. Lecz ty, o synu Pāṇḍu, nie martw się, gdyż przyszedłeś na świat z boskimi cechami.**

*ZNACZENIE:* Pan Kṛṣṇa uspokoił Arjunę poinformowawszy go, że nie urodził się on z cechami demonicznymi. Jego zaangażowanie się w walkę nie było postępkiem demonicznym, jako że rozważył on "za i przeciw". Zastanawiał się, czy Bhīṣma i Droṇa, tak szanowane osoby, powinny zostać zabite, więc nie działał pod wpływem złości, fałszywego prestiżu czy okrucieństwa. Zatem nie miał on cech właściwych demonom. Dla *kṣatriyi*, człowieka wojny, właśnie wypuszczanie strzał do wroga uważane jest za czyn transcendentalny, a uchylanie się od takiego obowiązku jest postępkiem demonicznym. Zatem Arjuna nie miał powodu do rozpaczy. Albowiem transcendentalnie usytuowany jest każdy, kto stosuje się do zasad swojego porządku życia.

**TEKST 6**

द्वौ भूतसर्गौ लोकेऽस्मिन् दैव आसुर एव च ।
दैवो विस्तरशः प्रोक्त आसुरं पार्थ मे शृणु ॥६॥

*dvau bhūta-sargau loke 'smin daiva āsura eva ca*
*daivo vistaraśaḥ prokta āsuraṁ pārtha me śṛṇu*

*dvau*—dwa; *bhūta-sargau*—stworzone żywe istoty; *loke*—w tym świecie; *asmin*—to; *daivaḥ*—pobożny; *āsuraḥ*—demoniczny; *eva*—na pewno; *ca*—i; *daivaḥ*—boski; *vistaraśaḥ*—szczegółowo; *proktaḥ*—powiedziałem; *āsuram*—demoniczny; *pārtha*—O synu Pṛthy; *me*—ode Mnie; *śṛṇu*—posłuchaj.

**O synu Pṛthy, w świecie tym są dwa rodzaje istot. Jedne z nich nazywane są boskimi, drugie—demonicznymi. Wyjaśniłem ci już**

**dokładnie cechy boskie, teraz posłuchaj ode Mnie o tych demonicznych.**

*ZNACZENIE:* Pan Kṛṣṇa, zapewniwszy Arjunę, iż urodził się on z cechami boskimi, opisuje teraz demoniczny sposób życia. Uwarunkowane żywe istoty w tym świecie dzielą się na dwie klasy. Osoby, które przyszły na świat z cechami boskimi, prowadzą regulowany tryb życia, przestrzegając nakazów pism świętych i autorytetów. Swoje obowiązki należy bowiem wykonywać w świetle pism autorytatywnych. Taka mentalność nazywana jest boską. A kto nie przestrzega nakazów pism świętych i postępuje tak, jak mu się podoba, ten nazywany jest osobą demoniczną, czyli *asura*. Nie ma żadnego innego kryterium rozróżniania tych dwu klas, jak tylko posłuszeństwo wobec nakazów i zakazów pism świętych. Literatura wedyjska mówi, że zarówno półbogowie, jak i demony zrodzili się z Prajāpatiego. Jedyna różnica jest taka, że jedna klasa przestrzega nakazów wedyjskich, podczas gdy druga—nie.

**TEKST 7** प्रवृत्तिं च निवृत्तिं च जना न विदुरासुराः ।
न शौचं नापि चाचारो न सत्यं तेषु विद्यते ॥७॥

*pravṛttiṁ ca nivṛttiṁ ca janā na vidur āsurāḥ*
*na śaucaṁ nāpi cācāro na satyaṁ teṣu vidyate*

*pravṛttim*—postępując właściwie; *ca*—również; *nivṛttim*—nie postępując niewłaściwie; *ca*—i; *janāḥ*—osoby; *na*—nigdy; *viduḥ*—wiedzą; *āsurāḥ*—o demonicznym charakterze; *na*—nigdy; *śaucam*—czystość; *na*—ani nie; *api*—również; *ca*—i; *ācāraḥ*—zachowanie; *na*—nigdy; *satyam*—prawda; *teṣu*—w nich; *vidyate*—jest.

**Demony nigdy nie wiedzą, co należy czynić, a czego nie należy. Nie cechuje ich ani czystość, ani właściwe zachowanie, ani prawdomówność.**

*ZNACZENIE:* W każdym cywilizowanym ludzkim społeczeństwie istnieje pewien zbiór zasad i nakazów pism świętych, które przestrzegane są na każdym etapie życia. Tak jest szczególnie wśród Āryan, czyli tych, którzy przyjęli cywilizację wedyjską, i którzy znani są jako ludzie najbardziej zaawansowani i kulturalni. Ci natomiast, którzy nie przestrzegają zaleceń pism świętych, uważani są za demony. Dlatego też powiedziane jest tutaj, że demony nie znają zasad pism świętych, a jeśli nawet nieliczni z nich je znają, to nie wykazują żadnych skłonności do przestrzegania ich. Nie ma w nich wiary w te nakazy ani też nie pragną stosować się do nich. Osoby demoniczne nie charakteryzują się ani czystością zewnętrzną, ani wewnętrzną. Należy zawsze dbać o to, by utrzymać swoje ciało w czystości, kąpiąc się, myjąc zęby, zmieniając ubranie itd. Jeśli natomiast chodzi o czystość wewnętrzną, to należy zawsze pamiętać święte imiona Boga i intonować Hare Kṛṣṇa, Hare Kṛṣṇa, Kṛṣṇa Kṛṣṇa, Hare Hare; Hare Rāma, Hare Rāma, Rāma Rāma, Hare Hare. Osoby demoniczne jednak nie lubią i nie przestrzegają nakazów dotyczących czystości wewnętrznej i zewnętrznej.

Jeśli chodzi o zachowanie, to istnieje wiele zasad i przepisów regulujących ludzkie zachowanie, jak na przykład *Manu-saṁhitā*, która jest zbiorem praw obowiązujących rasę ludzką. Hindusi stosują się do *Manu-saṁhity* do dnia dzisiejszego. Z księgi tej czerpane są prawa o dziedziczeniu i inne. *Manu-saṁhitā* wyraźnie oznajmia, że kobieta nie powinna posiadać wolności. Nie znaczy to, że kobiety należy traktować jak niewolnice, ale są one jak dzieci. Dzieci nie mają wolności, ale nie oznacza to, że są one niewolnikami. Demony obecnie zlekceważyły ten nakaz i uważają, że kobieta powinna cieszyć się wolnością na równi z mężczyzną. Jednakże nie polepszyło to warunków społecznych świata. W rzeczywistości kobieta powinna być chroniona na każdym etapie życia. W dzieciństwie powinien sprawować nad nią opiekę ojciec, w młodości—mąż, a dorośli synowie wtedy, kiedy jest już w podeszłym wieku. Według *Manu-saṁhity* jest to właściwe postępowanie społeczne. Ale współczesna edukacja sztucznie wytworzyła dumną koncepcję życia kobiecego i dlatego małżeństwo w ludzkim społeczeństwie jest teraz praktycznie fikcją. Również stan moralny kobiet nie jest teraz najlepszy. Ale demony nie akceptują żadnych dobrych instrukcji dla społeczeństwa. I ponieważ nie korzystają z doświadczenia wielkich mędrców i nie przestrzegają praw i przepisów ustanowionych przez nich, ich społeczne warunki są bardzo żałosne.

## TEKST 8

असत्यमप्रतिष्ठं ते जगदाहुरनीश्वरम् ।
अपरस्परसम्भूतं किमन्यत् कामहैतुकम् ॥८॥

*asatyam apratiṣṭhaṁ te jagad āhur anīśvaram*
*aparaspara-sambhūtaṁ kim anyat kāma-haitukam*

*asatyam*—nieprawdziwa; *apratiṣṭham*—bez podstaw; *te*—oni; *jagat*—manifestacja kosmiczna; *āhuḥ*—mówią; *anīśvaram*—bez kontrolera; *aparaspara*—bez przyczyny; *sambhūtam*—wytworzona; *kim anyat*—nie ma innej przyczyny; *kāma-haitukam*—przyczyną jest tylko pożądanie, chuć.

**Twierdzą oni, że świat ten jest nierzeczywisty, nie ma żadnych podstaw i nie kontroluje go żaden Bóg. Zrodził się on z pragnienia seksualnego i nie ma żadnej przyczyny ponad chuć.**

*ZNACZENIE:* Demony utrzymują, że świat ten jest fantasmagorią. Nie ma żadnej przyczyny, żadnego skutku, żadnego kontrolera ani celu: wszystko jest nierzeczywiste. Twierdzą, że ta manifestacja kosmiczna powstaje na drodze przypadkowych, materialnych działań i reakcji. Nie uważają, aby świat ten był stworzony w pewnym celu przez Boga. Mają swoją własną teorię: świat ten powstał sam z siebie i nie ma żadnego powodu, by wierzyć, że poza nim istnieje Bóg. Dla nich nie ma różnicy pomiędzy duchem i materią, i nie przyjmują oni Najwyższego Ducha. Wszystko jest tylko materią i cały kosmos jest masą ignorancji. Według nich wszystko jest próżnią, a przyczyną każdej istniejącej manifestacji jest nasza ignorancja w postrzeganiu. Zakładają oni, że cała manifestacja różnorodności jest przejawieniem ignorancji. Jest to podobne do snu, w którym możemy stworzyć tak wiele różnych rzeczy, które w rzeczywistości nie istnieją, a kiedy budzimy się, przekonujemy się, iż wszystko to było tylko senną zjawą. Ale w rzeczywistości, chociaż demony twierdzą, że życie jest snem, to jednak są one wielkimi ekspertami w korzystaniu z uciech tego snu. Więc zamiast zdobywać wiedzę, stają się coraz większymi niewolnikami tej swojej krainy snów. Utrzymują oni, że świat ten został zrodzony bez udziału żadnego ducha, tak jak dziecko jest (według nich) rezultatem kontaktu seksualnego pomiędzy kobietą i mężczyzną. Według nich żywe istoty powstały ze związków materialnych i nie ma takiej rzeczy jak dusza. Tak jak wiele żywych stworzeń powstaje z potu czy z martwego ciała, bez żadnej przyczyny, podobnie cały ten żyjący świat powstał ze związków materialnych manifestacji kosmicznej. Zatem przyczyną tej manifestacji jest natura materialna i nie ma żadnej innej przyczyny. Nie wierzą oni w słowa Kṛṣṇy z *Bhagavad-gīty*: *mayādhyakṣeṇa prakṛtiḥ sūyate sa-carācaram*. "Ja kieruję ruchem tego całego materialnego świata." Innymi słowy, demony nie posiadają doskonałej wiedzy o stworzeniu tego świata. Każdy z nich ma jakąś swoją własną teorię na ten temat. Według nich jedna interpretacja pisma świętego jest tak dobra, jak każda inna, gdyż nie wierzą oni w standardowe rozumienie zaleceń pism świętych.

**TEKST 9** एतां दृष्टिमवष्टभ्य नष्टात्मानोऽल्पबुद्धयः ।
प्रभवन्त्युग्रकर्माणः क्षयाय जगतोऽहिताः ॥९॥

*etāṁ dṛṣṭim avaṣṭabhya naṣṭātmāno 'lpa-buddhayaḥ*
*prabhavanty ugra-karmāṇaḥ kṣayāya jagato 'hitāḥ*

*etām*—to; *dṛṣṭim*—wizja; *avaṣṭabhya*—przyjmując; *naṣṭa*—straciwszy; *ātmānaḥ*—siebie; *alpa-buddhayaḥ*—mniej inteligentni; *prabhavanti*—kwitną; *ugra-karmāṇaḥ*—zaangażowani w pełne bólu czyny; *kṣayāya*—dla zniszczenia; *jagataḥ*—świata; *ahitāḥ*—niekorzystny.

**Będąc zwolennikami takich poglądów, osoby demoniczne, zgubione dla siebie samych i wyzbyte wszelkiej inteligencji, angażują się w straszliwe, szkodliwe prace mające na celu zniszczenie świata.**

*ZNACZENIE:* Osoby demoniczne zajmują się rzeczami, które doprowadzą do zniszczenia świata. Pan oznajmia tutaj, że są to osoby mniej inteligentne. Nie mający pojęcia o Bogu materialiści uważają, iż czynią postęp, ale według *Bhagavad-gīty* są to osoby mniej inteligentne i pozbawione wszelkiego rozsądku. Starają się korzystać z uciech tego świata do najwyższych granic i dlatego zawsze wynajdują coś dla zadowalania zmysłów. Takie materialistyczne wynalazki uważane są za postęp ludzkiej cywilizacji, ale efekt tego jest taki, że ludzie stają się coraz bardziej gwałtowni i coraz bardziej okrutni. Okrutni dla zwierząt i okrutni dla innych ludzkich istot. Nie mają pojęcia o tym, jak zachowywać się wobec siebie. Zabijanie zwierząt jest bardzo powszechne wśród demonicznych osób. Ludzie tacy uważani są za wrogów świata, gdyż ostatecznie wynajdą albo stworzą coś, co przyniesie zagładę wszystkim. Pośrednio werset ten przewiduje wynalazek broni nuklearnej, z której tak dumny jest dziś świat. W każdym momencie może wybuchnąć wojna i ta broń atomowa może posiać spustoszenie. Takie rzeczy stwarzane są jedynie dla zniszczenia świata i werset ten mówi o tym. Powodem tego typu wynalazków w społeczeństwie ludzkim jest jedynie bezbożność. Celem ich z pewnością nie jest zaprowadzenie pokoju i pomyślności w świecie.

**TEKST 10** कामममाश्रित्य दुष्पूरं दम्भमानमदान्विताः ।
मोहाद् गृहीत्वासद्ग्राहान् प्रवर्तन्तेऽशुचिव्रताः ॥१०॥

*kāmam āśritya duṣpūraṁ dambha-māna-madānvitāḥ*
*mohād gṛhītvāsad-grāhān pravartante 'śuci-vratāḥ*

*kāmam*—pożądanie; *āśritya*—przyjmując schronienie; *duṣpūram*—nienasycony; *dambha*—dumy; *māna*—i fałszywy prestiż; *mada-anvitāḥ*—zarozumiały; *mohāt*—przez złudzenie; *gṛhītvā*—przyjmując; *asat*—nietrwały; *grāhān*—rzeczy; *pravartante*—kwitną; *aśuci*—nieczystym; *vratāḥ*—przepisane.

**Przyjąwszy schronienie nienasyconej żądzy, powodowane dumą i fałszywym prestiżem, a tym samym pełne ułudy, takie demoniczne**

**osoby na zawsze przypisane są nieczystym pracom i przyciągane są przez to, co nietrwałe.**

*ZNACZENIE:* Opisana została tutaj mentalność demonów. Żądza ich nigdy nie może zostać zaspokojona. Ciągle będą zwiększały swoje nienasycone pragnienia zadowalania zmysłów. Chociaż zawsze pełne są niepokoju, z powodu zainteresowania rzeczami nietrwałymi, to jednak ciągle, z powodu złudzenia, będą angażować się w czynności tego typu. Nie posiadają wiedzy i nie są w stanie rozpoznać, iż wybrali złą drogę. Przyjmując rzeczy nietrwałe, takie demoniczne osoby stwarzają sobie swojego własnego Boga, tworzą swoje własne hymny i śpiewają zgodnie chórem. Rezultat tego jest taki, że coraz bardziej przywiązują się do dwu rzeczy—seksu i gromadzenia bogactw materialnych. Bardzo ważne w tym związku jest słowo *aśuci-vratāḥ*—"nieczyste śluby". Takie demoniczne osoby zainteresowane są jedynie winem, kobietami, hazardem i jedzeniem mięsa. Są to *aśuci*, nieczyste zwyczaje. Powodowani dumą i fałszywym prestiżem, stwarzają pewne zasady religii nieaprobowane przez nakazy wedyjskie. Chociaż tacy demoniczni ludzie są najbardziej obrzydliwymi osobami w świecie, to jednak świat ten sztucznymi sposobami fałszywie honoruje ich. Mimo iż zdążają w kierunku piekła, uważają się za bardzo cywilizowanych.

**TEKSTY 11-12** चिन्तामपरिमेयां च प्रलयान्तामुपाश्रिताः ।
कामोपभोगपरमा एतावदिति निश्चिताः ॥११॥
आशापाशशतैर्बद्धाः कामक्रोधपरायणाः ।
ईहन्ते कामभोगार्थमन्यायेनार्थसञ्चयान् ॥१२॥

*cintām aparimeyāṁ ca pralayāntām upāśritāḥ*
*kāmopabhoga-paramā etāvad iti niścitāḥ*

*āśā-pāśa-śatair baddhāḥ kāma-krodha-parāyaṇāḥ*
*īhante kāma-bhogārtham anyāyenārtha-sañcayān*

*cintām*—bojaźń i niepokój; *aparimeyām*—niezmierzony; *ca*—i; *pralaya-antām*—do momentu śmierci; *upāśritāḥ*—przyjąwszy schronienie w nich; *kāma-upabhoga*—zadowalanie zmysłów; *paramāḥ*—najwyższy cel życia; *etāvat*—tak; *iti*—w ten sposób; *niścitāḥ*—stwierdziwszy; *āśā-pāśa*—splątani siecią nadziei; *śataiḥ*—przez setki; *baddhāḥ*—związani; *kāma*—pożądania; *krodha*—i złość; *parāyaṇāḥ*—zawsze o takiej mentalności; *īhante*—pragną; *kāma*—pożądanie; *bhoga*—uciechy zmysłowe; *artham*—w tym celu; *anyāyena*—bezprawnie; *artha*—bogactwa; *sañcayān*—gromadzenie.

**Wierzą oni, że zadowalanie zmysłów aż do końca życia jest pierwszą potrzebą ludzkiej cywilizacji. Wskutek tego, nigdy nie ma końca ich niepokojom. Związani siecią setek i tysięcy pragnień, opanowani przez pożądanie i złość, gromadzą pieniądze nielegalnymi środkami, mając na celu zadowalanie zmysłów.**

*ZNACZENIE:* Osoby demoniczne są przekonane, że zadowalanie zmysłów jest ostatecznym celem w życiu i przy tym zdaniu pozostają do końca życia. Nie wierzą w życie po śmierci i nie wierzą w przyjmowanie różnego typu ciał w zależności od *karmy*, czyli czynów spełnianych w tym świecie. Ich plany życiowe nigdy nie mają końca. Wytwarzają je jeden po drugim, z których żadnego nie realizują do końca. Osobiście zetknęliśmy się z taką osobą o demonicznej mentalności, która nawet w momencie śmierci prosiła lekarza, aby przedłużył jej życie o cztery lata, gdyż nie zdążyła jeszcze zrealizować swoich planów. Tacy niemądrzy ludzie nie wiedzą, że lekarz nie może przedłużyć życia, nawet o chwilę. Kiedy przychodzi ten czas, nie mają znaczenia ludzkie pragnienia. Prawa natury nie zezwalają nawet na sekundę ponad to, co komuś zostało przeznaczone do przeżycia.

Osoby demoniczne, nie mając wiary w Boga ani w Duszę Najwyższą wewnątrz nich samych, dopuszczają się różnego rodzaju grzesznych czynów, jedynie dla zadowalania zmysłów. Nie wiedzą, że wewnątrz ich serc obecny jest świadek—Dusza Najwyższa, obserwująca czyny duszy indywidualnej. Jak informuje o tym literatura wedyjska, mianowicie *Upaniṣady*, są dwa ptaki siedzące na jednym drzewie. Jeden jest aktywny i spożywając owoce tego drzewa cieszy się albo cierpi, a drugi jest świadkiem. Ale osoby demoniczne nie posiadają wiedzy o pismach wedyjskich oraz wyzbyte są wszelkiej wiary. Dlatego czują się wolnymi do robienia przeróżnego rodzaju nonsensów w celu zadowalania zmysłów, bez względu na konsekwencje.

**TEKSTY 13-15** इदमद्य मया लब्धमिमं प्राप्स्ये मनोरथम् ।
इदमस्तीदमपि मे भविष्यति पुनर्धनम् ॥१३॥
असौ मया हतः शत्रुर्हनिष्ये चापरानपि ।
ईश्वरोऽहमहं भोगी सिद्धोऽहं बलवान् सुखी ॥१४॥
आढ्योऽभिजनवानस्मि कोऽन्योऽस्ति सदृशो मया ।
यक्ष्ये दास्यामि मोदिष्य इत्यज्ञानविमोहिताः ॥१५॥

*idam adya mayā labdham imaṁ prāpsye manoratham*
*idam astīdam api me bhaviṣyati punar dhanam*

*asau mayā hataḥ śatrur hanişye cāparān api*
*īśvaro 'ham ahaṁ bhogī siddho 'haṁ balavān sukhī*

*āḍhyo 'bhijanavān asmi ko 'nyo 'sti sadṛśo mayā*
*yakṣye dāsyāmi modiṣya ity ajñāna-vimohitāḥ*

*idam*—to; *adya*—dzisiaj; *mayā*—przeze mnie; *labdham*—osiągnięty; *imam*—to; *prāpsye*—zyskam; *manaḥ-ratham*—odpowiednio do moich pragnień; *idam*—to; *asti*—jest; *idam*—to; *api*—również; *me*—moje; *bhaviṣyati*—zwiększy się w przyszłości; *punaḥ*—ponownie; *dhanam*—bogactwo; *asau*—to; *mayā*—przeze mnie; *hataḥ*—został zabity; *śatruḥ*—wróg; *haniṣye*—zabiję; *ca*—również; *aparān*—innych; *api*—na pewno; *īśvaraḥ*—panem; *aham*—jestem; *aham*—jestem; *bhogī*—podmiotem radości; *siddhaḥ*—doskonały; *aham*—jestem; *bala-vān*—potężny; *sukhī*—szczęśliwy; *āḍhyaḥ*—zamożny; *abhijana-vān*—otoczony arystokratycznymi krewnymi; *asmi*—jestem; *kaḥ*—ktoś; *anyaḥ*—inny; *asti*—jest; *sadṛśaḥ*—jak; *mayā*—ja; *yakṣye*—poświęcę; *dāsyāmi*—będę dawał jałmużnę; *modiṣye*—będę cieszył się; *iti*—w ten sposób; *ajñāna*—przez ignorancję; *vimohitāḥ*—łudzony przez.

**Osoba demoniczna myśli: "Tak wiele bogactw mam dzisiaj i zyskam jeszcze więcej, odpowiednio do moich planów. Tak wiele należy teraz do mnie i mój majątek ciągle się będzie powiększał w przyszłości. On był moim wrogiem, więc zabiłem go. Inni moi wrogowie również zostaną zabici. Ja jestem panem wszystkiego, ja jestem podmiotem radości, ja jestem doskonały, potężny i szczęśliwy. Jestem najbogatszy i otaczają mnie arystokratyczni krewni. Nikt nie jest tak potężny i szczęśliwy jak ja. Będę pełnił jakieś ofiary, rozdawał jałmużnę, i w ten sposób będę się weselił." W ten sposób osoby takie zwodzone są przez ignorancję.**

## TEKST 16

अनेकचित्तविभ्रान्ता मोहजालसमावृताः ।
प्रसक्ताः कामभोगेषु पतन्ति नरकेऽशुचौ ॥१६॥

*aneka-citta-vibhrāntā moha-jāla-samāvṛtāḥ*
*prasaktāḥ kāma-bhogeṣu patanti narake 'śucau*

*aneka*—liczne; *citta*—troskami; *vibhrāntāḥ*—nękani; *moha*—złudzeń; *jāla*—przez sieć; *samāvṛtāḥ*—otoczeni; *prasaktāḥ*—przywiązani; *kāma-bhogeṣu*—do zadowalania zmysłów; *patanti*—ześlizgują się; *narake*—do piekła; *aśucau*—nieczysty.

**W ten sposób nękani przez różne niepokoje i splątani siecią złudzeń, zbyt mocno przywiązują się do uciech zmysłowych i upadają do piekła.**

*ZNACZENIE:* Pragnienia demonicznych osób, by gromadzić pieniądze, nie mają granic. Są one nieskończone. Osoby takie myślą jedynie o tym, jak wiele posiadają już teraz i robią plany, w jaki sposób pomnożyć ten zasób bogactw. Dla osiągnięcia tego celu nie wahają się postępować w każdy grzeszny sposób, mając też do czynienia z czarnym rynkiem, aby zdobyć pieniądze na nielegalne zadowalanie zmysłów. Są rozkochani w przedmiotach, które już posiadają, takich jak ziemia, rodzina, dom i konto bankowe, i zawsze planują, w jaki sposób ulepszyć coś względem tych rzeczy. Wierzą oni w swoją własną siłę i nie wiedzą, że wszystko to zyskują dzięki dobrym uczynkom w przeszłości. Otrzymują okazję gromadzenia tych rzeczy, ale nie wiedzą nic o przeszłych przyczynach. Myślą, że wszelkie te bogactwa posiadają jedynie dzięki własnemu wysiłkowi. Demoniczne osoby wierzą w siłę swojej własnej pracy—a nie w prawo *karmy*. Zgodnie z prawem *karmy*, to dzięki dobremu postępowaniu w przeszłości człowiek rodzi się w wysoko postawionej rodzinie albo staje się bogatym czy zdobywa wykształcenie, albo jest bardzo piękny. Demoniczne osoby myślą jednak, że wszystkie te rzeczy otrzymują przypadkiem i dzięki swojej osobistej mocy. Nie orientują się, jaka przyczyna stoi poza tyloma różnymi rodzajami ludzi, piękności i wykształcenia. Każdy kto staje się konkurentem takiej demonicznej osoby, jest jej wrogiem. Jest wiele demonicznych osób i każda z nich jest wrogiem dla pozostałych. Wrogość ta coraz bardziej pogłębia się—pomiędzy osobami, następnie rodzinami, społecznościami. I w końcu pomiędzy narodami. Dlatego też na całym świecie bezustannie mają miejsce spory, konflikty i wojny.

Każdy demon myśli, że może żyć kosztem innych. Na ogół osoba taka uważa się za Najwyższego Boga, a demoniczny kaznodzieja mówi swoim zwolennikom: ”Dlaczego szukacie Boga gdzie indziej? Wy sami jesteście Bogiem! Możecie robić cokolwiek wam się podoba. Nie wierzcie w Boga. Odrzućcie Boga. Bóg jest martwy.” Tak oto wyglądają demoniczne nauki.

Chociaż demoniczna osoba widzi, że inni są równie, czy nawet bardziej, bogaci i wpływowi, to jednak ciągle myśli, że nikt nie jest bogatszy i ważniejszy od niej. Jeśli chodzi o promocję na wyższe systemy planetarne, to nie wierzy ona w spełnianie *yajñi*, czyli ofiar. Demony myślą, że mogą stworzyć swój własny proces ofiar i zbudować jakiś mechanizm, za pomocą którego będą mogli osiągnąć każdą wyższą planetę. Najlepszym przykładem takiej demonicznej osoby był Rāvaṇa. Przedłożył on ludziom swój program wybudowania schodów sięgających do planet niebiańskich, tak aby każdy mógł tam dotrzeć, nie spełniając ofiar zalecanych przez *Vedy*. Również w obecnym wieku takie demoniczne osoby walczą o zdobycie wyższych systemów planetarnych za pomocą mechanicznych urządzeń. Są to przykłady oczywistego szaleństwa. Rezultat tego jest taki, że bezwiednie ześlizgują się oni do piekła. Bardzo ważne jest tutaj sanskryckie słowo *moha-jāla*. *Jāla* oznacza "sieć". I tak jak ryby schwytane w sieć nie mają szans na uwolnienie się, tak osoby takie nie mają sposobu na wydostanie się z materialnych sideł.

**TEKST 17** आत्मसम्भाविताः स्तब्धा धनमानमदान्विताः ।
यजन्ते नामयज्ञैस्ते दम्भेनाविधिपूर्वकम् ॥१७॥

*ātma-sambhāvitāḥ stabdhā dhana-māna-madānvitāḥ*
*yajante nāma-yajñais te dambhenāvidhi-pūrvakam*

*ātma-sambhāvitāḥ*—zadowoleni z siebie; *stabdhāḥ*—zuchwali; *dhana-māna*—zamożności i fałszywego prestiżu; *mada*—złudzeniu; *anvitāḥ*—pogrążeni; *yajante*—spełniają ofiary; *nāma*—tylko dla sławy; *yajñaiḥ*—ofiarami; *te*—oni; *dambhena*—powodowani dumą; *avidhi-pūrvakam*—bez przestrzegania zasad i nakazów.

**Zadowoleni z siebie i zawsze zuchwali, omamieni bogactwem i fałszywą dumą, spełniają czasami tak zwane ofiary, nie przestrzegając żadnych zasad czy przepisów.**

*ZNACZENIE:* Uważając siebie za panów świata, nie dbając o żaden autorytet ani pismo święte, demony dokonują czasami tzw. religijnych czy ofiarnych aktów. Ponieważ nie wierzą w żaden autorytet, dlatego są zuchwali. Przyczyną tego jest złudzenie wywołane nagromadzonym bogactwem i fałszywą dumą. Zdarza się nawet, że demony takie występują w roli kaznodziejów, wprowadzając ludzi w błąd i zdobywając sławę jako reformatorzy religijni czy inkarnacje Boga. Albo spełniają oni ofiary na pokaz, albo czczą półbogów, czy też stwarzają swojego własnego Boga. Pospólstwo przyjmuje ich za Boga i oddaje im cześć, a głupcy uważają ich za zaawansowanych, jeśli chodzi o zasady religii czy zasady wiedzy duchowej. Przywdziewają szatę osób z wyrzeczonego porządku życia i w tym przebraniu oddają się różnego rodzaju głupstwom. W rzeczywistości osobę, która wyrzekła się tego świata, obowiązuje tak wiele ograniczeń. Demony jednakże nie biorą pod uwagę takich ograniczeń. Uważają, że każdy może stworzyć sobie swoją własną ścieżkę i nie ma takiej rzeczy jak ścieżka standardowa, którą należy podążać. Szczególnie podkreślone zostało tutaj słowo *avidhi-pūrvakam*, oznaczające lekceważenie zasad i nakazów. Przyczyną takiej postawy jest zawsze złudzenie i ignorancja.

**TEKST 18** अहंकारं बलं दर्पं कामं क्रोधं च संश्रिताः ।
मामात्मपरदेहेषु प्रद्विषन्तोऽभ्यसूयकाः ॥१८॥

*ahaṅkāraṁ balaṁ darpaṁ kāmaṁ krodhaṁ ca saṁśritāḥ*
*mām ātma-para-deheṣu pradviṣanto 'bhyasūyakāḥ*

*ahaṅkāram*—fałszywe ego; *balam*—siła; *darpam*—duma; *kāmam*—pożądanie; *krodham*—złość; *ca*—również; *saṁśritāḥ*—przyjąwszy schronienie; *mām*—Mnie; *ātma*—w swoim własnym; *para*—w innych; *deheṣu*—ciałach; *pradviṣantaḥ*—bluźniący; *abhyasūyakāḥ*—zazdrośni.

**Zwiedzeni przez fałszywe ego, siłę, dumę, pożądanie i złość, demony stają się zazdrosne o Mnie, Najwyższą Osobę Boga, który przebywam w ich ciałach i ciałach innych, i bluźnią przeciwko prawdziwej religii.**

*ZNACZENIE:* Demoniczne osoby, zawsze sprzeciwiając się supremacji Boga, nie chcą wierzyć w pisma święte. Zazdrosne są zarówno o te pisma, jak i o istnienie Najwyższej Osoby Boga. Przyczyną tego jest tzw. prestiż, nagromadzenie bogactw oraz siła. Nie wiedzą one, że obecne życie jest przygotowaniem do życia następnego. Nie wiedząc tego, są właściwie zazdrośni o samych siebie, jak również o innych. Popełniają gwałt na ciałach własnych i na ciałach innych. Nie dbają o władzę Osoby Boga, gdyż wyzbyci są wszelkiej wiedzy. Zazdrośni o pisma święte i Najwyższą Osobę Boga, przedkładają fałszywe dowody przeciwko istnieniu Boga i podważają autorytet pism świętych. Osoba demoniczna uważa siebie za niezależną i potężną w każdym działaniu. Myśli, że skoro nikt nie dorównuje jej w sile, mocy czy bogactwie, może robić to, co się jej podoba i nikt nie zdoła powstrzymać jej od tego. Jeśli ma jakiegoś wroga, który mógłby zahamować jej postęp w czynnościach zmysłowych, czyni plany w jaki sposób pozbyć się go przy użyciu własnej siły.

**TEKST 19** तानहं द्विषतः क्रूरान् संसारेषु नराधमान् ।
क्षिपाम्यजस्रमशुभानासुरीष्वेव योनिषु ॥१९॥

*tān ahaṁ dviṣataḥ krūrān saṁsāreṣu narādhamān*
*kṣipāmy ajasram aśubhān āsurīṣv eva yoniṣu*

*tān*—ci; *aham*—Ja; *dviṣataḥ*—zazdrosny; *krūrān*—szkodliwy; *saṁsāreṣu*—w ocean egzystencji materialnej; *nara-adhamān*—najniżsi spośród rodzaju ludzkiego; *kṣipāmi*—umieszczam; *ajasram*—na zawsze; *aśubhān*—niepomyślny; *āsurīṣu*—demoniczny; *eva*—na pewno; *yoniṣu*—w łonach.

**Takie zazdrosne i szkodliwe, najniższe spośród rodzaju ludzkiego osoby, ciskane są przeze Mnie w ocean egzystencji materialnej, pomiędzy różne demoniczne gatunki życia.**

*ZNACZENIE:* Werset ten wyraźnie oznajmia, że umieszczenie jakiejś określonej duszy w określonym ciele jest przywilejem najwyższej woli. Demoniczna osoba może nie uznawać supremacji Pana i prawdą jest, że może działać według własnego "widzimisię", ale następne jej życie będzie zależało od decyzji Najwyższej Osoby Boga, nie jej własnej. W *Śrīmad-Bhāgavatam*, w Trzecim Canto, jest powiedziane, że indywidualna dusza zostaje po śmierci umieszczona w łonie matki, gdzie otrzymuje określony typ ciała, pod kontrolą wyższej siły. Dlatego spotykamy tak wiele gatunków życia w świecie materialnym—zwierzęta, insekty, ludzie itd. Wszystkim tym kieruje siła wyższa. Nie dzieje się to przypadkowo. Jeśli chodzi o osoby demoniczne, to wyraźnie zostało powiedziane, że ciągle umieszczane są one w łonach demonów i wskutek tego nie przestają być zazdrosnymi, najniższymi spośród rodzaju ludzkiego. Takie demoniczne gatunki życia zawsze pełne są pożądania, zawsze są gwałtowne, nienawistne i nieczyste. Do demonicznych gatunków życia zaliczani są różnego rodzaju myśliwi leśni.

**TEKST 20** आसुरीं योनिमापन्ना मूढा जन्मनि जन्मनि ।
मामप्राप्यैव कौन्तेय ततो यान्त्यधमां गतिम् ॥२०॥

*āsurīṁ yonim āpannā mūḍhā janmani janmani*
*mām aprāpyaiva kaunteya tato yānty adhamāṁ gatim*

*āsurīm*—demoniczne; *yonim*—gatunki; *āpannāḥ*—zyskują; *mūḍhāḥ*—głupcy; *janmani janmani*—narodziny po narodzinach; *mām*—Mnie; *aprāpya*—nie osiągając; *eva*—na pewno; *kaunteya*—O synu Kuntī; *tataḥ*—wskutek tego; *yānti*—idą; *adhamām*—potępione; *gatim*—przeznaczenie.

**Rodząc się ciągle pomiędzy demonicznymi gatunkami życia, o synu Kuntī, osoby takie nigdy nie mogą zbliżyć się do Mnie i powoli zmierzają w kierunku najpodlejszego typu egzystencji.**

*ZNACZENIE:* Powszechnie wiadomo, że Bóg jest wszechmiłosierny, ale tutaj dowiadujemy się, że nigdy nie jest On litościwy dla osób demonicznych. Takie demoniczne osoby, życie po życiu, umieszczane są w łonach podobnych demonów i nie osiągając łaski Najwyższego Pana schodzą coraz niżej, tak że w końcu osiągają ciała świń, kotów i psów. Wyraźnie zostało powiedziane tutaj, że demony takie nie mają praktycznie szansy na otrzymanie łaski Boga na żadnym etapie późniejszego życia. *Vedy* również oznajmiają, że osoby takie stopniowo zostają zdegradowane do psów i świń. Ktoś może argumentować w związku z tym, że skoro Bóg nie jest łaskawy dla takich demonów, to nie powinien być On ogłaszany jako wszechmiłosierny. Na pytanie to odpowiada werset z *Vedānta-sūtry*, który mówi, że Najwyższy Pan nie żywi nienawiści do nikogo. Umieszczenie *asurów* (demonów) w najniższych gatunkach życia jest po prostu inną stroną Jego miłosierdzia. Czasami *asury* są zabijane przez Najwyższego Pana, ale taka śmierć jest również dla nich bardzo korzystna, gdyż jak dowiadujemy się z *Ved*, każdy kto zostanie zabity przez Najwyższego Pana, osiąga wyzwolenie. Z historii wiemy o wielu takich *asurach*—jak Rāvaṇa, Kaṁsa, Hiraṇyakaśipu—dla których Pan pojawił się w różnych inkarnacjach po to, aby je zabić. Jest to sposób, w jaki Pan okazuje miłosierdzie *asurom*, jeśli są na tyle szczęśliwe, aby tego miłosierdzia dostąpić.

**TEKST 21** त्रिविधं नरकस्येदं द्वारं नाशनमात्मनः ।
काम: क्रोधस्तथा लोभस्तस्मादेतत्त्रयं त्यजेत् ॥२१॥

*tri-vidhaṁ narakasyedaṁ dvāraṁ nāśanam ātmanaḥ*
*kāmaḥ krodhas tathā lobhas tasmād etat trayaṁ tyajet*

*tri-vidham*—trzech rodzajów; *narakasya*—piekła; *idam*—to; *dvāram*—brama; *nāśanam*—destrukcyjne; *ātmanaḥ*—duszy; *kāmaḥ*—pożądanie; *krodhaḥ*—gniew; *tathā*—jak również; *lobhaḥ*—chciwość; *tasmāt*—dlatego; *etat*—te; *trayam*—trzy; *tyajet*—musi porzucić.

**Trzy bramy wiodą do tego piekła, Arjuno, a są nimi: pożądanie, gniew i chciwość. Każdy rozsądny człowiek powinien uwolnić się od nich, aby ocalić swą duszę od degradacji.**

*ZNACZENIE:* Opisane zostały tutaj początki demonicznego życia. Kiedy ktoś bez powodzenia próbuje zaspokoić swoje pożądanie, to jest to przyczyną powstawania złości i chciwości. Człowiek rozsądny, który nie chce ześlizgnąć się do demonicznych form życia, musi próbować uwolnić się od tych trzech wrogów, którzy mogą zabić jaźń do tego stopnia, że nie będzie dla niej żadnej możliwości wyzwolenia się z niewoli tego materialnego świata.

**TEKST 22** एतैर्विमुक्तः कौन्तेय तमोद्वारैस्त्रिभिर्नरः ।
आचरत्यात्मनः श्रेयस्ततो याति परां गतिम् ॥२२॥

*etair vimuktaḥ kaunteya tamo-dvārais tribhir naraḥ*
*ācaraty ātmanaḥ śreyas tato yāti parāṁ gatim*

*etaiḥ*—od tych; *vimuktaḥ*—uwolniwszy się; *kaunteya*—O synu Kuntī; *tamaḥ-dvāraiḥ*—bram ignorancji; *tribhiḥ*—trzech rodzajów; *naraḥ*—osoba; *ācarati*—spełnia; *ātmanaḥ*—dla duszy; *śreyaḥ*—błogosławieństwo; *tataḥ*—wskutek tego; *yāti*—udaje się; *parām*—do najwyższego; *gatim*—przeznaczenia.

**Kto przed tymi trzema bramami piekła uratować się zdołał, ten, o synu Kuntī, spełnia czyny prowadzące do samorealizacji i w ten sposób stopniowo osiąga najwyższe przeznaczenie.**

*ZNACZENIE:* Należy być bardzo ostrożnym wobec tych trzech wrogów ludzkiego życia: pożądania, złości i chciwości. Im bardziej ktoś jest od nich wolny, tym bardziej czyste jest jego życie. Wtedy może przestrzegać zasad i instrukcji literatury wedyjskiej. Przestrzegając zasad obowiązujących ludzkie istoty, powoli wznosi się on do platformy realizacji duchowej. Jeśli ktoś jest na tyle szczęśliwy, że przez taką praktykę wzniesie się do świadomości Kṛṣṇy, wtedy jego sukces jest pewny. Literatura wedyjska opisuje skutki działania i sposoby działania mające nam umożliwić osiągnięcie stanu czystości. Cała metoda polega na uwolnieniu się od pożądania, chciwości i gniewu. Poprzez kultywowanie wiedzy tego procesu można wznieść się do najwyższej pozycji w samorealizacji. Ta samorealizacja staje się doskonała w służbie oddania, która jest dla uwarunkowanej duszy gwarancją wyzwolenia. Dlatego, zgodnie z systemem wedyjskim, ustanowione zostały cztery porządki życia duchowego i społecznego, nazywane systemem kastowym i systemem porządku duchowego. Są różne prawa i reguły dla różnych kast, czyli grup społecznych, i jeśli ktoś może ich przestrzegać, automatycznie wzniesie się do najwyższej platformy realizacji duchowej. Wtedy bez wątpienia osiągnie wyzwolenie.

TEKST 23 यः शास्त्रविधिमुत्सृज्य वर्तते कामकारतः ।
न स सिद्धिमवाप्नोति न सुखं न परां गतिम् ॥२३॥

*yaḥ śāstra-vidhim utsṛjya vartate kāma-kārataḥ*
*na si siddhim avāpnoti na sukhaṁ na parāṁ gatim*

*yaḥ*—każdy, kto; *śāstra-vidhim*—zalecenia pism świętych; *utsṛjya*—porzucając; *vartate*—pozostaje; *kāma-kārataḥ*—działając według własnej woli pod wpływem pożądania; *na*—nigdy; *saḥ*—on; *siddhim*—doskonałość; *avāpnoti*—osiąga; *na*—nigdy; *sukham*—szczęście; *na*—nigdy; *parām*—najwyższy; *gatim*—stan doskonałości.

**Kto jednak lekceważy zalecenia pism świętych i postępuje według własnej fantazji, ten nie osiąga ani doskonałości, ani szczęścia, ani najwyższego przeznaczenia.**

*ZNACZENIE:* Jak opisano wcześniej, różne kasty i porządki życia w ludzkim społeczeństwie otrzymują odpowiednie *śāstra-vidhi*, czyli wskazówki *śāstr*. Każdy powinien przestrzegać takich instrukcji. Jeśli jednak ktoś odrzuca je i postępuje tak, jak mu się podoba, zgodnie ze swoim pożądaniem, chciwością i pragnieniami, to nigdy nie osiągnie doskonałości w życiu. Innymi słowy, człowiek może wiedzieć teoretycznie o tym wszystkim, ale jeśli nie stosuje się do tego w swoim własnym życiu, wtedy może być nazwany najniższym spośród rodzaju ludzkiego. W ludzkiej formie życia żywa istota powinna być rozsądna i przestrzegać wszystkich wskazówek, które dane jej zostały po to, aby wzniosła się na najwyższą platformę życia. Jeśli nie stosuje się do nich, wtedy niechybnie doprowadza samą siebie do degradacji. A jeśli nawet przestrzega tych praw, przepisów i zasad moralnych, ale w końcu nie dochodzi do zrozumienia Najwyższego Pana, wtedy cała jej wiedza zostaje stracona. A nawet jeśli przyjmuje istnienie Boga, lecz nie angażuje się w służbę dla Niego, wówczas na marne idą wszystkie jej wysiłki. Dlatego należy stopniowo wznosić się do platformy świadomości Kṛṣṇy i służby oddania. Tylko w ten i w żaden inny sposób można osiągnąć stan najwyższej doskonałości.

Znaczące jest słowo *kāma-kārataḥ*. Osoba, która świadomie łamie prawa, działa pod wpływem pożądania. Wie, że coś jest zakazane, jednak robi to. To nazywa się postępowaniem według własnej fantazji. Wie, że coś należy robić, jednak nie robi tego; dlatego nazywana jest kapryśną. Najwyższy Pan potępia takie osoby i nie mogą one osiągnąć doskonałości, która jest celem ludzkiego życia. Celem życia ludzkiego jest szczególnie oczyszczenie własnej egzystencji, a kto nie przestrzega żadnych zasad ani wskazówek, to nie może oczyścić się ani osiągnąć stanu prawdziwego szczęścia.

## TEKST 24

तस्माच्छास्त्रं प्रमाणं ते कार्याकार्यव्यवस्थितौ ।
ज्ञात्वा शास्त्रविधानोक्तं कर्म कर्तुमिहार्हसि ॥२४॥

*tasmāc chāstraṁ pramāṇaṁ te kāryākārya-vyavasthitau*
*jñātvā śāstra-vidhānoktaṁ karma kartum ihārhasi*

*tasmāt*—dlatego; *śāstram*—pisma święte; *pramāṇam*—dowód; *te*—twój; *kārya*—obowiązek; *akārya*—i czynności zakazane; *vyavasthitau*—w zdecydowaniu; *jñātvā*—znając; *śāstra*—pism świętych; *vidhāna*—zasady; *uktam*—jak oznajmiono; *karma*—praca; *kartum*—robić; *iha*—w tym świecie; *arhasi*—powinieneś.

**Z pism świętych należy dowiedzieć się, co jest obowiązkiem, a co nim nie jest. Znając takie zasady i nakazy, należy działać w taki sposób, aby stopniowo wznosić się.**

*ZNACZENIE:* Jak oznajmiono w Rozdziale Piętnastym, wszystkie zasady i nakazy *Ved* mają na celu poznanie Kṛṣṇy. Jeśli ktoś zrozumiał Kṛṣṇę z *Bhagavad-gīty* i osiągnął świadomość Kṛṣṇy, angażując się w służbę oddania, to osiągnął on najwyższą doskonałość wiedzy ofiarowanej przez literaturę wedyjską. Pan Caitanya uczynił ten proces bardzo łatwym: prosił ludzi, aby jedynie intonowali Hare Kṛṣṇa, Hare Kṛṣṇa, Kṛṣṇa Kṛṣṇa, Hare Hare; Hare Rāma, Hare Rāma, Rāma Rāma, Hare Hare, zaangażowali się w służbę dla Pana i spożywali pozostałości pokarmu ofiarowanego Bóstwu. Jeśli ktoś jest bezpośrednio zaangażowany we wszystkie te czynności służby oddania, to oznacza to, iż poznał on całą literaturę wedyjską i w doskonały sposób wyciągnął z niej wnioski. Oczywiście zwykłe osoby, nie będące w świadomości Kṛṣṇy, czyli niezaangażowane w służbę oddania, muszą dowiadywać się z *Ved*, co należy do ich obowiązków, a czego nie powinny robić. I powinny się one ściśle do tych wskazówek stosować. To nazywa się przestrzeganiem zasad *śāstr*, czyli pism świętych. *Śāstry* wolne są od czterech zasadniczych wad właściwych uwarunkowanej duszy: niedoskonałych zmysłów, skłonności do oszukiwania, popełniania błędów i ulegania złudzeniu. Te cztery defekty uwarunkowanego życia dyskwalifikują człowieka do ustanawiania zasad. Dlatego zasady podane w *śāstrach*—wolne od tych wad—przyjmowane są przez wszystkich świętych, *ācāryów* i wielkie dusze, bez żadnych zmian.

W Indiach jest wiele grup zajmujących się poznaniem duchowym, które na ogół dzielone są na dwie: impersonalistów i personalistów. Obie z tych grup żyją jednak zgodnie z zasadami *Ved*. Bez przestrzegania zasad pism świętych nie można wznieść się do stanu doskonałości. Dlatego ten, kto rozumie znaczenie i cel *śāstr*, uważany jest za osobę szczęśliwą.

Przyczyną wszystkich upadków w ludzkim społeczeństwie jest niechęć do zasad poznawania Najwyższej Osoby Boga. Jest to największe przewinienie ludzkiego życia. Dlatego *māyā*, materialna energia Najwyższej Osoby Boga, zawsze nęka nas w postaci trojakich nieszczęść. Energia materialna składa się z trzech sił natury materialnej. Należy wznieść się przynajmniej do *guṇy* dobroci, zanim będzie mogła otworzyć się ścieżka do poznania Najwyższego Pana. Bez wzniesienia się do poziomu *guṇy* dobroci, pozostaje się pod wpływem pasji i ignorancji, które są przyczyną demonicznego życia. Osoby znajdujące się pod wpływem *guṇy* pasji i ignorancji wyszydzają pisma święte, święte osoby i właściwe zrozumienie Najwyższej Osoby Boga. Nie są posłuszne instrukcjom mistrza duchowego oraz lekceważą zasady pism świętych. Chociaż słyszą o pięknie służby oddania, nie są nią zainteresowani. Wytwarzają własne sposoby postępu. Są to niektóre z wad społeczeństwa, które prowadzą do demonicznego stanu życia. Jeśli jednak ktoś prowadzony jest przez właściwego i bona fide mistrza duchowego, który może doprowadzić do ścieżki oświecenia, na wyższy poziom, wtedy jego życie staje się sukcesem.

W ten sposób Bhaktivedanta kończy objaśnienia do Szesnastego Rozdziału *Śrīmad Bhagavad-gīty*, opisującego natury boskie i demoniczne.

## ROZDZIAŁ XVII

# Rodzaje wiary

**TEKST 1** अर्जुन उवाच
ये शास्त्रविधिमुत्सृज्य यजन्ते श्रद्धयान्विताः ।
तेषां निष्ठा तु का कृष्ण सत्त्वमाहो रजस्तमः ॥१॥

*arjuna uvāca*
*ye śāstra-vidhim utsṛjya yajante śraddhayānvitāḥ*
*teṣāṁ niṣṭhā tu kā kṛṣṇa sattvam āho rajas tamaḥ*

*arjunaḥ uvāca*—Arjuna rzekł; *ye*—ci, którzy; *śāstra-vidhim*—zalecenia pism świętych; *utsṛjya*—odrzucając; *yajante*—czczą; *śraddhayā*—pełna wiara; *anvitāḥ*—posiadana przez; *teṣām*—nich; *niṣṭhā*—wiara; *tu*—ale; *kā*—co; *kṛṣṇa*—O Kṛṣṇo; *sattvam*—w dobroci; *āho*—albo; *rajaḥ*—w pasji; *tamaḥ*—w ignorancji.

**Arjuna rzekł: O Kṛṣṇo, jaka jest pozycja tego, kto nie przestrzega zasad pism świętych, ale posiada wiarę odpowiadającą jego wyobrażeniom? Czy jest on w dobroci, pasji czy ignorancji?**

*ZNACZENIE:* W Czwartym Rozdziale, trzydziestym dziewiątym wersecie, jest powiedziane, że osoba zaangażowana w jakiś określony typ kultu stopniowo wznosi się do poziomu wiedzy i osiąga najwyższy stan doskonałego spokoju i pomyślności. Według Rozdziału Szesnastego, osoby nieprzestrzegające zaleceń pism świętych są *asurami*, czyli demonami. Kto natomiast ściśle stosuje się do nich, ten nazywany jest *deva*, półbogiem. Jaka jest wobec tego pozycja osoby, która wiernie przestrzega pewnych nakazów, o których nie ma mowy w pismach

świętych? Kṛṣṇa ma teraz wyjaśnić tę wątpliwość Arjuny. Czy ci,
którzy stwarzają sobie pewien typ Boga, wybierając jakąś istotę ludzką
i pokładając w niej wiarę, znajdują się pod wpływem dobroci, pasji czy
ignorancji? Czy takie osoby osiągają stan życiowej doskonałości? Czy
możliwe jest dla nich osiągnięcie prawdziwej wiedzy i wzniesienie się do
stanu najwyższej doskonałości? Czy wysiłek tych, którzy nie stosują się
do zasad pism świętych, ale wierzą w coś, wielbią bożków, półbogów
i ludzi, kończy się sukcesem? Arjuna pyta o to wszystko Kṛṣṇę.

TEKST 2    श्रीभगवानुवाच
           त्रिविधा भवति श्रद्धा देहिनां सा स्वभावजा ।
           सात्त्विकी राजसी चैव तामसी चेति तां शृणु ॥२॥

*śrī-bhagavān uvāca*
*tri-vidhā bhavati śraddhā    dehināṁ sā svabhāva-jā*
*sāttvikī rājasī caiva    tāmasī ceti tāṁ śṛṇu*

*śrī-bhagavān uvāca*—Najwyższa Osoba Boga rzekł; *tri-vidhā*—trzech
rodzajów; *bhavati*—staje się; *śraddhā*—wiara; *dehinām*—wcielonego;
*sā*—to; *sva-bhāva-jā*—odpowiednio do sił natury materialnej; *sāttvikī*—
w *guṇie* dobroci; *rājasī*—w *guṇie* pasji; *ca*—również; *eva*—na pewno;
*tāmasī*—w *guṇie* ignorancji; *ca*—i; *iti*—w ten sposób; *tām*—to; *śṛṇu*—
słuchaj ode Mnie.

**Najwyższa Osoba Boga rzekł: Odpowiednio do sił natury nabytych
przez duszę wcieloną, wiara jej może być trzech rodzajów—w
dobroci, w pasji albo ignorancji. A teraz posłuchaj o tym.**

*ZNACZENIE:*    Ci, którzy znają zasady pism świętych, ale z powodu
lenistwa i opieszałości nie przestrzegają ich, rządzeni są przez siły
natury materialnej. Odpowiednio do swoich przeszłych czynów w *guṇie*
dobroci, pasji czy ignorancji, osiągają naturę o określonych cechach.
Żywa istota—już od chwili kiedy weszła w kontakt z tą naturą
materialną—bezustannie obcuje z różnymi *guṇami* natury materialnej.
I w zależności od kontaktu z określonymi *guṇami* natury, zdobywa ona
określoną mentalność. Jednak, przez obcowanie z bona fide mistrzem
duchowym i stosowanie się do jego wskazówek oraz wskazówek pism
świętych, może ona zmienić swoją naturę. Stopniowo może ona zmienić
swoją pozycję, z ignorancji wznosząc się do dobroci czy też z pasji do
dobroci. Wniosek jest taki, że ślepa wiara w określonej *guṇie* natury nie
może pomóc takiej osobie osiągnąć stanu doskonałości. Musi ona
z pomocą mistrza duchowego wszystko dokładnie rozważyć, używając

przy tym całej swojej inteligencji. W ten sposób może ona zmienić swoją pozycję i wznieść się do wyższej *guṇy* natury.

**TEKST 3** सत्त्वानुरूपा सर्वस्य श्रद्धा भवति भारत ।
श्रद्धामयोऽयं पुरुषो यो यच्छ्रद्धः स एव सः ॥३॥

*sattvānurūpā sarvasya śraddhā bhavati bhārata*
*śraddhā-mayo 'yaṁ puruṣo yo yac-chraddhaḥ sa eva saḥ*

*sattva-anurūpā*—odpowiednio do życia; *sarvasya*—każdego; *śraddhā*—wiara; *bhavati*—staje się; *bhārata*—O synu Bharaty; *śraddhā*—wiara; *mayaḥ*—pełna; *ayam*—to; *puruṣaḥ*—żywa istota; *yaḥ*—kto; *yat*—którą mając; *śraddhaḥ*—wiara; *saḥ*—w ten sposób; *eva*—na pewno; *saḥ*—on.

**O synu Bharaty, odpowiednio do swojego życia pod wpływem różnych guṇ natury, dana osoba rozwija określony typ wiary i wiara ta odpowiada guṇom natury nabytym przez nią.**

*ZNACZENIE:* Każdy ma jakiś określony typ wiary, bez względu na to, kim by nie był. Wiara ta uważana jest za dobrą lub będącą w pasji czy ignorancji, odpowiednio do natury, jaką posiada dana osoba. I odpowiednio do swojego określonego typu wiary, osoba ta obcuje z określonymi osobami. Ale rzeczywistym faktem jest to, że żywa istota—jak to zostało powiedziane w Rozdziale Piętnastym—jest oryginalnie fragmentaryczną, integralną cząstką Najwyższego Pana. Dlatego w swoim czystym stanie jest ona transcendentalna do wszystkich *guṇ* natury materialnej. Lecz kiedy zapomina o swoim związku z Najwyższą Osobą Boga i wchodzi w kontakt z naturą materialną w uwarunkowanym stanie życia, to stwarza wtedy, poprzez związek z różnorodnościami natury materialnej, swoją własną pozycję. Zaś wynikająca z niej sztuczna wiara i sposób życia są jedynie czymś materialnym. Chociaż może ona znajdować się pod wpływem pewnego wrażenia czy koncepcji życia, to jednak oryginalnie jest ona *nirguṇa*, czyli transcendentalna. Aby zatem odnowić swój związek z Najwyższym Panem, musi się ona uwolnić od wszelkich nabytych zanieczyszczeń materialnych. Jest to jedyna, wolna od strachu ścieżka powrotu—świadomość Kṛṣṇy. Kiedy ktoś usytuowany jest w świadomości Kṛṣṇy, wtedy ścieżka ta jest dla niego gwarancją osiągnięcia stanu doskonałości. A kto nie przyjmuje tej ścieżki samorealizacji, ten z pewnością pozostanie pod wpływem *guṇ* natury materialnej.

Bardzo ważne w tym wersecie jest słowo *śraddhā*, czyli "wiara". *Śraddhā* albo wiara jest oryginalnie rezultatem *guny* dobroci. Można wierzyć w półboga, jakiegoś Boga stworzonego przez siebie, albo w jakieś wytwory umysłowe. Uważa się, że ta mocna wiara w coś jest przyczyną tego, że podejmujemy działanie w *gunie* dobroci. Ale w materialnym, uwarunkowanym życiu żadne działanie nie jest całkowicie czyste. Zawsze jest zanieczyszczone i nigdy nie jest w czystej dobroci. Czysta dobroć jest transcendentalna. W oczyszczonej dobroci można zrozumieć prawdziwą naturę Najwyższej Osoby Boga. Dopóki czyjaś wiara nie jest całkowicie w czystej dobroci, tak długo narażona jest ona na zanieczyszczenie którąkolwiek *guną* natury. Te nieczyste *guny* oddziaływują na serce. Wiara utrwala się odpowiednio do stanu serca w kontakcie z określoną *guną* materialną. Jeśli serce danej osoby jest w *gunie* dobroci, to również jej wiara jest w *gunie* dobroci. Jeżeli serce jej jest w *gunie* pasji, to w takiej samej *gunie* jest też jej wiara. A jeśli czyjeś serce jest w *gunie* ciemności, złudzenia, to w taki sam sposób zanieczyszczona jest również jego wiara. Stąd też taka różnorodność wierzeń i systemów religijnych, odpowiednio do różnych typów wiary. Prawdziwa zasada wiary religijnej usytuowana jest w czystej dobroci, ale ponieważ nasze serca zostały skażone, stworzyliśmy różne typy zasad religijnych. I tak oto, w zależności od różnych typów wiary, powstają różne odmiany kultu.

**TEKST 4** यजन्ते सात्त्विका देवान् यक्षरक्षांसि राजसाः ।
प्रेतान् भूतगणांश्चान्ये यजन्ते तामसा जनाः ॥४॥

*yajante sāttvikā devān yakṣa-rakṣāṁsi rājasāḥ*
*pretān bhūta-gaṇāṁś cānye yajante tāmasā janāḥ*

*yajante*—czczą; *sāttvikāḥ*—ci, którzy są w *gunie* dobroci; *devān*—półbogowie; *yakṣa-rakṣāṁsi*—demony; *rājasāḥ*—osoby w *gunie* pasji; *pretān*—duchy zmarłych; *bhūta-gaṇān*—upiory; *ca*—i; *anye*—inni; *yajante*—wielbią; *tāmasāḥ*—w *gunie* ignorancji; *janāḥ*—ludzie.

**Osoby w gunie dobroci wielbią półbogów, a będący w gunie pasji wielbią demony. Ci natomiast, którzy są w gunie ciemności, oddają cześć duchom i upiorom.**

*ZNACZENIE:* W wersecie tym Najwyższa Osoba Boga opisuje różnego rodzaju czcicieli, odpowiednio do ich zewnętrznych czynności. Według zaleceń pism świętych, czcić należy jedynie Najwyższą Osobę Boga. Ci jednak, którzy nie są zaznajomieni z tymi zaleceniami pism, względnie nie posiadają w nie wiary, obierają za obiekt czci różne przedmioty, odpowiednio do swojej pozycji w *gunach* natury materialnej. Usytuowani w *gunie* dobroci na ogół oddają cześć półbogom, takim jak Brahmā, Śiva, Indra, Candra i bóg słońca. Są różni półbogowie i osoby w *gunie* dobroci wielbią określonych półbogów w określonym celu. Ci natomiast, którzy są w *guṇie* pasji, oddają cześć demonom. W czasie Drugiej Wojny Światowej jeden człowiek w Kalkucie czcił Hitlera, ponieważ dzięki tej wojnie zgromadził potężny majątek, zajmując się czarnym rynkiem. Osoby będące w *guṇie* pasji i ignorancji na ogół wybierają na swojego Boga jakiegoś potężnego człowieka. Myślą, że każdego można czcić jako Boga i osiągnąć przez to ten sam rezultat.

Wyraźnie zostało powiedziane tutaj, że osoby w *guṇie* pasji stwarzają i wielbią takich bogów, zaś ci, którzy są pod wpływem ignorancji, ciemności, oddają cześć duchom zmarłych. Czasami robią to na grobie jakiegoś zmarłego człowieka. Usługi seksualne są również w *guṇie* ciemności. W Indiach są odosobnione wioski, gdzie jeszcze nadal oddaje się cześć duchom. Widzieliśmy w Indiach, jak ludzie z niższych kast czasami udają się do lasu, by składać ofiary i oddawać cześć jakiemuś drzewu, jeśli wiedzą, że mieszka w nim duch. Te rozmaite rodzaje kultów nie są w rzeczywistości oddawaniem czci Bogu. Wielbienie Boga jest dla osób, które są usytuowane transcendentalnie, w czystej dobroci. W *Śrīmad-Bhāgavatam* (4.3.23) jest powiedziane: *sattvaṁ viśuddhaṁ vasudeva-śabditam*: "Kiedy człowiek usytuowany jest w czystej dobroci, wielbi Vāsudevę." Znaczenie tego jest takie, że Najwyższą Osobę Boga mogą wielbić te osoby, które całkowicie oczyściły się z *guṇ* natury materialnej i zajmują pozycję transcendentalną.

Impersonaliści usytuowani są w *guṇie* dobroci i wielbią oni pięć rodzajów półbogów. Czczą bezosobowego Viṣṇu, czyli formę Viṣṇu w tym świecie materialnym, która znana jest jako Viṣṇu filozoficzny. Viṣṇu jest ekspansją Najwyższej Osoby Boga, ale impersonaliści, ponieważ ostatecznie nie wierzą w Najwyższą Osobę Boga, wyobrażają sobie, że forma Viṣṇu jest po prostu innym aspektem bezosobowego Brahmana. Również wyobrażają sobie, że Pan Brahmā jest bezosobową formą w materialnej *guṇie* pasji. Wskutek tego czasami opisują pięć rodzajów półbogów, których należy czcić, ale ponieważ myślą, że rzeczywistą prawdą jest bezosobowy Brahman, w końcu odrzucają wszelkie przedmioty kultu. Podsumowując, z różnych cech natury materialnej można oczyścić się poprzez obcowanie z osobami o naturze transcendentalnej.

**TEKSTY 5-6** अशास्त्रविहितं घोरं तप्यन्ते ये तपो जनाः ।
दम्भाहङ्कारसंयुक्ताः कामरागबलान्विताः ॥५॥
कर्षयन्तः शरीरस्थं भूतग्राममचेतसः ।
मां चैवान्तःशरीरस्थं तान् विद्ध्यासुरनिश्चयान् ॥६॥

*aśāstra-vihitaṁ ghoraṁ tapyante ye tapo janāḥ*
*dambhāhaṅkāra-saṁyuktāḥ kāma-rāga-balānvitāḥ*

*karṣayantaḥ śarīra-sthaṁ bhūta-grāmam acetasaḥ*
*māṁ caivāntaḥ śarīra-sthaṁ tān viddhy āsura-niścayān*

*aśāstra*—nie wspomniane w pismach świętych; *vihitam*—skierowany; *ghoram*—szkodliwy dla innych; *tapyante*—odbywa; *ye*—ci, którzy; *tapaḥ*—pokuty; *janāḥ*—osoby; *dambha*—z dumą; *ahaṅkāra*—i egotyzm; *saṁyuktāḥ*—zaangażowani; *kāma*—pożądania; *rāga*—i przywiązanie; *bala*—przez siłę; *anvitāḥ*—zmuszony; *karṣayantaḥ*—torturując; *śarīra-stham*—usytuowany w ciele; *bhūta-grāmam*—kombinacja elementów materialnych; *acetasaḥ*—przez taką zbałamuconą mentalność; *mām*—Mnie; *ca*—również; *eva*—na pewno; *antaḥ*—wewnątrz; *śarīra-stham*—usytuowany w ciele; *tān*—ich; *viddhi*—rozumie; *āsura-niścayān*—demony.

**Ci, którzy oddają się surowym pokutom i umartwieniom niezalecanym przez pisma święte i praktykują je z powodu dumy, egotyzmu, pożądania i przywiązania, takie nierozsądne osoby, torturujące swoje narządy cielesne, jak również Duszę Najwyższą przebywającą wewnątrz, są demonicznej natury.**

*ZNACZENIE:* Istnieją ludzie, którzy wymyślają różnego rodzaju pokuty i umartwienia nie zalecane przez pisma święte. Na przykład, w pismach takich nie ma mowy o poszczeniu dla jakiegoś skrytego, na przykład czysto politycznego celu. Pisma święte polecają posty dla postępu duchowego, a nie dla celów politycznych czy społecznych. Ci, którzy oddają się tego rodzaju pokutom, są według *Bhagavad-gīty* osobami demonicznymi. Czyny ich są niezgodne z zaleceniami pism i nie są korzystne dla ogółu ludzkości. W rzeczywistości są oni powodowani dumą, fałszywym ego, żądzą i przywiązaniem do uciech materialnych. Przez takie postępowanie nie tylko niszczą układ elementów materialnych, z których zbudowane jest ciało, ale również niepokoją Samą Najwyższą Osobę Boga, przebywającego wewnątrz ich ciała. Takie nieaprobowane posty i umartwianie się dla celów politycznych jest z pewnością również niepokojące dla innych. O tego rodzaju postach nie ma mowy w literaturze wedyjskiej. Demoniczna osoba może myśleć, że tą metodą będzie w stanie zmusić swojego wroga albo stronę przeciwną do spełnienia swych pragnień, ale czasem taki post kończy się śmiercią. Czynów takich nie aprobuje Najwyższa Osoba Boga i mówi On, że ci, którzy angażują się w nie, są niewątpliwie demonami. Takie demonstracje, będąc nieposłuszeństwem wobec zaleceń pism świętych, są obrazą dla Najwyższej Osoby Boga. Ważne w tym związku jest słowo *acetasaḥ*—osoby o normalnej psychice muszą stosować się do zaleceń pism świętych. Ci, których sytuacja jest inna, nie są posłuszni tym zaleceniom i lekceważą pisma święte, wytwarzając swój własny proces pokut i umartwiania się. Należy zawsze pamiętać o tym, jaki jest ostateczny los takich demonicznych ludzi, o którym wspomina rozdział poprzedni. Pan zmusza ich do powtarzających się narodzin w łonach osób równie demonicznych. Wskutek tego będą żyli według demonicznych zasad narodziny po narodzinach, nie znając swojego związku z Najwyższą Osobą Boga. Jeśli jednakże będą wystarczająco szczęśliwi, by przyjąć przewodnictwo mistrza duchowego, który może skierować ich na ścieżkę mądrości wedyjskiej, wtedy będą mogli wydostać się z tego uwikłania i w końcu osiągną najwyższy cel.

**TEKST 7** आहारस्त्वपि सर्वस्य त्रिविधो भवति प्रियः ।
यज्ञस्तपस्तथा दानं तेषां भेदमिमं शृणु ॥७॥

*āhāras tv api sarvasya tri-vidho bhavati priyaḥ*
*yajñas tapas tathā dānaṁ teṣāṁ bhedam imaṁ śṛṇu*

*āhāraḥ*—jedzenie; *tu*—na pewno; *api*—również; *sarvasya*—każdego; *tri-vidhaḥ*—trzech rodzajów; *bhavati*—jest; *priyaḥ*—drogi; *yajñaḥ*—ofiara; *tapaḥ*—wyrzeczenie; *tathā*—również; *dānam*—dobroczynność; *teṣām*—ich; *bhedam*—różnice; *imam*—to; *śṛṇu*—słuchaj.

**Nawet pokarm, w którym znajdują upodobanie określone osoby, trzech jest rodzajów, odpowiednio do trzech guṇ materialnej natury. To samo odnosi się do ofiar, wyrzeczenia i dobroczynności. Posłuchaj, a powiem ci, jakie są między nimi różnice.**

*ZNACZENIE:* W zależności od różnych pozycji w *guṇach* natury materialnej, istnieją różnice w sposobie jedzenia, spełniania ofiar, praktykowania wyrzeczenia i dobroczynności. Nie znajdują się one na jednym poziomie. Ci, którzy mogą w sposób analityczny zrozumieć do jakiej *guṇy* natury materialnej należy dany rodzaj zachowania, posiadają prawdziwą mądrość. Natomiast głupcami są te osoby, które nie widzą różnicy pomiędzy różnymi rodzajami ofiar, pożywienia czy dobroczynności—i wszystko uważają za jedno. Są misjonarze, którzy nauczają, iż każdy może robić to, co się mu podoba, i w ten sposób osiągnąć doskonałość. Ale tacy głupi przewodnicy nie postępują w zgodzie ze wskazówkami pism świętych. Wymyślają swoje własne drogi i zwodzą ogół ludzkości.

**TEKST 8** आयुःसत्त्वबलारोग्यसुखप्रीतिविवर्धनाः ।
रस्याः स्निग्धाः स्थिरा हृद्या आहाराः सात्त्विकप्रियाः ॥८॥

*āyuḥ-sattva-balārogya- sukha-prīti-vivardhanāḥ*
*rasyāḥ snigdhāḥ sthirā hṛdyā āhārāḥ sāttvika-priyāḥ*

*āyuḥ*—długość życia; *sattva*—życie; *bala*—siła; *ārogya*—zdrowie; *sukha*—szczęście; *prīti*—zadowolenie; *vivardhanāḥ*—zwiększający; *rasyāḥ*—soczysty; *snigdhāḥ*—tłusty; *sthirāḥ*—trwały; *hṛdyāḥ*—zadowalający serce; *āhārāḥ*—pożywienie; *sāttvika*—dla osoby w dobroci; *priyāḥ*—smaczne.

**Pożywienie, w którym gustują osoby w guṇie dobroci, przedłuża życie i oczyszcza je, daje siłę, zdrowie, szczęście i zadowolenie. Taki zdrowy pokarm jest soczysty, oleisty i smaczny.**

TEKST 9 कट्वम्ललवणात्युष्णतीक्ष्णरूक्षविदाहिनः ।
आहारा राजसस्येष्टा दुःखशोकामयप्रदाः ॥९॥

*kaṭv-amla-lavaṇāty-uṣṇa- tīkṣṇa-rūkṣa-vidāhinaḥ*
*āhārā rājasasyeṣṭā duḥkha-śokāmaya-pradāḥ*

*kaṭu*—gorzki; *amla*—kwaśny; *lavaṇa*—słony; *ati-uṣṇa*—bardzo gorący; *tīkṣṇa*—ostry; *rūkṣa*—suchy; *vidāhinaḥ*—palący; *āhārāḥ*—pokarm; *rājasasya*—dla osoby w *guṇie* pasji; *iṣṭāḥ*—smaczne; *duḥkha*—nieszczęście; *śoka*—niedola; *āmaya*—choroby; *pradāḥ*—powodujące.

**W pożywieniu, które jest zbyt gorzkie, zbyt kwaśne, słone, ostre, suche i gorące, gustują ludzie w guṇie pasji. Pożywienie takie jest przyczyną bólów, przygnębienia i choroby.**

TEKST 10 यातयामं गतरसं पूति पर्युषितं च यत् ।
उच्छिष्टमपि चामेध्यं भोजनं तामसप्रियम् ॥१०॥

*yāta-yāmaṁ gata-rasaṁ pūti paryuṣitaṁ ca yat*
*ucchiṣṭam api cāmedhyaṁ bhojanaṁ tāmasa-priyam*

*yāta-yāmam*—pożywienie gotowane na trzy godziny przed spożyciem; *gata-rasam*—bez smaku; *pūti*—o przykrym zapachu; *paryuṣitam*—zepsute; *ca*—również; *yat*—to, które; *ucchiṣṭam*—resztki pokarmu spożywanego przez innych; *api*—również; *ca*—i; *amedhyam*—niedotykalny; *bhojanam*—jedząc; *tāmasa*—osobie w *guṇie* ciemności; *priyam*—drogie.

**Natomiast pokarm, który gotowany jest na dłużej niż trzy godziny przed spożyciem, który jest bez smaku, nieświeży i zgniły, i pokarm składający się z resztek i nieczystych substancji, lubią ludzie będący w ignorancji.**

*ZNACZENIE:* Pokarm ma przedłużać życie, oczyścić umysł i dać siłę ciału. Jest to jedyny cel spożywania pokarmu. W przeszłości wielkie autorytety wybrały ten rodzaj pożywienia, który jest najlepszy dla zdrowia i przedłuża życie, to znaczy: produkty mleczne, cukier, ryż, pszenica, owoce i warzywa. W takim pożywieniu gustują ludzie będący w *guṇie* dobroci. Inne rodzaje pokarmu, takie jak pieczone ziarno i melasa, które same nie są smaczne, mogą stać się takimi przez dodanie do nich mleka czy zmieszanie z innymi produktami. Wtedy są one również w *guṇie* dobroci. Wszystkie tego rodzaju pokarmy są czyste z natury. Są one całkowicie różne od takich ohydnych rzeczy jak mięso czy napoje alkoholowe. Tłuste pożywienie, wspomniane w wersecie ósmym, nie ma żadnego związku z tłuszczem zwierzęcym otrzymywanym z uboju. Tłuszcz zwierzęcy dostępny jest w postaci mleka, które jest najwspanialszym rodzajem pokarmu. Tłuszczu zwierzęcego dostarczają mleko, masło, ser i podobne produkty, w takiej formie, która wyklucza potrzebę zabijania niewinnych stworzeń. Przyczyną tego ohydnego procederu jest niewątpliwie zwierzęca mentalność. Cywilizowaną metodą otrzymywania tłuszczu jest przeróbka mleka. Rzeź jest natomiast metodą istot niższych niż ludzie. Proteiny w obfitych ilościach znajdują się w grochu, *dālu*, pełnej pszenicy itd.

Pożywienie w *guṇie* pasji, które jest gorzkie, zbyt słone albo zbyt gorące, lub też nadmiernie przyprawione czerwoną, ostrą papryką, jest zawsze przyczyną kłopotu, ponieważ powoduje zmniejszenie ilości śluzu w żołądku, co prowadzi do choroby. Pożywienie w *guṇie* ignorancji, czyli ciemności, to zasadniczo to, które nie jest świeże. Każde pożywienie gotowane na dłużej niż trzy godziny przed spożyciem (za wyjątkiem *prasādam*, pokarmu ofiarowanego Panu) jest pożywieniem w *guṇie* ciemności. Ponieważ rozkłada się ono, wydziela nieprzyjemny zapach, który często przyciąga ludzi w tej *guṇie*, ale jest odrażający dla ludzi w *guṇie* dobroci.

Pozostałości pokarmu mogą być spożywane tylko wtedy, kiedy są one częścią pożywienia wpierw ofiarowanego Najwyższemu Panu albo jedzonego najpierw przez święte osoby, szczególnie mistrza duchowego. Spożywanie resztek pokarmu w innych wypadkach jest w *guṇie* ciemności, zwiększa ono infekcję oraz jest przyczyną chorób. Takiego pożywienia, chociaż bardzo smacznego dla osób w *guṇie* ciemności, nigdy nie lubią ani nawet nie dotykają osoby będące w *guṇie* dobroci. Najlepszym pożywieniem są pozostałości pokarmu ofiarowanego Najwyższemu Panu. W *Bhagavad-gīcie* Najwyższy Pan mówi, że przyjmuje pokarm przygotowany z warzyw, mąki i mleka, kiedy ofiarowany jest on z oddaniem. *Patraṁ puṣpaṁ phalaṁ toyam*. Oczywiście, oddanie i miłość są głównymi rzeczami, które Najwyższa Osoba Boga przyjmuje, ale jest również powiedziane, że *prasādam* powinno zostać przygotowane w określony sposób. Każdy pokarm przygotowany zgodnie z zaleceniami pism świętych i ofiarowany Najwyższej Osobie Boga może być spożywany nawet wtedy, jeśli został przygotowany dużo wcześniej, gdyż taki pokarm jest transcendentalny. Dlatego, aby uczynić pokarm antyseptycznym, pożywnym i smacznym dla wszystkich—należy ofiarować go Najwyższej Osobie Boga.

**TEKST 11** अफलाकाङ्क्षिभिर्यज्ञो विधिदिष्टो य इज्यते ।
यष्टव्यमेवेति मनः समाधाय स सात्त्विकः ॥११॥

*aphalākāṅkṣibhir yajño vidhi-diṣṭo ya ijyate*
*yaṣṭavyam eveti manaḥ samādhāya sa sāttvikaḥ*

*aphala-ākāṅkṣibhiḥ*—przez tych, którzy są wolni od pragnienia rezultatów; *yajñaḥ*—ofiara; *vidhi-diṣṭaḥ*—zgodnie ze wskazówkami pism; *yaḥ*—którzy; *ijyate*—jest spełniana; *yaṣṭavyam*—musi być spełniona; *eva*—na pewno; *iti*—w ten sposób; *manaḥ*—umysł; *samādhāya*—skupiając; *saḥ*—to; *sāttvikaḥ*—w *guṇie* dobroci.

**Spośród wszystkich ofiar, w naturze dobroci są te, które spełniane są z obowiązku, zgodnie z zaleceniami pism świętych i bez oczekiwania nagrody.**

*ZNACZENIE:* Na ogół ofiary spełniane są w pewnym celu, ale jak to zostało tutaj wyraźnie powiedziane, powinny być one wolne od takich pragnień. Powinny być traktowane jako obowiązek. Weźmy na przykład rytuały w świątyniach i kościołach. Na ogół są one spełniane w celu osiągnięcia jakiejś materialnej korzyści, co nie jest jednak w *guṇie* dobroci. Chodzenie do świątyni czy kościoła należy traktować jako obowiązek. Należy tam ofiarowywać Najwyższej Osobie Boga wyrazy szacunku, kwiaty i pożywienie. Każdy sądzi, że nie ma sensu chodzić do świątyni po to jedynie, by wielbić Boga. Ale pisma święte nie pochwalają praktykowania kultu dla osiągnięcia jakichś materialnych korzyści. Do miejsc takich należy chodzić jedynie po to, aby ofiarować tam swoje wyrazy szacunku Bóstwu. W ten sposób można wznieść się do *guṇy* dobroci. Przestrzeganie nakazów pism świętych i ofiarowywanie szacunku Najwyższej Osobie Boga jest obowiązkiem każdego cywilizowanego człowieka.

TEKST 12 अभिसन्धाय तु फलं दम्भार्थमपि चैव यत् ।
इज्यते भरतश्रेष्ठ तं यज्ञं विद्धि राजसम् ॥१२॥

*abhisandhāya tu phalaṁ dambhārtham api caiva yat*
*ijyate bharata-śreṣṭha taṁ yajñaṁ viddhi rājasam*

*abhisandhāya*—pragnąc; *tu*—ale; *phalam*—rezultat; *dambha*—duma; *artham*—ze względu na; *api*—również; *ca*—i; *eva*—na pewno; *yat*—ten, który; *ijyate*—jest spełniany; *bharata-śreṣṭha*—O wodzu Bhāratów; *tam*—to; *yajñam*—ofiara; *viddhi*—wiedz; *rājasam*—w *gunie* pasji.

**Ale te, które spełniane są dla jakiegoś celu czy korzyści materialnej, czy z powodu dumy, takie ofiary, o wodzu Bhāratów, są w naturze pasji.**

*ZNACZENIE:* Czasami celem ofiar jest wzniesienie się do królestwa niebiańskiego albo otrzymanie jakichś korzyści materialnych w tym świecie. Takie ofiary albo rytuały są w *guṇie* pasji.

TEKST 13 विधिहीनमसृष्टान्नं मन्त्रहीनमदक्षिणम् ।
श्रद्धाविरहितं यज्ञं तामसं परिचक्षते ॥१३॥

*vidhi-hīnam asṛṣṭānnaṁ mantra-hīnam adakṣiṇam*
*śraddhā-virahitaṁ yajñaṁ tāmasaṁ paricakṣate*

*vidhi-hīnam*—bez zaleceń pism świętych; *asṛṣṭa-annam*—bez rozdawania *prasādam*; *mantra-hīnam*—bez intonowania hymnów wedyjskich; *adakṣiṇam*—bez wynagrodzenia dla kapłanów; *śraddhā*—wiara; *virahitam*—bez; *yajñam*—ofiara; *tāmasam*—w *guṇie* ignorancji; *paricakṣate*—jest uważana.

**A te ofiary, których spełnianie nie pozostaje w zgodzie z zaleceniami pism świętych, w których nie rozdaje się prasādam (pożywienia duchowego), nie śpiewa hymnów ani nie wynagradza kapłanów, i które pozbawione są wiary—takie ofiary są w naturze ignorancji.**

*ZNACZENIE:* Wiara w *guṇie* ciemności, czyli ignorancji, jest właściwie brakiem wiary. Czasami ludzie czczą jakiegoś półboga tylko po to, aby zdobyć pieniądze, i następnie tracą te pieniądze na rozrywki, ignorując zalecenia pism świętych. Takie wystawne pokazy religijności nie są przyjmowane za szczere. Wszystkie są w *guṇie* ciemności;

wytwarzają demoniczną mentalność i nie przynoszą pożytku ludzkiemu społeczeństwu.

TEKST 14 देवद्विजगुरुप्राज्ञपूजनं शौचमार्जवम् ।
ब्रह्मचर्यमहिंसा च शारीरं तप उच्यते ॥१४॥

*deva-dvija-guru-prājña- pūjanaṁ śaucam ārjavam*
*brahmacaryam ahiṁsā ca śārīraṁ tapa ucyate*

*deva*—Najwyższego Pana; *dvija*—bramini; *guru*—mistrz duchowy; *prājña*—osoby godne czci; *pūjanam*—cześć; *śaucam*—czystość; *ārjavam*—prostota; *brahmacaryam*—celibat; *ahiṁsā*—łagodność; *ca*—również; *śārīram*—odnoszące się do ciała; *tapaḥ*—wyrzeczenie; *ucyate*—jest nazywane.

**Wyrzeczenie w stosunku do ciała polega na oddawaniu czci Najwyższemu Panu, braminom, mistrzowi duchowemu, wyżej rangą stojącym i starszym, jak ojcu i matce; jak również na zachowywaniu czystości, prostocie, życiu w celibacie, i łagodności.**

*ZNACZENIE:* Najwyższy Pan tłumaczy tutaj różnego rodzaju wyrzeczenia i pokuty. Najpierw objaśnia wyrzeczenia i pokuty praktykowane przez ciało. Należy ofiarowywać, albo uczyć się jak ofiarowywać, szacunek Bogu albo półbogom, doskonałym, kwalifikowanym braminom, mistrzowi duchowemu i starszym, jak ojcu czy matce, oraz każdej osobie posiadającej wiedzę wedyjską. Te osoby powinny otrzymywać należyty szacunek. Należy praktykować czystość wewnętrzną i zewnętrzną, i należy nauczyć się prostoty postępowania. Nie należy robić niczego, co nie jest aprobowane przez pisma święte. Nie powinno się mieć do czynienia z życiem seksualnym poza małżeństwem, gdyż pisma święte zezwalają na seks tylko w małżeństwie. To nazywa się celibatem. Na tym polegają wyrzeczenia i pokuty odnoszące się do ciała.

TEKST 15 अनुद्वेगकरं वाक्यं सत्यं प्रियहितं च यत् ।
स्वाध्यायाभ्यसनं चैव वाङ्मयं तप उच्यते ॥१५॥

*anudvega-karaṁ vākyaṁ satyaṁ priya-hitaṁ ca yat*
*svādhyāyābhyasanaṁ caiva vāṅ-mayaṁ tapa ucyate*

*anudvega-karam*—nie niepokojąc; *vākyam*—słowa; *satyam*—prawdomówny; *priya*—drogi; *hitam*—korzystny; *ca*—również; *yat*—który; *svādhyāya*—studiowania *Ved; abhyasanam*—praktyka; *ca*—również; *eva*—na pewno; *vāk-mayam*—głosu; *tapaḥ*—wyrzeczenie; *ucyate*—mówi się, że jest.

**Prostota mowy polega na prawdomówności i używaniu słów, które są przyjemne i korzystne, i które nie są przyczyną niepokoju dla innych. Należy również regularnie recytować Vedy.**

*ZNACZENIE:* Należy przemawiać w taki sposób, aby nie niepokoić umysłów innych. Oczywiście, kiedy mówi nauczyciel, może on mówić prawdę dla pouczenia swoich studentów, ale taki nauczyciel nie powinien przemawiać do innych, nie będących jego uczniami, jeśli to miałoby podniecić ich umysły. Są to wyrzeczenia dotyczące mowy. Oprócz tego nie należy mówić o głupstwach. Jeśli przemawia się w środowisku duchowym, to swoje wypowiedzi należy opierać na pismach świętych. Należy jednocześnie cytować ustępy z pism autorytatywnych na potwierdzenie tego co się mówi. Takie rozmowy powinny być też bardzo przyjemne dla ucha. Z takich dyskusji można wyciągnąć największe korzyści i podnieść społeczeństwo ludzkie na wyższy poziom. Literatura wedyjska jest nieograniczona i należy ją studiować. To nazywa się wyrzeczeniem, jeśli chodzi o mowę.

**TEKST 16** मनःप्रसादः सौम्यत्वं मौनमात्मविनिग्रहः ।
भावसंशुद्धिरित्येतत् तपो मानसमुच्यते ॥१६॥

*manaḥ-prasādaḥ saumyatvaṁ maunam ātma-vinigrahaḥ*
*bhāva-saṁśuddhir ity etat tapo mānasam ucyate*

*manaḥ-prasādaḥ*—zadowolenie umysłu; *saumyatvam*—bez obłudy w stosunku do innych; *maunam*—powaga; *ātma*—jaźni; *vinigrahaḥ*—kontrola; *bhāva*—swojej natury; *saṁśuddhiḥ*—oczyszczenie; *iti*—w ten sposób; *etat*—to; *tapaḥ*—wyrzeczenie; *mānasam*—umysłu; *ucyate*—jest nazywane.

**A zadowolenie, prostota, powaga, opanowanie i oczyszczenie swego życia jest wyrzeczeniem dla umysłu.**

*ZNACZENIE:* Uczynić umysł wyrzeczonym, znaczy odwieść go od zadowalania zmysłów. Powinien on być tak wyszkolony, aby zawsze myśleć o czynieniu dobra dla innych. Najlepszym ćwiczeniem dla umysłu jest powaga myśli. Nie powinno się nigdy odbiegać od świadomości Kṛṣṇy i należy zawsze unikać zadowalania zmysłów. Oczyszczenie własnej natury polega na osiągnięciu świadomości Kṛṣṇy. Zadowolenie umysłu można osiągnąć jedynie przez powściągnięcie go od myśli o uciechach zmysłowych. Im bardziej myślimy o uciechach zmysłowych, tym bardziej umysł nasz jest niezadowolony. W obecnym wieku niepotrzebnie angażujemy umysł w tak wiele różnych sposobów zadowalania zmysłów, i wskutek tego nie możemy osiągnąć zadowolenia umysłu. Najlepszą radą na to jest zajęcie umysłu literaturą wedyjską, która pełna jest satysfakcjonujących opowieści, chociażby takich, jak te zawarte w *Purāṇach* i *Mahābhāracie*. Można skorzystać z tej wiedzy i oczyścić się. Umysł powinien być wolny od fałszu i powinien myśleć o dobrobycie innych. Cisza oznacza bezustanne myślenie o samorealizacji. Osoba świadoma Kṛṣṇy jest w tym znaczeniu w doskonały sposób cicha. Kontrola umysłu oznacza powstrzymywanie umysłu od radości zmysłowych. Należy być prostolinijnym i uczciwym w swoim zachowaniu i w ten sposób oczyścić swoje życie. Wszystkie te cechy razem składają się na prostotę czynności umysłowych.

**TEKST 17**

श्रद्धया परया तप्तं तपस्तत् त्रिविधं नरैः ।
अफलाकाङ्क्षिभिर्युक्तैः सात्त्विकं परिचक्षते ॥१७॥

*śraddhayā parayā taptaṁ tapas tat tri-vidhaṁ naraiḥ*
*aphalākāṅkṣibhir yuktaiḥ sāttvikaṁ paricakṣate*

*śraddhayā*—z wiarą; *parayā*—transcendentalny; *taptam*—spełniany; *tapaḥ*—wyrzeczenie; *tat*—to; *tri-vidham*—trzech rodzajów; *naraiḥ*—przez ludzi; *aphala-ākāṅkṣibhiḥ*—którzy wolni są od pragnienia owoców; *yuktaiḥ*—zaangażowani; *sāttvikam*—w *guṇie* dobroci; *paricakṣate*—jest nazywane.

**Te trzy wyrzeczenia praktykowane z transcendentalną wiarą przez ludzi, których celem nie jest osiągnięcie korzyści materialnych dla siebie, ale zadowolenie Najwyższego—są w naturze dobroci.**

**TEKST 18**

सत्कारमानपूजार्थं तपो दम्भेन चैव यत् ।
क्रियते तदिह प्रोक्तं राजसं चलमध्रुवम् ॥१८॥

*satkāra-māna-pūjārthaṁ tapo dambhena caiva yat*
*kriyate tad iha proktaṁ rājasaṁ calam adhruvam*

*sat-kāra*—szacunek; *māna*—honor; *pūjā*—uwielbienie; *artham*—dla; *tapaḥ*—pokuty; *dambhena*—z dumą; *ca*—również; *eva*—na pewno; *yat*—który; *kriyate*—jest spełniany; *tat*—to; *iha*—w tym świecie; *proktam*—jest powiedziane; *rājasam*—w *guṇie* pasji; *calam*—nietrwały; *adhruvam*—tymczasowy.

**A te pokuty i wyrzeczenia, które praktykowane są, pod wpływem dumy, w celu zdobycia szacunku, poważania i czci, uważane są za będące w guṇie pasji. Nie są one ani trwałe, ani stanowcze.**

*ZNACZENIE:* Czasami ktoś podejmuje pokuty i wyrzeczenia w celu zwrócenia na siebie uwagi innych i zyskania ich szacunku i uwielbienia. Osoby w *guṇie* pasji stwarzają takie sytuacje, w których wielbione są przez podwładnych i pozwalają im myć swoje stopy i ofiarowywać bogactwa. Takie sztucznie wytworzone sytuacje poprzez ostentacyjne oddawanie się pokutom są w *guṇie* pasji. Efekty ich są tymczasowe; mogą trwać przez pewien czas, ale nie są trwałe.

**TEKST 19** मूढग्राहेणात्मनो यत् पीडया क्रियते तपः ।
परस्योत्सादनार्थं वा तत्तामसमुदाहृतम् ॥१९॥

*mūḍha-grāheṇātmano yat pīḍayā kriyate tapaḥ*
*parasyotsādanārthaṁ vā tat tāmasam udāhṛtam*

*mūḍha*—głupcy; *grāheṇa*—z wysiłkiem; *ātmanaḥ*—siebie samego; *yat*—która; *pīḍayā*—przez tortury; *kriyate*—jest spełniana; *tapaḥ*—pokuta; *parasya*—dla innych; *utsādana-artham*—czy powodować zniszczenie; *vā*—albo; *tat*—to; *tāmasam*—w *guṇie* ciemności; *udāhṛtam*—mówi się, że jest.

**Te natomiast pokuty i wyrzeczenia, które praktykowane są niemądrze przez uporczywe tortury siebie samego albo dla zniszczenia czy zaszkodzenia innym—są w guṇie ignorancji.**

*ZNACZENIE:* Są to przykłady niemądrych pokut podejmowanych przez demony takie jak Hiraṇyakaśipu, który poddawał się surowym pokutom po to, aby uzyskać nieśmiertelność i zabić półbogów. Modlił się o to do Brahmy, ale ostatecznie został zabity przez Najwyższą Osobę Boga. Oddawanie się pokutom dla osiągnięcia czegoś niemożliwego jest na pewno w *guṇie* ignorancji.

**TEKST 20** दातव्यमिति यद्दानं दीयतेऽनुपकारिणे ।
देशे काले च पात्रे च तद्दानं सात्त्विकं स्मृतम् ॥२०॥

*dātavyam iti yad dānaṁ dīyate 'nupakāriṇe*
*deśe kāle ca pātre ca tad dānaṁ sāttvikaṁ smṛtam*

*dātavyam*—zasługujący na otrzymanie; *iti*—w ten sposób; *yat*—ta, która; *dānam*—jałmużna; *dīyate*—dana; *anupakāriṇe*—nie oczekując zwrotu; *deśe*—we właściwym miejscu; *kāle*—we właściwym czasie; *ca*—również; *pātre*—odpowiedniej osobie; *ca*—i; *tat*—ta; *dānam*—dobroczynność; *sāttvikam*—w *guṇie* dobroci; *smṛtam*—uważana.

**Dar dany z obowiązku, we właściwym czasie i we właściwym miejscu, wartościowej osobie, bez oczekiwania zwrotu—uważany jest za dobroczynność w guṇie dobroci.**

*ZNACZENIE:* Literatura wedyjska poleca wspomaganie osób zaangażowanych w czynności duchowe. Nie poleca natomiast rozdawania jałmużny bez zastanowienia. Zawsze brana jest pod uwagę doskonałość duchowa. Dlatego jest takie zalecenie, by jałmużnę dawać w miejscach pielgrzymek w czasie zaćmienia słońca lub księżyca, czy też w końcu miesiąca. Należy się ona albo wykwalifikowanemu braminowi, albo Vaiṣṇavie (wielbicielowi), albo też świątyni. Takie jałmużny należy dawać bez oczekiwania czegokolwiek w zamian. Jałmużna dawana jest czasami ludziom biednym z powodu współczucia, ale jeśli ten biedny człowiek nie jest wart otrzymania jej, wtedy nie łączy się to z żadnym postępem duchowym. Innymi słowy, *Vedy* nie polecają rozdawania jałmużny "na oślep".

**TEKST 21** यत्तु प्रत्युपकारार्थं फलमुद्दिश्य वा पुनः ।
दीयते च परिक्लिष्टं तद्दानं राजसं स्मृतम् ॥२१॥

*yat tu pratyupakārārthaṁ phalam uddiśya vā punaḥ*
*dīyate ca parikliṣṭaṁ tad dānaṁ rājasaṁ smṛtam*

*yat*—ta, która; *tu*—ale; *prati-upakāra-artham*—po to, aby otrzymać coś w zamian; *phalam*—rezultat; *uddiśya*—pragnąc; *vā*—albo; *punaḥ*—ponownie; *dīyate*—jest dana; *ca*—również; *parikliṣṭam*—niechętnie; *tat*—to; *dānam*—dobroczynność; *rājasam*—w *guṇie* pasji; *smṛtam*—rozumie się, że jest.

**Ale jałmużna dawana z oczekiwaniem czegoś w zamian albo z pragnieniem osiągnięcia czegoś, czy z niechęcią—jest dobroczynnością w guṇie pasji.**

*ZNACZENIE:* Dobroczynność praktykowana jest czasami w celu osiągnięcia promocji na planety niebiańskie. Czasami łączy się ona z dużym wysiłkiem, po którym następuje żal: "Dlaczego straciłem tak wiele w ten sposób?" Jałmużna czasami dawana jest w sposób wymuszony, na prośbę jakiegoś zwierzchnika. Dobroczynność tego rodzaju jest w *guṇie* pasji.

Jest również wiele takich fundacji dobroczynnych, które wspomagają instytucje zajmujące się zadowalaniem zmysłów. Takiej dobroczynności nie polecają święte pisma wedyjskie. Jedynie pochwalaną jest dobroczynność w *guṇie* dobroci.

TEKST 22 अदेशकाले यद्दानमपात्रेभ्यश्च दीयते ।
असत्कृतमवज्ञातं तत्तामसमुदाहृतम् ॥२२॥

*adeśa-kāle yad dānam apātrebhyaś ca dīyate*
*asat-kṛtam avajñātaṁ tat tāmasam udāhṛtam*

*adeśa*—w nieczystym miejscu; *kāle*—w nieczystym czasie; *yat*—ta, która; *dānam*—dobroczynność; *apātrebhyaḥ*—dla niewartościowych osób; *ca*—również; *dīyate*—jest dawane; *asat-kṛtam*—bez szacunku; *avajñātam*—bez właściwej uwagi; *tat*—to; *tāmasam*—w *guṇie* ciemności; *udāhṛtam*—mówi się, że jest.

**A dobroczynność okazywana w nieczystym miejscu i w niewłaściwym czasie, niewartym tego osobom, bez właściwej uwagi i szacunku—jest dobroczynnością w guṇie ignorancji.**

*ZNACZENIE:* Nie zostało pochwalone tutaj wspieranie osób zajmujących się toksykowaniem się i hazardem. Ten rodzaj wspomagania charakterystyczny jest dla *guṇy* ignorancji. Nie przynosi on żadnej korzyści, a raczej zakrawa na popieranie grzesznych osób. Podobnie, jeśli ktoś daje jałmużnę właściwej osobie, ale bez szacunku i właściwej uwagi, to również jest to dobroczynność w *guṇie* ciemności.

TEKST 23 ॐ तत्सदिति निर्देशो ब्रह्मणस्त्रिविधः स्मृतः ।
ब्राह्मणास्तेन वेदाश्च यज्ञाश्च विहिताः पुरा ॥२३॥

*oṁ tat sad iti nirdeśo brahmaṇas tri-vidhaḥ smṛtaḥ*
*brāhmaṇās tena vedāś ca yajñāś ca vihitāḥ purā*

*oṁ*—wskazanie na Najwyższego; *tat*—to; *sat*—wieczny; *iti*—w ten sposób; *nirdeśaḥ*—oznaka; *brahmaṇaḥ*—Najwyższego; *tri-vidhaḥ*—trojakie; *smṛtaḥ*—jest uważany; *brāhmaṇāḥ*—bramini; *tena*—z tym; *vedāḥ*—literatura wedyjska; *ca*—również; *yajñāḥ*—ofiara; *ca*—również; *vihitāḥ*—używana; *purā*—dawniej.

**Od początku stworzenia trzy słowa—oṁ tat sat—były używane na wskazanie Najwyższej Absolutnej Prawdy. Bramini wymawiali te trzy reprezentacyjne symbole podczas intonowania hymnów wedyjskich i spełniania ofiar dla zadowolenia Najwyższego.**

*ZNACZENIE:* Zostało wyjaśnione, że pokuty, ofiary, dobroczynność i pożywienie dzielą się na trzy kategorie: właściwe dla *guṇy* dobroci, pasji i ignorancji. Ale bez względu na to, do jakiej kategorii należą—pierwszej, drugiej czy trzeciej, wszystkie one są uwarunkowane, zanieczyszczone przez *guṇy* natury materialnej. Kiedy jednak przeznaczone są dla Najwyższego—*oṁ tat sat*, Najwyższej Osoby Boga, wiecznego—wtedy stają się środkami do postępu duchowego. Zalecenia pism świętych wskazują właśnie na taki cel. Te trzy słowa: *oṁ tat sat*, specjalnie wskazują na Prawdę Absolutną, Najwyższą Osobę Boga. W hymnach wedyjskich zawsze występuje słowo *oṁ*.

Kto w swoim postępowaniu nie przestrzega zasad pism świętych, ten nie osiągnie Absolutnej Prawdy. Osiągnie jakiś rezultat tymczasowy, ale nie osiągnie ostatecznego celu życia. Wniosek jest taki, że dobroczynność, ofiary i pokuty muszą być praktykowane w *guṇie* dobroci. Jeśli praktykowane są w *guṇie* pasji i ignorancji, wtedy są niewątpliwie niższej jakości. Trzy słowa *oṁ tat sat* wymawiane są w połączeniu ze świętym imieniem Najwyższego Pana, np. *oṁ tad viṣṇoḥ*. I kiedykolwiek śpiewane są hymny wedyjskie albo święte imię Najwyższego Pana, zawsze dodawane jest *oṁ*. Takie jest zalecenie literatury wedyjskiej. Te trzy słowa wyjęte zostały z hymnów wedyjskich. *Oṁ ity etad brahmaṇo nediṣṭhaṁ nāma* (*Ṛg Veda*) wskazuje na pierwszy cel. Następnie *tat tvam asi* (*Chāndogya Upaniṣad* 6.8.7) wskazuje na drugi cel, a *sad eva saumya* (*Chāndogya Upaniṣad* 6.2.1)—na trzeci. Połączone tworzą *oṁ tat sat*. Wcześniej, kiedy Brahmā, pierwsza stworzona żywa istota, spełniał ofiary, przez wymawianie tych trzech słów nawiązywał do Najwyższej Osoby Boga. Tej samej zasady zawsze przestrzegano w sukcesji uczniów. Więc hymn ten ma wielkie znaczenie. Dlatego *Bhagavad-gītā* poleca, aby każda praca wykonywana była dla *oṁ tat sat*, czyli dla Najwyższej Osoby Boga. Jeśli ktoś odprawia pokuty, praktykuje dobroczynność i spełnia ofiary z tymi trzema słowami, to działa on w świadomości Kṛṣṇy. Świadomość Kṛṣṇy jest naukowym spełnianiem czynności transcendentalnych, które umożliwiają nam powrót do domu—z powrotem do Boga. W działaniu w taki transcendentalny sposób nie ma żadnej straty energii.

**TEKST 24** तस्माद् ॐ इत्युदाहृत्य यज्ञदानतपःक्रियाः ।
प्रवर्तन्ते विधानोक्ताः सततं ब्रह्मवादिनाम् ॥२४॥

*tasmād oṁ ity udāhṛtya yajña-dāna-tapaḥ-kriyāḥ*
*pravartante vidhānoktāḥ satataṁ brahma-vādinām*

*tasmāt*—zatem; *oṁ*—zaczynając od *oṁ*; *iti*—w ten sposób; *udāhṛtya*—wskazując; *yajña*—ofiary; *dāna*—dobroczynność; *tapaḥ*—i pokuta; *kriyāḥ*—spełnianie; *pravartante*—zaczynają się; *vidhāna-uktāḥ*—zgodnie z zaleceniami pism; *satatam*—zawsze; *brahma-vādinām*—transcendentalistów.

**Aby osiągnąć Najwyższego, wszystkie ofiary, pokuty i działalność dobroczynną transcendentaliści zaczynają—zgodnie z zasadami pism świętych—od 'oṁ'.**

*ZNACZENIE:* *Oṁ tad viṣṇoḥ paramaṁ padam* (*Ṛg Veda* 1.22.20). Lotosowe stopy Viṣṇu są najwyższą platformą oddania. Poświęcanie wszystkich czynów Najwyższej Osobie Boga jest doskonałością działania.

**TEKST 25** तदित्यनभिसन्धाय फलं यज्ञतपःक्रियाः ।
दानक्रियाश्च विविधाः क्रियन्ते मोक्षकाङ्क्षिभिः ॥२५॥

*tad ity anabhisandhāya phalaṁ yajña-tapaḥ-kriyāḥ*
*dāna-kriyāś ca vividhāḥ kriyante mokṣa-kāṅkṣibhiḥ*

*tat*—to; *iti*—w ten sposób; *anabhisandhāya*—bez pragnienia; *phalam*—materialny rezultat; *yajña*—ofiary; *tapaḥ*—i pokuta; *kriyāḥ*—czynności; *dāna*—dobroczynności; *kriyāḥ*—czynności; *ca*—również; *vividhāḥ*—różne; *kriyante*—spełniane; *mokṣa-kaṅkṣibhiḥ*—przez tych, którzy naprawdę pragną wyzwolenia.

**Ofiary, pokuty i dobroczynność pełnić należy ze słowem 'tat' i nie pragnąc rezultatu. A celem takich transcendentalnych czynów jest uwolnienie się z sideł materialnych.**

*ZNACZENIE:* Aby wznieść się do pozycji duchowej, należy działać bez pragnienia materialnego zysku. Celem wszystkich czynów powinno być ostateczne przeniesienie się do królestwa duchowego—powrót do domu, do Boga.

**TEKSTY 26-27** सद्भावे साधुभावे च सदित्येतत् प्रयुज्यते ।
प्रशस्ते कर्मणि तथा सच्छब्दः पार्थ युज्यते ॥२६॥
यज्ञे तपसि दाने च स्थितिः सदिति चोच्यते ।
कर्म चैव तदर्थीयं सदित्येवाभिधीयते ॥२७॥

*sad-bhāve sādhu-bhāve ca sad ity etat prayujyate*
*praśaste karmaṇi tathā sac-chabdaḥ pārtha yujyate*

*yajñe tapasi dāne ca sthitiḥ sad iti cocyate*
*karma caiva tad-arthīyaṁ sad ity evābhidhīyate*

*sat-bhāve*—w sensie natury Najwyższego; *sādhu-bhāve*—w znaczeniu natury bhakty; *ca*—również; *sat*—słowo *sat; iti*—w ten sposób; *etat*—

to; *prayujyate*—jest używane; *praśaste*—w bona fide; *karmaṇi*—czynnościach; *tathā*—również; *sat-śabdaḥ*—dźwięk *sat*; *pārtha*—O synu Pṛthy; *yujyate*—jest używany; *yajñe*—w ofierze; *tapasi*—w pokucie; *dāne*—w dobroczynności; *ca*—również; *sthitiḥ*—sytuacja; *sat*—Najwyższy; *iti*—w ten sposób; *ca*—i; *ucyate*—jest wymawiane; *karma*—praca; *ca*—również; *eva*—na pewno; *tat*—dla tego; *arthīyam*—są przeznaczone; *sat*—Najwyższy; *iti*—w ten sposób; *eva*—na pewno; *abhidhīyate*—jest wskazywany.

**A celem służby oddania jest, o synu Pṛthy, Prawda Absolutna, określana słowem 'sat'. Te ofiary, pokuty i dobroczynność, które zgodne są z naturą absolutną, spełniane są dla zadowolenia Najwyższej Osoby. I tak takie czynności ofiarne, jak i ich wykonawca, również określane są słowem 'sat'.**

*ZNACZENIE:* Słowa *praśaste karmaṇi*, czyli "nakazane obowiązki", wskazują na to, że jest wiele czynności zalecanych przez literaturę wedyjską, które są procesami oczyszczającymi, i które obowiązują już od chwili poczęcia, aż do końca życia. Takie oczyszczające procesy mają służyć ostatecznemu wyzwoleniu żywej istoty. Poleca się, by przy wszystkich takich czynnościach wibrować *oṁ tat sat*. Słowa *sad-bhāve* i *sādhu-bhāve* oznaczają sytuację transcendentalną. Działanie w świadomości Kṛṣṇy jest nazywane *sattva*, a kto jest w pełni świadomy czynności w świadomości Kṛṣṇy, ten nazywany jest *sādhu*. W *Śrīmad-Bhāgavatam* (3.25.25) jest powiedziane, że tematy transcendentalne stają się zrozumiałe w towarzystwie wielbicieli. Użyte są tam słowa *satāṁ prasaṅgāt*. Bez dobrego towarzystwa nie można zdobyć wiedzy transcendentalnej. Słowa *oṁ tat sat* wibrowane są również podczas inicjacji i ofiarowania świętych nici. Podobnie, Najwyższy, *oṁ tat sat*, jest celem wszystkich *yajñi*. A słowo *tad-arthīyam* oznacza ofiarowanie służby wszystkiemu, co reprezentuje Najwyższego. Do służb takich zalicza się na przykład gotowanie i pomaganie w pracach w świątyni, czy jakikolwiek rodzaj działania mający na celu szerzenie chwał Pana. Słowa *oṁ tat sat* używane są na różne sposoby w celu udoskonalenia wszystkich czynności, uczynienia wszystkiego kompletnym.

**TEKST 28** अश्रद्धया हुतं दत्तं तपस्तप्तं कृतं च यत् ।
असदित्युच्यते पार्थ न च तत्प्रेत्य नो इह ॥२८॥

*aśraddhayā hutaṁ dattaṁ tapas taptaṁ kṛtaṁ ca yat*
*asad ity ucyate pārtha na ca tat pretya no iha*

*aśraddhayā*—bez wiary; *hutam*—złożone w ofierze; *dattam*—darowany; *tapaḥ*—pokuta; *taptam*—odbywana; *kṛtam*—spełniana; *ca*—również; *yat*—to co; *asat*—fałszywe; *iti*—w ten sposób; *ucyate*—mówi się, że jest; *pārtha*—O synu Pṛthy; *na*—nigdy; *ca*—również; *tat*—to; *pretya*—po śmierci; *na u*—ani nie; *iha*—w tym życiu.

**Ale ofiary, wyrzeczenia i pokuty praktykowane bez wiary w Najwyższego—są nietrwałe, o synu Pṛthy. Nazywane są one 'asat' i nie przynoszą żadnego pożytku, ani w tym życiu, ani w następnym.**

*ZNACZENIE:* Wszystko cokolwiek robione jest bez celu transcendentalnego—czy to pełnienie ofiar, czy praktykowanie dobroczynności albo odbywanie pokut—jest bezużyteczne. Dlatego werset ten mówi, że takie działanie nie jest dobre. Wszelkie czyny należy ofiarować Najwyższemu, w świadomości Kṛṣṇy. Bez takiej wiary i bez właściwego przewodnictwa nigdy nie osiągniemy żadnego efektu. Wiarę w Najwyższego polecają wszystkie pisma wedyjskie. Zrozumienie Kṛṣṇy powinno być, według instrukcji wedyjskich, celem wszystkich zajęć. Nikt nie może osiągnąć sukcesu, nie stosując się do tej zasady. Dlatego najlepszą rzeczą jest działanie od początku w świadomości Kṛṣṇy, pod przewodnictwem bona fide mistrza duchowego. Jest to sposób na osiągnięcie sukcesu we wszystkim, cokolwiek robimy.

W uwarunkowanym stanie życia ludzie skłonni są do wielbienia półbogów, duchów czy Yakṣów, takich jak Kuvera. *Guṇa* dobroci lepsza jest od *guṇy* pasji i ignorancji, ale kto bezpośrednio przyjmuje świadomość Kṛṣṇy, ten jest transcendentalny do wszystkich tych sił natury materialnej. Chociaż istnieje proces stopniowego postępu, to jednak najlepszym sposobem jest przyjęcie świadomości Kṛṣṇy dzięki towarzystwu czystych wielbicieli. I to poleca ten rozdział. Aby osiągnąć sukces na tej ścieżce, należy najpierw znaleźć właściwego mistrza duchowego i pod jego kierunkiem odbyć szkolenie. Wtedy można osiągnąć wiarę w Najwyższego. Kiedy wiara ta dojrzewa z biegiem czasu, wtedy nazywana jest miłością do Boga. Ta miłość jest ostatecznym celem wszystkich żywych istot. Należy zatem bezpośrednio przyjąć świadomość Kṛṣṇy. Takie jest zalecenie tego Siedemnastego Rozdziału.

W ten sposób Bhaktivedanta kończy objaśnienia do Siedemnastego Rozdziału *Śrīmad Bhagavad-gīty*, omawiającego różne typy wiary.

# ROZDZIAŁ XVIII

# Doskonałość Wyrzeczenia

**TEKST 1** अर्जुन उवाच
संन्यासस्य महाबाहो तत्त्वमिच्छामि वेदितुम् ।
त्यागस्य च हृषीकेश पृथक्केशिनिषूदन ॥१॥

*arjuna uvāca*
*sannyāsasya mahā-bāho tattvam icchāmi veditum*
*tyāgasya ca hṛṣīkeśa pṛthak keśi-niṣūdana*

*arjunaḥ uvāca*—Arjuna rzekł; *sannyāsasya*—wyrzeczenia; *mahā-bāho*—O potężny; *tattvam*—prawda; *icchāmi*—pragnę; *veditum*—zrozumieć; *tyāgasya*—wyrzeczenia; *ca*—również; *hṛṣīkeśa*—O panie zmysłów; *pṛthak*—różnie; *keśi-niṣūdana*—O zabójco demona Keśī.

**Arjuna rzekł: O potężny, zabójco demona Keśī, panie zmysłów, pragnę zrozumieć cel wyrzeczenia (tyāga) i wyrzeczonego porządku życia (sannyāsa).**

*ZNACZENIE:* Właściwie *Bhagavad-gītā* kończy się na Rozdziale Siedemnastym. Rozdział Osiemnasty jest uzupełniającym podsumowaniem tematów dyskutowanych wcześniej. W każdym rozdziale *Bhagavad-gīty* Pan Kṛṣṇa podkreśla, że służba oddania dla Najwyższej Osoby Boga jest ostatecznym celem życia. Istota służby oddania, najbardziej poufnej ścieżki wiedzy, została również streszczona w Rozdziale Osiemnastym. Pierwsze sześć rozdziałów *Bhagavad-gīty* kładzie nacisk na służbę oddania: *yoginām api sarveṣām...* "Spośród wszystkich *yogīnów* czy transcendentalistów, najlepszym jest ten, kto zawsze myśli o Mnie usytuowanym wewnątrz." W następnych sześciu rozdziałach została przedyskutowana czysta służba oddania, jej natura i czynności. Trzecie sześć rozdziałów opisuje wiedzę, wyrzeczenie, działanie natury materialnej i transcendentalnej oraz służbę oddania. Wniosek jest taki, że wszelkie czyny powinny być pełnione z myślą o Najwyższej Osobie Boga i wieńczone słowami *oṁ tat sat*, które wskazują na Viṣṇu, Najwyższą Osobę. Trzecia część *Bhagavad-gīty* opisuje służbę oddania, i nic innego, jako ostateczny cel życia. Zostało to dowiedzione poprzez zacytowanie wypowiedzi *ācāryów* z przeszłości i cytatów z *Brahma-sūtry* (*Vedānta-sūtry*). Niektórzy impersonaliści uważają siebie za monopolistów, jeśli chodzi o znajomość *Vedānta-sūtry*, ale w rzeczywistości *Vedānta-sūtra* ma służyć zrozumieniu służby oddania, gdyż jej twórcą i znawcą jest Sam Pan. Zostało to opisane w Rozdziale Piętnastym. Tematem każdego pisma świętego, każdej *Vedy*, jest służba oddania. Tłumaczy to *Bhagavad-gītā*.

Tak jak Rozdział Drugi jest streszczeniem wszystkich podstawowych tematów, podobnie Rozdział Osiemnasty jest podsumowaniem wszystkich nauk *Bhagavad-gīty*. Mówi on, że celem życia jest wyrzeczenie i osiągnięcie pozycji transcendentalnej, czyli wzniesienie się ponad trzy siły natury materialnej. Arjuna pragnie wyjaśnić dwa różne tematy *Bhagavad-gīty*, mianowicie wyrzeczenie (*tyāga*) i wyrzeczony porządek życia (*sannyāsa*). Dlatego zapytuje on o znaczenie tych dwu słów.

Ważne są również dwa inne słowa użyte w tym wersecie, będące imionami Kṛṣṇy—Hṛṣīkeśa i Keśi-niṣūdana. Hṛṣīkeśą jest Kṛṣṇa jako pan wszystkich zmysłów, który zawsze jest gotów pomóc nam w osiągnięciu spokoju umysłu. Dlatego Arjuna prosi Go, aby podsumował wszystko w taki sposób, aby pomogło mu to osiągnąć równowagę. Ma on jeszcze pewne wątpliwości, a wątpliwości zawsze porównywane są do demonów. Dlatego zwraca się do Kṛṣṇy jako Keśi-niṣūdany. Keśī był najstraszliwszym z demonów, które Pan zabił. Teraz Arjuna oczekuje, że Kṛṣṇa zabije również demona jego wątpliwości.

**TEKST 2** श्रीभगवानुवाच

काम्यानां कर्मणां न्यासं संन्यासं कवयो विदुः ।
सर्वकर्मफलत्यागं प्राहुस्त्यागं विचक्षणाः ॥२॥

*śrī bhagavān uvāca*
*kāmyānāṁ karmaṇāṁ nyāsaṁ sannyāsaṁ kavayo viduḥ*
*sarva-karma-phala-tyāgaṁ prāhus tyāgaṁ vicakṣaṇāḥ*

*śrī bhagavān uvāca*—Najwyższa Osoba Boga rzekł; *kāmyānām*—z pragnieniem; *karmaṇām*—czynności; *nyāsam*—wyrzeczenie; *sannyāsam*—wyrzeczony porządek życia; *kavayaḥ*—uczony; *viduḥ*—wie; *sarva*—ze wszystkich; *karma*—czynności; *phala*—rezultatów; *tyāgam*—wyrzeczenie; *prāhuḥ*—nazywają; *tyāgam*—wyrzeczenie; *vicakṣaṇāḥ*—doświadczeni.

**Najwyższa Osoba Boga rzekł: Porzucenie czynności, których podstawą jest materialne pragnienie, nazywane jest przez wielkich uczonych ludzi wyrzeczonym porządkiem życia (sannyāsą). A wyrzeczeniem (tyāgą) zwą mędrcy rezygnację z rezultatów wszelkich czynności.**

*ZNACZENIE:* Należy zrezygnować z działania mającego na celu zysk. Takie jest pouczenie *Bhagavad-gīty*. Nie należy jednak porzucać czynności prowadzących do postępu w wiedzy duchowej. To zostanie wyjaśnione w wersetach następnych. Literatura wedyjska opisuje wiele metod spełniania ofiar dla jakiegoś określonego celu. Są pewne ofiary, które należy spełniać, jeśli pragnie się otrzymać dobrego syna; albo inne, które służą osiągnięciu wyższych planet. Należy jednak porzucić wszelkie takie ofiary, które wynikają z pożądania. Lecz nie powinno się rezygnować z ofiar, których celem jest oczyszczenie własnego serca lub postęp w wiedzy duchowej.

**TEKST 3**

त्याज्यं दोषवदित्येके कर्म प्राहुर्मनीषिणः ।
यज्ञदानतपःकर्म न त्याज्यमिति चापरे ॥३॥

*tyājyaṁ doṣa-vad ity eke karma prāhur manīṣiṇaḥ*
*yajña-dāna-tapaḥ-karma na tyājyam iti cāpare*

*tyājyam*—musi zostać zarzucona; *doṣa-vat*—jak zło; *iti*—w ten sposób; *eke*—jedna grupa; *karma*—praca; *prāhuḥ*—mówią; *manīṣiṇaḥ*—wielcy myśliciele; *yajña*—ofiary; *dāna*—dobroczynności; *tapaḥ*—i pokuty; *karma*—praca; *na*—nigdy; *tyājyam*—powinna zostać zarzucona; *iti*—w ten sposób; *ca*—i; *apare*—inni.

**Niektórzy światli ludzie orzekają, że należy porzucić wszelkiego rodzaju czynności mające zysk na celu, jako że są one pełne wad, ale są też mędrcy inni, którzy utrzymują, że akty ofiarne, dobroczynność i pokuty nigdy nie powinny zostać zarzucone.**

*ZNACZENIE:* Literatura wedyjska opisuje wiele czynności, które są przedmiotem sporów. Np. jest powiedziane tam, że można zabić zwierzę po to, by złożyć je w ofierze. Jednak niektórzy utrzymują, że zabijanie zwierząt jest czymś całkowicie ohydnym. *Vedy* polecają zabijanie zwierząt jedynie dla ofiary i takie zwierzęta nie są uważane za zabite. Celem ofiar jest danie nowego życia zwierzęciu. Czasami zwierzę takie, po zabiciu w ofierze, otrzymuje nowe życie zwierzęce, a czasami jest od razu promowane do ludzkiej formy życia. Ale zdania mędrców co do tego są podzielone. Niektórzy mówią, że należy zawsze unikać zabijania zwierząt; a inni twierdzą, że jest to dobre dla pewnych ofiar. Pan osobiście wyjaśnia teraz wszystkie te różne opinie dotyczące czynów ofiarnych.

**TEKST 4** निश्चयं शृणु मे तत्र त्यागे भरतसत्तम ।
त्यागो हि पुरुषव्याघ्र त्रिविधः सम्प्रकीर्तितः ॥४॥

*niścayaṁ śṛṇu me tatra tyāge bharata-sattama*
*tyāgo hi puruṣa-vyāghra tri-vidhaḥ samprakīrtitaḥ*

*niścayam*—na pewno; *śṛṇu*—posłuchaj; *me*—ode Mnie; *tatra*—tam; *tyāge*—jeśli chodzi o wyrzeczenie; *bharata-sat-tama*—O najlepszy z Bhāratów; *tyāgaḥ*—wyrzeczenie; *hi*—na pewno; *puruṣa-vyāghra*—O tygrysie pomiędzy istotami ludzkimi; *tri-vidhaḥ*—trzech rodzajów; *samprakīrtitaḥ*—jest opisany.

**O najlepszy z Bhāratów, tygrysie pomiędzy ludźmi, posłuchaj teraz, proszę, a powiem ci jakie jest Moje zdanie o wyrzeczeniu, które jest trzech rodzajów, według oznajmień pism.**

*ZNACZENIE:* Chociaż zdania mędrców na temat wyrzeczenia są podzielone, tutaj Najwyższa Osoba Boga, Śrī Kṛṣṇa, wypowiada Swój sąd, który powinniśmy przyjąć za rozstrzygający. Przede wszystkim, *Vedy* są zbiorem różnych praw danych przez Pana. Tutaj Pan obecny jest osobiście i słowa Jego należy przyjąć za rozstrzygające. Pan mówi, że proces wyrzeczenia powinien być rozpatrywany w kategoriach *guṇ* natury materialnej, w których jest praktykowany.

**TEKST 5** यज्ञदानतपःकर्म न त्याज्यं कार्यमेव तत् ।
यज्ञो दानं तपश्चैव पावनानि मनीषिणाम् ॥५॥

*yajña-dāna-tapaḥ-karma na tyājyaṁ kāryam eva tat*
*yajño dānaṁ tapaś caiva pāvanāni manīṣiṇām*

*yajña*—ofiary; *dāna*—dobroczynności; *tapaḥ*—i pokuty; *karma*—czynności; *na*—nigdy; *tyājyam*—być zarzucone; *kāryam*—muszą być spełniane; *eva*—na pewno; *tat*—to; *yajñaḥ*—ofiara; *dānam*—dobroczynność; *tapaḥ*—pokuta; *ca*—również; *eva*—na pewno; *pāvanāni*—oczyszczający; *manīṣiṇām*—nawet dla wielkich dusz.

**Akty ofiarne, dobroczynność i pokuty nie powinny zostać zarzucone i należy je praktykować. Zaprawdę, ofiary, dobroczynność i pokuty oczyszczają nawet wielkie dusze.**

*ZNACZENIE:* *Yogīni* powinni spełniać czyny służące postępowi ludzkiego społeczeństwa. Istnieje wiele procesów oczyszczających, które sprzyjają postępowi ludzkiej istoty w życiu duchowym. Za jedną z takich ofiar jest uważana ceremonia zaślubin, nazywana *vivāha-yajña*. Czy *sannyāsīn*, który jest w wyrzeczonym porządku życia, i który porzucił wszelkie związki rodzinne, powinien popierać ceremonię zaślubin? Pan mówi, że nie należy zarzucać żadnych ofiar, które mają służyć dobru ludzkości. *Vivāha-yajña*, ceremonia zaślubin, ma na celu uspokojenie ludzkiego umysłu i przygotowanie go do postępu duchowego. Nawet osoby w wyrzeczonym porządku życia powinny zalecać tę *vivāha-yajñę* dla większości ludzi. *Sannyāsin* nigdy nie powinien obcować z kobietami, ale nie znaczy to, że ktoś na niższym etapie życia, młody człowiek, nie powinien przyjmować żony poprzez ceremonię zaślubin. Wszystkie polecane ofiary mają służyć osiągnięciu Najwyższego Pana. Dlatego nie powinny być one zarzucane na niższych etapach. Również dobroczynność powinna być praktykowana dla oczyszczenia serca. Jeśli wspomaga się właściwe osoby, jak to opisano wcześniej, to taka dobroczynność prowadzi do postępu w życiu duchowym.

**TEKST 6** एतान्यपि तु कर्माणि संगं त्यक्त्वा फलानि च ।
कर्तव्यानीति मे पार्थ निश्चितं मतमुत्तमम् ॥६॥

*etāny api tu karmāṇi saṅgaṁ tyaktvā phalāni ca*
*kartavyānīti me pārtha niścitaṁ matam uttamam*

*etāni*—wszystkie te; *api*—na pewno; *tu*—ale; *karmāṇi*—czynności; *saṅgam*—związek; *tyaktvā*—wyrzekając się; *phalāni*—rezultatów; *ca*—również; *kartavyāni*—powinny być spełniane jako obowiązek; *iti*—w ten sposób; *me*—Moje; *pārtha*—O synu Pṛthy; *niścitam*—ostateczne; *matam*—zdanie; *uttamam*—najlepsze.

**Wszystkie te czyny należy spełniać bez przywiązania i oczekiwania jakichkolwiek rezultatów. Powinny być one, o synu Pṛthy, traktowane jako obowiązek. Takie jest Moje ostateczne zdanie.**

*ZNACZENIE:* Chociaż wszystkie ofiary są oczyszczające, to nie należy oczekiwać żadnych rezultatów ze spełniania ich. Innymi słowy, należy zarzucić wszelkie ofiary, które mają na celu materialny postęp w życiu i kontynuować spełnianie tylko tych, które oczyszczają życie i wznoszą do platformy duchowej. Należy popierać wszystko to, co prowadzi do świadomości Kṛṣṇy. Również *Śrīmad-Bhāgavatam* oznajmia, że należy zaakceptować każdy czyn, który prowadzi do służby oddania dla Pana. Jest to najwyższym kryterium religii. Bhakta Pana powinien akceptować każdy rodzaj pracy, ofiary czy dobroczynności, który pomoże mu w pełnieniu służby oddania dla Pana.

**TEKST 7** नियतस्य तु संन्यासः कर्मणो नोपपद्यते ।
मोहात्तस्य परित्यागस्तामसः परिकीर्तितः ॥७॥

*niyatasya tu sannyāsaḥ karmaṇo nopapadyate*
*mohāt tasya parityāgas tāmasaḥ parikīrtitaḥ*

*niyatasya*—przepisane; *tu*—ale; *sannyāsaḥ*—wyrzeczenie; *karmanaḥ*—czynności; *na*—nigdy; *upapadyate*—jest zasłużony; *mohāt*—przez złudzenie; *tasya*—ich; *parityāgaḥ*—wyrzeczenie; *tāmasaḥ*—w *guṇie* ignorancji; *parikīrtitaḥ*—jest nazywany.

**Nigdy nie należy porzucać nakazanych obowiązków. A jeśli ktoś to czyni z powodu złudzenia, to jest to wyrzeczenie w guṇie ignorancji.**

*ZNACZENIE:* Należy porzucić pracę wykonywaną dla materialnego zadowolenia. Polecane są tylko te czyny, które pobudzają do duchowej aktywności, takie jak gotowanie dla Najwyższego Pana, ofiarowywanie pożywienia Panu i następnie przyjmowanie tego pożywienia. Jest powiedziane, że osoba w wyrzeczonym porządku życia nie powinna gotować dla siebie. Zabronione jest gotowanie dla siebie, ale nie jest zabronione gotowanie dla Najwyższego Pana. Podobnie, *sannyāsīn* może urządzić ceremonię zaślubin, aby pomóc swemu uczniowi w świadomości Kṛṣṇy. Jeśli ktoś wyrzeka się takich czynów, to znaczy, iż działa on w *guṇie* ciemności.

**TEKST 8** दुःखमित्येव यत् कर्म कायक्लेशभयात्त्यजेत् ।
स कृत्वा राजसं त्यागं नैव त्यागफलं लभेत् ॥८॥

*duḥkham ity eva yat karma kāya-kleśa-bhayāt tyajet*
*sa kṛtvā rājasaṁ tyāgaṁ naiva tyāga-phalaṁ labhet*

*duḥkham*—nieszczęśliwy; *iti*—w ten sposób; *eva*—na pewno; *yat*—który; *karma*—praca; *kāya*—dla ciała; *kleśa*—kłopot; *bhayāt*—z powodu strachu; *tyajet*—porzuca; *saḥ*—on; *kṛtvā*—po uczynieniu; *rājasam*—w *guṇie* pasji; *tyāgam*—wyrzeczenie; *na*—nie; *eva*—na pewno; *tyāga*—wyrzeczenia; *phalam*—rezultaty; *labhet*—osiąga.

**Kto porzuca swoje przypisane obowiązki jako zbyt kłopotliwe albo z obawy przed jakimiś niewygodami cielesnymi, ten działa w guṇie pasji. A takie działanie nigdy nie prowadzi do postępu w wyrzeczeniu.**

*ZNACZENIE:* Ten, kto jest w świadomości Kṛṣṇy, nigdy nie powinien zarzucać zarabiania pieniędzy w obawie, że praktykuje czynności dla zysku. Jeśli może poświęcać zarobione przez siebie pieniądze dla świadomości Kṛṣṇy albo jeśli przez wczesne wstawanie rano może uczynić postęp w świadomości Kṛṣṇy, to nie powinien odstępować od tego z powodu strachu albo dlatego, że takie postępowanie jest kłopotliwe. Takie wyrzeczenie byłoby w *guṇie* pasji, a rezultaty działania w pasji są zawsze żałosne. Jeśli ktoś zarzuci pracę w tym duchu, nigdy nie osiągnie rezultatów wyrzeczenia.

## TEKST 9

कार्यमित्येव यत् कर्म नियतं क्रियतेऽर्जुन ।
संगं त्यक्त्वा फलं चैव स त्यागः सात्त्विको मतः ॥९॥

*kāryam ity eva yat karma niyataṁ kriyate 'rjuna*
*saṅgaṁ tyaktvā phalaṁ caiva sa tyāgaḥ sāttviko mataḥ*

*kāryam*—musi być uczynione; *iti*—w ten sposób; *eva*—zaprawdę; *yat*—która; *karma*—praca; *niyatam*—wyznaczona; *kriyate*—jest wykonywana; *arjuna*—O Arjuno; *saṅgam*—związek; *tyaktvā*—porzucając; *phalam*—rezultat; *ca*—również; *eva*—na pewno; *saḥ*—to; *tyāgaḥ*—wyrzeczenie; *sāttvikaḥ*—w *guṇie* dobroci; *mataḥ*—Moim zdaniem.

**Ale kto pełni swój przypisany obowiązek tylko dlatego, że pełnić go należy, wyrzekając się materialnego towarzystwa i wszelkiego przywiązania do owocu swego czynu—to jego wyrzeczenie, o Arjuno, jest w naturze dobroci.**

*ZNACZENIE:* Nakazane obowiązki należy wykonywać właśnie w tym duchu. Należy pracować bez przywiązywania się do owoców swojej pracy i trzeba być wolnym od przywiązania do charakteru pracy. Człowiek świadomy Kṛṣṇy, który pracuje w fabryce, nie wiąże się z pracą tej fabryki ani z jej pracownikami. Pracuje on po prostu dla

Kṛṣṇy. I jeśli dla Kṛṣṇy wyrzeka się rezultatów tej pracy, to działa on transcendentalnie.

TEKST 10

न द्वेष्ट्यकुशलं कर्म कुशले नानुषज्जते ।
त्यागी सत्त्वसमाविष्टो मेधावी छिन्नसंशयः ॥१०॥

*na dveṣṭy akuśalaṁ karma kuśale nānuṣajjate*
*tyāgī sattva-samāviṣṭo medhāvī chinna-saṁśayaḥ*

*na*—nigdy; *dveṣṭi*—nienawidzi; *akuśalam*—niepomyślna; *karma*—praca; *kuśale*—w pomyślnej; *na*—ani nie; *anuṣajjate*—przywiązuje się; *tyāgī*—wyrzeczony; *sattva*—w dobroci; *samāviṣṭaḥ*—pogrążony w; *medhāvī*—inteligentny; *chinna*—odciąwszy; *saṁśayaḥ*—wszystkie wątpliwości.

**Inteligentna, wyrzeczona osoba usytuowana w guṇie dobroci, nie żywiąc nienawiści do niepomyślnej pracy ani też nie będąc przywiązaną do pomyślnej, nie ma żadnych wątpliwości co do tego, jak wykonywać pracę.**

*ZNACZENIE:* Osoba w świadomości Kṛṣṇy albo w *guṇie* dobroci nie żywi nienawiści do nikogo ani do niczego, co niepokoi jej ciało. Pracuje ona we właściwym miejscu i we właściwym czasie, nie obawiając się kłopotliwych następstw wynikających ze spełnienia jej obowiązków. Taka usytuowana transcendentalnie osoba jest najbardziej inteligentna i wolna od wszelkich wątpliwości w swoim postępowaniu.

TEKST 11

न हि देहभृता शक्यं त्यक्तुं कर्माण्यशेषतः ।
यस्तु कर्मफलत्यागी स त्यागीत्यभिधीयते ॥११॥

*na hi deha-bhṛtā śakyaṁ tyaktuṁ karmāṇy aśeṣataḥ*
*yas tu karma-phala-tyāgī sa tyāgīty abhidhīyate*

*na*—nigdy; *hi*—na pewno; *deha-bhṛtā*—przez wcielonego; *śakyam*—jest możliwe; *tyaktum*—wyrzec się; *karmāṇi*—czynności; *aśeṣataḥ*—zupełnie; *yaḥ*—każdy, kto; *tu*—ale; *karma*—pracy; *phala*—rezultatu; *tyāgī*—wyrzeczony; *saḥ*—on; *tyāgī*—wyrzeczony; *iti*—w ten sposób; *abhidhīyate*—jest powiedziane.

**Zaprawdę, nie jest to możliwe, aby wcielona istota zarzuciła wszelkie działanie. Dlatego powiedziane jest, że prawdziwe wyrzeczenie posiada ten, kto wyrzeka się owoców swojego działania.**

*ZNACZENIE:* Jest powiedziane w *Bhagavad-gīcie*, że nigdy nie można zaprzestać działania, nawet na chwilę. Dlatego ten, kto pracuje dla Kṛṣṇy i nie korzysta z rezultatów tej pracy, wszystko ofiarowując Panu, posiada prawdziwe wyrzeczenie. Jest wielu członków Międzynarodowego Towarzystwa Świadomości Kṛṣṇy, którzy bardzo ciężko pracują w biurach lub fabrykach, czy w jakimś innym miejscu, i wszystko co zarobią, oddają na cele Towarzystwa. Takie wysoko oświecone dusze są prawdziwymi *sannyāsīnami* i usytuowani są w wyrzeczonym porządku życia. Wyraźnie zostało podkreślone tutaj, w jaki sposób wyrzekać się owoców swojej pracy i dla jakich celów należy się ich wyrzekać.

**TEKST 12** अनिष्टमिष्टं मिश्रं च त्रिविधं कर्मणः फलम् ।
भवत्यत्यागिनां प्रेत्य न तु संन्यासिनां क्वचित् ॥१२॥

*aniṣṭam iṣṭaṁ miśraṁ ca tri-vidhaṁ karmaṇaḥ phalam*
*bhavaty atyāginām pretya na tu sannyāsinām kvacit*

*aniṣṭam*—prowadzący do piekła; *iṣṭam*—prowadzący do nieba; *miśram*—zmieszany; *ca*—i; *tri-vidham*—trzech rodzajów; *karmaṇaḥ*—pracy; *phalam*—rezultat; *bhavati*—pojawia się; *atyāginām*—dla tych, którzy nie są wyrzeczeni; *pretya*—po śmierci; *na*—nie; *tu*—ale; *sannyāsinām*—dla wyrzeczonego porządku życia; *kvacit*—kiedykolwiek.

**Dla tego, kto nie jest wyrzeczony, trzy rodzaje owoców działania—pożądane, niepożądane i pośrednie—pojawiają się po śmierci. Ale ci, którzy są usytuowani w wyrzeczonym porządku życia, nie muszą odbierać skutków swojego działania w postaci cierpienia czy radości.**

*ZNACZENIE:* Osoba świadoma Kṛṣṇy, działająca w wiedzy o swoim związku z Kṛṣṇą, jest zawsze wyzwolona. Dlatego nie musi ona po śmierci odbierać owoców swojego działania—czy to w postaci radości czy cierpienia.

**TEKST 13** पञ्चैतानि महाबाहो कारणानि निबोध मे ।
सांख्ये कृतान्ते प्रोक्तानि सिद्धये सर्वकर्मणाम् ॥१३॥

*pañcaitāni mahā-bāho kāraṇāni nibodha me*
*sāṅkhye kṛtānte proktāni siddhaye sarva-karmaṇām*

*pañca*—pięć; *etāni*—te; *mahā-bāho*—O potężny; *kāraṇāni*—przyczyny; *nibodha*—zrozum; *me*—ode Mnie; *sāṅkhye*—w *Vedāncie;*

*kṛta-ante*—w konkluzji; *proktāni*—powiedziane; *siddhaye*—dla doskonałości; *sarva*—z wszystkiego; *karmaṇām*—czynności.

**O potężny Arjuno, według Vedānty jest pięć przyczyn, które składają się na wszelkie działanie. Posłuchaj o nich.**

*ZNACZENIE:* Można zadać pytanie, że skoro każda wykonywana czynność musi mieć jakieś skutki, to dlaczego osoba świadoma Kṛṣṇy nie odbiera tych skutków, manifestujących się bądź to w postaci cierpienia, bądź radości? Aby wykazać, w jaki sposób to się dzieje, Pan cytuje filozofię *Vedānty*. Mówi On, że jest pięć przyczyn warunkujących wszelkie działanie. Aby odnieść sukces w działaniu, należy poznać te pięć przyczyn. *Sāṅkhya* oznacza podstawę wiedzy, a *Vedānta* jest ostatecznym trzonem wiedzy, przyjmowanym przez wszystkich wielkich *ācāryów*, nawet przez Śaṅkarę. Należy więc wziąć pod uwagę takie autorytety.

Ostateczna wola należy do Duszy Najwyższej i *Bhagavad-gītā* oznajmia: *sarvasya cāhaṁ hṛdi sanniviṣṭaḥ*. On angażuje każdego w pewien rodzaj czynności, poprzez przypomnienie mu o jego przeszłym działaniu. I czyny świadome Kṛṣṇy, wykonywane zgodnie z Jego wskazówką od wewnątrz, nie przynoszą żadnych skutków ani w tym życiu, ani w następnym.

**TEKST 14** अधिष्ठानं तथा कर्ता करणं च पृथग्विधम् ।
विविधाश्च पृथक् चेष्टा दैवं चैवात्र पञ्चमम् ॥१४॥

*adhiṣṭhānaṁ tathā kartā karaṇaṁ ca pṛthag-vidham*
*vividhāś ca pṛthak ceṣṭā daivaṁ caivātra pañcamam*

*adhiṣṭhānam*—miejsce; *tathā*—również; *kartā*—działający; *karaṇam*—narzędzia; *ca*—i; *pṛthak-vidham*—różnego rodzaju; *vividhāḥ*—różne; *ca*—i; *pṛthak*—oddzielne; *ceṣṭāḥ*—wysiłek; *daivam*—Najwyższy; *ca*—również; *eva*—na pewno; *atra*—tutaj; *pañcamam*—piąty.

**Tymi pięcioma czynnikami działania są: miejsce działania (ciało), działający, różne zmysły, rozmaitego rodzaju wysiłek i ostatecznie Dusza Najwyższa.**

*ZNACZENIE:* Słowo *adhiṣṭhānam* odnosi się do ciała. Dusza wewnątrz ciała działa w celu wywołania rezultatu czynności i dlatego jest znana jako *kartā*—"sprawca". *Śruti* oznajmiają, że dusza jest znawcą i działającym sprawcą. *Eṣa hi draṣṭā sraṣṭā* (*Praśna Upaniṣad* 4.9). *Vedānta-sūtra* również potwierdza to wersetami: *jño 'ta eva*

(2.3.18) i *kartā śāstrārthavattvāt* (2.3.33). Narzędziami działania są zmysły i za pomocą zmysłów dusza działa w różny sposób. Każde działanie wymaga pewnego wysiłku, ale wszystkie nasze czyny zależą od woli Duszy Najwyższej, przyjaciela przebywającego w naszych sercach. Najwyższy Pan jest najwyższą przyczyną. W takiej sytuacji, ten, kto działa w świadomości Kṛṣṇy pod kierunkiem Duszy Najwyższej usytuowanej wewnątrz serca, jest w naturalny sposób niezwiązany żadnym działaniem. Ci, którzy są całkowicie świadomi Kṛṣṇy, nie są ostatecznie odpowiedzialni za swoje czyny. Wszystko zależy od najwyższej woli, Duszy Najwyższej, Najwyższej Osoby Boga.

**TEKST 15** शरीरवाङ्मनोभिर्यत् कर्म प्रारभते नरः ।
न्याय्यं वा विपरीतं वा पञ्चैते तस्य हेतवः ॥१५॥

*śarīra-vāṅ-manobhir yat karma prārabhate naraḥ*
*nyāyyaṁ vā viparītaṁ vā pañcaite tasya hetavaḥ*

*śarīra*—przez ciało; *vāk*—mowa; *manobhiḥ*—i umysł; *yat*—która; *karma*—praca; *prārabhate*—zaczyna się; *naraḥ*—osoba; *nyāyyam*—prawy; *vā*—albo; *viparītam*—przeciwny; *vā*—albo; *pañca*—pięć; *ete*—wszystkie te; *tasya*—jego; *hetavaḥ*—przyczyny.

**Bez względu na to, czy czyn, który człowiek pełni za pomocą ciała, umysłu lub mowy, dobry jest lub zły, to zawsze jego sprawcą jest te pięć czynników.**

*ZNACZENIE:* Ważne w tym wersecie są słowa "dobry" i "zły". Dobrą pracą jest praca wykonywana zgodnie z zaleceniami pism świętych, a złą jest każda ta, której wykonywanie pozostaje w niezgodzie z zasadami pism. Każdy jednak czyn dla swojej kompletności wymaga tych pięciu czynników.

**TEKST 16** तत्रैवं सति कर्तारमात्मानं केवलं तु यः ।
पश्यत्यकृतबुद्धित्वान्न स पश्यति दुर्मतिः ॥१६॥

*tatraivaṁ sati kartāram ātmānaṁ kevalaṁ tu yaḥ*
*paśyaty akṛta-buddhitvān na sa paśyati durmatiḥ*

*tatra*—tam; *evam*—w ten sposób; *sati*—będąc; *kartāram*—wykonawca; *ātmānam*—siebie samego; *kevalam*—tylko; *tu*—ale; *yaḥ*—każdy, kto; *paśyati*—widzi; *akṛta-buddhitvāt*—z powodu braku inteligencji; *na*—nigdy; *saḥ*—on; *paśyati*—widzi; *durmatiḥ*—głupiec.

**Ten zatem, kto siebie uważa za jedynego sprawcę, nie biorąc pod uwagę tych pięciu czynników, nie jest zbyt inteligentny i nie może widzieć rzeczy takimi, jakimi są.**

*ZNACZENIE:* Niemądra osoba nie może zrozumieć, że Dusza Najwyższa przebywa w jej sercu jako przyjaciel i kieruje jej działaniem. Chociaż materialnymi przyczynami tego działania są: miejsce, wykonawca, wysiłek i zmysły, to ostateczną przyczyną jest Najwyższy, Osoba Boga. Dlatego należy widzieć nie tylko cztery przyczżyny materialne, ale również najwyższą przyczynę sprawczą. Kto nie dostrzega Najwyższego, ten siebie samego uważa za sprawcę.

**TEKST 17** यस्य नाहंकृतो भावो बुद्धिर्यस्य न लिप्यते ।
हत्वापि स इमाल्ँ लोकान्न हन्ति न निबध्यते ॥१७॥

*yasya nāhaṅkṛto bhāvo buddhir yasya na lipyate*
*hatvāpi sa imāl̐ lokān na hanti na nibadhyate*

*yasya*—ten, którego; *na*—nigdy; *ahaṅkṛtaḥ*—fałszywego ego; *bhāvaḥ*—natura; *buddhiḥ*—inteligencja; *yasya*—ten, którego; *na*—nigdy; *lipyate*—jest przywiązany; *hatvā*—zabijając; *api*—nawet; *saḥ*—on; *imān*—to; *lokān*—świat; *na*—nigdy; *hanti*—zabija; *na*—nigdy; *nibadhyate*—uwikłuje się.

**Kto nie jest kierowany przez fałszywe ego, i którego inteligencja wolna jest od uwikłań, ten—chociaż zabija ludzi w tym świecie—nie jest zabójcą. Jego czyn nie jest w stanie go związać.**

*ZNACZENIE:* W wersecie tym Pan informuje Arjunę, że jego pragnienie wycofania się z walki wyrasta z fałszywego ego. Arjuna uważał siebie za sprawcę czynu, nie biorąc pod uwagę najwyższej sankcji od wewnątrz i z zewnątrz. Jeśli ktoś nie wie, że istnieje wyższa sankcja, to dlaczego miałby działać? Ale kto zna narzędzie działania, kto siebie widzi jako wykonawcę, a Najwyższego Pana jako najwyższą sankcję, ten doskonały jest w każdym swoim czynie. Taka osoba nigdy nie ulega złudzeniu. Osobiste działanie i odpowiedzialność wyrastają z fałszywego ego i bezbożności, czyli braku świadomości Kṛṣṇy. Kto natomiast działa w świadomości Kṛṣṇy, pod kierunkiem Duszy Najwyższej, czyli Najwyższej Osoby Boga, ten chociaż zabija, nie jest zabójcą. Nigdy też nie podlega skutkom takiego zabijania. Jeśli żołnierz zabija z rozkazu wyższego oficera, to nie podlega on wówczas sądowi, ale jeżeli zabija na własną rękę, wtedy z pewnością będzie sądzony przez prawo.

TEKST 18 ज्ञानं ज्ञेयं परिज्ञाता त्रिविधा कर्मचोदना ।
करणं कर्म कर्तेति त्रिविधः कर्मसंग्रहः ॥१८॥

*jñānaṁ jñeyaṁ parijñātā tri-vidhā karma-codanā*
*karaṇaṁ karma karteti tri-vidhaḥ karma-saṅgrahaḥ*

*jñānam*—wiedza; *jñeyam*—przedmiot wiedzy; *parijñātā*—znawca; *tri-vidhā*—trzech rodzajów; *karma*—pracy; *codanā*—bodziec; *karaṇam*—zmysły; *karma*—praca; *kartā*—wykonawca; *iti*—w ten sposób; *tri-vidhaḥ*—trzech rodzajów; *karma*—pracy; *saṅgrahaḥ*—zbiór.

**Wiedza, przedmiot wiedzy i znawca są trzema czynnikami, które pobudzają do działania, a zmysły, wysiłek i ich wykonawca tworzą jego podstawę.**

*ZNACZENIE:* W codziennej pracy są trzy rodzaje bodźców: wiedza, przedmiot wiedzy i znawca. Narzędzia pracy, sama praca i wykonujący ją nazywane są elementami działania. Te elementy zawiera w sobie każda praca wykonywana przez istotę ludzką. Zanim ktoś zacznie działać, musi zaistnieć pewien bodziec, który nazywany jest inspiracją. Każde rozwiązanie, które nasuwa się przed zrealizowaniem pracy, jest subtelną formą pracy. Następnie praca ta przybiera postać działania. Najpierw trzeba przejść przez psychologiczny proces myślenia, czucia i woli, i to nazywane jest bodźcem. Bodźcem jest również inspiracja do pracy, jeśli pochodzi z pism świętych lub z instrukcji mistrza duchowego. Jeśli istnieje inspiracja i wykonawca, wtedy zmysły jak również umysł, który jest centrum wszystkich zmysłów, zostają zaangażowane w wykonanie rzeczywistej czynności. Suma wszystkich części składowych czynności nazywa się całością pracy.

TEKST 19 ज्ञानं कर्म च कर्ता च त्रिधैव गुणभेदतः ।
प्रोच्यते गुणसंख्याने यथावच्छृणु तान्यपि ॥१९॥

*jñānaṁ karma ca kartā ca tridhaiva guṇa-bhedataḥ*
*procyate guṇa-saṅkhyāne yathāvac chṛṇu tāny api*

*jñānam*—wiedza; *karma*—praca; *ca*—również; *kartā*—wykonawca; *ca*—również; *tridhā*—trzech rodzajów; *eva*—na pewno; *guṇa-bhedataḥ*—odpowiednio do różnych *guṇ* natury; *procyate*—jest powiedziane; *guṇa-saṅkhyāne*—odpowiednio do różnych *guṇ* natury; *yathā-vat*—takie jakimi są; *śṛṇu*—słuchaj; *tāni*—wszystkich z nich; *api*—również.

**Odpowiednio do trzech guṇ natury materialnej, istnieją trzy rodzaje wiedzy, działania i działających. Posłuchaj, a opiszę ci je.**

*ZNACZENIE:* W Rozdziale Czternastym opisane zostały dokładnie trzy *guṇy* natury materialnej. W tym rozdziale powiedziano, że *guṇa* dobroci oświeca, *guṇa* pasji jest materialistyczna, a *guṇa* ignorancji prowadzi do lenistwa i bierności. Jednak wszystkie *guṇy* natury materialnej związują nas; nie są one źródłem wyzwolenia. Nawet *guṇa* dobroci uwarunkowuje. Rozdział Siedemnasty opisuje różnego rodzaju kulty wyznawane przez różnego typu ludzi, odpowiednio do ich usytuowania w *guṇach* natury materialnej. W tym wersecie Pan pragnie mówić o różnych typach wiedzy, działających i samym działaniu, odpowiadającym tym trzem siłom natury materialnej.

**TEKST 20** सर्वभूतेषु येनैकं भावमव्ययमीक्षते ।
अविभक्तं विभक्तेषु तज्ज्ञानं विद्धि सात्त्विकम् ॥२०॥

*sarva-bhūteṣu yenaikaṁ bhāvam avyayam īkṣate*
*avibhaktaṁ vibhakteṣu taj jñānaṁ viddhi sāttvikam*

*sarva-bhūteṣu*—we wszystkich żywych istotach; *yena*—przez którego; *ekam*—jeden; *bhāvam*—sytuacja; *avyayam*—niezniszczalny; *īkṣate*—widzi; *avibhaktam*—niepodzielny; *vibhakteṣu*—w niezliczonych podzielnych; *tat*—to; *jñānam*—wiedza; *viddhi*—wie; *sāttvikam*—w *guṇie* dobroci.

**Ta wiedza, dzięki której można widzieć jedną niepodzielną naturę duchową we wszystkich żywych istotach—mimo iż rozdzielone są one na niezliczone formy—jest wiedzą w guṇie dobroci.**

*ZNACZENIE:* Osoba, która widzi jednakową duszę w każdej żywej istocie, czy to w półbogu, czy istocie ludzkiej, zwierzęciu, ptaku, istocie wodnej czy roślinie, posiada wiedzę w *guṇie* dobroci. We wszystkich żywych istotach dusza jest taka sama, chociaż mają one różne ciała odpowiednio do swojego przeszłego postępowania. Jak zostało to opisane w Rozdziale Siódmym, siła życiowa przejawia się w każdym żywym ciele dzięki wyższej naturze Najwyższego Pana. A więc postrzeganie w każdym ciele tej jednej wyższej natury, siły życiowej, jest postrzeganiem w *guṇie* dobroci. Ta żywa energia jest niezniszczalna, mimo iż ciała ulegają zniszczeniu. Widoczne różnice odnoszą się tylko do ciał. Ponieważ jest wiele form bytów w materialnym życiu uwarunkowanym, ta siła życia zdaje się być niepodzielną. Taka impersonalistyczna wiedza jest aspektem samorealizacji.

**TEKST 21** पृथक्त्वेन तु यज्ज्ञानं नानाभावान् पृथग्विधान् ।
वेत्ति सर्वेषु भूतेषु तज्ज्ञानं विद्धि राजसम् ॥२१॥

*pṛthaktvena tu yaj jñānaṁ nānā-bhāvān pṛthag-vidhān*
*vetti sarveṣu bhūteṣu taj jñānaṁ viddhi rājasam*

*pṛthaktvena*—z powodu podziału; *tu*—ale; *yat*—która; *jñānam*—wiedza; *nānā-bhāvān*—różnorodność sytuacji; *pṛthak-vidhān*—różne; *vetti*—zna; *sarveṣu*—we wszystkich; *bhūteṣu*—żywych istotach; *tat*—ta; *jñānam*—wiedza; *viddhi*—musi zostać poznana; *rājasam*—w naturze pasji.

**Natomiast ta wiedza, która daje wizję różnych typów żywych istot zamieszkujących różne ciała—jest wiedzą w guṇie pasji.**

*ZNACZENIE:* Koncepcja, według której to materialne ciało jest żywą istotą, i wierzenie, że wraz ze zniszczeniem ciała zniszczeniu ulega również świadomość, nazywana jest wiedzą w *guṇie* pasji. Według tej wiedzy, przyczyną różnic pomiędzy ciałami jest rozwinięcie różnych typów świadomości poprzez te ciała, i nie ma oddzielnej duszy, która przejawiałaby świadomość. Ciało samo jest duszą i nie ma duszy oddzielnej od tego ciała. Według takiej wiedzy, świadomość jest tymczasowa. Albo jeszcze inaczej: nie ma dusz indywidualnych, ale istnieje dusza wszechprzenikająca, która jest pełna wiedzy, a to ciało jest przejawieniem tymczasowej ignorancji. Lub też, istnieje tylko ciało i nie ma oprócz niego żadnej określonej duszy indywidualnej czy też Duszy Najwyższej. Wszystkie tego typu koncepcje uważane są za wytwory *guṇy* pasji.

## TEKST 22

यत्तु कृत्स्नवदेकस्मिन् कार्ये सक्तमहैतुकम् ।
अतत्त्वार्थवदल्पं च तत्तामसमुदाहृतम् ॥२२॥

*yat tu kṛtsna-vad ekasmin kārye saktam ahaitukam*
*atattvārtha-vad alpaṁ ca tat tāmasam udāhṛtam*

*yat*—ten, który; *tu*—ale; *kṛtsna-vat*—jako wszystko; *ekasmin*—w jednym; *kārye*—praca; *saktam*—przywiązany; *ahaitukam*—bez powodu; *atattva-artha-vat*—bez wiedzy o rzeczywistości; *alpam*—bardzo uboga; *ca*—i; *tat*—ta; *tāmasam*—w *guṇie* ciemności; *udāhṛtam*—mówi się.

**A wiedza, która przywiązuje do jednego typu pracy, traktowanej jako wszystko we wszystkim, bez znajomości prawdy i znikoma—jest wiedzą w guṇie ciemności.**

*ZNACZENIE:* "Wiedza" pospolitego człowieka jest zawsze w *guṇie* ciemności, czyli ignorancji, ponieważ każda żywa istota w życiu uwarunkowanym rodzi się w *guṇie* ignorancji. Kto nie rozwija wiedzy zdając się na autorytety czy zalecenia pism świętych, ten posiada wiedzę ograniczającą się do ciała. Nie jest on zainteresowany postępowaniem odpowiednio do wskazówek pism objawionych. Dla niego Bogiem są pieniądze, a wiedza sprowadza się do zaspokajania potrzeb cielesnych. Taka wiedza nie ma żadnego związku z Prawdą Absolutną. Jest ona mniej lub bardziej wiedzą zwykłych zwierząt: wiedzą o jedzeniu, spaniu, obronie i prokreacji. Wiedza taka została opisana tutaj jako produkt *guṇy* ciemności. Innymi słowy, wiedza dotycząca duszy odrębnej od ciała jest wiedzą w *guṇie* dobroci. Wiedza produkująca wiele teorii i doktryn za pomocą zwykłej logiki i spekulacji umysłowych jest produktem *guṇy* pasji; podczas gdy wiedza dotycząca jedynie wygód cielesnych jest wiedzą w *guṇie* ignorancji.

**TEKST 23**  नियतं संगरहितमरागद्वेषतः कृतम् ।
अफलप्रेप्सुना कर्म यत्तत्सात्त्विकमुच्यते ॥२३॥

*niyataṁ saṅga-rahitam     arāga-dveṣataḥ kṛtam
aphala-prepsunā karma     yat tat sāttvikam ucyate*

*niyatam*—uregulowany; *saṅga-rahitam*—bez przywiązania; *arāga-dveṣataḥ*—bez miłości lub nienawiści; *kṛtam*—wykonywana; *aphala-prepsunā*—przez tego, kto nie pragnie zysku; *karma*—czyny; *yat*—które; *tat*—te; *sāttvikam*—w *guṇie* dobroci; *ucyate*—jest nazywana.

**Jeśli zaś chodzi o działanie, to ten czyn, który pełniony jest zgodnie z obowiązkiem, bez przywiązania, bez miłości czy nienawiści, przez tego, kto wyrzekł się owoców z niego pochodzących, nazywany jest czynem w guṇie dobroci.**

*ZNACZENIE:* Określone obowiązki zawodowe zalecane przez pisma święte, odpowiednio do różnych porządków i podziałów społecznych, wykonywane bez przywiązania albo roszczenia sobie prawa własności do ich efektów i tym samym bez miłości czy nienawiści, i wykonywane w świadomości Kṛṣṇy, dla zadowolenia Najwyższego, a nie dla własnej satysfakcji czy zadowolenia własnych zmysłów, nazywane są działaniem w *guṇie* dobroci.

**TEKST 24**  यत्तु कामेप्सुना कर्म साहंकारेण वा पुनः ।
क्रियते बहुलायासं तद् राजसमुदाहृतम् ॥२४॥

*yat tu kāmepsunā karma     sāhaṅkāreṇa vā punaḥ
kriyate bahulāyāsaṁ     tad rājasam udāhṛtam*

*yat*—ta, która; *tu*—ale; *kāma-īpsunā*—przez tego, kto pragnie rezultatów; *karma*—praca; *sa-ahaṅkāreṇa*—z ego; *vā*—albo; *punaḥ*—ponownie; *kriyate*—jest wykonywana; *bahula-āyāsam*—z wielkim nakładem pracy; *tat*—ta; *rājasam*—w *guṇie* pasji; *udāhṛtam*—jest nazywana.

**Ten czyn natomiast, który spełniany jest z wielkim nakładem pracy, przez tego, kto dąży do zaspokojenia swoich pragnień, i który wyrasta z fałszywego ego, nazywany jest działaniem w guṇie pasji.**

TEKST 25 अनुबन्धं क्षयं हिंसामनपेक्ष्य च पौरुषम् ।
मोहादारभ्यते कर्म यत्तत्तामसमुच्यते ॥२५॥

*anubandhaṁ kṣayaṁ hiṁsām anapekṣya ca pauruṣam*
*mohād ārabhyate karma yat tat tāmasam ucyate*

*anubandham*—przyszłej niewoli; *kṣayam*—destrukcja; *hiṁsām*—i niepokój dla innych; *anapekṣya*—bez brania pod uwagę skutków; *ca*—również; *pauruṣam*—własnowolną; *mohāt*—przez złudzenie; *ārabhyate*—rozpoczęta; *karma*—praca; *yat*—która; *tat*—ta; *tāmasam*—w *guṇie* ignorancji; *ucyate*—jest nazywana.

**Ten zaś czyn, który spełniany jest w złudzeniu, bez brania pod uwagę zaleceń pism świętych i przyszłego uwikłania oraz tego, iż może być on gwałtem i przyczyną niedoli dla innych—jest działaniem w guṇie ignorancji.**

*ZNACZENIE:* Z czynów swoich trzeba się rozliczać przed państwem albo przed pośrednikami Najwyższego Pana, zwanymi Yamadūtami. Nieodpowiedzialne działanie powoduje różnego rodzaju zakłócenia, ponieważ niszczy ono zasady pism świętych. Często oparte jest ono na przemocy i jest niepokojące dla żywych istot. Takie nieodpowiedzialne czyny przeprowadzane są w świetle własnego doświadczenia. To nazywane jest złudzeniem. A wszelkie takie złudne działanie jest produktem *guṇy* ignorancji.

TEKST 26 मुक्तसंगोऽनहंवादी धृत्युत्साहसमन्वितः ।
सिद्ध्यसिद्ध्योर्निर्विकारः कर्ता सात्त्विक उच्यते ॥२६॥

*mukta-saṅgo 'nahaṁ-vādī dhṛty-utsāha-samanvitaḥ*
*siddhy-asiddhyor nirvikāraḥ kartā sāttvika ucyate*

*mukta-saṅgaḥ*—wolny od wszelkich związków materialnych; *anaham-vādī*—bez fałszywego ego; *dhṛti*—z determinacją; *utsāha*—z wielkim entuzjazmem; *samanvitaḥ*—o kwalifikacjach; *siddhi*—w doskonałości;

*asiddhyoḥ*—i niepowodzenia; *nirvikāraḥ*—bez zmiany; *kartā*—działający; *sāttvikaḥ*—w *guṇie* dobroci; *ucyate*—jest nazywany.

**Kto obowiązek swój pełni z wielką determinacją i entuzjazmem, wolnym będąc od sił materialnej natury i fałszywego ego, i kto obojętnym jest tak wobec sukcesu, jak i niepowodzenia—ten działa w guṇie dobroci.**

*ZNACZENIE:* Osoba świadoma Kṛṣṇy jest zawsze transcendentalna do *guṇ* natury materialnej. Nie liczy ona na rezultaty pracy powierzonej sobie, gdyż jest ona ponad fałszywe ego i dumę. Jednak jest zawsze entuzjastyczna aż do zakończenia tej pracy. Nie przejmuje się trudami, których się podjęła, i jest zawsze pełna zapału. Nie dba o sukces czy niepowodzenie; jest jednakowa zarówno wobec szczęścia, jak i nieszczęścia. Taka osoba usytuowana jest w *guṇie* dobroci.

**TEKST 27** रागी कर्मफलप्रेप्सुर्लुब्धो हिंसात्मकोऽशुचिः ।
हर्षशोकान्वितः कर्ता राजसः परिकीर्तितः ॥२७॥

*rāgī karma-phala-prepsur lubdho hiṁsātmako 'śuciḥ*
*harṣa-śokānvitaḥ kartā rājasaḥ parikīrtitaḥ*

*rāgī*—bardzo przywiązany; *karma-phala*—owoce pracy; *prepsuḥ*—pragnący; *lubdhaḥ*—chciwy; *hiṁsā-ātmakaḥ*—zawsze zazdrosny; *aśuciḥ*—nieczysty; *harṣa-śoka-anvitaḥ*—ulegający radościom i smutkowi; *kartā*—osoba w ten sposób działająca; *rājasaḥ*—w *guṇie* pasji; *parikīrtitaḥ*—jest nazywany.

**Lecz kto przywiązany jest do pracy i do owoców swojej pracy i pragnie się nimi cieszyć, kto chciwy jest, zawsze zazdrosny i nieczysty, ulegając szczęściu i nieszczęściu, ten działa w guṇie pasji.**

*ZNACZENIE:* Zbyt duże przywiązanie do pewnego typu pracy czy do jej rezultatów wynika ze zbytniego przywiązania do materializmu, ogniska domowego, domu, żony, dzieci. Osoba o takim przywiązaniu nie jest zainteresowana postępem w życiu duchowym. Pragnie ona jedynie uczynić ten świat tak materialnie wygodnym, jak to tylko możliwe. Jest ona na ogół bardzo chciwa i myśli, że wszystko co osiągnęła jest trwałe i nigdy tego nie utraci. Jest też bardzo zazdrosna o innych i gotowa uczynić wszystko dla zadowolenia własnych zmysłów. Dlatego jest ona nieczysta i nie dba o to, czy jej dochody są uczciwe, czy nie. Jest bardzo szczęśliwa, kiedy odnosi sukces w swoim działaniu, i bardzo przygnębiona, jeśli to działanie nie zakończy się sukcesem. Taka osoba jest w *guṇie* pasji.

TEKST 28 अयुक्तः प्राकृतः स्तब्धः शठो नैष्कृतिकोऽलसः ।
विषादी दीर्घसूत्री च कर्ता तामस उच्यते ॥२८॥

*ayuktaḥ prākṛtaḥ stabdhaḥ śaṭho naiṣkṛtiko 'lasaḥ*
*viṣādī dīrgha-sūtrī ca kartā tāmasa ucyate*

*ayuktaḥ*—bez brania pod uwagę zaleceń pism świętych; *prākṛtaḥ*—materialistyczna; *stabdhaḥ*—uparta; *śaṭhaḥ*—zakłamana; *naiṣkṛtikaḥ*—ekspert w znieważaniu innych; *alasaḥ*—leniwa; *viṣādī*—posępna; *dīrgha-sūtrī*—ociągająca się; *ca*—również; *kartā*—działający; *tāmasaḥ*—w *guṇie* ignorancji; *ucyate*—mówi się, że jest.

**A kto zawsze angażuje się w prace niezgodne z zaleceniami pism świętych, kto—będąc materialistą—zawzięty jest, zakłamany i obraźliwy w stosunku do innych, kto jest leniwy, ociągający się i zawsze posępny, ten działa w guṇie ignorancji.**

*ZNACZENIE:* Pisma święte informują, jakiego rodzaju prace należy wykonywać, a jakich nie należy podejmować. Ci, którzy nie dbają o instrukcje pism—angażują się w prace zakazane, i takie osoby są na ogół materialistami. Działają oni odpowiednio do *guṇ* natury, a nie do zaleceń pism świętych. Osoby takie nie są zbyt uprzejme i przeważnie są bardzo przebiegłe, będąc też ekspertami w obrażaniu innych. Są one bardzo leniwe, i jeśli nawet mają jakiś obowiązek do spełnienia, to nie wykonują go właściwie i odkładają go na później. Dlatego zdają się być posępnymi. Ociągają się w swojej pracy; wszystko co może zostać zrobione w ciągu godziny, ciągną całymi latami. Takie osoby usytuowane są w *guṇie* ignorancji.

TEKST 29 बुद्धेर्भेदं धृतेश्चैव गुणतस्त्रिविधं शृणु ।
प्रोच्यमानमशेषेण पृथक्त्वेन धनञ्जय ॥२९॥

*buddher bhedaṁ dhṛteś caiva guṇatas tri-vidhaṁ śṛṇu*
*procyamānam aśeṣeṇa pṛthaktvena dhanañjaya*

*buddheḥ*—inteligencji; *bhedam*—różnice; *dhṛteḥ*—wytrwałości; *ca*—również; *eva*—na pewno; *guṇataḥ*—przez siły natury materialnej; *tri-vidham*—trzech rodzajów; *śṛṇu*—posłuchaj; *procyamānam*—opisane przeze Mnie; *aśeṣeṇa*—dokładnie; *pṛthaktvena*—różnie; *dhanañjaya*—O zdobywco bogactw.

**A teraz, o zdobywco bogactw, posłuchaj proszę, a powiem dokładnie o trzech rodzajach rozumienia i determinacji, odpowiadających trzem guṇom natury materialnej.**

*ZNACZENIE:* Teraz, po objaśnieniu wiedzy, przedmiotu wiedzy i znawcy w trzech różnych kategoriach (odpowiednio do *guṇ* natury), Pan w ten sam sposób tłumaczy inteligencję i determinację działającego.

**TEKST 30** प्रवृत्तिं च निवृत्तिं च कार्याकार्ये भयाभये ।
बन्धं मोक्षं च या वेत्ति बुद्धिः सा पार्थ सात्त्विकी ॥३०॥

*pravṛttiṁ ca nivṛttiṁ ca kāryākārye bhayābhaye*
*bandhaṁ mokṣaṁ ca yā vetti buddhiḥ sā pārtha sāttvikī*

*pravṛttim*—czyniąc; *ca*—również; *nivṛttim*—nie czyniąc; *ca*—i; *kārya*—co należy czynić; *akārye*—czego nie należy robić; *bhaya*—strach; *abhaye*—i wolność od strachu; *bandham*—niewola; *mokṣam*—wyzwolenie; *ca*—i; *yā*—ten, który; *vetti*—wie; *buddhiḥ*—zrozumienie; *sā*—to; *pārtha*—O synu Pṛthy; *sāttvikī*—w *guṇie* dobroci.

**O synu Pṛthy, to rozumienie, dzięki któremu wie się co należy, a czego nie należy robić; czego należy, a czego nie należy się obawiać; co jest przyczyną niewoli, a co prowadzi do wyzwolenia—takie rozumienie właściwe jest guṇie dobroci.**

*ZNACZENIE:* Czynności, które wykonywane są zgodnie z zaleceniami pism świętych, nazywane są *pravṛtti*, czyli czynami, które należy spełniać. Te natomiast czyny, które nie są polecane przez pisma, powinny zostać zarzucone. Kto nie zna wskazówek pism świętych, ten uwikłuje się w działanie i skutki tego działania. Rozumowanie, które za pomocą inteligencji pozwala rozróżniać te rzeczy, jest rozumowaniem w *guṇie* dobroci.

**TEKST 31** यया धर्ममधर्मं च कार्यं चाकार्यमेव च ।
अयथावत्प्रजानाति बुद्धिः सा पार्थ राजसी ॥३१॥

*yayā dharmam adharmaṁ ca kāryaṁ cākāryam eva ca*
*ayathāvat prajānāti buddhiḥ sā pārtha rājasī*

*yayā*—przez którego; *dharmam*—zasady religii; *adharmam*—niereligijność; *ca*—i; *kāryam*—co należy czynić; *ca*—również; *akāryam*—czego nie należy robić; *eva*—na pewno; *ca*—również; *ayathā-vat*—niedoskonale; *prajānāti*—wie; *buddhiḥ*—inteligencja; *sā*—to; *pārtha*—O synu Pṛthy; *rājasī*—w *guṇie* pasji.

**Natomiast to rozumienie, które nie jest w stanie odróżnić religii od bezbożności; czynów, które powinny być spełniane od tych, które są niewskazane, to niedoskonałe rozumienie, o synu Pṛthy, właściwe jest guṇie pasji.**

**TEKST 32** अधर्मं धर्ममिति या मन्यते तमसावृता ।
सर्वार्थान् विपरीतांश्च बुद्धिः सा पार्थ तामसी ॥३२॥

*adharmaṁ dharmam iti yā manyate tamasāvṛtā*
*sarvārthān viparītāṁś ca buddhiḥ sā pārtha tāmasī*

*adharmam*—bezbożność; *dharmam*—religia; *iti*—w ten sposób; *yā*—który; *manyate*—myśli; *tamasā*—przez złudzenie; *āvṛtā*—przykryty; *sarva-arthān*—wszystkie rzeczy; *viparītān*—w złym kierunku; *ca*—również; *buddhiḥ*—inteligencja; *sā*—to; *pārtha*—O synu Pṛthy; *tāmasī*—w *guṇie* ignorancji.

**To zaś zrozumienie, które bezbożność przyjmuje za religię, a religię za bezbożność, które—będąc pod wpływem złudzenia i ciemności—zawsze w złym kierunku zmierza, takie rozumienie jest, o Pārtho, w guṇie ignorancji.**

*ZNACZENIE:* Inteligencja w *guṇie* ignorancji zawsze działa na opak. Przyjmuje za religię to, co nie jest właściwie religią, a odrzuca religię prawdziwą. Osoba będąca pod wpływem ignorancji uważa wielką duszę za człowieka pospolitego, a człowieka pospolitego za wielką duszę. Prawdę uważa za nieprawdę, a nieprawdę przyjmuje za prawdę. W swoim działaniu wybiera zawsze niewłaściwą drogę, dlatego jej inteligencja jest w *guṇie* ignorancji.

**TEKST 33** धृत्या यया धारयते मनःप्राणेन्द्रियक्रियाः ।
योगेनाव्यभिचारिण्या धृतिः सा पार्थ सात्त्विकी ॥३३॥

*dhṛtyā yayā dhārayate manaḥ-prāṇendriya-kriyāḥ*
*yogenāvyabhicāriṇyā dhṛtiḥ sā pārtha sāttvikī*

*dhṛtyā*—determinacja; *yayā*—przez którą; *dhārayate*—ktoś utrzymuje; *manaḥ*—umysłu; *prāṇa*—życie; *indriya*—i zmysły; *kriyāḥ*—czynności; *yogena*—przez praktykę *yogi; avyabhicāriṇyā*—bez przerwy; *dhṛtiḥ*—zdecydowanie; *sā*—to; *pārtha*—O synu Pṛthy; *sāttvikī*—w *guṇie* dobroci.

**O synu Pṛthy, to niezłomne postanowienie, które podtrzymywane jest wytrwale przez praktykę yogi i które w ten sposób kontroluje**

**czynności umysłu, życia i zmysłów, jest postanowieniem w naturze dobroci.**

*ZNACZENIE:* *Yoga* jest środkiem do zrozumienia Duszy Najwyższej. Kto z niezmienną determinacją skupia się na Duszy Najwyższej, koncentrując swój umysł, życie i czynności zmysłowe na Najwyższym, ten angażuje się w świadomość Kṛṣṇy. Ten rodzaj determinacji jest w *guṇie* dobroci. Ważne jest tutaj słowo *avyabhicāriṇyā*, gdyż wskazuje na to, że osoby, które zaangażowane są w świadomość Kṛṣṇy, nigdy nie schodzą z tej ścieżki, aby zaangażować się w inne czynności.

**TEKST 34** यया तु धर्मकामार्थान् धृत्या धारयतेऽर्जुन ।
प्रसंगेन फलाकाङ्क्षी धृतिः सा पार्थ राजसी ॥३४॥

*yayā tu dharma-kāmārthān dhṛtyā dhārayate 'rjuna*
*prasaṅgena phalākāṅkṣī dhṛtiḥ sā pārtha rājasī*

*yayā*—przez które; *tu*—ale; *dharma*—religijność; *kāma*—zadowalanie zmysłów; *arthān*—i rozwój ekonomiczny; *dhṛtyā*—przez determinację; *dhārayate*—utrzymuje; *arjuna*—O Arjuno; *prasaṅgena*—z powodu przywiązania; *phala-ākāṅkṣī*—pragnąc materialnej korzyści; *dhṛtiḥ*—determinacja; *sā*—ta; *pārtha*—O synu Pṛthy; *rājasī*—w *guṇie* pasji.

**A ta determinacja, dzięki której ktoś mocno trwa przy praktykowaniu religii dla materialnych korzyści, ekonomicznym rozwoju i zadowalaniu zmysłów, jest, o Arjuno, w naturze pasji.**

*ZNACZENIE:* Osoba, która zawsze liczy na korzyści materialne płynące z praktykowania religii czy działalności ekonomicznej, której jedynym pragnieniem jest zadowalanie zmysłów, i której życie, umysł i zmysły są tym pochłonięte—jest w *guṇie* pasji.

**TEKST 35** यया स्वप्नं भयं शोकं विषादं मदमेव च ।
न विमुञ्चति दुर्मेधा धृतिः सा पार्थ तामसी ॥३५॥

*yayā svapnaṁ bhayaṁ śokaṁ viṣādaṁ madam eva ca*
*na vimuñcati durmedhā dhṛtiḥ sā pārtha tāmasī*

*yayā*—przez którą; *svapnam*—sen; *bhayam*—bojaźń; *śokam*—rozpacz; *viṣādam*—posępność; *madam*—złudzenie; *eva*—na pewno; *ca*—również; *na*—nigdy; *vimuñcati*—porzuca; *durmedhā*—nieinteligentny; *dhṛtiḥ*—determinacja; *sā*—ta; *pārtha*—O synu Pṛthy; *tāmasī*—w *guṇie* ignorancji.

**Ta zaś nieinteligentna determinacja, która nie wychodzi poza marzenie senne, bojaźń, rozpacz, przygnębienie i złudzenie jest, o synu Pṛthy, determinacją w guṇie ciemności.**

*ZNACZENIE:* Nie należy z tego wyciągnąć wniosku, że osoba w *guṇie* dobroci nie miewa snów. Tutaj "sen" oznacza nadmiar snu. Marzenia senne są zawsze obecne: sen jest zjawiskiem naturalnym zarówno w *guṇie* dobroci, jak i pasji czy ignorancji. Ale ci, którzy nie potrafią zrezygnować z nadmiaru snu, którzy nie mogą pozbyć się dumy pochodzącej z posiadania przymiotów materialnych i zawsze śnią o panowaniu nad naturą materialną, których umysł i zmysły są całe życie tym pochłonięte, takie osoby są w *guṇie* ignorancji.

**TEKST 36** सुखं त्विदानीं त्रिविधं शृणु मे भरतर्षभ ।
अभ्यासाद् रमते यत्र दुःखान्तं च निगच्छति ॥३६॥

*sukhaṁ tv idānīṁ tri-vidhaṁ śṛṇu me bharatarṣabha*
*abhyāsād ramate yatra duḥkhāntaṁ ca nigacchati*

*sukham*—szczęście; *tu*—ale; *idānīm*—teraz; *tri-vidham*—trzech rodzajów; *śṛṇu*—posłuchaj; *me*—ode Mnie; *bharata-ṛṣabha*—O najlepszy spośród Bhāratów; *abhyāsāt*—przez praktykę; *ramate*—cieszy się; *yatra*—gdzie; *duḥkha*—nieszczęścia; *antam*—koniec; *ca*—również; *nigacchati*—osiąga.

**O najlepszy spośród Bhāratów, teraz posłuchaj, proszę, o trzech rodzajach szczęścia, którymi cieszy się uwarunkowana dusza, i poprzez które może ona czasami położyć kres wszelkim nieszczęściom.**

*ZNACZENIE:* Uwarunkowana dusza ciągle usiłuje znaleźć szczęście w życiu materialnym. W ten sposób żuje ona przeżute. Ale czasami, w czasie przeżuwania takich radości materialnych, zostaje ona—dzięki obcowaniu z wielką duszą—uwolniona z niewoli materialnej. Innymi słowy, uwarunkowana dusza zawsze jest zaangażowana w jakiś rodzaj zadowalania zmysłów, ale kiedy, dzięki obcowaniu z odpowiednimi osobami, zrozumie, że jest to jedynie ciągłe powtarzanie tej samej rzeczy, kiedy rozbudzona zostanie jej prawdziwa świadomość Kṛṣny, zostaje czasami wyzwolona od takiego powtarzającego się (tak zwanego) szczęścia.

**TEKST 37** यत्तदग्रे विषमिव परिणामेऽमृतोपमम् ।
तत्सुखं सात्त्विकं प्रोक्तमात्मबुद्धिप्रसादजम् ॥३७॥

*yat tad agre viṣam iva pariṇāme 'mṛtopamam*
*tat sukhaṁ sāttvikaṁ proktam ātma-buddhi-prasāda-jam*

*yat*—które; *tat*—to; *agre*—na początku; *viṣam iva*—jak trucizna; *pariṇāme*—na końcu; *amṛta*—nektar; *upamam*—w porównaniu do; *tat*—to; *sukham*—szczęście; *sāttvikam*—w *guṇie* dobroci; *proktam*—jest powiedziane; *ātma*—w jaźni; *buddhi*—inteligencji; *prasāda-jam*—zrodzony z zadowolenia.

**To szczęście, które na początku może być jak trucizna, ale pod koniec smakuje jak nektar, i które do samorealizacji budzi, nazywane jest szczęściem w guṇie dobroci.**

*ZNACZENIE:* W dążeniu do samorealizacji należy przestrzegać wielu zasad mających na celu kontrolowanie umysłu i zmysłów i skoncentrowaniu umysłu na jaźni. Wszystkie te procesy są bardzo trudne, gorzkie jak trucizna, ale jeżeli ktoś odnosi sukces w przestrzeganiu tych zasad i osiąga pozycję transcendentalną, wtedy zaczyna rozkoszować się nektarem prawdziwego życia.

**TEKST 38** विषयेन्द्रियसंयोगाद्यत्तदग्रेऽमृतोपमम् ।
परिणामे विषमिव तत्सुखं राजसं स्मृतम् ॥३८॥

*viṣayendriya-saṁyogād yat tad agre 'mṛtopamam*
*pariṇāme viṣam iva tat sukhaṁ rājasaṁ smṛtam*

*viṣaya*—przedmiotów zmysłów; *idriya*—i zmysłów; *saṁyogāt*—z kombinacji; *yat*—które; *tat*—to; *agre*—na początku; *amṛta-upamam*—tak jak nektar; *pariṇāme*—na końcu; *viṣam iva*—jak trucizna; *tat*—to; *sukham*—szczęście; *rājasam*—w *guṇie* pasji; *smṛtam*—jest uważane.

**Natomiast to szczęście, które czerpane jest z kontaktu zmysłów z przedmiotami zmysłów i które zdaje się być na początku nektarem, lecz w końcu okazuje się trucizną, jest szczęściem w guṇie pasji.**

*ZNACZENIE:* Młody mężczyzna spotyka młodą kobietę i zmysły nakłaniają go do patrzenia na nią, dotykania jej i w końcu do zbliżenia seksualnego. Na początku może to być dla zmysłów bardzo przyjemne, ale w końcu, albo po pewnym czasie, staje się trucizną. Odchodzą od siebie albo następuje rozwód, czemu towarzyszy rozpacz, smutek itd. Takie szczęście jest zawsze w *guṇie* pasji. Szczęście czerpane z połączenia zmysłów z przedmiotami zmysłów jest zawsze przyczyną niedoli i dlatego należy unikać go za wszelką cenę.

TEKST 39
यदग्रे चानुबन्धे च सुखं मोहनमात्मनः ।
निद्रालस्यप्रमादोत्थं तत्तामसमुदाहृतम् ॥३९॥

*yad agre cānubandhe ca sukhaṁ mohanam ātmanaḥ*
*nidrālasya-pramādotthaṁ tat tāmasam udāhṛtam*

*yat*—to, które; *agre*—na początku; *ca*—również; *anubandhe*—w końcu; *ca*—również; *sukham*—szczęście; *mohanam*—złudne; *ātmanaḥ*—duszy; *nidrā*—spanie; *ālasya*—lenistwo; *pramāda*—i złudzenie; *uttham*—zrodzone z; *tat*—to; *tāmasam*—w *guṇie* ignorancji; *udāhṛtam*—jest nazywane.

**A to szczęście, które jest na samorealizację ślepe, które jest złudzeniem od początku do końca, i które powstaje ze snu, lenistwa i złudzenia—jest szczęściem w guṇie ignorancji.**

*ZNACZENIE:* Ten, kto znajduje przyjemność w lenistwie i spaniu, jak również ten, kto nie ma pojęcia o tym, co wypada a co nie wypada, jest z pewnością w *guṇie* ignorancji. Dla osoby w *guṇie* ignorancji wszystko jest złudzeniem. Nie ma tu szczęścia ani na początku ani na końcu. Osoba w *guṇie* pasji może odczuwać na początku pewien rodzaj krótkotrwałego szczęścia, które w końcu kończy się nieszczęściem, ale dla osoby w *guṇie* ignorancji istnieje tylko nieszczęście, od początku do końca.

TEKST 40
न तदस्ति पृथिव्यां वा दिवि देवेषु वा पुनः ।
सत्त्वं प्रकृतिजैर्मुक्तं यदेभिः स्यात् त्रिभिर्गुणैः ॥४०॥

*na tad asti pṛthivyāṁ vā divi deveṣu vā punaḥ*
*sattvaṁ prakṛti-jair muktaṁ yad ebhiḥ syāt tribhir guṇaiḥ*

*na*—nie; *tat*—to; *asti*—jest; *pṛthivyām*—na Ziemi; *vā*—albo; *divi*—na wyższych systemach planetarnych; *deveṣu*—pomiędzy półbogami; *vā*—albo; *punaḥ*—ponownie; *sattvam*—egzystencja; *prakṛti-jaiḥ*—zrodzone z natury materialnej; *muktam*—wyzwolony; *yat*—ten; *ebhiḥ*—od wpływu; *syāt*—jest; *tribhiḥ*—trzy; *guṇaiḥ*—siły natury materialnej.

**Nie ma żadnej istoty ani tutaj, ani wśród półbogów na wyższych systemach planetarnych, która wolna byłaby od trzech guṇ zrodzonych z natury materialnej.**

*ZNACZENIE:* Pan podsumowuje tutaj całkowite oddziaływanie trzech sił natury materialnej na cały wszechświat.

TEKST 41 ब्राह्मणक्षत्रियविशां शूद्राणां च परन्तप ।
कर्माणि प्रविभक्तानि स्वभावप्रभवैर्गुणैः ॥४१॥

*brāhmaṇa-kṣatriya-viśāṁ śūdrāṇāṁ ca parantapa*
*karmāṇi pravibhaktāni svabhāva-prabhavair guṇaiḥ*

*brāhmaṇa*—braminów; *kṣatriya*—*kṣatriyów; viśām*—i *vaiśyów; śūdrāṇām*—*śūdrów*; *ca*—i; *parantapa*—O pogromco wroga; *karmāṇi*—czynności; *pravibhaktāni*—dzielą się; *svabhāva*—własna natura; *prabhavaiḥ*—zrodzona z; *guṇaiḥ*—przez siły natury materialnej.

**Klasy braminów, kṣatriyów, vaiśyów i śūdrów, o pogromco wroga, rozróżniane są według cech zrodzonych z ich własnej natury, odpowiadających siłom natury materialnej.**

TEKST 42 शमो दमस्तपः शौचं क्षान्तिरार्जवमेव च ।
ज्ञानं विज्ञानमास्तिक्यं ब्रह्मकर्म स्वभावजम् ॥४२॥

*śamo damas tapaḥ śaucaṁ kṣāntir ārjavam eva ca*
*jñānaṁ vijñānam āstikyaṁ brahma-karma svabhāva-jam*

*śamaḥ*—spokój; *damaḥ*—samokontrola; *tapaḥ*—wyrzeczenie; *śaucam*—czystość; *kṣāntiḥ*—tolerancja; *ārjavam*—uczciwość; *eva*—na pewno; *ca*—i; *jñānam*—wiedza; *vijñānam*—mądrość; *āstikyam*—religijność; *brahma*—bramina; *karma*—obowiązek; *svabhāva-jam*—zrodzony z własnej natury.

**Spokój, samokontrola, wyrzeczenie, czystość, tolerancja, uczciwość, wiedza, mądrość i religijność—to naturalne cechy, według których postępują bramini.**

TEKST 43 शौर्यं तेजो धृतिर्दाक्ष्यं युद्धे चाप्यपलायनम् ।
दानमीश्वरभावश्च क्षात्रं कर्म स्वभावजम् ॥४३॥

*śauryaṁ tejo dhṛtir dākṣyaṁ yuddhe cāpy apalāyanam*
*dānam īśvara-bhāvaś ca kṣātraṁ karma svabhāva-jam*

*śauryam*—bohaterstwo; *tejaḥ*—siła; *dhṛtiḥ*—determinacja; *dākṣyam*—pomysłowość; *yuddhe*—w walce; *ca*—i; *api*—również; *apalāyanam*—nie unikając; *dānam*—hojność; *īśvara*—przewodnictwa; *bhāvaḥ*—natura; *ca*—i; *kṣātram*—*kṣatriyi*; *karma*—obowiązek; *svabhāva-jam*—zrodzony z własnej natury.

**Bohaterstwo, siła, determinacja, zaradność, odwaga w walce, hojność i umiejętność przewodzenia cechują postępowanie kṣatriyów.**

TEKST 44
कृषिगोरक्ष्यवाणिज्यं वैश्यकर्म स्वभावजम् ।
परिचर्यात्मकं कर्म शूद्रस्यापि स्वभावजम् ॥४४॥

*kṛṣi-go-rakṣya-vāṇijyaṁ vaiśya-karma svabhāva-jam*
*paricaryātmakaṁ karma śūdrasyāpi svabhāva-jam*

*kṛṣi*—orka; *go*—krów; *rakṣya*—ochrona; *vāṇijyam*—handel i rzemiosło; *vaiśya*—*vaiśyi; karma*—obowiązek; *svabhāva-jam*—zrodzony z własnej natury; *paricaryā*—służba; *ātmakam*—składając się z; *karma*—obowiązek; *śūdrasya*—*śūdry; api*—również; *svabhāva-jam*—zrodzony z własnej natury.

**Rolnictwo, ochrona krów oraz interesy są naturalnymi zajęciami vaiśyów. Zaś obowiązkiem śūdrów jest praca i służba dla innych.**

TEKST 45
स्वे स्वे कर्मण्यभिरतः संसिद्धिं लभते नरः ।
स्वकर्मनिरतः सिद्धिं यथा विन्दति तच्छृणु ॥४५॥

*sve sve karmaṇy abhirataḥ saṁsiddhiṁ labhate naraḥ*
*sva-karma-nirataḥ siddhiṁ yathā vindati tac chṛṇu*

*sve sve*—każdy swojej; *karmaṇi*—praca; *abhirataḥ*—przestrzegając; *saṁsiddhim*—doskonałość; *labhate*—osiąga; *naraḥ*—człowiek; *sva-karma*—w s vój obowiązek; *nirataḥ*—zaangażowany; *siddhim*—doskonałość; *yathā*—jak; *vindati*—osiąga; *tat*—to; *śṛṇu*—słuchaj.

**Przez pełnienie swojego obowiązku każdy człowiek może osiągnąć doskonałość. Posłuchaj, a opowiem ci, w jaki sposób stać się to może.**

TEKST 46
यतः प्रवृत्तिर्भूतानां येन सर्वमिदं ततम् ।
स्वकर्मणा तमभ्यर्च्य सिद्धिं विन्दति मानवः ॥४६॥

*yataḥ pravṛttir bhūtānāṁ yena sarvam idaṁ tatam*
*sva-karmaṇā tam abhyarcya siddhiṁ vindati mānavaḥ*

*yataḥ*—od którego; *pravṛttiḥ*—emanacja; *bhūtānām*—wszystkich żywych istot; *yena*—przez którego; *sarvam*—wszystkich; *idam*—to; *tatam*—przenika; *sva-karmaṇā*—przez swoje obowiązki; *tam*—Jego; *abhyarcya*—wielbiąc; *siddhim*—doskonałość; *vindati*—osiąga; *mānavaḥ*—człowiek.

**Przez wielbienie Pana, będącego źródłem wszystkich stworzeń i przenikającego wszystko, człowiek może—pełniąc swoje obowiązki—stać się doskonałym.**

*ZNACZENIE:* Jak zostało to oznajmione w Rozdziale Piętnastym, wszystkie żywe istoty są fragmentarycznymi, integralnymi cząstkami Najwyższego Pana. Zatem Najwyższy Pan jest źródłem ich wszystkich. I potwierdzone jest to w *Vedānta-sūtrze—janmādy asya yataḥ*. Najwyższy Pan jest więc początkiem życia każdej żywej istoty. I Najwyższy Pan, poprzez Swoje dwie energie—wewnętrzną i zewnętrzną—jest wszechprzenikający. Dlatego należy czcić Najwyższego Pana razem z Jego energiami. Na ogół wielbiciele szkoły Vaiṣṇava wielbią Najwyższego Pana wraz z Jego energią wewnętrzną. Jego energia zewnętrzna jest wypaczonym odbiciem energii wewnętrznej. Energia zewnętrzna jest tłem, ale Najwyższy Pan, poprzez ekspansję Swojej kompletnej części jako Paramātmā, usytuowany jest wszędzie. Jest On Duszą Najwyższą wszystkich półbogów, istot ludzkich, zwierząt—jest wszędzie. Należy zatem zrozumieć, że naszym obowiązkiem, jako integralnych cząstek Najwyższego Pana, jest pełnienie służby dla Najwyższego. Każdy powinien być zaangażowany w służbę oddania dla Pana, w pełnej świadomości Kṛṣṇy. To poleca ten werset.

Każdy powinien myśleć, że jest zaangażowany w określony typ zajęć przez Hṛṣīkeśę, pana zmysłów. I rezultatem swojej pracy należy wielbić Najwyższą Osobę Boga, Śrī Kṛṣṇę. Jeśli ktoś zawsze myśli w ten sposób, w pełnej świadomości Kṛṣṇy, ten dzięki łasce Pana staje się w pełni świadomy wszystkiego. Jest to doskonałością życia. Pan mówi w *Bhagavad-gīcie* (12.7), *teṣām ahaṁ samuddhartā*. Najwyższy Pan Sam bierze odpowiedzialność za wyzwolenie tego wielbiciela. A to jest najwyższą doskonałością życia. Bez względu na to, jakie zajęcie ktoś pełni, jeśli służy on Najwyższemu Panu—osiągnie najwyższą doskonałość.

**TEKST 47** श्रेयान् स्वधर्मो विगुण: परधर्मात् स्वनुष्ठितात् ।
स्वभावनियतं कर्म कुर्वन्नाप्नोति किल्बिषम् ॥४७॥

*śreyān sva-dharmo viguṇaḥ para-dharmāt sv-anuṣṭhitāt*
*svabhāva-niyataṁ karma kurvan nāpnoti kilbiṣam*

*śreyān*—lepiej; *sva-dharmaḥ*—swoje własne zajęcia; *viguṇaḥ*—niedoskonale wykonywane; *para-dharmāt*—niż zajęcia kogoś innego; *su-anuṣṭhitāt*—doskonale wykonane; *svabhāva-niyatam*—obowiązki zgodne z czyjąś naturą; *karma*—praca; *kurvan*—wykonując; *na*—nigdy; *āpnoti*—osiąga; *kilbiṣam*—skutki grzechów.

**Lepiej pełnić obowiązki własne, choćby niedoskonale, niż przejmować obowiązki innych, nawet gdyby się je miało pełnić w sposób doskonały. Kto pełni nakazane obowiązki, będące w zgodzie z jego własną naturą, ten nigdy nie podlega grzesznym reakcjom.**

*ZNACZENIE:* *Bhagavad-gītā* mówi o zawodowych obowiązkach. Jak zostało już przedyskutowane w wersetach wcześniejszych, obowiązki braminów, *kṣatriyów*, *vaiśyów* i *śūdrów* odpowiadają określonym *guṇom* natury materialnej. Nie należy imitować cudzych obowiązków. Człowiek, który z natury zainteresowany jest rodzajem pracy wykonywanej przez *śūdrów*, nie powinien w sztuczny sposób uważać siebie za bramina, nawet jeśli urodził się w rodzinie braminów. Należy więc pracować zgodnie ze swoją naturą. Żadna praca nie hańbi, jeśli wykonywana jest w służbie dla Pana. Zawodowe obowiązki braminów są niewątpliwie w *guṇie* dobroci, ale jeśli jakaś osoba nie posiada natury w *guṇie* dobroci, to nie powinna ona imitować takich obowiązków. W obowiązkach *kṣatriyów*, czyli administratorów, wpisane jest wiele nieprzyjemnych powinności. *Kṣatriya* musi używać przemocy, aby zabić swoich wrogów, a czasami—ze względów dyplomatycznych—musi uciekać się do kłamstwa. Taka przemoc i dwulicowość towarzyszą bowiem sprawom politycznym, ale *kṣatriya* nie powinien z tego powodu porzucać swoich zawodowych obowiązków i próbować wypełniać obowiązki bramina.

Należy działać dla zadowolenia Najwyższego Pana. Arjuna na przykład (będąc *kṣatriyą*) zastanawiał się nad tym, czy powinien stoczyć walkę ze stroną przeciwną. Lecz jeśli walka jest prowadzona dla Kṛṣṇy, Najwyższej Osoby Boga, wtedy nie należy obawiać się degradacji. Również kupiec musi tak często kłamać przy załatwianiu interesu, jeśli oczywiście chce osiągnąć jakiś zysk. Gdyby tego nie robił, nie byłoby mowy o żadnej korzyści. Czasami kupiec mówi: "Mój drogi kliencie, na tobie nie staram się zarobić", ale z drugiej strony trzeba znać zasadę, że nie ma kupca bez zysku. Stąd też te słowa są oczywistym kłamstwem. Jednakowoż, znając konieczności swego zawodu, chociażby to nieuniknione uciekanie się do kłamstwa, nie powinien on porzucać z tego powodu swojego zajęcia i przejmować obowiązków bramina. To nie jest zalecane. Jeśli ktoś swoją pracą służy Najwyższej Osobie Boga, to nie ma znaczenia czy jest on *kṣatriyą*, *vaiśyą* czy *śūdrą*. Nawet bramini, którzy spełniają różnego typu ofiary, czasami muszą zabijać zwierzęta, gdyż czasami takie ofiary są wymagane. Podobnie, jeśli *kṣatriya* wykonujący swoje własne obowiązki zabije wroga, nie popełnia żadnego grzechu. Te rzeczy zostały wyraźnie i dokładnie wytłumaczone w Rozdziale Trzecim. Każdy człowiek powinien pracować dla Yajñi, czyli Viṣṇu, Najwyższej Osoby Boga. Natomiast wszystko to, co robione jest dla zadowolenia własnych zmysłów—jest przyczyną niewoli. Wniosek jest więc taki, że każdy powinien zostać zaangażowany odpowiednio do *guny* natury materialnej, pod wpływem której się znajduje—i swoją pracą służyć jedynie najwyższej sprawie Najwyższego Pana.

**TEKST 48** सहजं कर्म कौन्तेय सदोषमपि न त्यजेत् ।
सर्वारम्भा हि दोषेण धूमेनाग्निरिवावृताः ॥४८॥

*saha-jaṁ karma kaunteya sa-doṣam api na tyajet*
*sarvārambhā hi doṣeṇa dhūmenāgnir ivāvṛtāḥ*

*saha-jam*—zrodzona jednocześnie; *karma*—praca; *kaunteya*—O synu Kuntī; *sa-doṣam*—z wadami; *api*—chociaż; *na*—nigdy; *tyajet*—powinien porzucić; *sarva-ārambhāḥ*—wszelkie ryzyko; *hi*—na pewno; *doṣeṇa*—z wadą; *dhūmena*—dymem; *agniḥ*—ogień; *iva*—jak; *āvṛtāḥ*—przykryty.

**Każdy wysiłek okryty jest jakimś błędem, tak jak ogień okryty jest dymem. Dlatego nikt, o synu Kuntī, nie powinien porzucać pracy, która jest pochodną jego natury, nawet jeśli praca taka pełna jest wad.**

*ZNACZENIE:* W życiu uwarunkowanym każda praca zanieczyszczona jest *guṇami* natury materialnej. Nawet jeśli ktoś jest braminem, to musi spełniać ofiary, w których konieczne jest zabijanie zwierząt. Podobnie *kṣatriya*, bez względu na to jak bardzo pobożny by nie był, musi walczyć z wrogiem. Nie może tego uniknąć. Również kupiec—chociaż może być bardzo pobożny—musi niekiedy zataić swój zysk, aby utrzymać się w interesach, albo też czasami musi zajmować się interesami na czarnym rynku. Te rzeczy są konieczne; nie można ich uniknąć. Podobnie, jeśli ktoś jest *śūdrą* i służy złemu panu, to powinien on wypełniać nawet te jego polecenia, których nie powinno się spełniać. Należy kontynuować wypełnianie swoich przypisanych obowiązków, pomimo ich wad, jako że obowiązki te są pochodnymi natur poszczególnych osób.

Podany został tutaj bardzo dobry przykład. Ogień, chociaż czysty, otoczony jest dymem. Lecz dym ten nie czyni ognia nieczystym. Mimo iż jest w nim dym, ogień uważany jest za najbardziej czysty ze wszystkich elementów. Jeśli ktoś pragnie z jakichś względów zrezygnować z obowiązków *kṣatriyi* i zająć się obowiązkami bramina, to nie jest to takie pewne, że przyjąwszy taki status nie spotka się już więcej z nieprzyjemnymi obowiązkami. Można wobec tego wyciągnąć wniosek, że w tym świecie materialnym nikt nie może być całkowicie wolnym od zanieczyszczenia naturą materialną. W związku z tym bardzo na miejscu jest przykład z ogniem i dymem. Kiedy w zimie wyjmujemy z ognia kamień, czasami dym gryzie nas w oczy i drażni inne części ciała, lecz pomimo tych nieprzyjemności, musimy przecież korzystać z ognia. Podobnie, nie należy porzucać swoich naturalnych zajęć tylko dlatego, że są w nich pewne wady. Raczej należy być zdecydowanym, aby przez wykonywanie swojego określonego zajęcia w świadomości Kṛṣṇy służyć Najwyższej Osobie Boga. To jest istotą doskonałości. Kiedy określony typ zajęcia wykonywany jest dla zadowolenia Najwyższego Pana, wówczas wszystkie jego wady zostają oczyszczone. Kiedy oczyszczone zostaną rezultaty pracy, poprzez połączenie ich ze służbą oddania, wtedy osiąga się doskonałość w dostrzeganiu duszy wewnątrz—a to jest samorealizacją.

**TEKST 49** असक्तबुद्धिः सर्वत्र जितात्मा विगतस्पृहः ।
नैष्कर्म्यसिद्धिं परमां संन्यासेनाधिगच्छति ॥४९॥

*asakta-buddhiḥ sarvatra jitātmā vigata-spṛhaḥ*
*naiṣkarmya-siddhiṁ paramāṁ sannyāsenādhigacchati*

*asakta-buddhiḥ*—mając inteligencję wolną od przywiązań; *sarvatra*—wszędzie; *jita-ātmā*—kontrolując umysł; *vigata-spṛhaḥ*—bez pragnień materialnych; *naiṣkarmya-siddhim*—doskonałość wolności od reakcji; *paramām*—najwyższy; *sannyāsena*—przez wyrzeczony porządek życia; *adhigacchati*—osiąga.

**Kto jest opanowany, wolny od przywiązań i lekceważy wszelkie uciechy materialne, ten może—poprzez praktykę wyrzeczenia—osiągnąć najdoskonalszy stan wolności od reakcji.**

*ZNACZENIE:* Prawdziwe wyrzeczenie oznacza, że ktoś zawsze myśli o sobie jako o integralnej cząstce Najwyższego Pana i wskutek tego nie rości sobie prawa do korzystania z rezultatów swojej pracy. Skoro jesteśmy cząstkami Najwyższego Pana, rezultatami naszej pracy powinien cieszyć się Najwyższy Pan. Na tym polega prawdziwa świadomość Kṛṣṇy. Osoba działająca w świadomości Kṛṣṇy jest prawdziwym *sannyāsīnem*, osobą w wyrzeczonym porządku życia. Dzięki takiej mentalności może ona osiągnąć zadowolenie, jako że naprawdę pracuje dla Najwyższego. W ten sposób nie jest przywiązana do niczego, co materialne. Poza transcendentalnym szczęściem czerpanym ze służby dla Pana, nie zwykła ona brać udziału w żadnej przyjemności. *Sannyāsīn* powinien być wolny od skutków swoich przeszłych czynów, ale osoba w świadomości Kṛṣṇy automatycznie osiąga tę doskonałość, nawet bez przyjmowania tak zwanego wyrzeczonego porządku życia. Taki stan umysłu nazywany jest *yogārūḍha*, czyli doskonałym stanem *yogi*. Potwierdza to Rozdział Trzeci: *yas tv ātma-ratir eva syāt*: kto zadowolony jest w sobie, ten nie obawia się żadnych skutków, które mogą przynieść mu jego czynności.

**TEKST 50** सिद्धिं प्राप्तो यथा ब्रह्म तथाप्नोति निबोध मे ।
समासेनैव कौन्तेय निष्ठा ज्ञानस्य या परा ॥५०॥

*siddhiṁ prāpto yathā brahma tathāpnoti nibodha me*
*samāsenaiva kaunteya niṣṭhā jñānasya yā parā*

*siddhim*—doskonałość; *prāptaḥ*—osiągając; *yathā*—jak; *brahma*—Najwyższy; *tathā*—jak; *āpnoti*—osiąga; *nibodha*—spróbuj zrozumieć; *me*—ode Mnie; *samāsena*—w skrócie; *eva*—na pewno; *kaunteya*—O synu Kuntī; *niṣṭhā*—stan; *jñānasya*—wiedzy; *yā*—który; *parā*—transcendentalny.

**O synu Kuntī, powiem ci teraz w skrócie, jak ten kto osiągnął tę doskonałość, może wznieść się do najwyższego stanu doskonałości—platformy Brahmana, doskonałej wiedzy—działając w sposób, który teraz streszczę.**

*ZNACZENIE:* Pan opisuje teraz Arjunie, jak osiągnąć ten stan najwyższej doskonałości poprzez zaangażowanie się w swoje zawodowe obowiązki i wypełnianie ich jedynie dla Najwyższej Osoby Boga. Najwyższy stan Brahmana można osiągnąć po prostu przez wyrzeczenie się rezultatów swojej pracy dla zadowolenia Najwyższego Pana. Jest to proces samorealizacji. Prawdziwa doskonałość wiedzy polega na osiągnięciu świadomości Kṛṣṇy i to opisują wersety następne.

**TEKSTY 51-53** बुद्ध्या विशुद्धया युक्तो धृत्यात्मानं नियम्य च ।
शब्दादीन् विषयांस्त्यक्त्वा रागद्वेषौ व्युदस्य च ॥५१॥
विविक्तसेवी लघ्वाशी यतवाक्कायमानसः ।
ध्यानयोगपरो नित्यं वैराग्यं समुपाश्रितः ॥५२॥
अहङ्कारं बलं दर्पं कामं क्रोधं परिग्रहम् ।
विमुच्य निर्ममः शान्तो ब्रह्मभूयाय कल्पते ॥५३॥

*buddhyā viśuddhayā yukto dhṛtyātmānaṁ niyamya ca*
*śabdādīn viṣayāṁs tyaktvā rāga-dveṣau vyudasya ca*

*vivikta-sevī laghv-āśī yata-vāk-kāya-mānasaḥ*
*dhyāna-yoga-paro nityaṁ vairāgyaṁ samupāśritaḥ*

*ahaṅkāraṁ balaṁ darpaṁ kāmaṁ krodhaṁ parigraham*
*vimucya nirmamaḥ śānto brahma-bhūyāya kalpate*

*buddhyā*—przez inteligencję; *viśuddhayā*—całkowicie oczyszczony; *yuktaḥ*—zaangażowany; *dhṛtyā*—przez determinację; *ātmānam*—dusza; *niyamya*—regulując; *ca*—również; *śabda-ādīn*—takie jak dźwięk; *viṣayān*—przedmioty zmysłów; *tyaktvā*—wyrzekając się; *rāga*—przywiązanie; *dveṣau*—i nienawiść; *vyudasya*—odłożywszy; *ca*—również; *vivikta-sevī*—żyjąc w odosobnionym miejscu; *laghu-āśī*—spożywając niewielkie ilości pokarmu; *yata*—kontrolując; *vāk*—mowa; *kāya*—ciało; *mānasaḥ*—i umysł; *dhyāna-yoga-paraḥ*—pogrążony w ekstazie; *nityam*—dwadzieścia cztery godziny na dobę; *vairāgyam*—wolność od przywiązań; *samupāśritaḥ*—przyjąwszy schronienie; *ahaṅkāram*—fałszywe ego; *balam*—nieprawdziwa siła; *darpam*—fałszywa duma; *kāmam*—pożądanie; *krodham*—złość; *parigraham*—i przyjmowanie rzeczy materialnych; *vimucya*—będąc wyzwolonym; *nirmamaḥ*—nie roszcząc sobie prawa do własności; *śāntaḥ*—spokojny; *brahma-bhūyāya*—dla samorealizacji; *kalpate*—jest kwalifikowany.

**Kto oczyściwszy się za pomocą inteligencji i przez wytrwałe kontrolowanie umysłu, porzucił przedmioty zadowalania zmysłów i uwolnił się od przywiązania i nienawiści; kto żyje w odosobnionym miejscu, je niewiele i kontroluje ciało, umysł oraz język, zawsze pogrążony jest w ekstazie i zawsze jest obojętny, wolny od fałszywego ego, fałszywej siły, fałszywej dumy, pożądania i złości; kto nie przyjmuje rzeczy materialnych, wolny jest od fałszywego poczucia własności i zawsze spokojny—ten z pewnością wzniósł się do pozycji samorealizacji.**

*ZNACZENIE:* Kiedy ktoś zostaje oczyszczony przez inteligencję, utrzymuje się wówczas w *gunie* dobroci. Wtedy jest w stanie kontrolować umysł i zawsze jest w ekstazie. Nie jest on przywiązany do przedmiotów zmysłów i w swoich czynnościach wolny jest od przywiązania i nienawiści. Taka wolna od przywiązania osoba w naturalny sposób preferuje życie w jakimś odosobnionym miejscu, nie je ona więcej niż potrzeba i kontroluje czynności swego ciała i umysłu. Wolna jest od fałszywego ego, gdyż wie, że nie jest tym ciałem. Nie ma też pragnienia, by uczynić ciało mocnym i dobrze zbudowanym przez przyjmowanie wielu rzeczy materialnych. Ponieważ nie żyje według cielesnej koncepcji życia, wolna jest od fałszywej dumy. Zadowala się wszystkim, cokolwiek otrzymuje dzięki łasce Pana i nigdy nie jest zła z powodu braku przyjemności zmysłowych. Nigdy nie ugania się za przedmiotami zmysłów. Albowiem będąc całkowicie wolną od fałszywego ego, automatycznie wolna jest od przywiązania do rzeczy materialnych. Jest to stan realizacji Brahmana, nazywany stanem *brahma-bhūta*. Kiedy ktoś wolny jest od materialnej koncepcji życia, jest wówczas spokojny i niewzruszony. Zostało to opisane w *Bhagavad-gīcie* (2.70):

*āpūryamāṇam acala-pratiṣṭhaṁ*
*samudram āpaḥ praviśanti yadvat*
*tadvat kāmā yaṁ praviśanti sarve*
*sa śāntim āpnoti na kāma-kāmī*

"Kto pozostaje niewzruszony mimo nieustannego potoku pragnień — które jak rzeki wpadają do oceanu, zawsze napełnianego, a mimo to zawsze pogrążonego w ciszy — ten jedynie może osiągnąć spokój. Ale nie zazna spokoju człowiek, który dąży do spełnienia materialnych pragnień".

**TEKST 54** ब्रह्मभूतः प्रसन्नात्मा न शोचति न काङ्क्षति ।
समः सर्वेषु भूतेषु मद्भक्तिं लभते पराम् ॥५४॥

*brahma-bhūtaḥ prasannātmā na śocati na kāṅkṣati*
*samaḥ sarveṣu bhūteṣu mad-bhaktiṁ labhate parām*

*brahma-bhūtaḥ*—będąc jednym z Absolutem; *prasanna-ātmā*—w pełni radosny; *na*—nigdy; *śocati*—rozpacza; *na*—nigdy; *kāṅkṣati*—pragnie; *samaḥ*—jednakowo ustosunkowany; *sarveṣu*—do wszystkich; *bhūteṣu*—żywych istot; *mat-bhaktim*—służba oddania dla Mnie; *labhate*—zyskuje; *parām*—transcendentalny.

**Ten, kto jest usytuowany w taki transcendentalny sposób—od razu realizuje Najwyższego Brahmana i staje się w pełni radosnym. Nie rozpacza nigdy ani niczego nie pragnie, jednakowo ustosunkowanym będąc do każdej żywej istoty. W tym stanie osiąga czystą służbę oddania dla Mnie.**

*ZNACZENIE:* Osiągnięcie stanu *brahma-bhūta*, czyli zjednoczenie się z Absolutem, jest dla impersonalistów słowem ostatnim. Ale według wyznawców Boga osobowego, czyli czystych wielbicieli, należy podążyć dalej i zaangażować się w służbę oddania. Oznacza to, że ten, kto zaangażowany jest w czystą służbę oddania dla Najwyższego Pana, jest już w stanie wyzwolonym, nazywanym *brahma-bhūta*—jednością z Absolutem. Bez zjednoczenia z Najwyższym, Absolutem, nie można pełnić dla Niego służby. Według koncepcji absolutnej, nie ma różnicy pomiędzy służącym a przyjmującym służbę, jednak w wyższym sensie duchowym różnica istnieje.

W materialnej koncepcji życia, kiedy ktoś pracuje dla zadowalania zmysłów, łączy się to z troskami i kłopotami, ale w świecie absolutnym, gdzie jest się zaangażowanym w czystą służbę oddania—nie ma żadnych utrapień. Świadomy Kṛṣṇy wielbiciel nie rozpacza nad niczym ani niczego nie pragnie. Ponieważ Bóg jest kompletny, to żywa istota, która zaangażowana jest w służbę dla Boga, w świadomości Kṛṣṇy, staje się również kompletna w sobie. Jest wtedy jak rzeka, której wody zostały oczyszczone. Ponieważ czysty wielbiciel nie myśli o niczym poza Kṛṣṇą, jest on w naturalny sposób zawsze radosny. Nie rozpacza z powodu żadnej materialnej straty ani nie pragnie żadnego zysku, gdyż jest kompletny w służbie dla Pana. Nie pragnie on uciech materialnych, ponieważ wie, że każda żywa istota jest fragmentaryczną cząstką Najwyższego Pana, a zatem jest Jego wiecznym sługą. Nie dzieli on istot w tym materialnym świecie na niższe i wyższe. Niższe i wyższe pozycje są czymś efemerycznym, a wielbiciel Pana nie ma nic wspólnego z efemerycznym pojawianiem się i znikaniem. Dla niego kamień i złoto jednakowej są wartości. Na tym polega stan *brahma-bhūta* i taki stan bez trudu osiąga czysty wielbiciel—bhakta. W tym stanie życia myśl o staniu się jednym z Najwyższym Brahmanem i zniszczeniu swojej indywidualności—staje się czymś piekielnym; idea osiągnięcia wyższych systemów planetarnych jest fantasmagorią, a zmysły są jak wyłamane zęby węża. Tak jak można się nie obawiać węża z wyłamanymi zębami, tak też można się nie obawiać zmysłów, kiedy są kontrolowane. Dla osób materialnie zanieczyszczonych świat jest udręką, ale dla wielbiciela Pana—cały świat jest tak dobry jak Vaikuṇṭhy w niebie duchowym. Zaś najwyższa osobistość w tym materialnym wszechświecie nie ma dla niego większego znaczenia niż mrówka. Taki stan można osiągnąć dzięki miłosierdziu Pana Caitanyi, który nauczał czystej służby oddania w tym wieku.

**TEKST 55** भक्त्या मामभिजानाति यावान् यश्चास्मि तत्त्वतः ।
ततो मां तत्त्वतो ज्ञात्वा विशते तदनन्तरम् ॥५५॥

*bhaktyā mām abhijānāti yāvān yaś cāsmi tattvataḥ*
*tato māṁ tattvato jñātvā viśate tad-anantaram*

*bhaktyā*—przez czystą służbę oddania; *mām*—Mnie; *abhijānāti*—można poznać; *yāvān*—tak bardzo; *yaḥ ca asmi*—takim jakim jestem; *tattvataḥ*—naprawdę; *tataḥ*—następnie; *mām*—Mnie; *tattvataḥ*—prawdziwie; *jñātvā*—znając; *viśate*—wchodzi; *tat-anantaram*—następnie.

**Jedynie przez służbę oddania można poznać Mnie, Najwyższą Osobę Boga, takim jakim jestem. A będąc w pełni świadomym Mnie, dzięki takiemu oddaniu, można wejść do królestwa Boga.**

*ZNACZENIE:* Najwyższej Osoby Boga, Kṛṣṇy, i Jego kompletnych części nie można poznać za pomocą spekulacji umysłowych. Nie mogą Go też poznać niewielbiciele. Jeśli ktoś chce zrozumieć Najwyższą Osobę Boga—musi zaangażować się w czystą służbę oddania, pod kierunkiem czystego wielbiciela. W przeciwnym wypadku prawda o Najwyższej Osobie Boga na zawsze pozostanie zakrytą. Jak to już zostało oznajmione w *Bhagavad-gīcie* (7.25), *nāhaṁ prakāśaḥ sarvasya*: nie objawia się On każdemu. Nikt nie może zrozumieć Boga jedynie dzięki erudycji albo przez spekulacje umysłowe. Kim jest Kṛṣṇa, może zrozumieć tylko ten, kto naprawdę zaangażowany jest w świadomość Kṛṣṇy i służbę oddania. Stopnie uniwersyteckie nie są pomocne w tym wypadku.

Do wejścia do królestwa duchowego, siedziby Kṛṣṇy, staje się zdolnym tylko ten, kto jest całkowicie obeznany z nauką Kṛṣṇy. Stanie się Brahmanem nie jest równoznaczne z utratą tożsamości. Służba oddania istnieje, i tak długo jak istnieje służba oddania—musi istnieć Bóg, Jego wielbiciel i proces służby oddania. Taka wiedza nigdy nie ulega zatraceniu, nawet po osiągnięciu wyzwolenia. Wyzwolenie polega na uwolnieniu się od materialnej koncepcji życia. W życiu duchowym istnieje ta sama różnorodność, ta sama indywidualność—ale w czystej świadomości Kṛṣṇy. Nie należy błędnie rozumieć, że słowo *viśate*, ”wchodzi we Mnie”, potwierdza monistyczną teorię osiągania jednorodności z bezosobowym Brahmanem. Nie. *Viśate* oznacza wejście do siedziby Najwyższego Pana, z zachowaniem własnej indywidualności, aby towarzyszyć i służyć Panu. Na przykład, zielony ptak przylatuje na zielone drzewo nie po to, by zjednoczyć się z tym drzewem, ale po to, by cieszyć się jego owocami. Impersonaliści często używają przykładu rzeki wpływającej do oceanu i łączącej się z nim. To może być źródłem szczęścia dla impersonalistów, ale personaliści zachowują swoją indywidualność, tak jak zwierzęta wodne w oceanie. Jeśli zagłębimy się w ocean, znajdziemy tam wiele żywych istot. Znajomość powierzchni oceanu nie jest wystarczająca. Trzeba również posiadać pełną wiedzę o stworzeniach żyjących w oceanicznych głębiach.

Dzięki swojej czystej służbie oddania, wielbiciel może rzeczywiście poznać transcendentalne cechy i bogactwo Pana. Jak zostało to oznajmione w Rozdziale Jedenastym, tylko służba oddania jest środkiem do takiego poznania. To samo zostało potwierdzone tutaj. Jedynie przez służbę oddania można poznać Najwyższą Osobę Boga i wejść do Jego królestwa.

Po osiągnięciu *brahma-bhūta*, stanu wolności od koncepcji materialnej, rozpoczyna się służba oddania, a jej początkiem jest słuchanie o Panu. Kiedy ktoś słucha o Najwyższym Panu, automatycznie następuje rozwój stanu *brahma-bhūta* i znikają zanieczyszczenia materialne, takie jak chciwość i żądza zadowalania zmysłów. Kiedy pożądanie i pragnienia znikają z serca wielbiciela, wtedy bardziej przywiązuje się on do służby oddania dla Pana i przez takie przywiązanie uwalnia się od zanieczyszczeń materialnych. W takim stanie życia może on zrozumieć Najwyższego Pana. Mówi o tym również *Śrīmad-Bhāgavatam*. Proces *bhakti*, czyli służby transcendentalnej, kontynuowany jest również po wyzwoleniu. Potwierdzenie tego można znaleźć też w *Vedānta-sūtrze* (4.1.12): *ā-prāyaṇāt tatrāpi hi dṛṣṭam*. Znaczy to, że proces służby oddania kontynuowany jest po wyzwoleniu. *Śrīmad-Bhāgavatam* definiuje prawdziwe wyzwolenie w oddaniu jako odnalezienie się żywej istoty w jej własnej tożsamości, w swojej własnej konstytucjonalnej pozycji. Ta konstytucjonalna pozycja została już wyjaśniona: każda żywa istota jest fragmentaryczną, integralną cząstką Najwyższego Pana. Zatem jej konstytycjonalną pozycją jest pełnienie służby. Ta służba nie kończy się nigdy, nawet po wyzwoleniu. Prawdziwe wyzwolenie polega na uwolnieniu się od błędnej koncepcji życia.

**TEKST 56** सर्वकर्माण्यपि सदा कुर्वाणो मद्व्यपाश्रयः ।
मत्प्रसादादवाप्नोति शाश्वतं पदमव्ययम् ॥५६॥

*sarva-karmāṇy api sadā kurvāṇo mad-vyapāśrayaḥ*
*mat-prasādād avāpnoti śāśvataṁ padam avyayam*

*sarva*—wszystkie; *karmāṇi*—czynności; *api*—chociaż; *sadā*—zawsze; *kurvāṇaḥ*—wykonując; *mat-vyapāśrayaḥ*—pod Moją ochroną; *mat-prasādāt*—przez Moje miłosierdzie; *avāpnoti*—osiąga; *śāśvatam*—wieczna; *padam*—siedziba; *avyayam*—niezniszczalna.

**Chociaż zaangażowany we wszelkiego rodzaju czynności, Mój czysty wielbiciel—chroniony przeze Mnie—dzięki Mojemu miłosierdziu osiąga wieczną i nieprzemijającą siedzibę.**

*ZNACZENIE:* Słowo *mad-vyapāśrayaḥ* oznacza "pod ochroną Najwyższego Pana". Aby uwolnić się od zanieczyszczeń materialnych, czysty wielbiciel działa pod kierunkiem Najwyższego Pana albo Jego reprezentanta, mistrza duchowego. Dla czystego wielbiciela nie istnieją żadne ograniczenia czasowe. Jest on zawsze, przez dwadzieścia cztery godziny na dobę, w stu procentach pochłonięty działalnością pod kierunkiem Najwyższego Pana. Dla wielbiciela, który jest w ten sposób zaangażowany w świadomość Kṛṣṇy, Pan jest bardzo, bardzo dobry. Pomimo wszelkich trudności, wielbiciel ten zostaje ostatecznie umieszczony w siedzibie transcendentalnej, na Kṛṣṇaloce. Jego wejście tam jest zagwarantowane; co do tego nie ma żadnych wątpliwości. W tej najwyższej siedzibie nie ma żadnych zmian—wszystko jest tam wieczne, trwałe i pełne wiedzy.

**TEKST 57** चेतसा सर्वकर्माणि मयि संन्यस्य मत्परः ।
बुद्धियोगमुपाश्रित्य मच्चित्तः सततं भव ॥५७॥

*cetasā sarva-karmāṇi mayi sannyasya mat-paraḥ*
*buddhi-yogam upāśritya mac-cittaḥ satataṁ bhava*

*cetasā*—przez inteligencję; *sarva-karmāṇi*—wszelkiego rodzaju czynności; *mayi*—dla Mnie; *sannyasya*—wyrzekając się; *mat-paraḥ*—pod Moją ochroną; *buddhi-yogam*—działanie w oddaniu; *upāśritya*—przyjmując schronienie; *mat-cittaḥ*—będąc świadomym Mnie; *satatam*—dwadzieścia cztery godziny na dobę; *bhava*—zostań.

**W każdym działaniu polegaj na Mnie i zawsze we Mnie szukaj schronienia. W takiej służbie oddania bądź zawsze w pełni Mnie świadom.**

*ZNACZENIE:* Kiedy ktoś działa w świadomości Kṛṣṇy, to oczywiście nie postępuje on tak, jak gdyby był panem tego świata. Należy zawsze, tak jak sługa, działać jedynie pod kierunkiem Najwyższego Pana. Sługa nie posiada osobistej niezależności. Działa on jedynie z rozkazu Pana. Sługa działający z polecenia Najwyższego Pana wolny jest od wszelkiego przywiązania do zysku czy straty. Jedynie wypełnia swoje obowiązki wiernie według rozkazu Pana. Ktoś może powiedzieć, że Arjuna działał pod osobistym przewodnictwem Kṛṣṇy, ale co mamy robić my, teraz, kiedy Kṛṣṇa nie jest obecny? Jeśli ktoś będzie działał odpowiednio do wskazówek Kṛṣṇy w tej książce lub jeśli będzie wiernie wypełniał polecenia reprezentanta Kṛṣṇy, wtedy rezultat będzie ten sam. Bardzo ważne w tym wersecie jest sanskryckie słowo *mat-paraḥ*. Wskazuje ono na to, że nie ma innego celu w życiu poza działaniem w świadomości Kṛṣṇy i jedynie dla zadowolenia Kṛṣṇy. A działając w ten sposób, należy myśleć tylko o Kṛṣṇie: "To Kṛṣṇa wyznaczył mnie do wypełnienia tego szczególnego obowiązku." Tak postępując, w naturalny sposób myśli się o Kṛṣṇie. Jest to doskonała świadomość Kṛṣṇy. Należy jednak zawsze pamiętać o tym, że nie można ofiarowywać Najwyższemu Panu rezultatów swojego kapryśnego działania. Takie działanie nie będzie służbą oddania w świadomości Kṛṣṇy. Należy działać zgodnie z poleceniem Kṛṣṇy. Jest to bardzo ważne. To polecenie Kṛṣṇy otrzymujemy poprzez sukcesję uczniów, od bona fide mistrza duchowego. Dlatego polecenie mistrza duchowego należy przyjmować jako główny i najważniejszy obowiązek w życiu. Jeśli ktoś jest uczniem bona fide mistrza duchowego i postępuje zgodnie z jego wskazówkami, wtedy jest mu gwarantowana doskonałość życia w świadomości Kṛṣṇy.

**TEKST 58** मच्चित्तः सर्वदुर्गाणि मत्प्रसादात्तरिष्यसि ।
अथ चेत्त्वमहंकारान्न श्रोष्यसि विनङ्क्ष्यसि ॥५८॥

*mac-cittaḥ sarva-durgāṇi mat-prasādāt tariṣyasi*
*atha cet tvam ahaṅkārān na śroṣyasi vinaṅkṣyasi*

*mat*—Mnie; *cittaḥ*—będąc świadomym; *sarva*—wszystkie; *durgāṇi*—przeszkody; *mat-prasādāt*—przez Moje miłosierdzie; *tariṣyasi*—pokonasz; *atha*—ale; *cet*—jeśli; *tvam*—ty; *ahaṅkārāt*—przez fałszywe ego; *na śroṣyasi*—nie posłuchasz; *vinaṅkṣyasi*—będziesz stracony.

**Jeśli staniesz się świadomym Mnie, dzięki Mojej łasce pokonasz wszelkie przeszkody uwarunkowanego życia. Jeśli jednakże nie będziesz pracował w takiej świadomości, ale będziesz działał poprzez fałszywe ego, nie słuchając Mnie, doprowadzisz się do zguby.**

*ZNACZENIE:* Osoba w pełnej świadomości Kṛṣṇy nie wykazuje przesadnej ochoty do wypełniania życiowych obowiązków. Głupcy nie mogą zrozumieć tej wielkiej wolności od wszelkiego niepokoju i trosk. Dla tego, kto działa w świadomości Kṛṣṇy, Pan Kṛṣṇa staje się najbliższym przyjacielem. Zawsze troszczy się On o dobro Swojego przyjaciela i ofiarowuje Siebie Samego temu, kto z pełnym oddaniem, przez dwadzieścia cztery godziny na dobę, pracuje dla Jego zadowolenia. Nikt zatem nie powinien dać się zwieść fałszywemu ego cielesnej koncepcji życia. Nie należy mylnie sądzić, iż jest się niezależnym od praw natury materialnej i nieskrępowanym w swoim działaniu. Każdy znajduje się pod ścisłą kontrolą praw materialnych. Wyzwolenie przychodzi dopiero wtedy, kiedy zaczyna się działać w świadomości Kṛṣṇy, będąc wolnym od dylematów materialnych. Należy zawsze pamiętać, iż ten, kto nie działa w świadomości Kṛṣṇy, gubi się w odmętach materialnych, w oceanie narodzin i śmierci. Żadna uwarunkowana dusza nie wie naprawdę, co należy robić, a czego nie należy, ale osoba świadoma Kṛṣṇy jest nieskrępowana w swoim działaniu, ponieważ od wewnątrz otrzymuje ona natchnienie od Kṛṣṇy, a umocnienie daje jej mistrz duchowy.

## TEKST 59

यदहंकारमाश्रित्य न योत्स्य इति मन्यसे ।
मिथ्यैष व्यवसायस्ते प्रकृतिस्त्वां नियोक्ष्यति ॥५९॥

*yad ahaṅkāram āśritya na yotsya iti manyase*
*mithyaiṣa vyavasāyas te prakṛtis tvāṁ niyokṣyati*

*yat*—jeśli; *ahaṅkāram*—fałszywego ego; *āśritya*—przyjmując schronienie; *na yotsye*—nie będę walczył; *iti*—w ten sposób; *manyase*—pomyślisz; *mithyā eṣaḥ*—wszystko to jest błędem; *vyavasāyaḥ*—zdecydowanie; *te*—twoje; *prakṛtiḥ*—natura materialna; *tvām*—ty; *niyokṣyati*—zaangażuje ciebie.

**Jeśli nie pójdziesz za Moją radą i nie będziesz walczył, zbłądzisz, a twoja natura i tak zmusi cię do zaangażowania się w walkę.**

*ZNACZENIE:* Arjuna był wojownikiem, *kṣatriyą* z natury. Dlatego jego naturalnym obowiązkiem było podjęcie walki. Ale z powodu fałszywego ego obawiał się, że przez zabicie swojego nauczyciela, dziadka i przyjaciół narazi się na skutki grzechów. W rzeczywistości uważał siebie za pana swoich czynów, tak jak gdyby od niego zależały dobre czy złe skutki tych czynów. Zapomniał on o tym, że Najwyższa Osoba Boga był tam obecny osobiście, nakazując mu walczyć. Takie zapominanie właściwe jest uwarunkowanej duszy. Najwyższa Osoba daje wskazówki co do tego, co jest dobre, a co złe, a naszym obowiązkiem jest po prostu działanie w świadomości Kṛṣṇy, aby osiągnąć doskonałość życia. Nikt nie może znać swojego przeznaczenia, tak jak zna je Pan. Dlatego najlepszą drogą jest przyjęcie wskazówek Najwyższego Pana i działanie odpowiednio do nich. Nikt nie powinien lekceważyć rozkazu Najwyższej Osoby Boga czy rozkazu mistrza duchowego, który jest Jego reprezentantem. Takie rozkazy musimy wypełniać bez wahania—tylko wtedy będziemy bezpieczni w każdych warunkach.

TEKST 60 स्वभावजेन कौन्तेय निबद्धः स्वेन कर्मणा ।
कर्तुं नेच्छसि यन्मोहात् करिष्यस्यवशोऽपि तत् ॥६०॥

*svabhāva-jena kaunteya nibaddhaḥ svena karmaṇā*
*kartuṁ necchasi yan mohāt kariṣyasy avaśo 'pi tat*

*svabhāva-jena*—zrodzony z własnej natury; *kaunteya*—O synu Kuntī; *nibaddhaḥ*—uwarunkowany; *svena*—przez swoją własną; *karmaṇā*—czynności; *kartum*—zrobić; *na*—nie; *icchasi*—chcesz; *yat*—to, co; *mohāt*—przez złudzenie; *kariṣyasi*—uczynisz; *avaśaḥ*—bezwiednie; *api*—nawet; *tat*—to.

**Pod wpływem złudzenia nie godzisz się postąpić według Moich wskazówek. Ale zmuszony przez swoją własną naturę—będziesz działał w ten sam sposób, o synu Kuntī.**

*ZNACZENIE:* Jeżeli ktoś odmawia działania pod kierunkiem Najwyższego Pana, wtedy zmuszony jest do działania przez *guṇy* natury materialnej, w których jest usytuowany. Każdy znajduje się pod wpływem jakiejś określonej kombinacji *guṇ* natury materialnej i postępuje odpowiednio do tej kombinacji. Ale kto dobrowolnie poddaje się kierownictwu Najwyższego Pana, ten staje się osobą chwalebną.

TEKST 61 ईश्वरः सर्वभूतानां हृद्देशेऽर्जुन तिष्ठति ।
भ्रामयन् सर्वभूतानि यन्त्रारूढानि मायया ॥६१॥

*īśvaraḥ sarva-bhūtānāṁ hṛd-deśe 'rjuna tiṣṭhati*
*bhrāmayan sarva-bhūtāni yantrārūḍhāni māyayā*

*īśvaraḥ*—Najwyższy Pan; *sarva-bhūtānām*—wszystkich żywych istot; *hṛt-deśe*—w sercu; *arjuna*—O Arjuno; *tiṣṭhati*—rezyduje; *bhrāmayan*—nakłania do przemieszczania się; *sarva-bhūtāni*—wszystkie żywe istoty; *yantra*—w maszynie; *ārūḍhani*—będąc usytuowanym; *māyayā*—pod urokiem energii materialnej.

**Najwyższy Pan przebywa w każdym sercu, Arjuno, i On kieruje wędrówkami żywych istot, które usadowione są jak gdyby na maszynie zrobionej z energii materialnej.**

*ZNACZENIE:* Arjuna nie posiada najwyższej wiedzy i jego decyzja względem walki ograniczona była jego niedoskonałym rozeznaniem. Pan Kṛṣṇa nauczał, że dusza indywidualna nie jest wszystkim we wszystkim. Najwyższa Osoba Boga, czyli On Sam, Kṛṣṇa, zlokalizowana

Dusza Najwyższa, przebywa w sercu każdej żywej istoty i kieruje nią. Po każdorazowej zmianie ciała żywa istota zapomina o swoich przeszłych czynach, ale Dusza Najwyższa, jako znawca przeszłości, teraźniejszości i przyszłości—pozostaje świadkiem jej wszystkich czynów. Zatem wszystkimi czynami żywych istot kieruje Dusza Najwyższa. Żywa istota otrzymuje to, na co zasłużyła i przenoszona jest przez ciało materialne, które tworzone jest z energii materialnej pod kierunkiem Duszy Najwyższej. Skoro tylko żywa istota zostanie umieszczona w określonym typie ciała, musi działać odpowiednio do swoich warunków cielesnych. Osoba siedząca w samochodzie wyścigowym posuwa się szybciej niż osoba w samochodzie wolniejszym, chociaż kierowcy, żywe istoty, mogą być tacy sami. Podobnie, z polecenia Duszy Najwyższej materialna natura stwarza określony typ ciała dla określonego typu żywej istoty, aby mogła ona postępować zgodnie ze swoimi przeszłymi pragnieniami. Żywa istota nie jest niezależna. Nie należy uważać siebie za niezależnego od Najwyższej Osoby Boga. Jesteśmy zawsze kontrolowani przez Niego i dlatego naszym obowiązkiem jest podporządkować się Jemu. Takie jest polecenie następnego wersetu.

**TEKST 62** तमेव शरणं गच्छ सर्वभावेन भारत ।
तत्प्रसादात्परां शान्तिं स्थानं प्राप्स्यसि शाश्वतम् ॥६२॥

*tam eva śaraṇaṁ gaccha sarva-bhāvena bhārata*
*tat-prasādāt parāṁ śāntiṁ sthānaṁ prāpsyasi śāśvatam*

*tam*—Jemu; *eva*—na pewno; *śaraṇam gaccha*—podporządkuj się; *sarva-bhāvena*—pod każdym względem; *bhārata*—O synu Bharaty; *tat-prasādāt*—dzięki Jego łasce; *parām*—transcendentalny; *śāntim*—spokój; *sthānam*—siedziba; *prāpsyasi*—osiągniesz; *śāśvatam*—wieczna.

**O potomku Bharaty, podporządkuj Mu się całkowicie. Dzięki Jego łasce osiągniesz transcendentalny spokój i najwyższą, wieczną siedzibę.**

*ZNACZENIE:* Żywa istota powinna zatem podporządkować się Najwyższej Osobie Boga, który przebywa w każdym sercu, gdyż to uwolni ją od wszelkiego rodzaju nieszczęść tego materialnego życia. Przez takie podporządkowanie nie tylko można uwolnić się od wszelkich utrapień w tym życiu, ale w końcu osiągnąć Najwyższego Boga. Świat transcendentalny opisany został w literaturze wedyjskiej (*Ṛg Veda* 1.22.20) jako *tad viṣṇoḥ paramaṁ padam*. Ponieważ całe stworzenie jest królestwem Boga, wobec tego wszystko co materialne jest właściwie duchowe, ale *paramaṁ padam* szczególnie odnosi się do wiecznej siedziby, która nazywana jest niebem duchowym albo Vaikuṇṭhą.

W Piętnastym Rozdziale *Bhagavad-gīty* jest powiedziane, *sarvasya cāhaṁ hṛdi sanniviṣṭaḥ*: Pan przebywa w sercu każdego. Więc to polecenie, że należy podporządkować się Duszy Najwyższej wewnątrz serca oznacza, że należy podporządkować się Najwyższej Osobie Boga, Kṛṣṇie. Arjuna już zaakceptował Kṛṣṇę jako Najwyższego. *Paraṁ brahma paraṁ dhāma*. W Rozdziale Dziesiątym przyjął on Kṛṣṇę jako Najwyższą Osobę Boga i najwyższe schronienie wszystkich żywych istot. Zrobił to nie tylko na mocy swojego osobistego doświadczenia, ale również opierając się na dowodach wielkich autorytetów, takich jak Nārada, Asita, Devala i Vyāsa.

**TEKST 63** इति ते ज्ञानमाख्यातं गुह्याद् गुह्यतरं मया ।
विमृश्यैतदशेषेण यथेच्छसि तथा कुरु ॥६३॥

*iti te jñānam ākhyātaṁ guhyād guhyataraṁ mayā*
*vimṛśyaitad aśeṣeṇa yathecchasi tathā kuru*

*iti*—w ten sposób; *te*—tobie; *jñānam*—wiedza; *ākhyātam*—opisałem; *guhyāt*—niż poufna; *guhya-taram*—jeszcze bardziej poufna; *mayā*—przeze Mnie; *vimṛśya*—przez rozważenie; *etat*—tego; *aśeṣeṇa*—całkowicie; *yathā*—jak; *icchasi*—chcesz; *tathā*—to; *kuru*—uczyń.

**Tak więc wytłumaczyłem ci wiedzę najbardziej poufną z poufnych. Rozważ to wszystko, a potem czyń, jak uważasz.**

*ZNACZENIE:* Pan wytłumaczył już Arjunie wiedzę o *brahma-bhūta*. Osoba, która osiągnęła ten stan *brahma-bhūta*, jest zawsze radosna, nigdy nie rozpacza ani nie pragnie niczego, a to dlatego, że posiada ona wiedzę poufną. Kṛṣṇa wyjawia również wiedzę o Duszy Najwyższej. Jest to również wiedza Brahmana, wiedza o Brahmanie, ale jest ona wiedzą wyższą.

Użyte tutaj słowa *yathecchasi tathā kuru*—"Zrób tak, jak uważasz za stosowne"—dowodzą, że Bóg nie ingeruje w małą niezależność żywej istoty. W *Bhagavad-gīcie* Pan dokładnie wytłumaczył, w jaki sposób można osiągnąć wyższą pozycję życia. Arjuna otrzymał najlepszą radę, mianowicie, aby podporządkował się Duszy Najwyższej, która obecna jest w każdym sercu. Kierując się zdrowym rozsądkiem, należy bez wahania poddać się przewodnictwu Duszy Najwyższej. To pomoże na zawsze pozostać w świadomości Kṛṣṇy, w najwyższym stanie doskonałości ludzkiego życia. Arjuna otrzymał bezpośrednie polecenie od Najwyższej Osoby Boga, aby podjął walkę. Podporządkowanie się Najwyższej Osobie Boga leży w interesie żywych istot. Nie jest to bynajmniej interesem Najwyższego. Przed podporządkowaniem się, każdy może rozważyć tę swoją decyzję, tak dalece jak pozwala mu na to jego inteligencja. Jest to najlepszy sposób przyjmowania instrukcji od Najwyższej Osoby Boga. Takie instrukcje wydaje również mistrz duchowy, bona fide reprezentant Kṛṣṇy.

**TEKST 64** सर्वगुह्यतमं भूयः शृणु मे परमं वचः ।
इष्टोऽसि मे दृढमिति ततो वक्ष्यामि ते हितम् ॥६४॥

*sarva-guhyatamaṁ bhūyaḥ śṛṇu me paramaṁ vacaḥ*
*iṣṭo 'si me dṛḍham iti tato vakṣyāmi te hitam*

*sarva-guhya-tamam*—najbardziej poufna ze wszystkich; *bhūyaḥ*—ponownie; *śṛṇu*—słuchaj; *me*—ode Mnie; *paramam*—najwyższa; *vacaḥ*—instrukcja; *iṣṭaḥ asi*—jesteś drogi; *me*—Mnie; *dṛḍham*—bardzo; *iti*—w ten sposób; *tataḥ*—zatem; *vakṣyāmi*—mówię; *te*—dla twojej; *hitam*—korzyści.

**Wyjawię ci tę wiedzę najwyższą, najbardziej poufną ze wszystkich, ponieważ jesteś Moim bardzo drogim przyjacielem. Słuchaj Mnie uważnie, gdyż mówię dla twojej korzyści.**

*ZNACZENIE:* Pan wyjawił Arjunie poufną wiedzę o Brahmanie, jeszcze bardziej poufną wiedzę o Duszy Najwyższej przebywającym w każdym sercu, a teraz przekazuje mu najbardziej poufną część tej wiedzy—o podporządkowaniu się Najwyższej Osobie Boga. W końcu Dziewiątego Rozdziału powiedział On, *man-manāḥ*: "Myśl zawsze o Mnie." To samo powtarza tutaj, aby podkreślić istotę nauk *Bhagavad-gīty*. Istoty tej nie rozumie zwykły człowiek, ale tylko ten, kto jest naprawdę drogi Kṛṣṇie—czysty wielbiciel Kṛṣny. Jest to najważniejsza instrukcja w całej literaturze wedyjskiej. To, co w związku z tym mówi Kṛṣṇa, jest najistotniejszą częścią wiedzy, zgodnie z którą powinien postępować nie tylko Arjuna, ale wszystkie żywe istoty.

**TEKST 65** मन्मना भव मद्भक्तो मद्याजी मां नमस्कुरु ।
मामेवैष्यसि सत्यं ते प्रतिजाने प्रियोऽसि मे ॥६५॥

*man-manā bhava mad-bhakto mad-yājī māṁ namaskuru*
*mām evaiṣyasi satyaṁ te pratijāne priyo 'si me*

*mat-manāḥ*—myśląc o Mnie; *bhava*—zostań; *mat-bhaktaḥ*—Moim wielbicielem; *mat-yājī*—Moim czcicielem; *mām*—Mnie; *namaskuru*—ofiarowuj swoje pokłony; *mām*—Mnie; *eva*—na pewno; *eṣyasi*—przyjdziesz; *satyam*—naprawdę; *te*—tobie; *pratijāne*—obiecuję; *priyaḥ*—drogi; *asi*—jesteś; *me*—Mnie.

**Zawsze myśl o Mnie i zostań Moim wielbicielem. Czcij Mnie i składaj Mi hołd, a bez wątpienia przyjdziesz do Mnie. Obiecuję ci to, ponieważ jesteś Mi bardzo drogim przyjacielem.**

*ZNACZENIE:* Istota najskrytszej wiedzy polega na tym, że należy zostać czystym wielbicielem Kṛṣṇy, zawsze myśleć o Nim, Jemu ofiarowywać wszystkie swoje czyny. Nie znaczy to, że trzeba zostać oficjalnym "medytatorem", ale należy tak ukształtować życie, aby zawsze mieć okazję do myślenia o Kṛṣṇie. Należy zawsze postępować w taki sposób, aby wszystkie codzienne czynności miały związek z Kṛṣṇą, i tak zorganizować swoje życie, aby przez dwadzieścia cztery godziny na dobę myśleć o Kṛṣṇie. I Pan obiecuje, że każdy, kto posiada taką czystą świadomość Kṛṣṇy—z pewnością powróci do siedziby Kṛṣṇy, gdzie będzie obcował z Nim, twarzą w twarz. Ta najskrytsza część wiedzy została wyjawiona Arjunie, ponieważ jest on drogim przyjacielem Kṛṣṇy. Każdy, kto bierze przykład z Arjuny, może zostać drogim przyjacielem Kṛṣṇy i osiągnąć tę samą doskonałość, co Arjuna.

Słowa te podkreślają, że należy skoncentrować swój umysł na Kṛṣṇie, Jego oryginalnej, dwurękiej formie—niebieskawym chłopcu o pięknej twarzy, z pawim piórem we włosach i grającym na flecie. Opisy Kṛṣṇy można znaleźć w *Brahma-saṁhicie* i innej literaturze. Należy skupić swój umysł na oryginalnej formie Boga, Kṛṣṇie. Nie powinno się nawet zwracać uwagi na inne formy Pana. Pan ma wiele różnych form, takich jak Viṣṇu, Nārāyaṇa, Rāma, Varāha itd., ale wielbiciel powinien skoncentrować swój umysł na formie Kṛṣṇy, która obecna była przed Arjuną. To skoncentrowanie umysłu na Kṛṣṇie stanowi najskrytszą część wiedzy, która została wyjawiona Arjunie dlatego, że był on najdroższym przyjacielem Kṛṣṇy.

**TEKST 66** सर्वधर्मान् परित्यज्य मामेकं शरणं व्रज ।
अहं त्वां सर्वपापेभ्यो मोक्षयिष्यामि मा शुचः ॥६६॥

*sarva-dharmān parityajya mām ekaṁ śaraṇaṁ vraja*
*ahaṁ tvāṁ sarva-pāpebhyo mokṣayiṣyāmi mā śucaḥ*

*sarva-dharmān*—wszystkie rodzaje religii; *parityajya*—porzucając; *mām*—Mnie; *ekam*—jedynie; *śaraṇam*—dla podporządkowania się; *vraja*—idź; *aham*—Ja; *tvām*—ciebie; *sarva*—wszystkie; *pāpebhyaḥ*—od następstw grzechów; *mokṣayiṣyāmi*—wyzwolę; *mā*—nie; *śucaḥ*—martw się.

**Porzuć wszelkie rodzaje religii i po prostu podporządkuj się Mnie. Ja wyzwolę cię od wszelkich następstw grzechów. Nie lękaj się więc.**

*ZNACZENIE:* Pan opisał różne typy wiedzy i procesy religii—wiedzę o Najwyższym Brahmanie, wiedzę o Duszy Najwyższej, wiedzę o różnych porządkach i statusach życia społecznego, wiedzę o wyrzeczonym porządku życia, o braku przywiązania, kontroli zmysłów i umysłu, medytacji itd. Opisał na tak wiele różnych sposobów różne typy religii. Teraz, w zakończeniu *Bhagavad-gīty*, Pan mówi, że Arjuna powinien porzucić wszystkie procesy, które zostały mu wcześniej wytłumaczone. Powinien jedynie podporządkować się Kṛṣṇie. To podporządkowanie się ocali go od wszelkich następstw grzechów, gdyż Pan osobiście obiecuje, że będzie go chronił.

W Ósmym Rozdziale zostało powiedziane, że wielbić Pana Kṛṣṇę może jedynie ten, kto uwolnił się od wszelkich następstw grzechów. Więc ktoś może myśleć, że dopóki nie uwolni się od skutków grzechów, to podporządkowanie będzie niemożliwe. Ale tutaj znajduje się odpowiedź na takie wątpliwości: nawet jeśli ktoś nie jest jeszcze wolny od wszelkich następstw grzechów, automatycznie zostanie z nich uwolniony jedynie przez proces podporządkowania się Śrī Kṛṣṇie. Do uwolnienia się z następstw grzechów nie jest konieczny żaden uciążliwy wysiłek. Należy jedynie i bez wahania przyjąć Kṛṣṇę za najwyższego wybawcę wszystkich żywych istot i z wiarą i miłością podporządkować się Jemu.

Ten proces podporządkowania się Kṛṣṇie został opisany w *Hari-bhakti-vilāsa* (11.676):

*ānukūlyasya saṅkalpaḥ prātikūlyasya varjanam*
*rakṣiṣyatīti viśvāso goptṛtve varanaṁ tathā*
*ātma-nikṣepa-kārpaṇye ṣaḍ-vidhā śaraṇāgatiḥ*

Zgodnie z procesem służby oddania, należy przyjąć jedynie takie zasady religijne, które ostatecznie prowadzą do służby oddania dla Pana. Można wykonywać jakiś określony rodzaj obowiązków zawodowych, odpowiednio do swojej pozycji w porządku społecznym, ale jeśli przez takie wypełnianie swoich obowiązków ktoś nie dochodzi do istoty świadomości Kṛṣṇy, wtedy wszystkie jego czyny idą na marne. Należy unikać wszystkiego, co nie prowadzi do osiągnięcia doskonałego stanu świadomości Kṛṣṇy. Należy być mocno przekonanym o tym, że w każdych okolicznościach Kṛṣṇa będzie nas chronił od wszelkich trudności. Nie ma potrzeby martwić się o to, w jaki sposób utrzymać ciało i duszę razem. Kṛṣṇa zadba o to. Należy zawsze czuć się bezradnym i uważać Kṛṣṇę za jedyną podstawę swojego postępu w życiu. Skoro tylko ktoś poważnie angażuje się w służbę dla Pana, w pełnej świadomości Kṛṣṇy, od razu zostaje uwolniony od wszelkich zanieczyszczeń natury materialnej. Są różnego rodzaju procesy religijne i procesy oczyszczające, polegające na kultywowaniu wiedzy, medytacji w systemie *yogi* mistycznej itd. Ale ten, kto podporządkowuje się Kṛṣṇie—nie musi praktykować tak wielu metod. Samo podporządkowanie się Kṛṣṇie uwolni go od niepotrzebnej straty czasu. Dzięki temu podporządkowaniu może on zrobić natychmiastowy postęp i uwolnić się od następstw grzechów.

Całą swoją uwagę należy skierować na piękną postać Kṛṣṇy. Imię Jego jest Kṛṣṇa, gdyż jest On wszechatrakcyjny. Szczęśliwy jest ten, kogo przyciąga piękna, wszechpotężna i wszechmocna postać Kṛṣṇy. Są różnego typu transcendentaliści: niektórzy z nich przywiązani są do bezosobowego Brahmana, niektórzy przyciągani są przez postać Duszy Najwyższej itd. Ale kto przywiązany jest do osobowego aspektu Najwyższej Osoby Boga jako Samego Kṛṣṇy, ten jest najdoskonalszym ze wszystkich transcendentalistów. Innymi słowy, służba oddania dla Kṛṣṇy, w pełnej świadomości, jest najbardziej poufną częścią wiedzy—i to jest istotą całej *Bhagavad-gīty*. *Karma-yogīni*, filozofowie-empirycy, mistycy i bhaktowie (wielbiciele), wszyscy są transcendentalistami, ale ten, kto jest czystym wielbicielem, ten jest najlepszym ze wszystkich. Użyto tutaj znaczących słów, *mā śucaḥ*, "Nie bój się, nie wahaj się, nie martw się". Ktoś może zaniepokoić się, w jaki sposób będzie w stanie porzucić wszelkie religijne formy i po prostu podporządkować się Kṛṣṇie—ale taki niepokój jest zbyteczny.

**TEKST 67** इदं ते नातपस्काय नाभक्ताय कदाचन ।
न चाशुश्रूषवे वाच्यं न च मां योऽभ्यसूयति ॥६७॥

*idaṁ te nātapaskāya nābhaktāya kadācana*
*na cāśuśrūṣave vācyaṁ na ca māṁ yo 'bhyasūyati*

*idam*—to; *te*—przez ciebie; *na*—nigdy; *atapaskāya*—temu, kto nie jest wyrzeczony; *na*—nigdy; *abhaktāya*—temu, kto nie jest wielbicielem; *kadācana*—nigdy; *na*—nigdy; *ca*—również; *aśuśrūṣave*—temu, kto nie jest zaangażowany w służbę oddania; *vācyam*—przekazywaną; *na*—nigdy; *ca*—również; *mām*—Mnie; *yaḥ*—każdy, kto; *abhyasūyati*—jest zazdrosny.

**Tej poufnej wiedzy nie należy przekazywać tym, którzy nie posiadają wyrzeczenia, którzy nie są wielbicielami i nie pełnią służby oddania dla Mnie, ani też tym, którzy są o Mnie zazdrośni.**

*ZNACZENIE:* Tej najskrytszej wiedzy nie należy przekazywać osobom, które nie praktykowały żadnych wyrzeczeń w procesie religii, które nigdy nie próbowały służby oddania w świadomości Kṛṣṇy, które nie służyły czystemu wielbicielowi, szczególnie zaś tym, które uważają Kṛṣṇę za osobistość historyczną, albo są zazdrosne o Jego wielkość. Czasami jednak zdarza się, że nawet demoniczne osoby, które są zazdrosne o Kṛṣṇę, wielbiąc Go w inny sposób, tłumaczą *Bhagavad-gītę*, traktując to jako zawód przynoszący interes. Jednak każdy, kto naprawdę pragnie zrozumieć Kṛṣṇę, musi unikać takich komentarzy do *Bhagavad-gīty*. W rzeczywistości celu *Bhagavad-gīty* nie mogą zrozumieć osoby zmysłowe. A nawet jeśli ktoś nie jest zmysłowy i ściśle przestrzega zasad pism wedyjskich, a nie jest wielbicielem, również nie może zrozumieć Kṛṣṇy. Nie może Go zrozumieć również ten, kto pozuje na wielbiciela, ale nie jest zaangażowany w czynności w świadomości Kṛṣṇy. Jest wiele osób zazdrosnych o Kṛṣṇę, ponieważ wytłumaczył On w *Bhagavad-gīcie*, iż On jest Najwyższym, i że nikt Go nie przewyższa ani też nikt Mu nie dorównuje. Więc wiele osób zazdrości tego Kṛṣṇie. Takim osobom nie należy przekazywać *Bhagavad-gīty*, gdyż nie są one w stanie jej zrozumieć. Zrozumienie *Bhagavad-gīty* i Kṛṣṇy nie jest możliwe dla osób niewierzących. Nie należy również komentować *Bhagavad-gīty*, jeśli nie zrozumiało się Kṛṣṇy od autorytetu, czystego wielbiciela.

**TEKST 68** य इदं परमं गुह्यं मद्भक्तेष्वभिधास्यति ।
भक्तिं मयि परां कृत्वा मामेवैष्यत्यसंशयः ॥६८॥

*ya idaṁ paramaṁ guhyaṁ mad-bhakteṣv abhidhāsyati*
*bhaktiṁ mayi parāṁ kṛtvā mām evaiṣyaty asaṁśayaḥ*

*yaḥ*—każdy, kto; *idam*—to; *paramam*—najbardziej; *guhyam*—poufny sekret; *mat*—Mój; *bhakteṣu*—pomiędzy wielbicielami; *abhidhāsyati*—tłumaczy; *bhaktim*—służba oddania; *mayi*—Mnie; *parām*—transcendentalna; *kṛtvā*—czyniąc; *mām*—Mnie; *eva*—na pewno; *eṣyati*—przychodzi; *asaṁśayaḥ*—bez wątpienia.

**Ale temu, kto ten najwyższy sekret tłumaczy Moim wielbicielom, gwarantowana jest czysta służba oddania, i w końcu powróci on do Mnie.**

*ZNACZENIE:* Na ogół radzi się, aby o tematach *Bhagavad-gīty* rozmawiać tylko pomiędzy wielbicielami, gdyż ci, którzy nimi nie są, nie rozumieją ani Kṛṣṇy, ani *Bhagavad-gīty*. Kto nie przyjmuje Kṛṣṇy takim jakim On jest, ani *Bhagavad-gīty* takiej jaką jest, ten nie powinien próbować tłumaczyć jej dowolnie, gdyż jest to wielką obrazą. *Bhagavad-gītę* należy tłumaczyć tylko tym osobom, które gotowe są do zaakceptowania Kṛṣṇy jako Najwyższej Osoby Boga. Jest to temat do rozmowy tylko dla wielbicieli, a nie dla filozofów spekulantów. Każdy jednakże, kto próbuje szczerze przedstawić *Bhagavad-gītę* taką jaką ona jest, uczyni postęp w czynnościach służby oddania i osiągnie stan czystego oddania. Dzięki takiemu czystemu oddaniu z pewnością powróci do domu, z powrotem do Boga.

**TEKST 69** य इदं परमं गुह्यं मद्भक्तेष्वभिधास्यति ।
भक्तिं मयि परां कृत्वा मामेवैष्यत्यसंशयः ॥६८॥

*na ca tasmān manuṣyeṣu kaścin me priya-kṛttamaḥ*
*bhavitā na ca me tasmād anyaḥ priyataro bhuvi*

*na*—nigdy; *ca*—i; *tasmāt*—niż on; *manuṣyeṣu*—pomiędzy ludźmi; *kaścit*—każdy; *me*—Mnie; *priya-kṛt-tamaḥ*—bardziej drogi; *bhavitā*—stanie się; *na*—nie; *ca*—i; *me*—Mnie; *tasmāt*—niż on; *anyaḥ*—inny; *priya-taraḥ*—droższy; *bhuvi*—w tym świecie.

**Nie ma dla Mnie droższego od niego sługi w tym świecie, ani też nigdy droższego nie będzie.**

**TEKST 70** अध्येष्यते च य इमं धर्म्यं संवादमावयोः ।
ज्ञानयज्ञेन तेनाहमिष्टः स्यामिति मे मतिः ॥७०॥

*adhyeṣyate ca ya imaṁ dharmyaṁ saṁvādam āvayoḥ*
*jñāna-yajñena tenāham iṣṭaḥ syām iti me matiḥ*

*adhyeṣyate*—będzie studiował; *ca*—również; *yaḥ*—ten, który; *imam*—ta; *dharmyam*—święta; *saṁvādam*—rozmowa; *āvayoḥ*—nasza; *jñāna*—wiedzy; *yajñena*—przez ofiarę; *tena*—przez niego; *aham*—Ja; *iṣṭaḥ*—wielbiony; *syām*—będę; *iti*—w ten sposób; *me*—Moje; *matiḥ*—zdanie.

**I orzekam, że ten, kto studiuje tę świętą rozmowę, wielbi Mnie całą swoją inteligencją.**

**TEKST 71**
श्रद्धावाननसूयश्च शृणुयादपि यो नरः ।
सोऽपि मुक्तः शुभाल्ँलोकान् प्राप्नुयात् पुण्यकर्मणाम् ॥७१॥

*śraddhāvān anasūyaś ca śṛṇuyād api yo naraḥ*
*so 'pi muktaḥ śubhāl lokān prāpnuyāt puṇya-karmaṇām*

*śraddhā-vān*—wierny; *anasūyaḥ*—niezazdrosny; *ca*—i; *śṛṇuyāt*—posłuchaj; *api*—na pewno; *yaḥ*—kto; *naraḥ*—człowiek; *saḥ*—on; *api*—również; *muktaḥ*—będąc wyzwolonym; *śubhān*—pomyślne; *lokān*—planety; *prāpnuyāt*—osiąga; *puṇya-karmaṇām*—pobożnych.

**A ten, kto słucha z wiarą, i bez zazdrości—uwalnia się od następstw grzechów i osiąga pomyślne planety, gdzie zamieszkują pobożne istoty.**

*ZNACZENIE:* W sześćdziesiątym siódmym wersecie tego rozdziału Pan wyraźnie zabrania przekazywania *Gīty* tym, którzy są o Niego zazdrośni. Innymi słowy, *Bhagavad-gītā* jest przeznaczona jedynie dla wielbicieli. Jednak zdarza się, że czasami wielbiciel Pana daje otwarte wykłady i uczestniczące w tych wykładach osoby nie wszystkie są wielbicielami. Dlaczego robi się wobec tego otwarte wykłady? Zostało to wytłumaczone tutaj. Chociaż nie każdy jest wielbicielem Pana, to jest wiele osób, które nie są zazdrosne o Kṛṣṇę. Posiadają one wiarę w Niego jako Najwyższą Osobę Boga. Jeżeli takie osoby słuchają o Panu od bona fide wielbiciela, to rezultat tego jest taki, że od razu zostają one uwolnione od wszystkich następstw grzechów i następnie osiągają wyższe systemy planetarne, gdzie żyją prawe osoby. Zatem jedynie przez słuchanie *Bhagavad-gīty*, nawet osoby, które nie usiłują być czystymi wielbicielami, osiągają rezultaty pobożnych czynów. W ten sposób czysty wielbiciel Pana każdemu daje szansę uwolnienia się od wszelkich następstw grzechów i stania się wielbicielem Pana.

Na ogół ci, którzy wolni są od następstw grzechów, czyli są ludźmi prawego charakteru, bez trudu przyjmują świadomość Kṛṣṇy. Bardzo ważne jest tutaj słowo *puṇya-karmaṇām*. Odnosi się ono do spełniania wielkich ofiar, takich jak *aśvamedha-yajña*, wspomnianych w literaturze wedyjskiej. Ci, którzy są szczerzy w służbie oddania, ale nie są czystymi, mogą osiągnąć system planetarny Gwiazdy Polarnej, czyli Dhruvalokę, gdzie panuje Dhruva Mahārāja. Jest on wielkim wielbicielem Pana i posiada specjalną planetę, nazywaną Gwiazdą Polarną.

**TEKST 72** कच्चिदेतच्छ्रुतं पार्थ त्वयैकाग्रेण चेतसा ।
कच्चिदज्ञानसम्मोहः प्रणष्टस्ते धनञ्जय ॥७२॥

*kaccid etac chrutaṁ pārtha tvayaikāgreṇa cetasā*
*kaccid ajñāna-sammohaḥ praṇaṣṭas te dhanañjaya*

*kaccit*—czy; *etat*—to; *śrutam*—słyszałeś; *pārtha*—O synu Pṛthy; *tvayā*—przez ciebie; *eka-agreṇa*—z pełną uwagą; *cetasā*—przez umysł; *kaccit*—czy; *ajñāna*—ignorancji; *sammohaḥ*—złudzenie; *praṇaṣṭaḥ*—rozwiało się; *te*—twoje; *dhanañjaya*—O zdobywco bogactw (Arjuno).

**O zdobywco bogactw, o synu Pṛthy, czy wysłuchałeś Mnie uważnie? I czy rozwiały się twoje złudzenia i rozproszyła ignorancja?**

*ZNACZENIE:* Pan występuje jako mistrz duchowy Arjuny, dlatego Jego obowiązkiem jest zapytać go, czy właściwie zrozumiał całą *Bhagavad-gītę*. Jeśli nie, Pan jest gotowy ponownie wytłumaczyć niejasne punkty czy nawet całą *Bhagavad-gītę*, gdyby zaszła taka potrzeba. Właściwie każdy, kto słucha *Bhagavad-gīty* od bona fide mistrza duchowego takiego jak Kṛṣṇa albo Jego reprezentant, przekona się, iż rozprasza się cała jego ignorancja. *Bhagavad-gītā* nie jest zwykłą książką, pisaną przez jakiegoś poetę czy powieściopisarza. Jest ona wypowiedziana przez Najwyższą Osobę Boga. Ten, kto jest na tyle szczęśliwy, aby słuchać tych nauk od Kṛṣṇy albo Jego bona fide reprezentanta duchowego—z pewnością osiągnie wyzwolenie i wydostanie się z ciemności ignorancji.

**TEKST 73** अर्जुन उवाच

नष्टो मोहः स्मृतिर्लब्धा त्वत्प्रसादान्मयाच्युत ।
स्थितोऽस्मि गतसन्देहः करिष्ये वचनं तव ॥७३॥

*arjuna uvāca*
*naṣṭo mohaḥ smṛtir labdhā tvat-prasādān mayācyuta*
*sthito 'smi gata-sandehaḥ kariṣye vacanaṁ tava*

*arjunaḥ uvāca*—Arjuna rzekł; *naṣṭaḥ*—rozproszone; *mohaḥ*—złudzenie; *smṛtiḥ*—pamięć; *labdhā*—odzyskana; *tvat-prasādāt*—dzięki Twojemu miłosierdziu; *mayā*—przeze mnie; *acyuta*—O nieomylny Kṛṣṇo; *sthitaḥ*—usytuowany; *asmi*—jestem; *gata*—usunięte; *sandehaḥ*—wszystkie wątpliwości; *kariṣye*—spełnię; *vacanam*—polecenie; *tava*—Twoje.

**Arjuna rzekł: O mój drogi, nieomylny Kṛṣṇo, rozwiały się już moje złudzenia i dzięki Twojej łasce odzyskuję pamięć. Opuściły mnie już wszelkie wątpliwości i teraz—umocniony—jestem gotów działać według Twoich instrukcji.**

*ZNACZENIE:* Konstytucjonalna pozycja żywej istoty, reprezentowana tutaj przez Arjunę, jest taka, że powinna ona działać zgodnie z rozkazem Najwyższego Pana. Przeznaczeniem jej jest samodyscyplina. Śrī Caitanya Mahāprabhu mówił, że żywa istota jest wiecznym sługą Najwyższego Pana; taka jest jej rzeczywista pozycja. Kiedy zapomina o tej zasadzie, zostaje uwarunkowana przez materialną naturę, ale służąc Najwyższemu Panu staje się ona wyzwolonym sługą Boga. Pełnienie służby jest konstytucjonalną pozycją żywej istoty. Musi ona służyć albo złudnej *māyi*—albo Najwyższemu Panu. Jeśli służy Najwyższemu Panu, to jest to właściwy dla niej stan, ale jeżeli woli służyć zewnętrznej, złudnej energii, wtedy z pewnością jest w niewoli. W tym materialnym świecie służy ona złudzeniu. Jest ograniczona przez swoją żądzę i pragnienia, jednak uważa siebie za pana tego świata. To nazywane jest ułudą. Kiedy ktoś osiąga wyzwolenie, wtedy kończy się jego złudzenie i dobrowolnie podporządkowuje się on Najwyższemu, aby działać zgodnie z Jego pragnieniami. Ostatnim złudzeniem, ostatnią pułapką *māyi* zastawioną na żywą istotę, jest twierdzenie, iż jest ona Bogiem. Żywa istota myśli wtedy, iż nie jest dłużej duszą uwarunkowaną, lecz że stała się Bogiem. Jest ona tak nieinteligentna, że nie zastanawia się, jak to jest możliwe, że będąc Bogiem—mogła mieć jakieś wątpliwości? Tego jakoś nie bierze pod uwagę... Więc jest to ostatnia pułapka złudzenia. W rzeczywistości uwolnienie się od złudnej energii oznacza zrozumienie Kṛṣṇy, Najwyższej Osoby Boga, i działanie zgodnie z Jego poleceniem.

Bardzo ważne w tym wersecie jest słowo *moha*. *Moha* odnosi się do tego, co jest przeciwieństwem wiedzy. W rzeczywistości prawdziwą wiedzą jest rozumienie tego, iż każda żywa istota jest wiecznym sługą Pana. Jednakże zamiast myśleć w ten sposób, żywa istota uważa siebie nie za sługę, lecz za pana tego materialnego świata, gdyż pragnie panować nad naturą materialną. Na tym polega jej złudzenie. Złudzenie to można pokonać dzięki łasce Pana albo miłosierdziu Jego czystego wielbiciela. Kiedy to złudzenie zostaje przezwyciężone, żywa istota zgadza się działać w świadomości Kṛṣṇy.

Świadomością Kṛṣṇy jest działanie zgodne z poleceniem Kṛṣṇy. Uwarunkowana dusza, łudzona przez zewnętrzną energię materialną, nie wie o tym, że Najwyższy Pan jest mistrzem pełnym wiedzy, i że On jest właścicielem wszystkiego. Może On obdarzać Swoich wielbicieli wszelkimi dobrami, jeśli tylko tego zapragnie. Jest On przyjacielem każdego, a szczególnie życzliwy jest dla Swoich wielbicieli. Jest kontrolerem natury materialnej i wszystkich żywych istot. Jest również kontrolerem niewyczerpanego czasu i pełen jest wszelkich bogactw i mocy. Najwyższa Osoba Boga może nawet dać Siebie Samego Swojemu wielbicielowi. Kto Go nie zna, ten znajduje się pod urokiem złudzenia: nie zostaje wielbicielem, ale sługą *māyi*. Arjuna jednakże, po wysłuchaniu *Bhagavad-gīty* od Najwyższej Osoby Boga, uwolnił się od wszelkiej ułudy. Mógł się przekonać, że Kṛṣṇa jest nie tylko Jego przyjacielem, ale Najwyższą Osobą Boga. Zrozumiał on Kṛṣṇę naprawdę. Więc studiowanie *Bhagavad-gīty* oznacza rzeczywiste poznanie Kṛṣṇy. Kiedy ktoś posiada pełną wiedzę, wtedy w naturalny sposób podporządkowuje się Kṛṣṇie. Kiedy Arjuna zrozumiał, że planem

Kṛṣṇy było zredukowanie niepotrzebnego wzrostu populacji, zgodził się walczyć zgodnie z Jego pragnieniem. Ponownie podniósł broń—swój łuk i strzały—aby walczyć pod kierunkiem Najwyższej Osoby Boga.

**TEKST 74** सञ्जय उवाच

इत्यहं वासुदेवस्य पार्थस्य च महात्मनः ।
संवादमिममश्रौषमद्भुतं रोमहर्षणम् ॥७४॥

*sañjaya uvāca*
*ity ahaṁ vāsudevasya pārthasya ca mahātmanaḥ*
*saṁvādam imam aśrauṣam adbhutaṁ roma-harṣaṇam*

*sañjayaḥ uvāca*—Sañjaya rzekł; *iti*—w ten sposób; *aham*—ja; *vāsudevasya*—Kṛṣṇy; *pārthasya*—i Arjuny; *ca*—również; *mahā-ātmanaḥ*—wielkich dusz; *saṁvādam*—dyskusja; *imam*—ta; *aśrauṣam*—słyszałem; *adbhutam*—wspaniała; *roma-harṣaṇam*—wywołująca jeżenie się włosów.

**Sañjaya rzekł: Usłyszałem zatem rozmowę dwóch wielkich dusz—Kṛṣṇy i Arjuny. I tak wspaniałą ona była, że włosy jeżą mi się na ciele.**

*ZNACZENIE:* Na początku *Bhagavad-gīty* Dhṛtarāṣṭra zapytywał swojego sekretarza Sañjayę: "Co zdarzyło się na polu bitewnym Kurukṣetra?" A wszystko to, co się tam zdarzyło, zostało objawione sercu Sañjayi, dzięki łasce jego mistrza duchowego, Vyāsy, i dlatego mógł on przekazać rozmowę, która tam się odbyła. Rozmowa ta była niewątpliwie wspaniała, albowiem tak ważny dialog pomiędzy dwiema wielkimi duszami nigdy nie miał wcześniej miejsca i nie zdarzy się już więcej. Jest ona wspaniała, albowiem Najwyższa Osoba Boga mówił do żywej istoty, Arjuny, Swojego wielkiego wielbiciela—o Sobie i o Swoich energiach. Jeśli pójdziemy za przykładem Arjuny, jeśli chodzi o zrozumienie Kṛṣny, wtedy nasze życie na pewno będzie szczęśliwe i uwieńczone sukcesem. Sañjaya zdał sobie z tego sprawę, i jak tylko zaczął to rozumieć, przekazał całą rozmowę Dhṛtarāṣṭrze. Wniosek z tego jest taki, że wszędzie tam, gdzie jest Kṛṣṇa i Arjuna, tam jest zwycięstwo.

**TEKST 75** व्यासप्रसादाच्छ्रुतवानेतद् गुह्यमहं परम् ।
योगं योगेश्वरात्कृष्णात्साक्षात्कथयतः स्वयम् ॥७५॥

*vyāsa-prasādāc chrutavān etad guhyam ahaṁ param*
*yogaṁ yogeśvarāt kṛṣṇāt sākṣāt kathayataḥ svayam*

*vyāsa-prasādāt*—dzięki łasce Vyāsadevy; *śrutavān*—usłyszałem; *etat*—to; *guhyam*—poufny; *aham*—ja; *param*—najwyższy; *yogam*—mistycyzm; *yoga-īśvarāt*—od mistrza wszelkiego mistycyzmu; *kṛṣṇāt*—od Kṛṣṇy; *sākṣāt*—bezpośrednio; *kathayataḥ*—mówiąc; *svayam*—osobiście.

**Dzięki łasce Vyāsy usłyszałem najbardziej poufną rozmowę, bezpośrednio od mistrza wszelkiego mistycyzmu—Kṛṣṇy, który osobiście przemawiał do Arjuny.**

*ZNACZENIE:* Vyāsa był mistrzem duchowym Sañjayi i Sañjaya przyznaje, że to dzięki jego łasce mógł zrozumieć Najwyższą Osobę Boga. Znaczy to, że Kṛṣṇę należy poznawać nie bezpośrednio, ale poprzez mistrza duchowego. Mistrz duchowy jest pośrednikiem, przezroczystym medium, chociaż prawdą jest to, że doświadczenie jest bezpośrednie. Jest to tajemnica sukcesji uczniów. Jeśli mistrz duchowy jest bona fide, wtedy można słuchać *Bhagavad-gīty* bezpośrednio, tak jak usłyszał ją Arjuna. Jest wielu mistyków i *yogīnów* na całym świecie, ale Kṛṣṇa jest mistrzem wszystkich systemów *yogi*. Instrukcja Kṛṣṇy została jasno wyrażona w *Bhagavad-gīcie*: podporządkuj się Kṛṣṇie. Kto to czyni, ten jest najwyższym spośród wszystkich *yogīnów*. Potwierdza to ostatni werset Rozdziału Szóstego. *Yoginām api sarveṣām*.

Nārada jest bezpośrednim uczniem Kṛṣṇy i mistrzem duchowym Vyāsy. Zatem Vyāsa jest bona fide, tak jak Arjuna, ponieważ pochodzi z sukcesji uczniów, a Sañjaya jest bezpośrednim uczniem Vyāsy. Dlatego, dzięki łasce Vyāsy, zostały oczyszczone jego zmysły i mógł on słyszeć i widzieć Kṛṣṇę bezpośrednio. Kto słyszy Kṛṣṇę bezpośrednio, ten może zrozumieć tę poufną wiedzę. Ale słyszeć Kṛṣny nie może ten, kto nie zetknie się z sukcesją uczniów; dlatego wiedza jego jest zawsze niedoskonała, przynajmniej jeśli chodzi o rozumienie *Bhagavad-gīty*.

*Bhagavad-gītā* tłumaczy wszystkie systemy *yogi*, takie jak *karma-yoga, jñāna-yoga* i *bhakti-yoga*. Kṛṣṇa jest mistrzem wszelkiego takiego mistycyzmu. Tak jak Arjuna był na tyle szczęśliwy, że mógł zrozumieć Kṛṣṇę bezpośrednio, podobnie, dzięki łasce Vyāsy, również Sañjaya mógł bezpośrednio słyszeć Kṛṣṇę. W rzeczywistości nie ma żadnej różnicy w słuchaniu bezpośrednio od Kṛṣny i w słuchaniu bezpośrednio od Kṛṣny poprzez bona fide mistrza duchowego, takiego jak Vyāsa. Mistrz duchowy jest również reprezentantem Vyāsadevy. Dlatego, zgodnie z systemem wedyjskim, w dzień urodzin mistrza duchowego uczniowie urządzają uroczystość zwaną Vyāsa-pūyā.

**TEKST 76** राजन् संस्मृत्य संस्मृत्य संवादमिममद्भुतम् ।
केशवार्जुनयोः पुण्यं हृष्यामि च मुहुर्मुहुः ॥७६॥

*rājan saṁsmṛtya saṁsmṛtya saṁvādam imam adbhutam*
*keśavārjunayoḥ puṇyaṁ hṛṣyāmi ca muhur muhuḥ*

*rājan*—O królu; *saṁsmṛtya*—pamiętając; *saṁsmṛtya*—pamiętając; *saṁvādam*—wieść; *imam*—ta; *adbhutam*—piękna; *keśava*—Pana Kṛṣṇy; *arjunayoḥ*—i Arjuny; *puṇyam*—pobożny; *hṛṣyāmi*—znajduję przyjemność; *ca*—również; *muhuḥ muhuḥ*—ciągle na nowo.

**O królu, jakże wielką radość znajduję wciąż na nowo w każdym wspomnieniu tego cudownego, świętego dialogu pomiędzy Kṛṣṇą i Arjuną—i dreszcz rozkoszy wciąż przenika moje serce.**

*ZNACZENIE:* Nauki *Bhagavad-gīty* są tak transcendentalne, że każdy, kto zaznajomi się z tematami poruszanymi przez Arjunę i Kṛṣṇę, staje się człowiekiem prawym i nie może zapomnieć tych rozmów. Na tym polega transcendentalna pozycja życia duchowego. Innymi słowy, kto słucha *Gīty* z właściwego źródła, bezpośrednio od Kṛṣṇy, ten osiąga pełną świadomość Kṛṣṇy. W rezultacie osoba taka staje się coraz bardziej oświecona, a życie jej przeniknięte jest dreszczem rozkoszy, którym raduje się nie przez chwilę, ale w każdym momencie swojego życia.

**TEKST 77** तच्च संस्मृत्य संस्मृत्य रूपमत्यद्भुतं हरेः ।
विस्मयो मे महान् राजन् हृष्यामि च पुनः पुनः ॥७७॥

*tac ca saṁsmṛtya saṁsmṛtya rūpam aty-adbhutaṁ hareḥ*
*vismayo me mahān rājan hṛṣyāmi ca punaḥ punaḥ*

*tat*—to; *ca*—również; *saṁsmṛtya*—pamiętając; *saṁsmṛtya*—pamiętając; *rūpam*—postać; *ati*—wielce; *adbhutam*—piękny; *hareḥ*—Pana Kṛṣṇy; *vismayaḥ*—podziw; *me*—mój; *mahān*—wielki; *rājan*—O królu; *hṛṣyāmi*—raduję się; *ca*—również; *punaḥ punaḥ*—ciągle od nowa.

**O królu, każde wspomnienie tej tak cudownej postaci Pana Kṛṣṇy wprawia mnie w coraz większe zdumienie. A radość moja nie może zaznać końca.**

*ZNACZENIE:* Z wersetu tego wynika, że dzięki łasce Vyāsy, Sañjaya mógł również zobaczyć kosmiczną formę Kṛṣṇy ukazaną Arjunie. Zostało oczywiście powiedziane, że Pan Kṛṣṇa nigdy przedtem nie przedstawił tej formy nikomu. Została ona objawiona tylko Arjunie, ale w tym czasie mogli ją również zobaczyć niektórzy wielcy wielbiciele Pana, i Vyāsa był jednym z nich. Jest on jednym z wielkich wielbicieli Pana i uważany jest za potężną inkarnację Kṛṣṇy. Wszystko co Vyāsa zobaczył, objawił swemu uczniowi Sañjayi, który zapamiętał tę wspaniałą postać Kṛṣṇy i samo jej wspomnienie napełniało go ciągle nową, wzbierającą radością.

## TEKST 78

यत्र योगेश्वरः कृष्णो यत्र पार्थो धनुर्धरः ।
तत्र श्रीर्विजयो भूतिर्ध्रुवा नीतिर्मतिर्मम ॥७८॥

*yatra yogeśvaraḥ kṛṣṇo yatra pārtho dhanur-dharaḥ*
*tatra śrīr vijayo bhūtir dhruvā nītir matir mama*

*yatra*—gdzie; *yoga-īśvaraḥ*—mistrz mistycyzmu; *kṛṣṇaḥ*—Pan Kṛṣṇa; *yatra*—gdzie; *pārthaḥ*—syn Pṛthy; *dhanuḥ-dharaḥ*—nosiciel łuku i strzał; *tatra*—tam; *śrīḥ*—bogactwo; *vijayaḥ*—zwycięstwo; *bhūtiḥ*—wyjątkowa siła; *dhruvā*—pewna; *nītiḥ*—moralność; *matiḥ mama*—moje zdanie.

**Gdziekolwiek jest Kṛṣṇa, mistrz wszystkich mistyków, i gdziekolwiek jest Arjuna, najlepszy spośród łuczników, tam z pewnością będzie również zwycięstwo, pomyślność, moralność i niezwykła siła. Takie jest moje zdanie.**

*ZNACZENIE:* *Bhagavad-gītā* zaczyna się pytaniem Dhṛtarāṣṭry. Miał on nadzieję, że zwycięstwo przypadnie w udziale jego synom, otoczonym takimi wojownikami jak Bhīṣma, Droṇa i Karṇa. Łudził się, że zwycięży jego strona. Ale Sañjaya, po opisaniu sytuacji na polu bitwy, powiedział Królowi: "Myślisz o zwycięstwie, ale moim zdaniem dobry los towarzyszy zawsze Kṛṣṇie i Arjunie." Bezpośrednio poinformował on Dhṛtarāṣṭrę, że nie może liczyć na zwycięstwo swoich. Zwycięstwo oczekiwało Arjunę, ponieważ po jego stronie obecny był Kṛṣṇa. Przyjęcie przez Kṛṣṇę roli woźnicy Arjuny było ujawnieniem Jego kolejnych wartości. Kṛṣṇa pełen jest wszelkich bogactw, z których jednym jest wyrzeczenie. Kṛṣṇa jest również mistrzem wyrzeczenia, więc takich przykładów jest wiele.

Walka toczyła się właściwie pomiędzy Duryodhaną i Yudhiṣṭhirą. Arjuna walczył po stronie swojego starszego brata, Yudhiṣṭhiry. Ponieważ po stronie Yudhiṣṭhiry walczył Kṛṣṇa i Arjuna, jego zwycięstwo było pewne. Walka ta miała zadecydować o tym, kto będzie rządził światem. I Sañjaya przepowiedział, że władza zostanie przekazana Yudhiṣṭhirze. Również zostało przepowiedziane, że po zwycięstwie królestwo jego będzie się rozwijało pomyślnie, jako że był on nie tylko królem prawym i pobożnym, ale również wielkim moralistą. Nigdy w całym swoim życiu nie splamił się ani jednym kłamstwem.

Jest wiele mało inteligentnych osób, które uważają, że *Bhagavad-*

*gītā* jest jedynie rozmową dwóch przyjaciół na polu bitwy. Ale wtedy taka książka nie mogłaby uchodzić za święte pismo. Niektórzy zaś mogą protestować mówiąc, że Kṛṣṇa namawiał Arjunę do walki, co jest niemoralne, ale w rzeczywistości sprawa przedstawia się jasno—*Bhagavad-gītā* jest najwyższą nauką o moralności. Najwyższe nauki moralne zostały przekazane w Dziewiątym Rozdziale, trzydziestym czwartym wersecie: *man-manā bhava mad-bhaktaḥ*. Należy zostać wielbicielem Kṛṣṇy—a istota wszystkich religii polega na podporządkowaniu się Kṛṣṇie; jak to zostało oznajmione: *sarva-dharmān parityajya mām ekaṁ śaraṇaṁ vraja*. Nauki *Bhagavad-gīty* składają się na najwyższy proces religii i moralności. Wszystkie inne procesy mogą być metodami oczyszczającymi i mogą prowadzić do tego celu, ale ostatnia instrukcja *Gīty* jest ostatnim słowem na niwie wszelkiej moralności i religii—podporządkuj się Kṛṣṇie. Takie jest orzeczenie Rozdziału Osiemnastego.

Z *Bhagavad-gīty* dowiadujemy się, że medytacja i filozoficzne spekulacje są tylko jednym z wielu procesów samorealizacji, ale całkowite podporządkowanie się Kṛṣṇie jest najwyższą doskonałością. Taka jest istota nauk *Bhagavad-gīty*. Ścieżka przestrzegania zasad porządku życia społecznego i różnych procesów religijnych może być poufną ścieżką wiedzy. Ale chociaż rytuały religijne są poufnymi, to medytacja i kultywacja wiedzy są jeszcze bardziej poufnymi. Natomiast podporządkowanie się Kṛṣṇie w służbie oddania, w pełnej świadomości Kṛṣṇy, jest najbardziej poufną instrukcją. Taka jest istota Osiemnastego Rozdziału.

Inną rzeczą, którą podkreśla *Bhagavad-gītā* jest to, że rzeczywistą prawdą jest Najwyższa Osoba Boga—Kṛṣṇa. Prawda Absolutna realizowana jest w trzech aspektach—jako bezosobowy Brahman, zlokalizowana Paramātmā i Najwyższa Osoba Boga, Kṛṣṇa. Doskonała wiedza o Prawdzie Absolutnej oznacza doskonałą wiedzę o Kṛṣṇie. Jeśli ktoś poznaje Kṛṣṇę, to w zakres jego poznania wchodzą wszystkie dziedziny wiedzy. Kṛṣṇa jest transcendentalny, ponieważ zawsze usytuowany jest On w Swojej wiecznej, wewnętrznej energii. Żywe, istoty są manifestacją Jego energii i dzielą się na dwie klasy—wiecznie uwarunkowane i wiecznie wyzwolone. Liczba takich żywych istot jest nieograniczona i są one uważane za fundamentalne cząstki Kṛṣṇy. Energia materialna manifestuje się w dwudziestu czterech kategoriach. Stworzenie to znajduje się pod wpływem wiecznego czasu—jest tworzone i rozwiązywane przez energię zewnętrzną. Manifestacja tego kosmicznego świata jest na przemian widzialna albo niewidzialna.

*Bhagavad-gītā* mówi o pięciu zasadniczych tematach: Najwyższej Osobie Boga, naturze materialnej, żywych istotach, wiecznym czasie i wszelkiego rodzaju czynnościach. Wszystko to zależy od Najwyższej Osoby Boga, Kṛṣṇy. Wszystkie koncepcje Prawdy Absolutnej, mianowicie bezosobowy Brahman, zlokalizowana Paramātmā czy każda inna koncepcja transcendentalna, istnieją w kategorii poznania Najwyższej Osoby Boga. Chociaż na pozór Najwyższa Osoba Boga, żywa istota, materialna natura i czas zdają się być czymś różnym, to jednak nie ma nic, co byłoby odmienne od Najwyższego. Ale Najwyższy jest zawsze różny od wszystkiego. Filozofia Pana Caitanyi mówi o "niepojętej jedności i odmienności." Ten system filozofii zawiera doskonałą wiedzę o Prawdzie Absolutnej.

Żywa istota w swojej oryginalnej pozycji jest czystym duchem. Jest ona jakby atomową cząstką Najwyższego Ducha. Tak więc Pan Kṛṣṇa może zostać porównany do słońca, a żywe istoty do blasku słonecznego. Ponieważ uwarunkowana żywa istota jest marginalną cząstką energii Pana, ma ona skłonność zarówno do kontaktowania się z energią materialną, jak i duchową. Innymi słowy, żywa istota usytuowana jest pomiędzy dwiema energiami Pana, a ponieważ należy do wyższej energii Pana—ma ona odrobinę niezależności. Poprzez właściwe skorzystanie z tej niezależności, poddaje się ona bezpośredniemu przewodnictwu Pana. W ten sposób osiąga swoją rzeczywistą pozycję w energii, która jest pełnią szczęścia.

W ten sposób Bhaktivedanta kończy objaśnienia do ostatniego, Osiemnastego Rozdziału *Śrīmad Bhagavad-gīty*, traktującego o doskonałości wyrzeczenia.

# Aneks

# Autor

Śrī Śrīmad A. C. Bhaktivedanta Swami Prabhupāda pojawił się w tym świecie w roku 1896, w Kalkucie, w Indiach. Po raz pierwszy spotkał swojego mistrza duchowego, Śrīla Bhaktisiddhāntę Sarasvatīego Gosvāmīego, w 1922 roku w Kalkucie. Bhaktisiddhānta Sarasvatī, wybitny uczony religijny i założyciel sześćdziesięciu czterech Gauḍīya-Maṭha (instytutów wedyjskich), polubił tego wykształconego, młodego człowieka i przekonał go, aby poświęcił swoje życie nauczaniu wiedzy wedyjskiej. Śrīla Prabhupāda został jego studentem, a jedenaście lat później formalnie inicjowanym uczniem.

W czasie ich pierwszego spotkania, Śrīla Bhaktisiddhānta Sarasvatī Ṭhākura poprosił Śrīla Prabhupādę, aby szerzył wiedzę wedyjską w języku angielskim. W kilka lat później Śrīla Prabhupāda napisał komentarz do *Bhagavad-gīty*, wspomagał działalność Gauḍīya-Maṭha, a w roku 1944 zaczął wydawać *Back to Godhead*—dwutygodnik w języku angielskim, który obecnie jego uczniowie wydają na Zachodzie w ponad trzydziestu językach.

W uznaniu dla uczoności i oddania Śrīla Prabhupādy, w 1947 roku Gauḍīya Vaiṣṇava Society nadało mu tytuł "Bhaktivedanta". W roku 1950, w wieku lat pięćdziesięciu czterech, Śrīla Prabhupāda porzucił życie rodzinne, przyjmując porządek *vānaprastha*, aby bardziej poświęcić się swoim studiom i pisaniu. Śrīla Prabhupāda przeniósł się do świętego miasteczka Vṛndāvana, gdzie w bardzo skromnych warunkach żył w średniowiecznej świątyni Rādhā-Dāmodara. Tam przez kilka lat całkowicie oddawał się głębokim studiom i pisaniu. W roku 1959 przyjął wyrzeczony porządek życia (*sannyāsę*). W Rādhā-Dāmodara Śrīla Prabhupāda rozpoczął pracę nad dziełem swego życia: wielotomowym tłumaczeniem i komentarzami do *Śrīmad-Bhāgavatam* (*Bhāgavata Purāṇa*)—zawierającego osiemnaście tysięcy wersetów. Napisał również *Łatwą podróż na inne planety*.

Po wydaniu trzech tomów *Bhāgavatam*, Śrīla Prabhupāda opuścił Indie, w 1965 roku, aby wypełnić misję swojego mistrza duchowego. Następnie napisał ponad sześćdziesiąt tomów autorytatywnych tłumaczeń, komentarzy i podsumowujących studiów na temat filozoficznych i religijnych klasyków Indii.

Kiedy w roku 1965 Śrīla Prabhupāda po raz pierwszy przybył drogą wodną do Nowego Yorku, był praktycznie bez grosza. Po niespełna roku wielkich trudów, w lipcu 1966 roku założył Międzynarodowe Towarzystwo Świadomości Kṛṣṇy. Aż do chwili, gdy opuścił ten świat

(14 listopada 1977 roku), przewodził temu towarzystwu i był świadkiem jego rozrostu do przeszło stu *āśramów*, szkół, świątyń, instytutów i społeczności rolniczych.

To właśnie Śrīla Prabhupāda założył duchową społeczność New Vṛndāvana w Zachodniej Virginii i zaprowadził na Zachodzie wedyjski system edukacji, *gurukulę*.

Śrīla Prabhupāda również zainspirował konstrukcję kilku wielkich, międzynarodowych, kulturalnych centrów w Indiach. Centrum w Śrī-dhāma Māyāpur w Zachodnim Bengalu jest miejscem, gdzie zaplanowano miasto duchowe. Jest to ambitny projekt, którego wykonanie będzie trwało następne dziesięć lat. We Vṛndāvanie w Indiach jest wspaniała świątynia Kṛṣṇa-Balarāma i Międzynarodowy Dom Gościnny. Duże kulturalne i szkoleniowe centrum jest też w Bombaju. Poza tym w planie jest również budowa innych centrów, w dwunastu innych ważnych miejscach Półkontynentu Indyjskiego.

Jednakże najbardziej znaczącym darem Śrīla Prabhupādy są jego książki. Wysoce respektowane przez społeczeństwo akademickie za ich autorytatywność, głębię i jasność, służą za standardowe podręczniki na wydziałach wielu uczelni. Jego prace zostały przetłumaczone na przeszło trzydzieści języków. Bhaktivedanta Book Trust, założone w roku 1972 w celu publikowania jego książek, stało się największym światowym wydawcą w dziedzinie religii i filozofii Indii.

Pomimo swego zaawansowanego wieku, Śrīla Prabhupāda—jedynie w przeciągu dwunastu lat—czternaście razy okrążył kulę ziemską, dając wykłady na sześciu kontynentach. Pomimo takiego ożywionego trybu życia, Śrīla Prabhupāda nie przestawał pisać. Jego prace stanowią prawdziwą bibliotekę filozofii, religii, literatury i kultury wedyjskiej.

# Wprowadzenie do wymowy i pisowni sanskryckiej

Na przestrzeni wieków sanskryt zapisywano w różnych alfabetach, jednakowoż sposobem najpowszechniejszym, używanym w całych Indiach, był zapis w alfabecie *devanāgarī*, co dosłownie znaczy pismo używane w "miastach półbogów". Alfabet *devanāgarī* składa się z czterdziestu ośmiu liter: trzynastu samogłosek i trzydziestu pięciu spółgłosek. Starożytni gramatycy sanskryccy przystosowali alfabet do praktycznych reguł językowych i porządek ten został powszechnie przyjęty przez naukowców Zachodu.

## Pismo

Alfabet *devanāgarī* ma następujące znaki zgłoskowe:

Samogłoski:

अ a आ ā इ i ई ī उ u ऊ ū ऋ ṛ ॠ ṝ

ऌ ḷ ए e ऐ ai ओ o औ au

ं ṁ *(anusvāra)* ः ḥ *(visarga)*

Spółgłoski:

| | | | | | |
|---|---|---|---|---|---|
| tylnojęzykowe (gutturales) | क ka | ख kha | ग ga | घ gha | ङ ṅa |
| podniebienne (palatales) | च ca | छ cha | ज ja | झ jha | ञ ña |
| szczytowe (cerebrales) | ट ṭa | ठ ṭha | ड ḍa | ढ ḍha | ण ṇa |
| zębowe (dentales) | त ta | थ tha | द da | ध dha | न na |
| wargowe (labiales) | प pa | फ pha | ब ba | भ bha | म ma |
| półsamogłoski (semivocales) | य ya | र ra | ल la | व va | |
| szczelinowe (spirantes) | श śa | ष ṣa | स sa | | |

przydech ह ha ऽ ' *(avagraha)* – apostrof

Wszystkie spółgłoski sanskryckie zawierają w swojej budowie samogłoskę a, stąd: ka, kha, ga, gha, etc.

Brak samogłoski przy spółgłoskach wygłosowych oznacza się przez znak (्) zwany *virāma*. क्

Połączenie samogłosek ze spółgłoskami oddaje się następującymi znakami:

ा ā ि i ी ī ु u ू ū ृ ṛ ॄ ṝ े e ै ai ो o ौ au

*Przykłady:* क ka का kā कि ki की kī कु ku कू kū

कृ kṛ कॄ kṝ के ke कै kai को ko कौ kau

Cyfry:

० -0 १-1 २-2 ३-3 ४-4 ५-5 ६-6 ७-7 ८-8 ९-9

## Wymowa

System zapisu wyrazów sanskryckich, który przejęliśmy z oryginału angielskiego, odpowiada swym kształtem stosowanemu już od ponad pięćdziesięciu lat międzynarodowemu systemowi zapisu wymowy dźwięków sanskryckich. Nie podajemy tutaj pełnej listy znaków, ale tylko te, których wymowa różni się od wymowy polskiej. Podawane przykłady zapisujemy w transkrypcji polskiej.

i nigdy nie zmiękcza poprzedzającej spółgłoski twardej.

ṛ, ṝ wymawia się samogłoskowo, podobnie jak w języku czeskim. Równie stara i powszechna w Indiach jest wymowa ri, ry. I tak krótkie *r* oddajemy przez ri lub ry, zaś ṝ długie ma wyraźny pogłos u (ru). Podobnie wymawiamy ḷ.

*Przykłady:*

*Kṛṣṇa – Kriszna lub Kryszna*

*Hṛṣīkeśa – Hriszikeśa*

*Dhṛtarāṣṭra- Dritarasztra*

*Gṛhastha – Grihasta*

ai brzmi jak ei.

au brzmi jak ou.

ṁ (*anusvāra*) czysta nosówka wymawiana jak on we francuskim wyrazie bon. W śródgłosie lub w złożeniach wymawiana jak n lub m ( przed spółgłoskami wargowymi). W wygłosie wymawiana jak m.
*Przykłady:*
*divyaṁ putraka* - *diwja*m *putraka*
*saṁskara* - *sa*mskara
Nṛsiṁ*ha* - *Nrisi*m*ha*

ḥ (*visarga*) wymawia się różnie, zależnie od tego czy znajduje się w środku czy też na końcu wersu.
- w środku wersu: wymawia się jak h przydechowe, szybkie i nagle przerwane, jak gdyby przechodzące w k.
- jeśli wyraz, który ma w wygłosie *visargę* występuje oddzielnie lub kończy wers, to drugi składnik dyftongu ulega przedłużeniu, np.
*karmanaḥ* - *karmana*ha
*devaiḥ* - *devai*hi

(Ta ostatnia reguła stosuje się tylko wtedy, gdy *visarga* znajduje się w wersie czwartej linii, na końcu drugiej lub czwartej; w przeciwnym wypadku wymawia się ją jak gdyby znajdowała się w środku wersu.)

ya wymawiać jak polskie j.
*Przykłady:*
*yoga* - *joga*
*Yuyudhana* - J*ujudhana*
*jyotiṣṭoma* - *dżjotisztoma*
*Yudhiṣṭira* - J*udhisztira*

vy wymawiać jak polskie w.
*Przykłady:*
*Veda* - W*eda*
*vānaprastha* - *wanaprasta*

kha, gha, etc. wymawia się jak odpowiednie głoski nieprzydechowe z szybko następującym h.
*Przykłady:*
Dh*ṛṣṭadyumna* - D*risztadjumna*
*sāṅ*kh*ya* - *san*kh*ya*
*R*ā*dh*ā*rāṇī* - *Radharani*
*Bra*hm*ajyoti* - *Bra*hm*adżjoti*

ṅa wymawiać jak ng.
*Przykłady:*
*asaṅga* - *asa*n*ga*
*aṣṭāṅga-yoga* - *aszta*n*ga joga*

ca jak polskie ć. (Do tej pory znak ten oddawano w polskiej transkrypcji przez cz, co nie jest poprawne. Jednak ze względu na powszechność takiej transkrypcji, również w podanych niżej przykładach stosujemy ten zapis; należy jednakowoż pamiętać o prawidłowej wymowie.)

*Przykłady:*

*Caitanya Mahāprabhu* - *Czaitanja Mahaprabhu*
*cintāmaṇi* - *czintamani*
*Rāmacandra* - *Ramaczandra*
*ācārya* - *aczarja*

ja — jak polskie dż. (Do tej pory znak ten powszechnie oddawano przez dż, i tak Arjuna brzmi Ardżuna, Janaka - Dżanaka, jednakowoż prawidłowo powinno być: Ardżuna, Dżanaka, etc.)

jña — wymawiać gja.

*Przykłady:*

*asamprajñata samadhi* - *asampragjata samadhi*
*Brahma jijñāsa* - *Brahma dżigjasa*

ña — jak polskie ń.

*Przykłady:*

*Sañjaya* - *Sańdżaja*
*Patañjali* - *Patańdżali*

ṭ, ḍ, ṇ — wymawiane w przybliżeniu jak polskie t, d, n.

*Przykłady:*

*Kāraṇodakaśāyī Viṣṇu* - *Karanodakaśaji Wisznu*
*Vaikuṇṭha* - *Waikuntha*
*caṇḍāla* - *czandala*
*cintāmaṇi* - *czintamani*
*tuṣṭi* - *tuszti*
*guṇa* - *guna*

pha — wymawiać zawsze pha, nigdy fa.

ṣa — wymawiać jak polski sz.

*Przykłady:*

*Kṣirodakaśāyī Viṣṇu* - *Kszirodakaśaji Wisznu*
*Vaiṣṇava* - *Waisznawa*
*Bhīṣma* - *Bhiszma*
*Lakṣmī* - *Lakszmi*

sa — należy zawsze wymawiać bezdźwięcznie, np. *rasa* - *rasa* (nie: raza).

ha — wymawiane zawsze dźwięcznie.

## Akcent

W sanskrycie nie ma sylab wzmacniających akcent, rytm jest determinowany przez strumień sylab krótkich i sylab długich (które są utrzymywane dwa razy dłużej niż któtkie).

# Słownik

ĀCĀRYA—ten, który uczy przykładem własnego życia; mistrz duchowy.

ACINTYA-BHEDĀBHEDA-TATTVA—doktryna Pana Caitanyi "jednoczesnej, niepojętej jedności i odmienności Boga i Jego energii.

AGNI—półbóg ognia.

AGNIHOTRA-YAJÑA—ofiara ogniowa spełniana w rytuałach wedyjskich.

AHAṄKĀRA—fałszywe ego, przez które indywidualna dusza utożsamia się z ciałem materialnym.

AHIṀSĀ—zasada niekrzywdzenia, niezabijania żywych istot (niestosowanie przemocy).

AKARMA—"bezczyn"; czyn wykonywany w służbie oddania, wolny od reakcji.

ĀNANDA—szczęście duchowe.

APARĀ-PRAKṚTI—niższa, materialna energia Pana (materia).

ARCANA—proces czczenia *arcā-vigraha*.

ARCĀ-VIGRAHA—forma Boga zamanifestowana poprzez elementy materialne (np. obraz albo statuetka Kṛṣṇy, wielbiona w domu albo świątyni). Będąc obecnym w tej formie, Pan osobiście przyjmuje kult Swoich bhaktów.

ĀRYAN—cywilizowany zwolennik kultury wedyjskiej; ten, którego celem jest postęp duchowy.

ĀŚRAMA—cztery porządki życia duchowego według wedyjskiego systemu społecznego: *brahmacarya* (życie studenckie), *gṛhastha* (życie w małżeństwie), *vānaprastha* (wycofanie się z życia rodzinnego), *sannyāsa* (wyrzeczenie).

AṢṬĀṄGA-YOGA—"ośmiostopniowa ścieżka", na którą składają się: *yama* i *niyama* (praktyki moralne), *āsana* (ćwiczenie póz cielesnych), *prāṇāyāma* (kontrola oddechu), *pratyāhāra* (opanowanie zmysłów), *dhāraṇā* (zrównoważenie umysłu), *dhyāna* (medytacja), i *samādhi* (głęboka kontemplacja Viṣṇu wewnątrz serca).

ASURA—osoba przeciwna służbie dla Pana.

ĀTMĀ—"jaźń". *Ātmā* może odnosić się do ciała, umysłu, intelektu albo Duszy Najwyższej. Zwykle jednak odnosi się do duszy indywidualnej.

AVATĀRA—"ten, który zstępuje"; w pełni albo częściowo upełnomocniona inkarnacja Boga, który zstępuje ze świata duchowego mając na celu spełnienie określonej misji.

AVIDYĀ—ignorancja.

BHAGAVĀN—(*bhaga*—bogactwa, *van*—posiadający) Ten, kto posiada w pełni sześć bogactw: piękno, bogactwo, sławę, siłę, mądrość i wyrzeczenie; określenie Najwyższej Osoby.

BHAKTA—wielbiciel Najwyższej Osoby Boga.

BHAKTI—służba oddania dla Najwyższego Pana.

BHAKTI-RASĀMṚTA-SINDHU—podręcznik służby oddania napisany w sanskrycie przez Śrīla Rūpę Gosvāmīego, w XVI wieku.

BHAKTI-YOGA—połączenie się z Najwyższym Panem poprzez służbę oddania.

BHARATA MAHĀRĀJA—starożytny król Indii, przodek Pāṇḍavów.

BHĀVA—ekstaza; etap *bhakti* poprzedzający czystą miłość Boga.

BHĪṢMA—wielki wielbiciel Kṛṣṇy, najstarszy spośród Kauravów, należy również do grupy dwunastu *mahajanów*.

BRAHMĀ—pierwsza żywa istota stworzona we wszechświecie. Otrzymał on od Najwyższego Pana moc stworzenia tego wszechświata, w którym jest najwyższym zarządcą. Należy również do grupy dwunastu *mahajanów*. Kontroluje *guṇę* pasji (*rajo-guṇę*).

BRAHMACĀRĪN—według wedyjskiego systemu społecznego, student praktykujący celibat.

BRAHMA-JIJÑĀSĀ—duchowe dociekanie prawdy o naszej naturze, jak i o naturze Absolutu.

BRAHMAJYOTI—duchowy blask emanujący z transcendentalnego ciała Pana Kṛṣṇy i oświetlający świat duchowy.

BRAHMALOKA—albo inaczej Satyaloka: planeta Brahmy, najwyższa planeta we wszechświecie materialnym.

BRAHMAN—(1) oddzielna istota duchowa, czyli dusza indywidualna; (2) bezosobowy, wszechprzenikający aspekt Najwyższego; (3) Najwyższa Osoba Boga; (4) *mahat-tattva*, czyli totalna substancja materialna.

BRAHMA-SAṀHITĀ—starożytne sanskryckie pismo święte zawierające modlitwy Brahmy do Govindy, odkryte przez Śrī Caitanyę Mahāprabhu w jednej ze świątyń w płudniowych Indiach. Opisuje w szczegółach formę, atrybuty i królestwo Najwyższej Osoby.

BRAMIN—według wedyjskiego podziału społecznego: członek najbardziej inteligentnej grupy społecznej.

BUDDHI-YOGA—inne określenie *bhakti-yogi* (służby oddania dla Kṛṣṇy) wskazujące na to, iż jest ona najwyższym użyciem inteligencji (*buddhi*).

CAITANYA-CARITĀMṚTA—dzieło w bengali, autorstwa Kṛṣṇadāsy Kavirājy (II połowa XVI wieku), opisujące życie i nauki Śrī Caitanyi Mahāprabhu.

CAITANYA MAHĀPRABHU—*avatāra*, który pojawił się 500 lat temu w Navadvīpie, we wschodnim Bengalu, aby nauczać ludzi *yuga-dharmy* (główny religijny obowiązek dla tego wieku)—zbiorowego intonowania świętych imion Boga.
CAṆḌĀLA—osoba żywiąca się psim mięsem, parias.
CANDRA—bóstwo Księżyca (Candraloki).
CĀTURMĀSYA—czteromiesięczny okres, korespondujący z porą deszczową, w którym ludzie oddają się różnego rodzaju praktykom ascetycznym i pokutom.

DEVA—półbóg albo istota pobożna.
DHARMA—(1) zasady religijne; (2) nasze naturalne wieczne zajęcie (tj. służba oddania dla Pana).
DHYĀNA—medytacja.
DVĀPARA-YUGA—trzeci wiek (*yuga*) w cyklu czterech wieków składających się na jedną *mahā-yugę*; trwa 864 000 lat.

GANDHARVOWIE—muzycy i śpiewacy niebiańscy, mieszkańcy rajskiej planety Gandharvaloki.
GARBHODAKAŚĀYĪ VIṢṆU—drugi *puruṣa-avatāra*, forma, przez którą Kāraṇodakaśāyī Viṣṇu wchodzi w każdy ze wszechświatów, aby stworzyć tam różnorodność form.
GARUḌA—ogromny orzeł noszący Pana Viṣṇu.
GOLOKA VṚNDĀVANA—inna nazwa Kṛṣṇaloki, wiecznej siedziby Pana Kṛṣṇy.
GṚHASTHA—(1) drugi etap życia duchowego; okres życia rodzinnego i społecznego w zgodzie z zaleceniami pism świętych; (2) ktoś, kto żyje według zasad i reguł tej *aśramy*.
GUṆA—trzy "siły", czyli cechy materialnego świata: dobroć, pasja i ignorancja.
GURU—mistrz duchowy.

INDRA—bóg deszczu i piorunów; władca planet niebiańskich, przywódca wszystkich półbogów.

JĪVA (JĪVĀTMĀ)—wieczna, indywidualna dusza.
JÑĀNA—(dosłownie wiedza) (1) wiedza duchowa albo zrozumienie, które pozwala rozróżnić pomiędzy ciałem materialnym a duszą; (2) poszukiwanie prawdy na planie filozoficznym; (3) wiedza materialna ograniczona do dwudziestu czterech elementów natury.
JÑĀNA-YOGA—droga poznania wiedzy. Ten, kto podąża tą ścieżką (jñānī), usiłuje osiągnąć doskonałość duchową przez kultywowanie wiedzy na drodze studiowania pism świętych i spekulacji filozofi-

cznej. Ten sposób realizacji duchowej pozwala osiągnąć bezosobowego Brahmana.

JÑĀNĪ—adept *jñāna-yogī*.

KĀLA—czas.

KALI-YUGA—wiek (*yuga*) kłótni i hipokryzji, ostatni z cyklu czterech wieków, które tworzą *mahā-yugę*. Trwa 432 000 lat, z czego minęło już 5 000 lat. Jego cechą charakterystyczną jest postępujący zanik religii i pogoń za materialnym komfortem.

KARMA—(1) prawo natury, zgodnie z którym wszelkie działanie materialne (zarówno dobre, jak i złe) powoduje reakcje, których efektem jest coraz większe uwikłanie się w egzystencję materialną i cykl powtarzających się narodzin i śmierci; (2) działanie w ogólności.

KARMA-YOGA—ścieżka realizacji Boga polegająca na oddawaniu owoców swego czynu Bogu.

KARMĪ—(1) materialista, którego działanie ma na celu zadowolenie zmysłów. W rezultacie zostaje coraz bardziej uwikłany w cykl powtarzających się narodzin i śmierci; (2) *karma-yogī*, czyli adept *karma-yogi*.

KṚṢṆALOKA—Goloka Vṛndāvana albo *cintāmaṇi-dhāma*; planeta, gdzie wiecznie przebywa Kṛṣṇa w towarzystwie Swoich czystych wielbicieli; jest ona najwyższą planetą w świecie duchowym.

KṢĪRODAKAŚĀYĪ VIṢṆU—trzeci *puruṣa-avatāra*; forma, przez którą Garbhodakaśāyī Viṣṇu wchodzi w serce każdej istoty, w każdy atom i przestrzeń pomiędzy atomami. Jest On Paramātmą, wszędzie obecnym Duszą Najwyższą.

KUNTĪ—żona króla Pāṇḍu i matka Pāṇḍavów.

KURU—albo Kaurawowie; wszyscy potomkowie Króla Kuru, ale szczególnie 100 synów Dhṛtarāṣṭry. Potomkami króla Kuru byli również Pāṇḍavowie, ale Dhṛtarāṣṭra chciał wyłączyć ich z tradycji rodzinnej.

LĪLĀ—transcendentalne "rozrywki" albo czynności spełniane przez Najwyższego Pana.

LOKA—planeta.

MAHĀ-MANTRA—(dosłownie: wielka *mantra*); Hare Kṛṣṇa, Hare Kṛṣṇa, Kṛṣṇa Kṛṣṇa, Hare Hare; Hare Rāma, Hare Rāma, Rāma Rāma, Hare Hare.

MAHĀTMĀ—(dosłownie: wielka dusza); osoba wyzwolona, w pełni świadoma Kṛṣṇy.

MAHAT-TATTVA—suma dwudziestu czterech elementów natury materialnej.
MANTRA—transcendentalny dźwięk albo hymn wedyjski.
MANU—półbóg; ojciec ludzkości.
MĀYĀ—energia iluzoryczna Najwyższego Pana. Przez jej wpływ uwarunkowana dusza zapomina o swojej naturze duchowej i o Bogu.
MĀYĀVĀDĪ—impersonalista.
MUKTI—wyzwolenie z egzystencji materialnej.
MUNI—mędrzec.

NAIṢKARMA—inne określenie dla *akarmy*.
NĀRĀYAṆA—pełna, czteroręka emanacja Kṛṣṇy przewodząca na Vaikuṇṭhach, Pan Viṣṇu.
NIRGUṆA—(dosłownie: bez cech); określa Kṛṣṇę, Prawdę Absolutną, jako Tego, który pozbawiony jest cech materialnych i nie podlega *guṇom*, czyli wpływom natury materialnej.

OṀ—*aum, oṁkāra* albo *praṇava*. Transcendentalna wibracja dźwiękowa reprezentująca Absolutną Prawdę, Śrī Kṛṣṇę.

PĀṆḌAVOWIE—pięciu synów króla Pāṇḍu: Yudhiṣṭhira, Arjuna, Bhīma, Nakula i Sahadeva.
PĀṆḌU—brat Dhṛtarāṣṭry i ojciec braci Pāṇḍavów.
PARAMĀTMĀ—Dusza Najwyższa, zlokalizowany aspekt Najwyższego Pana; zamieszkujący w sercu świadek i przyjaciel każdej uwarunkowanej duszy, towarzyszy jej w tym świecie materialnym.
PARAMPARĀ—sukcesja uczniów.
PRAKṚTI—energia albo natura.
PRĀṆĀYĀMA—kontrola oddechu, jako metoda postępu w *yodze*.
PRASĀDA—(dosłownie: łaska, miłosierdzie). Ogólnie, pożywienie wpierw ofiarowane Panu. Kṛṣṇa, akceptując takie pożywienie ofiarowane Mu z miłością i oddaniem, uświęca je i daje mu moc oczyszczenia tych, którzy przyjmują jego resztki.
PRATYĀHĀRA—piąty z ośmiu etapów *aṣṭāṅga-yogi*. Polega on na powstrzymywaniu zmysłów od ich obiektów.
PREMĀ—czysta, spontaniczna i pełna oddania miłość do Boga.
PṚTHĀ—inne imię Kuntī.
PURĀṆY—osiemnaście pism historycznych, uzupełnienie *Ved*.
PURUṢA—"podmiot radości", odnosi się albo do indywidualnej duszy albo do Najwyższego Pana.
PURUṢA-AVATĀRY—pełne emanacje Kṛṣṇy, w liczbie trzech (zob. Kāraṇodakaśāyī Viṣṇu, Garbhodakaśāyī Viṣṇu i Kṣīrodakaśāyī

Viṣṇu), które zaangażowane są w stwarzanie, utrzymywanie i unicestwianie materialnych wszechświatów.

RAJO-GUṆA—jedna z sił natury materialnej, pasja.

RĀKṢASOWIE—klasa istot demonicznych żywiących się mięsem ludzkim.

RĀMA—(1) imię Kṛṣṇy znaczące "źródło niewyczerpanej szczęśliwości; (2) Pan Rāmacandra, inkarnacja Kṛṣṇy; pojawił się, aby ratować świat przed tyranią demona Rāvaṇy; przykład doskonałego władcy.

RŪPA GOSVĀMĪ—główny spośród sześciu Gosvāmīch Vṛndāvany, czołowych wielbicieli Pana Caitanyi.

SAC-CID-ĀNANDA—wieczny, pełen szczęścia i wiedzy.

SĀDHU—człowiek święty, świadomy Kṛṣṇy.

SAGUṆA—(dosłownie: posiadający cechy); określa Kṛṣṇę, Prawdę Absolutną, jako Tego, który posiada atrybuty będące całkowicie duchowej natury.

SAMĀDHI—stan kompletnej ekstazy osiągany przez totalne pogrążenie się w świadomości Kṛṣṇy.

SAṀSĀRA—cykl powtarzających się narodzin i śmierci w tym materialnym świecie.

SANĀTANA-DHARMA—wieczna religia, służba oddania.

SĀṄKHYA—(1) analityczne rozróżnienie pomiędzy duchem i materią; (2) ścieżka służby oddania zaprezentowana przez Pana Kapilę, syna Devahūti.

SAṄKĪRTANA—zbiorowe chwalenie Boga, szczególnie przez intonowanie Jego świętych imion.

SANNYĀSA—całkowite wyrzeczenie się życia rodzinnego i społecznego w celu całkowitego poświęcenia się życiu duchowemu.

SANNYĀSĪ—osoba w wyrzeczonym porządku życia.

SATTVA-GUṆA—jedna z sił natury materialnej, dobroć.

SATYA-YUGA—pierwszy wiek (*yuga*) z cyklu czterech składających się na *mahā-yugę*; trwa 1 728 000 lat. Prawie wszyscy ludzie żyjący w niej są zrealizowani duchowo.

SMARAṆAM—pamiętanie o Panu Kṛṣṇie, jedna z dziewięciu duchowych czynności służby oddania.

SMṚTI—pisma objawione, będące uzupełnieniem *Ved*, jak np. *Purāṇy*.

SVĀMĪ—osoba w pełni kontrolująca zmysły, członek wyrzeczonego porządku życia.

SVARGALOKA—wyższy system planetarny składający się z planet niebiańskich zamieszkałych przez półbogów.

SVARŪPA—albo inaczej *prakṛti*; pierwsza "forma" albo stan duszy (istoty oddzielnej), kiedy jest ona osadzona w indywidualnej relacji, która łączy ją z Najwyższym Panem. (Słowo to określa również tego, kto ma pełną świadomość natury działania w świadomości Kṛṣṇy.)

ŚANKARA (Śaṅkarācārya)—wielki filozof, który ustanowił doktrynę *advaita* (niedualizmu), podkreślającą bezosobową naturę Boga i tożsamość wszystkich dusz z niezróżnicowanym Brahmanem.
ŚĀSTRA—pismo objawione; literatura wedyjska.
ŚIVA—Rudra albo inaczej Śaṅkara; czysty wielbiciel odpowiedzialny za zniszczenie wszechświata pod koniec życia Brahmy, który go zrodził. Należy również do grupy dwunastu *mahājanów* i jest kontrolerem ignorancji.
ŚRĪMAD-BHĀGAVATAM—*Bhāgavata Purāṇa* lub *Mahā Purāṇa*; pismo wedyjsie opisujące wieczne rozrywki Kṛṣṇy, Najwyższego Pana, i Jego czystych wielbicieli. Stanowi ono oryginalny komentarz do *Vedānta-sūtry* napisany przez jej autora, Vyāsadevę. Jest nazywane "śmietanką" całej literatury wedyjskiej.
ŚRUTI—pisma objawione (*Vedy*) pochodzące bezpośrednio od Samego Boga, przeciwieństwo *smṛti*.
ŚŪDRA—robotnik; członek grupy społecznej w wedyjskim systemie społecznym.

TAMO-GUṆA—jedna z sił natury materialnej, ignorancja.
TRETĀ-YUGA—drugi wiek (*yuga*) z cyklu czterech tworzących *mahāyugę;* trwa 1 296 000 lat.

UPANIṢADY—108 traktatów filozoficznych zawartych w *Vedach*.

VAIKUṆṬHALOKI—wieczne planety w świecie duchowym.
VAIṢṆAVA—ten, kto poświęca swoje życie służbie oddania dla Viṣṇu, czyli Kṛṣṇy, Najwyższego Pana; inne określenie *bhakty*.
VAIŚYA—rolnicy i kupcy; zaspokajają potrzeby życiowe społeczeństwa, do ich obowiązków należy ochrona zwierząt, szczególnie krów; tworzą jedną z czterech *varṇ*.
VĀNAPRASTHA—(1) trzeci etap życia duchowego; okres pielgrzymek do różnych świętych miejsc, wyrzeczenie się życia rodzinnego i społecznego, innymi słowy, okres przygotowań do przyjęcia *sannyāsy*; (2) ten, kto żyje według zasad tego *āśramu*.
VARṆĀŚRAMA—*varṇāśrama-dharma albo inaczej sanātana-dharma*; instytucja wedyjska odnosząca się do naturalnego podziału społeczeństwa na cztery *varṇy* i *āśramy*. Została założona przez

Samego Kṛṣṇę w celu zaspokojenia wszystkich materialnych i duchowych potrzeb człowieka.

VASUDEVA—ojciec wybrany przez Kṛṣṇę, kiedy Ten pojawił się 5 000 lat temu na Ziemi.

VĀSUDEVA—imię Kṛṣṇy; "syn Vasudevy".

VEDĀNTA-SŪTRA—albo inaczej *Brahma-sūtra*; wielki traktat filozoficzny Vyāsadevy, na który składają się aforyzmy (*sūtry*) o naturze Prawdy Absolutnej, skomponowane odpowiednio do konkluzji *Ved*.

VEDY—cztery oryginalne pisma święte: *Ṛg, Yajur, Atharva* i *Sāma*.

VIDYĀ—wiedza.

VIKARMA—działanie niezgodne z zasadami pism świętych, czyli działanie nieczyste, grzeszne.

VIRĀṬ-RŪPA—inne określenie *viśva-rūpy* (kosmiczna forma Najwyższego Pana.

VIṢṆU-TATTVA—kategoria boskich manifestacji, pełnych emanacji albo emanacji pełnych emanacji Boga, Najwyższej Osoby, które nie różnią się od Niego; przeciwieństwo *jīva-tattvy*.

VIŚVA-RŪPA—czyli *virāṭ-rūpa*; forma kosmiczna Najwyższego Pana, Śrī Kṛṣṇy, usytuowana we wszechświecie materialnym. Zawiera ona całą manifestację kosmiczną.

VṚNDĀVANA—transcendentalna siedziba Pana Kṛṣṇy. Jest również zwana Goloka Vṛndāvaną albo Kṛṣṇaloką. Miasteczko Vṛndāvana w okręgu Mathurā w Uttar Pradesh, India, gdzie Kṛṣṇa pojawił się 5 000 lat temu, jest manifestacją duchowej siedziby Kṛṣṇy na tej Ziemi.

VYĀSADEVA—kompilator *Ved*, autor *Purāṇ*, *Mahābhāraty* i *Vedānta-sūtry*.

YAJÑA—Yajña; imię Kṛṣṇy

YAMARĀJA—albo Yama; półbóg, który karze grzeszników po ich śmierci. Jeden z grupy dwunastu *mahājanów*.

YOGA—dyscyplina duchowa mająca na celu połączenie żywej istoty z Najwyższym.

YOGA-MĀYĀ—wewnętrzna moc Kṛṣṇy.

YUGA—każdy z czterech wieków *mahā-yugi*.

# Indeks wersetów sanskryckich

## A

## L



## M

# N

# O



# P

## R

# S

# T

# Indeks wersetów cytowanych w tekście

Indeks zawiera listę wersetów cytowanych w znaczeniach *Bhagavad-gīty*. Cyfry tłustym drukiem odnoszą się do pierwszej lub trzeciej linijki wersetu cytowanego w całości, antykwą — do wersetu przytoczonego jedynie częściowo.

# Indeks ogólny

## D

## E



## F



## G

## P

## Y

# Ośrodki Międzynarodowego Towarzystwa Świadomości Kryszny

Założyciel-*Ācārya*: Śrī Śrīmad A. C. Bhaktivedanta Swami Prabhupāda

*Jeśli chcesz uzyskać dalsze informacje o wykładach, programach, festiwalach, kursach i spotkaniach, skontaktuj się z najbliższym ośrodkiem ruchu świadomości Kryszny.*

**Argentyna, Buenos Aires** – Centro Bhaktivedanta, Andonaegui 2054 (1431) Tel. +54 (0)1 523-4232 / Fax: +54 (0)1 523-8085 / e-mail: iskcon-ba@gopalnet.com

**Australia, Melbourne** – 197 Danks St. (mail: P.O. Box 125), Albert Park , VIC 3206 Tel: +61 (0)3 9699-5122 / Fax: +61 (0)3 9690-4093/ e-mail: iskcon@bigpond.net.au

**Australia, Sydney** – 180 Falcon St., North Sydney, NSW 2060 (mail: P.O. Box 459, Cammeray, NSW 2062) Tel: +61 (0)29 9959-4558 / Fax: +61 (0)29 99957-1893 e-mail: sydney@pamho.net

**Belgia, Durbuy (Radhadesh)** – Chateau de Petite Somme, 6940 Septon-Durbuy Tel: +32 (0)86 322926 Fax: +32 (0)86 322929 / e-mail: radhadesh@pamho.net

**Brazylia, Rio de Janeiro** – Rua Vilhena de Morais, 309, Barra da Tijuca, 22793-140 Tel: +55 (21) 2491-1887 / e-mail: sergio.carvalho@pobox.com

**Chorwacja, Zagrzeb** – Centar Za Vedske Studije II Bizet 36, 10000 (mail: P.O. Box 68, 10001) / Tel & Fax: +385 (0)1 3772-643 / e-mail: ripuha@pamho.net

**Dania, Kopenhaga** – Skjulhoj Allee 44, 2720 Vanlose, Copenhagen / Tel: +45 4828 6446 / Fax: +45 4828 7331 / e-mail: iskcon.denmark@pamho.net

**Filipiny, Manila** – 52 Copenhagen St., Merville Park Subdivision, Paranaque, Metro Manila 1700 Tel: +63 (0)2 824-5247 / Fax: +63 (0)2 823-8689 e-mail: sridama.gds@pamho.net

**Francja, Paryż** – 35 rue du docteur Jean Vaquier, 93160 Noisy le Grand Tel. & fax: +33 (0)1 4303-0951 / e-mail: paramgati.swami@pamho.net

**Hiszpania, Guadalajara (New Vraja Mandala)** – (Santa Clara) Brihuega Tel: +34 949 280436 e-mail: new.vrajamandala@pamho.net

**Holandia, Amsterdam** – Van Hilligaertstraat 17, 1072 JX / Tel: +31 (0)20 675-1404 Fax: +31 (0)20 6751405 / e-mail: amsterdam@pamho.net

**Indie, Chennai** – Hare Krishna Land, Bhaktivedanta Road, Injambakkam, Off ECR Road, Chennai 600 041 / Tel: +91 (0)44 501-9303 e-mail: iskconchennai@eth.net

**Indie, Mayapur WB** – ISKCON, Shree Mayapur Chandrodaya Mandir, Dist. Nadia, 741 313 / Tel: (03472) 245239, 245240, or 245233 / Fax: (03472) 245238 e-mail: mayapur.chandrodaya@pamho.net

**Indie, Mumbai** – Hare Krishna Land, Juhu 400 049 Tel: +91 (0)22 620-6860 Fax: (0)22 620-5214 / e-mail: iskcon.juhu@pamho.net

**Indie, Nowe Delhi** – Sant Nagar Main Rd. (Garhi), behind Nehru Place Complex (mail: P. O. Box 7061), 110 065 Tel: (011) 623-5133 / Fax: (011) 6221-5421 or 628-0067 e-mail: delhi@pamho.net

**Indie, Vrindavan UP** – Krishna-Balaram Mandir, Bhaktivedanta Swami Marg, Ramana Reti, Mathura Dist., 281 124 / Tel: +91 (0) 565 254-0021 Fax: +91 (0)565 2540053 / e-mail: vrindavan@pamho.net

**Indonezja, Dżakarta** – Yayasan Radha-Govinda, P.O. Box 2694, Jakarta Pusat 10001 / Tel: +62 (0)21 489-9646 / e-mail: matsyads@bogor.wasantara.net.id

**Irlandia, Dublin** – For info telephone +353 (0)87 992 1332 e-mail:praghosa.sdg@pamho.net

**Irlandia Północna, Belfast** – Sri Sri Radha-Madhava Mandir, Brooklands, 140 Upper Dunmurray Lane, Belfast, BT17 0HE Tel: +44 (0)28 9062 0530 e-mail: belfast@iskcon.org.uk

**Irlandia Północna, Upper Lough Erne** – Govindadwipa Dhama, Inisrath Island, Derrylin, Co. Fermanagh, BT92 9GN / Tel: +44 (0)28 6772 1512 e-mail: govindadwipa@pamho.net

**Kanada, Montreal** – 1626 Pie IX Boulevard, H1V 2C5 Tel & fax: (514) 521-1301 e-mail: iskconmontreal@bellnet.ca

**Kanada, Toronto** – 243 Avenue Rd., M5R 2J6 Tel: +1 (416) 922-5415 Fax: (416) 922-1021 / e-mail: toronto@iskcon.net

**Kanada, Vancouver** – 5462 S.E. Marine Dr., Burnaby V5J 3G8 Tel. (604) 433-9728 / Fax: (604) 431-7251 e-mail: jaygo@direct.ca

**Malezja, Kuala Lumpur** – Lot 9901, Jalan Awan Jawa, Taman Yarl, 58200 Kuala Lumpur / Tel: +60 (3) 7980-7355 Fax: +60 (3) 7981-1644 / e-mail: uttama@tm.net.my

**Meksyk, Meksyk** – Tiburcio Montiel 45, Colonia San Miguel, Chapultepec D.F., 11850 / Tel: +52 (55) 273-1953 / Fax: +52 (55) 272-5944

**Niemcy, Abentheuer** – Bockingstr. 8, 55767 Tel: +49 (0)6782 980436 / Fax: 980437 e-mail: goloka.dhama.temple@pamho.net

**Nowa Zelandia, Auckland** – (New Varshana) Hwy. 28, Riverhead, next to Huapai Golf Course (mail: R.D. 2, Kumeu) / Tel. +64 (0)9 412-8075 / Fax: +64 (0)9 412-7130

**Norwegia, Oslo** – Krishna's Cuisine, Kirkeveien 59B, 0364 / Tel: +47 (0)22 606-250

**Polska, Czarnów** – Czarnów 21, 58-400 Kamienna Góra / Tel: +48 (0)75 742 8892 e-mail: raghu@wp.pl

**Polska, Warszawa** – Mysiadło k. Warszawy, ul. Zakręt 11, 05-000 Piaseczno Tel: +48 (0)22 750-7797 / Fax: +48 (0)22 750-8247 / e-mail: kryszna@post.pl

**Polska, Wrocław** – ul. Brodzka 157, 54-067 Wrocław / Tel: +48 (0)71 354 3802

**Republika Czeska, Praga** – Jilova 290, Prague 5 - Slicin 15521 Tel: +42 (0)2 5795-0391 / e-mail: info@vedavision.cz

**Republika Południowej Afryki, Durban** – 50 Bhaktivedanta Swami Circle (mail: P.O. Box 56003), Chatsworth, 4030 Tel: +27 (0)31 403-3328 Fax: +27 (0)31 403-4429 / e-mail: iskcon.durban@pamho.net

**Rosja, Moskwa** – 39, Leningradski prospect, (mail: P.O. Box 17), 125284 Tel. +7 (0)95 739-4377

**Szwecja, Grodinge (New Radhakunda)** – Korsnas Gard, 14792 Grodinge Tel: +46 (0)8 530-29800 / Fax: +46 (0)8 530-25062 / e-mail: info@pamho.net

**Szwecja, Jarna** – Almviks Gard, 15395 Jarna / Tel & fax: +46 (0)8 551 52050 e-mail: almviksgard@pamho.net

**Szwecja, Sztokholm** – Fridhemsgatan 22, 11240 / Tel: +46 (0)8 654-9002 Fax: +46 (0)8 650-8813 / e-mail: lokanatha@hotmail.com

**Szwajcaria, Zurych** – Bergstrasse 54, 8030 / Tel: +41 (0)1 262-3388 Fax: +41 (0)1 262-3114 / e-mail: kgs@pamho.net

**Ukraina, Kijów** – 16, Zorany per., 254078 / Tel. +380 (0)44 433-8312, or 434-7028

**USA, Atlanta GA** – 1287 South Ponce de Leon Ave. N.E., 30306 Tel & fax: +1 (404) 377-8680 / e-mail: bala108@earthlink.net

**USA, Chicago IL** – 1716 W. Lunt Ave., 60626 / Tel: +1 (773) 973-0900 Fax: +1 (773) 973-0526 / e-mail: chicago@iskcon.net

**USA, Dallas TX** – 5430 Gurley Ave., 75223 / Tel: +1 (214) 827-6330 Fax: +1 (214) 823-7264 / e-mail: txkrishnas@aol.com

**USA, Detroit MI** – 383 Lenox Ave., 48215 / Tel: +1 (313) 824-6000 Fax: +1 (313) 822-3748 / e-mail: girigovardhana@hotmail.com

**USA, Honolulu HI** – 51 Coelho Way, 96817 / Tel. +1 (808) 595-3947 Fax: +1 (808) 595-3433

**USA, Los Angeles CA** – 3764 Watseka Ave., 90034 / Tel: +1 310 836-2676 Fax: +1 (310) 839-2715 / e-mail: nirantara@juno.com

**USA, Nowy Jork NY** – 305 Schermerhorn St., Brooklyn, 11217 Tel: +1 718 855-6714 / Fax: +1 718 875-6127 / e-mail: ramabhadra@aol.com

**USA, Waszyngton DC** – 10310 Oaklyn Dr., Potomac, Maryland 20854 Tel: +1 (301) 299-2100 / Fax: +1 (301) 299-5025 / e-mail: sri.trikalajna.mg@pamho.net

**Wielka Brytania, Glasgow** – Karuna Bhavan, Bankhouse Rd, Lesmahagow, Lanarkshire, ML11 0ES / Tel: +44 (0)1555 894790 Fax: +44 (0)1555 894526 e-mail: karunabhavan@aol.com

**Wielka Brytania, Londyn (centrum)** – Sri Sri Radha-Krishna Temple, 10 Soho St, London, W1D 3DL / Tel: +44 (0)20 7437 3662 Fax: +44 (0)20 7439 1127 e-mail: london@pamho.net / web: www.iskcon-london.org

**Wielka Brytania, Manchester** – 20 Mayfield Rd, Whalley Range, Manchester, M16 8FT / Tel: +44 (0)161 226 4416

**Wielka Brytania, Watford** – Bhaktivedanta Manor, Hil.eld Lane, Watford, WD25 8EZ / Tel: +44 (0)1923 857244 / Fax: +44 (0)1923 852896 e-mail: bhaktivedanta.manor@pamho.net / web: www.krishnatemple.com

**Węgry, Budapeszt** – Lehel u. 15-17, 1039 / Tel: +36 (0)1 391-0435 e-mail: budapest@pamho.net

**Włochy, Florencja (Villa Vrindavan)** – Via Comunale Scopeti 108, 50026 San Casciano in Val di Pesa (Fl) / Tel: +39 055 820054 / Fax: +39 055 828470

**Włochy, Mediolan** – Centro Culturale Govinda, Via Valpetrosa 5, 20123 Tel. +39 (0)2 862417

**Włochy, Rzym** – via Santa Maria del Pianto, 15–17, 00186 Tel: +39 (0)6 68891540 e-mail: lilasukha@libero.it

Są to tylko wybrane ośrodki. Pełną listę ośrodków możesz uzyskać pod wyżej wymienionymi adresami albo na stronach internetowych: **www.iskcon.com** lub **www.krishna.com**

**Śrī Śrīmad**
**A. C. Bhaktivedanta Swami Prabhupāda**

## Śrīmad-Bhāgavatam

### Księga Pierwsza

*Śrīmad-Bhāgavatam* (*Bhāgavata Purāṇa*) autorstwa Vyāsadevy to barwna opowieść o Bogu i Jego wielbicielach. Oprócz treści religijno-filozoficznych Czytelnik znajdzie w nim także odbicie całego bogactwa starożytnej kultury Indii.

Sztywna okładka, 994 strony, kolorowe ilustracje

**Śrī Śrīmad**
**A. C. Bhaktivedanta Swami Prabhupāda**

## Śrī Īśopaniṣad

Jedna z najważniejszych Upaniszad. Książka ta głosi prymat osobowości w każdej sferze życia i w każdej dziedzinie wiedzy.

Miękka okładka, 122 strony, kolorowe ilustracje

**Śrī Śrīmad**
**A. C. Bhaktivedanta Swami Prabhupāda**

## Nektar instrukcji

Krótki zbiór najistotniejszych wskazówek dotyczących życia duchowego. Mówi o tym, jak wybierać guru, jak uprawiać jogę, gdzie mieszkać itd.

Miękka okładka, 114 stron, kolorowe ilustracje

**Śrī Śrīmad**
**A.C. Bhaktivedanta Swami Prabhupāda**

## Nauki królowej Kuntī

Królowa Kuntī jest jedną z głównych postaci *Mahābhāraty.* Książka zawiera przemyślenia królowej na temat Prawdy Absolutnej oraz ich omówienie przez Śrīla Prabhupādę w cyklu wykładów z Los Angeles z 1973 roku.

Miękka okładka, 256 stron, kolorowe ilustracje

**Satsvarūpa dāsa Goswami**

## Prabhupāda

### człowiek, mędrzec, jego życie i dziedzictwo

Biografia Śrī Śrīmad A.C. Bhaktivedanty Swamiego Prabhupādy i historia Międzynarodowego Towarzystwa Świadomości Kryszny.

Miękka okładka, 416 stron, kolorowe ilustracje

**Praca zbiorowa uczniów**
**Śrī Śrīmad A.C. Bhaktivedanty**
**Swamiego Prabhupādy**

## Reinkarnacja

Książka w przystępny sposób wyjaśnia naturę reinkarnacji i przedstawia historyczny zarys idei od Sokratesa do Salinera.

Miękka okładka, 104 strony, kolorowe ilustracje

**Adiraja dasa**

## Kuchnia Kryszny

Pełna kolorowych ilustracji książka kucharska pomocna w przygotowywaniu autentycznych indyjskich potraw. Omawia wegetarianizm, jego aspekt zdrowotny, etyczny i religijny.

Sztywna okładka, 268 stron, kolorowe ilustracje

Wymienione pozycje można nabyć w ośrodkach Towarzystwa Świadomości Kryszny (adresy na początku książki).